Schenk   Die Philipperbriefe des Paulus

Wolfgang Schenk

Die Philipperbriefe des Paulus

Kommentar

Verlag W. Kohlhammer
Stuttgart Berlin Köln Mainz

CIP-Kurztitelaufnahme der Deutschen Bibliothek

Schenk, Wolfgang:
Die Philipperbriefe des Paulus / Wolfgang Schenk.
– Stuttgart; Berlin; Köln; Mainz: Kohlhammer, 1984.
 ISBN 3-17-008288-4

Alle Rechte vorbehalten
© 1984 Verlag W. Kohlhammer GmbH
Stuttgart Berlin Köln Mainz
Verlagsort: Stuttgart
Umschlag: hace
Gesamtherstellung:
W. Kohlhammer Druckerei GmbH + Co. Stuttgart
Printed in Germany

Inhalt

0. Linguistik und Exegese

Was tragen die allgemeine Linguistik wie die spezielle Textlinguistik für die Exegese aus? Da es eine Fülle von Darstellungen und Beiträgen im Bereich der Theoriediskussion gibt und in der praktischen Anwendung nicht nur eine erstaunliche Reihe von Einzelbeiträgen, sondern auch mit dem Amos-Kommentar von K. Koch (1976) ein umfassenderes Beispiel, scheint es an der Zeit, dies auch einmal als Analyse-Experiment zusammenhängend an einem neutestamentlichen Textkomplex darzustellen. Da den Grundsatzerörterungen in der Theoriediskussion oft mit einer begreiflichen Skepsis begegnet wird, schien es mir angebracht, konkret zu zeigen, wie man exegesiert, wenn man das, was einem an linguistischen Präzisionen exegetischer Methoden möglich erscheint, in seine Arbeit einbezieht. Voraussetzungen wie Implikationen, Stärken wie Schwächen werden so hoffentlich klarer zutage treten. Der Vollzug funktionalen Lernens methodischer Schritte im Vollzug der Exegesearbeit selbst zeigt sich ja auch in den Lehrveranstaltungen.

Ich sehe mich noch weit davon entfernt, hier so etwas wie einen linguistisch allen Ansprüchen gerecht werdenden Kommentar vorzulegen. Dennoch meine ich angesichts meiner theoretischen Forderungen in ThLZ 1973, Theol. Lexikon 1978 und BZ 1980 es der wissenschaftlichen und kirchlichen Mitwelt schuldig zu sein, hier darzulegen, wieweit linguistische Präzisierung in einer schrittweisen, systematischen Befragung paulinischer Texte noch einige Fortschritte verspricht. Die philippische Korrespondenz bot sich dafür als Beispiel an, da es sich einmal um einen überschaubaren Textkomplex handelt. Zum anderen scheint es fast so, als seien die Fragemöglichkeiten, mit denen man an diesen Textkomplex herangehen könne, im wesentlichen zu einem befriedigenden Abschluß gekommen: J. Gnilka konnte zehn Jahre nach der ersten Auflage seines maßgebenden wissenschaftlichen Kommentars die zweite Auflage unverändert herausgeben. Heißt das, daß die exegetische Erfassung des Textsinnes hier den höchstmöglichen Grad der Erklärungsadäquatheit erreicht hat? Diese Frage ist der bewegende Grund der nachfolgenden Analysen. Dabei wurde die weithin durchgesetzte literarkritische Hypothese von drei Brieffragmenten als plausibles Erklärungsmodell im wesentlichen vorausgesetzt, wiewohl deren Einzelargumente an Ort und Stelle auf den Prüfstand kommen und gegebenenfalls modifiziert wie ergänzt werden.

Sicher wird sich der Umfang dieser Analysen der verständlichen Klage über den zunehmenden Umfang der literarischen Gattung der Texterklärungen ausgesetzt sehen. Das hier Vorgelegte muß aber leider darum umfänglicher geraten, weil es in verschiedener Hinsicht mehrschichtig ist:
– Im Verlauf der Kommentierung erschien es unumgänglich, immer wieder metaexegetische Methodenfragen, die explizit zur Anwendung kamen, zu erläutern. Insofern bieten die Darlegungen implizit außer dem Kommentar auch zugleich die Darstellung des Entwurfs einer »Hermeneutik« im klassischen Sinne des Wortes, also der Exegesetheorie.
– Zugleich überschreiten die Darlegungen auch in umgekehrter Richtung die Grenzen eines Kommentars, sofern hin und wieder deutlich gemacht wird, welche methodischen Konsequenzen sich im Blick auf eine heutige theologische Rezeption (also

»Hermeneutik« in einem engeren, moderneren Sinne) unter Beachtung der linguistischen Kategorien und ihrer klaren hierarchischen Systemzusammenhänge ergeben.
– Weiterhin bin ich mir auch einer dritten Grenzüberschreitung des Kommentarrahmens bewußt: Im Interesse der Weiterführung in dem Bereich der bisher der Methodik am meisten mangelnden Semantik in syntagmatischer (Kontextsemantik) wie paradigmatischer Hinsicht (Wortfeldsemantik), erschien es nötig, ausführlichere Aufgaben der Lexik zu behandeln. Auch hier ging ich exemplarisch vor, damit die Umrisse einer paulinischen Semantik sichtbar werden, die sich dann in den Darstellungen der vorpaulinisch-urchristlichen wie der paulinischen Theologie konkretisieren können. Es lag mir daran, die semantischen Probleme auch im Blick auf die übrigen paulinischen Schriften so darzustellen, daß deutlich wird, wo und wie eine präzisierende Erfassung paulinischer Termini, Sätze und makrosyntaktischer Strukturen möglich und nötig zu sein scheint, um der Darstellung der paulinischen Theologie, der Vorarbeit für die systematisch-theologische Rezeption und den praktisch-theologischen Verwendungen das zur Verfügung zu stellen, was sich nach meiner Sicht einer gemeinsamen linguistisch orientierten Frageweise heute darbietet.
Die Ausführungen haben in allen Aspekten Entwurfcharakter. Nur sollte der methodische Fortschritt, den die allgemeine wie die spezielle Linguistik für eine Exegesetheorie und ihre praktische Anwendung liefert, nicht darum verkannt werden, wenn sich bei einzelnen meiner Vorschläge zeigen sollte, daß sich bei weiterführenden Fragerichtungen und Argumenten eine Modifikation der Resultate als notwendig erweist. Die Schwächen meines ersten Versuchs eines stärker linguistisch reflektierten, neutestamentlichen Kommentars sind mir wohl bewußt. Sie können aber dazu dienen, es künftig besser zu machen. Ich wäre nur froh, wenn meine Analysen mit dazu beitragen könnten, deutlich zu machen, daß es hinter eine sich linguistisch präzisierende Exegese kein Zurück mehr gibt.
Dennoch seien zusammenfassend noch einmal Voraussetzungen und Grundzüge einer so bestimmten Textanalyse in Erinnerung gerufen:

0.1. Handlungsarten

Seit Platon, Kratylos 387 (τὸ λέγειν μία τις τῶν πράξεων) ist Sprechen als eine besondere Form menschlichen Handelns (menschlicher Tätigkeit) bestimmt. Selbst bei einer ganz allgemeinen Handlungsdefinition (Handeln als Veränderung der Wirklichkeit) erweist sich eine nur zweipolige Beschreibung (Einwirkung eines menschlichen Subjekts auf ein Objekt) als inkohärente Abstraktion. Nicht erst bei der Sprache (»ich spreche mit jemandem über etwas«), sondern schon bei sinnlichen Gegenständen begegnet uns »die Gleichursprünglichkeit von Du und Es«, so daß beide Arten von Anderssein (sachhaftes und personales) nicht aufeinander rückführbar sind. Gegen Hegels negative Bestimmung gibt sich dieses Anderssein immer logisch positiv und faktisch gleich unmittelbar. Dennoch ist diese Unmittelbarkeit vermittelt durch einen je sinnhaften Anspruch des jeweiligen Gegenübers, weshalb auch M. Weber »Handeln« als Tätigkeit mit »subjektiv gemeintem Sinn« definierte[1]. Handlungen als aktiv-subjektgeleitete Sinnvollzüge, die die Wirklichkeit verändern, sind demnach durch vier Sinnelemente konstituiert:
(1) Nach ihrem gegenständlichen Bezug (sachhaft anderes): Objekte (O)
(2) nach ihrem existentiellen Bezug: subjektives Subjekt (S_s)

(3) nach ihrem interpersonalen Bezug (personal anderes): objektives Subjekt (S$_o$)
(4) nach ihrem logisch medialen (»Zwischen«)Bezug: Sinnmedium (M)

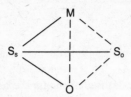

Das vereinfacht dargestellte Handlungsschema
S$_s \rightarrow$ O
ist also nur eine stark verkürzende Darstellung der vier grundlegenden Handlungsgattungen[2]:
(1) physisch-objektives Handeln   S$_s \rightarrow$ O
(2) innersubjektives Handeln   S$_s \rightarrow$ S$_s$
(3) soziales Handeln (Interaktion)   S$_s \rightarrow$ S$_o$
(4) (mediales) Ausdruckshandeln   S$_s \rightarrow$ M

0.2. Sprechhandlungen

Seit Platon, Kratylos 388B, besteht das einfachste sprachliche Kommunikationsmodell
darin, daß in Sprechhandlungen mittels des Werkzeugs (ὄϱγανον) Sprechen der eine
einem anderen etwas über die Dinge mitteilt[3]:
                    Sender → Mitteilung → Empfänger
                              über
                              Dinge
Nach der Kommunikationsformel von H. D. Lasswell[4]: »Who (S$_s$) says what (O) in
which channel (M) to whom (S$_o$) with what effect«, ist derselbe Sachverhalt linear
ausgedrückt.
Die entscheidende Differenz, das Spezifikum dieses Handelns liegt darin, daß es ein
besonderes Ausdruckshandeln ist, das präzis als Zeichenhandlung zu beschreiben ist:
Das elementarste Merkmal des Zeichens besteht darin, daß es für etwas anderes steht.
Dieses Definitionsmerkmal wird am deutlichsten durch zwei Abgrenzungen:
a) Kommunikationsprozesse, die bloße Reiz-Reaktionsprozesse sind, unterscheiden
sich von sprachlichen dadurch, daß der Reiz die Reaktion unmittelbar hervorruft
(grelles Licht – Augen schließen).
b) Umgekehrt: Ich kann auch eine Reihe von sinnlosen Tönen oder Geräuschen
übertragen – dann liegt kein Zeichen vor und der Kommunikationsprozeß ist kein
Zeichenprozeß.
Zeichenhandeln ist ein Meta-Handeln, jedenfalls liegt eine zweite Schicht vor (Meta-
Ebene), die auf den Handlungsbezug zurückweist und so ein in sich gedoppeltes

1 M. Weber 1972: § 1; vgl. Gülich-Raible 1977: 22f.; Heinrichs 1980: 99.
2 Heinrichs 1980: 22–52 zur Begründung eines periodischen Systems der Handlungsarten.
3 Gülich-Raible 1977: 24.
4 Vgl. Lewandowski 1976: 806.

Handeln ist: »Sprache ist ein solches Zeichenhandeln, das sich im Handlungsvollzug durch die gleichzeitige Verwendung von syntaktischen Metazeichen selbst regelt.«[5]

0.3. Zeichenbegriff

Notwendige (aber nicht hinreichende) Bedingung für die Existenz eines Zeichens ist die Verbindung von Zeichengestalt und Zeichengehalt. Seit der Stoa unterscheidet man das erste als eigentliches Zeichen als physische Entität (σημαῖνον) von dem, was durch das Zeichen ausgesagt ist und keine physische Entität darstellt (σημαινόμενον). So faßte auch Saussure 1916 das Zeichen als Kompositum aus Signifikant und Signifikat. Ob darüber hinaus der Gegenstand (Stoa: πρᾶγμα), auf den sich das Zeichen bezieht und der seinerseits eine physische Entität, ein Ereignis oder eine Handlung darstellt, konstitutiv ist, ist bestritten und kann für die Zeichendefinition außer Betracht bleiben, wenn man sich darüber im klaren ist, daß eine solche Ausklammerung rein methodisch geschieht, weil die Bezugnahme auf den Gegenstand (»Referent«) eine je eigene Operation darstellt (Der Begriff »Hund« bellt nicht.)[6].

0.4. Zeichenkonstitution

Ch. W. Morris (1938) definierte:
(a) »Etwas ist nur dann Zeichen, wenn es von einem Interpreten als Zeichen von etwas angesehen wird.«
(b) »Die Semiotik beschäftigt sich daher nicht mit einem speziellen Gegenstandsbereich, sondern mit allen Gegenständen, insoweit (und nur insoweit) sie an einer Semiose beteiligt sind.«[7] Dieser Hinweis auf den Kommunikationsvorgang und damit auf Sender und Empfänger ist wesentlich, weil es zum Zeichen gehört, daß es immer ein Element eines Kommunikationsprozesses ist, der damit ein Designationsprozeß wird: Ein Zeichen wird zu einem Zeichen erst durch die Existenz eines Kodes, d.h. einer Designationsregel. Der Kode »stellt die Regel für die Korrelation von Ausdruckselementen zu Inhaltselementen auf, nachdem er vorher beide Ebenen zu einem formalen System organisiert oder sie in bereits organisierter Form von anderen Kodes übernommen hat«[8]. »Die Kodes sind die notwendige und hinreichende Bedingung für das Bestehen des Zeichens«: Ein Zeichen existiert, wenn sich ein Signifikat mit einem Signifikanten aufgrund eines Kodes als Zuordnungsregel verbunden hat. »Zeichen« ohne Kodes sind gar keine Zeichen oder falsche Zeichen[9]. Einen Kode haben, bedeutet, die Reihe oder das System von elementaren oder komplizierten Designationsre-

---

5 Heinrichs 1980: 12.
6 Eco 1981: 27–37. Der Ausdruck »Zeichen« steht meist für die Zeichengestalt. Wegen seiner Mehrdeutigkeit und Mißverständlichkeit sollte man ihn in Theoriezusammenhängen vermeiden.
7 Morris 1979: 21; Eco 1981: 39 vgl. Eco 1972: 28–38.
8 Eco 1981: 170f. Saussures »langue« ist ein Kode, bzw. das Regelsystem, bzw. die kommunikative Kompetenz.
9 Ebd. 55.

geln zu haben, die den jeweiligen »Zeichen« eine Bedeutung zuordnen. Dies heißt, in der Lage zu sein, semantische Äquivalenzen zwischen den Elementen eines Signifikantensystems und dem eines Signifikatsystems herstellen zu können. Reden (bzw. Schreiben) ist primär eine kodierende Tätigkeit (Enkodierung); und umgekehrt: Hören (wie Lesen) sind es – aber eben als abhängig nachvollziehende Tätigkeiten – ebenso (Dekodierung)[10].

Für Kommunikation als diejenige Form sozialen Handelns, die über Zeichensysteme erfolgt, kann als geordnetes Faktorenschema (und zwar für den einzelnen Kommunikationsakt) das erweiterte Modell gelten[11]:

$$
\begin{array}{c}
\rule[0.5ex]{2em}{0.4pt}\ \text{Kode}\ \rule[0.5ex]{2em}{0.4pt} \\
\text{S}\ \rightarrow\ \text{Nachricht}\ \rightarrow\ \text{Kanal}\ \rightarrow\ \text{E} \\
\rule[0.5ex]{1em}{0.4pt}\ \text{Kommunikationssituation}\ \rule[0.5ex]{1em}{0.4pt}
\end{array}
$$

(Bereich der Gegenstände und Sachverhalte)

Ein System von gemeinsamen Mitteln (Grammatik, Lexik, pragmatische Regeln für das Gelingen des Kommunikationsakts) macht als Kode die kommunikative Kompetenz aus. In der Textgestaltung (Kodierung) wird diese Kompetenz in Performanz überführt. Aufgrund des meta-kommunikativen Grundaxioms: »Man kann nicht nicht kommunizieren«[12], erzeugt bereits ein nur vorgestellter Adressat (Kommunikationsintention) eine potentielle Kommunikationssituation.

Die Grunddefinitionen der Kommunikationstheorie lauten:

a) Kommunikationsakt: »Eine einzelne Kommunikation heißt Mitteilung (message).«[13]

b) Kommunikationsprozeß: »Ein wechselseitiger Ablauf von Mitteilungen zwischen zwei oder mehreren Personen wird als Interaktion bezeichnet.«[14]

Neben das oben genannte Grundaxiom (1. Axiom) treten weiter:

2. Axiom: »Jede Kommunikation hat einen Inhalts- und einen Beziehungsaspekt, derart, daß letzterer den ersten bestimmt und daher eine Metakommunikation ist.«[15]

3. Axiom: »Die Natur einer Beziehung ist durch die Interpunktion der Kommunikationsabläufe seitens der Partner bedingt.«[16]

4. Axiom: »Menschliche Kommunikation bedient sich digitaler und analoger Modalitäten. Digitale Kommunikationen haben eine komplexe und vielseitige logische Syntax, aber eine auf dem Gebiet der Beziehungen unzulängliche Semantik. Analoge Kommunikationen dagegen besitzen dieses semantische Potential, ermangeln aber der für eindeutige Kommunikationen erforderlichen logischen Syntax.«[17]

5. Axiom: »Zwischenmenschliche Kommunikationsabläufe sind entweder symme-

---

10 Gülich-Raible 1977: 36–38.
11 Schmidt 1976: 107f.; erweitert bei Gülich-Raible 1977: 25f.
12 Watzlawick 1972: 53. Zur Unmöglichkeit, nicht zu Kommunizieren betonte bereits Sapir 1963: 104, daß »jeder Akt sozialen Verhaltens explizit oder implizit Kommunikation einschließt«; vgl. Gülich-Raible 1977: 23, 29f.
13 Ebd. 50.
14 Ebd. 50f.; vgl. Gülich-Raible 1977: 26–28.
15 Ebd. 56 vgl. 55: »Jede Vermischung dieser Art von Informationen mit den Daten wird sinnlose Resultate ergeben.« In diesem Rahmen bewegte sich mein fundamentaltheologischer Klärungsvorschlag »Wort Gottes zwischen Semantik und Pragmatik« (1975).
16 Ebd. 61.   17 Ebd. 68.

trisch oder komplementär, je nachdem, ob die Beziehung zwischen den Partnern auf Gleichheit oder Unterschiedenheit beruht.«[18]

0.5. Textkonstitution

»Sprache kommt nur als Text vor«[19], also langue nur als parole. Die Frage, was einen Text zu einem Text macht, ist unter verschiedenen Aspekten hilfreich definiert worden[20]. Textlinguistisch ist es die sprachliche Einheit, die nicht mehr Bestandteil (hierarchisch) höherer sprachlicher Einheiten ist, also die oberste sprachliche Einheit[21], das »originäre sprachliche Zeichen«[22] oder »das primäre sprachliche Zeichen«[23], weil man nicht durch bloße Worte oder Sätze, sondern durch Texte kommuniziert. Linguistisch ist darum das Primärzeichen Text als gegliederte Menge sprachlicher Zeichen, die weniger umfangreich und hierarchisch niedriger sind, bestimmt. »Gegliedert« meint dabei, daß eine kohärente Folge (Textverkettung) vorliegt. Textintern (-immanent) läßt sich zugleich das Verhältnis von langue und parole erfassen: Ein Text ist »textintern gesehen, ein komplexes sprachliches Zeichen, das nach den Regeln des Sprachsystems (langue) gebildet ist«[24]. Hinzu kommt aber zugleich, daß »Text« immer nur als »funktionsgerechte Zeichenmenge« existiert und damit zugleich auf die übergreifende soziale Kommunikationsfunktion verweist: Texte sind darum »Kommunikationseinheiten, die sprachlich realisiert sind, nicht sprachliche Einheiten, die zusätzlich kommunikativen Charakter haben«[25]. Der Textbegriff muß also komplementär von textinternen und textexternen Kriterien her definiert werden[26].
Textlinguistische Frageweisen »basieren auf einem Modell der Sprache, das nicht vom Wort als Zeichen ausgeht und Texte nicht als geordnete Wortaggregate synthetisiert. Die Produktion von Texten im Rahmen kommunikativer Handlungsspiele wird vielmehr als Realisierung eines kommunikativen Konzepts, einer kommunikativen Intention angesehen, d.h. als geregelter intentionaler Prozeß zur Veränderung einer Situation. Beginnt man auf diese Weise beim Text als kommunikativer Handlung, dann muß eine semantische Analyse von ›Wörtern‹ von vornherein angelegt werden in Form einer Analyse von funktionalen Bestandteilen einer Äußerung unterhalb des Textlevels. Semantik erscheint dann notwendig als Text- und Textkonstituentensemantik und nicht als Wortsemantik«[27]. Wie in bezug auf das »Wort« so gilt auch in bezug auf den »Satz«, »daß sich Texte auf keinen Fall unmittelbar aus elementaren Zeichen zusammensetzen«, sondern auch Sätze haben ihre Funktion nur innerhalb von Texten[28]. »Textintern gesehen« ist vielmehr »Text dann gleichbedeutend mit Kommunikations-

18 Ebd. 70 – doch daneben auch pseudosymmetrisch bzw. -komplementär.
19 P. Hartmann 1971: 11.   20 Lewandowski 1976: 801–805 s.v.
21 Ebd. 802.   22 P. Hartmann 1971: 10.
23 Gülich-Raible 1977: 47.   24 Ebd.
25 Schmidt 1976: 147.   26 Gülich-Raible 1977: 46f., 49f.
27 Schmidt 1976: 82. So wird z.B. das Wort »Jesus« bei Mt 1,1–4,16 erst vorgestellt und so in seinem Bedeutungsgehalt neu definiert und darf darum nicht kurzschlüssig als direkter Reflex oder als »Nachwirkung« des historischen Jesus (oder der »Geschichte Jesu« oder des »Christusereignisses«) angesehen werden. Was hier »Jesus« heißt, wird vielmehr erst kontextbestimmt definiert; eine analoge Funktion hat die Bucheinleitung Lk 1,5–4,11 für sein »Jesus«-Konzept. Lyons 1980: 203f. betont m.R., daß der Wort-Begriff zunächst rein grammatisch und nicht semantisch definiert ist.
28 Gülich-Raible 1977: 48.

akt«[29], was im Grenzfall dazu führt, daß Texte aus einem einzigen Satz oder noch kleineren Zeicheneinheiten bestehen können. Jedoch geht es nicht an, »das Satzmodell aus heuristischen Gründen auf Texte zu übertragen, d. h. Texte als komplexe Sätze zu behandeln«[30]. Eine nur lineare Aneinanderreihung von Sätzen in der horizontalen Ebene macht als solche noch nicht einen Text aus. Da es solche sequentielle ebenso wie nicht-sequentielle syntagmatische Beziehungen gibt, so bedeutet »syntagmatisch« nicht nur »sequentiell«[31]. Erst eine mehrdimensionale Verknüpfung von Sätzen miteinander ist der Sachverhalt, der einen Text als Text konstituiert:

»Wer von ›Verkettung‹ von Sätzen spricht, der knüpft an das Bild vom Text als Gewebe an (lat. textura, textum, textus): Die erste Dimension eines Gewebes ist bekanntlich der ›Zettel‹, oder eben die ›Kette‹. Die kontinuierlich miteinander verknüpften Sätze eines Textes würden so die Kette des Textgewebes bilden. Genauso, wie nun die kontinuierliche Verkettung der Sätze nur eine notwendige, aber noch keine hinreichende Bedingung für das Entstehen eines ›sinnvollen‹ Textes ist, ist die Kette eine notwendige, aber noch keine hinreichende Bedingung für das Entstehen eines Gewebes.

Die zweite, für die Konstituierung von Sinn-Einheiten notwendige Dimension eines Text-›Gewebes‹ wäre nun in den Verbindungen zu sehen, die über viele Sätze hinweggehen bzw. viele Sätze umfassen . . . Ebenso, wie nun beim Gewebe durch die zweite Dimension, also durch den speziellen Verlauf der Durchschuß-Fäden, bestimmte Webmuster entstehen, die einem Gewebe sein charakteristisches Gepräge geben, macht die zweite Dimension des Textgewebes, die man auch Makrostruktur nennen könnte, die Textsorten-haftigkeit eines Textes aus.«[32] Die Dimensionen der Verknüpfung, die die Kohäsion herstellen, werden dreidimensional bestimmt, seit Ch. Morris 1938 über K. Bühlers Organon-Modell (1934) hinaus die Zeichenkombinatorik als eigenen Aspekt ins Auge faßte.

0.6.   Drei Dimensionen semiotischer Aspektbereiche

Im Blick auf die reine Semiotik der Zeichen überhaupt hat Ch. Morris 1938[33] im Sinne eines methodologischen Voraussetzungsmodells drei zweistellige Relationen klassifiziert:

a) Syntaktik beschreibt die Relation zwischen Zeichen und anderen Zeichen: $R(Z,Z')$. Hier wird die Frage beantwortet: Wie ist das Gesagte formiert/strukturiert?

b) Semantik beschreibt die Relation zwischen Zeichengestalt und Zeichengehalt (Bedeutung): $R(Z,B)$. Hier wird auf die Frage geantwortet: Wie sollte/müßte das Gesagte verstanden werden? Was ist das Gemeinte (engl. meaning)?

c) Pragmatik beschreibt die Relation zwischen den Zeichen und den Menschen als Zeichenbenutzern: $R(Z,M)$. Hier wird auf die Frage geantwortet: Was sollte mit dem Gesagten erreicht werden? Was ist das Intendierte?

---

29 Ebd. 47.
30 Ebd. 49: »Da Reflexierung und Kataphora in koordinierten Sätzen nicht möglich sind, würden koordinierte Sätze nicht mehr zum Bereich der Satzgrammatik gehören.« Vgl. zum Satz-Begriff auch Lyons 1980: 175–183.
31 Lyons 1980: 78–81.   32 Gülich-Raible 1977: 52 f.
33 Morris 1979: 23–28.

Was für die reine Semiotik der Zeichen gilt, gilt auch für die spezielle Semiotik der Rede, wie sie klassisch in der Rhetorik vorliegt[34]. Unter der Voraussetzung, daß der Text das primäre sprachliche Zeichen ist, hat W. Dressler 1972 die Möglichkeit genutzt, diese Trias auf die Textlinguistik zu übertragen (Textsyntax, Textsemantik, Textpragmatik)[35]. Dabei konnte man natürlich nicht etwa an dem bekannten Sachverhalt der teilweisen Kongruenz von grammatischen und semantischen Klassifikationen vorübergehen[36]. Daraus ergab sich die Einsicht, daß in den drei Aspektbereichen »keine Gliederung nach Abstraktionsebenen, sondern nach Eingrenzung des Gesichtspunktes« vorliegt[37]. Aus dem methodologischen Voraussetzungsmodell von Morris mußte ein kommunikationsspezifisches Eingrenzungsmodell werden: Kommunikation zwischen Sender und Empfänger (pragmatischer Aspekt) über einen Sachverhalt (semantischer Aspekt) mit Hilfe von Zeichen (syntaktischer Aspekt). Nach der Eingrenzung der Gesichtspunkte ergibt sich eine Hierarchie, die deutlich macht, daß die drei Aspektbereiche nicht auf einer Ebene liegen, sondern auf den pragmatischen Aspekt hinlaufen:

Syntaktik	R(Z,Z')	: Konnexion			
Semantik	R(Z,Z',B)	: Konnexion	+ Sachverhalt		
Pragmatik	R(Z,Z',B,M)	: Konnexion	+ Sachverhalt	+ Kommunikation[38]	

0.7. Textanalyse

Da die Exegesetheorie zu ihrer eigenen Kontrolle eine umfassendere Texttheorie verlangt, so ist Analyse auf dieser Ebene möglich. Auch die Exegese christlicher Texte ist ihrem Gegenstand »Text« (parole) entsprechend Bestandteil der Text-(Literatur-)wissenschaft, die auf der Grundlage der allgemeinen Sprachwissenschaft (Linguistik) einen Gegenstand der universal-menschlichen Sprachfähigkeit (faculté de langage) wie der Philologie des jeweils speziellen Sprachsystems (langue) arbeitet.

»Die Wissenschaft verlangt mehr als Einfälle und beiläufige Bemerkungen; ihr Wesen ist die Methode.«[39] Nicht jede Manier oder Mode ist darum schon eine Methode. Es gibt ebensowenig eine kirchliche Exegese wie es eine materialistische, feministische oder strukturalistische Exegese gibt. Der Wissenschaftscharakter der Texterschließung besteht darin, daß sie eine geordnete (methodisch durchgeführte) Befragung eines Textes nach seiner Zeichengestalt (Textsyntax), seinem Zeichengehalt (Textsemantik) und seinem Sinn/seiner Funktion (Textpragmatik) ist. Exegeseziel ist die kommunikativ äquivalente Übersetzung eines neutestamentlichen Textes. So wie Exegese die Begründung einer solchen Übersetzung ist, so ist die Übersetzung erst das

---

34 Eco 1981: 49. Gg. R. Barthes hatte er 1972: 17f., 40 die Unumkehrbarkeit betont: Semiotik ist keine Translinguistik, wohl aber bestimmt die Semiotik auch die linguistischen Modelle.
35 Dressler 1973: 3f.; Plett 1979: 52–56.
36 Lyons 1980: 169–172.
37 Wunderlich 1976: 19; Hellholm 1980: 22–27, 55.
38 Kallmeyer 1977: 68ff. »Den Extremfall zeigt der Witz vom Juden, der seiner Frau ein leeres Telegramm sendet, weil sie sich ohnehin denken könne, von wem es kommt, daß es seine Rückkehr meldet, und welcher Tag und welche Stunde in Frage kommen: Hier hat sich der Sender auf die Pragmatik beschränkt und den semantischen Gehalt (im engeren Sinn) ausgelassen« – ebenso damit auch die Syntaktik. Das Handeln ist als solches schon das Signal, wobei bestimmte Präsuppositionen ebenso schon gegeben sind; vgl. Dressler 1973: 33.
39 Lagarde 1893: 2.

primäre Ziel der Exegese. Von dem theoretisch präzisierten Textbegriff her ist statt der Rede vom »wörtlichen« oder »ursprünglichen Sinn« die Postulatsbeschreibung präziser, die sagt, »der Text müsse von den Voraussetzungen her verstanden werden, unter denen er abgefaßt wurde«[40]. Der grundlegende methodische Charakter der sorgfältigen und gewissenhaften Befragung des Gegenstands entnimmt die wissenschaftliche Befragung der Beliebigkeit und zielt auf Verbindlichkeit und Allgemeingültigkeit der so erfragten Antworten und Aussagen. Der wissenschaftlich-methodische Charakter der Befragung eröffnet die Möglichkeit und fordert die Notwendigkeit ständiger Nachprüfung der getroffenen Feststellungen. Dies kann zur Bestätigung (Verifikation), zur Verneinung (Falsifikation) oder zur Modifikation (Korrektur) der gefundenen Antworten führen.

0.8. Die Black-Box-Methode

Texterschließung hat es immer mit einem Gegenstand zu tun, an den man als ein noch nicht erforschtes Phänomen (black box) herangeht, sowohl was seine Systemhaftigkeit als auch die Elemente dieses Systems betrifft. Der griechische Text liegt zunächst wie eine große schwarze Fläche vor uns, selbst wenn in Gestalt bekannter und geläufiger Übersetzungen uns etwas von der internen Struktur bereits bekannt zu sein scheint. Die Black-Box-Methode bemüht sich schrittweise (systematisch) um zunehmende Aufhellung einer solchen Textmenge.

Eine solche erste Phase, die system-theoretisch in der Auswahl von Input-Variablen besteht, die auf einen black-box angewendet wird, kann in der Segmentierung des parole-Gegenstands als syntagmatischer Performanzen bestehen sowie in der Klassifizierung der Elemente auf Grund der als weiterem Input fungierenden Klassifikation (Paradigmen der langue/Kompetenz). Der Output dieses ersten Schrittes ermöglicht die Feststellung von
- Häufigkeit,
- Verteilung (Position) und
- Verbindung

von Zeichenelementen (grammatischer, lexikalischer, phonetischer etc.). Auf dieser Basis kann dann in der zweiten Phase die Struktur als innere Organisiertheit von

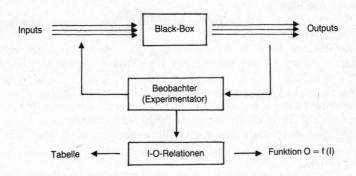

40 Dörrie 1979: 136f.

Elementen und Relationen eines Systems erforscht werden: Phase II »Formulierung von Hypothesen und Theorien oder Konstruktion von Modellen«. Dieses Doppel-schritt-Verfahren ist beliebig wiederholbar: »Die Black-Box-Methode wird von den meisten Systemwissenschaftlern als der gelungene Versuch einer rationalen Nachkon-struktion der seit jeher geübten erfahrungswissenschaftlichen Forschungspraxis be-trachtet.«[41]

Prinzip der sukzessiven Aufhellung der black-box:

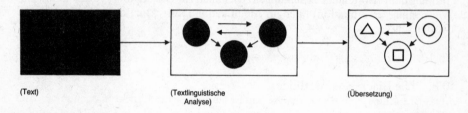

(Text)　　　　　　　　　　(Textlinguistische　　　　　　　　(Übersetzung)
　　　　　　　　　　　　　　Analyse)

0.9.　Syntaktische Textdimension

Das Ermittlungsziel ist die Analyse und Beschreibung der Ausdrucksseite eines Tex-tes[42]. Primär dafür ist
a) die textsyntaktische Kohärenz: Wie geschieht die Verknüpfung von niederen Zei-chengestalten zum Primärzeichen Text?
Daraus ergeben sich automatisch auch die untergeordneten Gesichtspunkte:
b) textsyntaktische Ausdehnung (Extension)
c) Textsyntaktische Abgrenzung (Delimitation)
Auf der Textebene ist zu fragen: Wie sind die einzelnen Sätze verbunden? Welches Verhältnis haben die Einzelsätze zu den Satzreihen? Wo liegen die Einschnitte?
Kohärenzfaktoren, die zugleich Gliederungsmerkmale abgeben, sind
(1.) Relatoren, die zugleich verweisen (semantischen Gehalt haben) und verknüpfen:
(1.1) Rückweiser (Anaphora, Subsequenz). In der Regel besteht bei dem wiederauf-nehmenden Zeichen (Substituenz) und dem vorhergehenden Zeichen (Substitu-endum) eine Identitätsrelation.
(1.1.1) Renominalisierung durch Rekurrenz (direkte Wiederholung) oder Paraphrase (variierte Wiederholung)
(1.1.2) Korreferenz durch Pronominalisierung: Pronomina (einschließlich des be-stimmten Artikels), Pro-verba (machen, tun), Proadverbia (darauf, danach, dort, hier – in nichtdeiktischer Verwendung –, damals, dabei, so, anders, anderswo) Pro-adjektiva (solcher), pseudopronominale Nomina (das Ding)
(1.2) Vorweiser (Kataphora, Subsequenz): Pronomen als Vorweiser sind nur satzin-tern möglich. Oberhalb der Satzebene fungieren Vorweiser primär in pragmati-scher Funktion (metakommunikativ). Vorweiser sind sonst: Imperativ, Frage,

41 Czayka 1974: 26f., 83–87.
42 Morris 1979: 32–41; Richter 1971: 82–85; Dressler 1973: 20–32; Gülich-Raible 1977: 42–46; Plett 1979: 56–70; Hellholm 1980: 27–31.

Zwecksätze, gemeinsames Subjekt/Objekt, Aufnahme vom Subjekt als Objekt und umgekehrt.

(1.3) Trenner ergeben sich aus der Umkehrung der verbindenden Kohärenzfaktoren: Subjektwechsel ohne Objektaufnahme; Aufhören von Rückweisern.

(2.) Relatoren, die nur syntaktisch verknüpfen ohne eine verweisende Funktion zu haben:

(2.1) koordinierende Konjunktionen (bzw. verknüpfende Adverbien), die nur zwischen Sätzen möglich sind;

(2.2) subordinierende Konjunktionen, die nur satzintern stehen.

0.10. Semantische Textdimension

Das Ermittlungsziel ist die Analyse und Beschreibung des Bedeutungsgehalts und der Bedeutungsstruktur eines Textes, der eine semantisch adäquate Übersetzung ermöglicht[43]. Primär dafür ist

a) die textsemantische Kohärenz: Wie weit geht die Verträglichkeit semantischer Einheiten (= besteht semantische Isotopie)?

»Definition: Semantische Textkohärenz ist bedingt durch die Korreferenz (d. h. den gleichen denotativen Bezug) von Texteinheiten. Die Korreferenz ist mit Hilfe semantischer Merkmale beschreibbar. Sie reicht im Einzelfall von der totalen Identität bis zur partiellen oder gar einer minimalen Mengengleichheit der Merkmale. Entsprechend hoch oder niedrig ist die Kohärenzdichte eines Textes anzusetzen.«[44] Daraus ergeben sich wiederum wie im analogen Falle der syntaktischen Textkohärenz auch die beiden untergeordneten Gesichtspunkte:

b) textsemantische Ausdehnung (Extension);

»Definition: Semantische Textausdehnung definiert sich nach Maßgabe der referentiellen Einheit der Sprachelemente. Diese sind subsummiert unter ein Textthema und gegebenenfalls mehrere fakultative Teilthemen. Thema und Teilthemen bilden den semantischen Konstitutionsgrund für Texte und Teiltexte. Ihre Realisierung erfolgt durch semantische Expansion, d. h. durch eine konkretisierende Ableitung vom Thema.«[45]

c) textsemantische Abgrenzung (Delimitation);

»Definition: Semantische Textbegrenzung ist orientiert an der Einheit der thematischen Referenz. Themawechsel bedeutet demnach Textwechsel. Ein solcher Wechsel kann durch metasemantische Ausdrücke (Überschrift, Absatzmarkierung, Überleitungsformel . . .) signalisiert werden. Semantische Textgrenzen können mit solchen textsyntaktischer oder -pragmatischer Art zusammenfallen, müssen es aber nicht.«[46]

(1.) Da die Rekurrenz das einfachste Mittel semantischer Kohäsion ist, so mußte es schon unter den syntaktischen Faktoren erscheinen. Auch

(2.) alle anaphorischen Kohäsionsmittel haben zugleich semantische Implikationen. Diese Überschneidung hört auf bei den Grenzwerten

(3.) der anaphorischen Ellipse (Nullform) von etwas eben Erwähntem oder allgemein

---

43 Morris 1979: 42–52; Dressler 1973: 32–40; Plett 1979: 99–107; Hellholm 1980: 31–42; Louw 1982.
44 Plett 1979: 107.   45 Ebd. 103.
46 Ebd. 104.

Bekanntem: Es ist jederzeit wiederherstellbar (verbalisierbar), weshalb auch im Folgenden auf solche nur äußerlichen Leerstellen Bezug genommen werden kann. (»Sah ein Knab ein Röslein stehn: (es) war so jung und morgenschön«).

(4.) Am anderen Ende der mit der Rekurrenz beginnenden semantischen Achse steht die semantische Kontiguität (Berührung) als die schwächste, aber zugleich grundlegendste Form semantischer Kohärenz. Semantische Kontiguität ist definiert durch das Vorhandensein identischer semantischer Merkmale zweier Zeichen. Man typisiert seit Harweg 1968:

(4.1) Logische Kontiguität (Wörter desselben Wortfeldes, Teil-Ganzes-, Teil-Teil-, Actio-Agens-Relationen) bei faktenunabhängigen Verknüpfungsrelationen (eine Niederlage; der Sieg)

(4.2) ontologische Kontiguität bei naturgesetzlicher Verknüpfung (ein Blitz; der Donner)

(4.3) Kulturelle Kontiguität (eine Straßenbahn; der Schaffner)

(4.4) Situationelle (nur vorübergehende) Kontiguität (Schenk; neun Korintherbriefe).

Von grundlegender Wichtigkeit sind die Wortfelder, deren doppelachsige Grundstruktur so beschreibbar ist:

$$
\begin{array}{c}
< \text{Supernym (Archilexem)} \\
\uparrow \\
\text{Antonym (antisem)} \ \vee \\
\text{Komplenym (parasem)} \ \wedge \quad \leftarrow x \rightarrow \quad \equiv \ \text{Synonym (homosem)} \\
\downarrow \\
> \text{Hyponym}
\end{array}
$$

Das semantische Paradigma des Wortfeldes ist auch für die Entscheidung des alten Streits zwischen Wortsemantikern und Kontextsemantikern wichtig. Sind für die einen primär die Worte die Bedeutungträger, so bestreiten das die anderen mit dem Schlachtruf: Wörter haben überhaupt keine Bedeutung, sondern nur Texte – und also Wörter nur im Rahmen von Texten[47].

Das Problem liegt vor allem in der Vieldeutigkeit (Polysemie) einzelner Ausdrücke und der bisherigen Gestalt der Lexika. In der Regel ist ein bisheriges »Wörterbuch kein Code, außer in einem sehr weiten Sinne. Sofern ein Terminus einem anderen gleichgesetzt wird, ist dies nur ein Kunstgriff, um die Übersetzung zu erleichtern. In Hinblick auf die Übersetzung liefert das Wörtbuch kontextuelle Beispiele und sammelt – auf unsystematische Art – intensionelle Definitionen.«[48] Man hat das Problem so lösen wollen, daß man den isolierten Lexemen (und den Lexika) nur ein Potential von Bedeutungen zusprach und den Kontexten dann die Funktion einer reduktiven Anweisung zur Monosemierung dieser Bedeutungen durch wechselseitige semantische Determination der verbundenen Lexeme. Dies aber kann nur dann gelten, wenn man voraussetzen kann, daß die Lexikoneintragungen schon am Wortfeld orientiert sind. Der semantische Gehalt eines Ausdrucks ist immer sein Stellenwert innerhalb eines Wortfeldes: »Das isolierte Lexem denotiert eine Position im semantischen System.«[49]

---

47 Lewandowski 1976: 353 f.
48 Eco 1972: 102; vgl. 1981: 161 f. die Klage über »eine verkümmerte Lexikographie« bei den »Kompilatoren von Taschenwörterbüchern, die für jeden Signifikanten die banalste Bedeutung angeben und damit jede vernünftige Bemühung um eine Übersetzung von Sprache zu Sprache unmöglich machen.«
49 Eco 1972: 103.

Semantische Analyse muß sich vor allem noch des Bezugsrahmens der ständigen diachronischen Bedeutungsverschiebungen bewußt sein: »Das phonologische und grammatische System einer Sprache wird von einer begrenzten Zahl streng durchgegliederter Elemente getragen. Der Wortschatz dagegen ist ein loses Gefüge aus unübersehbar vielen einzelnen Einheiten; er fluktuiert daher viel stärker, und neue Elemente – seien es Wörter, seien es Bedeutungen – können sich viel leichter angliedern, ebenso wie bisher Gebräuchliches ohne weiteres ausfallen kann . . . Der Wortschatz einer Sprache ist so unfest strukturiert, daß einzelne Wörter höchst freizügig Bedeutungen annehmen und ablegen können.«[50]

0.11. Pragmatische Textdimension

Texte als Sprechhandlungen bilden einen gegliederten Kommunikationsakt[51]. Ermittlungsziel der Textpragmatik ist der intendierte Handlungszusammenhang mittels der Sätze und Satzteile. Nimmt man die Sprechhandlung in der Regel als eine Ein-Satz-Kategorie, so erscheint der Text als eine Aufeinanderfolge von Sprechakten. Primär dafür ist
a) die textpragmatische Kohärenz.
Sie »ist begründet in der Person des emittierenden oder perzipierenden Kommunikationsteilnehmers. Dieser ergänzt (substituiert) auf Grund seines Vorwissens (Präsuppositionen) vorhandene Textlücken und schafft dadurch eine kohärente Textfolge«[52]. Daraus ergeben sich wiederum wie in den analogen Fällen der beiden vorher besprochenen Dimensionen die beiden untergeordneten Gesichtspunkte:
b) textpragmatische Ausdehnung (Extension);
sie »wird gemessen am Maßstab der kommunikativen Funktionseinheit. Diese wird gestiftet durch die Dominanz einer Textstrategie oder illokutiven Rolle (z. B. Urteil, Kundgabe, Deixis . . .), deren Funktionalität die anderen Rollen subordiniert sind«[53].
c) textpragmatische Abgrenzung (Delimitation);
»sie erfolgt durch eine zweifache Kommunikationsunterbrechung. Diese kann durch metapragmatische Signale zu Beginn und Ende des Zeichenflusses markiert sein. Richtmaß ist jedoch stets die Einheit der kommunikativen Funktion«[54].
Hinsichtlich einer möglichen Orientierung in diesem Bereich bildet schon das Organonmodell Bühlers (1934) einen hilfreichen Ansatz, sofern es nach den Aspekten gliederte:
(1.) auf Gegenstände (Sachverhalte) bezogene Darstellungs-Funktion (»Symbol«-Zeichen)
(2.) auf den Sender bezogene Ausdrucksfunktion (»Symptom«-Zeichen),
(3.) auf den Empfänger bezogene Appellfunktion (»Signal«-Zeichen).
Da die Formulierungen zum Teil verengend mißverständlich sind, bedient man sich besser der inzwischen in der Sprechakttheorie der Ordinary-Language-Philosophy entwickelten und von J. Austin und J. Searle ausgehenden Klassifikation:
(1.) Lokutionäre Sprechakte (in bezug auf gegenstandsbezogene Information):
(1.1) Aussagen (Feststellungen, Behauptungen, Mitteilungen)

50 Ullmann 1973: 246.
51 Morris 1979: 52–68; Dressler 1973: 92–101; Gülich-Raible 1977: 26–32; Plett 1979: 79–92; Hellholm 1980: 42–52.
52 Plett 1979: 91.   53 Ebd. 84.   54 Ebd. 86.

(1.2) Fragen (der andere soll mich informieren)
(1.3) Argumentation (zusammengesetzte Lokution)
(2.) Illokutionäre Sprechakte (senderbezogene Intention):
(2.1) Versprechen (Selbstverpflichtung: mein Handeln für andere)
(2.2) Warnung (Handeln anderer verhindern)
(2.3) Befehl, Bitte (Handeln anderer auslösen)
(3.) Perlokutionäre Sprechakte (empfängerbezogene Wirkabsicht):
(3.1) Trösten, ermuntern, beruhigen
(3.2) Erschrecken, beleidigen, kränken, betroffen machen
(3.3) Überzeugen, plausibel machen, aufmerksam machen.

Die vorgeschlagenen und diskutierten Typisierungen, die immerhin eine gewisse Orientierung ermöglichen, lassen zugleich erkennen, daß bei allem Bemühen um diesen kommunikativen Aspekt noch keine Theorie der Performanz die Pragmatik bestimmt. So ist etwa klar, daß auch die Negation eine pragmatische Kategorie ist, wenngleich das Paradigma

(4.1) Affirmation (Zustimmung zu einer Primäräußerung)
(4.2) Negation (Zurückweisung einer Primäräußerung) erst zu reaktiven perlokutionären Akten zu zählen wäre.
(5.) Bei geschriebenen Texten ist weiter ein wichtiges Paradigma die Unterscheidung von
(5.1) Primärer Kommunikationssituation zwischen Autor/Leser (als der textexternen Sprechsituation) und
(5.2) Eingebettetem Kommunikationsakt zwischen dargestellten Sprechern und Hörern (textinterne Sprechsituation der dramatis personae).

Für die erste Kategorie ist das Zeigefeld (Deixis) konstitutiv:

(5.1.1) die personale Deixis (Personalpronomina der ersten und zweiten Person Singular und Plural)
(5.1.2) die lokale Deixis (»hier«; Senderort)
(5.1.3) die temporale Deixis (»jetzt«).

In der Beziehung beider zueinander gilt:

(5.3) daß »die Parameter der primären Kommunikationssituation zwischen Autor und Leser, Sprecher und Hörer, so lange weitergelten, bis sie explizit außer Kraft gesetzt werden durch die Thematisierung eines eingebetteten Kommunikationsakts«[55].
(5.4) Metakommunikative Signale dienen zur Gliederung von solchen pragmatischen Funktionseinheiten:

»In beiden Fällen, bei der Darstellung eines Kommunikationsakts, der bereits stattgefunden hat und ebenso bei der Einleitung eines eigenen Kommunikationsakts durch den Sprecher selbst, handelt es sich um metakommunikative Sätze. Sie zeichnen sich dadurch aus, daß sie den Sprecher, zumeist auch den Hörer sowie die Art des Sprechakts thematisieren. Solche Sätze sind dadurch gekennzeichnet, daß sie ein metakommunikatives Verb enthalten, und zwar in den meisten Fällen ein Verb, das den Akt der Textenkodierung bezeichnet wie ›sagen‹, ›mitteilen‹, ›versprechen‹ usw.; es werden aber auch Verben, die den Akt der Textdekodierung bezeichnen, in dieser Weise verwendet, z. B. ›hören‹, ›erfahren‹ usw.«[56]

55 Gülich-Raible 1977: 27 f.; Hellholm 1980: 52–63.
56 Ebd.

0.12. Die Forscher-Leser-Differenz

Die empirische Textwissenschaft hat den falsch konstruierten Gegensatz von Natur- und Geisteswissenschaften als die Kontradiktion von Erklären und Verstehen überwunden. In der Einheit der Wirklichkeit ist nur zwischen vorwiegend experimentell beobachtenden Erfahrungswissenschaften, die sich auf Generelles und Reversibles beziehen, einerseits und Individuelles und Irreversibles beobachtenden Erfahrungswissenschaften andererseits zu unterscheiden[57]. Wenngleich es die letzteren als analytische Grundlagenforschungen in ihrem Entdeckungsbereich mit komplizierteren (sog. »bösartigen«) Problemen zu tun haben, so liegt die Differenz doch nicht darin, daß sie nicht gleichartige – nämlich beobachtbare – Objekte hätten. Wenn die geisteswissenschaftliche Hermeneutik meinte, daß die Wissenschaften, die mit Texten umgehen, kein Objekt vorfänden, sondern nur »Sinngehalte«, die Erleben und Interpretation verschmelzen ließen, so liegt ein theoretischer Kurzschluß vor, der sicher auch praktische Kurzschlüsse zur Voraussetzung wie zur Folge hatte: Zwei Objekte, der Ausgangstext und das Textverarbeitungsprodukt eines Lesers wurden dabei ununterscheidbar vorschnell verschmolzen. Es mag praktisch vorkommen, daß ein Leser nur, vorwiegend oder auch seine eigene Text-»Konkretisation« unkritisch darstellt. Doch darf dies nicht als »Vorverständnis« mittels des behaupteten »hermeneutischen Zirkels des Verstehens« als unumgänglich erklärt werden.
Der polnische Anwender der Phänomenologie Husserls auf die Literaturanalyse, R. Ingarden (1931), hat einer nicht-subjektiven Gegenstandserfassung von Texten den Weg gebahnt, indem er auf die Textverwendungen (z. B. als Lesererfahrungen) als »Konkretisationen« hinwies. Ihre gegenseitige Unterschiedenheit wie die von ihrem Ausgangstext ist beobachtbar[58]. Wenn eine hermeneutische Literaturtheorie nicht zwischen Dekodierung und Umkodierung unterscheidet, so liegt ihr Hauptfehler in einer einseitigen (also: in der Sache unvollständigen) Identifikation von Leser und Forscher. Die Aufhebung der Leser-Forscher-Konfusion besteht in der Einsicht, daß beide ganz verschiedene Subjekte je verschiedener Handlungen sind, sofern sich Erforschungen eines Textes von einer naiv unkontrollierten Leserhaltung unterscheiden[59]. Nur so ist es möglich zu entscheiden, »welche theoretische Konstruktion des Werksinnes (Interpretation) den intersubjektiv erhobenen Werkkonkretisationen (rezeptives Verstehen) adäquat ist« und welche etwa nicht (oder auch welche mehr oder weniger)[60]. Nur auf dieser Basis ist ja die Differenzierung zwischen paulinischen und pseudopaulinischen Texten bzw. der Streit um ein adäquates Paulusverständnis möglich.
Leider ist die Forscher-Leser-Konfusion oft noch mit der Skepsis eines radikalen Historismus verbunden, der nur Gegenwärtiges für unmittelbar gegeben hält. Auch hier liegt ein doppelter Irrtum vor, sofern einerseits in einer aktuellen Kommunikation immer auch Mißverständnisse möglich sind (erfolglose illokutionäre Akte wie unerwartete perlokutionäre Akte; andererseits ist es heute nach einer Generation redaktionsanalytischer Arbeit deutlich, daß ein frühchristlicher Autor inzwischen »besser verstanden wurde als von vielen Lesern seiner Zeit und es ist sogar noch weitaus wahrscheinlicher, daß die Gelehrten von heute« ihn »besser verstehen als dieser von irgendwelchen seiner Zeitgenossen verstanden wurde. Man sollte nicht vergessen, daß Sprache und Voraussetzungen innerhalb einer Kultur stark variieren können, so daß es

---

57 Czayka 1974: 12.
59 Groeben 1972: 137, 168f.

58 Ingarden 1965; vgl. dazu Detweiler 1978: 32–35.
60 Ebd. 175.

leicht möglich ist, daß ein moderner Leser« (sofern er Forscher ist) »über intimere Kenntnisse der besonderen Sprache eines besonderen Autors verfügt als irgendein Zeitgenosse, der die ›gleiche‹ Sprache sprach«[61].

Darüber hinaus unterscheidet sich in einem weiteren Aspekt der analysierende Forscher selbst noch vom ursprünglichen idealen Adressaten eines Textes, sofern dieser ihn lesend dekodierte: Er las den Text sequentiell und fand die Kode-Signale erst im Verlauf seines linearen Verfolgens der Oberflächenstruktur. Der analysierende Forscher aber folgt nicht nur diesem dekodierenden Prozeß, sondern begibt sich zugleich auch in die Rolle des Autors, der ein vorgefaßtes Konzept erst enkodiert[62]. Durch die wiederholte Beschäftigung der Forschung mit einem solchen Text sind Kodes als potentielle Voraussetzung immer deutlicher bekannt geworden bzw. werden es werden. Exegese besteht wesentlich in der Aufgabe, Kodes zu bestimmen und zu finden. Da das Ziel der Exegese die Übersetzung als das Verstehen eines Textes ist, besteht Exegese im wesentlichen in Kode-Analysen. Was ein Text bedeutet, wird dadurch herausgearbeitet, daß man untersucht, wie seine Bedeutung zustande kommt.

61 Hirsch 1972: 64.　　　　　　　　62 Hempfer 1973: 251; Hellholm 1982: 170f.

1. Der Dankbrief Phil A (4,10–20)

1.1. Textsyntax

1.1.1. Das Problem

Die Frage nach der Gliederung dieses Segmentes wird bisher als relativ belangloses und beliebiges – ja sogar als nachträgliches – Unterfangen hingestellt, wenn man das Problem mit den Worten einleitet: »Wenn man die Gedankenfolge gliedern will (!), findet man . . .« – nach Gnilka[1] – eine Vierteilung:
(a) Die »Hinführung« V. 10
(b) »Eine grundsätzliche Stellungnahme« V. 11–13
    und darin eingeschlossen V. 12–13 »ein kleines Gedicht« (nach Friedrich gegen Lohmeyer, der hier einen »kleinen Hymnus«[2] feststellen wollte)
(c) »Die Bestätigung des Empfangs« V. 14–18.
(d) »Ein feierliches Gebet.«
Damit zu vergleichen wäre etwa Lohmeyers abweichende Dreiteilung[3]:
(a) »Die Haltung des Apostels jeglicher Art von Unterstützung gegenüber« V. 10–14
(b) »Die Bedeutung der Gabe« V. 15–18.
(c) »Schlußgebet« V. 19–20.
Da die Frage nach der Struktur der makrosyntaktischen (oder: »suprasyntaktischen«) Textverknüpfung so dilatorisch behandelt wird, verwundert es nicht, daß sie so unmethodisch angegangen wurde. (Methode unterscheidet sich als geregeltes Fragen von jeder Art intuitiven und ungeregelten Fragens): So werden die Gliederungskategorien nicht nach einheitlichen Gesichtspunkten verwendet. Während bei Gnilka »Hinführung« und »grundsätzliche Stellungnahme« einen innertextlichen Bezug beschreiben, liegt die »Bestätigung des Empfangs« offenbar auf der anderen Ebene der pragmatischen Empfänger-Orientierung. Andererseits ist zu fragen, wofür V. 10 die »Hinführung« sein soll: Etwa zu der »grundsätzlichen Stellungnahme« V. 11–13, wie es jetzt den Anschein hat? Doch das ist sachlich fraglich. Oder aber zu der »Bestätigung des Empfangs« V. 14–18? Aber so scheint es der Kommentator nicht zu meinen.
Andererseits macht Lohmeyer den Einschnitt nicht zwischen V. 13 und V. 14, sondern zwischen V. 14 und V. 15, so daß die ganze Gliederungsfrage wiederum offen ist. Ja, für Bouwmans[4] Angebot einer Zweiteilung (V. 10–14.14–17) wird gar V. 14 beiden Teilen zugeordnet, ohne daß er überhaupt teilbar wäre. Gnilkas Zusammenfassung von V. 14–18 erscheint also zu global und pauschal. Bliebe man in seinen Kategorien, so könnte V. 14 wieder als »Hinführung« bezeichnet werden, und gleiches gälte für V. 17, denn das förmliche »Quittieren« erfolgt in V. 18. Man wird also nach prüfbaren Beobachtungen an der Oberflächenstruktur, der Aussageebene des Textes, suchen müssen.

---

1 Gnilka 173.
3 Lohmeyer 178.

2 Vgl. auch Klijn 92.
4 Bouwman 98.

1.1.2. Das Experimentalsegment (4,12 f.)

Sieht man einmal von der Klassifizierung des Gebets V. 19–20 als »feierlich« ab, sofern es sich dabei offenbar nur um ein stereotyp schmückendes Beiwort für »Gebet« überhaupt handelt, ohne daß offenbar eine Begründung dafür auch nur erwartet wird, so ist die eindringendere Stilanalyse auf V. 12–13 eingeschränkt, wo man »gebundene Redeweise« und »ein kleines Gedicht« finden will. Beide Bestimmungen bleiben jedoch dabei noch relativ unklare und undefinierte Größen, da nicht gesagt wird, was sie zu solchen macht: Wo lägen die entsprechenden Bauelemente von Klang, Metrum und Rhythmus hier vor? Ohne diese entsprechenden syntagmatischen Aufweise nach den betreffenden paradigmatischen Kriterien sind solche nur scheinbar präzisierenden Etikettierungen fraglich. Ausdrucksformen und damit Stilelemente sind Textbauelemente jedes Textes und jedes Subtextes[5]. Aus ihrem Vorkommen überhaupt ist noch keine spezielle Textsortierung möglich. Gefragt werden müßte daher präzis, ob die drei Klassen von lexikalischen, grammatischen und phonetischen Textelementen nach den drei Dimensionen der Häufigkeit, Verteilung und Verbindung besonders auffallend kombiniert sind. Denn Häufigkeit, Verteilung und Verbindung von lexikalischen, grammatischen und phonetischen Textelementen machen als Ausdrucksform die Stilzüge eines Textes aus.

Es ist also noch wenig gewonnen, wenn man hier mit Friedrich (dem Gnilka wie Bouwman folgen) bei V. 12–13 die von Lohmeyer (dem Klijn folgt) gegebene Klassifizierung »Hymnus« durch »Gedicht« ersetzt. Dieser Vorgang zeigt eigentlich nur, wie unbestimmt beide Bestimmungen sind, zumal man die Einzelgliederung der Sätze, wie sie seit J. Weiß und R. Bultmann üblich ist[6], gemeinsam weiter vertritt. Diese verdient darum eine Überprüfung, zumal sie auch in die neuste Nachrevision der Lutherbibel Eingang gefunden hat (1975), eine Tendenz anzeigend, die an sich durchaus zu begrüßen ist. Nur sollte man wohl solche Sinngliederungen generell einführen.

Man sieht nach Weiß–Bultmann in V. 13 zwei dreigliedrige Strophen, bei denen die Zeilen mit den All-Aussagen die jeweils voranstehenden doppelzeiligen Antithesen abschließen sollen. Doch sind – abgesehen von der schon unterschiedlichen Anordnung der Antithesen in den Doppelzeilen – syntaktisch die zwei parallelen Infinitivpaare von V. 12 b von dem voranstehenden Ausdruck in der 1. Person–Perfekt–Passiv abhängig und nicht von dem in V. 13 nachfolgenden Präsens[7], das in πάντα schon sein direktes Objekt bei sich hat. Darum liegt auch in dem angeblichen Schlußsatz V. 12 b nicht eine summierende Zusammenfassung der beiden οἶδα-Sätze von V. 12 a vor, sondern ein neuer Anfang und eine neue Überschrift. Semantisch hat πᾶς außerdem in den beiden angeblichen Strophen-Schlußzeilen einen unterschiedlichen Bezug: In V. 12 b beschreibt es den Bereich (ἐν) und entspricht darum eher dem Relativsatz in dem bisher unbeachtet gebliebenen V. 11 b (ἐν οἷς εἰμι); in V. 13 dagegen faßt πάντα das Verhalten zusammen und entspricht mit dem Verb ἰσχύω der Infinitivwendung αὐτάρκης εἶναι wiederum in V. 11 b. Daß πάντα V. 13 ohne Artikel steht[8], macht deutlich, daß dieses Objekt nicht die direkte Wiederaufnahme der voranstehenden vier Infinitive sein will; eher ist angezeigt, daß die genannten Dinge nur Beispiele seiner Verhaltensbereiche brachten. Nun wird dieser V. 11 b, auf den wir unvermutet geraten

---

5 Graupner 1973: 164–185; Berger 1977: 90 definiert Stil vom pragmatischen Ziel her als »Prinzip der Auswahl sprachlicher Mittel, die den Rezipienten und der rhetorischen Wirkabsicht entsprechen sollen«.

6 Weiß 1897: 29; Bultmann 1910: 48.

7 Vgl. Ewald-Wohlenberg 228 f. gg. Lohmeyer 181 Anm. 1.

8 Darauf machen Ewald-Wohlenberg 229 m. R. aufmerksam.

sind, immer aus diesem Gliederungsvorschlag ausgeklammert, weil er keine »rhythmische Struktur« habe (Lohmeyer, Gnilka).

Auch für solche Urteile ist – gerade wenn sie einen Text segmentieren – eine begründende Näherbestimmung auf Grund der Bauelemente von Textarten nötig[9]: Ein Zusammenwirken von syntaktischer und silbischer Trennung durch Pausen in Sprechphasen (ein Ausatmen von etwa zwei Sekunden) liegt physiologisch bedingt in jeder Prosa vor. Erst bei einer zahlenmäßigen Regelung dieser einfachen Sprechsegmente liegt Poesie vor. Man kann also definieren: »Texte, denen die zahlenmäßige Regelung der Sprechphasen und der Silbenabstufung fehlt, nennt man Prosa.«[10] Doch muß man beachten: »In der Antike unterwarf man nicht nur die ganze Versdichtung, sondern auch hervorstechende Prosastellen einer rhythmischen Regulierung.«[11] Die antike Rhetorik rechnete für die elementare metrisch relevante Einheit, das »Kolon«, 7–16 Silben (bzw. für den Gesang, der langsamer ist, 5–7 Silben). »Der optimale Abstand der Akzente liegt bei 2/3 Sekunden, so daß auf ein Kolon etwa zwei bis drei Akzente entfallen.«[12] »Zentrales Bauelement ist der Vers (= Wendung), meist graphisch als eigene Zeile hervorgehoben. Kürzere Verse decken sich meist mit einem Kolon, längere erhalten zwei, selten drei Kola, deren Verteilung oft durch eine feststehende oder wenig variable Zäsur geregelt ist.«[13]

Nun ist es weniger wichtig, daß sich in unserem Stück Klangfiguren wie Schlußreime (Homoioteleuta) gar nicht nachweisen lassen, während Alliteration (Homoioprophora) sich am ehesten gerade eben in V. 11b mit fünfmaligen ἐ- zeigen. Die Orientierung einer rhythmischen Analyse ist an den Wort- und Satzgrenzen zusammen mit den Akzenten möglich, da der Spätantike das klassisch maßgebende Bewußtsein vom Wechsel langer und kurzer Silben durch die gewandelte Aussprache (z. B. Itazismus) verlorengegangen war. Nimmt man nun dieses Befragungsmuster auf, dann hat V. 11b (ohne das anaphorische ἐγὼ γάρ) 4 Akzente bei 12 Silben; und auch die drei Zeilen von V. 12b haben ebenfalls 4 Akzente bei 11,8 und 10 Silben, während die beiden dazwischenstehenden οἶδα-Sätze V. 12a nur je drei Akzente bei 7 Silben haben, der Schlußsatz V. 13 jedoch 5 Akzente bei 13 Silben trägt.

(V. 11b)	Vers 1	ἔμαθον ἐν οἷς εἰμι αὐτάρκης εἶναι
(V. 12)	Vers 2	οἶδα καὶ ταπεινοῦσθαι
	Vers 3	οἶδα καὶ περισσεύειν
	Vers 4	ἐν παντὶ καὶ ἐν πᾶσιν μεμύημαι
	Vers 5	καὶ χορτάζεσθαι καὶ πεινᾶν
	Vers 6	καὶ περισσεύειν καὶ ὑστερεῖσθαι
(V. 13a)	Vers 7	πάντα ἰσχύω ἐν τῷ ἐνδυναμοῦντί με

Die Verteilung (Distribution) der Silbenbetonung läßt erkennen:

```
Vers 1 ' . . ./ = / ' . . .//'.  / = / '. //
Vers 2 '.    /  ' . .  /'. //
Vers 3 '.    /  ' . .  /'. //
Vers 4 . .'   /  '.  //'. . / = / '. . //
Vers 5 '.  / = / '.  //.'  / = / .' //
Vers 6 ' . .   /  './/=//'. . /    '. //
Vers 7 ' . .  / = / ' . ./=/'. . //    .'/'. //
```

9 Asmuth 1973: 208–224. 10 Ebd. 221. 11 Ebd. 476.
12 Ebd. 215. 13 Ebd. 213f.

Offenbar haben die Verse 1, 4, 5, 6 zwei Doppelkola, die Verse 2 und 3 eine Trikola, während der Schlußvers 7 mit einer Trikola + einer Doppelkola das längste Glied darstellt[14].

Ein gewisser Rhythmus zeigt sich bei den Wiederholungen:
1a=a, 1b=b, 2=3, 4b=b, 5a=a, 5b=b, 6a=b, 7a=a=a.

Ohne Wiederholung bleiben allein zwei Glieder (4a und 7b), die beide aber darin eine auffallende Gemeinsamkeit haben, daß sie unbetont anfangen und aufhören und dabei zwei aneinanderstoßende Akzente im Zentrum haben. Offenbar sind durch diese Besonderheit und Gemeinsamkeit die Einleitung der Wiederholung 4a und der Schluß 7b besonders betont.

Das heißt zunächst einmal: Von dieser Strukturebene des rhythmischen Ausdrucks her wäre entgegen der herkömmlichen Gliederung der von der syntaktischen Ebene her schon erhobene Einwand gegen die Wertung von 4 als Schlußvers einer ersten Strophe bestätigt: Vers 4 ist als Doppelkola mit Vers 5 und 6 zusammengebunden, von Vers 2 und 3 dagegen abgehoben, und in der Unregelmäßigkeit von 4a als Anfangsmarkierung und 7b als Abschlußmarkierung liegt eine Entsprechung, nicht aber in einer Parallelität (4a=7a) und (4b=7b), wie es zu erwarten wäre, wenn beide Verse die gleiche Funktion von Schlußzeilen hätten.

Eine Strophenbildung durch Regelmäßigkeit der Wiederholungen läßt sich überhaupt nicht erkennen. Nach den generellen Bemerkungen zu Anfang hätten wir also nur mit einer hervorgehobenen Prosastelle zu rechnen – nicht aber mit einem »Gedicht«. Die rhythmische Hervorgehobenheit entspricht der syntaktischen Konzentration auf den reinen Ich-Stil dieses Segments im Unterschied zu seinem Ko-Text, wo das »Ich« immer explizit einem »Ihr« korrespondiert oder umgekehrt.

Auf der semantischen Ebene fällt zuerst auf, daß die finiten Verben einem gemeinsamen Wortfeld zugehören: Die Verben vom Wortfeld »Lernen« sind bestimmend. Die drei Aoriste (1 ἔμαθεν, 2 οἶδα, 3 οἶδα) und ein Perfekt (4 μεμύημαι) beschreiben einen Lernprozeß mit einem Lernergebnis. Angesichts dieses textsemantischen Sachverhalts trägt der bloße referenzsemantische Hinweis, daß das Hapaxlegomenon μεμύημαι aus der »Mysteriensprache« stamme oder stammen könne[15], semantisch zunächst nichts aus[16], zumal man nicht deutlich macht und machen kann, in welchem konkreten Sinne das geschähe. Eine solche Information, die nicht in eine besondere Fragestellung eingebunden ist, ist ohne Wert. Dies gilt um so mehr, als das Lexem auch referenzsemantisch in der Koine schon als verallgemeinertes »Bild tieferen Erkennens« verwendet worden war und so kein Direktbezug zu »Mysteriensprache« vorzuliegen braucht[17].

Das Ergebnis des Lernprozesses wird auch inhaltlich angegeben:
Vers 1 αὐτάρκης εἶναι = Vers 7 πάντα ἰσχύω.
Der Lernprozeß vollzieht sich in einem Erfahrungsbereich:
Vers 1 ἐν οἷς εἰμι = Vers 4 ἐν παντὶ καὶ ἐν πᾶσιν.

εἶναι ἐν οἷς feste lokale Wendung für »die Lage,
in der man sich befindet«[18]. Da μυεῖσθαι normalerweise mit dem Akkusativ verbunden wird[19], beschreiben die ἐν-Wendungen nicht das Objekt sondern wie in Vers 1 den Bereich.

---

14 Es ist daher irreführend, wenn Lohmeyer 180–182 hier »Dreizeiler« und »Trikolon« gleichsetzt. Im übrigen sei vermerkt, daß eine vergleichende Stichprobe der Textumgebung für V. 10–11a und V. 14f. keine solchen oder anderen Regelmäßigkeiten erkennen ließ.

15 Etwa bei Dibelius und Wilckens NT.   16 So m. R. Gnilka z. St.

17 Lohmeyer 182 Anm. 1.   18 Belege bei Bauer WB 441.

19 Ewald-Wohlenberg 229.

Dieser Erfahrungsbereich wird durch eine dreimalige antithetische Entfaltung als der umfassende Bereich »Umgang mit Bedarfsgütern« inhaltlich bestimmt. Die Verwendung von Antonymen verweist auf ein übergeordnetes Suprenym:

Vers 2+3   ταπεινοῦσθαι   +   περισσεύειν

Vers 5   πεινᾶν   +   χορτάζεσθαι

Vers 6   ὑστερεῖσθαι   +   περισσεύειν

Man könnte fragen, ob hier nicht eher das Ergebnis als der Bereich konkretisierend entfaltet wird. Da die geschilderten Tätigkeiten aber passive Verhaltensweisen beschreiben, so sind sie als solche nur erst Bereiche und das Lernergebnis besteht in ihrem Akzeptieren.

Diese ganze Verhaltensregelung durch Lernprozeß mit Lernergebnis hat einen Urheber und Verursacher, der ganz am Schluß in der 7. Zeile angegeben wird (ἐν τῷ ἐνδυναμοῦντί με). Dies ist offenbar der Höhepunkt der Aussage. Dieser Zielpunkt war im Zentrum des Segments schon durch ein passivum divinum am Schluß der 4. Zeile (μεμύημαι) angedeutet. Was hier als explizit strukturierte Einheit von göttlichem und menschlichem Handeln beschrieben wird, entspricht einer Aussage wie 1Kor 15,10. Wenn es dort zunächst wie eine Antithese aussieht, so entspringt das der dort vorliegenden Gedankenfolge, die sich durch ihren Ausgangspunkt ad hoc zunächst in ein antithetisches Nebeneinander hineinbegeben muß. Man würde die Antithese dort aber mißbrauchen, wenn man aus ihr einen Dualismus von göttlichem und menschlichem Handeln herauslesen wollte. Dagegen spricht unsere Sachparallele, die die Relation klar strukturiert ausdrückt. Textlinguistisch ist dieser Sachverhalt auch 1Kor 15,10 dadurch klar, daß die syntaktische Antithese semantisch nicht ungebrochen durchgeführt wird. Sie erfährt vielmehr eine semantisch relevante Brechung, sofern der Nachsatz mit σύν konstruiert wird: Die Gnade Gottes wirkt »mit« ihm zusammen. In 2Kor 12,9f wird mit ähnlichem Bezug der synonyme Zusammenhang von »Gnade« und »Kraft« expliziert, sofern beide als Kontextsynonyme bestimmt werden müssen. Im Blick auf Abraham kann Paulus ebenfalls Röm 4,10 ἐνδυναμοῦν entsprechend verwenden (der einzigen weiteren Stelle, an der er von diesem Verb Gebrauch macht), während ἰσχύειν in Gal 5,6 deutlich semantisch anders gefüllt ist.

Wir hätten also folgendes textsemantische Strukturschema gefunden:

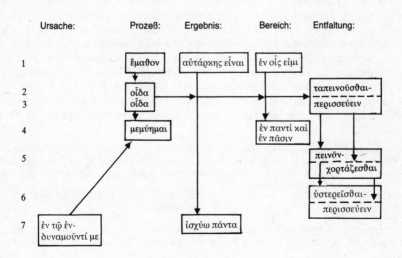

Der Erwerb eines Könnens als Ergebnis eines Lernprozesses wird beschrieben. Da Gott als Ursprung und Kraft das Ziel des Aussagekomplexes ist, liegt ein berichtendes Gotteslob als Bericht eines Lernvorgangs mit einem Lernergebnis vor. Der reine Ich-Stil erweist das Segment in pragmatischer Hinsicht als primär senderorientiert. Es hat demzufolge den Charakter eines Bekenntnisses. Da es noch präziser im Singular der 1. Person formuliert ist, hat es den Charakter eines individuellen, persönlichen Bekenntnisses. Von dem Schluß- und Zielpunkt her dienen alle darauf hingeordneten Aussagen dazu, den Urheber zu verherrlichen. Dieser doxologische Charakter wie die Tatsachen, daß Paulus nur Gottes- nicht aber Christus-Doxologien hat und daß sehr oft Partizipien als funktionale Gottesbezeichnungen von ihm verwendet werden, spricht dafür, daß das semantische Subjekt des Partizips Gott und nicht Christus[20] ist. Nicht weniger pragmatisch wie sachlich interessant ist die Tatsache, daß Paulus erst am Ende von Gott redet, davor jedoch von empirisch aufweisbaren Tatbeständen – und dies auch an seiner eigenen Person (vgl. 2Kor 12,6).

Der partizipialen Gottesbezeichnung als Kennzeichnung der Ursache steht gleichgewichtig die Bezeichnung der Wirkung mit αὐτάρκης gegenüber. Um den semantischen Gehalt dieses Spitzenlexems zu bestimmen, gibt der Kontext durch die dreifach entfaltenden Antithesen des Bereichs eine Hilfe. In allen drei Fällen ist καί korrelativ verwendet: »sowohl – als auch«, »mal so – mal so«, wobei die Stellung in Zeile 2 und 3 »nach statt vor dem zweimaligen οἶδα nicht verboten ist«[21].

Die Erfassung des semantischen Gehalts scheint zunächst durch den sehr großen Allgemeinheitsgrad der Parallelwendungen erschwert. Doch ist es schon eine Hilfe, daß die gleichen Negativbezeichnungen ταπεινοῦσθαι und ὑστερεῖσθαι dadurch, daß sie das gleiche Antonym περισσεύειν haben, als Kontextsynonyme verstanden werden müssen. Die Antithese von ὑστερεῖν und περισσεύειν ist geläufig (1Kor 8,8; 12,24)[22]. Das wird auch von der Tatsache her nahegelegt, daß der vorangehende Ko-Text von καθ' (= »wegen«)[23] ὑστέρησιν V. 11a herkommt und am Schluß der Antithesen auf das gleiche Lexem zurückläuft. Ebenso ist von diesem Ausgangspunkt her begründet, warum in der ersten Antithese das Negativum vorangestellt ist: ταπεινοῦσθαι nimmt καθ' ὑστέρησιν auf.

Was nun das antithetische doppelte περισσεύειν meint, wird V. 18 durch die Wiederaufnahme im Anschluß an das Quittieren des Betrags völlig deutlich: Es ist die Folge, die durch die Geldsendung der Philipper entstanden ist: »Viel Geld zur Verfügung haben.« Durch das dort asyndetisch – gewissermaßen im »gleichen Atemzug«[24] – angeschlossene πεπλήρωμαι wird dies sogar noch zur Klimax[25] gesteigert zu einem übertreibenden: »Ja, mein Bedarf ist sogar vollständig gedeckt.« Daß πληροῦν ein weiteres Kontextsynonym darstellt, erweist auch V. 19. Wortsemantisch ist weiter auch πλεονάζειν Synonym zu περισσεύειν (2Kor 4,15; 1Thess 3,12), weshalb nicht verwunderlich ist, daß es sich Paulus in unserem Kontext auch V. 17 nahelegt, es zu verwenden. Als Gegensatz bezeichnen dann die beiden synonymen Antonyme ταπεινοῦσθαι und ὑστερεῖν konkret den »Geldmangel« als »in Entbehrungen leben«[26]. So

---

20 Gg. Ewald-Wohlenberg 229; Lohmeyer 180; Beare 25, 153; Gnilka 176; GN; Wilckens NT 711 in den Erklärungen. Diese breite Phalanx läßt die Frage nicht unterdrücken, ob dabei nicht – ob bewußt oder nicht – eine Traditionsgewöhnung oder auch eine dogmatische Vorprägung mitbestimmend sind.

21 Ewald-Wohlenberg 228.

22 Vgl. Wilckens ThWNT VIII 595 f.

23 Bauer WB 805.

24 Gnilka 179.

25 Lohmeyer 186.

26 Grundmann ThWNT VIII 8, 18; Gnilka wendet sich zu Recht gg. Lohmeyer 181, der περισσεύειν wegen eines sonstigen Bezugs auf »geistlichen Reichtum« diesen Bezug entge-

erweist sich vom Ausgangspunkt wie von der Folge her, daß die allgemeineren Antithesen als Suprenyme nichts anderes besagen als die Antithese der konkreteren Hyponyme πεινᾶν und χορτάζεσθαι, also Kontextsynonyme vorliegen:

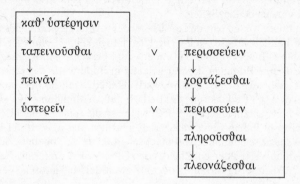

Da im Text jeweils nicht nur auf die negative Verzichtseite geblickt wird, sondern immer auch die Gegenseite des »Sattseins« als Komplenym im Blick auf das Suprenym αὐτάρκης eingeschlossen ist, so wurde m. R. darauf verwiesen, daß mit dem Spitzenlexem nicht bloße »Genügsamkeit« gemeint ist. Obwohl das nun Gnilka (174) m. R. gegen eine Übersetzung »mich zu bescheiden« (Lohmeyer 178) betont, übersetzt er doch selbst inkonsequent mit »genügsam« (Gnilka 171). Liegt das daran, daß man methodologisch falsch in den Kommentaren heute die »Übersetzung« der »Exegese« voranstellt? Exegese ist begründende Erarbeitung der Übersetzung, und Übersetzung ist die erste und wichtigste Darstellung des Ergebnisses der Exegese. Darum muß die Übersetzung logisch der Exegese folgen, wie das etwa noch im Kommentar von Ewald explizit zum Ausdruck kam. Methodisch ist eine Übersetzung immer ein Metatext zu einem Objekttext – und zwar sogar ein Metatext zweiter Ordnung, da er vom Metatext der exegetischen Erschließung abhängt. Man täte gut daran, diese sachlogischen Zusammenhänge bestmöglich zu verdeutlichen, um dem weithin internalisierten Fehler vorzubeugen, den Metatext einer Bibelübersetzung mit dem Objekttext in der Ursprache gleichzusetzen. Aus dem gleichen methodologischen Grunde sollte deutlich gemacht werden, daß es keinen »Bibelkommentar« geben kann, der von einem Übersetzungstext ausgeht. In diesem Falle kann es sich nur um »Erläuterungen« handeln, nicht aber um begründende Exegese und darum nicht um einen Kommentar. Die falsche Sprache bewirkt auch hier ein falsches Denken, das gefährlich ist: Der Zwang der Übersetzungstradition ist zu stark – selbst für Exegeten, wie sich immer wieder zeigt, – erst recht aber für die Übersetzungspraxis. So liest man anstelle unserer Spitzenwendung hier »auszukommen« (GN) oder »begnügen« (L 75), womit nur die Defizitseite in den Blick genommen ist. Das führt dann zwangsläufig weiter dazu, ἐν οἷς εἰμι mit »was ich habe« (GN) bzw. »vorfinde« (L75) oder »was meine Verhältnisse betrifft« (Gnilka 171) zu übersetzen. Gut dagegen heißt es »mich in jeder Lage zurechtzufinden« (Wi). Die Fortsetzungssynonymie V. 18, die wir fanden und die Paulus jetzt aktuell im Zustand des περισσεύειν beschreibt, klärt weiterhin, daß das derzeitige αὐτάρκης εἶναι des Paulus in χαρά (V. 10 Anfangsklammer) besteht und

gen dem engeren Ko-Text auch hier als den geistlichen Reichtum des Märtyrers eintragen will. Doch ist das methodisch ausgeschlossen, da eine Ko-Text-Semantik bestimmender ist als eine isolierte Wortsemantik.

sich in einer Doxologie (V. 20 Schlußklammer) ausdrückt, die ihrerseits wieder dem doxologisch stilisierten Abschluß unseres Segments V. 13a korrespondiert. Darum ist auch hier das Synonym ἰσχύειν nicht einseitig negativ als »ertragen« (GN) wiederzugeben, sondern umfassend als »imstande sein« (Wi). Es geht also wesentlich um die Unabhängigkeit nach beiden Seiten.

Referenzsemantisch wissen wir, daß es sich bei der »Autarkie« zeitgenössisch um kein seltenes Wort handelt. Diese »gelassene Unabhängigkeit« (Lohmeyer 180 Anm. 2) war seit Sokrates »Inbegriff aller Tugenden« und geradezu ein »Schlagwort der römisch-hellenistischen Bildung«. Es war geläufig in Bildern wie das von dem Kyniker Diogenes, der auch noch den Becher wegwarf, als er ein Kind aus der Hand trinken sah (Diog. Laert. VI,37). »Reduzierung des Bedarfs auf ein Minimum« und »Unabhängigkeit von äußeren Umständen« (Beare 152) waren so die semantischen Komponenten, die in Philippi wohl jedem gegenwärtig waren, als sie dieses Wort bei Paulus lasen. Kann man das spezifisch Paulinische semantisch exakt davon abheben? Schmauch (38) sah etwa im Schluß V. 13a den entscheidenden Unterschied ausgesprochen. Doch darf man dabei nicht leichtfertig verfahren oder mit zweierlei Maß messen. Vergleichen wir Epiktet selbst:

»Habt ihr keine *Kräfte empfangen,* vermöge derer ihr das Eintreffende tragen könnt? Habt ihr nicht Großherzigkeit *empfangen,* nicht Mannhaftigkeit, nicht Standhaftigkeit?
Und was liegt mir, wenn ich großherzig bin, noch an dem, was mir begegnen kann? Was wird mich außer mich bringen oder verstören?
Was wird mir schmerzhaft erscheinen?
Soll ich mich nicht der *Kraft* bedienen, wozu ich sie *empfing,* sondern bei dem Begegnenden trauern und seufzen?« (Diss. I 6,37)

Die rahmenden Sätze beschreiben konkret die Basis, die die Innenglieder entfalten, als Geschenk. Die Differenz zur Stoa kann also nicht leicht auf die Formel gebracht werden, daß es in der Stoa im Unterschied zu Paulus nicht um die geschenkte, sondern um die eigene Kraft gehe (Beare 153); denn Epiktet würde mit Recht gegen eine solche pauschale Typisierung protestieren. Auch für ihn erweist sich die geschenkte Kraft als Gottesgabe. Eine theologische Verankerung zeigt nicht weniger Diog. Laert. VI,11 f.: Der Weise ist autark, ihm ist nichts fremd, nichts verwunderlich, nichts schwer oder unüberwindlich. Diogenes sagt: Er ist den Göttern möglichst ähnlich (VI,105 vgl. 51: Bilder Gottes). Auch kann man diese Zeugen nicht nur auf die Defizitseite festlegen und darin den Unterschied zu Paulus finden: Über einen guten Zustand wird der »Weise« Freude (χαρά) nicht aber Lust (ἡδονή) empfinden. Es geht also nicht nur um eine Freiheit von Schmerz, Furcht und Begierde nach der Defizitseite, sondern auch um eine Freiheit von Lust, Hochmut und Eitelkeit[27]. Finden wir also zum einen bei Paulus selbst die χαρά, so wissen wir zum anderen, daß der Dank an Gott geradezu eine definitorische Grundhaltung Epiktets ist. Es fällt schwer, Paulus auf diese Weise begründet davon abzuheben. Gnilka behauptet zwar, die aufgenommene Vorstellung sei »grundlegend verändert« (174), bleibt aber einen semantisch stichhaltigen Beweis dafür schuldig. Solche Differenzen werden weit mehr vorausgesetzt als erhoben. Liegt das daran, daß wissenssoziologisch die christliche Behauptung das Gewicht der institutionalisierten Tradition im Rücken hat, während sich ein antik-heidnischer Text wehrlos einem solchen »Verwender« ausgesetzt sehen muß? Linguistische Methoden sollten den Beweis durch die Tradition auch explizit durch den Beweis mit dem Argument, das

27 Ziegler 1881: 169 und vgl. den ganzen Zusammenhang dort.

allgemein begründbar und einsichtig ist, gegen den Zwang von Denkgewohnheiten ersetzen.

Lohmeyer wollte die Differenz auf eine konkretere Formel bringen: Bei Paulus zeige sich »nicht Unberührbarkeit, sondern Allberührbarkeit« (180). Dieses Oxymoron scheint auf den ersten Blick zu bestechen. Aber ist nicht auch bei Paulus an dem gegebenen Text eine bestimmte Distanz unverkennbar? Könnte andererseits Epiktet eine solche Formel nicht auch abweisen, indem er auf einen Text verweist, der gerade in seinem Gebetscharakter noch über seinen semantischen Gehalt hinaus »Allberührbarkeit« voraussetzt?:

»Wage es, zu Gott aufzublicken und zu sagen:
Mache hinfort mit mir, was du willst,
ich bin eines Sinnes mit dir,
ich bin dein;
ich bitte um Abwendung von nichts, was dir gefällt,
führe mich, wohin du willst,
lege mir ein Kleid an, welches du willst,
willst du, daß ich Regent oder Privatmann sei,
bleibe oder verbannt fliehe,
arm oder reich sei?
Ich werde dich für dieses alles vor den Menschen rechtfertigen,
ich werde das Wesen von jedem zeigen, wie es ist.«   (Diss. II 16,40ff.)

Darum dürfte die Differenz offenbar weniger in den pragmatischen Bereichen der Verhaltensfolgen zu suchen sein als in der semantischen Bestimmung der Ursachen. Seit seiner Ostererscheinung kann Paulus nicht mehr davon absehen, daß Gott Jesus von den Toten auferweckt und zum Herrn gemacht hat. Das Leben, das Gott uns gegeben hat, ist nun immer ein Leben unter der Herrschaft Jesu auf die Vollendung der Gottesherrschaft hin. Die Erkenntnis und der Stand der Wissenschaft, die Gott uns gegeben hat, ist nun immer eine Erkenntnis unter der Herrschaft Jesu auf die Vollendung der Gottesherrschaft hin. Die Gesellschaft, in die Gott uns gestellt hat, ist nun immer eine Gesellschaft unter der Herrschaft Jesu auf die Vollendung der Gottesherrschaft hin.

So dürfte zu erwarten sein, daß das spezifisch Paulinische sich weniger daraus ablesen läßt, was für ein Verhalten sich ergibt, sondern wer es bewirkt, und wie diese Grund-Folge-Beziehung in sich strukturiert ist. Die bisherige apologetische Abhebung der christlichen von der stoischen »Überlegenheit« ist ethisch formuliert. Dafür dürfte wesentlich insgesamt der Trend zur ethischen Verifikation des Evangeliums verantwortlich zu machen sein, der das neuzeitliche Christentum mit seiner Angst vor der Unmöglichkeit einer logisch-semantischen (= dogmatischen) Verifikation bestimmt. Obwohl damit insgesamt das Problemknäuel einer semantisch präzisierten Dogmatik angeschnitten ist, sollte man nicht vor dieser Frage kapitulieren, indem man in den Bereich der Ethik ausweicht und eine mangelnde Ortho-Doxie durch eine vermeintliche Ortho-Praxie zu ersetzen sucht. Man muß sich mindestens fragen, ob und wie eine ethische Verifikation da möglich ist, wo mehrere Ethos-Systeme anspruchsvoller Art miteinander konkurrieren und nicht primär ein Kirchentum im volks- oder staatskirchlichen Rahmen als alleiniger oder primärer Ethos-Geber fungiert. Der Sieg über die stoische Ethik ist oft zu leicht erfochten, da sie wissenssoziologisch nicht mit dem Gleichgewicht eines realen institutionalisierten Gegenübers in der gesellschaftlichen Gesamtwirklichkeit stand, sondern nur als verbal vertextete Lebenswirklichkeit. So ist die Gefahr nicht auszuschließen, daß die Stoa (oder was ihr historisch in anderen

Situationen philosophisch-ethisch entspricht) möglicherweise unweigerlich der Gewinner sein kann, wenn das Christentum seine »Absolutheit« rein ethisch verifizieren will. Hinzu kommt noch die weitere hermeneutische Frage, ob nicht eventuell die innerchristlichen Differenzen größer sind als die Differenzen zur Umwelt – auch und gerade schon in den Schriften des Neuen Testaments. Theologie und Kirche täten gut daran, sich solchen Fragen wissenschaftlich zu stellen, noch ehe sie ihr von ihrer Umwelt aufgenötigt werden, worauf man dann entweder apathisch überhaupt nicht mehr oder jedenfalls nicht zureichend reagiert. Sachlich stellt sich hier das semantische Problem nach dem Verhältnis der Armen-Seligpreisung von Q (Lk 6,20f. par) in ihrer dreiteiligen Form[28]. Wenn schon von der Formulierung in Phil 4 her überlieferungsgeschichtlich »kaum anzunehmen« ist, »daß hier das Jesuswort von Einfluß war« (Lohmeyer 182 Anm. 3), so ist doch darüber hinaus auch noch eine Spannung hinsichtlich des semantischen Gehalts deutlich. Da Paulus nach 1Kor 7,25 alle Herrenworte zu kennen glaubt (J. Weiß 1910 z. St.) und die Logientradition als Jesus-Halacha zur Zeit der Korintherbriefe offenbar voll gesammelt bestand, so könnte man eher fragen, ob die Armenseligpreisung zu dieser Zeit noch gar kein Bestandteil dieser Sammlung war. Die unzweifelhafte Annahme der Seligpreisungen als gesicherter Jesusworte hat sich mit der Bestreitung durch Bammel nur unzureichend auseinandergesetzt[29]. Die strukturierte Dreiheit (Arm = Hungrig + Traurig) setzt schon Verfolgung voraus. Seit der formkritischen Präzisierung dieser Redeform durch Kähler[30], die sie in den Gesamtverband der bedingten Heilszusagen hineinstellte, ist der primär parakletische Charakter unbestreitbar. Auch ohne die sekundäre Fortsetzung Lk 6,22f. par ist die Dreiheit streng auf den Verfolgungstrost beschränkt. Die Bestreitung der Behauptung, daß diese Seligpreisungen der Halacha mit der Kristallisationsfigur Jesus erst nachpaulinisch zugewachsen sei, muß sich nach ihrem Aufweis fragen lassen. Methodisch ist zunächst einmal alles nur lukanisch oder matthäisch, was wir bei ihnen lesen. Jeder Schritt dahinter zurück muß sich als solcher ausweisen. So gelangen wir im ersten Schritt zunächst nur einmal zu der beiden gemeinsamen Vorlage, und jeder weitere Schritt zurück muß methodisch gesichert werden. Ein einfacher Sprung über die Jahrzehnte bis zu Jesus zurück ist völlig unsicher und wirkt nur suggestiv für den Fall, daß man ohnehin methodisch unsolide von einer jesuanischen Historizität statt von den literarischen Gegebenheiten ausgeht. Doch abgesehen davon, wie man die überlieferungsgeschichtliche Frage zu entscheiden haben wird, stellt sich das semantische Problem angesichts einer rigoristischen Armen-Ethik, wie sie sich im redaktionellen Zusatz der Weherufe Lk 6, 24–26 zeigt, die jedes Haben und Besitzen usw. als solches unter Verdacht und Verdikt stellt. Ein solcher semantischer Gegensatz zu der in unserem Text erkennbaren Haltung des Paulus kann nicht nur pragmatisch mit einem Hinweis auf unterschiedliche Situationen zureichend beantwortet werden. Maßgebend müßte sein, ob in der lukanischen Gesamtkonzeption neben der Brotbitte (Lk 11,3) und den Heilungsbitten eine solche Fürbitte wie Phil 4,19 und erst recht so eine Doxologie wie Phil 4,20 möglich ist, die für Paulus beide zum Ausdruck bringen, wie er seine von Gott gewirkte Autarkie verstanden hat.

28 Meine Stellungnahme dazu näher Schenk 1980b und 1981 z. St.
29 Bammel ThWNT VI 906; Der Einspruch von Grundmann 1961: 142 Anm. 18 z. St. (dem Marshall 1978: 247, 249 z. St. folgt) klärt die anstehenden Fragen nicht, da er mit der normalen zu großen Selbstverständlichkeit die Jesuanität (so auch Schulz 1972: 77f. und Schweizer 1973: 47f. z. St.) voraussetzt.
30 Vgl. die Jenaer Diss. von C. Kähler (Selbstanzeige 1976), die den ganzen formkritischen Fragenkreis unter Beachtung linguistischer Aspekte auf eine neue und m. E. zureichende Basis stellt.

1.1.3. Segmentierung der Gesamteinheit 4,10–20

Nachdem wir die uns vorschwebende Arbeitsweise an dem Experimentalsegment durchgeführt haben und dabei gleichzeitig immer über die Grenzen dieses Ausschnittes hinausgeführt wurden, ist es nötig, den gesamten Abschnitt in syntaktische Sequenzen zu segmentieren. Dabei wird zugleich deutlich werden, daß die Maßstäbe für eine solche Arbeit noch nicht voll methodisch abgeklärt sind. Trotz dieser Schwäche wird aber nicht auf diesen Schritt verzichtet, weil zu seiner Verbesserung mindestens erst unvollkommene Entwürfe vorliegen müssen.

Ich schlage darum vorerst eine Segmentierung des Textes in folgende Sequenzen vor:

V. 10: 1. ἐχάρην δὲ ἐν κυρίῳ μεγάλως
     2. ὅτι ἤδη ποτὲ ἀνεθάλετε
     3. τὸ ὑπὲρ ἐμοῦ φρονεῖν
     4. ἐφ' ᾧ καὶ ἐφρονεῖτε
     5. ἠκαιρεῖσθε δέ.

V. 11: 6. οὐχ ὅτι καθ' ὑστέρησιν λέγω
     7. ἐγὼ γὰρ ἔμαθον
     8. – ἐν οἷς εἰμι –
     9. αὐτάρκης εἶναι.

V. 12: 10. οἶδα καὶ ταπεινοῦσθαι
    11. οἶδα καὶ περισσεύειν
    12. ἐν παντὶ καὶ ἐν πᾶσιν μεμύημαι
    13. καὶ χορτάζεσθαι καὶ πεινᾶν
    14. καὶ περισσεύειν καὶ ὑστερεῖσθαι

V. 13: 15. πάντα ἰσχύω ἐν τῷ ἐνδυναμοῦντί με.

V. 14: 16. πλὴν καλῶς ἐποιήσατε
    17. συγκοινωνήσαντές μου τῇ θλίψει.

V. 15: 18. οἴδατε δὲ καὶ ὑμεῖς – Φιλιππήσιοι –
    19. ὅτι ἐν ἀρχῇ τοῦ εὐαγγελίου
    20. – ὅτε ἐξῆλθον ἀπὸ Μακεδονίας –
    21. οὐδεμία μοι ἐκκλησία ἐκοινώνησεν
    22. εἰς λόγον δόσεως καὶ λήμψεως
    23. εἰ μὴ ὑμεῖς μόνοι
V. 16: 24. ὅτι καὶ ἐν θεσσαλονίκῃ καὶ ἅπαξ καὶ δὶς εἰς τὴν
               χρείαν μοι ἐπέμψατε.

V. 17: 25. οὐχ ὅτι ἐπιζητῶ τὸ δόμα
    26. ἀλλὰ ἐπιζητῶ τὸν καρπὸν
    27. τὸν πλεονάζοντα εἰς λόγον ὑμῶν.

V. 18: 28. ἀπέχω δὲ πάντα
    29. καὶ περισσεύω
    30. πεπλήρωμαι
    31. δεξάμενος παρὰ Ἐπαφροδίτου τὰ παρ' ὑμῶν
    32. ὀσμὴν εὐωδίας θυσίαν δεκτὴν –
               εὐάρεστον τῷ θεῷ.

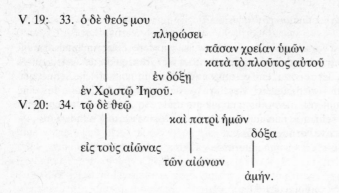

V. 19:   33. ὁ δὲ θεός μου

                    πληρώσει

                            πᾶσαν χρείαν ὑμῶν

                            κατὰ τὸ πλοῦτος αὐτοῦ

              ἐν δόξῃ

     ἐν Χριστῷ Ἰησοῦ.

V. 20:   34. τῷ δὲ θεῷ

                    καὶ πατρὶ ἡμῶν

                                δόξα

   εἰς τοὺς αἰῶνας

                 τῶν αἰώνων

                      ἀμήν.

1.1.4.   Textverknüpfung

1.1.4.1.   Subjektwechsel

Unter dem Gesichtspunkt des Subjektwechsels läßt sich feststellen: Die 1. Sequenz (= Sq)[31] ist eine berichtende Ich-Aussage, der als Begründung drei Ihr-Aussagen (Sq 2–5) untergeordnet sind.

Die Sq 6–15 sind sieben reine Ich-Aussagen ohne irgendeinen solchen Ihr-Bezug wie in der voranstehenden Passage. Dieser Charakter wird in Sq 7 noch durch das pleonastische explizite Personalpronomen betont.

In den Sq 16–24 dagegen dominiert umgekehrt wieder das Subjekt »Ihr«. Es findet sich dreimal im Morphem des finiten Verbs und wird in Sq 18 noch pleonastisch durch das zusätzliche Personalpronomen betont. Ja, hinzu kommt noch die Anrede in der Ortsbezeichnung, die Paulus nur an wenigen Stellen aber immer mit gesteigertem Affekt verwendet (vgl. 2Kor 6,11 und negativ Gal 3,1). Damit aber nicht genug: Als weiteres Verstärkungselement tritt hier auch noch die latinisierte Form der Anrede hinzu (statt Φιλιππεῖς oder Φιλιππήσοι), womit Paulus wohl ihre Selbstbezeichnung »Philippenses« aufgreift und so nicht nur deutlich auf den römischen Charakter ihrer Siedlung anspielt, sondern diesen Sachverhalten auch noch seine besondere Referenz erweist[32]. Dagegen ist der Ich-Satz (Sq 20) nur erläuternde Parenthese zu voranstehender Zeitangabe ἐν ἀρχῇ, bei der das zugesetzte nomen actionis[33] τοῦ εὐαγγελίου (vgl. Gal 2,7f.

---

31 Im folgenden soll »Sequenz« durch Sq abgekürzt werden.

32 Lohmeyer 184 Anm. 2; Beare 154; Gnilka 177 Anm. 134; Bouwman 100 Anm. 13.

33 O'Brien 1977: 24f. Dieser Tatbestand ist für die semantische Präzision dieses übermäßig erweiterten und damit auch verallgemeinerten Terminus von besonderer Wichtigkeit. »Evangelium« als nomen actionis weist gerade in der Verbindung mit ἀρχή wegen der Überbringung auf den Missionscharakter der Osternachricht hin. Die erläuternde Parenthese verdeutlicht das hier auf feste Weise. Dies gilt generell für Pl: Das »Evangelium-Verkündigen« ist keine Gemeindearbeit; auch umgekehrt gilt: Gemeindepredigt ist keine Evangeliumsverkündigung. Diese ist vielmehr prophetische Ermunterung und geschieht in Gegenseitigkeit (1Kor 12–14; Röm 12). Die Evangeliumsverkündigung endet mit der Taufe, auf die sie hinführt. Von daher ist die für unsere unpaulinisch geprägte kirchliche Vorstellung auffallende Entgegensetzung beider in 1Kor 1,17 völlig sachlogisch. Sind mehrere Personen an einem Ort getauft, dann beginnt damit die Gemeindearbeit derer aneinander wie in der Verbindung mit den Christen an anderen Orten. Darum auch kann Pl nach Rom schreiben, daß er früher schon bereit *war*, um auch dort die Osternachricht auszurichten (1,17 ein meist übersehener oder uninterpretiert gebliebener Aorist). Jetzt aber, da es dort inzwischen Christen gibt, kann er nur als Christ zu Christen kommen und als Mitchrist wohl eine auf diesem Fundament aufbauende Stärkungsarbeit leisten, nicht aber eine Fundamentierungs-

das aktionale Synonym) semantisch wiederum die Komponente »bei euch« enthält, auch wenn das in der syntaktischen Oberflächenstruktur nicht verbalisiert ist. Es kann aber jederzeit durch ein ergänzendes »bei euch« verbalisiert werden. Auch das abweichende Subjekt in der dritten Person (Sq 21) dient als von vornherein negierte (οὐδεμία) Antithese mittels der reziproken Ausnahmekennzeichnung εἰ μή (Sq 23) gerade der Hervorhebung der Angeredeten: ὑμεῖς μόνοι, wobei μόνοι nochmals das den Zusammenhang bestimmende »Ihr« verstärkt. Dieser Satz (Sq 21+23) ließe sich unter voller Wahrung seines semantischen Gehalts durch eine rein syntaktische Transformation in einen »Ihr«-Satz verwandeln. Hieran wird zugleich deutlich, daß Negationen keinen semantischen Gehalt, wohl aber eine pragmatische Funktion haben. Der Schlußsatz dieser Einheit (Sq 24) gibt dann genau wie 1Kor 1,16 mit adverbialem καί noch eine nachträgliche Ergänzung aus der Erinnerung: »Auch schon als ich in Mazedonien war . . .« (vom Standpunkt des Paulus aus)[34], um betont mit einer Ihr-Aussage zu schließen.

Sq 25–32 sind dagegen wieder umgekehrt wie die Anfangssequenz durch Ich-Aussagen (fünfmal explizit im finiten Verbmorphem und einmal im Partizip semantisch impliziert) im Blick auf das Gegenüber des »Ihr« (Sq 27 und 31) bestimmt, so daß durch die Dominanz der »Ich«-Aussagen eine Rahmung mit der Anfangssequenz erkennbar wird.

Sq 33 wird als neues Subjekt »Gott« explizit eingeführt. Dabei ist die Textverknüpfung durch den Bezug auf das »Ihr« mittels des Possessivpronomens deutlich. Ohne Entsprechung in der morphologischen Oberflächenstruktur ist doch die Entsprechung in der semantischen Tiefenstruktur mit der partizipialen Gottesbezeichnung (Sq 15) deutlich, zumal an beiden Stellen der Zusammenhang in semantischer Hinsicht auch in der Oberflächenstruktur durch den unmittelbaren syntaktischen Anschluß mit einem Bezug auf die erste Person signalisiert wird.

In der Schlußsequenz 34 erscheint durch Stichwortanschluß δόξα als neues Subjekt, doch ist der Anschluß an Sq 33 nicht nur durch den Bezug auf »Gott« gegeben, sondern auch die Verbindung mit den beiden bisher bestimmenden Subjekten durch das den Sender und die Empfänger nun abschließend zusammenschließenden Possessivpronomen ἡμῶν, das hier erstmalig verwendet wird.

1.1.4.2. Zugeordnete Textsignale

Die damit gefundene Grobgliederung in fünf Ballungen (cluster) wird unterstützt und verdeutlicht durch weitere ihr zugeordnete Textsignale:

Sq 1 hat am Anfang ein weiterführendes (Lohmeyer 138) δέ.

Sq 16 entspricht dem mit dem Neueinsatz durch πλήν, das in der Koine nicht mehr nur adversativ (so 1Kor 11,11), sondern daneben auch in progressiver Bedeutung (so 1,18; 3,16 und sonst nie bei Paulus) gebraucht wird: »Nevertheless« (Beare).

Sq 28 hat dann ein diesen beiden Einsätzen entsprechendes weiterführendes δέ in entsprechender Anfangsposition.

Alle drei Einsätze entsprechen einander auch in semantischer Hinsicht, da sie sich ganz

---

arbeit. Für »Glauben« und »Gerechtmachung« gilt dasselbe Zuordnungsverhältnis, da sie in Korrespondenz zum Evangelium stehen: Schenk 1983.

34 Ewald-Wohlenberg 232; Dibelius 74f.; das folgende καὶ ἅπαξ καὶ δίς war eine geläufige Formel »Mehr als einmal«: BauerWB 160; Lohmeyer 186 Anm. 3; Gnilka 178 Anm. 147; speziell Morris 1956.

direkt auf den für den Text grundlegenden Sachverhalt, das Geschenk der Philipper, beziehen:

Sq 3 τὸ ὑπὲρ ἐμοῦ φρονεῖν
Sq 17 συγκοινωνήσαντές μου
Sq 28 πάντα + (Sq 31) τὰ παρ' ὑμῶν.

Der Charakter des dreifach analogen Neueinsatzes dürfte noch durch weitere metasyntaktisch relevante Elemente gekennzeichnet sein:

Sq 1 hat als ntl. Hapaxlegomenon das auffallend singuläre Adverb μεγάλως[35] (statt μάλα). Es dürfte gewählt sein, weil es nach Jona 4,6 eine Affinität zu χαρά zu haben scheint. Doch ist für Paulus an unserer Stelle auch in Anschlag zu bringen, daß es eine makrosyntaktische Parallele in

Sq 16 in dem dort entsprechenden καλῶς hat. In dem analogen dritten Neueinsatz

Sq 28 ist wegen des förmlichen Quittungsterminus ἀπέχω[36] kein solches steigerndes Adverb möglich. Doch fällt diese analoge semantische Komponente nicht aus: Hier dürfte der entsprechende steigernde Zusatz in der wiederum auffallenden und gelegentlich gar als befremdlich empfundenen Fortsetzung

Sq 29 καὶ περισσεύω und nochmals in dem auffallend asyndetisch angeschlossenen und darum ebenfalls befremdlich empfundenen πεπλήρωμαι in

Sq 30 zu finden sein. Eine makrosyntaktische Analyse ist also durchaus imstande, Beobachtungen, die bisher nur beschreibbar waren, nun auch auf die Ebene der Erklärbarkeit zu heben. Ich bin der Meinung, daß hier auf diese Weise der Schritt von der ersten wissenschaftlichen Ebene, der Beschreibungsadäquatheit, zur zweiten wissenschaftlichen Ebene, der Erklärungsadäquatheit, textlinguistisch möglich ist.

So entsprechen sich also:

Sq 1f:	ἐχάρην	δὲ	μεγάλως	+ ὅτι . . .
Sq 16f:		πλὴν	καλῶς	+ ἐποιήσατε συγκοινωνήσαντες
Sq 28f:	ἀπέχω	δὲ	περισσεύω	+ πάντα
			πεπλήρωμαι	

Der grammatische Unterschied des Einsatzes mit der ersten Person Singular beim ersten und beim dritten Einsatz einerseits und mit der zweiten Person Plural beim zweiten Einsatz (Sq 16) hebt diese Gemeinsamkeit nicht auf. Gnilka hat richtig beschrieben, daß V. 15 »V. 10a inhaltlich wiederholt« wird. Nur bedarf es der Begründung, wieso angesichts der syntaktischen Differenz doch der semantische Gehalt und die pragmatische Funktion der Parallelen übereinstimmen. Linguistisch wird der Zusammenhang klar, wenn man sieht, daß Sq 16 der direkte objektsprachliche Vollzug der hier intendierten Sprechhandlung vorliegt, über den Sq 1 metasprachlich berichtet. Bei dem performativen Vollzug einer Sprechhandlung wird das betreffende, kennzeichnende Wort nicht unbedingt selbst benutzt, da es ja primär dem Bereich des

---

35 Gnilka 173 Anm. 111; vgl. vor Pl: 2Makk 2,8; Sap 11,21 und nach ihm Polyk 1,1 sowie ferner Jes 39,2 (A,S).

36 So in Tausenden von zeitgenössischen, kommerziellen Dokumenten, wie seit Grotius bekannt ist: M-M s. v.; Wilcken I 80–87; Preisigke I 163; Ditt. Syll. 845,7; Deißmann 1897; die Kommentare folgen in der Regel dieser Präzisierung, während die Bibelübersetzungen versucht sind, diese Nüchternheit erbaulich zu überkleiden. Von den Kommentatoren haben es nur Ewald-Wohlenberg 235 Anm. 1 zu unrecht bestritten. Dies ist um so weniger gerechtfertigt, als zum bezeugten kommerziellen Stil auch die Verbindung des Verbs mit πάντα gehört: Deißmann 1923: 90 Anm. 2.

metasprachlichen Berichts darüber angehört[37]. Das gilt auch für den hier vorliegenden performativen Vollzug der Sprechhandlung des Dankens. Durch diese notwendige Unterscheidung wird der Zusammenhang der beiden Einsätze geklärt. Dabei wird das, was Sq 2 als aoristische Begründung folgt, hier im Wiederholungs- und Wiederaufnahmefalle gleich mit dem Aorist an den Anfang gesetzt. Beide sind kontext-semantisch identisch:

Sq 2 ἀνεθάλετε

Sq 16 ἐποιήσατε.

Sie beschreiben das Objekt, das Gegenstand des Dankens ist. Damit sind beide Stellen also vollständige Dankesbezeugungen an die Spender. Von einem »danklosen Dank« – wie ein hier eingebürgertes Oxymoron formuliert[38] – besteht also kein Anlaß zu reden. Man müßte logischerweise diese Kennzeichnung schon aus referenzsemantischen Gründen aufgeben, wenn hinter der Wendung Sq 16 die oft bezeugte übliche Einladungs- und Bestellbriefformel »Ich wäre Ihnen sehr dankbar, wenn Sie . . .« (vgl. 3Joh 6 καλῶς ποιήσεις = »Bitte«)[39] stünde, was mit Recht angenommen werden kann. Dann aber ist hier mit dem folgenden Partizip Aorist ganz direkt »Danke schön« gesagt (vgl. auch das gleiche Syntagma Apg 10,33 und im Berliner Pap.Petri II,XI(1) 1)[40].

Weiter ist beim Gebrauch des abgewehrten Oxymorons auch nicht der semantische Zusammenhang des betreffenden Wortfeldes beachtet, nach dem Freude Ausdruck des Dankes ist. »Freude« ist also Hyponym für das übergeordnete Archilexem (Syprenym) »Dank«. Vom AT her ist dies gerade im Bezug auf Gott ein fest geprägtes Wortfeld: »Als Erstattung des Dankes an ihn ist Freude geboten (Dtn 16,13–15; vgl. 12,6f.; 2Chron 30,21f.; Jub 49,22)«[41]. Die öfter tradierte Behauptung, daß der Text »einen direkten Ausdruck des Dankes überhaupt nicht enthält«[42], ist ebenso gegenstandslos wie die Folgerung daraus, daß darum hier ein selbständiger Dankesbrief gar nicht vorliegen könne. Das Gegenteil ist der Fall: Der Einsatz der beiden ersten Hauptteile mit dem nachweisbaren semantischen Gehalt des Dankens spricht stark für den Gabendank als das bestimmende Moment dieses Textes und darum für ein selbständiges und dem Rest des Philipperbriefes vorangehendes Brieffragment. Wenn für Beare (150) schon die Tatsache des förmlichen Quittungsterminus am Beginn des dritten Einsatzes allein als Argument für die Bestimmung des Segments als eines früheren Brieffragments genügte, so wird dies durch den textlinguistisch aufgewiesenen Zusammenhang der drei analogen Einsätze stark stringent erweitert. Theologisch-ethisch ist an diesem Drei-Schritt wichtig, daß man sehen kann, wie auch eine Geld-Quittierung für Paulus nicht außerhalb der von Gott geschichtlich gesetzten Christusherrschaft liegt. Erst nach dem doppelten Dank wird in dritter Instanz das Quittieren vollzogen.

1.1.4.3. Mehrfacher Anlauf

Nachdem wir die Tatsache des dreifachen Einsatzes in Korrespondenz zueinander festgestellt haben, stellt sich die Frage: Warum wird der erste Anlauf nicht so zu Ende

---

37 Klassisch: Westermann 1953: 16–20: Der Vollzug geschieht objektsprachlich, ohne daß die metasprachliche Vokabel fallen muß.
38 Gnilka 173 nach Dibelius und Lohmeyer; dagegen signalisiert Bouwman 11 wenigstens das Problematische dieser Kennzeichnung.
39 Beare 153; vgl. M-M I 228 s. v. ποιέω.
40 Nach Dibelius auch Lohmeyer 183 Anm. 1; Gnilka 176 Anm. 132.
41 Conzelmann ThWNT IX 354.
42 So immer noch Schmauch 16 bei Lohmeyer 1964.

geführt, daß es noch zu einem zweiten kommen muß? Ja und warum muß es nach dem zweiten Ansatz gar noch zu einem dritten kommen? Folgende Beobachtungen ermöglichen eine weitergehende Erschließung der Textstrukturierung:

Innerhalb der ersten »Ihr«-Passage kommt es Sq 4–5 zu einem Rückblick. Er macht formal eine negative Feststellung: Die Unterstützung war in der letzten Zeit nicht möglich. Sie ist darum nur formal negativ, sachlich aber positiv, wenn das einleitende ἐφ' ᾧ dem Sq 2 voranstehenden ὅτι entspricht und eine weitere Begründung für ἐχάρην Sq 1 gibt: Der positive Ton der Freude liegt dann auch hier noch auf der wiederholten und versuchten (Imperfekt) Beteiligung an der Arbeit des Paulus. Eine Bestätigung oder Korrektur der von der Struktur her zu erwartenden syntaktischen Funktion von ἐφ'ᾧ muß sich im weiteren Gang der Arbeit zeigen.

Dem entspricht nun, daß auch in der zweiten »Ihr«-Passage Sq 18–24 genau parallel ein ebensolcher Rückblick wie Sq 4–5 steht, dieser aber von vornherein positiv und sachlich von der zeitlich davorliegenden Unterstützung spricht. Nach dem begrenzten und negativen Rückblick von Sq 4–5 war offenbar eine positive und umfassendere Ergänzung im Blick auf den gleichen Sachverhalt nötig – sei es pragmatisch als Trost oder zur Beruhigung oder nur aus überströmender Dankbarkeit. Dieser Rückblick ist hier deutlich als »Erinnerung« gekennzeichnet:

Sq 18f   οἴδατε + ὅτι
Sq 24   + ὅτι

Das rezitative ὅτι setzt also zweimal an und ist in V. 16 wiederholend zu V. 15 parallelisiert (Gnilka). Diese Doppelheit in morphologisch gleicher Oberflächengestalt legt es nahe, auch die Doppelheit in morphologisch verschiedener Gestalt in den analogen Sq 2 und 4 gleich zu beurteilen.

Diese beiden Rückblickpassagen nehmen semantisch jeweils die »Gabe«-Thematik aus den voranstehenden Dank-Passagen auf:

Sq 3   τὸ ὑπὲρ ἐμοῦ φρονεῖν
Sq 4   ἐφρονεῖτε

Dabei drückt das Imperfectum de conatu die wiederholten versuchten, aber nicht geglückten Unterstützungsversuche aus.

Entsprechend findet sich im Parallelstück eine entsprechende, morphologisch auch durch die gleiche Oberflächengestalt signalisierte Wiederaufnahme:

Sq 17   συγκοινωνήσαντές μου
Sq 21   ἐκοινώνησαν   μοι

Zugleich werden damit beide Lexeme als Synonyme in ihrem gegenseitigen Verhältnis zueinander ausgewiesen. Indem der Blick auf diesen semantischen Aspekt der Zuordnung einbezogen wird, erkennen wir, daß die Beschreibung des gleichen Sachverhalts im zweiten Falle noch ergänzt wird durch ein weiteres synonymes Syntagma:

Sq 24   εἰς τὴν χρείαν μοι ἐπέμψατε

Aus der Tatsache, daß hier jeweils diese untergeordneten Rückblicke folgen, ergibt sich, daß die einleitenden Passagen Sq 1–2 und 16–17, von denen die Rückblicke abhängen und denen sie zugeordnet sind, nicht als Hinführungen zu verstehen sind, sondern als die tragenden Hauptaussagen und grundlegenden Sprechhandlungen dieses Textes. Die angeschlossenen Rückblicke haben demgegenüber nur einen Ergänzungscharakter.

1.1.4.4. Die Zielaussagen

Was auf diese beiden Rückblicke folgt, ist wiederum auffallend parallelisiert, denn es sind jeweils Einsätze in der ersten Person Singular:

Sq 6   λέγω
Sq 25   ἐπιζητῶ

Das Präsens ist nicht direkt auf die Situation bezogen, sondern leitet nach seinem semantischen Gehalt eine reflexive Beurteilung der Sachlage ein.

Ebenso fällt auf, daß beide Passagen parallel mit einer starken Verneinung beginnen »wirklich nicht«, »keinesfalls« (s. u. 1,18; 3,16; vgl. Beyer SS I/1 122 Anm. 2):

Sq 6   οὐχ ὅτι (hier ohne Fortsetzung, also als Ellipse: B-D-R 480,5)[43]
Sq 25   οὐχ ὅτι (hier + ἀλλά Sq 26 wie 2Kor 1,24; 3,5; 2Thess 3,9)

Beide Male wird also eine Korrektur angebracht, im ersten Falle der Nicht-Unterstützung als mögliche Entschuldigung des Paulus oder wenigstens um das Mißverständnis auszuschließen, er habe eine taktlose oder tadelnd mißzuverstehende Bemerkung gemacht. Im zweiten Falle mit einer entsprechenden Absicherung nach der Haben-Seite, die expliziert, daß Paulus nicht auf ihr Geld versessen ist. Durch ihren Korrekturcharakter sind beide Einsätze als Fortsetzungen gekennzeichnet und somit klar auf ihre jeweils voranstehenden Abschnitte bezogen. Das erweisen auch die angeschlossenen Näherbestimmungen:

Sq 6   καθ' ὑστέρησιν
Sq 25   τὸ δόμα,

die antonym einander entsprechen.

Beide Passagen werden nach dem Korrektursatz fortgesetzt:

Im ersten Falle Sq 7 mit einer Begründung (γάρ), die das entfaltete Bekenntnis der von Paulus erlernten Autarkie-Erfahrung bringt. Im zweiten Falle folgt eine weiterführende Negation der Negation Sq 26 (ἀλλά), die ebenfalls eine positive Erläuterung bringt. Beide Komplexe sind durch Stichwortverbindung mit ihren jeweils einleitenden Korrektursätzen verbunden:

Sq 6   καθ' ὑστέρησιν
Sq 14   ὑστερεῖσθαι

und entsprechend

Sq 25   ἐπιζητῶ
Sq 26   ἐπιζητῶ.

Im zweiten Falle findet sich auch noch eine engere Stichwortverbindung mit dem voranstehenden Rückblick:

Sq 25   δόμα   und   Sq 27   εἰς λόγον + Genitiv
Sq 22   δόσεως   Sq 22   εἰς λόγον + Genitiv

Schließlich ist festzustellen, daß beide Erläuterungspassagen mit einer Partizipialwendung enden, die offenbar auch inhaltlich als Höhepunkt auf einen Gottesbezug hinausläuft:

Sq 15   ἐν τῷ ἐνδυναμοῦντί με
Sq 27   τὸν πλεονάζοντα εἰς λόγον ὑμῶν.

Wurde dies im ersten Falle schon oben mit zwei Argumenten belegt (s.o. 1.1.2. zur partizipialen Gottesbezeichnung), so ist für die Behauptung im zweiten Falle eine semantische Ergänzung nötig: Paulus bleibt Sq 26f. in der finanz-ökonomischen Terminologie[44]; so meint καρπός in dem Zusammenhang den »Profit«, »Mehrwert« als »Ertrag«, und τὸν πλεονάζοντα charakterisiert dabei den »überschießenden Betrag«, »den wachsenden Posten«, und dies geschieht εἰς λόγον ὑμῶν »zur Verrechnung für euch«, »auf euer Guthaben« – doch wird dieser ganze Zusammenhang hier eschatologisch gewendet (s.u. 1,11). Interessant daran ist, daß also die Endvollendung bei

43 Lohmeyer 179 Anm. 5.
44 Ewald-Wohlenberg 234; Lohmeyer 186; Beare 154f.; Gnilka 179.

Paulus nicht nur mit juridischen Gerichtsmetaphern, sondern auch mit finanzökonomischen Termini ausgedrückt werden kann. Dies ist für uns, die wir in einer starken Tradition einer vom römischen wie germanischen Recht geprägten eschatologischen Terminologie leben, äußerst wichtig. Dem entspricht der meist überspielte und nicht zur Kenntnis genommene Tatbestand, daß weder Gott noch Christus bei Paulus je als Richter bezeichnet werden. Mit dem einen wie mit dem anderen Tatbestand kann verdeutlicht werden, daß Paulus keine selbständige eschatologische Gerichtslehre kennt. Das, was man so nennen könnte, ist nur die Kehrseite der positiven Vollendung, und auf dieser liegt der Ton. Dies konnte natürlich dann kaum in den Blick kommen, solange man nicht dem semantischen Gehalt entsprechend strikt zwischen einer Vollendungs- und einer Enthüllungseschatologie unterschied. Ja, es war erst recht verdeckt, solange man Paulus von der bloßen Enthüllungseschatologie her, wie sie im Kol, Eph, Hebr oder bei Joh vorliegt, interpretierte, genauer gesagt, sie in Paulus hineinlas. So wie Paulus aber christologisch an der Vollendung liegt (1Kor 15,28), so geht es ihm auch im Blick auf die Gemeinde um Vollendung, und dabei auch um das Einbringen möglichst vieler und großer Erträge in die Vollendung. Man kann bei Paulus nicht von einem Gericht der Person nach den Werken sprechen, sondern nur von einem Gericht der Werke (1Kor 3,12–15; 4,4f. und von daher auch 2Kor 5,10). Paulus ist an den bleibenden Werken interessiert. Eben darum kann er hier von dem »wachsenden Posten auf eurem Guthaben« sprechen[45].

Als vorläufiges Ergebnis im Hinblick auf Gestaltung und Gliederung des Textes des Dankbriefes läßt sich also offenbar ein mehrfach parallel gestalteter Aufbau erkennen:

A Dank für die Gabe der Philipper (Sq 1–3; 16–17; 28–30)
B Seitenblick auf die ökonomische Relation zu den Philippern (Sq 4–5; 18–24)
C Theologische Erläuterung (Sq 6–15; 25–27).

Schon hier läßt sich erkennen, daß der paulinische Text stärker strukturiert ist, als die bisherigen Gliederungsvorschläge erkennen lassen. Immerhin ist deutlich, daß der erste Haupteinschnitt zwischen V. 13 und V. 14 liegt und nicht nach V. 14. Von dem ersten Gesamtüberblick her erübrigt sich aber auch die Annahme, daß der Text vielleicht in Unordnung geraten und V. 15f. etwa eine Randglosse des Paulus zu V. 10b sei (Ewald-Wohlenberg 233f.), die später an einen falschen Platz geraten sei.

1.1.4.5. Der dritte Neueinsatz

Noch aber sind wir dem Text nicht bis zu seinem Ende gefolgt. Diese noch nicht vermessene Strecke des Wegs soll nun beschritten werden. Der dritte Neueinsatz vom Typ A »Dank für die Gabe« war aber mit Sq 28 erkennbar. Er leitet die letzte und ausführlichste Entfaltung dieses direkt auf den Anlaß dieses Grundanliegen bezogenen Schreibens ein. Diese Entfaltung wird zugleich gehäuft wie gedrängt ausgedrückt, wobei redundante Plerophorien vorliegen, die eher ungeformt als bedacht erscheinen. Doch der Schein trügt: Auf die verstärkenden Funktionen und den Zusammenhang der verbalen Reichlichkeits-Ausdrücke (Sq 29f.) in bezug auf die Empfangsquittung (Sq 28) hatte schon die Analyse der Dankteile A den Blick gelenkt. Der ganze Zusammenhang wird noch durchsichtiger, wenn man sieht, daß Paulus hier seine Ausführungen durch eine chiastische Ringkomposition im einzelnen wiederholend unterstreicht:

45 Ewald-Wohlenberg 234; dagegen verzeichnet etwa GN gründlich den weiterführenden Charakter der partizipialen Apposition, indem sie den intendierten eschatologischen Aspekt ausfallen läßt: »nämlich daß euer eigenes Guthaben sich vermehrt, nämlich daß euer Glaube Frucht bringt«.

Als Innenglieder entsprechen sich die die Dankbarkeit den Gebern gegenüber aus-
drückenden Reichlichkeitsaussagen:

Sq 29 περισσεύω
Sq 30 πεπλήρομαι

Als da herumgelegter konzentrischer Rahmen entsprechen sich weiter die direkten
Empfangsaussagen:

Sq 28 ἀπέχω δὲ πάντα
Sq 31 δεξάμενος παρὰ Ἐπαφροδίτου τὰ παρ' ὑμῶν

Durch den gemeinsamen Bezug auf Gott scheint nun noch ein dritter Ring um diese
beiden geschlungen zu sein, der die Schlußapposition des dritten Dankausdrucks
umgreift und mit der Schlußapposition des voranstehenden zweiten Teils in Sequenz 27
verschränkt:

Sq 27 τὸν πλεονάζοντα εἰς λόγον ὑμῶν
Sq 32 ὀσμὴν εὐωδίας θυσίαν δεκτήν εὐάρεστον τῷ θεῷ

Damit beendet der Hinweis auf Gott das erste Teilstück des dritten Teils (A_3) gewissermaßen vorzeitig, so wie Sq 27 den zweiten und Sq 15 den ersten Gesamtteil. Diese
scheinbare Voreiligkeit ist ein Hinweis darauf, daß die Zielgerichtetheit auf den
Gottesbezug am Schluß von vornherein intendiert war und nach den beiden vorbereitenden Signalisierungen nun endgültig zur Entfaltung gebracht wird.

Semantisch gesehen, ist zu den drei Schlußappositionen von Sq 32 zu bemerken, daß
sie nicht ein Gott »dargebrachtes« Opfer bezeichnen, da sie syntaktisch von δεξάμενος
abhängen und damit Paulus klar als der bezeichnet ist, der hier empfängt und annimmt[46]. Man wird also auch nicht sagen können, daß es »im Grunde genommen Gott
dargebracht« (so Gnilka ebd.) werde. Dabei verdeckt das Syntagma »im Grunde
genommen« nur die semantische Gewaltsamkeit, und mit der Wahl des Verbs »darbringen« wird dem Text unterstellt, was man aus ihm herauslesen möchte. Noch
weniger gilt dann auch, daß der Apostel hier »ihren Dienst auf die Ebene des Sakralen
erheb(e)« (Gnilka ebd.). Auch hier ist die Sprache des Interpreten verräterisch:
Welche Elevatio wäre referenzsemantisch historisch vorauszusetzen? Die Termini der
Opfersprache sind vielmehr ebenso und nicht weniger metaphorisch wie vorher Sq 27
die Termini der finanzökonomischen Sprache. Denn daß damit die Eschatologie »in
die Sphäre der Buchhaltung erhoben würde« (oder des Bankwesens), wird doch wohl
niemand sagen wollen.

Referenzsemantisch ist wohl zu beachten, daß die Termini durch die Verwendung in
der Weisheitssprache ohnehin von einem direkten Bezug zum jüdischen Opferkult
abgehoben waren und ihre Bedeutung sich damit »verselbständigt« hatte[47]:

So ist bei ὀσμὴ εὐωδίας nicht mehr der duftende Rauch von Brandopfern der primäre
Hintergrund, sondern wie Sir 24,15 oder 39,14 der »erfrischend-belebende Duft« von
edlen Pflanzen. Eine stärkere Verwendung von Metaphern des Geruchssinns ist ohnehin erst im Hellenismus spürbar. Wie bei der analogen Verwendung 2Kor 2,14f. von
der Wirkung des Duftes auf die Menschen und nicht auf Gott die Rede ist[48], so auch
hier an unserer Stelle: Zielpunkt der Aussage und Empfänger des Duftes ist Paulus
ganz direkt. Die Wirkung, auf die der Genitivus qualitatis hinweist (Ewald-Wohlen-

---

46 So zunächst m. R. Gnilka 179 Anm. 154 gg. Lohmeyer 187 f., der es gewaltsam um seiner
   Prämisse vom Märtyrerbezug willen zu πεπλήρομαι in Beziehung setzen wollte.
47 Lohmeyer 187 mit Stellenangaben aus der Weisheitsliteratur – gg. Friedrich 118; Gnilka
   179 f., die gerade diese einschlägigen Stellen zugunsten vermeintlich direkterer atl. Opferter-
   minologie-Parallelen nicht angeben.
48 Vgl. Bultmann 1976: 68 f. mit Bachmann z. St.

berg 235 Anm. 2), besteht darin, daß der Duft Leben spendet – also eine der finanziellen Gabe durchaus angemessene Kennzeichnung.

Die zweite Apposition θυσία δεκτή ist eine bei Paulus singuläre Wendung, und sie ist auch in der LXX nicht eben häufig. Sie stammt wohl aus dem von LXX-Sir 35,6 bezeichneten Wortfeld, wo schon ein enger Zusammenhang mit den Liebeswerken hergestellt ist[49]. Die spezielle Bedeutungskomponente »Schlachten« ist demnach aus θυσία hier nicht mehr herauszuhören (Ewald-Wohlenberg 235 Anm. 2), so daß man allgemein von »Gabe« oder »frommer Gabe« reden kann. Die semantischen Komponenten haben sich also vom »Schlachten« und dem »dargebrachten Geschlachteten« auf das »Bringen« und das »Gebrachte« überhaupt verlagert, so daß das von Epaphroditus gebrachte Geld sogleich diese Apposition bekommen kann. Der jüdische Tempel ist für Adressaten ohnehin außerhalb des Blickfeldes. Die hellenistisch-römischen Philipper werden mit den Worten eher Vorstellungen ihrer Umwelt neben der von Paulus ihnen übermittelten Paradosis verbinden. Das erläuternde Beiwort δεκτή wird in Sir 35,6 mit »Nicht-vergessen-werden« parallelisiert, so daß hier in anderer Metaphorik wirklich derselbe Gedanke wie in der chiastisch zugeordneten Wendung vom eschatologischen Guthaben (Sq 27) wiederholt wird: Eine Gabe, die Gott nicht vergißt, ist eine von Gott vollendbare und vollendungswürdige Gabe. Da Paulus sich offenbar selbst darüber im klaren ist, daß er damit ein so ungewöhnliches Adjektiv brauchte, ergänzt er es sogleich durch einen asyndetischen Anschluß mit der ihm geläufigeren Wendung εὐάρεστον τῷ θεῷ (»Anerkannt«, »angenehm«, »willkommen«, »wohlgefällig«, Bauer WB 346, 630). Damit setzte er einmal ein Synonym und setzt zum anderen den Gottesbezug explizit hinzu. Dieses Syntagma verwendet er auch 2Kor 5,9 und zwar im Hinblick auf den folgenden eschatologischen Vollendungshinweis V. 10, so daß von da aus deutlich wird, in welcher Hinsicht der Gottesbezug auf die Gabe der Philipper auch hier in den Blick kommt: Gott ist nicht der Empfänger, sondern der Vollender. Da Paulus nach den beiden etwa gleichzeitigen Verwendungen des Syntagmas in 2Kor 5 und Phil 4 es auch Röm 12,2 und 14,18 in ähnlichen ethischen Grundsatzaussagen wie 2Kor 5 verwendet, so wird aus Phil 4 zugleich deutlich, welche Konkretion solche ethischen Grundsatzaussagen finden.

Damit scheint es also gerechtfertigt, dieses Textsegment als dreifach konzentrisch gestaltete Ringkomposition anzusehen, die zugleich diesen Teil übergreifend mit dem voranstehenden Teil verkettet:

Sq 27	A		τὸν πλεονάζοντα εἰς λόγον ὑμῶν
Sq 28	B		ἀπέχω δὲ πάντα
Sq 29		C	καὶ περισσεύω
Sq 30		C'	πεπλήρομαι
Sq 31	B'		δεξάμενος παρὰ Ἐπαφροδίτου τὰ παρ' ὑμῶν
Sq 32	A'		ὀσμὴν εὐωδίας θυσίαν δεκτὴν εὐάρεστον τῷ θεῷ

1.1.4.6. Die Fürbitte (4,19)

Unsere letzte makrosyntaktische Fragestellung muß der Relation der beiden Schluß-Sequenzen 33 und 34 zum Gesamttext gewidmet sein. Liegt hier eine Sonderstellung im Verhältnis zum ganzen Vorhergehenden vor, wie die hier neu auftretenden Subjekte vermuten lassen könnten oder sind diese beiden Sätze enger auf den dritten Teil Sq 28–

---

49 Lohmeyer 187 Anm. 4; Bauer WB 346; in Frage kämen als mögliche Parallelen nur noch Jes 56,7, wo es auf die zuströmenden Heiden bezogen – also auch metaphorisch verwendet ist; weniger aber Mal 2,13: Gerichtswort.

48

32 zu beziehen? Diese Frage stellt sich schon dann, wenn man den Anfang des Schlusses verschieden bestimmt. Gnilka (173 nach Lohmeyer und Bonnard) faßt beides als »Schlußgebet« zusammen: »Die Erörterung mündet ein in ein Gebet, das Zuspruch und Lobpreis ist« (180). Andere dagegen finden erst in V. 20 einen Neueinsatz und wirklichen Abschluß (so Ewald-Wohlenberg 236; Beare 157) und sehen nur V. 19 enger an V. 18 angeschlossen. Welche Beobachtungen lassen sich zunächst im Blick auf die Fürbitte Sq 33 machen?

Die Verbindung von V. 19 zum Vorangehenden ist durch einen mehrfachen Stichwortanschluß schon nach der Oberflächenstruktur deutlich: So nimmt θεός Sq 32 auf, μου die Aussagen in der ersten Person Sq 28–31 und davor, πληρώσει war Sq 30 als Lexem verwendet und χρεία Sq 24, ὑμῶν war zuletzt Sq 31 vorgekommen und verbindet es mit allen Empfänger-Bezugnahmen davor.

Weiter wird man von der letzten Beobachtung her beachten müssen, daß personales Objekt dieses Gebets ganz deutlich die Philipper sind – also ein Fürbittwunsch vorliegt –, und so ein Zusammenhang mit den bisher jeweils auf die beiden ersten Gabe-Passagen A folgenden Seitenblicke B (Sq 3–5 und 18–24) gegeben ist, in denen es um die ökonomischen Relationen der Philipper zu Paulus in ausgesprochenen »Ihr«-Passagen ging. Dem würde also auch hier Sq 33 entsprechen, da diese Fürbitte ja um der Philipper willen laut wird, und es dabei um ihren Lebensunterhalt geht. Die bisherigen Rückblicke der B-Teile werden also durch einen Vorblick ersetzt, denn Bittgebet hat es per definitionem immer mit der Zukunft zu tun (Schenk 1972). Auch darin, daß es dabei nicht mehr um die ökonomische Relation der Philipper zu Paulus, sondern um ihre monetären Verhältnisse überhaupt geht, liegt eine entsprechende Ergänzung und Erweiterung. Mithin dürfte es gerechtfertigt sein, in Sq 33 einen dritten B-Teil zu sehen, der strukturanalog wie die beiden bisherigen B-Teile einem A-Teil folgt.

1.1.4.6.1. Die innere Struktur

Daß Sq 33 eine von Paulus bewußt gestaltete innere Struktur hat, dürfte Lohmeyer (189) richtig erspürt haben, wenn er zwei dreigliedrige Zeilen sieht, bei denen »die zweite Zeile der ersten genau parallel gebaut« sei:

ὁ δὲ θεός μου   / πληρώσει / πᾶσαν χρείαν ὑμῶν //
κατὰ τὸ πλοῦτος αὐτοῦ / ἐν δόξῃ / ἐν Χριστῷ Ἰησοῦ.

Von der Silbenlänge der sechs Glieder her (5 + 3 + 6 : 7 + 3 + 5) und der dabei unverkennbaren anderen Relation zueinander liegt aber eher die Gestaltung einer konzentrischen Ringkomposition vor:[50]

A   ὁ δὲ θεός μου
   B   πληρώσει
      C   πᾶσαν χρείαν ὑμῶν
      C'   κατὰ τὸ πλοῦτος αὐτοῦ
   B'   ἐν δόξῃ
A'   ἐν Χριστῷ Ἰησοῦ.

Dieses Moment würde dann noch zusätzlich diesen Teil B_3 mit dem voranstehenden A_3 zusammenbinden. Ob man sich nun diesem Vorschlag oder dem Lohmeyerschen anschließt, die Folgerungen daraus hinsichtlich der semantischen Erhellung dieses

---

50 Diese Form ist nicht immer ein Semitismus, sondern auch sonst der antiken Rhetorik geläufig: Lausberg 1976 § 392. Wenn diese Ringe nur Parallelglieder wie hier haben, kann man im strengen Sinn von einem Chiasmus sprechen. Davon kann man eine andere Konzentrik differenzieren, bei dem die Ringe um einen eingliedrigen Kern gelegt sind – vgl. Schieber 1977: 301ff. für Mt 6,25–34; 19,16–22; 28,18b–20.

Satzes führen zu dem gleichen Ergebnis: Die strukturierte Art gehobener Prosa kann verständlich machen, weshalb hier in den Wiederholungsgliedern 4–6 plerophorisch drei Präpositionalbestimmungen aufeinanderstoßen. Zugleich läßt sich aus der Struktur der Zuordnung in der Oberflächenstruktur die intendierte semantische adverbiale Zuordnung von ἐν δόξῃ zum Prädikat πληρώσει (B' : B)[51] trotz des Abstandes voneinander – (und nicht eine attributive zu πλοῦτος) verständlich machen, und zwar in modalem Sinne: »in herrlicher Weise«. Somit kennzeichnet diese Präpositionalwendung »die Art der Erfüllung«[52]. In der ersten Wendung ist die Präposition κατά wie schon in V. 11 (s. o.) kausal gemeint und spricht darum vom »Grund der Erfüllung«[53]. Die Präposition steht durch das Antonym in antithetischer Entsprechung zu

Sq 6:　καθ' ὑστέρησιν

　　　　κατὰ πλοῦτος.

Daß Paulus hier von Gottes »Reichtum« redet, ist auffallend und alles andere als selbstverständlich, weil dieser semantische Bezug weder von Jesus noch von der LXX her vorgegeben war[54]. Der Sprachgebrauch kann ihm also auch nicht von der Psalmensprache her zugewachsen sein, die sonst von großem Einfluß auf seine Gebetssprache war (Harder), so daß hier auch kein gattungstypisches Syntagma die Vorgegebenheit als gebetsspezifische Ausdrucksweise verständlich machen würde.

Man muß also den semantischen Gehalt aus den wenigen Stellen der paulinischen Verwendung selbst zu erheben versuchen. Paulus verwendet πλοῦτος auf Gott bezogen nur und erst Röm 2,4 (Gnade); 9,23 (Erbarmen); 11,33 (Weisheit), wobei durch die Syntagmen schon klar wird, daß er das Lexem nie statisch, sondern immer dynamisch von Gott her auf die Menschen hin bezogen verwendet, also seine »Freigebigkeit« bezeichnet. So ist es nomen actionis und mit πλουτίζειν identisch, dessen Passiv 1Kor 1,5 und 2Kor 9,11 Gottes reichmachendes Handeln beschreibt. Diese wesentlichen semantischen Komponenten würden durch eine oberflächlich konkordante Wiedergabe durch »Reichtum« gerade nicht zum Ausdruck gebracht. Darum ist auch eine erbauliche Formulierung wie: »Sein Reichtum ist größer als aller Mangel der Menschen« (Friedrich 128) eine weder dem semantischen Gehalt noch der pragmatischen Intention der Aussage gerecht werdende Verallgemeinerung. Schon gar nicht bringt sie angesichts einer mit solchen Sätzen gesättigten Frömmigkeitssprache zum Ausdruck, wie ungewöhnlich und darum auffallend dieser Sprachgebrauch bei Paulus ist. Doch es gibt noch weitere Bedenken in semantischer Hinsicht, die darüber hinaus führen: Da »Armut« und »Reichtum« im zwischenmenschlichen Bereich keine absoluten Quantitäten angeben (wenn alle gleich wenig haben, wird das nicht als Armut empfunden), sondern soziale Relationen – und zwar gerade im gegenseitigen Vergleich und Verhältnis zueinander, sollte man den fraglichen Ausdruck im Blick auf Gott möglichst überhaupt nicht verwenden. Da nun weiterhin auch die Redeweise vom »Reichtum« des christlichen Lebens ganz auf die korinthische Korrespondenz beschränkt ist[55], so

---

51　Dibelius; Ewald-Wohlenberg 236: Bei Bezug auf das voranstehende Nomen wäre für Pl eher eine Genitivverbindung wie Röm 9,23 zu erwarten.
52　Vgl. Ewald-Wohlenberg ebd. gegen eine lokale oder temporale Fassung. Lohmeyer 189 übersetzt trotz seiner im Text zitierten guten Charakterisierung dann aber leider doch »mit Ruhm«; Gnilka 180 will δόξα als Geschenk und Gabe verstehen und damit »als das Leben«, »das durch Jesus Christus erschlossen ist« – »und zwar jetzt wie einst«. Damit wird wieder eine Fülle von semantisch zu differenzierenden Aspekten unstrukturiert und assoziativ im Sinne gängiger Soteriologie zusammengehäuft. Doch ist außerdem eine Auffassung als Gabe an die Menschen schon dadurch ausgeschlossen, daß das Verb hier schon ein unmittelbares Akkusativ-Objekt hat.
53　Lohmeyer ebd.; O'Brien 1977: 91 Anm. 117 gg. WiNT »durch Reichtum«.
54　Hauck-Kasch ThWNT VI 326f.　　　　55　O'Brien 1977: 117 Anm. 31.

liegt es nahe, anzunehmen, daß sie in den dortigen Problemen ihren Ort hat. 1Kor 4,8 zeigt in der Tat, daß es sich zunächst um eine Parole des korinthischen Enthusiasmus handelt. Gewisse Ansätze zu einer solchen Verwendung gibt es durchaus in der hellenistisch-jüdischen Weisheit (Sap 7,8.11.13; 8,5), und sicher liegt in dem 2Kor 8,9 zitierten Überlieferungsstück, das unter den gegebenen Zusammenhängen ebenfalls als ein korinthisches Zitat gewertet werden muß, der Zusammenhang mit dem Weisheitsmythos deutlich zutage[56]. Wenn also dieser Sprachgebrauch eng begrenzt ad hominem erscheint und dabei noch polemische und ironische Züge trägt, dann wird das eine Übersetzung auf jeden Fall zu berücksichtigen haben. Auf keinen Fall wird man mehr unreflektiert vom »herrlichen Reichtum« (Wilckens NT) sprechen dürfen.

Auch hinsichtlich der dritten und letzten Präpositionalwendung wird man Lohmeyer darin zustimmen, daß sie instrumental zu verstehen sei: Sie kennzeichnet »den Mittler solcher Erfüllung«[57]. Daß bei den 28 Belegen dieser paulinischen Wendung ἐν Χριστῷ Ἰησοῦ die Stellung in Schlußpositionen und vor allem im Briefrahmen kennzeichnend ist, hat die Distributionsanalyse durch Kramer[58] klar gezeigt und bestimmt darum auch die Position an unserer Stelle. Er hat ebenso die semantische Bedeutung der entsprechenden Textverknüpfungen deutlich herausgearbeitet: Dieses Syntagma steht bevorzugt dann, wenn Gott als handelndes Subjekt genannt ist für »die Art des göttlichen Gebens« (ebd. 241). Der entscheidende Sachgrund dafür liegt zweifellos – wie ebenfalls von Kramers textlinguistisch epochemachender Analyseorientierung her deutlich ist – in der Pistisformel als der Nachricht von Gottes schöpferisch-auferweckendem Handeln an dem hingerichteten und begrabenen Jesus. Alles fortgesetzte Handeln Gottes geschieht fortan auf diesem Wege und nicht abgesehen davon. Man kann das Zweite hier nicht ohne das Erste haben. Die Wortstellung in diesem Syntagma mit dem vorangestellten Χριστῷ ist nur äußerlich wegen der besseren Unterscheidung zwischen Genitiv und Dativ vorgenommen, da die casus obliqui von Ἰησοῦς identisch und darum nicht unterscheidbar sind, wie schon Dobschütz zu 1Thess 1,1 herausstellte[59]. Wenn trotz dieser Einsicht die Bibelübersetzungen dennoch bei einer pedantisch-konkordanten Wiedergabe dieser Reihenfolge bleiben, so wird weiterhin einem unnützen Fragen Vorschub geleistet oder der unausrottbaren Tendenz, darin mehr zu sehen, als darin liegt. Sachlich legt die Wendung den Ton aber auf das, was in jedem Falle festzuhalten ist: Gott handelt von der Auferweckung Jesus her erkennbar als der Schöpfer wie in der Gerechtmachung des Menschen so in jeder Weise immer bis zur Vollendung durch Christus – auch wenn es um den Lebensunterhalt des Paulus oder der Philipper geht. Darum ist hier unter diesem Schöpfungsbegriff kein Dualismus von »weltlich« und »überweltlich« oder »materiell« und »geistlich« möglich (vgl. die parallele Anwendung auf den konkreten wirtschaftlich ökonomischen Bereich auch 2Kor 9,8 und den ganzen Zusammenhang dort).

1.1.4.6.2. Der Gebetscharakter

Einer Begründung bedarf auch noch die Auffassung des Satzes in seiner pragmatischen Funktion als Fürbittwunsch. Wegen des vorliegenden Indikativ Futuri ist dies bestritten worden[60]. So war für den Eingliederungsvorschlag von Ewald-Wohlenberg maßge-

---

56 Kramer 1963: 140 Anm. 509.
57 Lohmeyer 189; Gnilka 180; GN – dagegen bleiben Ewald-Wohlenberg 236 (auf Grund der in Jesus Christus beschafften Gnade, bzw. »in der Sphäre des Heilsmittlers«) und ähnlich auch Beare zu unbestimmt.
58 Kramer 1963: 139–142.
59 Dobschütz 1909: 61; ihm folgen Lohmeyer wie Kramer 1963: 206.
60 Z.B. Neugebauer 1961: 89.

bend (s.o. 1.1.4.6.), daß hier eine »Zusage« vorliegt. Dem kann begründet widersprochen werden: Wie schon Harder[61] gezeigt hat, ist gerade hinsichtlich des Indik. Fut. die Gebetssprache des LXX-Psalters stilbildend gewesen. Dies wird hier bestätigt durch das weitere Vorkommen eines signifikanten Gattungselements: Das einleitende Syntagma ὁ θεός μου verwendet Paulus nur in Gebeten und Gebetsberichten[62] (Phlm 4; 1Kor 1,4; Phil 1,3; Röm 1,8).

Auch 2Kor 12,21 dürfte hierin keine Ausnahme darstellen; vielmehr weist gerade die Verwendung des Syntagmas ὁ θεός μου darauf hin, daß auch hier ein Gebet dahinter steht. Die syntaktische und semantische Schwierigkeit, die die Kommentare (vgl. Bachmann, Windisch, Bultmann z.St.) hier registrieren, ist also nicht damit zu beheben, daß man das »Fürchten« von V. 20 hier noch syntaktisch übergeordnet sieht. Vielmehr wird man von der Verwendung der Gebetsanrede her mit der implizierten Voraussetzung »Ich bitte Gott darum, daß . . .« neu einsetzen. »Zweifellos hat er die üblen Erfahrungen (»ταπεινοῦν«, »πενθεῖν«), die er 12,21 bei einem künftigen Besuch befürchtet, auch beim vorhergehenden Besuch über sich ergehen lassen müssen.«[63] Diese Stelle ist insofern interessant, als Paulus hier die Furcht (V. 20) als Voraussetzung für das Gebet nennt, und das Gebet in einer solchen Lage sich darauf richtet, daß Gott ihn nicht noch einmal vor den Korinthern erniedrigt. Paulus ist also durchaus nicht in einer Art masochistischen Selbsthasses in die negativen Erfahrungen verliebt. er bittet Gott um die Beseitigung sowohl im Blick auf sich selbst (auch 2Kor 12,8 – wenngleich erfolglos) wie hier – im Falle der Fürbitte für die Philipper – für andere. Damit ergibt sich zugleich ein Zusammenhang mit dem Selbstbekenntnis von 4,11–13: Das αὐτάρκης εἶναι . . . ἐν τῷ ἐνδυναμοῦντί με wird im Gebet in solchen Situationen gelernt – und wohl gerade auch am erfolglosen Bitten.

Aus dem korrespondierenden Gegenüber von ὁ θεός μου – τὴν χρείαν ὑμῶν kann man mittels Kontextsemantik erheben, daß Paulus *sein* Versorgtsein in dem Personalpronomen mit ausgedrückt hat: Die Verwendung des gleichen Verbs πληροῦν wie in Sq 30 für die von Paulus empfangene Gabe und die ebenso übereinstimmende Bezeichnung des Bereichs mit χρεία wie in Sq 24 lassen erschließen, daß Paulus auch sich selbst in seinen Bedarfssituationen als Bittender sieht. Darum kann unser Syntagma kontextsemantisch hier präzis übersetzt werden mit »der Gott, der mich so versorgt«. Dagegen entspricht es weder dem paradigmatischen Code der Gebetssprache noch dem syntagmatischen Kontextcharakter, wenn man hier das erbauliche Moment einzeichnet, daß Paulus »hier ganz persönlich von seinem Gott« spreche[64].

Ist somit der Fürbittencharakter des Futurs von Phil 4,19 begründet, so kann weiter festgestellt werden, daß es funktionsgleich mit dem Konj. Aorist ist, den Röm 15,13 mit dem gleichen Lexem wie an unserer Stelle dafür verwendet. Wenn aber die Funktion des Satzes so klar als Fürbittwunsch bestimmbar ist, so ist es nicht mehr möglich zu sagen, V. 19 sei ein »Zuspruch, gekleidet in die Form eines Segenswunsches«[65]. Hinter einer solchen apodiktischen Behauptung einer besonderen pragmatischen Funktion steckt weniger eine textlinguistische Bemühung als die Abhängigkeit von einer noch rein formalistischen Rohübersetzung der isolierten Morpheme, wie sie hier die meisten Bibelübersetzungen bieten[66], und wohl auch eine Frömmigkeitstradi-

61 Harder 1936: 25f.; Schenk 1967: 91.
62 Lohmeyer 189; O'Brien 1977: 21; auch das ist nach Harder 1936: 67f. Psalmensprache; vgl. auch Lohse 1968 und Stuhlmacher 1975 zu Phlm 4. In der Textrekonstruktion von 1Kor 1,4 wohl ursprünglich zu lesen, während die Auslassung bei O1 und O3 ein Abschreibfehler ist: GNTCom 543; Lohse 1968: 15 Anm. 1 gg. J. Weiß z.St.
63 Betz 1972: 9.   64 So Friedrich 128.
65 So Gnilka 180.   66 GN, Luther 75, WilckensNT.

tion, die den »Zuspruch«-Charakter existenzialistisch einseitig als einen Kerygmatismus favorisierte. Ebensowenig kann man auch aus der Futurform suggestiv die Gewißheitsfrage herauslesen und sagen: »Mit unumstößlicher Gewißheit kann Paulus hier von dieser Erfüllung sprechen.«[67] Wie 2Kor 12,8f. zeigt, kennt Paulus ebensowenig wie Jesus in Gethsemani eine solche Überbefrachtung des Gebets. Das Beten ist vielmehr bei Paulus ein menschliches Handeln wie jedes andere. Als solches ist es ungeeignet, die Gewißheitsfrage zu lösen. Das kann nur die intersubjektive Wahrheit des Evangeliums selbst. Eine ethische Verifizierung des Evangeliums ist wegen der Zweideutigkeit alles Ethischen ausgeschlossen[68]. Außerdem führt sie in der Praxis der Gemeinde auf die Dauer zu einer unerträglichen Überlastung des ethischen Anspruchs wie alles ethischen Handelns überhaupt. Das Bittgebet als menschliches Handeln kann nur die Zukunft in die freie Gnade Gottes stellen (ja, es wäre geradezu dadurch zu definieren), wie Paulus es hier in aller Bescheidenheit, d. h. unter Verzicht auf den Versuch einer ethischen Verifikation, tut. Hätte er den Satz zugleich auch als »Zuspruch« gemeint, dann läge darin eher etwas vom Charakter einer suggestiven Manipulation. Doch der Charakter des Kontextes wie der argumentative Charakter der einschlägigen paulinischen Ausführungen schützt Paulus hinreichend vor einem solchen Verdacht und läßt ihn als einen ehrlichen Kommunikationspartner erscheinen[69]. Der Sache nach liegt hier eine in Fürbittform transformierte Form der Brotbitte des Herrengebets (Lk 11,3 par) vor. Durch die Näherbestimmung πᾶσαν zu χρείαν ist deutlich, daß das Nomen nicht speziell als »Not«[70] zu verstehen ist, sondern allgemeiner als »Lebensunterhalt«, »Bedarf«[71]. Der gleiche semantische Gehalt muß dann aber auch in Sq 24 vorliegen, da diese erste vorlaufende Stelle ja die Wiederaufnahme im Fürbittgebet veranlaßte (vgl. dann auch die weitere Wiederholung 2,25 »der Gesandte für meinen Bedarf«). Das dortige Syntagma mit εἰς ist außerdem fest in diesem Sinne vorgeprägt[72] und zeigt, daß das Lexem allgemein nur auf das Fehlende und darum Nötige hinweist. Ein besonderer Akzent in der Richtung auf eine negative Bedeutungsnuance wäre darin nur betont, wenn θλῖψις in Sq 17 Synonym dazu wäre und das »längere Ausbleiben der Gabe«[73] meinen sollte. Doch dies ist nicht nur dadurch ausgeschlossen, daß θλῖψις dafür ein zu starker Ausdruck wäre, sondern vor allem dadurch, daß Paulus Sq 6 ausdrücklich betont hatte, daß er nicht »aus Geldmangel« heraus rede. Also ist θλῖψις kein Kontextsynonym zu χρεία. Darum muß sich θλῖψις auf die spezielle gegenwärtige Belastung, also wohl schon auf eine Gefängnissituation referenzsemantisch als Sachverhalt für die damit bezeichnete Sachlage beziehen[74]. Zwar ist θλῖψις ein so allgemeiner und weiter Ausdruck, doch kann er wie jedes solche

---

67 Lohmeyer 189.
68 Pannenberg 1962 gg. eine breite theologische Tradition, die sich sehr deutlich bei G. Ebeling zeigt, der hierin bevorzugter Gesprächspartner ist.
69 Vgl. grundlegend 2Kor 12,6 und dazu Betz 1972: 95f.; Schenk 1979: 20.
70 Dibelius, Lohmeyer, Friedrich – gg. Gnilka 180, der wohl den Zusammenhang beider Stellen betont, in der Übersetzung 172 jedoch im ersten Falle »Bedarf«, im zweiten aber »Not« übersetzt.
71 So mit Ewald-Wohlenberg. Die Übersetzung sollte gleiche Lexeme mit gleichem semantischen Gehalt auch gleich übersetzen. Es ist nicht zu begründen, gerade im zweiten Falle abweichend »Mangel« (wie Luther 75 und Friedrich) zu verwenden.
72 Zum Syntagma Deißmann 1895: 113–115 und 1897: 5; BauerWB 1749f. Daß χρεία vom »Christuswerk« 2,30 her von 2,25 an die Christusverkündigung als »Notwendigkeit« meine (Holmberg 1978: 91f.), scheitert an 4,19 und ist in dieser Direktheit auch dort nicht aufeinander zu beziehen – s. u.
73 So Ewald-Wohlenberg 229; dagegen Lohmeyer 183 »nicht Armut und Bedürfnislosigkeit«.
74 Lohmeyer, Gnilka.

in einem Wortfeld hoch oben stehende Suprenym im konkreten Kontext für ein spezielles, ihm untergeordnetes Hyponym stehen, wie gerade auch 2Kor 1,8 zeigt.

1.1.4.7. Die Doxologie (4,20)

Welchen Sinn hat schließlich die Doxologie Sq 34, wenn die voranstehende Fürbitte als an den Gabedankteil A$_3$ angeschlossener Seitenblickteil B$_3$ bestimmt werden konnte und so den bisher herausgearbeiteten parallelen Subtextstrukturen folgte? Für die Vertreter der ursprünglichen Einheitlichkeitshypothese des ganzen Briefes konnte Bengels Satz gelten, daß die Doxologie aus der Freude der ganzen Epistel fließe oder daß sie »Abschluß aller Glaubensaussagen des Briefes« sei[75]. Für Lohmeyer[76] sollte sie aufgrund seiner Auffassung von V. 19 Bestätigung der »eschatologische(n) Bestimmtheit der vorangegangenen Verheißung« sein. Doch beides ist so nicht möglich, wenn die Voraussetzungen nicht weiter gelten können. Wird aber die enger bestimmte Textintention getroffen, wenn man kommentiert: »Dieser ewig-reiche Gott ist zu preisen . . . Sein Lob soll bis in Ewigkeit nicht verstummen«?[77] Unser Text geht hier doch ganz und gar nicht in eine solche Paränese über, daß eine solche imperativische Paraphrase gerechtfertigt wäre. Da hier eine Doxologie als Sprechhandlung »vollzogen« wird, ist der Nominalsatz wie sonst auch immer indikativisch gemeint[78]: »Doxologien sind lobpreisende Feststellungen dessen, was ist«, und darum »nicht durch ein εἴη, sondern durch ἐστίν zu ergänzen«, was 1Petr 4,11 denn auch explizit vorliegt[79]. So ist die Doxologie eine Akklamation und Proklamation der δόξα Gottes. Semantisch hat dieses Lexem von der LXX her immer einen Machtaspekt[80], der zu der schon vorgegebenen soteriologischen Komponente hinzutritt[81]. Man müßte hier also sagen: »Ihm gehört die Heilsmacht.« Die Textintention ist also durchaus nicht paränetisch.

Auch der eingebürgerten Meinung, daß die Doxologie gattungstypisch zu erwarten sei, da sie einfach automatisch »sinngemäß am Schluß eines Gebets« stehe[82], ist nicht so gut begründet, wie es den Kommentatoren derzeit scheinen mag. Gnilkas Verweis auf Röm 16,27 belegt für Paulus selbst nichts, da die Doxologie schon V. 25 beginnt und ja insgesamt einen nachpaulinischen Schluß des Römer und eventuell wohl sogar einer ganzen frühen Briefsammlung darstellt und darin also eine ganz spezielle Funktion hat. Auch die in diesem Zusammenhang gegebenen atl. Verweise[83] sind mit Vorsicht zu nehmen, da es sich dabei meist gar nicht um vollzogene Doxologien, sondern um Lob-Gelübde, also Versprechungen künftigen Lobens handelt (2Sam 22,50; Ps 21,13; 35,28). Da bei Paulus selbst Gal 1,5 kein Gebet vorangeht, so bleibt als möglicher Beleg nur Phil 1,11 übrig. Doch auch nach diesem Gebetsbericht des Briefeingangs wird eine Schlußdoxologie mehr vorausgesetzt als begründet erscheint (s. u.). Kann also eine automatische Setzung einer Doxologie nach einer Fürbitte für Paulus nicht so ohne weiteres vorausgesetzt werden, so müssen speziellere Gründe für den Gebrauch an dieser Stelle vorliegen.

Auszugehen ist dabei von der Beobachtung, daß hier das erste ἡμῶν des ganzen Abschnitts vorliegt. Auf dem Hintergrund des voranstehenden Satzes (Sq 33), der betont nochmals das μου des Senders und das ὑμῶν des Empfängers nebeneinander

---

75 Delling 1952: 67.   76 Lohmeyer 189.   77 Friedrich 129.

78 Ewald-Wohlenberg 236 m. R. gg. die Übersetzung »sei«, die als eingebürgert dennoch bei GN wie Luther 75 bleibt (bzw. WilckensNT »gebührt« – was auch nichts an dem eingeschliffenen Mißverständnis ändert).

79 Kittel ThWNT II 251; B–D–R 128,5.   80 Bertram ThWNT II 247.

81 Westermann THAT I 794–812.   82 Gnilka 180.

83 Vgl. die stereotype Wiederholung der üblichen und offenbar ungeprüft weitertradierten Stellenangaben bei O'Brien 1977: 32 Anm. 89.

setzte, werden beide nun abschließend »in einem einheitlichen ἡμῶν zusammenge-
faßt[84]. Speziell um dieser betont zusammenfassenden Funktion des ἡμῶν willen dürfte
Paulus auch die doppelte Gottesbezeichnung an den Anfang gesetzt haben im Unterschied zu seinen beiden sonstigen relativisch angeschlossenen Doxologien (Röm 11,36;
Gal 1,5). Während an der Gal-Stelle die dreigliedrige Gottesprädikation nur vorausgeht, so ist sie doch Phil 4,20 auffallend als Bestandteil der Doxologie selbst. Sie ist
offenbar wie die singularische Form (s.o. Sq 33) auch typisch für die Gebetssprache
und findet sich neben den fünf gleichen Gebetswünschen des Briefeingangs (1Kor 1,3;
2Kor 1,2; Phil 1,2; Phlm 3; Röm 1,7) auch in 1Thess 1,3 und 3,11,13 in Gebetskontexten. Diese spezielle Distribution erlaubt also eine Einsicht in die genauere Funktion
und Bedeutung dieser Wendung überhaupt.

Mit der Sq 33 voranstehenden Fürbitte scheint die Doxologie auch hier weiter noch
durch den Tatbestand verbunden, daß sie in analoger Weise sich in zwei dreigliedrige
Zeilen gliedern läßt, wobei darüber hinaus deutlich wird, daß der doppelten Gottesbezeichnung auch die doppelte Zukunftsbezeichnung entspricht:

τῷ δὲ θεῷ   / καὶ πατρὶ ἡμῶν   / δόξα //
εἰς τοὺς αἰῶνας / τῶν αἰώνων   / ἀμήν //

Beide Male, bei der Fürbitte wie bei der Doxologie, steht die mit der ersten Person
ergänzte Gottesbezeichnung betont am Anfang. Dies ist also als wichtiger Aspekt
hervorgehoben.

Durch diese Hervorhebung des Lexems »Gott« wie durch das nun Sender und Empfänger zusammenfassende Possessivpronomen gewinnt diese Sq 34 nun aber den gleichen
grundsätzlichen Charakter, den bisher immer die auf die »Gabe-Passage« A und die
»Seitenblick«-Passage B folgenden abschließenden Teile C hatten (Sq 6–15 und 25–
27). Sie stellten immer den Höhepunkt dar. So dürfte also auch hier in Sq 34 mit einem
dementsprechenden Abschlußteil C_3 zu rechnen sein, der nun den Gottesbezug am
ausdrücklichsten thematisiert. Das weiterführende δέ am Anfang übernimmt dann die
Kennzeichnung der Abschlußfunktion, die in den analogen C-Passagen der ersten
beiden Teile die Negation hatte.

1.1.4.7.1. Die Funktion der Doxologie

In welcher Funktion steht nun also die vollzogene Doxologie, wenn sie weder als
Briefschluß überhaupt noch als automatische Folge der Fürbitte, wohl aber als Element der Kontextstruktur einen sinnvollen Platz an dieser Stelle hat? Nach dem
bekannten allgemein rabbinischen Grundsatz ist es verboten, etwas ohne einen Lob-
spruch zu genießen (bBer 35; jBer 10a; TosBer 4,1)[85]. Nun wird sich Paulus nicht in
gesetzlicher Weise daran – nur um der Vorschrift willen – gebunden haben. Doch
solche »Vorschriften« sprechen ja oft einfach aus, was eine gewisse Selbstverständlichkeit hat und in der Natur der Sache liegt. Paulus kann aufgrund seiner grundlegenden
Einsicht zwischen Schöpfer und Geschöpf die rhetorische Frage stellen: »Was hast du,
das du nicht empfangen hast? Wenn du es aber empfangen hast, was rühmst du dich
selbst so, als hättest du es nicht empfangen?« (1Kor 4,7) Vielmehr gilt ihm generell,
daß der Christ sich seines Herrn rühme (1Kor 1,31; 2Kor 10,17) und Röm 14,6 setzt das
Danksagen für den Lebensbedarf auch bei den mit Paulus bisher noch nicht im
Zusammenhang stehenden römischen Christen als selbstverständlich voraus. Dies
scheint mir der Verständnishintergrund und der sachlich-theologische Ort für das
Verständnis der Doxologie an unserer Stelle zu sein: Die Doxologie steht ganz konkret
im Hinblick auf die von den Philippern empfangene Gabe. Der Empfang dessen, was

---

84 Lohmeyer 189. 85 Beyer ThWNT II 758; Schenk 1967: 125.

ihm die Philipper schickten, wäre ohne die Doxologie auch für Paulus als Christen einfach unvollständig gewesen. Daß Doxologien im Vollzug immer einen konkreten Anlaß und einen fest umschreibbaren aktuellen Wirklichkeitsbezug haben, läßt sich auch Röm 11,36 erkennen: Hier ist es die Paulus von Gott erkennbar gemachte »Entdeckung« (= μυστήριον V. 25) von Israels Rettung. Somit ist eine Entdeckung ebenso ein Anlaß zur Doxologie wie ein Geldempfang oder eine Mahlzeit. Gott ist auch der Schöpfer, indem er »beschafft« und bereitstellt. Dieser Zusammenhang ermöglicht es auch zu sagen, daß für Paulus wohl jede Erkenntnis eine Gnadengabe Gottes ist, und daß sich darin nicht etwa Glaubenserkenntnis von anderer Erkenntnis unterschiede. Ohne diesen Zusammenhang wäre für ihn ein solches logisches Schluß-verfahren wie 1Kor 15, 35–42 nicht möglich. In Gal 1,5 bezieht sich die Doxologie nicht weniger bestimmt und direkt auf die davor erinnerte geschichts- und lebensbestimmen-de grundlegende Befreiungstat Gottes in der Auferweckung des gekreuzigten Jesus von den Toten. So steht auch die einzige in der LXX vollzogene δόξα-Akklamation zum Abschluß des 4Makk (18,24) im Anschluß und mit Bezug auf die vorher erwähnte Gottestat der Verleihung »unsterblicher Seelen« an die Blutzeugen: ᾧ ἡ δόξα εἰς τοὺς αἰῶνας τῶν αἰώνων· ἀμήν. Doxa-Akklamationen dürften also erst im hellenistischen Judentum gebildet sein[86].

1.1.4.7.2. Der eschatologische Bezug

Der Zukunftsverweis am Schluß ist durch die Verdoppelung ebenso besonders hervor-gehoben wie die doppelte Gottesbezeichnung am Anfang des Satzes. In der Sache hängt dies wohl mit der Nennung der Doxa als eschatologischer Heilsmacht zusammen. Als Hintergrund für das syntaktische Mittel der Doppelung muß man veranschlagen, daß schon bei den griechischen Tragikern »ein adjektivischer Begriff durch dasselbe Adjektiv im Genitiv verstärkt wurde«[87]. Das ist von der LXX auf unseren Ausdruck angewendet worden, von der her sich wiederum auch noch die Pluralbildung (Einfluß von 'olamijm) erklärt. Diese diente für sich ebenfalls schon dazu, eine Steigerung auszudrücken[88]. Die Kombination beider Verstärkungselemente findet sich dort außer 4Makk 18,24 nur LXX-Ps 83,5 (und Tob 14,15 S); kennzeichnend ist sie für die Apk (12- oder 13mal), während sie bei Paulus in zwei seiner drei Doxa-Akklamationen erscheint[89]. Röm 11,36 verwendet er nur die Pluralverstärkung allein, wie er es auch in den drei εὐλογητός-Akklamationen (2Kor 11,31; Röm 1,25; 9,5) tut. Also sind beide Syntagmen nicht in ihrem semantischen Gehalt voneinander abzuheben. Die wesentli-che Bedeutungsfunktion der einfachen wie der doppelten Verstärkung liegt darin, eine All-Aussage zu machen, so daß kein denkbarer, künftiger »Zeitraum« ausgenommen ist und darum nicht ausgelassen werden darf. Da der deutsche Ausdruck »Ewigkeit« nicht frei von der semantischen Konnotation »Zeitlosigkeit« ist, so ist er bei der Übersetzung auf jeden Fall zu vermeiden; denn »ewige Zeiten« ist »eigentlich eine contradictio in adiecto«[90]. Die zukunftsgerichtete semantische Dynamik des Syntag-mas geht vollends verloren, wenn man aus systematischer Nachlässigkeit oder dogmati-

---

86 Schenk 1967: 98. Das oft als Parallele und Beleg angeführte Buß-»Gebet Manasses« (Rahlfs II 180f.), das V. 15 nach einem Lobgelübde mit einer anredenden Doxologie schließt (σοῦ ἐστιν ἡ δόξα εἰς τοὺς αἰῶνας ἀμήν) dürfte erst aus christlicher Zeit stammen: Oßwald JSHRZ IV 19 im Anschluß an Eißfeldt.

87 Ewald-Wohlenberg 236 Anm. 2 nach K-G 414,5a.

88 Sasse ThWNT I 200.

89 Vgl. weiter nachpl 1Petr 4,11 (evtl. auch 5,11); Hebr 13,21; 1Tim 1,12; 2Tim 4,18 und evtl. auch Röm 16,27.

90 Sasse ThWNT I 199.

schem Vorurteil heraus mittels einer nicht-äquivalenten Übersetzung das Moment »von Ewigkeit zu Ewigkeit« (so immer noch L75) einträgt.

Mit ihrem Abschluß also ist die Doxologie betont zukunftsorientiert: Solches schöpferisches Handeln Gottes wie das »Aufblühen« der Philipper in der Unterstützung des Paulus ist auch für alle Zukunft zu erwarten. Damit ist der zukunfts-eschatologische Bezug, der schon zum Abschluß des zweiten Gedankenganges auftauchte (Sq 26f.), genau an der entsprechenden Stelle der dritten Runde des Gedankengangs wiederum am Schluß mit einem Hinweis auf die Vollendung aufgenommen. Andererseits ist die individuelle Doxologie vom Ende des ersten Hauptteils (Sq 15) durch eine kollektive aufgenommen und weitergeführt.

1.1.5. Ergebnis

Offenbar liegt also ein klar gestalteter Text mit einem klar erkennbaren Anfang und Schluß vor sowie einem einheitlichen Gegenstand. Gestaltungsprinzip dieses Hauptkorpus eines Dankbriefes ist eine dreimalige Durchführung eines dreiteiligen Gedankengangs, so daß eine dreiteilige Syntagmatik und eine ausgeformte dreiteilige Paradigmatik vorliegt:

A   Dank für die Gabe der Philipper
B   Seitenblick auf die Gebemöglichkeit der Philipper
C   Gottes Schöpferhandeln

Paradigmatik:	A	B	C
Syntagmatik:			
1. Ablauf	Sq 1– 3	4– 5	6–15
2. Ablauf	Sq 16–17	18–24	25–27
3. Ablauf	Sq 28–32	33	34

Der Text dürfte also in neun Segmente zu gliedern sein, von denen je drei näher zusammengehören. Der Sender Paulus spricht von sich als Empfänger der Philippischen Gabe. Er spricht die Philipper auf ihre früheren, gegenwärtigen und künftigen ökonomischen Möglichkeiten hin in verschiedener Weise (verstehend, dankend, bittend-wünschend) an. Alle diese Bezüge werden in dem gleichen Gottesbezug gesehen.

1.2. Semantische Ergänzungen

1.2.1. Die Freude des Paulus

Mit ἐχάρην setzt offenbar unmittelbar nach einem weggefallenen Proömium ein eigentlicher Briefteil ein, da man aus der Parallele Phlm 7 den Bezug zum Proömium noch gut erkennen kann. Es ist dort die einzige Verwendung des Lexems χαρ-:

– χαράν . . . ἔσχον entspricht als erweiteres »Funktionsverbgefüge« (Nomen + Verb)[91] unserem ἐχάρην,
– γάρ ist dort ebenso weiterführend gebraucht wie hier δέ,

91 Fleischer-Michel 1977: 78–81.

– πολλήν entspricht der Verstärkung μεγάλως,
– ἐπί gibt wie unser ὅτι-Satz die Begründung an,
– ἀγάπη σου entspricht der unterstützenden Aktivität der Philipper.

Da der Briefeingang Phil 1,4 eine vergleichbare nominale χαρά-Wendung hat, so wirft man an allen Stellen die Frage auf, ob dies noch Teil des Briefeingangs sei und im Zusammenhang mit dem Dankgebetsbericht stehe[92]. Schon daß die Frage gestellt werden kann, beweist die große Nähe auch unserer Stelle zum Briefeingang. Auf jeden Fall zeigt das Funktionsverbgefüge im Phlm, daß die χαρά auf alle Fälle besonders betont ist. Da es Phlm wie Phil 1,4 auf den Briefdank folgt und danach wieder eine Beschreibung des Grundes steht, so ist der Grund zur Freude als Grund zum Dank gekennzeichnet (s. u. zu 1,3f.). So ist also die gleiche Lexemwurzel χαρ- in dem Bezug zum εὐχαριστεῖν nicht zufällig, sondern darf als signifikant angesehen werden. Dieser Bezug zum Dankgebet wird durch eine andere Beobachtung unterstrichen: Paulus verwendet Röm 15,9 zum Beleg für ein δοξάζειν τὸν θεόν LXX-Belege mit den Synonymen ἐξομολογεῖσθαι, εὐφραίνεσθαι, (ἐπ)αινεῖν. Da εὐφραίνεσθαι und χαίρειν besonders enge Synonyme sind, so ist der Sachzusammenhang also auch von außerhalb der Briefeingänge her gesichert.

Paulus verwendet unser Lexem 29mal als Verb (27mal als Simplex und 2mal als Kompositum mit συν-) und zweimal das Synonym εὐφραίνεσθαι; das betreffende Substantiv erscheint 19mal. Die philippische Korrespondenz zeigt die größte Häufigkeit. Das Verb wird im Simplex 9mal und im Kompositum 2mal – und zwar außer an unserer Stelle – immer im darauffolgenden Brieffragment verwendet (1,18.18; 2,17+Komp.18+Komp.28; 3,1; 4,4.4), das Substantiv außer 4,1 4mal in dem betreffenden Fragment (1,4.25; 2,2.29). Eine geringere – aber immer noch signifikante Häufung – findet sich im 2Kor, zumal sich dessen Belege (8Verb +1 Synonym + 5 Substantive) dort wiederum auf den wohl in Philippi geschriebenen »Freuden- und Versöhnungsbrief« konzentrieren (2,2 Synonym. 3; 7,7.9.13.16 – daneben steht das Verb in der Apologie 6,10 und im Tränenbrief 13,9.11; das Substantiv 1,24; 2,3; 7,4.13 und im etwa zugehörigen Kollektenbrief 8,2). Am Römerbrief ist signifikant, daß sich die Belege nur im paränetischen Schlußteil finden (Verb 3mal 12,12.15.15 + im Fragment 16,19; Synonym 15,10 als LXX-Zitat und 3mal Substantiv 14,17; 15,13.32).

In der synoptischen Tradition taucht es nie in alten Schichten auf, so daß der Gebrauch nicht von der Jesusüberlieferung abhängig sein dürfte: Q-Mt 5,12 par ist es Bestandteil der nachträglichen, abschließenden Seligpreisung, die nicht hinter die kommentierende Q-Redaktions-Schicht rückdatierbar ist[93], Mk 4,16 bezeichnet das Substantiv eine bedenkliche vorschnelle Annahme der christlichen Verkündigung als emotionalen Enthusiasmus (»gefesselt sein«), und 14,11 ist das Verb das Frohsein der Feinde Jesu über Judas, so daß also noch Markus keinen positiven Gebrauch von dem Wort im Blick auf die Christen macht.

Das Wort ist – wie alle Ausdrücke des Affekts in lokal und temporal entfernt liegenden Texten – nicht so leicht zu fassen. Wird man Paulus gerecht, wenn man feststellt: »Nie erscheint die χαρά als profane Stimmung«, sie habe aber »eschatologischen Sinn«?[94] Eine solche Entgegensetzung erscheint zunächst als wenig hilfreich, da sie einen bewertenden zweiten Schritt vor dem analysierenden ersten tut, und so die Bedeutungskomponenten zu unbestimmt bleiben: Was soll dabei »profan« heißen? 1Kor 7,30

92 Vgl. zur Frage der Bestreitung der Zugehörigkeit zum Eingangsgebetsbericht durch O'Brien 1977: 48f. nach Schubert und Lohmeyer einerseits und dagegen Dibelius, Friedrich u. a. andererseits.
93 Schenk 1981 z. St.   94 So Conzelmann ThWNT IX 359.

beschreibt der Ausdruck deutlich eine allgemein empirisch, vorfindliche, positive Empfindung (Antonym: »Weinen«) und versucht sie zu modifizieren zu einem »Freuen als freute man sich schon nicht mehr«[95]. Hier wird deutlich, daß »eschatologischer Sinn« und »Stimmung« nicht in einem Verhältnis der Ausschließlichkeit zueinander stehen. Es gilt deutlich in dieser Hinsicht ein Sowohl-als-auch, wobei die »eschatologische« Komponente offenbar in einer Dämpfung besteht. Jedenfalls ist deutlich in diesem Zusammenhang das Freuen kein eschatologisches Heilsgut. 1Kor 13,6 zeigen Objektangabe wie Negation, daß beim Tatbestand der »Schadenfreude« nicht die »Liebe« das Subjekt dieser »Freude« sein kann; die Antithese ($\sigma\upsilon\nu\chi\alpha\acute{\iota}\varrho\epsilon\iota$ ($\grave{\epsilon}\pi\acute{\iota}$) $\tau\tilde{\eta}$ $\grave{\alpha}\lambda\eta\vartheta\epsilon\acute{\iota}\alpha$) vermittelt die semantisch entscheidende Einsicht, daß sich dies am Objekt der Freude entscheidet. Die Aufforderung Röm 12,15, sich mit den Freuenden zu freuen (Antonym: mit den Weinenden zu weinen), ist nach dem Gliederungsprinzip von Röm 12–13 (vgl. die engere Rahmung 12, 14:21)[96], auf das Verhältnis zu Nichtchristen – und also auch deren Freude – bezogen und darum nicht primär als »Aufruf zur positiven Teilnahme am Leben der Gemeinde« zu beziehen[97]. Daß mit der Aufforderung auch dann kein Opportunismus gemeint ist, der »den Mantel nach dem Wind hängt«, sondern Anteilnahme, ergab sich deutlich aus 1Kor 13,6: Das semantische Moment der Zustimmung, das in der Freude liegt, entscheidet sich am Wert des betreffenden Objekts, auf das sich die Freude richtet.

War das Antonym hier wie 1Kor 7,30 das »Weinen«, so erscheint 2Kor 2,3; 6,10 und 7,9 $\lambda\acute{\upsilon}\pi\eta$ als solches für das, dem man nicht seine Zustimmung geben kann und soll. Als semantische Bestimmung kann man also auch hiernach durchaus von einem empirischen »Glücklichsein« bzw. »Unglücklichsein« reden.

Wenn Phil 1,25 (s. u.) im Zusammenhang verbindend von $\pi\varrho\omega\varkappa\omicron\pi\grave{\eta}$ $\varkappa\alpha\grave{\iota}$ $\chi\alpha\varrho\grave{\alpha}$ $\tau\tilde{\eta}\varsigma$ $\pi\acute{\iota}\sigma\tau\epsilon\omega\varsigma$ reden kann, dann ist auf den Sachzusammenhang von der Entstehung eines neuen Zustands oder Sachverhalts durch »Fortschritt« oder »Zuwachs« einerseits und der Freude als Wesensmoment verwiesen (vgl. auch zu 2,17 $\grave{\epsilon}\pi\acute{\iota}$ als Angabe des Grundes und Objekts, s. u.).

Da Röm 15,13 die Freude vom »Gott der Hoffnung« erbeten wird, so ist klar, daß 12,12 das Sich-Freuen »in Hoffnung«[98] durchaus auf diesen Ursprung verweist. Andererseits wird sie Gal 5,22 als »Frucht« (also Wirkung, Ergebnis oder Resultat) des »Geistes« (und das heißt paulinisch: des erhöhten, gegenwärtigen Christus) klar in eine Grund-Folge-Beziehung hineingestellt. Das gleiche drückt wieder 1Thess 1,6 verkürzt mit einem Genitivus subjektivus bzw. Röm 14,17 mit der entsprechenden Dativwendung $\grave{\epsilon}\nu$ $\pi\nu\epsilon\acute{\upsilon}\mu\alpha\tau\iota$ aus. Der semantische Zusammenhang zwischen den beiden theologisch-eschatologischen Hoffnungsaussagen und den drei christologischen Pneuma-Aussagen ist innerhalb des entsprechenden paulinischen Wortfeldes deutlich: Den Geist als den auferweckten Herrn haben, heißt ja, die von Gott angestiftete Hoffnung auf die Vollendung haben. 2Kor 5,5 verdeutlicht das im Gesamtzusammenhang von V. 1–10 dort: Mit der »Grundausstattung« hat man das Anrecht auf die »Vollausstattung«. Damit ist die Freude der Hoffnung nicht nur Vorfreude. Zum anderen ist deutlich, daß die Christusherrschaft auch den Bereich der Empfindungen umgreift und auf ihn einwirkt. So entsteht auch an dieser Stelle kein Dualismus von Empirie und Eschatolo-

95 Schrage 1964.
96 Vgl. Schenk 1973: 2–4 und schon 1967: 78f.
97 Gg. Conzelmann ThWNT IX 360 Anm. 93, was aber eine konsequente Folge seiner dualistischen Grundentscheidung darstellt.
98 Nicht aber als direkte Objektangabe »über« – wegen der parallelen Struktur des Parallelsatzes »in Bedrängnis standhalten« (Conzelmann ebd. 359 Anm. 51 sowie Michel und Käsemann z. St.).

gie. Die heutige Wirklichkeit ist eine von der Christusherrschaft real bestimmte Einheit. In dem Geschichtsprozeß von der Auferweckung Jesu her auf die Vollendung hin ist der eschatologische Zusammenhang deutlich: Es geht um Freude durch und über diese eröffnete Zukunft und alles, was damit in einem positiven Zusammenhang steht – sei es bei Christen oder Nichtchristen, die beide ja unter der Christusherrschaft stehen, die die Welt für die vollendete Gottesherrschaft freikämpft (1Kor 15,28).

Diesem speziellen und fest definierten »Glücklichsein« in der Freude in und über die eröffnete Zukunft durch die Christusgemeinschaft, kann seinem Wesen nach Dauer angesagt werden (2Kor 6,10 ἀεί trotz λυπούμενοι), und die imperativische Aufforderung mit πάντοτε (Phil 4,4; 1Thess 5,16) ist darum für diese Freude sachgemäß und sinnvoll möglich. Man muß aber deutlich die spezielle Bestimmtheit durch den unverwechselbaren Grund, die davon bestimmten möglichen Objekte und die entsprechende Beschaffenheit sehen und nicht verallgemeinern. In diesem grundlegend abgesteckten Rahmen sind durchaus Einzelakte bei speziellen Anlässen noch gesondert zu nehmen, wie Paulus ja auch bei λύπη und κλαίειν Einzelakte und Anlässe durchaus unterscheidet.

Nicht unwesentlich erscheint mir in diesem Zusammenhang im Blick auf die Präzisierung des semantischen Feldes der Hinweis, daß »Lachen« (γελᾶν) im NT nur Lk 6,21.25 redaktionell[99] vorkommt. Das Wort bezeichnet in seinen 18 LXX-Belegen das Zeichen scheinbarer oder wirklicher Überlegenheit, wird aber dort nie positiv im frommen Sinne verwendet. Dagegen ist von der LXX her χαρά vor allem der Festjubel, d.h. die Äußerung der positiven Empfindung (vgl. auch das Antonym »Weinen« als Ausdrücken der entsprechenden Empfindung), die darum in Gotteslob und Dank (καυχᾶσθαι als Synonym) übergehen kann. Damit hätte sich der eingangs gefundene Zusammenhang mit dem Briefdank am Briefanfang bestätigt.

Doch nun »Freuen im Herrn« – wie die Bibelübersetzungen durchweg konkordant unvollständig und halbübersetzt stehen lassen – wie macht Paulus das? Wir sahen, daß das Wort ja sowohl die Empfindung wie die Äußerung der Empfindung ausdrücken kann[100]. Auf welchen genauen Sachverhalt verweist die hier ausgesprochene Sachlage konkret?

Paulus denkt offenbar nicht an eine Äußerung im Gebet, da urchristlich nur Gott – nicht aber Christus – Adressat von Doxologien und Dankgebeten ist. »No prayer of thanksgiving is offered to Christ.«[101] Das ändert sich erst in der spätnachapostolischen Zeit im beginnenden 2. Jahrhundert, wie 1Tim 1,12 zeigt. Leider ist ἐν eben polysem (also die semantisch unbestimmteste und variabelste Präposition), so daß mit dem hinweisenden Feldgeschrei eines »In-Christus-Seins« (und: Freuens) noch gar nichts bestimmtes und klärendes ausgesagt ist.

Nun gibt es aber ἐν in Phil 1,18 wie Lk 10,20 (red.) hellenistisch[102] das Objekt der Freude an, über das man sich freut. Man hat wohl Hemmungen, dies auf unsere Stelle 4,10 zu übertragen, denn hier folgt doch mit dem ὅτι-Satz (wie 2Kor 7,16) eine explizite Inhaltsangabe, und eine Doppelung scheint möglich. Doch muß man dabei wohl die Spezifica der paulinischen Denkweise veranschlagen, um dies für sinnvoll und möglich zu halten: Wenn der κύριος in seiner κυριότης schon der Inhalt ist, dann gibt der ὅτι-Satz die Entfaltung dessen an, was die gegenwärtige Herrschaft Jesu, von der eben

99 Schürmann z. St. 100 Conzelmann ThWNT IX 353.
101 O'Brien 1977: 20.
102 Conzelmann ebd. 351: So schon gelegentlich – AeschEnn 996; in der LXX meist mit ἐπί + Dativ, doch muß man beachten, daß bei den Synonymen εὐφραίνεσθαι und ἀγαλλιᾶν das ἐπί mit ἐν abwechselt (z. B. LXX-Ps 31,11; 32,1.21).

wahrhaftig nicht nur unbestimmt allgemein, sondern konkret gefüllt geredet werden kann, tatsächlich in dem betreffenden Einzelfall bewirkt: »Ich habe mich wieder einmal riesig über unseren auferweckten Herrn gefreut, weil ihr (nämlich durch ihn) endlich wieder einmal eure bekannte Solidaritätsaktion für mich in Gang setzen konntet.«

Ebenso wären dann die genau entsprechenden Imperative mit der gleichen Wendung in 3,1 und 4,4 zu verstehen. Es muß also nicht bei dem polysemen »Freut euch im Herrn« bleiben, bei dem sich jeder etwas anderes oder gar nichts vorstellt.

Paulus gebraucht das Syntagma ἐν κυρίῳ 29mal und hat es offenbar nie aus einer Überlieferung übernommen[103]. »Die Formel dient zur Charakterisierung der auf dem Boden der Gemeinde bestehenden zwischenmenschlichen Relation, ebenso alles Tuns und aller Lebensäußerungen des Apostels oder der Gemeinde.«[104] Zusammenfassend formuliert Kramer: Demnach ist der Kyrios die »Größe, der sich die Gemeinde (so gut wie jeder einzelne Christ) in ihrem konkreten gegenwärtigen Tun und Erleiden konfrontiert und verantwortlich weiß: Der Kyrios ist also gegenwärtige Autorität, die alle Lebensäußerungen der Christen bestimmt«[105].

Ist diese generelle Modalbestimmung, die vom imperativischen Moment geleitet ist, hier so anwendbar? Das Moment der »Verantwortlichkeit« ist in dem hier verwendeten Verb χαίρειν doch semantisch nicht gegeben, da hier kein Imperativ vorliegt und somit nicht nur Imperative dieses Verbs von Paulus so gebraucht werden. Wäre es so, dann müßte ἐν bei dieser semantischen Füllung »vor dem Herrn« bedeuten. Die bloße Feststellung eines »Bestimmtseins von« läßt die Frage nach der entsprechenden Konkretion des affektiven Aktes »Freuen« erst recht noch offen. Ein solcher Beschreibungsversuch führt offenbar ebensowenig weiter wie die unsemantische Auskunft, die Wendung deute »an, daß die Christusfreude auf der neuen Ebene liegt, die der Christ im Glauben erreicht; sie entsteht aus dem neugeschenkten Christus-Leben«[106]. Was meint konkret eine Freude »als eine in der Sphäre Christi sich vollziehende«[107]?

So ist aus der isolierten Betrachtung des Syntagmas ἐν κυρίῳ als solchem keine Näherbestimmung zu gewinnen. Man wird also das umfassendere Syntagma einschließlich der jeweiligen Präpositionsverbindung mit dem betreffenden Verb stärker in Rechnung ziehen müssen, wie es deutlich bei der Parallele 4,1 mit »stehen in« (vgl. 1Thess 3,8) der Fall ist. Welche semantische Füllung ist für die Präposition vermutlich vom Verb her nahegelegt? Ist bei »stehen« von vornherein eine lokale Implikation anvisiert und darum eine Angabe des Ortes oder Bereiches zu erwarten, so beim »Freuen« der Grund oder Inhalt, über den man sich freut. Darum dürfte nach den genannten paulinischen Parallelen in semantischer Hinsicht Röm 14,17 mit ἐν πνεύματι unserer Stelle identisch sein, was 1Thess 1,6 durch den Genitivus subjectivus und noch stärker in die Ausdrucksseite der Textoberfläche transformiert Gal 5,22 mit »Wirkung« des Geistes = des auferweckten Herrn, ausdrückt. Der gegenwärtig wirkende Herr ist das Objekt der Freude, weil er der Bewirker des Grundes, nämlich der Solidaritätsspende der Philipper ist.

103 Kramer 1963: 176–178.
105 Ebd. 178.
107 Ewald-Wohlenberg 235.
104 Ebd. 177.
106 Dibelius 73.

1.2.2. Die Gabe der Philipper

Die allgemeinste Bezeichnung findet sich gegen Schluß (V. 18) in der substantivierten Präpositionalwendung τὰ παρ' ὑμῶν, die seit Xen.mem. III 11.13 »jemandes Gabe« bezeichnet (vgl. Lk 10,7 red.)[108].

Die Näherbestimmung erfolgt anschließend durch das erste Attribut als »erfrischend belebend«, das die Wirkung auf Paulus als Empfänger beschreibt (s.o. 1.1.4.5.), während die Weiterführung dann zwar auch noch Paulus als Empfänger im Blick hat, aber auch die Bewertung der Geltung vor und der Anerkennung durch Gott einbezieht.

Blicken wir weiter zurück, so finden wir V. 16 im Blick auf frühere Sendungen mit εἰς τὴν χρείαν μου ἐπέμψατε ein semantisch genau synonymes Äquivalent zu ὀσμὴν εὐωδίας, das die Empfängerrelation dieser Metapher gleichwertig verbalisiert.

Eine Bewertung der korrelativen Geberseite liegt deutlich V. 15 vor, wenn Paulus von μοι . . . ἐκοινώνησεν εἰς λόγον δόσεως καὶ λήμψεως spricht. Durch die nachfolgende Präposition εἰς wird – wie 2Kor 9,13 und Röm 15,26 (für die Jerusalem-Kollekte) – gesichert, daß das Verb hier nicht ein passives oder inneres Anteilnehmen an etwas beim Empfänger vorhandenem, sondern ein aktives und kausatives Anteilgeben mit etwas beim Empfänger nicht vorhandenem meint. An eine direkte finanzielle Unterstützung denkt auch die Aufforderung Röm 12,13, die das Verb direkt mit χρείαν verbindet. Da eine spezielle finanzielle Bedeutung des Lexems in den zeitgenössischen Papyri belegt ist[109], so wird auch eine absolute Verwendung des Lexems wie 1Tim 6,18 und Hebr 13,16 in diesem Sinne verständlich[110]. Man kann diesen einschlägigen Beobachtungen, die für ein aktives und kausatives Verständnis sprechen, nicht mit der allgemeineren Feststellung entgegentreten, daß diese Verwendung im Griechischen seltener sei und man darum eher das häufigere μεταδιδόναι erwarten müßte, denn dies kann wie etwa bei Philo (Spec. leg. II 107) miteinander genau parallel stehen[111]. Man muß beachten, daß die von Paulus eindeutig favorisierte Wortgruppe (27 von 45 ntl. Belegen stammen aus seiner Feder) in der LXX äußerst selten ist und häufig mit dem negativen Akzent der Komplizenschaft versehen ist (ebd. 800f.: Jes 1,23; Prov 28,34; Ijob 34,8; Sir 41,19). Von daher kann die paulinische Verwendung also nicht gut abgeleitet werden. Da aber andererseits die griechische Freundschaft als höchster Ausdruck der Gemeinschaft galt, so umfaßte dieses Freundschaftsideal auch »eine weitgehende Bereitschaft zur Teilgabe am materiellen Besitz, so daß bei Philo (Virt 80,84) φιλανθρωπία und χρηστότης Synonyme sein können[112]. Geradezu definitorisch kann es bei Stob. Ecl. II 74,4 heißen: φιλίαν δ' εἶναι κοινωνίαν βίου (v. Arnim III 27,3). Die eigentums- und damit gesellschaftskritische Theorie hatte bei Kynikern, Stoikern und Neupythagoräern weitverbreitet zu einer starken Betonung des teilenden Ausgleichs geführt[113]. Dieser allgemeinbekannte Tatbestand muß darum referenzsemantisch noch viel stärker hier für Paulus wie für seine Adressaten mitgehört und mitveranschlagt werden. Die stimulierenden Komponenten jeder Sozialrevolution, Gleichheit und Brüderlichkeit, sind auf diesem Hintergrund keine anachronistischen

---

108 BauerWB 1209; dagegen ist Mk 5,26 durch die Verbindung mit πάντα »das Vermögen« gemeint.
109 M-M 186f.
110 O'Brien 1977: 24 Anm. 24.
111 Hauck ThWNT III 798.
112 Ebd. 799 Anm. 8 Belege seit Arist. EthNic VIII.11; Pol IV.11; öfter bei Jamb. VitPyth.
113 Vgl. ebd. 791–796 ausführlich in einer ausgezeichneten und oft übersehenen Darstellung dieses sozialethisch bedeutsamen Sachverhalts.

Eintragungen. Darum ist die besondere Verbundenheit, die Paulus hier rühmend hervorhebt, durchaus ein Stück solcher Solidarität und Unterstützung, die von den entsprechenden hellenistischen Vorgegebenheiten nicht gänzlich abgehoben werden muß und im Sinne des Paulus (vgl. 4,8) auch gar nicht abgehoben werden braucht.

Sie bezieht sich hier ausdrücklich auf finanzielle Belange[114], denn nicht nur die Wendung εἰς λόγον heißt konkret finanztechnisch »zur Abrechnung« (vgl. Mt 18,23; 25,19; Plut. mor. 11b; Preisigke II 32), sondern auch δόσις καὶ λήμψις = »Ausgabe und Einnahme« sind solche Termini (Sir 42,7; Epict. diss. 2.9.12; M-M s. v.). So sind die Philipper direkt als »Zahler« (vgl. auch V. 16 ἐπέμψατε und V. 17 δόμα) und Paulus als »Einnehmer« (λήμψις = V. 18 δεξάμενος + ἀπέχω) angesprochen. Wegen der festen Prägung und der eindeutigen Zuordnung der Wendungen im Kontext ist nicht der Gedanke der Gegenseitigkeit dahin auszudehnen, daß Paulus »geistliche« Gaben gebe und dafür materielle empfinge. Ein solcher Austauschgedanke, wie er 1Kor 9,11; Gal 6,6 und Röm 15,26f. zweifellos als Argument verwendet wird, darf darum hier doch nicht eingetragen werden, da hier ein solcher argumentativ-motivierender Textzusammenhang nicht vorliegt. Man wird diesen Unterschied in der Testpragmatik zu beachten haben und einem frommen Trend, dem dieser Eintrag zu selbstverständlich naheliegt, widerstehen müssen[115].

Die gleiche Bewertung liegt schon V. 14 mit bei der bei Paulus einmaligen Verwendung des Kompositums vor (συγκοινωνήσαντές μου τῇ θλίψει). Wenngleich das Verb hier noch nicht so stark kausativ als »Anteilgeben« gemeint sein sollte (darin könnte dann V. 15 eine Steigerung liegen), so ist doch auch das aktive Moment des »anteilnehmenden« Verhaltens dadurch deutlich, daß das finite Bezugsverb für dieses Partizip das voranstehende ἐποιήσατε ist. Da sich auch hinsichtlich des Objekts diese Anteilnahme auf die konkrete θλίψις μου, auf den in einem bedrohlichen Gerichtsverfahren befindlichen Gefangenen (1,17; 2Kor 1,8)[116] bezieht, so kann das Kompositum hier nicht nur als »fühlendes Teilnehmen«[117] zu privatisierend beschrieben werden oder gar nur als »Anteilnahme«, was in unserer Sprache zu sehr nach ohnmächtigem Mitgefühl angesichts eines Einbruchs des Todes klingt. Es ist vielmehr die aktive und in der Gestalt der Gabe offen bekundete Solidarisierung mit diesem Gesinnungshäftling, die das eigene Risiko solcher Solidarisierung nicht scheut. Darum geht es auch bei dieser Bezeichnung der Gabe um eine reale und aktive »Beteiligung« von offenkundigen Sympathisanten.

Noch intensiver wird der Blick auf die gebenden Philipper in der einleitenden ersten Gabebezeichnung V. 10 τὸ ὑπὲρ ἐμοῦ φρονεῖν gerichtet. Die Entscheidung der Frage, ob man das übergeordnete Hapaxlegomenon ἀνεθάλετε transitiv im kausativen Sinne als »aufblühen lassen« verstehen muß, wonach sich unser Syntagma dann als direktes Objekt verstehen ließe (vgl. Sir 1,18; 11,22)[118] oder aber intransitiv als »aufgeblüht sein« mit innerem Objekt (vgl. LXX-Ps 27,7; Sap 4,4; Sir 46,12; 49,10)[119], ist für das Gesamtverständnis nicht sehr erheblich. Die Entscheidung für die zweite Möglichkeit geschieht meist unter dem seit Chrysostomus empfundenen Eindruck, daß Paulus sonst die Philipper tadele. Doch muß man zum Ausschluß dieses möglichen Mißverständnis-

---

114 So übereinstimmend die Kommentare (Ewald-Wohlenberg 232 Anm. 1; Dibelius 75; Lohmeyer 185 Anm. 2 als auch Beare und Gnilka).

115 Gg. Ewald 232 Anm. 1; Hauck ThWNT III 808; Lohmeyer 185; Gnilka 177f. – während Beare 155 berechtigte Zweifel an dieser Balance-Interpretation hegt.

116 Vgl. Gnilka 177.

117 So Hauck ThWNT III 808.

118 So Ewald-Wohlenberg 226f. wie Dibelius, Lohmeyer, Friedrich.

119 So Gnilka nach Haupt, Bauer WB 107.

ses nicht zwingend auf diese zweite Bedeutungsmöglichkeit schließen. Im zweiten Falle würde aber der Artikel noch mehr auffallen, und das ist vielleicht beabsichtigt – aber aus einem anderen Grunde als dem Ausschließen eines möglichen Mißverständnisses. Der bloße Akkusativ der Beziehung (»was . . . anbetrifft«, »hinsichtlich«)[120] dürfte nach Analogie von 2,12 auch hier dem Objektakkusativ vorzuziehen sein. Der Artikel wird dabei zu Recht als anaphorisch bestimmt[121]. Ob aber das Bekannte, auf das er sich bezieht, das ist, »was ihr früher getan habt«[122], ist fraglich, weil sich das Verb im nächsten Satz ja auch auf das Frühere bezieht. Da nun die genuin paulinische Bezeichnung der Gabe deutlich durch den Doppelgebrauch des Lexems κοινων- geprägt war (V. 14f.), so liegt wohl angesichts des korrelativen Charakters des ganzen Abschnitts die Annahme näher, »daß der Apostel auf Worte der Philipper Bezug nehme«[123]: φρονεῖν + ὑπέρ + personales Objekt im Genitiv wäre dann der philippische Terminus für ihre Aktion, so daß wir daraus ihre eigene Intention erkennen könnten. Dabei wäre das typisch paulinische Possessivpronomen ἐμοῦ (21mal und auch 1Kor 11,24f. red.) die epistolisch bedingte pragmatische Transformation in die erste Person. Man würde von daher auch gut verstehen, weshalb das Lexem ein so auffallendes Häufigkeitswort der philippischen Korrespondenz ist (10mal von 22 paulinischen Belegen), und warum es ebenfalls mit ὑπέρ konstruiert in 1,7 dann von Paulus wortspielerisch gerade in die umgekehrte Richtung auf die Philipper hin verwendet wird. Auch die doppelte Verwendung hier am Anfang von 4,10 macht diese Erklärung weiterhin wahrscheinlich. Denn »daß man φρονεῖν unmittelbar in zwei verschiedenen Bedeutungen nimmt, einmal von der fürsorgenden Gesinnung, das andere Mal von dem Trachten nach der Betätigung«, ist wenig wahrscheinlich, da das gleiche Subjekt vorliegt[124]. Dabei ist ἐφ' ᾧ dann begründend zu fassen[125]. Das Imperfektmorphem drückt klar die wiederholte, versuchte Handlung in dieser »Aktion« aus. Die Präposition ist in der durch den Wiederholungsfall bedingten Kurzform ausgefallen, hinsichtlich des semantischen Gehalts jedoch als Filler in diesen Slot hinzuzudenken. Wenn es sich aber offenbar um eine philippische Selbstbezeichnung handelt im Sinne einer Parole »Vergeßt Paulus nicht«, dann kann man nicht mehr so stark auf einen Dualismus von Gesinnung und Gabe abheben, wie das bei Lohmeyer geschieht: »Wie um alles Konkrete auszuschließen, ist . . . nicht von der Gabe die Rede, sondern von einem ›an mich denken‹.«[126] Eine solche Art von Gesinnungsethik idealistischer Provenienz liegt nicht vor, da doch in doppelter Weise von der Gabe selbst die Rede ist, und zwar zunächst von der eben empfangenen und im Anschluß daran im Rückblick auf die früheren Bemühungen in derselben Sache – und das nicht anders als in der genau analog angeordneten Doppelheit V. 14f. (jetzt – früher) mit wiederum dem gleichen Mittel der Lexem-Wiederholung.
Die Wendung wird allgemein als »Fürsorge«[127] im Handeln und Denken verstanden, doch hat dieses Lexem im Deutschen inzwischen zu sehr den semantischen Gehalt des karitativ siechen-pflegerischen angenommen. Zwar ist schon nachhomerisch auch

120 B–D–R 160,1.   121 B–D–R 399,1.   122 So Gnilka 173 Anm. 112.
123 So schon Ewald-Wohlenberg 227 Anm. 1, ohne daß dieser naheliegenden Erwägung jemand gefolgt wäre.
124 Gnilka 174 Anm. 114 nach Haupt und Dibelius.
125 B–D–R 235,2; Zerwick 1966 Nr. 96, 98; Lohmeyer 175 gg. Ewald-Wohlenberg 227f., der die Verwendung nur mit einem stilistischen Gleichklang motiviert sieht, so daß das Verb hinsichtlich des Objekts vom Personbezug wechselt und ein angeschlossener Relativsatz angenommen werden müßte.
126 Lohmeyer 179 und vgl. dann weiter zu V. 11: »Nachdruck, der auf der Gesinnung liegt«, »wieder ist der Grund in der Gesinnung . . .«).
127 Dibelius, Gnilka, Lohmeyer: »Gedenken«.

»Wohlwollen« mit der Betonung des Willensaspekts referenzsemantisch möglich[128], doch ist ein pro me sentire (vgl. so auch 1,7) zu unscharf, (da gerade an dieser Stelle durch das Objekt der Sache der semantische Gehalt näher bei »etwas von jemandem denken« liegt). Der nicht rein kognitive Sinn ist selten und wird sonst mit φροντίζειν bezeichnet. (Hapaxlegomenon Tit 3,8 »bedachtsein auf« in bezug auf gute Werke als »fast synonym«)[129].

Am nächsten steht die einzige volle und direkte Parallele mit ὑπερ + Genitiv 2Makk 14,8 »die Interessen jemandes wahrnehmen« (Demetrios sei gekommen aus wahrem Interesse an den Rechten des Königs). Was hier mit γνήσιως positiv ausdrückt, findet sich 14,26 mit ἀλλότρια und bloßem Genitiv zum Ausdruck des Gegenteils (Nikanor wird bei Demetrius der Regung feindlicher Interessen im Sinne des Hochverrats beschuldigt, weil er einen Reichsfeind zum Nachfolger machte). Bertram spricht darum m. R. »vom Sprachgebrauch der Makkabäerbücher«[130] als einer Besonderheit. Hier dürfte sich ein ganz bestimmter Topos hellenistischer Politik niedergeschlagen haben, wobei die wichtigsten Stellen noch zwei Belege gerade in brieflichem Zusammenhang sind:

1Makk 10,20 erinnert im Briefschluß an die Ernennung zum »Freund des Königs« und der daraus sich ergebenden Verpflichtung, »sich um unsere Angelegenheiten zu kümmern« (im Sinne von »zu uns zu halten«) und die Freundschaft zu wahren. Darum zeigt in dem originalgriechischen Zusatz zum Judenschutzedikt des Estherbuches die Briefanrede des Großkönigs an seine Satrapen und alle, »die sich um seine Angelegenheiten kümmern« (LXX-Eσϑ 8,12b), daß dieses τοῖς τὰ ἡμέτερα φρονεῖν feste Bezeichnung für die Träger des Titels »Freund des Königs« war. So finden wir referenzsemantisch wie schon bei der κοινωνία-Terminologie deutlich das hellenistische φιλία-Konzept im Hintergrund.

Unter dem gleichen Archilexem des griechischen Freundschaftskonzepts sagen die Philipper mit ihrer Wendung dasselbe, was Paulus in seiner Sprache V. 14f. als synonyme Bezeichnung verwendete. So gehören φρονεῖν wie κοινωνεῖν hier als Hyponyme zu dem Wortfeld φιλία. Der in der LXX nur originalgriechisch erscheinende Willensaspekt ist also gut griechisch, so daß die philippische Bezeichnung als Kennzeichnung einer Aktion »Denkt an Paulus« oder »Vergeßt Paulus nicht« gut vorstellbar ist. Der Autor ad Theophilum hat richtig empfunden, wenn er die Fürsorge für Paulus Apg 27,3 mit ἐπιμελεία bezeichnet (vgl. 16,15; 21,16 u. ö.) und auch mit dem Wort φίλος verbindet[131]. Die Bruderschaft der Christen wurde offenbar auch von den Philippern als eine Freundschaft verstanden. Da dies ebenso von der paulinischen Gabe-Bezeichnung gilt, so sind nicht nur die finanziellen Relationen als solche, sondern auch ihre Motivationen deutlich empirisch real zu erfassen.

1.3. Der pragmatische Aspekt

Die finanzielle Beziehung zwischen Paulus und seinen Gemeinden hat durchaus auch einen soziologisch erfaßbaren Aspekt. Wenngleich die soziolinguistischen Analysen erst am Anfang stehen, so hat doch gerade die Arbeit von Holmberg dankenswerterweise darauf den Blick gelenkt. Mit und neben der Wortkommunikation spielt doch in

---

128 Benseler WB s. v.
130 Ebd. 222.

129 Bertram ThWNT IX 229 – LXX hat beide nur 15mal.
131 G. Stählin ThWNT IX 159f.

jedem zwischenmenschlichen Verhältnis auch die nicht-verbale Kommunikation eine nicht zu übersehende Rolle. In den Kommunikationsbeziehungen, die in der Regel asymmetrisch sind, gibt es also immer Überordnungs- und Unterordnungsverhältnisse. Wirtschaftliche Abhängigkeiten gehören als ein ganz wesentlicher Teil dazu. Die bloße Existenz von Vergütung oder Bezahlung – wenn man es ganz allgemein versteht als Übergabe von Geld oder anderen Gütern – zeigt das Vorhandensein von Einfluß – und damit von Macht – im zwischenmenschlichen Bereich[132].

Der Verzicht auf Unterhalt durch eine Gemeinde scheint für Paulus eine aus der Kenntnis der empirischen Relationen und ihrer gedanklichen Durchdringung gewonnene, durchaus mehr strategische (in der Kirchensprache meist verschleiernd »weisheitlich« genannte) als eine prinzipielle Entscheidung gewesen zu sein. Paulus wandte sich nur dann der Erwerbsarbeit zu, wenn es ihm nötig erschien oder er dazu gezwungen war[133]. Dennoch nahm er (wohl nach dem Vorbild des Barnabas 1Kor 9,6) vor allem beim Eintritt in die nicht-jüdische Welt, die ein anderes sozio-kulturelles Feld war, nichts an[134]: Die Gefahr, mit jeder Art von umherziehenden Ideologen verwechselt zu werden, scheint bestimmend gewesen zu sein. Paulus nahm Unterstützung von einer Gemeinde offenbar nur unter einer doppelten Bedingung an:

a) nur, wenn er eine Gemeinde, die er gegründet hatte, verlassen hatte[135],
b) nur, wenn sich die gegenseitigen Beziehungen zu einem vollen Vertrauensverhältnis entwickelt hatten[136].

Man muß sich davor hüten, bei der Diskussion dieses Fragenkreises zu isoliert auf unseren Text zu blicken. Wenn von der Ausnahmeklausel Phil 4,15 (εἰ μή) her auf den ersten Blick das Unterstützungsverhältnis durch die Philipper als die Ausnahme erscheint, so muß doch zur Ergänzung auch 2Kor 11,7ff. herangezogen werden, wo von den mazedonischen Gemeinden im Plural die Rede ist. So kehrt sich der Blick fast um: Nicht Philippi, sondern Korinth war die Ausnahme[137], weil durch die sich ständig ablösenden Auseinandersetzungen ein Mangel an Vertrauen bestand.

Dadurch wird deutlich, wie zwischen finanziellen und anderen Autoritätsbeziehungen ein Zusammenhang besteht. Die philippische Haltung zeigt ein stabiles Autoritätsverhältnis, sofern sie Paulus als von ihnen anerkannte Autorität ausweist: Man schickt ihm selbstverständlich Unterstützung.

Der geradezu charmante Ton des paulinischen Dankbriefes andererseits, der die Fähigkeit des Paulus, Zuneigung zu bezeigen und zu gewinnen, beweist[138], kann als sprechendes Beispiel dafür genommen werden, wie Autoritäten ihre Autorität davor bewahren können, autoritär zu werden.

Die urchristliche und jede Ekklesiologie kann nicht ohne den soziologischen Aspekt als eine vermeintlich »rein« theologische Idee analysiert werden. Wer dies etwa mit den Kategorien der »Unverfügbarkeit des Glaubens« oder der angeblichen »Nichtobjektivierbarkeit des Kerygmas« ausblenden will, macht sich einer Verkürzung schuldig, die in dem Verdacht steht, von nicht offengelegten Interessen auszugehen. Darum muß die textpragmatische Analyse sich bemühen, die betreffenden soziologischen Teilaspekte so weit wie möglich herauszuarbeiten. Nur über den soziologischen Aspekt als Analyse von Kommunikationsbeziehungen kann die Historie erfaßt werden und Exegese so auch historisch-kritisch werden, was zu ihrer philologisch-kritischen Aufgabe notwendig dazugehört.

Das philippische Selbstbewußtsein zeigt sich hier in ihrem Terminus φρονεῖν ὑπὲρ Παύλου als eine durchaus symmetrische Kommunikation, und Paulus antwortet so,

---

132 Holmberg 1978: 11.   133 Ebd. 94.   134 Ebd. 93.   135 Ebd. 94.
136 Georgi 1964: 236.   137 Holmberg 1978: 94 f.   138 Beare 157 m. R. betont.

daß er sie in der gleichen Partnerschaftsterminologie anredet. Sie sind jetzt in der Position der Gewährenden. Das ist anerkannt.

1.4. Zusammenfassung: Übersetzung

(V. 10) 1. Ich habe mich nun wieder einmal riesig über unseren auferweckten Herrn gefreut,

1.1. erstens, weil ihr endlich Eure sogenannte »Solidaritätsaktion für mich« in Gang setzen konntet,

1.2. und zweitens, weil ihr diese »Solidaritätsaktion« ja wiederholt versucht habt, aber noch keine Gelegenheit wieder hattet.

(V. 11) 1.3. Das erwähne ich nun wirklich nicht aus Geldmangel.
Denn gerade ich habe ja gelernt, unabhängig zu sein, ganz gleich in welcher Lage ich mich befinde:

(V. 12) Ich habe sowohl Erfahrung darin, mich unter drückenden Geldmangel beugen zu lassen,
wie ich Erfahrung darin habe, mit viel Geld zu leben.
In jeder Lage und im ganzen Leben hat Gott mich damit vertraut gemacht,
mal satt zu werden und mal zu hungern,
mal mit viel Geld und mal mit Geldmangel zu leben.

(V. 13) Ich kann alles nehmen, wie es kommt, weil Gott mich immer wieder stark macht.

(V. 14) 2.1. Allerdings habt ihr das großartig gemacht,
daß ihr euch mit mir als Häftling solidarisiert habt.

(V. 15) 2.2. Nun wißt doch gerade ihr selbst, liebe Philipper:
Schon am Anfang nach der Überbringung der Christusnachricht an euch – also, als ich von Mazedonien aufbrach –, hat außer euch allein keine Gemeinde mit mir diese besondere Solidarität zur Abrechnung auf Einnahme und Ausgabe verwirklicht.

(V. 16) Ja sogar, als ich noch in Thessalonich war, – und dann mehr als einmal – habt ihr mir etwas für meinen Bedarf geschickt.

(V. 17) 2.3. Doch letztlich interessiert mich wirklich nicht die Geldsumme, sondern ich bin an eurem Profitzuwachs interessiert, damit er als wachsender Posten auf euer Guthaben bei Gott kommt.

(V. 18) 3.1. Hiermit quittiere ich nun: »Den ganzen Betrag erhalten«, so daß ich nun wieder mit viel Geld lebe, ja mein Bedarf ist sogar vollständig gedeckt, nachdem ich durch Epaphroditus eure Sendung empfing:
War das ein erfrischend belebender Duft, eine Gabe, die Gott auch gefallen muß, und die er sicher nicht vergißt.

(V. 19) 3.2. Dieser Gott, der mich so versorgt,
der decke durch Jesus Christus auch euren Bedarf in großzügiger Weise auf Grund seiner Freigebigkeit!

(V. 20) 3.3. Ja, Gott, unserem Vater, gehört die schöpferische Heilsmacht für alle Zukunft.

2. Ein Briefschluß, Phil A (4,21–23)

2.1. Textsegmentierung

(V. 21)	ἀσπάσασθε πάντα ἅγιον ἐν Χριστῷ Ἰησοῦ	A = 1.
	ἀσπάζονται ὑμᾶς οἱ σὺν ἐμοὶ ἀδελφοί	B = 2.1.
(V. 22)	ἀσπάζονται ὑμᾶς πάντες οἱ ἅγιοι	B' = 2.2.
	μάλιστα δὲ οἱ ἐκ τῆς Καίσαρος οἰκίας	2.3.
(V. 23)	ἡ χάρις τοῦ κυρίου Ἰησοῦ Χριστοῦ	A' = 3.
	μετὰ τοῦ πνεύματος ὑμῶν.	

2.2. Textverknüpfung

Die drei ersten Sequenzen verwenden das gleiche Verb und hängen damit deutlich zusammen. Sq 3 ist davon nicht abzuheben, da das mit dem Verb vorher metasprachlich (beschreibend) vollzogene »Grüßen« hier dann performativ als Sprechhandlung vollzogen wird. Man könnte also nach Sq 2.3. einen Doppelpunkt setzen. Der Imperativ zur Gruß-Weitergabe Sq 1 steht wie Röm 16,3–16a:16b am Anfang und vor den Grüßen von anderen (Sq 2) voran (in der Abfolge so auch 2Kor 13,12a:b, wobei aber auch der Imperativ auf »Gegenseitigkeit« geht und nicht gewissermaßen an dritte; dagegen hat 1Kor 16,19–20a:b die umgekehrte Reihenfolge, ist aber auch auf Gegenseitigkeit ausgerichtet. 1Thess 5,26 hat nur den Imperativ, wobei die Gegenseitigkeit trotz des gleichen Bezugs auf den »Bruderkuß« fehlt, sondern eine Gruppe neben den Angesprochenen wie an unserer Stelle bezeichnet ist. Umgekehrt tauchen Röm 16,21–23 nur Mitgrüßende auf). Das gleichlautende Prädikat + Objekt Sq 2.1 und 2.2 ist auch als Filler in den entsprechenden Slot bei Sq 2.3. einzusetzen.
Durchgehend ist der Text auf die Adressaten direkt in der 2. Person pluralis bezogen: Sq 1. im Imperativ-Morphem, Sq 2.1. und 2.2. im Akkusativ des Personalpronomens und Sq 3. im Possessivpronomen.
Der Textverknüpfung dient auch die parallele Formulierung
Sq 1 des Objekts πάντα ἅγιον und
Sq 2 der Subjekte πάντες ἅγιοι.
Diese wird semantisch durch die Synonymbeziehung ergänzt:
Sq 2.1. ἀδελφοί = Sq 2.2.
Das Anfangsglied Sq 1 und das Schlußglied Sq 3 korrespondieren einander auch wie Anfangs- und Schlußklammer durch die Verwendung des Doppelnamens »Jesus Christus«.
Somit dürfte das Segment folgendes Gesamtgefälle aufweisen: Am Anfang steht bestimmend und durch die Aoristform des Imperativs betont akzentuiert die Aufforderung: »Gebt meine Grüße weiter.« Sq 2 ist dem unter- und zugeordnet im Sinne eines »dem schließen sich an« . . . Und schließlich wird Sq 3 der vom ersten Wort von Sq 1 an intendierte Gruß selbst dann direkt vollzogen.

2.3. Semantische Ergänzungen

2.3.1. ἅγιοι als Personenbezeichnung

Wichtig sind folgende semantischen Elemente[1]:
- Die Verwendung in der Briefadresse (1,1; 1Kor 1,2; 2Kor 1,1; Röm 1,7) zeigt, daß die Wendung wohl nicht direkt als Anrede, wohl aber deutlich kommunikativ adressatenbezogen immer konkret vorhandene Menschen meint.
- Mit der einen Ausnahme hier 4,21 steht das Wort immer im Plural und ist so also primär eine Gruppenbezeichnung (außer den vier genannten Stellen noch 20mal, wobei die Wortgruppe im Gal völlig ausfällt).
- Dagegen wird der Ausdruck in nicht jüdisch beeinflußten Texten nie auf eine Menschengruppe in der Weise bezogen[2].
- Der Terminus dürfte nach paulinischem (1Kor 16,1; 2Kor 8,4; 9,1.12; Röm 15,25f.31) wie lukanischem (Apg 9,13) Zeugnis auf die Selbstbezeichnung der Jerusalemer Urgemeinde zurückgehen.
- Bestimmend ist daher der Zusammenhang mit jüdischer Tradition und die Kontinuität mit Israel.
- Damit ist wesentlich ein Gottesbezug ausgedrückt, der zugleich im Zusammenhang mit der Verwendung des »Geist«-Begriffs durch den ihn in gleicher Weise qualifizierenden adjektivischen Wertbegriff manifestiert wird: ἡγιασμένη ἐν πνεύματι ἁγίῳ (Röm 15,16) = ἡγιασμένοις ἐν Χριστῷ Ἰησοῦ (1Kor 1,2).
  Diese Synonymentsprechung verdeutlicht zugleich, daß es primär um die Gemeinde des auferweckten gegenwärtigen Christus geht, der der »Geist« ist.

Das heißt also: »Der ἅγιος ist, was er ist, innerhalb einer bestimmten Gemeinschaft. Er ist es nicht für sich allein; er ist es nur mit anderen, gemeinsam mit anderen.«[3] Hinsichtlich der konstitutiven Bezogenheit auf diese besondere Gemeinschaft ist also semantisch nicht nur die Frage zu stellen, wer oder wo ein ἅγιος sei, sondern die Fragerichtung muß angesichts der Sachverhalte hier präziser lauten: »Wo sind οἱ ἅγιοι?«[4] Es geht also um eine Bezeichnung, die von Israel her »Gottes konkrete Bundespartnerschaft« eines Kollektivs bezeichnet[5]. Dieses semantische Ergebnis muß sich übersetzungslinguistisch dem Tatbestand stellen: »Was ἅγιος meint, ist offensichtlich nicht im deutschen Wort ›heilig‹ enthalten.«[6]
Die Verwendung des einmaligen Singulars 4,21 ist auf dem Hintergrund des sonstigen Pluralgebrauchs zu sehen und zu erklären. Von diesem Zusammenhang her ist es unmöglich, darin eine antihierarchische Spitze zu sehen[7]. Da die nächste Strukturparallele Röm 16, 3–16a vorlag, hier aber im Unterschied zu dort Einzelnamen und also direkte Bekanntschaften fehlen, ist eher daran zu denken, daß Paulus vor allem die in den Blick nimmt, die inzwischen dort für das Evangelium gewonnen sind, und die Paulus nicht persönlich kennt. Darum geht die Bitte zur Weitergabe der Grüße eben auch nicht an Gemeindeleiter[8], sondern an die, die er selbst kennt. Die Bekannten sollen die Unbekannten grüßen. Eine analoge Gestaltung des parallelen Satzes liegt 1Thess 5,26 vor, wo trotz des Hinweises auf den Bruderkuß die Betonung der Gegenseitigkeit von 1Kor 16,20; 2Kor 13,12 und Röm 16,16 fehlt und statt dessen ein Phil 4,21 synonymes οἱ ἀδελφοὶ πάντες das Objekt ist. Dies deutet auf eine parallele Briefsitua-

---

1 Müller 1978: 47f. 2 Procksch ThWNT I 88. 3 Müller 1978: 47.
4 Ebd. 5 Ebd. 50. 6 Ebd. 46.
7 Gg. Lohmeyer 191 und Best 1963 – s. u. zu 1,1. 8 So Gnilka 181 nach Beare.

tion von 1Thess 5 und Phil A: In beiden Fällen dürfte es der erste briefliche Kontakt seit der Gründung der Gemeinde nach einer Zeit der Abwesenheit sein. Das wird durch die abweichende Formulierung in den Korintherbriefen, die gerade eine Bekanntheit und Vertrautheit spiegeln, noch bestätigt werden. Für Röm 16 legt dieser Zusammenhang ein zusätzlich verstärkendes Gewicht auf die Waagschale dafür, daß dort das Fragment eines Briefes nach Ephesus vorliegt. Deutlich ist daraus für unsere Stellen, daß auch hier die Verdeutschung mit »heilig« die textsemantischen Komponenten nicht annähernd zureichend wiedergeben würde.

Das Syntagma ἐν Χριστῷ Ἰησοῦ am Satzende (so 11 von 28mal) steht meist bei soteriologischen und ekklesiologischen Aussagen und ist darum hier klar auf ἅγιον zu beziehen und nicht auf das Verb[9]. Die dagegen angeführten Stellen Röm 16,22 und 1Kor 16,19 sind keine exakten Parallelen, da dort bezeichnenderweise die andere Präpositionalwendung ἐν κυρίῳ verwendet ist. Die Behauptung, daß die Zuordnung »bewußt offengelassen« sei[10], macht leider aus einer Not eine erbauliche Tugend und kann darum nicht als Lösung einer berechtigten textsemantischen Verknüpfungsfrage angesehen werden. Denn sie geht ja nicht darauf aus, diese Fragestellung als solche als unbegründet abzuweisen. Die Frage läßt sich begründet positiv beantworten, wenn man nicht nur die klare Aufeinanderbeziehung beider Sachverhalte in Phil 1,1 sieht, sondern vor allem auch 1Kor 1,2 schärfer in den Blick nimmt. Diese Stelle gibt uns durch den dort vorliegenden ringkompositorischen Aufbau noch weitere Aufschlüsse:

A ἡγιασμένοις
B ἐν Χριστῷ Ἰησοῦ
B' κλητοῖς
A' ἁγίοις

Von der damit gegebenen doppelten Synonymie her ist einmal hinsichtlich der Außenglieder deutlich, daß auch das adjektivische Nomen im Sinne des Passivum divinum des Verbs im Sinne des schöpferischen Handelns Gottes an ihnen in der Berufung zu verstehen ist. Das von Paulus noch 5mal verwendete Verb hat 1Thess 5,23 explizit ein göttliches Subjekt. In Bezug zu dem aktionalen Verb ist das adjektivische Nomen deutlich als ein nomen resultantum zu verstehen. Der Parallelismus der Innenglieder zeigt andererseits, daß die Präpositionalwendung kausal Gottes Handeln durch den auferweckten Jesus meint, das sich in der Berufung zum Christen durch das Evangelium abzeichnet. Man kann darum den Namen als Metonym für diese Basisformel des Evangeliums ansehen, deren semantischer Gehalt ja darin besteht, daß Jesus der auferweckte Herr ist.

2.3.2. Die Mitgrüßenden

Die erste Gruppe der Grüßenden Sq 2.1. sind von einer zweiten, die πάντες sind, abgehoben, ohne daß sie als Teilmenge der Gesamtmenge gekennzeichnet wären. Der zweite Satz Sq 2.2. entspricht wörtlich 2Kor 13,12 und wird in jedem Falle die gesamte christliche Gemeinde des Absenderortes meinen (im Falle von Phil A wohl Ephesus und bei Zugehörigkeit von 2Kor 13,12 zum Vierkapitelbrief 2Kor 10–13 wohl ebenfalls dieselbe Gemeinde). Die Gesamtheit ist hier um so deutlicher ausgesprochen, als durch Sq 2.3. daraus eine Teilgruppe mit lokaler Kennzeichnung im terminus technicus hervorgehoben wird: Besonders die am kaiserlichen Statthalterpalast Arbeitenden.

9 Kramer 1963: 140 gg. Haupt, Dibelius, Michaelis, Lohmeyer, Bonnard.
10 Gnilka 181 nach Beare.

Dies nun ist in enger Korrespondenz mit der latinisierenden Anrede in 4,15 zu sehen (s. o.). Es sind die, die einen besonderen Bezug zur lateinischen Welt haben: »Eure römischen Landsleute«[11]. Durch den Zusammenhang mit 4,15 dürfte dieser Briefgruß dann denn doch wohl Bestandteil von Phil A sein, was sich schon bei der Besonderheit von Sq 1 nahelegte.

Die erste Gruppe Sq 2.1. sind dann als die durch σὺν ἐμοί näher definierte Größe (= Gal 1,1) die bei Paulus anwesenden, nicht ortsansässigen Christen, zu denen wohl seine Mitarbeiter zu zählen sind, doch ist der Ausdruck ἀδελφοί nicht von vornherein auf diese zu beschränken[12]. Vielmehr ist auch an Kontaktpersonen aus anderen Gemeinden wie Onesimus aus Phlm und korinthische Abgesandte neben und analog zu Epaphroditus zu denken.

2.3.3. Der Schlußgrußwunsch

Alle sieben echten Paulinen haben einen solchen Schluß-Satz, der im Prinzip an allen Stellen gleichgebaut ist:

1Kor 16,23	ἡ χ. τ. χ.	᾽Ι.	μεθ᾽	(V. 18)	ὑμῶν
Röm 16,20	ἡ χ. τ. χ. ἡμῶν	᾽Ι.	μεθ᾽		ὑμῶν
1Thess 5,28	ἡ χ. τ. χ. ἡμῶν	᾽Ι. Χ.	μεθ᾽	(V. 23)	ὑμῶν
Gal 6,18	ἡ χ. τ. χ. ἡμῶν	᾽Ι. Χ.	μετὰ πάντων		ὑμῶν
2Kor 13,13	ἡ χ. τ. χ.	᾽Ι. Χ. . .	μετὰ πάντων		ὑμῶν
Phil 4,23	ἡ χ. τ. χ.	᾽Ι. Χ.	μετὰ τοῦ πνεύματος		ὑμῶν
= Phlm 25	ἡ χ. τ. χ.	᾽Ι. Χ.	μετὰ τοῦ πνεύματος		ὑμῶν

Die Phlm-Form ist also der von Phil völlig gleich. Gal hat die vollständigste Ausprägung, sofern der Bekenntnistitel noch das bei ihm formtypisch naheliegende ergänzende Possessivpronomen hat. Dies macht deutlich, daß es auch da, wo es nicht verbalisiert ist, dennoch mitgedacht sein dürfte und so als Filler in den entsprechenden Slot gehört. Einige Handschriften haben diese offenbar semantisch korrekte Ergänzung auch vollzogen.

Die Präpositionalwendung läuft in zwei verschiedenen Erweiterungen um. Dabei dürfte der Typ von Phil-Phlm der gebräuchlichere gewesen sein, da der Terminus auch bei 1Kor 16 in V. 18 und bei 1Thess 5 in V. 23 jeweils voransteht, so daß in beiden Fällen eine ad-hoc-Verkürzung vorliegt. Wenn dagegen spätere Abschriften auch an unserer Stelle[13] sekundär lesen, was sich im Gal-2Kor-Typ findet, so ist das offenbar durch einen stärkeren kirchlichen (wohl speziell liturgischen) Gebrauch verursacht, den 2Kor 13,13 durch die Erweiterung zu einem triadischen Typ und seine Beliebtheit für christologische Verwendung nahelegte. Ebenso ist wohl auch der Amen-Zusatz anzusehen[14], da zur Zeit des Paulus »Amen« noch an Doxologien haftet und erst später auf Bittgebete ausgeweitet wird[15].

Trotz der Konstanz der Grundform ist eine formkritische Näherbestimmung dieses Satztyps schwierig. Obwohl man ihn in der Regel konjunktivisch mit »sei« übersetzt, wird er doch verschieden klassifiziert: So als »Segen des Apostels«[16], oder aber als

---

11 So Friedrich.   12 Gg. Gnilka 181.   13 GNTCom 617.
14 GNT gibt der Kurzform ihren B-Wert.
15 Gg. Gnilka 183, der mit Merk für diesen Zusatz eintritt, dies aber wieder dadurch abschwächt, daß er ihn für nachpl hält.
16 Gnilka 182 spricht im Kontext von »Segenswunsch«, »Segensgruß«, gemäß seinem öfter verwendeten semantischen Analyseprinzip der beabsichtigten Zweideutigkeit kann er S. 183 auch von »Zuspruch« reden.

»Gnadenwunsch«[17], oder aber als »Schlußgruß«, der zugleich »Zuspruch« der Gnade sei[18]. Angesichts dieser Unschärfe und der darin enthaltenen Spannungen und Differenzen ist ihre dennoch gemeinsame Voraussetzung einer liturgischen Herkunft dieses Satzes fraglich. Die dafür gegebenen Begründungen sind auch darüber hinaus wenig stichhaltig[19]:

– Der Verweis auf Apk 22,17–21 trägt die Behauptung einer »liturgischen« Herkunft nicht[20], da auch der Anfang des Buches Apk 1,1ff. entsprechend im paulinischen Briefstil stilisiert ist, und sich Anfang und Schluß so literarisch entsprechen.

– Der Plural Phlm 25 im Unterschied zum Singular des Briefkorpus ist ebensowenig ein Indiz liturgischer Prägung[21], da schon im einleitenden Briefgruß Phlm 3 ja deutlich die Hausgemeinde als Kollektivum pluralisch angeredet ist.

– Die Veränderung des Briefschlusses in den Deutero- (Verkürzung Kol 4,18; Erweiterung Eph 6,23f.) und Tritopaulinen (1Tim 6,21; 2Tim 4,22; Tit 3,15) belegt, daß die Konstanz bei Paulus selbst doch wohl epistolisch und persongebunden war und nicht etwa extrapersonal liturgisch vorgegeben war, weil man sonst eine größere überpersonale Konstanz erwarten dürfte.

– Die redaktionskritisch gut begründete Tatsache, daß 1Kor 16,20b–22 liturgisch geprägte Sätze vorliegen, beweist noch nichts für V. 23, da dieser Vers eher mit dem parallel formulierten und gewiß nicht liturgischen V. 24 zusammenzusehen ist:
ἡ χάρις τοῦ κυρίου Ἰησοῦ μεθ᾽ ὑμῶν
ἡ ἀγάπη μου   μετὰ πάντων ὑμῶν ἐν Χριστῷ Ἰησοῦ
Da V. 24 zeigt, daß hier nicht alles eo ipso liturgisch stilisiert ist, sondern zunächst epistolisch, so liegt diese Entscheidung auch für V. 23 angesichts der drei voranstehend genannten Argumente näher.

Diese Strukturparallele 1Kor 16,24 hilft uns zu einer weiteren Aufschlüsselung: Als Nominalsatz ist er die indikativische Feststellung eines dauernd bestehenden Sachverhalts. Paulus wünscht nicht etwa, daß seine Liebe mit ihnen »sein möge«, sondern er versichert ihnen: »Meine Liebe ist mit euch allen«. Es liegt also – durch unterschiedliches Subjekt markiert – eine jeweils andere Sprechhandlung vor. Da es Sätze mit Gott als Subjekt gibt, die explizit ἔσται haben (2Kor 13,11; Phil 4,9), und dieser Satztyp andererseits Röm 15,33 ohne explizites Prädikat vorkommt, so ist klar, daß diese Ergänzung auch im Falle der Briefschlüsse geboten ist[22]. Im Unterschied zu dem Vollzug der Versicherung in der ersten Person ist beim Vollzug des Grußes da, wo Paulus dafür ein anderes Subjekt als sich selbst bemüht, die Wunschform nötig. Der performative Akt des Wünschens ist vorausgesetzt. Darum kann der Filler »Ich wünsche euch« vorangesetzt werden. Damit ist dieser Schluß-Satz also in der Tat rahmend auf den Anfang Phil 4,21 bezogen: Hier wird der Inhalt des ἀσπάζεσθαι angegeben. Das Grüßen ist ein Wünschen und so ein Hyponym dieses Suprenyms. Das ermöglicht ihre Kontext-Synonymie.

Ein zweites semantisches Problem der Salutatio liegt in der Genitivverbindung zwischen χάρις und Christus, weil das Subjekt dieser »Zuwendung« bei Paulus sonst immer Gott ist[23]. Außer bei den Schlußgrüßen stellt sich das Problem nur noch an zwei

17 So Lohmeyer 190f.; vgl. Stuhlmacher 1975: 56, der es mit »Segenswunsch« im Präskript parallelisiert.
18 So Kramer 1963: 87–89.
19 Vgl. die Gegengründe ausführlich Schenk 1967: 66–96.
20 Gg. Kramer 1963: 87.
21 Gg. Kramer 1963: 87 Anm. 309.
22 BauerWB 1006 ergänzt so 1Kor 16,23 Indikativ Präsens und 1Kor 16,24 Indikativ Futur.
23 Lohmeyer 191.

Stellen, wo das gleiche Syntagma vorliegt. Diese aber geben schon einen gewissen Aufschluß: 2Kor 8,9 handelt es sich um eine ausgesprochene Kurzform zur Einleitung der sofort anschließend zitierten Überlieferung; Gal 1,6 dürfte ebenfalls als eine abkürzende Formulierung angesprochen werden, wobei »Christus« Metonym für Evangelium ist. Man wird darum aus dieser syntaktischen Form nicht vorschnell einen christologischen Schluß ziehen und behaupten dürfen, daß Gott und Christus gleichgesetzt werden, denn urchristlich ist Christus auch als der auferweckte Mitregent deutlich Gott untergeordnet (1Kor 15,23–28)[24].

Darum ist eher an allen neun Stellen eine formelhaft verkürzende Ausdrucksweise anzunehmen, die metonymisch pars pro toto formuliert: Das eigentliche Subjekt Gott ist hier in dem Ausdruck χάρις schon enthalten. Das ergibt sich auch daraus, daß die Bestandsaussage mit dem Nominalsatz ein dauernd handelndes Subjekt voraussetzt, was nur Gott sein kann, da das Handeln des Auferweckten auf die Zwischenzeit bis zur nahen Vollendung beschränkt ist. Dann aber ist der Genitiv unseres Syntagmas nicht als Genitivus subjectivus zu verstehen, so daß semantisch eine χάρις Gottes und eine χάρις Christi analog parallel vorhanden anzunehmen seien, sondern Paulus kennt nur die eine χάρις Gottes, die uns Jesus zum Herrn gibt. Die hier in der Wunschform indirekt erbetene χάρις ist die »Zuwendung Gottes«[25], die im Handeln durch den gegenwärtigen auferweckten Herrn besteht (Genitivus epexegeticus).

An und für sich müßte sich diese Präzisierung schon aus dem Gebetscharakter des Satzes ergeben, da urchristlich im Unterschied zur nachapostolischen Zeit Gebete an Gott und nicht an Christus gerichtet werden. Die abweichende Praxis der späteren nicht unitarisch denkenden Kirchentümer ist nicht nur ein bleibendes falsches Skandalon für die Synagoge, sondern auch ein Hindernis für die semantisch adäquate Erfassung urchristlicher Aussagen und Sachverhalte. Der nicht binitarisch zu verzeichnende Sachverhalt unserer Genitivwendung ist auch bei der Kurzformulierung in Gal 1,6 durch die übergeordnete partizipiale Funktionsbezeichnung Gottes als des erneuernd Berufenden völlig deutlich. In 2Kor 8,9 liegt der Grund für die Kurzformel darin, daß die anschließende und damit eingeleitete Nebenformel zur Sendungsformel, die wohl korinthischer Herkunft ist und ad hoc als argumentum ad hominem aufgenommen wurde, aktivisch formuliert ist. Man muß aber auch in der Argumentation des Paulus zwischen streng logischen Beweisgängen in der logischen Syntax des Evangeliums (z.B. 1Kor 15,12–20) und einem ad hoc verwendeten begrenzten argumentum ad hominem (z.B. 1Kor 15,21f.) unterscheiden[26].

Daß Gott Subjekt ist, ergibt sich auch daraus, daß formkritisch im Briefschlußgrußwunsch eine verkürzende Wiederholung des Briefeingangsgrußwunsches vorliegt, der die Eingangswendung, die dort jeweils zwei Doppelwendungen ausmacht, auf je eine verkürzt (s. u. zu 1,3). Durch diese epistolische Korrespondenz ist der Schlußwunsch direkt auf den Eingangswunsch bezogen, von ihm abhängig und darum auch semantisch wie pragmatisch von ihm her zu lesen und zu verstehen. Dabei zeigt die größere Varianz der Schluß-Salutation, wie wenig stabil diese sind, und dies dürfte mit ihrer Unselbständigkeit und Abhängigkeit von der Eingangssalutation zusammenhängen. Eine Entwicklung der Form der Schluß-Salutation ist jedenfalls nicht festzustellen.

Das semantische Problem des Ausdrucks χάρις ist oft übersehen worden und wird durch die kirchensprachlich verfestigte Verdeutschung mit »Gnade« meist überhaupt

---

24 Gg. Gnilka 183, der dann auch noch den Ausdruck πνεῦμα in unserem Satz in dieser Richtung theologisch auswerten will.
25 Stuhlmacher 1975: 56.
26 Bucher 1974 und 1976 und weiterführend Bachmann 1978 und 1982.

nicht empfunden. Man wird aber in der metasprachlichen Übersetzung den deutschen Ausdruck »Gnade« heute tunlichst vermeiden müssen, da er semantisch zu sehr soziologisch von absoluten Herrschaftssystemen her geprägt ist: Der einzelne hat kein »Recht«, sondern »nur Gnade« zu erwarten. Weiter ist durch die Kirchensprache das Wortfeld, in dem man den Ausdruck »Gnade« verwendet, von vornherein durch eine Korrespondenz mit dem Gedanken der »Schuld« verbunden, der sich ohne weiteres einstellt, sobald das Wort »Gnade« fällt. Das darf sprachsoziologisch nicht übersehen werden. Schon Ewald hatte Anlaß festzustellen, daß hier »χάρις nicht im Sinne vergebender Gnade, sondern gebender Huld zu verstehen ist . . . und zwar im Sinne von Hulderweisung, nicht von Huldgesinnung«[27]. Die Wortfeldbeziehung ist so zu sehen, daß das Verzeihen (2Kor 12,13) »ein spezieller Fall des Schenkens«[28], also Hyponym zu diesem Suprenym ist. Referenzsemantisch ist inzwischen vom griechischen wie vom atl. Hintergrund her geklärt, daß diese Haltung nicht nur das ist, was in asymmetrischer Kommunikation vom Stärkeren zum Schwächeren hin geschieht, sondern das, was sich gegenseitig zwischen allen vollzieht, sofern es über selbstverständliche Pflichttaten hinausgeht: gegenseitige Rücksichtnahme, entgegenkommende Freundlichkeit, Wohlwollen[29]; dies gilt für ḥaesaed ebenso wie für ḥēn, das LXX 62 von 70mal mit χάρις wiedergibt; erst bei Sir (31mal) wurde es zum Vorzugswort. Doch ist zu beachten, daß es auch in LXX noch nicht zu einem festen theologischen Begriff wurde[30]. »Nach der schönen Deutung des von Luther mißverständlich mit ›Gnade‹ übersetzten Wortes ḥaesaed durch Nelson Glück bedeutet dieses Wort auf Gott angewendet: Solidarität Gottes mit seinem Volk bis zum letzten.«[31] Dabei wird ḥaesaed von LXX meist mit ἔλεός oder οἰκτιρμοί wiedergegeben, doch gleichen sich beide mit χάρις gegenseitig aneinander an. Gut hellenistisch ist χάρις »Gunsterweisung« und »Geschenk«[32] und danach auch Macht. So ist und bleibt das Grundverständnis bei Paulus durchaus hellenistisch[33]. Man muß sich also bei der paulinischen Verwendung die starke profane Konnotation bewußt machen, um auch von daher eine Übersetzung mit »Gnade« auszuschließen.

Das vierte Problem liegt in der Präpositionalwendung, sofern bei einem pluralischen Objekt der Zusatz πνεῦμα im Singular steht. Dieser Singular ist nicht auf den göttlichen Geist als die Einheit der Gemeinde stiftenden hin zu deuten[34]. Denn das entspräche auch semantisch nicht der paulinischen Pneumatologie, nach der streng der auferweckte Herr bis zur Parusie hin das πνεῦμα ist und in keiner Weise die Kirche in irgendeiner Form. In unserem Satz ist diese Deutung weiterhin dadurch ausgeschlossen, daß Christus ja schon bei der Näherbestimmung des Subjekts steht, mithin nicht noch einmal im Objekt erscheinen kann. Darum ist πνεῦμα hier anthropologisch gemeint zu verstehen, was »den Menschen als ein mit Willen, Empfindungsvermögen

27 Ewald 42.
28 Vgl. Conzelmann ThWNT IX 387.
29 Zimmerli ThWNT IX 366–377; Stoebe THAT I 587–597, 600–621.
30 Conzelmann ThWNT IX 379.
31 Gollwitzer 1977: 168 nach Glück 1927 und 1967.
32 Conzelmann ThWNT IX 365f.
33 So grundlegend Wobbe 1932.
34 Gg. Gnilka 183, der darin zugleich wiederum auch noch eine »latente Mahnung zur Einheit« sehen will – was also zu den schon gedoppelten pragmatischen Funktionen »Wunsch« + »Zuspruch« noch hinzukäme. Dagegen ist zu beachten, daß die Intention eines Textes immer in einem realisierten pragmatischen Aspekt, also der Intention des Senders besteht – jedenfalls soweit es sich wie hier um direkte Gebrauchsrede handelt, die nicht sogleich als Wiedergebrauchsrede entworfen ist. Alles andere kann nur ein pragmatisches Potential des semantischen Gehalts sein. Diese aber ist eben nur potentiell vorhanden und nicht mit der Intention identisch.

und Lebenskraft ausgestattetes, vor Gott stehendes Wesen meint«[35]. Die Konstruktion von singularischem Nomen mit pluralischem Possessivpronomen ist in diesem Zusammenhang nicht ungewöhnlich: Auch 1Kor 6,19 meint die analoge Konstruktion σῶμα ὑμῶν (vgl. V. 18) den Leib jedes einzelnen und 16,18 geht dort τὸ (πνεῦμα) ὑμῶν dem Schlußgruß V. 23 voraus, so daß ein Zusammenhang mit der Kurzform im Schlußgruß besteht. Dasselbe erscheint 1Thess 5,23 trichotomisch ad hoc entfaltet, wobei bezeichnenderweise πνεῦμα vorangestellt erscheint vor »Seele« und »Leib«, so daß auch von daher der Ausgangspunkt für eine solche Erweiterung gerade eine πνεῦμα-Aussage sein dürfte. Da es sich hier nun ebenfalls um einen Gebetswunsch kurz vor dem Schlußwunsch V. 28 handelt, so ist auch die dort vorliegende Kurzformulierung im Zusammenhang damit zu sehen. Die Koppelung von Singular und Plural hat in diesen Zusammenhängen jedesmal den Sinn, jeden als jeden einzelnen zu betonen und entspricht in unserem Zusammenhang so dem πάντα ἅγιον von V. 21 wiederum rahmend.

2.4. Zusammenfassung: Übersetzung

(V. 21) 1.   Gebt meinen Gruß an jeden weiter, den Gott inzwischen durch die Christusnachricht gewonnen hat.

        2.1.   Es grüßen euch auch die Christen, die aus anderen Gemeinden gerade hier bei mir sind.

(V. 22) 2.2.   Es grüßen euch auch alle, die hier für Christus gewonnen sind,

        2.3.   und ganz besonders eure römischen Landsleute hier, die Kaisersklaven vom Statthalterpalast:

(V. 23) 3.   Ich wünsche euch, daß jeder einzelne von euch immer neu erfährt, wie Gott sich ihm durch unseren Herrn Jesus Christus freundlich zuwendet.

---

35 Stuhlmacher 1975: 56 nach Schweizer ThWNT VI 433 und Wolff 1974: 57–67.

3.   Das Briefpräskript von Phil B (1,1–2)

3.1.   Textsegmentierung

(V. 1) 1.   Παῦλος καὶ Τιμόθεος δοῦλοι Χριστοῦ Ἰησοῦ
  2.   πᾶσιν τοῖς ἁγίοις ἐν Χριστῷ Ἰησοῦ
         τοῖς οὖσιν ἐν Φιλίπποις
         (σὺν ἐπισκόποις καὶ διακόνοις)
(V. 2) 3.   χάρις ὑμῖν   καὶ εἰρήνη
         ἀπὸ θεοῦ   πατρὸς ὑμῶν
         καὶ κυρίου   Ἰησοῦ Χριστοῦ.

3.2.   Textverknüpfung

Das Präskript hat die dreiteilige Form wie sie in allen paulinischen Briefen üblich ist[1]:
Auf die Nennung des Absenders im Nominativ folgt die Nennung der Adressaten im
Dativ. Dieser Dativ geht direkt anredend in den Briefeingangsgrußwunsch über. Eine
singuläre Abweichung stellt die Erweiterung der Adressaten dar, die nur 1Kor 1,2 eine
formale Parallele hat und gesonderter Betrachtung bedarf.

3.3.   Semantische Präzisierungen

3.3.1.   Der Absender

Timotheus ist hier wie Phlm 1,1 (was Kol 1,1 imitiert) und 2Kor 1,1 im Präskript
mitgenannt. Außerdem findet er sich 1Thess 1,1 als dritter nach Silvanus (was 2Thess
1,1 imitiert). Ob Timotheus Schreibsekretär dieses Briefes ist[2], muß ebenso reine
Vermutung bleiben wie die Erwägung, daß Paulus den Briefinhalt vorher mit ihm
durchsprach[3]. Tatsächlich erkennbar und wichtig ist nur, daß 2,19–24 eine Empfehlung
des Timotheus folgt. So ist er hier im Präskript wohl vor allem im Hinblick auf seinen
möglichen Besuch schon mitgenannt. In der Fortsetzung formuliert Paulus nämlich
vom Briefdank an ganz persönlich in der ersten Person singularisch.
Bei der Kennzeichnung der Absender ist weder das Fehlen der Selbstbezeichnung als
»Apostel« (1Thess 1,1 stehen nur die Namen, was 2Thess 1,1 imitiert) noch die
Verwendung von δοῦλοι besonders akzentuiert, denn
– auch Röm 1,1 ist die δοῦλος-Selbstbezeichnung die erste, die dann durch ἀπόστολος
  noch ergänzt wird, und

1 Roller 1933; Berger 1964.   2 So Ewald, Michaelis z. St.   3 So Gnilka 29.

– der Ausdruck δοῦλος ist von Paulus nie als allgemeine Bezeichnung für die Christen überhaupt, sondern nur als Ehrentitel für besondere Funktionsträger verwendet[4].

So ist es von vornherein eine ehrenhafte funktionale Dienstbezeichnung von der LXX her, die hebr. 'aebaed mit Bezug auf Jahwe so übersetzte. Es war nur für spezielle Heilsmittler, die vom Gottesvolk als Gesamtheit abgehoben sind, gebraucht worden. Dieser referenzsemantische Tatbestand ist wichtig, weil er zeigt, daß δοῦλος nicht, wie man zunächst erwarten möchte, direkt aus den soziologischen Gegebenheiten der Umwelt übernommen worden ist. Man darf darum weder negative Akzente in die Bezeichnung hineintragen noch sie bloß erwarten. Der Ausdruck ist sofort in seinem Syntagma als semantische Einheit zu verstehen: Der Genitiv gibt den eigentlichen Bezugspunkt der Funktionsbezeichnung an. Darum steht eben auch das Element δοῦλος als solches nicht zu ἀπόστολος in einem Kontrast, sondern beide bezeichnen sachlich den Dienstcharakter Gott gegenüber in seiner prinzipiellen und speziellen Hinsicht (als Suprenym und Hyponym), der hier christologisch präzisiert ist. In der Genitivwendung liegt somit hier am Briefeingang diese Verwendung darum vor, weil 2,1 ff. mit Begründung auf den δοῦλος Jesus selbst die Verhaltensmaßstäbe des gegenseitigen Dienstes der Christen untereinander bringen will. Als Vorwegnahme erklärt sich also diese besondere Verwendung hier am besten. Sie dürfte textpragmatisch noch einleuchtender für die Leser gewesen sein, wenn Paulus 2,6 ff. eine philippische Formulierung aufgreift und den Terminus darum hier präludiert. Diese Art der Kennzeichnung wird ferner durch ein entsprechendes »Postludium« bestätigt, sofern Timotheus gegen Ende des Briefes gerade mit der Verwendung des entsprechenden Verbs empfohlen wird (2,22: σὺν ἐμοὶ ἐδούλευσεν εἰς τὸ εὐαγγέλιον).

Paulus kann für sich daneben auch als Synonym διάκονος verwenden. Doch gilt dafür einschränkend zu beachten, daß dieser Sprachgebrauch fast ganz auf den 2Kor beschränkt ist (3, 6; 6,4; 11,15) und deutlich dort erst von den Opponenten her verursacht ist: Sie bezeichnen sich so (11,23 neben V. 15). Daß dabei immer ein näherbestimmender Genitiv steht und daß dieser je nach Kontext wechselt, macht deutlich, daß der Ausdruck noch in keiner Weise terminologisch festgelegt war (darin liegt eine deutliche Spannung zur absoluten und damit terminologischen Verwendung in V. 1d). Im Nachklang der korinthischen Auseinandersetzung kann Paulus dann das nomen actionis auch Röm 11,13 (vgl. 2Kor 6,3) verwenden, wo es wie bei Epiktet gleichbedeutend mit »Botschaft«, »Mission« ist[5]. Damit wird dieses profane Wort auch erst hellenistischen Ursprungs sein, weshalb nicht auffallend ist, daß auch kein Bezug auf eine Jesustradition von einem διακονεῖν erkennbar wird. Man wird annehmen können, daß eine solche noch nicht als eigenes Motiv mit diesem Stichwort ausgebildet war, sondern erst im Laufe der Weitertradierung zur Gesamtkennzeichnung Jesu ebenfalls aus dem Hellenismus übernommen wurde, wie sie etwa Mk 10,45 als nachträgliche Zusammenfassung vorliegt[6]. Wir haben also ein ganz spezifisches Wortfeld vor uns, bei dem für δοῦλος nicht etwa der »Freie« das Antonym ist, sondern Gott und Christus das Suprenym darstellt. Die Synonymität mit »Dienst« innerhalb der »Gemeinde« der »Brüder« und ἅγιοι (s.o. zu 4,21) und die Spezifizierung als »Apostel« machen deutlich, daß in dieser Wortfeldbeziehung eine rein soziologische Ableitung unseres Ausdrucks nicht gegeben ist und darum auch nicht mit »Sklave«, sondern eher mit »Mitarbeiter« übersetzt werden muß.

4 Sass 1941; Best 1963: 374f.; Gnilka 30f.
5 Georgi 1964: 32f. mit weiteren Belegen aus Plutarch und Pollux.
6 Vgl. Schenk 1979c.

3.3.2. Die Adressaten

Sie werden wie 4,21 als ἅγιοι gekennzeichnet (s. o.), was passivisch zu verstehen war, und was wie dort so auch hier nur christologisch näherbestimmt wird. Dies ist im Präskript einmalig. Zwar ist auch 1Kor 1,2 eine gleiche Näherbestimmung belegt, doch steht da die Nennung Gottes – wenn auch nicht parallel so doch voran; 2Kor 1,1 und Röm 1,7 nennen nur Gott, während Gal 1,2 und Phlm 1f. beides fehlt, so daß immer nur eine ad-hoc-Variation, aber keine Entwicklung oder feste Strukturierung erkennbar ist. Da unser Ausdruck nun 1Kor 1,2 klar den ἐκκλησία-Begriff entfaltet, so darf aus dem Fehlen des Ausdrucks hier (wie auch Röm 1,7) nicht abgeleitet werden, daß es vielleicht noch keine wirkliche »Kirche« an den betreffenden beiden Orten gegeben habe. Solche falschen Schlüsse sind das Ergebnis einer isolierten Wort-Semantik, die nicht genügend beachtet, daß Einzelworte nur innerhalb ihrer paradigmatischen Wortfelder und syntagmatischen Textbeziehungen ihren bedeutungsgebenden Ort haben. Syntagmatisch wird hier eine solche falsche Schlußfolgerung schon durch den Zusatz πᾶσιν ausgeschlossen, der ja schon 4,21 betont in diesem Verbund auftauchte und was wie dort dann V. 22 der Sache nach ebenso auch hier in der Folge dreimal im Briefeingang (1,4.7.8) und dann weitere dreimal (1,25; 2,17.26) hervorstechend wiederaufgenommen wird. Die »Bundespartnerschaft« mit Gott ist also immer kollektiv auf die Gemeinde Gottes bezogen.

3.3.3. Die Gemeindeämter – eine nachpaulinische Glosse

Ein ganzes Bündel von Problemen stellt die Ergänzung der Adresse durch die σύν-Wendung dar. Sie war für F. C. Baur immerhin so stark, daß er von da aus Bedenken gegen die Authentizität des ganzen Briefes erhob. Die Ernsthaftigkeit der Frage, die damit markiert ist, ist darum nicht mit der Bewertung zu glossieren, »extremer geht es kaum«[7]. Dies muß man sich schon darum versagen, wenn man sieht, daß die Verteidigung der Echtheit der Bezeichnung öfter auf eine zweifelhafte Weise entweder mit einer Echtheitserklärung der Pastoralbriefe[8] oder aber mit einer Spätdatierung des Phil auf der Basis der literarischen Einheitlichkeitshypothese ins Werk gesetzt worden ist[9]. Man wird zunächst einmal semantisch präziser als bisher fragen, wie die Präposition schlicht zu verstehen ist. Das semantische Problem ist ja noch nicht gelöst, wenn man sagt, daß die Präposition »hier nur die Bedeutung von ›mitsamt, zusammen mit‹ haben kann«[10]. Denn es muß ja noch geprüft werden, ob dies hier inklusiv gemeint ist, wie der erste von Gnilka angebotene Ausdruck tendiert, oder aber additiv, wie der zweite von Gnilka angebotene Ausdruck auch verstanden werden kann.

Was auf den ersten Blick als eine unnütze Haarspalterei erscheint, ist so belanglos nicht, denn dahinter steht die präzise Frage, welcher kirchensoziologische Sachverhalt durch die hier vorliegende sprachliche Sachlage beschrieben wird. Entweder bezeichnet die Präposition eine Teilmenge von einer Gesamtmenge (inklusiv):

7 Gnilka 36 Anm. 18.   8 So Michaelis 1961: 238–259.
9 So Campenhausen 1953: 74 nach Beyer ThWNT II 612.   10 Gnilka 32.

Oder aber sind additiv zwei Teilmengen in einer Gesamtmenge gemeint:

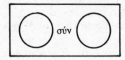

Je nachdem es der Fall ist, ergeben sich hier ganz verschiedene kirchensoziologische Modelle, wie sie etwa in der lutherischen Tradition in der Auslegung der Confessio Augustana im Streit miteinander liegen. Wenn es um die Beziehung von Artikel 7 zu Artikel 5 geht, fragt man in der Relation von Amt und Gemeinde, ob »in qua« als »bei« (so der deutsche Text) oder aber streng als »in« zu verstehen ist. Steht das Amt in der Gemeinde oder über der Gemeinde? Demgegenüber haben etwa die ekklesiologischen Artikel der Theologischen Erklärung von Barmen 1934 (Artikel 3 und 4) klar eine eindeutig inklusive Struktur in den Aussagen über die Relation der »verschiedenen Ämter in der Kirche« als »Ausübung des der ganzen Gemeinde anvertrauten Dienstes«.

Gemeinhin wird die Wendung inklusiv verstanden, wobei man etwa darauf hinweist, daß dieser Gebrauch der im klassischen Griechisch vorwiegende war[11]. Doch besagt ein solches Argument, da es zu weitmaschig ist, noch nicht unbedingt etwas für Paulus selbst. In präzisierender Weise hat nun E. Best[12] darauf verwiesen, daß Paulus die Präposition (ohnehin nicht sehr häufig: nur 28mal) nur einmal und dann gerade mit einem sachlichen Objekt im inklusiven Sinne verwendet (Gal 4,24 »das ›Fleisch‹ – einschließlich seiner Wünsche und Interessen«, was Kol 3,9 dann imitieren dürfte), während mit Bezug auf Personen die inklusive Bedeutung gegenüber der additiven gerade ausgeschlossen ist, wie neben 4,21 (οἱ σὺν ἐμοὶ ἀδελφοί) etwa auch 2Kor 4,14 (»uns mit euch«) zeigt (analog 1Thess 4,17; 1Kor 16,4; 2Kor 1,21; 9,4; Röm 16,14f. und daneben auch Kol 4,9; Eph 3,18; 4,31). Die Präposition σύν ist darum im nicht-inklusiven Gebrauch mit μετά (das im übrigen die Pastoralbriefe allein dafür verwenden, die nie σύν überhaupt jemals verwenden) synonym identisch. Wenn nun 1Kor 16,19 additiv zu Aquila und Priscilla die Gemeinde in ihrem Hause nennen, so kann σύν auf gar keinen Fall inklusiv sein, weil dann nämlich die Reihenfolge umgekehrt sein müßte. Auch hier muß man mengentheoretisch die Relationen präzis fassen und nicht abstrakt von dem Ergebnis des Vorgangs ausgehen. Geht die Richtung nämlich von einer Teilmenge zu einer Gesamtmenge hin, so ist mengentheoretisch eine additive und nicht eine inklusive Relation gegeben:

Gleiches gilt für die beiden Stellen, die als Präskript-Stellen unserer Stelle formkritisch am nächsten stehen: 1Kor 1,2 stellt die Präposition alle Gemeinden neben die korinthische und 2Kor 1,1 die Gemeinden der Umgebung Achaja[13].

11 Ewald 38 nach K–G 431.
12 Best 1963: 472–474 – abgesehen von der instrumentalen Bedeutung der Präposition und dem Syntagma σὺν Χριστῷ.
13 Schmithals 1965: 91 Anm. 1 und 1965a: 55 Anm. 47 sieht dies als redaktionelle Verlagerung eines ursprünglich pl, zu 2Kor 9 gehörenden Präskriptteils an, was sich aber nicht genügend wahrscheinlich machen läßt.

Ist nun aber Röm 16,25–27 eine anerkanntermaßen nachpaulinische Formulierung aus dem Umkreis der Pastoralbriefe mit der offenkundigen Funktion, eine paulinische Briefsammlung abzuschließen[14],
– und gehören die mulier-taceat-Verse 1Kor 14,33b–36 nachweislich in dieses gleiche Milieu[15],
– muß man damit rechnen, daß auch die universalkirchliche Erweiterung 1Kor 1,1 auf die Redaktion einer paulinischen Briefsammlung aus demselben Kreis zurückzuführen ist[16],
– dann liegt diese Entscheidung auch bei Phil 1,1 nahe, gerade wenn σύν additiv verstanden werden muß und damit ein stärkeres Gegenüber der genannten Ämter zur Gemeinde akzentuiert und darin den Pastoralbriefen entspricht.

Das wird durch weitere Beobachtungen bestätigt:

Die Verwendung des Ausdrucks ἐπίσκοπος ist nicht nur als paulinische Einmaligkeit besonders auffallend, sondern sie gehört auch sonst deutlich in die Zeit und den Bereich von in anderer Hinsicht besonders zusammenhängenden Zeugen: Um die Wende zum 2. Jahrhundert findet sich der gleiche Doppelausdruck wie hier auch 1Clem 42,5. An dieser Stelle ist die legitimierende, nachträgliche – noch dazu auf die Doppelheit gewaltsam hingebogene – Schriftbegründung aus LXX-Jes 60,17b nicht zu übersehen: Die Diakone werden wegen des vorgegebenen Sachverhalts in der kirchlichen Wirklichkeit einfach in den begründenden Text eingetragen. Es liegt also eine ideologisierende Scheinbegründung vor. Kreise, denen solche Manipulationen selbstverständlich sind, werden auch nicht zögern, eine Eintragung in Phil 1,1 zu machen.

In den Pastoralbriefen wird 1Tim 3,1–7 wie Tit 1,7–9 ein vorgegebener Episkopentauglichkeits-Katalog (V. 1 ἐπισκοπή; V. 2 wie Tit 1,7 ἐπίσκοπος im generischen Singular) auf die im Plural voranstehenden πρεσβύτεροι angewendet[17]. Ihm wird 1Tim 3,8–13 ein genau paralleler Diakonentauglichkeits-Katalog angeschlossen.

Der Plural ἐπίσκοποι wird gleichzeitig ebenso Apg 20,28 im lukanischen »Testament« des lukanischen Paulus verwendet (wiederum als synonyme Aufnahme von πρεσβύτεροι 20,17 und darin ganz den Pastoralbriefen entsprechend), um zeitgenössisch relevante Aufträge für die betreffende Kirche zu geben.

Diese drei Zeugen deuten stark darauf hin, daß ἐπίσκοποι eine wichtige Bezeichnung für Gemeindeautoritäten der spätnachapostolischen Zeit ist. Ihr ursprünglicher Platz in Phil 1,1 wäre also ein Anachronismus.

Offenbar bezeichnet die doppelte Gruppenangabe auch Phil 1,1 nicht nur eine einzige Gruppe, sondern zwei verschiedene Gruppen[18]. Semantisch ist aus dem vorliegenden Kontext weder etwas über ihre Funktion noch über die Art ihrer Einsetzung zu erschließen[19]. Aus den Worten selbst wie aus zeitgenössischen Parallelen kann man nur ableiten, daß die ersten eine übergeordnete und die anderen eine untergeordnete Stelle einnehmen, wobei schon nicht sicher ist, ob es sich dabei um eine Unterordnung unter die komplementär genannte Gruppe handelt. Aus der Präposition ergab sich

---

14 Schmithals 1965a: 175–200.
15 Fitzer 1963; Conzelmann z. St.; Roetzel 1975; Dautzenberg 1975: 290–297.
16 Schmithals 1965: 83 Anm. 4 nach J. Weiß und J. Leipoldt.
17 Brox 1969: 42 ff. nach Schweizer 1959: 75 f.; Dibelius–Conzelmann z. St. gg. Campenhausen 1953: 166 f., der den Singular auf den monarchischen Episkopat deuten wollte.
18 Holmberg 1978: 100 f. nach Rohde 1976: 54–56; Gnilka 36 Anm. 19 gg. Georgi 1964: 34 f., der nach Haupt an eine einzige Gruppe dachte und damit Wanderprediger bezeichnet sah.
19 Gg. Gnilka 39, der aktive Verkündigungstätigkeit und Wahl durch die Gemeinde schon für die Zeit des Phil als erste urchristliche Bezeugung für wahrscheinlich (schwächer Rohde 1976: 76 »möglich«) hält.

aber die einschränkende Erkenntnis, daß sich diese unterordnende Relation nicht auf die Gemeinde als ganze beziehen kann.

Referenzsemantisch ist für die Bestimmung von ἐπίσκοποι heute soviel klar:

- Die normalen jüdischen Ämter der Synagogengemeinde (Älteste, Vorsteher mit gottesdienstlicher Funktion, Synagogendiener und Almoseneinnehmer) stehen sicher nicht als Ableitungsgrundlage dahinter[20].
- Auch der essenische Mebaqqer, der 1QS 6,12–20 und CD 13,7ff. als Gemeindeleiter erscheint, ist nicht als Vorgänger anzusehen, da der Plural hier wie die Nebenordnung einer zweiten Gruppe dem Bild nicht entspricht[21].
- Da die LXX-Begründung 1Clem 42,5 nachträglich ist, so ist auch eine Ableitung aus der LXX nicht möglich.
- Nachapostolisch gleichzeitig mit den kirchlichen Belegen muß beachtet werden, daß noch 1Petr 2,25 den Titel nur für Gott kennt (Hendiadyoin mit »Hirt« und als Objekt für »eure Seelen«), und dort meint er nach der im Anschluß an 2,12 (ἡμέρα ἐπισκοπῆς) möglichen semantischen Präzision das rettende Besuchen und Einkehren.

So ist also wohl der seit Dibelius (z. St.) mit einer ausgebreiteten Materialsammlung angenommene griechische Hintergrund wahrscheinlich, nach dem der Ausdruck alle möglichen öffentlichen und privaten Gruppen-Administrationen so benannte, worunter aber nur ausnahmsweise kultische waren, so daß die profane Herkunft auch für die christliche Verwendung wahrscheinlich ist[22]. Eine solche Übernahme wäre natürlich in einer rein hellenistischen Stadt wie Philippi möglich, wenn nicht eine solche Instanz wie 1Petr dagegen spräche und noch weiter zu beachten ist, daß Paulus in Röm 12, also einer von ihm weder begründeten noch bislang beeinflußten Gemeinde, dieselben Strukturen angenommen werden wie in 1Kor 12–14. Das spricht doch alles eher für eine urchristliche Gemeinsamkeit christlicher Gruppenstrukturen, die auch für Philippi eher anzunehmen ist, als daß man in ihr eine isolierte Ausnahme sehen sollte.

Auch bei dem Ausdruck διάκονος dürfte der weitgefächerte hellenistische Sprachgebrauch zunächst als Bezugsgröße im Hintergrund stehen. Die eine paulinische Verwendungsgruppe im Hinblick auf den Missionsdienst (s. o. zur Absenderkennzeichnung) liegt nur da vor, wo eine spezielle Näherbezeichnung dabeisteht. Dies zeigte zugleich, daß bei Paulus selbst noch keine terminologische Festlegung auf eine Funktion im Sinne eines Titels gegeben war. Damit steht aber schon die absolute Verwendung an unserer Stelle in Spannung, so daß sie also schwerlich paulinisch sein kann.

Ein zweiter spezieller Verwendungszusammenhang im Blick auf die Kollekte für Jerusalem muß in sich semantisch noch weiter differenziert werden, weil dabei das Verb und das Substantiv als nomen actionis teilweise die »Hilfeleistung« als solche meint (2Kor 8,4.19f.; 9,1), daneben aber auch noch spezieller die »Überbringung« heißt (2Kor 9,12f.; so auch Röm 15,31 durch εἰς klar bezeichnet, und von daher wohl auch das Verb V. 25)[23].

Wollte man von daher eine Beziehung zur philippischen Geldzuwendung an Paulus herstellen, so muß diese Operation als ausgeschlossen gelten, da

- 4,10ff. auf einen solchen »Dienst« als Gemeindedienst keinen Bezug nimmt
- und 2,25 wie 4,18 Epaphroditus allein als Überbringer erwähnt wird ohne eine solche Bezeichnung oder die Relation zu einer entsprechenden Gemeindegruppe, vielmehr ist die Relation immer deutlich von ihm hin zur Gesamtgemeinde hergestellt[24].

20 Gnilka 38 Anm. 4 nach Schürer II 509–516.
21 Gnilka 36f. nach Nötscher, Braun II 326–334; Osten–Sacken 1964.
22 So Gnilka 38.
23 Barrett z. St. mit Georgi 1965: 74.
24 Gnilka 40 vgl. Rohde 1976 und Holmberg 1978.

Zu beachten ist ferner in diesem Zusammenhang, daß Paulus für besondere Aktivitäten in der Gemeinde in der Regel nur partizipiale Funktionsbezeichnungen verwendet: 1Thess 5,12 und Röm 12,8 προϊστάμενοι – wobei im ersten Falle das dabeistehende νουθετεῖν einen näheren Aufschluß über die ausgeübte Tätigkeit erlaubt; Gal 6,6 hat κατηχοῦντι; 1Kor 12,28 spricht funktional von κυβερνήσεις; 1Kor 16,15f. nennt die διακονία des Stefanas für die Gemeinde funktional und ohne personale Titulierung, wobei wie 1Thess 5,12 das zugeordnete κοπιᾶν den zugehörigen Arbeitsaufwand bezeichnet. Durch diese Querverbindung zeichnet sich ein Zusammenhang ab, der zwischen den genannten Stellen besteht. Funktionen, die sich erst bilden, werden gestärkt.

Röm 16,1f. ist die einzige Stelle, wo Phöbe mit einem personalen Nomen als διάκονος der Gemeinde Kenchräa bezeichnet ist. Das heißt aber, daß sie durch den Genitiv klar als Teil der Gemeinde und so deutlich »in« ihr beschrieben wird, was aber zum additiven σύν an unserer Stelle zu einer denkbar größten Spannung steht. Beide Stellen können nicht aus einer Situation und Feder stammen. Der Römertext gibt ihre Funktion mit προστάτις, also »Beschützerin« näher an, was auf einen souveränen Einsatz von Mitteln weist. Doch ist sie – wie sich aus der Kennzeichnung ableiten läßt – wohl die einzige ihrer Art in Kenchräa gewesen, und so wird es bei den Philippern kaum mehrere ähnliche gegeben haben, wenn man von den Grüßen an die Gemeinde auf ihre Größe schließen darf. So sprechen also auch diese Erwägungen stark gegen eine Ursprünglichkeit der Doppelgruppe in Phil 1,1.

Man wird von allgemeinen soziologischen Erwägungen her annehmen, daß natürlich bestimmte Leute mit einem Maß von Zeit, Kraft und Intelligenz immer selbstverständlich die notwendigen Aufgaben einer Gruppe wahrnehmen, wenn diese Gruppe weiterbestehen will. Damit wächst ihnen selbstverständlich Autorität zu, die sie wahrnehmen müssen und die Paulus darum auch 1Kor 16,15f. wie 1Thess 5,12 erkennbar stärkt. Differenzierung von Funktionen und Verantwortlichkeiten ist in jeder Kommunikationsgemeinschaft ein Dauerproblem. Doch sind solche Erwägungen kein Grund, die Erwähnung der Doppelgruppe angesichts der angeführten Gegengründe für ursprünglich anzusehen.

Die Annahme einer Glosse aus dem Bereich der redaktionellen Sammlung paulinischer Briefe[25] ist also nicht ein »Rat der Verzweiflung«[26]. Dies kann man so nur sagen, wenn man von der Vorentscheidung ausginge, daß Literarkritik keine anständige literaturwissenschaftliche Methode sei, sondern eine Verlegenheitslösung, der man sich schämen müßte. Diese literarkritische Lösung ist jedenfalls einleuchtender als die Annahme, Paulus habe hier in der Form milder Ironie eine Kritik an hierarchischen Tendenzen in Philippi ausgesprochen, in der sich die Autoritäten eher der Gemeinde gegenüber sahen als ihr einordneten[27]. Da andererseits gerade die Gemeindeorganisation mit Leitung durch presbyteriale-episkopische und diakonische Gruppen (Kommissionen) als ein wesentliches Element des antihäretischen Kampfes in den Pastoralbriefen erscheint, so ist ein solcher Zusatz bei einer paulinischen Briefsammlung, die offenbar dem gleichen Ziel dienen sollte[28], sehr wohl motiviert.

---

25 Schenke–Fischer 1978: 126 mit Völter, Moffat, Riddle–Hudson, Barnikol; weniger wahrscheinlich ist der Vorschlag, den Zusatz als versetztes pl Präskript-Element aus Phil C (so Schmithals 1965a: 55 Anm. 47) oder A (so Marxsen 1963: 57, 59f.) anzusehen; s.o. Anm. 13.
26 Gg. Best 1963: 372 Anm. 1.
27 Gg. Best 1963: 376.
28 So Schmithals 1965a: 75ff.

3.3.4. Der Eingangsgrußwunsch

Er hat hier die Gestalt eines Nominalsatzes, wie sie wörtlich gleich noch in vier weiteren Briefeingängen vorliegt (Phlm 3; 1Kor 1,3; 2Kor 1,2; Röm 1,7). Sie hat demnach eine größere Konstanz und Stabilität erreicht als der Schlußgrußwunsch (s. o. zu 2.3.3.). Der Grund dafür dürfte zweifellos in der stilistischen Ausgewogenheit der Formulierung liegen, die dreimal ein Doppelkolon mit je vier Akzenten bei jeweils vier Worten und acht Silben bringt:

Χάρις ὑμῖν	/	καὶ εἰρήνη	//	´.´ / ´.´	//
ἀπὸ θεοῦ	/	πατρὸς ἡμῶν	//	.´.´ / .´.´	//
καὶ κυρίου	/	Ἰησοῦ Χριστοῦ	//	´.´. / .´.´	//

Allein diese stilistische Ausgewogenheit ist auch der Grund dafür, daß das Personalpronomen in der ersten Zeile beim ersten statt nach dem zweiten Subjekt steht, und daß das Possessivpronomen in der dritten Zeile nach der zweiten nicht nochmals wiederholt wird, obwohl es an sich dort in der vollen christologischen Titulatur zu erwarten wäre. Jede Zeile enthält in dieser Ausgewogenheit drei Bestimmungen[29].

Eine mögliche Abweichung von dem ausgewogenen Typ liegt Gal 1,3 vor, wenn dort das Possessivum mit p[46.51], B, Koinetexten, D, G al in der dritten statt in der zweiten Zeile ursprünglich sein sollte. Die umgekehrte Erwägung, daß es erst versehentlich vergessen und dann nachgetragen oder aber ohne ein solches Abschreiberversehen einfach an die häufigen κυριὸς-ἡμῶν-Wendungen angeglichen sein sollte, hat ebenfalls viel für sich[30]. Falls in Gal 1,3 die abweichende Lesart ursprünglich sein sollte, läge darin ein Hinweis darauf vor, daß die Formulierung im Gal noch nicht ihre volle Ausgewogenheit gefunden hatte und darum wohl früher als die anderen Briefköpfe formuliert sein müßte.

Dies hat man nun auch für die Kurzfassung 1Thess 1,1, die nur die erste Zeile bringt, veranschlagt[31]. Doch dürfte es da kein Kennzeichen für eine ältere paulinische Formulierung sein, sondern eher eine ad-hoc-Verkürzung vorliegen, da die Gott-Vater- und Christus-Herr-Prädikationen dort schon bei der Empfängerkennzeichnung ohne das Pronomen im Satz voranstehen, darum zunächst im Grußwunsch ausgelassen, dann aber doch auffallend genug 1,3 mit Possessivpronomen bei der Gott-Vater-Prädikation im Dankgebetsbericht nochmals aufgenommen wurde[32].

Die von Lohmeyer begründete Annahme, daß die Briefpräskriptwünsche liturgischen Ursprungs seien, wird oft ungeachtet des begründeten Einspruchs von G. Friedrich[33] ungebrochen weitervertreten[34], obwohl andererseits beispielsweise Michels Römerbriefkommentar seinen früheren Anschluß an Lohmeyers These unter dem Eindruck der Argumente Friedrichs in späteren Auflagen im wesentlichen zurückgenommen

---

29 Kramer 1963: 151f. nach Dobschütz und Lohmeyer, wobei er mit Dobschütz und gg. Lohmeyer m. R. betont, daß das Fehlen des Pronomen bei Kyrios hier nicht als ein Distanzverhältnis mißdeutet werden kann und darf.

30 GNT hat den Text wie an den fünf anderen Stellen, kennzeichnet ihn aber mit dem negativen Überschußwert C, doch rechnet GNTCom 589 eher mit der Ursprünglichkeit der üblichen Stellung – gg. Kramer 1963: 149 Anm. 550.

31 Schrenk ThWNT V 1008; Kramer 1963: 151 Anm. 554; Käsemann 1974: 13.

32 2Thess 1,1 hat das Possessivpronomen bei den Adressaten, während es 1,2 evtl. fehlt (so B, D, P al: GNTCom 635 für Wert C der eingeklammerten Setzung, während Kramer 1963: 149 Anm. 549 vgl. 153 die Kurzform für zweifelsfrei ursprünglich ansieht) – doch läßt sich wegen der nachpl Abfassung des 2Thess und seiner imitativen Abhängigkeit vom 1Thess darauf nicht viel bauen.

33 Kramer 1963: 149ff.; Schenk 1967: 88–92 mit G. Friedrich 1956.

34 Etwa Gnilka 40f.

hat[35]. Der versuchte Nachweis, daß die paulinischen Briefsalutationen ihren ursprünglichen »Sitz im Leben« nicht im Briefformular, sondern im urchristlichen Gottesdienst gehabt haben, muß als gescheitert angesehen werden:

– Das Streben nach stilistischer Ausgewogenheit und Formprägung darf als überall zu beobachtendes epistolisch-rhetorisches Bemühen gelten, so daß nicht jede Art von Formgestaltung von vornherein als »liturgisch« bewertet werden muß und darf. Hinter dieser Tendenz steht das Mißverständnis der klassischen Formgeschichte, daß Formung als solche in den Bereich mündlicher Überlieferung gehöre, von dem die Redaktionskritik als Kompositionsanalyse uns wohl geheilt haben sollte.

– Die Artikellosigkeit ist als »feierliche Sprechweise« überinterpretiert, weil sie sich grammatisch hinreichend erklärt[36]: Sind die übergeordneten Substantive artikellos, so sind es auch die Attribute (vgl. 1Kor 1,30 mit 4,5 und 2,12 mit 7,7). Darauf hatte schon E. v. Dobschütz[37] verwiesen (vgl. Röm 1,1 mit 1,9; 15,16 und 1,17; 3,5.21f. mit 10,3). Die Briefschlußgrüße mit Artikel im Verhältnis zu den Briefpräskriptwünschen ohne Artikel sind die beste und nächstliegende Vergleichsmöglichkeit.

– Die Doppelung der Heilsgüter ist auch im semitisch-vorderorientalischen Brief nicht völlig neu. Elephantine-Tafeln 1 und 12 wie syrBar 78,2 und andere Belege[38] zeigen, daß neben dem Friedensgruß auch Gnadenwünsche stehen können. Von diesen näheren Parallelen her ist auch die wieder erneut vertretene Annahme eines speziellen Einflusses des aaronitischen Priestersegens[39] weniger naheliegend, zumal er im urchristlichen Gottesdienst offenbar keine Rolle spielte[40]. Um solche Mißverständnisse auszuschließen, ist der Briefgrußwunsch auch besser nicht als »Segenswunsch« zu bezeichnen[41]. Auch die Annahme einer möglichen Verbindung des jüdischen »Friedens«-Grußes mit dem griechischen Briefgruß mit χαίρειν, den Paulus durch χάρις »ersetzt« habe[42], ist angesichts der Belege für das Zusammenstehen von »Gnade« (»Erbarmen«) und »Friede« in Briefpräskripten nicht nötig. Man kann selbst bezweifeln, daß griechische Leser der Paulusbriefe einen solchen Anklang empfunden haben, da die semantische Differenz doch zu groß war und semantische Zusammenhänge fester sind als rein morphologische. Sprachpsychologisch wäre ein solcher Anklang eher in dem Bereich des platten Witzes (»Kalauer«) möglich, doch ein solcher liegt in den paulinischen Briefpräskripten nicht vor.

Mögen daneben wohl einzelne Elemente wie die Gottesprädikation »Gott unser Vater« (Gal 4,6; Röm 8,15; 1Kor 8,6) oder die Akklamationsprädikation »Herr ist Jesus« (Röm 10,9 u. ö.) vorgegeben gewesen sein, so muß doch Paulus »als Schöpfer dieser Verbindung angesehen werden«[43].

Die Briefschlußgrüße stellen eine verkürzende Wiederaufnahme der jeweiligen Anfangsgrüße dar, worauf dort insbesondere der anaphorische Artikel als ausdrücklicher Zurückweiser hindeutet. Sieht man diesen Zusammenhang, dann versteht man auch, daß es durch diesen epistolischen Zusammenhang dort zu der noch stärkeren Verdichtung kommt, die die Christus-Prädikation mit der χάρις-Aussage kurzschließt (4,23). So spricht insgesamt auch dieser textlinguistische Zusammenhang dafür, daß Anfangs-

---

35 Vgl. Michel[1] 1955: 26 mit [4]1966: 32.
36 B-D-R 259,1.
37 Dobschütz 1934: 57f.
38 Friedrich 1956: 346.
39 So wieder Barrett 1973: 23 wie schon Nygren 1951: 44.
40 Ausführlicher dazu Schenk 1967: 80–84.
41 Gg. Gnilka 40 und viele andere.
42 Von Barrett 1973: 22 wie Conzelmann ThWNT IX 351, 384 nach Lietzmann Röm 21 leider wieder erneuert.
43 Kramer 1963: 150; Hunzinger 1970: 149.

wie Schlußgruß epistolisch so eng aufeinander bezogen sind, daß eine außerepistolische Ableitung nicht sinnvoll ist.

Liegt aber hier insgesamt eine paulinische Bildung vor, dann ist auch der semantische Gehalt des Wunsches von seiner Verwendung der Ausdrücke her zu gewinnen. Von der Wortvorgeschichte her ist keine eindeutige inhaltliche Prägung der beiden Subjektworte gegeben. In der LXX war nicht nur χάρις noch kein theologischer Begriff (s. o. zu 4,23), sondern auch εἰρήνη nicht.

Wie sehr Paulus in der allgemein hellenistischen Verwendungsweise von χάρις steht, wird daran deutlich, daß er das Wort selbstverständlich auch mit menschlichem Subjekt verwendet: 2Kor 1,15 von der »Freundlichkeit« und »Gefälligkeit« seines nächsten Besuches[44] oder der Bezeichnung der Geschenksammlung für Jerusalem als »Freigebigkeit« (1Kor 16,3; 2Kor 8,4.6.7.19). Dadurch ist es möglich, daß beim letztgenannten Komplex 2Kor 8,9 eine Analogie zu dem göttlichen Geben in Christus herstellbar ist.

Nicht weniger semantisch relevant ist die Beobachtung, daß Paulus die 52malige Verwendung mit Gott als Subjekt (Gal 7mal, 1Thess 2mal, Phlm 2mal, Phil 3mal, 1Kor 7mal, 2Kor 10mal, Röm 21mal) immer im Singular hat. Man kann also in Abhängigkeit von ihm den Ausdruck nicht beliebig pluralisieren, sondern muß ihn eingegrenzt verwenden. Dieser Singular ist nun vor allem durch die Anwendung des Ausdrucks auf das Christusgeschehen gegeben.

Dennoch wird man den Ausdruck nicht als einen »Begriff« im strengen Sinne auffassen und bezeichnen dürfen[45], selbst wenn man das Lexem χάρις 1 (= Dank – so 5mal im Vollzug 1Kor 15,57; 2Kor 8,16; 9,15; Röm 6,17; 7,25 und einmal 1Kor 10,30 metasprachlich beschreibend) schon ausgegrenzt hat. Denn auch bei der verbleibenden Verwendung ist der Ausdruck so wenig terminologisch festgelegt, daß er noch konkretisierend mit dem Demonstrativum αὕτη (Röm 5,2 vgl. 2Kor 8,6f.19) oder 2Kor 9,8 mit πᾶσα verbunden sein kann, also deutlich ein allgemeines Suprenym vorliegt, das mehrere und verschiedene Hyponyme haben kann.

Hinzu tritt weiter, daß das nomen noch einmal differenziert teils als nomen actionis (1Kor 15,10 u.ö. mit dem Genitivus auctoris oder Röm 3,24 im modalen Dativ als Apposition zu δωρεάν) verwendet wird und dann dem Verb χαρίζεσθαι semantisch äquivalent ist und Gottes »Freigebigkeit«, sein »Schenken« bezeichnet. Andererseits wird es verwendet, um als nomen resultantum die »Gabe«, das »Geschenk« zu bezeichnen. Paulus spricht von der »Gabe« Gottes so im Blick auf sich selbst und sein Christwerden, das zugleich sein Apostelwerden ist, wobei dem Aorist ἐλάβομεν Röm 1,5 das reziproke δοθείσῃ Röm 12,3 (vgl. 15,15; 1Kor 3,10; Gal 2,9) entspricht. Gleiches läßt sich für die analogen Aussagen über seine Mitchristen belegen (1Kor 1,4; 2Kor 8,2; Röm 12,6 und reziprok 2Kor 6,1 δέχεσθαι), weshalb das entsprechende Handeln Gottes aoristisch als καλέσας ἐν bzw. διὰ Χριστοῦ (Gal 1,6.15) erscheint.

In den Präskript-Salutationen ist χάρις deutlich als Gabe verstanden, wie die Präposition ἀπό ausweist (vgl. Röm 15,15 mit διδόναι). Da jeder Christ die χάρις nur als je seine Dienstgabe hat (Röm 12,6), so ist das wachsende Zunehmen im Blick auf das Danksagen der Mitchristen (2Kor 4,15) und vor allem im Blick auf jede gute Tat (2Kor 9,8) das Ziel. An solche aktivierenden schöpferischen »Zuwendungen« Gottes denken nun auch die Briefpräskriptwünsche, die als solche performativen Akte ja zukunftsorientiert sind.

Da die Präposition ἀπό hier nicht nur für χάρις, sondern auch für εἰρήνη gilt, so ist die

---

44 So wohl die ursprüngliche Lesart: GNTCom 576.
45 Gg. Conzelmann ThWNT IX 383 nach Bultmann 1954: 281–291.

Relation zwischen beiden nicht als die zwischen einem nomen efficiens und einem nomen effectum zu fassen, vielmehr sind beide als Gabe zu verstehen. Ein Kontextzusammenhang zwischen beiden Ausdrücken wird von Paulus nur noch Röm 5,1f. hergestellt, so daß von daher eine semantische Präzision der Verbindung beider in den Briefpräskriptwünschen gewonnen werden muß[46]:

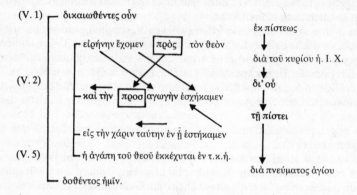

Diese dreifache Staffelung, die sich durch die Einbeziehung der parallelisierenden Rückkehr zum Ausgangspunkt in V. 5 in ihrer Deutlichkeit noch verstärken ließ, zeigt das paulinische Grundmuster der logischen Syntax des Evangeliums (vgl. 1Kor 15,1–3.14.17)[47]: Auf eine aoristische Initiation (1. Spalte) folgt ein perfektisch-präsentisch beschreibbarer Zustand (2. Spalte), weshalb für beide jeweils eine synonyme Vermittlung (3. Spalte) angegeben werden kann.

Im Zusammenhang der herkunftsmäßig wesentlich profanen (vgl. 1Kor 7,11) Versöhnungsterminologie (Röm 5,10 nach 2Kor 5,18–20), die nicht verwechselt und vermischt werden darf mit der semantisch völlig anders strukturierten kultischen Sühneterminologie (Röm 3,25), ist »Friede« semantisch der Zustand eines guten Verhältnisses nach beendeter Feindschaft (Röm 5,10). Auf Grund der sachlichen Zusammenhänge dieses Wortfeldes wird dort zunächst εἰρήνην πρὸς τὸν θεὸν mit προσαγωγήν parallelisierend wiederaufgenommen: Es wird dazu nicht nur das gleiche Verblexem verwendet, sondern auch von dem verwendeten Kompositum her dürfte sich die ungewöhnliche und darum auffallende Präposition πρός bei εἰρήνη als textsyntaktisch beabsichtigte Kataphora erklären lassen. Dies gilt um so mehr, als das Kompositum der zweiten Zeile mit dem deutlich anaphorischen Artikel (= »diesen eben genannten«) auf das Bezugsnomen »Friede« zurückweist. Diese synonyme Identifizierung wird schließlich vervollständigt durch die Verwendung von καί nach einem Relativum, was in jedem Fall (vgl. 8,34; 9,24) auf selbstverständliches verweist und darum mit »ja« wiederzugeben ist (Phil 2,5; 3,12.20; Gal 2,10 u. ö.). Über diese zweite Brückenzeile hinweg wird dies beides dann mit χάριν synonym wiederaufgenommen, denn der ohnehin anaphorische Artikel wird noch durch das zusätzliche Demonstrativum ταύτην verstärkt, womit der rückweisende Charakter unübersehbar gemacht wird, und der Eingrenzung von χάρις auf den aoristischen Anfang, die durch εἰς möglich wäre, wird durch den Zusatz des Relativsatzes, der deutlich das Tempusmorphem der voranstehenden Parallelzeile aufnimmt, ein Riegel vorgeschoben. Schließlich wird V. 5 auch noch ἀγάπη als

46 Thüsing 1965: 183ff.; Osten–Sacken 1975: 124ff.
47 Schenk 1977; zur Argumentationsstruktur in Röm 5,1–11 analog Wolter 1978: 35f., 84f., 220–222.

kennzeichnendes Synonym eingeführt. Damit ist deutlich, daß »Friede« im Sinne von Versöhnung als eine qualifizierende Näherbestimmung von χάρις aufzufassen ist: χάρις ist die dauernde Gottesgemeinschaft begründende Zuwendung Gottes, die darin besteht, daß sie den auferweckten Jesus zu unserem Herrn machte (Spalte 3 mit den entsprechenden Synonymen, die alle semantisch für den Sachgehalt der grundlegenden Evangeliumsformel stehen). »Friede« als Relationsbegriff im Sinne einer »Verbindung mit Gott« ist nicht alttestamentlich-jüdisch vorgeprägt. Den Gedanken eines »Friedens mit Gott« gibt es dort nicht. Überhaupt ist das hebr. schalom nicht nur ein schillernder Ausdruck, sondern er hat als Semkern die Bedeutung des »bezahlenden und vergelten-den Befriedigens«[48]. Darum ist es nicht gut möglich, »Friede« pauschal als »verdichtete biblische Heilsbezeichnung überhaupt« zu bezeichnen[49]. Die mangelnde theologische Tragfähigkeit hat darum dem modischen Mißbrauch des jüdischen Schalom-Grußes als eines Reizwortes mit Recht ein Ende gemacht. Theologische Semantik sollte die Kirche vor solchen Moden bewahren, wie sie andererseits hier deutlich machen sollte, daß der Briefgrußwunsch dann, wenn er kirchlich verwendet wird, im Sinne von Röm 5,1 f. zu verwenden ist.

So klar nun Gott als Geber dieser durch die beiden Ausdrücke bezeichneten Gabe angerufen wird und darum als »unser Vater« prädiziert ist, so offen ist die semantische Frage, ob andererseits auch die christologischen Genitive der dritten Zeile des Brief-grußwunsches noch von ἀπό abhängen und so beide Personen in »funktionaler Ein-heit« als »Auctor« gesehen werden[50]. Die christologischen Implikationen einer solchen Gleichstellung wären erheblich: »Beide Subjekte erscheinen durchaus auf der gleichen Linie«[51]. Dennoch lassen sich von den präpositionalen Vermittlungsaussagen in Röm 5,1 f. (3. Spalte) Zweifel an der Richtigkeit dieser Interpretation anmelden.

Grammatisch möglich wäre zweitens auch der Vorschlag, daß die dritte Zeile nicht von ἀπό, sondern von πατρός abhängig wäre: »unseres und des Herrn Jesus Christus Vater«. Diese Lösung würde durch Anlehnung an die drei Stellen gestützt, die Gott als den »Vater unseres Herrn Jesus Christus«[52] prädizieren: 2Kor 1,3 in einer Eulogie, Röm 15,6 in einer Doxologie, 2Kor 11,31 in einer Beteuerung[53]. Doch wäre dies nicht nur ausgeschlossen, wenn die abweichende Lesart mit dem Fehlen des Personalprono-men bei πατρός in Gal 1,3 (und 2Thess 1,3) ursprünglich wäre. Stärker wiegt die parataktische Nebenordnung beider Subjekte in der Adressenkennzeichnung 1Thess 1,1 (und 2Thess 1,1) und in dem Bittgebet 1Thess 3,11.13 (und 2Thess 2,16 imitiert), die diesen Lösungsvorschlag faktisch ausschließt. Doch immerhin versucht dieser – wenngleich untaugliche – Lösungsvorschlag, der allgemeinen sachlichen Differenz Rechnung zu tragen, daß die Relation Gott-Christus klar subordinatianisch struktu-riert ist. Dies spiegeln nicht nur die drei genannten Stellen, sondern vor allem die ausdrückliche Aussage eines urchristlichen Traditionsstückes in 1Kor 15,24, daß die Herrschaft des erhöhten Christus nicht ewig ist, sondern der Sohn (= Mitregent) in der Vollendung die Herrschaft Gott dem Vater übergeben und so in die Reihe der Söhne zurücktreten wird[54].

Letztlich ist Gott immer Grund und Quelle der schenkenden Zuwendung, während Jesus der Vermittler ist: »Jenem steht die Präposition ἀπό, diesem die Präposition διά zu. Die Gebete richten sich im allgemeinen an Gott, aber durch den Herrn Jesus Christus.«[55] So ist eben bei Paulus 26mal διά die Präposition für Christus als Mittler,

48 Gerlemann THAT II 919–935 »genug haben«; Wolter 1978: 89–102.
49 Gg. Barrett 1977: 102.   50 So Kramer 1963: 152 mit Lietzmann Röm 26.
51 Ewald 42.   52 Schrenk ThWNT V 1009 – dagegen Käsemann 1974: 13f.
53 Kramer 1963: 89–91.   54 Thüsing 1965: 239–254.
55 Dobschütz 1931: 101; Nygren 1951: 49.

der ihn von Gott als Urheber aller Gaben unterscheidet[56]. So steht diese Präposition Röm 1,5 nun auch ausdrücklich bei χάρις. Damit ist ein Lösungsvorschlag, der das für die Grußformel nicht veranschlagt, abzuweisen.

Darum wird man die Lösung nur mit einem dritten Lösungsvorschlag von der stilistisch bedingten Verkürzung der dritten Zeile des Grußwunsches her geben können: Diese ist um des Gleichbaus der drei Zeilen willen verkürzt – und zwar nicht nur um das nach κύριος zu erwartende ἡμῶν, sondern durch diesen Stilzwang ebenso um die Präposition διά vor κύριος. Beide Male sind im Sinne der Tagmemik K. L. Pikes[57] Leerstellen-Positionen (slots) entstanden, in die die strukturnotwendigen Ergänzungen (filler) eingesetzt werden müssen. Eine Textlinguistik wird im Interesse einer semantischen Konsistenz viel stärker als bisher üblich mit solchen abkürzenden Formulierungen rechnen müssen, um Paulus zureichend zu erschließen.

Nun ist gerade hier ein umgekehrter Fall von Verkürzung Gal 1,1 gut zu beobachten:

A   οὐκ ἀπ’   ἀνθρώπων

B   ↓   οὐδὲ | δι’ | ἀνθρώπου
B’   ↓   ἀλλὰ | διὰ | Ἰησοῦ Χριστοῦ

A’   καὶ ∅ θεοῦ πατρὸς   ↑
           + τοῦ ἐγείραντος αὐτὸν ἐκ νεκρῶν

Hier wurde, weil διὰ Ἰησοῦ Χριστοῦ zunächst als Antithese auftauchte, das θεοῦ πατρὸς einfach parataktisch und also ohne das zu erwartende ἀπὸ angeschlossen. Paulus aber muß diese mißverständliche Formulierung im Diktieren bemerkt haben, denn daran wurde in Durchbrechung der konzentrischen Komposition die aus der Evangeliumsformel gebildete Gottesprädikation nachgetragen, um die durch die fehlende Präposition mangelnde Differenzierung zwischen Gott und Christus gewissermaßen nachträglich durch die in der Formel enthaltene Strukturbestimmung wieder auszugleichen. Die konzentrische Struktur fordert bei A’ die gleiche Präposition wie bei A. Dabei findet sich aber ein auffallender slot (∅), der aber durch einen entsprechenden nachgetragenen filler (+) nicht nur einen formalen Ausgleich, sondern auch eine klar strukturierte semantische Äquivalenz erhält.

Dasselbe gilt nun analog auch für den Briefgruß hinsichtlich seiner beiden slots, auch wenn in stilistisch bedingter Verkürzung kein ausdrücklicher semantischer filler folgt: Man wird sie sich im paulinischen Sinne sachlich hinzudenken müssen. Die Beachtung von rein formal erscheinenden Strukturmustern kann also unter Umständen sehr wichtig sein und vor theologischen Fehlschlüssen bewahren.

3.4. Zusammenfassung: Übersetzung

(V. 1) 1. Absender: Paulus und Timotheus
           Mitarbeiter des auferweckten Jesus.

---

56 Von Thüsing 1965: 164–237 umfassend analysiert und damit Kramer 1963: 81 f. und Schettler 1907: 40 ff. bestätigt.
57 Lewandowski 1976: 794 f. s. v.

2. An

alle, die Gott durch den auferweckten Jesus in Philippi gewonnen hat:

(V. 2) 3. Ich wünsche Euch, daß Ihr alle Gottes Zuwendung und Gemeinschaft durch unseren auferweckten Herrn Jesus immer neu erfahrt!

Späterer redaktioneller Zusatz zu (2.):

»Und an die Leiter mit ihren Helfern«

4. Der Dank- und Fürbittbericht von Phil B (1,3–11)

4.1. Textsegmentierung

(V. 3) 1. εὐχαριστῶ τῷ θεῷ μου
       2. ἐπὶ πάσῃ τῇ μνείᾳ ὑμῶν
(V. 4) 3. πάντοτε (= ἐν πάσῃ δεήσει μου) ὑπὲρ πάντων ὑμῶν
       4. μετὰ χαρᾶς τὴν δέησιν ποιούμενος
(V. 5) 5. ἐπὶ τῇ κοινωνίᾳ ὑμῶν εἰς τὸ εὐαγγέλιον
       6. ἀπὸ τῆς πρώτης ἡμέρας ἄχρι τοῦ νῦν
(V. 6) 7. πεποιθὼς αὐτὸ τοῦτο
       8. ὅτι ὁ ἐναρξάμενος ἐν ὑμῖν ἔργον ἀγαθὸν
       9. ἐπιτελέσει ἄχρι ἡμέρας Χριστοῦ Ἰησοῦ

(V. 7) 10. καθώς ἐστιν δίκαιον ἐμοὶ
     11. τοῦτο φρονεῖν ὑπὲρ πάντων ὑμῶν
     12. διὰ τὸ ἔχειν με ἐν τῇ καρδίᾳ ὑμᾶς
     13. ἔν τε τοῖς δεσμοῖς μου
     14. καὶ ἐν τῇ ἀπολογίᾳ καὶ βεβαιώσει τοῦ εὐαγγελίου
     15. συγκοινωνούς μου τῆς χάριτος πάντας ὑμᾶς ὄντας

(V. 8) 16. μάρτυς γάρ μου ὁ θεός
     17. ὡς ἐπιποθῶ
     18. πάντας ὑμᾶς ἐν σπλάγχνοις Χριστοῦ Ἰησοῦ
(V. 9) 19. καὶ τοῦτο προσεύχομαι
     20. ἵνα ἡ ἀγάπη ὑμῶν ἔτι μᾶλλον καὶ μᾶλλον περισσεύῃ
     21. ἐν ἐπιγνώσει καὶ πάσῃ αἰσθήσει
(V. 10) 22. εἰς τὸ δοκιμάζειν ὑμᾶς τὰ διαφέροντα
     23. ἵνα ἦτε εἰλικρινεῖς καὶ ἀπρόσκοποι
     24. εἰς ἡμέραν Χριστοῦ
(V. 11) 25. πεπληρωμένοι καρπὸν δικαιοσύνης τὸν διὰ Ἰησοῦ Χριστοῦ
     26. εἰς δόξαν καὶ ἔπαινον θεοῦ

4.2. Textverknüpfung

Der Abschnitt wird in der Regel dreigeteilt[1]:
    V. 3–6 Dank (-Gebet für die Gemeinde)
    V. 7–8 Persönliches (Zusicherungen)
    V. 9–11 Fürbitte (-Gebet für die Gemeinde)

---

1 Referiert wird Lohmeyers Einteilung und in Klammern dazu Gnilkas Erweiterungen.

Bei diesem Gliederungsvorschlag ist beachtet, daß der Abschnitt zunächst mit einem Gebetsverb beginnt, das dann mit zwei Partizipien weitergeführt wird:

V. 3 εὐχαριστῶ + ἐπί ... ὑμῶν
V. 4 ποιούμενος + ἐπί ... ὑμῶν
V. 6 πεποιθώς + ὅτι ... ἐν ὑμῖν

Ebenso setzt V. 9 mit einem Gebetsverb ein, von dem das Folgende bis zu dem Partizip V. 11 abhängt und eine Dreiteilung zeigt, die dreimal betont auf εἰς hinausläuft[2]:

V. 9 προσεύχομαι
                    (1.) ἵνα-explikativ ...... εἰς
V. 10   (2.) ἵνα-explikativ ...... εἰς
V. 11   (3.) πεπληρωμένοι ...... εἰς

Darüberhinaus bedarf die Einzelstrukturierung wie der Gesamtzusammenhang einer eingehenden Neuuntersuchung.

4.2.1. Ist 1,3−6 ein Dankgebet?

Herrschen ab V. 9 klar Elemente der Fürbitte vor, so ist doch zweifelhaft, ob V. 3–6 ebenso einheitlich davon abgehoben und als »Dank« gekennzeichnet werden kann, wie das gemeinhin geschieht. Denn schon in V. 4 erscheint eine klare und unübersehbare Bezeichnung der Fürbitte[3]: 1,19; 4,6; 2 Kor 1,11; 9,14; Röm 10,1, und dieser Ausdruck erscheint sogar gleich zweimal:

ἐν πάσῃ	δεήσει	μου
τὴν	δέησιν	ποιούμενος,

wobei im zweiten Falle die Verwendung eines Funktionsverbgefüges noch eine stilistische Hervorhebung bringt, die aber offenbar dem μετὰ χαρᾶς gilt. Dies ist der eigentliche Zielpunkt, und diese präpositionale Wendung dient hier nicht nur im Wortspiel, sondern auch in der Sache (s. o. zu 4,10 nach Phlm 4:7; vgl. auch Phil 4,4:6 unten) der Wiederaufnahme des Eingangsverbs:

εὐ	χαρ	ιστῶ
μετὰ	χάρ	ας

So bestätigt sich auch hier: Das Dankgebet ist Ausdruck der Freude vor Gott über das, was er getan hat[4].

Die übergreifende Verschränkung zeigt zunächst, daß Fürbitte und Dank hier nicht strikt getrennt sind, wie die Textgliederer vermuten ließen, sondern daß sie auch sonst in der paulinischen Praxis betont verschränkt miteinander vollzogen wurden, wie das 4,6 nicht nur beschreibt, sondern im Sinne der dort vorliegenden Argumentation gerade betont. Die Parallelformulierung geht bezüglich dieses Tatbestands weiter, als es vielleicht ohne die beiden eben beschriebenen Vergleiche sichtbar wäre:

---

2 So m. R. Gnilka 51, der sich aber zu Unrecht auf Lohmeyer 31 beruft, der hier zwei Dreizeiler annimmt, wobei er der mittleren Präposition nicht dieselbe Funktion zuerkennt wie den beiden anderen, sondern sie im Sinne von ἐν verwendet sieht.
3 Greeven ThWNT II 39–41.
4 Zur logischen Syntax des Gebets vgl. ausführlich Schenk 1972.

| 4,6: | ἐν παντὶ | ... τῇ | δεήσει | μετὰ | εὐ | χαρ | ιστίας |
| 1,4: | ἐν πάσῃ | | δεήσει | μετὰ | | χαρ | ᾶς. |

Man vergleiche von daher auch die nahe Verwendung beider Termini in den Gebetsermunterungen 2Kor 1,11 und 9,12–14. Diese kann auf dem verdeutlichten Hintergrund nicht mehr bloß als Nebeneinander verstanden werden.

Auch das semantische Bemühen um die Erfassung von προσευχή muß in diesem Zusammenhang gesehen werden. Phil 4,6 wirft die Frage auf, ob es mit δέησις identisch ist oder nicht. Während Greeven[5] und Schubert[6] es als den umfassenden und weiteren Ausdruck auffassen (also als das Suprenym im Wortfeld), bestreitet dies O'Brien[7] und sieht auch mit προσεύχεσθαι in den Dankgebetsberichten immer das Fürbittgebet bezeichnet (1Thess 1,2; Phlm 4; Röm 1,10). Von einer methodologisch präzisierten Semantik her ist hier eine Klärung möglich: Es ist völlig klar, daß das Verb hier in 1,9 die Fürbitte meint. Dies aber ist im Zusammenhang damit zu sehen, daß der präzise terminus des Fürbittgebets δέησις V. 4 schon zweimal erwähnt war. Kontext-Synonyme sind nicht ohne weiteres auch als lexikalische Synonyme zu nehmen. Vielmehr kann ein weiterer lexikalischer Ausdruck, also ein Suprenym eines Wortfeldes, jederzeit für eines seiner lexikalischen Hyponyme im Wortfeld in einem Text als Kontextsynonym eintreten – nicht aber umgekehrt. Genau dieser Unterschied von Textsemantik und paradigmatischer Wortfeldsemantik dürfte die methodische Lösung vieler Streitfragen wie der genannten bieten. So kann προσευχή gerade als Suprenym als ein Kontextsynonym für δέησις eintreten.

Auch das zweite Partizip πεποιθώς V. 6 ist wie das erste aus V. 4 dem finiten Eingangsverb syntaktisch untergeordnet. Eine zureichende Strukturanalyse wird aber verschleiert, wenn man formuliert: »Das εὐχαριστεῖν mündet aus in Vertrauen.«[8] Wichtiger ist zunächst einmal die Feststellung, daß dies ebensowenig wie die erste Partizipialwendung ein Terminus des Dankgebets ist: Paulus gebraucht es auffallenderweise nie wie in der Psalmensprache mit dem Dativ τῷ θεῷ[9], so daß es dem εὐχαριστῶ τῷ θεῷ parallel wäre: »Niemals fällt das Wort ›Gottvertrauen‹ – es sei denn in dem spöttischen Wort . . . unter dem Kreuz.«[10] Der Unterschied zwischen beiden wird auch dadurch deutlich, daß εὐχαριστεῖν mit διὰ Χριστοῦ verbunden wird (Röm 1,8; 7,25), πεποιθά aber mit ἐν κυρίῳ erscheint, ohne daß das Objekt damit bezeichnet wäre (2,24; Gal 5,10; Röm 14,14; vgl. auch 2Thess 3,4 imitiert. Antonym ist Phil 3,2f. dreimal ἐν κυρίῳ; zu 1,14 s. u.); vielmehr wird es durch das Syntagma »als in dem Herrn gründend gekennzeichnet«[11]. Es ist Häufigkeitswort der philippischen Korrespondenz (6mal von 19 Belegen): 1,25 und 2,24 ist es auf seine baldige Freilassung bezogen und hat auch hier in dem explizierenden ὅτι-Satz einen ebenso klar erkennbaren Zukunftsbezug. Demzufolge wäre es sachlich eher dem Bittgebet als der Danksagung zuzuordnen. So findet sich denn auch in dem Bittgebetsreferat V. 9f. hier eine weiterführende Entfaltung des Inhalts von V. 6 mit direkter Stichwortanknüpfung (ἡμέρα Χριστοῦ) im Blick auf die Vollendung des Tuns des Guten. So ist πεποιθώς mit προσεύχομαι kontextidentisch, was Paulus wohl auch durch kataphorische τοῦτο an

---

5 Greeven 1931: 136ff.   6 Schubert 1939: 14.

7 O'Brien 1977: 29 Anm. 50; vgl. Schoenborn EWNT I 687–689.

8 Gnilka 46.   9 Belege bei Lohmeyer 19 Anm. 2.

10 Lohmeyer 19 – trotz dieser Einsicht formuliert er doch S. 15 widersprüchlich für das Satzgefüge das Thema »Mein Vertrauen auf Gott«! – ein Zeichen dafür, wie wenig semantisch geklärt exegetische Bestimmungen in solchen Zusammenhängen sind.

11 Ewald 74.

beiden Stellen unterstreicht. Eine Bestätigung dafür ergibt sich durch eine umgekehrte Reihenfolge in der entsprechenden Strukturparallele: Phlm 21 nimmt abschließend die »Erwartung« auf, die Paulus im Fürbittgebet nach V. 6 von Gott erbittet. Das Wort spricht also immer eine feste Hoffnung als frohe Zuversicht aus, wie sie 2Kor 1,9 grundlegend entfaltend beschrieben ist: Seit unserem Christwerden erwarten wir nicht mehr von uns selbst etwas, sondern nur noch von Gott, der die Toten auferweckt (πεποιθότες ἐπί)[12]. Unserer Stelle am nächsten steht das entfaltete Zuversichtsbekenntnis im Wir-Stil Röm 8, 38f., daß uns nichts von der Liebe Gottes trennen kann. Typischerweise ist Phil 1,14 diese »Zuversicht« die Voraussetzung für ein verstärktes Wagnis, das Furcht überwindet. Beten und Handeln sind so eine selbstverständliche Einheit, ohne daß künstliche Alternativen zwischen beiden konstruiert würden.

Man kann der so begründeten Einsicht, daß das Partizip sich in eine Gesamtkennzeichnung des Abschnitts als »Dankgebet« nicht einfügt, nicht dadurch entkommen wollen, daß man es neben dem ersten temporalen Partizip als ein kausales Partizip verstehen will[13], und in ihm einen Grund für den Dank sehen wollen – »obwohl syntaktisch dem Hauptverb untergeordnet«[14]. Denn der begründende Inhalt wird doch durch ὅτι nicht nur klar angegeben, sondern auch noch durch das kataphorisch-vorweisende adverbielle αὐτὸ τοῦτο (»eben dies« wie Gal 2,10; 2Kor 7,11; Röm 9,17; 13,6; vgl. Kol 4,8; Eph 6,22)[15] verstärkt hervorgehoben.

Da weiter der Gegenstand und Bezugspunkt V. 3 wie V. 4 immer die Adressaten waren:

	ἐπὶ πάσῃ τῇ μνείᾳ	ὑμῶν
	ἐπὶ τῇ κοινωνίᾳ	ὑμῶν
noch verstärkt	πάντων	ὑμῶν	im zweiten Falle vorange-
stellt, so ist hier das	ἐν	ὑμῖν

die entsprechende Wendung. Es wäre ein nicht zu begründender textsemantischer Bruch, machte Paulus hier sich plötzlich selbst zum Inhalt des Dankgebets: Meine Hoffnung als Dankinhalt. Vielmehr sind klar jeweils drei Ich-Sätze vorgeordnet, denen jeweils eine Inhaltsangabe mit Ihr-Aussagen folgt.

Somit wird man feststellen müssen, daß V. 3–6 kein reines Dankgebet (oder Dankgebetsbericht) vorliegt, sondern wesentlich ein Selbstbericht des Absenders über seine Beziehung zu den Adressaten gegeben wird, der wohl Dankgebetsmomente neben anderen, die dem Bittgebet und seiner Zuversicht entnommen sind, verwendet. Die scheinbare Nuance, daß dabei nicht Gebet, sondern ein Gebetsbericht vorliegt, ist textpragmatisch auch darin wichtig, sofern der Textabschnitt nicht die Funktion hat, die Empfänger über das Beten des Paulus zu unterrichten, sondern mittels der Selbstberichte über sein Verhältnis zu ihnen die Vertrauensbrücke im Briefeingang zu schlagen. Paulus rechnet, wie im Folgenden deutlich wird, damit, daß dies unter Umständen sein letzter Brief sein könnte. Von daher erklärt sich wohl auch, daß hier der längste Selbstbericht über sein Verhältnis zu ihnen vorliegt, mit dem ein uns bekannter Paulusbrief eröffnet wird. Die Deuteropaulinen Kol wie Eph haben den Testamentscharakter mittels des Gefangenschafts-Topos dann entsprechend imitiert.

---

12 Dazu näher Schenk 1979b: 3–5.   13 So O'Brien 1977: 22, 25.
14 Lohmeyer 14 bemerkt so wenigstens den Widerspruch.
15 B–D–R 290,5a; K–G 410,3 Anm. 5; O'Brien 1977: 26 Anm. 33 nach Ewald 54f. sowie Dibelius und Gnilka; gg. Haupt nicht »ebendeshalb«.

4.2.1.1.   Die drei untergeordneten Inhaltsangaben

4.2.1.1.1.   Der Dankgrund (1,3): ἐπὶ πάσῃ τῇ μνείᾳ ὑμῶν[16]

Leider wird diese präpositionale Wendung, die zum antiken Briefstil gehört (2Bar 86,2 im Briefschluß)[17] meist temporal (»bei«) übersetzt und auf das »Gedenken«, das Paulus übt, bezogen. Doch ist für temporale Aussagen eher ἐπί mit Genitiv statt mit Dativ üblich (1Thess 1,2; Phlm 4; Röm 1,10; vgl. B-D-R 234,5). Von Gnilka[18] wird zu unserer Stelle sogar ein Verständnis als Dankgrund für »völlig abwegig« erklärt (vgl. B-D-R 235,5: Phil 2,17; doch gerade diese Stelle wird von Gnilka selbst – gegen B-D-R – als kausal und zum Folgenden gehörig verstanden – s. u. – und auch 1Kor 14,16 ist vom Argumentationscharakter des Kontextes her eher kausal: Das Amen aufgrund einer verständlichen Danksagung hinzufügen; B-D-R 235,3). Gleichzeitig scheut der gleiche Kommentator sich nicht, nur eine Seite weiter bei V. 5 ausdrücklich dasselbe ἐπί + Dativ bei εὐχαριστεῖν selbstverständlich als kausal zu werten[19] – und das mit Recht:

– Wie außer V. 5 auch 1Thess 1,4 und 1Thess 3,9 sowie alle außerbiblischen Belege beweisen, ist das Syntagma εὐχαριστεῖν + ἐπί immer kausal zu verstehen[20]. Darum übersetzten schon Peschitta, »al« und Ambrosiaster wie d »super«[21]. Da bisher kein außerbiblischer Gegenbeleg erbracht wurde[22], hat die kausale Interpretation auf jeden Fall den Vorzug.

– Ein Genitivus subjectivus bei μνείᾳ ist nach dem Ausweis von Barn 5,5 möglich und somit kein Gegenargument[23].

– Auch die Stellung des Artikels gibt so einen guten Sinn: Diese prädikative Nachstellung (wie 2Kor 1,4) »stellt das Ganze dem Teilweisen gegenüber, nicht das Jedesmalige dem Gelegentlichen: ›all das = das sämtliche Gedenken‹; nicht: ›alles = jedes Gedenken‹«[24].

– Es geht also um das »gesamte Gedenken«, und darum kann das Syntagma auch nicht auf das überbrachte Geld bezogen werden. Gerade ein solcher zusammenfassender Ausdruck, der an wiederholte und neue Gründe denkt, spricht dafür, daß 4,10ff. als Gabenbrief schon vorausging und die Anlässe für Paulus, ihr »Gedenken« zu erfahren, mehrfach und verschieden waren.

– Man wird hinter dem Objekt μνείᾳ auch ganz direkt die Fürbitte der Philipper sehen, da der Ausdruck 1Thess 1,2; Phlm 4; Röm 1,9 in Gebetsberichten, doch 1Thess 3,6 auch außerhalb des Gebetskontextes erscheint[25]. Nicht zufällig kommt Paulus im Folgenden 1,19 ganz direkt wieder auf die Fürbitte der Philipper zu sprechen. Er weiß also davon.

– Die kausale Deutung verhindert schließlich auch, daß V. 3b–4a drei temporale Bestimmungen asyndetisch aufeinanderstoßen und zu dem unnötigen Lösungsvorschlag drängen, V. 4 als Parenthese zu verstehen[26].

16 Vgl. zur kausalen Auflösung nach der eingehenden Erörterung bei Ewald 43–47 und Schubert 1939: 71–82 zuletzte Jewett 1970: 40–53 und O'Brien 1977: 41–46.
17 Vgl. Deißmann 1923: 150 und Beispiele bei Dibelius Thess 2f.
18 Gnilka 43 Anm. 9.
19 Gnilka 44 Anm. 19, 20; vgl. B–D–R 235,2.
20 Vgl. das Material bei O'Brien 1977: 43 Anm. 105 nach Schubert 1939 und schon Ewald 46 Anm. 1: Papyri, Philo, Josephus übereinstimmend.
21 Statt »in«; Ewald 45 Anm. 1; vgl. dort auch die älteren Vertreter dieser Interpretation.
22 O'Brien 1977: 43 Anm. 106.
23 Schubert 1939: 80; O'Brien 1977: 44 Anm. 12.
24 Ewald 44; vgl. B–D–R 275,2; Schubert 1939: 74; O'Brien 1977: 44.
25 Michel ThWNT IV 682; Kerkhoff 1954: 25.   26 Gg. Gnilka 42f.

Vielmehr wird nun der Zusammenhang der Zeitbestimmungen in V. 4–5 insgesamt klarer:

(a) Der asyndetische Anschluß von ἐν πάσῃ δεήσει an das paulinische Vorzugswort πάντοτε (19mal: 1,20; 2,12; 4,4 hier und in paulinischen Briefeingängen 1Kor 1,4; Phlm 4; 1Thess 1,2; Röm 1,10 – ferner imitiert Kol 1,3; Eph 5,20; 2Thess 1,3.11; 2,13) erklärt dies und präzisiert es als regelmäßiges und nicht als ununterbrochenes Beten[27].

(b) Dem temporalen Beginn hier korrespondiert dann der temporale Abschluß dieser Periode V. 5:

ἀπὸ τῆς πρώτης ἡμέρας

ἄχρι τοῦ νῦν,

der zudem in seiner semantischen Tiefenstruktur ebenfalls eine temporale All-Aussage wie die Anfangswendung macht. Durch diese Rahmung wird dieser Teil als geschlossene Einheit markiert, dessen temporale Aspekte V. 6 dann noch weitergeführt werden.

4.2.1.1.2.   Der Freudengrund (1,5): κοινωνία ὑμῶν εἰς τὸ εὐαγγέλιον

Auch hier ist κοινωνία nicht passiv gemeint, so daß die Wendung einfach eine Umschreibung für »euer Glaube« sei[28]. Denn

– erstens hatte der Ausdruck schon 4,15 (s. o.) einen aktiven Sinn, und in dieser Weise ist durch die Verbindung mit εἰς auch Röm 15,26; 2Kor 9,13 (vgl. 8,4) das Ziel einer Aktivität bezeichnet[29].

– Zweitens kann für das von Paulus bezeugte gesamturchristliche Verständnis von »Evangelium« und dessen »Annahme« (1Kor 15,1–11) gar nicht die Wendung ἄχρι τοῦ νῦν stehen, sondern müßte auf πρώτη ἡμέρα beschränkt sein. Paulus unterscheidet klar zwischen Evangeliumsverkündigung und Gemeindearbeit (vgl. Röm 1,15 Aorist gegenüber V. 11f. Gegenwart): Gemeindearbeit ist keine Evangeliumsverkündigung, und Evangeliumsverkündigung ist keine Gemeindearbeit, sondern beschreibt strikt die missionarische Verbreitung der Nachricht vom auferweckten Herrn bei den davon noch nicht Benachrichtigten (wie 4,15 so weiter 1,7.12.16.27.27; 2,22). Mangels einer präzisen semantischen Bestimmung von »Evangelium« hat sich der verallgemeinerte und abgeschliffene kirchliche Sprachgebrauch hier immer dahin ausgewirkt, daß man nicht präzis die semantische Bedeutung des Wortes aus seinem Wortfeld erschloß, sondern als gegeben ansah. Jedoch ist schon darin zu differenzieren, daß für das Urchristentum die Jesusverkündigung nicht eingeschlossen ist, wie das durch die nachapostolische Verwendung des Ausdrucks durch Markus eingeleitet und von Matthäus verstärkt wurde, obwohl Lukas

27 Kerkhoff 1954 passim.
28 So noch Friedrich 99 nach Lohmeyer 14f, 17; Seesemann 1933: 73f., 79; Hauck ThWBNT III 805; Peterson.
29 Zerwick 1963 § 107–109; O'Brien nach Lightfoot, Dibelius, Bouwman, Dewaily 1973, Gnilka 44 Anm. 16. Gg. Lohmeyer 17 Anm. 3 ist TestSeb 3,1 kein so eindeutiger Gegenbeweis, da die Präposition in der Argumentation gerade das aktive Moment betonen soll: Sebulon hat vom Verkaufserlös absichtlich nichts genommen – und also nicht nur nichts bekommen. Die Präpositionalwendung darf nicht vorschnell mit Seesemann 1933: 75 zu einem bloßen Genitiv-Ersatz abgeschwächt werden, um dann ein das ganze Christsein umfassendes Gemeinschaftsverständnis hier ausgesprochen zu finden: »durch das Evangelium gestiftet, an dem sie gemeinsam Anteil haben und dem sie je auf ihre Weise dienen« (so holistisch Hainz 1982: 89–95; dahinter steht die primär wortsemantische Annahme einer apriorisch »einheitlichen« Begriffsstruktur« 165, 173, der aus Gründen der Semantik-Theorie zu widersprechen ist. Diese bezeichnet auch die Zusammenfassung von Hainz EWNT II 749–755 konstant fälschlicherweise als »Wortfeld«).

diesen Prozeß rückgängig machte. Vom urchristlichen Evangeliums-Begriff her muß κοινωνία εἰς aber einen aktiven Sinn haben: Ihr Beitrag, ihre aktive Beteiligung, wobei die Getrenntheit der Termini 4,15 deutlich macht, daß damit nicht die geldliche Unterstützung der paulinischen Missionsarbeit gemeint ist[30], sondern ihre eigene Zeugentätigkeit »von Anfang an«[31]. Wie Paulus so sind auch sie als Christen zugleich auch Missionare geworden, was 1,27 (s. u.) als christliche Selbstverständlichkeit bestätigt. Ein passivisches Verständnis wird also »speziell durch ἀπὸ πρώτης ἡμέρας« ausgeschlossen[32].

- Daß nun drittens menschliche Handlungen durchaus Gegenstand des Dankes und der Freude vor Gott sein können, belegt neben 4,10ff. (s. o.) auch 1Thess 1,3 deutlich und kann darum hier so wenig wie bei V. 3 als Grund angegeben werden, um ein aktives Verständnis von κοινωνία εἰς zu bestreiten[33]. Ein solches Argument verkennt mit dem in ihm vorausgesetzten Gott-Mensch-Dualismus die paulinischen Relationen: Nirgends kommt stärker als im Dankgebet für menschliches Handeln zum Ausdruck, daß Gott der schöpferisch Handelnde in alledem ist, was die Seinen in sein Reich und dessen Vollendung einbringen können, wie der Dankbrief 4,10ff. durchgehend deutlich machte. Ebendarum kann dann V. 9–11 ja auch gerade künftiges menschliches Handeln Gegenstand der Fürbitte sein.
- Wichtig ist schließlich als semantische Komponente auch noch, daß diese »aktive Beteiligung«, die hier gemeint ist, »nicht . . . als Leistung der einzelnen, sondern als Leistung der Gemeinde« in Betracht kommt, so daß man es geradezu mit »sich vergenossenschaften« übersetzen wollte[34].

4.2.1.1.3.   Der Hoffnungsgrund (1,6): ἐπιτελέσει

Die Gewißheit der Vollendung einer begonnenen Handlung ist nicht selbstverständlich, sondern bedarf der Begründung. Wie sehr begonnenes Werk gefährdet sein kann, zeigt die einzige Stelle, an der die beiden Verben noch als Komplenyme vorkommen, Gal 3,3:

ἐναρξάμενοι		A
	πνεύματι	B
	νῦν	C
	σαρκὶ	B'
ἐπιτελεῖσθε;		A'

Die pragmatische Funktikon »Warncharakter« zeigt sich deutlich daran, daß den komplenymen Verben (A,A') antonyme Modalbestimmungen (B,B') zugeordnet sind. Die ohnehin starke imperativische Form der »Aufforderungsfrage«[35] zeigt die Größe der Gefährdung. Diese Parallele ist weiter auch darum interessant, weil sie hinsichtlich des Anfangspunktes eine semantische Sachparallele bietet: Es ist der Anfang, den Gott durch den auferweckten Jesus (πνεῦμα 1Kor 15,45) mit dieser Gemeinde gemacht hat. Ein Rückfall in dadurch geschichtlich überholte Maßstäbe (= σάρξ) ist nicht die in diesem Anfang intendierte Vollendung.

---

30 Gg. Klijn 28 f.
31 O'Brien 1977: 24 f. nach Lightfoot 81 und Gnilka 45, der auch z. R. gg. Friedrich betont, daß man die Zeitangabe »erster Tag« nicht pressen darf.
32 Ewald 49.
33 O'Brien 1977: 24 Anm. 22 m. R. gg. Seesemann 1933: 74.
34 Ewald 49.
35 Vgl. grundsätzlich Fleischer–Michel 1977: 130–132 gegenüber einer diese spezielle Funktion verkennenden, unscharfen Einordnung dieses Typs von Fragesätzen in die rhetorischen Fragen überhaupt.

Von dieser Sachparallele her kann auch entschieden werden, ob ἔργον ἀγαθόν als nomen resultantum aufgefaßt werden muß, was meist von der geläufigen Übersetzung »gutes Werk« her viel zu selbstverständlich vorausgesetzt wird, oder aber als nomen actionis (= ἐργάζεσθαι, das Handeln, die Handlung). Gal 3,3 spricht für ein nomen actionis, und auf die gleiche Entscheidung weist auch die Verwendung von ἐπιτελεῖν, wenn von der Jerusalemkollekte (2Kor 8,6.11; Röm 15,28) die Rede ist. Das wird bestätigt durch eine wirkliche Sachparallele: 2Kor 7,1 mit dem »Vollenden« der ἁγιωσύνη (nomen actionis als Prozeß) kommt unserer Stelle am nächsten[36]. Unsere Stelle unterscheidet sich dann nicht von den anderen drei Stellen, an denen Paulus dasselbe Syntagma verwendet, weil dort (2Kor 9,8; Röm 2,7; 13,3) das von Paulus nur singularisch verwendete ἔργον ἀγαθόν immer ein generisches nomen actionis ist[37].

Ausgeschlossen ist aber auch die konträr entgegengesetzte Interpretation, die ἔργον als nomen resultantum und Gott als Subjekt ansieht. Dies ist der Fall, wenn man hier das Bild vom »Bauwerk« vorliegen sieht[38]. Dies ist Röm 14,20 anders, weil dort eindeutig ein Syntagma mit θεοῦ vorliegt, während es schon mit menschlichen Subjekten in 1Kor 3,13 und 9,1 fraglich ist. Wenn bloßes ἔργον in der LXX meist nomen resultantum ist (Gen 2,2f.), und dies vor allem bei ἐπιτελεῖν der Fall ist[39], so ist doch zu beachten, daß andererseits dieses Verbum für Gott äußerst selten gebraucht wird (LXX-Num 23,23 als Ausruf der Bewunderung für hebr. pʻl; τὶ ἐπιτελέσει ὁ θεός; 3Makk 6,15 als Gebet um die Verwirklichung von LXX-Lev 26,44: οὕτως ἐπιτελέσει κύριος), die Verbindung beider mithin in diesem Sinne nicht vorgeprägt erscheint.

Erwägt man die Lösung mit den semantischen Komponenten nomen actionis und Gott als Subjekt, dann wäre die Wendung mit der ja ebenfalls artikellos gebrauchten καινὴ κτίσις (Gal 5,15; 2Kor 5,17) identisch, die ja ebenfalls ein Schöpfungs-»Wirken« und nicht das Resultat beschreibt[40]. Doch ist diese Lösung hier ausgeschlossen, da die zwei übergeordneten Verben in Phil 1,6 schon Aktionsverben sind, deren Subjekt Gott ist. Zudem müßte man sehen, daß bei jeder Annahme eines göttlichen Subjekts für ἔργον ἀγαθόν diese Verwendung für Paulus einmalig wäre, so geläufig uns auch in einer bestimmten kirchlichen Sprachtradition die Rede vom »Werk Gottes« zu sein scheint. Paulinisch ist sie offenbar nicht.

So ist unserem Vorverständnis zum Trotz wider Erwarten und Augenschein Phil 1,6 das Syntagma ἔργον ἀγαθόν doch als nomen actionis mit menschlichem Subjekt zu nehmen als Gesamtheit (artikellos) guter und vorbildlicher Handlungsweise: »das Tun des Guten«. Das läßt sich abgesehen von der Wortverbindung auch von den Einzelelementen her noch weiter untermauern:

In 1Kor 15,58 stehen ἔργον κυρίου und κόπος ὑμῶν parallel, so daß »das vom auferweckten Herrn bestimmte Handeln« mit dem ersten Ausdruck gemeint sein muß. Ebenso ist ἀγαθός auch für sich schon handlungsbezogen: Die in Phlm 6 erbetene Erkenntnis des »Guten« wird V. 14 als die gute Tat des Adressaten erwartet, wiederum auf der Basis einer nicht passiv, sondern aktiv verstandenen κοινωνία, die noch dazu

---

36 Wobei ich das Segment unter der Voraussetzung einer stark vorgeprägten Eigenterminologie immer noch – vgl. Schenk 1969 im Anschluß an Schmithals 1965 – gegen einen mehrstimmigen Einspruch von Gnilka u. a. für pl halte.

37 Ewald 51f.; daraus ist aber gg. Wohlenberg ebd. Anm. 2 nicht der Schluß zu ziehen, daß die zugeordneten Verben auch generisch ein menschliches Subjekt haben: »Wer ein gottgefälliges Tun begann, wird es auch vollenden.« Diese halbwahre Sprichwort-Gewißheit ist sachlich für Pl durch Gal 3,3 wie 2Kor 7,1 ausgeschlossen.

38 So Bouwman 24 und Gnilka 46 nach Peterson 1941.

39 Bertram ThWNT II 633f.

40 Bachmann 2Kor 262; vgl. Barrett 1973: 177 »new creation« und nicht »new creature«.

parallel zu ἀγάπη steht und mit ihr identisch ist, so daß sich uns hier die Zusammenhänge eines ganzen paulinischen Wortfeldes erschließen.

Alle diese paradigmatisch zu einem Wortfeld zusammenlaufenden Fäden finden sich syntagmatisch gebunden in 2Kor 9,8: Dort findet sich nicht nur das Syntagma ἔργον ἀγαθόν, sondern auch das περισσεύειν wie 1Kor 15,58 und schließlich auch die Gründung dieses Handelns in Gott als Voraussetzung wie Phil 1,6.

Das entspricht ganz der Antwort auf die Frage nach dem höchsten Wert für das Leben, wie sie EpArist 195 gibt:

»Die Erkenntnis, daß Gott alles beherrscht, und daß bei unseren besten Handlungen nicht wir unsere Entschlüsse ausführen, sondern Gott mit seiner Macht alles vollendet und leitet.«[41].

Es handelt sich dabei geradezu um ein Leitmotiv dieser ganzen Schrift: Gottes vollendender Bezug auf menschliches Handeln. So heißt es EpArist 227 im Blick auf die Feindesliebe:

»Gott aber, der alle (Menschen) beherrscht, muß man anflehen, dies zu vollenden« (ebd.).

Darum erscheint in EpArist 239 als begründender Lehrsatz:

»Die Handlungen (der Menschen) werden von Gott ausgeführt« (ebd.).

Darum gibt EpArist 255 auch die Zusage:

»Durch Gottes Macht wird dir jeder gute Entschluß vollendet« (ebd.). Auf diesem Hintergrund wird man die entsprechenden Aussagen des Paulus verstehen müssen. Es geht bei ἔργον ἀγαθόν um das ganze Christenleben in all seinen Aktivitäten. Darum ist auch hier nicht damit »Glauben« gemeint[42], da man dies vom passivischen Mißverständnis von κοινωνία in dem vorangehenden Vers 5 dann auch in unser Syntagma in V. 6 eingetragen hätte.

Der Grund für die Vollendungshoffnung des Paulus im Blick auf das aktive Christenleben der Philipper wird durch das kausal zu verstehende Partizip ἐναρξάμενος angegeben. Wie in der Auferweckung Jesu so ist auch in der Gerechtmachung des Gottlosen wie in der Gründung der Gemeinde Gottes Schöpferhandeln das umfassende Prinzip. Seit Deuterojesaja besteht die Verbindung von Schöpfung und Berufung Israels (42,5f.; 43,1:7; 44,1–6) nicht nur in vergleichender Weise, sondern zusammen mit »Anfang« und »Ende« (41,4; 44,6; 48,12f.) auch in direkt verbindender[43]. Darum ist es semantisch nicht zureichend, Berufungs- und Schöpfungshandeln nur »vergleichbar«[44] zu kennzeichnen; vielmehr sind beide insofern identisch, als die »Berufung« eine Schöpfungstat ist, also als Hyponym zu diesem Suprenym ins gleiche Wortfeld gehört: ἐναρξάμενος ist als Schöpfungsterminus darum hier Kontextsynonym mit seinem Hyponym, der gemeinten Berufung. Dabei ist ἐν ὑμῖν nicht individualistisch und subjektiv »in euch«, sondern als gemeindegründend mit »bei« und »an« euch wiederzugeben.

Man hat mit Recht schon immer aus der Schöpfungsterminologie hier geschlossen, daß die Verknüpfung von Anfang und Ende »auf Grund der Treue Gottes« argumentiere[45]. 1Kor 15,38 bezeichnet klar diesen Gesamtzusammenhang als gut paulinische Schöpfungstheologie, die alle Schichten des Seienden umgreift, einschließlich des mit der Auferweckung bezeichneten Novums, so daß hier jeder Dualismus von »natürlich« und »übernatürlich« ausgeschlossen bleibt[46].

---

41 Wendland bei Kautzsch II 21; vgl. Bill. III 618f. z. St.
42 Gg. Lohmeyer 20.   43 Gnilka 46f.; O'Brien 1977: 27.
44 So Gnilka 47.   45 Ewald 55.
46 Vgl. Schenk 1979b zu 1Kor 15 und grundsätzlich Schenk 1983.

Einen direkten Beleg für den Gesamtzusammenhang in Phil 1,6 liefern zwei struktur-
analoge Sprüche von der eschatologischen Schöpfertreue Gottes, die wohl nicht zufällig gleichfalls in Gebetskontexten stehen[47]:
1Thess 5,23 ἁγιάσαι   ὑμᾶς . . . ἀμέμπτως   ἐν τῇ παρουσίᾳ   τ. κ. ἡ. Ἰ.
1Kor 1,8 βεβαιώσει ὑμᾶς . . . ἀνεγκλήτους ἐν τῇ ἡμέρᾳ   τ. κ. ἡ. Ἰ.
Im Briefschlußgebet 1Thess 5,23 wie im Briefeingangsgebetswunsch 1Kor 1,8 geht
voraus, was Phil 1,6 folgt: Der Blick auf die Vollendung. Auf das Ziel der erbetenen
Bewahrung und Vollendung folgt jeweils in gleicher Struktur und Bedeutung die
Nennung der Voraussetzung:
1Thess 5,24 πιστὸς ὁ   καλῶν ὑμᾶς
1Kor 1,9   πιστὸς ὁ θεός δι' οὗ ἐκλήθητε
Dabei liegt 1Thess 5,24 wie an unserer Stelle eine funktionale Gottesbezeichnung im
Partizipialstil vor, die 1Kor 1,9 durch einen entsprechenden Relativsatz vertreten ist.
Beide sind offenbar semantisch gleich zu nehmen und nur in der Oberflächenstruktur
verschieden. Auf Grund der mehrgliedrigen Strukturparallele entspricht nun aber
auch dem πιστὸς ὁ θεός in irgendeiner Weise die Versicherung der Gewißheit mit
πεποιθώς. Der innere Zusammenhang ist durch den Subjektwechsel deutlich: Phil 1,6
wird im Blick auf den Menschen beschreibend ausgesprochen, was an den beiden
analogen Stellen von Gott her begründet wird: Diese menschliche Gewißheit hat ihren
Grund in der Treue Gottes.
Sollte Phil 1,6 überliefertes Gut anzunehmen sein[48], so könnte eine solche Vorlage mit
πιστὸς ὁ θεός eingeleitet gewesen sein. Darin wird man bestärkt, wenn man dieses
Experiment weiterführt. Denn dieselbe Operation ließe sich auch an der vergleichbaren Stelle Röm 8,38f. vornehmen, die ja an ihrem Anfang auch sonst schon als
paulinisch umgeformt erkannt ist[49]. Für das abgeleitete Gewißheitsbekenntnis, das
wiederum πέπεισμαι ausdrückt, wäre πιστὸς ὁ θεός als explizit genannte Voraussetzung für οὐ . . . δυνήσεται ἡμᾶς χωρίσαι. Diese Operation ist um so eher nahegelegt,
als auch der »Treuespruch« 1Kor 10,13b auf die Bewahrung in der eschatologischen
Versuchung ausgerichtet ist (dagegen zeigt 2Kor 1,18 eine abgewandelte Verwendung;
vgl. dagegen auch die nachpaulinische Imitation 2Thess 3,3). Auf alle Fälle haben
»Treuesprüche« und »Gewißheitssprüche« gleiche Strukturmuster wie gleiche Wort-
feldbeziehungen. Osten-Sacken hat die gleichbleibende Grundstruktur der drei
»Treuesprüche« klar diagnostiziert[50]:
        πιστὸς ὁ (Gottesbezeichnung) + ὅς καί + Futur
(wobei der ὅς καί-Satz einer übernommenen Formel 1Kor 1,8 kontextbedingt vorausgenommen sein dürfte). Eine vergleichbare Parallele liegt PAboth II,18 vor:
»Treu ist er, der Herr der Arbeit,
der wird dir den Lohn deiner Mühe bezahlen.«[51]
In dieser Verbindung von
                Nominalsatz + futurischer Relativsatz
dürfte der Nominalsatz kausale und der futurische Relativsatz konsekutive Bedeutung
haben[52]:
                »Weil Gott treu ist, darum wird er . . .«
Dabei liegt der folgernde Sinn als semantische Komponente schon im Relativsatz als
solchem, sofern er Apodosis zu dieser Protasis ist, und wird nicht erst durch καί
eingetragen, wie man annehmen muß, wenn man sich Semantik nur als Wortsemantik

---

47 O'Brien 1977: 27 Anm. 42; vgl. Gnilka 46 Anm. 33.
48 Lohmeyer 21.   49 Osten–Sacken 1975: 42–45.   50 Osten–Sacken 1977
51 Ebd. 191f.   52 B–D–R 378,1.

vorstellen kann. Syntaktische Beziehungen haben aber auch semantische Gehalte. Nicht dieses καί hat darum hier »folgernden Sinn«[53]. Das heißt andererseits nun aber auch nicht, daß das καί bedeutungslos sei und gar nicht übersetzt werden dürfte[54]. Vielmehr ist es wie in fast allen Verbindungen mit dem Relativum adverbial gebraucht und meint »auch« oder kann mit dem »ja« der selbstverständlichen Verstärkung wiedergegeben werden (Gal 2,10; 1Kor 2,13; 4,5; 11,23; 15,3–5; 2Kor 3,6; Röm 5,2; 8, 34; 9,24; und in Phil noch 2,5; 3,12.20 – während es 4,9 steigernd adversativ erscheint).

So ist also Phil 1,6 die »feste Hoffnung« (πεποιθώς) darauf, daß Gott auch vollendet, was er angefangen hat, letztlich in Gottes »Zuverlässigkeit« (πιστός) begründet gesehen. Textpragmatisch bedeutet das, daß dies nicht einfach »zugesagt« wird, sondern logisch argumentativ in einer Kommunikationsbeziehung entfaltet wird. Die Empfängerwirkung basiert nicht auf einer Sprechhandlung der »Zusage«, sondern auf der Sprechhandlung einer argumentierenden Grund-Folge-Beziehung. Eher wird man durch die mehrfachen Gebetskontexte sehen, daß die »Zuverlässigkeit« Gottes Voraussetzung und Anlaß zum Bittgebet ist. Diese »Treue Gottes«, der die Gemeinde ihre Berufung durch den auferweckten Herrn verdankt, macht sie der Bewahrung und der Vollendung gewiß: »Was Gott schuf, führt er auch zur Vollendung.«[55] Dabei ist deutlich, daß dem »Wort« phänomenologisch nachweisbare Empirie vorausgehen muß (1Kor 15,15–20), wenn es sich nicht nur um fromme Einbildung handeln sollte. Immer handelt es sich bei diesen Aussagen um ein wirkliches »Wissen«, weshalb οἶδα mit πέποιθα eng verbunden sein kann (1,24; Röm 14,14). Darum ist andererseits auch umgekehrt bei bloßem οἶδα das semantische Moment des πέποιθα mitzuhören (z. B. 1Kor 15,58).

Ein ganz ähnlicher Dreischritt zeichnet sich auch 2,13–16 im Blick auf die dritte Stelle des Phil B mit der wiederholten Wendung εἰς ἡμέραν Χριστοῦ ab: V. 15 geht ein Synonym der ethischen Bewährungsterminologie voraus (ἄμεμτοι καὶ ἀκέραιοι) und der »Treuezusage« entspricht V. 13 die Begründung in dem fortgesetzten Handeln Gottes (θεός . . . ἐστιν ὁ ἐνεργῶν ἐν ὑμῖν), wobei für die »Treue« Gottes das Syntagma ὑπὲρ τῆς εὐδοκίας das sonstige πιστός semantisch äquivalent als Synonym vertritt: Diese Treue ist Gottes Plantreue, womit der Gesamtzusammenhang wieder genau dem Leitmotiv des Aristeasbriefes (s. o.) entspricht.

Dem Ansatz bei Gottes Schöpfungshandeln im Akt der Berufung zum Christen wird es nun auch entsprechen, daß Paulus an den Philipper-Stellen entgegen seinem sonstigen, wohl aus der urchristlichen Tradition übernommenen Sprachgebrauch vom ἡμέρα κυρίου[56] auffallend abweichend das Syntagma ἡμέρα Χριστοῦ verwendet, weil er von Gottes berufendem Handeln durch das »Evangelium« her denkt, woran der Χριστός-Titel haftet, nicht aber vom nach- und untergeordneten »Bekenntnis« des Menschen her, dem Haftpunkt des κύριος-Titels in der Akklamation. Dieser Sprachgebrauch dürfte sich von diesem Ansatz bei der berufenden Evangeliumsverkündigung her wegen seiner Wichtigkeit dann eben auch in 1,10 und 2,16 durchhalten. Senderpragmatisch läßt sich daraus sehen, daß dieser Zusammenhang auch in einem Zug geschrieben sein muß. Wortsemantisch läßt sich von unserer ersten Stelle her aus dem Syntagma für ἡμέρα zugleich entnehmen, daß mit diesem Ausdruck nicht von vornherein und primär der Gerichtsaspekt gemeint ist, sondern der Vollendungsaspekt (ἐπιτέλειν) semantisch dominiert. »Gericht« kann paulinisch nur als Teilaspekt der Vollendung gesehen, aber nicht verselbständigt werden zu einer eigenen Gerichtseschatologie.

---

53 So Osten–Sacken 1977: 182.
54 So Haenchen Apg 108; Conzelmann 1Kor 42.
55 Gnilka 46.
56 Kramer 1963: 174–176.

4.2.2. Ist 1,7 f. eine unterbrechende captatio benevolentiae?

Liegt V. 3–6 nun insgesamt kein »Gebet« vor, sondern ein Gebetsbericht, dessen textpragmatische Briefeingangsfunktion darin besteht, die Vertrauensbrücke zu den Empfängern zu schlagen, dann ist auch zweifelhaft, ob man V. 7–8 als »Unterbrechung« des Gebetsberichts zwischen V. 3–6 und V. 9–11 unter der Rubrik »Persönliches«[57] beschreiben darf. Als »captatio benevolentiae« ist nicht nur V. 7–8 zu kennzeichnen[58], sondern das gesamte Proömium. Es erweitert in seinen Versicherungen und Wunschformen den pragmatischen Charakter des Grußes überhaupt, der eine ritualisierte Form der Aggressionsminderung bei der Kommunikationsherstellung darstellt. So sind auch die Begründungselemente für die herkömmliche Gliederung nicht stichhaltig:

Daß das folgende Stück V. 7–8 in einem »ganz persönlichen Ton . . . durch eine dreimalige Anrede ausgezeichnet ist«[59], stimmt so nicht, denn V. 7–8 ist nicht stärker, sondern ebenso wie V. 3–6 durch vierfaches Personalpronomen der zweiten Person bestimmt und V. 9 f. immerhin auch dreimal (einschließlich der Verbform). Dabei wiederholt das ὑπὲρ πάντων ὑμῶν V. 7a deutlich V. 4, und die doppelte Verwendung des All-Syntagmas V. 7e (die noch dazu pleonastisch erst durch πάντας veranlaßt ist)[60] markiert deutlich den Zusammenhang des ganzen.

Auch die Verwendung der ersten Person Singular, die sechsmal den Sender kennzeichnet (als Pronominallexem wie Verbmorphem), ist gegenüber der fünfmaligen in V. 3–6 nicht signifikant abweichend.

Ferner gibt es Stichwort-Wiederaufnahmen:

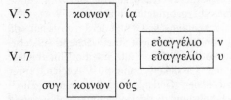

Weiter liegen Kontextsynonyme vor. So zum bisherigen hin:

V. 3 μνεία
V. 7 ἔχειν ἐν τῇ καρδίᾳ

Dies zeigt auch die ähnliche Verwendung mit εἶναι ἐν in 2Kor 7,3. Chrysostomus paraphrasiert unsere Wendung mit τὸ μεμνῆσθαι semantisch exakt[61]. »Direkt im Sinne von ›liebhaben‹ kann der Ausdruck nicht stehen, denn καρδία = leb ist nun einmal nicht der Sitz der ›weichen Empfindungen‹ (Zahn vgl. schon Beza).«[62] Dieses semantische Mißverständnis der Überlieferungsgeschichte dürfte erst vom Lateinischen her gedacht und eingebracht sein (vgl. Ovid, Trist. V. 23 f.: »te . . . in toto pectore semper habet«[63]), denn καρδία bezeichnet auf dem semitischen Hintergrund eben den Menschen als denkendes Wesen, wie sich sehr schön an der Kontextsynonymie 2Kor 4,4:6 ablesen läßt[64]. Doch ist dies referenzsemantisch nicht einmal nur auf den semitischen Hintergrund zu beschränken, sondern gilt auch von der griechischen Worttradition her

---

57 Lohmeyer 22; vgl. auch Gnilka.
58 So Bouwman 21 f.
59 Gnilka 48.
60 Haupt 11 Anm. 3; Ewald 61 Anm. 2.
61 Haupt 11.
62 Ewald 60; vgl. Haupt 10.
63 Was Lohmeyer 23 zu Unrecht für den ursprünglichen Textsinn heranzieht.
64 Vgl. zum semitischen anthropologischen Hintergrund Wolff 1974: 68–95: »Der vernünftige Mensch«.

ebenso, wo – zumal seit der Stoa verstärkt –[65] καρδία begrifflich »Vernunft« im definitorischen Sinne der philosophischen Tradition des 19. Jahrhunderts die Einheit von Bewußtsein und Willen bezeichnet: Plut Cato maj. 9 bezeichnet »ohne Herz« einen »Einfaltspinsel« (Übersetzung 1934, 42). Darum ist eine Übersetzung von Phil 1,7 mit »Ich trage euch alle in meinem Herzen« (GN) als falsch auszuschließen. Bei Paulus darf καρδία nie mit »Herz« übersetzt werden, weil das deutsche Lexem heute in seinem affektiven Gehalt das Gemeinte total verzeichnet.

Kontextsynonymie zum Folgenden hin gibt es ebenso:

V. 8 σπλαγχνά

V. 9 ἀγάπη

Da das adverbiale καί V. 9 eine enge anaphorische Anknüpfung an V. 8 darstellt[66], ist V. 9 nicht über V. 7f. hinweg direkt an V. 3–6 anzuschließen[67].

Wohl ist auch ein übergreifender Synonymzusammenhang von

V. 4 δέησιν ποιούμενος   und

V. 9 προσεύχομαι   gegeben (s. o. als Kontextsynonymie).

Dieser darf aber nicht gegen die vorhandene unmittelbare Textverknüpfung von V. 9 ausgespielt werden, um V. 7–8 als »Unterbrechung« zu klassifizieren.

Da in V. 7 τοῦτο anaphorisch auf den voranstehenden Abschnitt zurückweist und καθώς dies ebenso tut, so liegt darin auch eine weitergehende Kontextsynonymie der Verben vor[68]:

V. 6 πεποιθώς αὐτὸ   τοῦτο

V. 7 φρονεῖν   τοῦτο

Durch die mit τοῦτο gegebene Stichwortverbindung ist φρονεῖν ὑπέρ kaum auf V. 3–6 insgesamt zu beziehen[69]. Dagegen spricht als weiterer Grund auch die hier vorliegende Verwendung von καθώς zur Einleitung eines übergeordneten Hauptsatzes. Wegen der folgenden kausalen Apodosis (διά) kann der semantische Gehalt der Protasis mit »da ja« wiedergegeben werden[70], doch nur, wenn man das nicht abschwächend versteht. Man kann dem semantischen Problem, das καθώς als Hauptsatzeinleitung hier bietet, nicht dadurch entgehen, daß man »absichtliche Lässigkeit« annimmt[71]. Auch mit einer Interpretationskategorie »Überleitung zu neuen Gedanken in Briefeingängen«[72] kommt man nicht weiter, da sie zu weit gefaßt ist und da die Bedeutungsfunktionen in 1Thess 1,5; 2Kor 1,5 (imitiert 2Thess 1,3; Kol 1,6f.) von denen in Phil 1,7; 1Kor 1,6 (imitiert Eph 1,4) zu verschieden sind. Die textlinguistisch präzisierte Interpretationskategorie muß hier nicht nur »Verwendung in Hauptsätzen« überhaupt im Unterschied zur Verwendung in Nebensätzen sein. Denn kommt man in Röm 1,28; 1Kor 5,7 (vgl. Eph 4, 32) mit der Bedeutung »da ja« durchaus aus, so liegen die Dinge dort, wo der Hauptsatz eine Protasis ist und hypotaktische Nebensätze folgen (außer hier Phil 1,7 kausal; 1Kor 1,6 konsekutiv – auch Phil 2,12 durch den diktatbedingten nachträglichen Einschub; Eph 1,4 und Joh 17,2 final) doch anders. Dies dürfte nun textsemantisch die exakteste Interpretationskategorie sein. Jedesmal liegt an den fünf genannten Stellen eine weiterführende Wiederaufnahme vor, die an Bekanntes erinnert. Man wird diesen Sachgehalt am besten durch »da also« wiedergeben können.

65 Behm ThWNT III 611f.
66 Lohmeyer 31 gg. Gnilka 51, der es unverständlicherweise als »Trenner« ansieht.
67 Gg. O'Brien 1977: 29 nach Friedrich 100 u. a.
68 Haupt 10; Dibelius 53: Wiederaufnahme.
69 Gg. Gnilka 48 Anm. 1 nach Ewald 56–59 und Michaelis.
70 BauerWB 773; B–D–R 453,2; Conzelmann 1Kor 38 Anm. 5.
71 Gg. Lohmeyer 22 »leicht verknüpfend« bzw. Gnilka 48 »leicht begründend«.
72 Lohmeyer 22 Anm. 1; Gnilka 47.

Makrosyntaktisch ergibt unser Text noch einen weiteren Beweisgrund für eine stärkere Einbindung in den Kontext: Die beiden wiederum übergeordneten versichernden Sätze in der Ich-Form entsprechen sich zunächst untereinander als Versicherungssätze:

V. 7 ἐστιν δίκαιον ἐμοί

V. 8 μάρτυς μου ὁ θεός

Kontextsynonym ist dabei das Possessivum V. 8[73].

Dabei ist nun weiter das γάρ in V. 8 nicht eigentlich begründend, sondern weiterführend (vgl. Phlm 7; Röm 1,11)[74], und entspricht so genau dem καθώς von V. 7 in der Stellung wie in der Funktion:

V. 7 καθώς

V. 8 γάρ

Die Parallelizität beider Versicherungsformeln wird noch deutlicher, wenn man sieht, daß auch die erste von V. 7 durch einen Bezug auf Gott ergänzt werden kann (2Thess 1,6; Apg 4,19). So liegt in der entsprechenden Leerstelle V. 7 ein Slot vor, der durchaus semantisch einen V. 8 entsprechenden Filler haben kann.

Dabei ergibt sich bei der Schwurformel V. 8 zugleich noch ein weiterer Beleg für die Berechtigung der Zuordnung beider Verse zum Briefproömium: Während die Formel außerhalb des Proömiums 2Kor 1,23[75] und 1Thess 2,5.10 wirkliche Verdächtigungen abwehrt[76], so dient sie hier wie in der Parallele Röm 1,9, wo sie unbestritener Bestandteil des Gebetsberichts ist, einer anderen pragmatischen Senderintention: der Versicherung der Zuneigung[77].

Wie kommt Paulus andererseits plötzlich V. 7 dazu, mit einer wenngleich »ziemlich abgeschliffenen«[78] und »fast gewollt alltägliche(n) Wendung« der Versicherung (Eph 6,1; 1Clem 21,4; Sir 10,23 = καθήκεν; 2Makk 9,12; 4Makk 6,34)[79] fortzufahren? Der Grund dafür dürfte in der ihr zugeordneten Wendung φρονεῖν ὑπέρ + Personalpronomen liegen: War diese Wendung nach 4,10 (s. o.) die philippische Selbstbezeichnung der Unterstützungsaktion für Paulus, so begründet der Gebrauch der Versicherungswendung hier gut die zitierende Aufnahme und reziproke Verwendung dieser ihrer eigenen Kennzeichnung für das Verhalten des Paulus ihnen gegenüber. Dagegen spricht nicht die leichte Sinnverschiebung, die darin liegt, daß φρονεῖν ὑπέρ hier noch ein zusätzliches Akkusativobjekt bekommen hat. Es wird ja nicht Gleiches mit Gleichem vergolten. Der wiederaufnehmende Anklang ist bei einem solchen Zitat der Adressaten auch abgesehen davon sicher. Diese Art der Verwendung spricht gleichzeitig dafür, daß 4,10 früher und nicht später als 1,7 geschrieben ist.

So sind also – wenn wir das Ganze überblicken – V. 7–8 nicht nur untereinander, sondern auch mit V. 3–6 strukturgleich. Sie erweisen sich strukturell nicht als Unterbrechung, sondern als geradlinige Fortsetzung: Die zwei übergeordneten Ich-Perioden

---

73 Gg Klijn 27, 30f. nicht Bestandteil der Gottesbezeichnung, da auch V. 3 zeigt, daß es als Gebetssyntagma nachgestellt sein müßte.

74 Ewald 64 Anm. 2; Klijn 31.

75 Vgl. Windisch z. St. mit hellenistischen Belegen und auch Deißmann 1923: 258.

76 Vgl. weitere Beteuerungsformeln in kritischen Auseinandersetzungen: Gal 1,20; 2Kor 2,17; 11,31; 12,19; doch kann es neben diesen dem polemischen genus iudiciale zuzurechnenden Schreiben auch in dem mehr beratenden genus deliberativum verwendet werden. Es steht vor allem bei Behauptungen, deren Wahrheit nicht unmittelbar in der augenblicklichen Situation nachprüfbar ist: Strathmann ThWNT IV 491; Michel Röm 46.

77 Gnilka 47f.; doch bezeichnet dabei ὡς nicht den hohen Grad »wie sehr« – gg. Haupt 15; Lohmeyer 22; Gnilka; GN, NT 75, NEB –, sondern ist hellenistisch mit ὅτι identisch und bezeichnet einfach die Tatsache »daß«: M–M 211; B–D–R 396; Dibelius 54; Lietzmann Röm 28; Kühl Röm 23; O'Brien 1977: 214 Anm. 75; RSV.

78 Gnilka 48.   79 Lohmeyer 22 Anm. 2; M–M s. v.

sind den drei Ich-Perioden von V. 3–6 parallel. Ihnen folgen ebenso wie dort untergeordnete Inhaltsangaben und Begründungen, die durch den Bezug auf die Adressaten gekennzeichnet sind.

4.2.2.1. Die Begründung des zuversichtlichen Gedenkens (1,7)

Sie wird hier – für Paulus einmalig, und das macht ihre Verständnisschwierigkeit aus, – mit διά + AcI gegeben. Wenngleich man immer wieder vorschlägt, με als Subjekt des Begründungssatzes zu nehmen[80], so ist doch ein letzter Zweifel nie ausgeräumt, denn es »müßte in dem nun folgenden begründenden Sätzchen auch von dem die Rede sein, was auf ihrer Seite solche Gesinnung rechtfertigt«[81]. Was spricht noch dafür, daß die Adressaten hier als das gemeinte Subjekt anzusehen sind? Grammatisch ist diese Möglichkeit wenigstens zunächst auch gegeben[82]:
- Wegen διά als Angabe der Begründung kann με nicht Subjekt des AcI sein, weil dann die Begründung nicht einsichtig wäre, sondern eine Tautologie entstünde. Darum muß ὑμᾶς das Subjekt des Satzes sein.
- Die Endstellung erklärt sich als Betonungsmoment. Auch am Schluß von V. 7 wird es, ohne nötig zu sein, nochmals pleonastisch im AcP in Endstellung verwendet, um als Subjekt zu erscheinen. Im Vorangehenden war die zweite Person nicht nur V. 5, sondern auch in V. 3 ein Genitivus *subjectivus*.
- Die Synonymität der Infinitivwendung mit μνεία in V. 3 zeigt danach noch einen weiteren engen Sachzusammenhang mit dieser Gesamtaussage an, die dann auch das Subjekt betreffen dürfte.
- War nun V. 3b entgegen einer verbreiteten Ansicht vom Gedenken der Philipper als Grund für die Dankbarkeit des Paulus die Rede, so ist infolge der Parallelität von V. 3b und V. 7b dasselbe Verständnis auch hier nahegelegt: »Weil ihr an mich denkt« – sei es im Gebet (1,19 ausdrücklich wieder erwähnt), sei es in anderer Gestalt. Als Begründung ist ein gerade umgekehrter Gebetsbericht im Gebetsbericht am ehesten einsehbar. Zugleich ergänzen sich beide Angaben auch noch in der Weise, als dieselbe Tatsache, die V. 3b Anlaß für den dankbaren Rückblick war, nun zum Grund und Anlaß für die Gewißheit eines zuversichtlichen Vorblicks wird. Die Strukturgleichheit mit V. 3b hat also noch erheblich weitergehende Bedeutungsgehalte.
- Der Singular καρδία spricht nicht gegen ein pluralisches Verständnis, da er wie andere anthopologische Termini sehr wohl mit pluralischem Personalpronomen semantisch verbunden sein (s. o. zu 4,23), wenn wie dort die Gemeinsamkeit besonders betont ist (vgl. Röm 1,21; 2Kor 3,15; 6,11).
- Nimmt man dagegen με als Subjekt, so entsteht nicht nur die eine Schwierigkeit der Tautologie mit V. 7a, sondern zugleich auch die weitere, daß die Bestimmung unvollständig erscheint. Man hat dem dadurch abhelfen wollen, daß man den abschließenden Partizipialsatz als »prädikativische Vervollständigung« ansehen wollte[83]. Dagegen spricht aber, daß dann dort sowohl das Partizip ὄντας wie das Personalpronomen ὑμᾶς als überflüssig und störend erscheint: »Es ist syntaktisch kaum erträglich, weil nun in einem Nachsatz ›euch‹ doppelt erscheint, und kennzeichnet am deutlichsten die alle Formen vernachlässigende Lässigkeit der briefli-

---

80 Haupt 11; Ewald 60f.; Lohmeyer 23 Anm. 2.
81 Lohmeyer 23.
82 Bouwman 24, der sich aber dieser Entscheidung nicht öffnet, da er φρονεῖν zu allgemein einfach als »Gefühl« verstanden hatte.
83 Ewald 61; Haupt 11; Lohmeyer 22.

chen Aussprache.«[84] Ehe man zu einer solchen Erklärung seine Zuflucht nimmt, wird man die vorgeschlagene Lösung eher begründet annehmen können: Vielmehr ist der Schlußsatz V. 7e eine selbständige partizipiale Bestimmung, die ebenso wie der AcI hier und parallel zu ihm von διά insofern noch abhängig ist, daß er eine zweite Begründung bietet. So ist tagmemisch διά als Filler in den Slot vor dem Partizipialsatz neu zu setzen bzw. dem Partizip implizit eine kausale Funktion zuzuverkennen. Denn auch V. 4.6 und 11 bilden die Partizipien ja selbständige Sätze und nicht prädikative Vervollständigungen.

So ergibt sich also, daß der Infinitivsatz in V. 7 eine variierende Wiederholung der ersten Begründung von V. 3b darstellt, der nun eine begründende Funktion auch für den Vorblick bekommt, und der Partizipialsatz ebenso in der gleichen ergänzenden Funktion eine entsprechend variierte Wiederholung des entsprechenden zweiten Begründungssatzes von V. 5a bildet[85].

Wie ist nun die zwischen beiden Sätzen stehende Doppelaussage ἐν τε . . . καί ἐν . . . zuzuordnen?

- Ist das Subjekt des vorangehenden Infinitivs wie eben bestimmt, so ist ein Anschluß daran[86] nicht vollziehbar.
- Die Beziehung zum Partizipialsatz hat dagegen eine vergleichbare Parallele mit der vorausgehenden Präpositionalwendung in V. 4.
- Der anaphorische Artikel τῆς bei χάριτος erhält so einen festen Bezugspunkt: die Bezeugung des Evangeliums in der Gefängnissituation[87]. Lohmeyer[88] verweist mit Recht auf die »genaue Parallele« 4,14 συγκοινωνήσαντές μου τῇ θλίψει, die sicherstellt, daß μου zum Folgenden zu ziehen ist und nicht als Objektgenitiv zu συγκοινωνούς[89], was dann auch an Heilsgnade überhaupt denken ließe. Daß Paulus damit auch nicht seinen Apostolat überhaupt meint, zeigt die Formulierungsdifferenz, da er dieses sein spezielles Charisma immer mit der Wendung ἡ χάρις ἡ (+ εἰς ἐμέ oder συν ἐμοί 1Kor 15,10 oder δοθεῖσαν μοί 1Kor 3,10; Gal 2,9; Röm 12,3.6; 15,5) bezeichnet[90]. Daß Paulus hier das Leiden in das Gnadenwirken Gottes einbezogen denkt, wird gerade in diesem Brief mit der Verwendung des Verbs 1,29f. (ὑμῖν ἐχαρίσθη eindeutig ausgesprochen, zumal dort Paulus V. 30 sofort noch die Parallele zu seinem eigenen »Kampf« zieht (s.u.). Darum wird man mit den meisten Exegeten die Doppelwendung zu dem nachfolgenden Partizipialsatz ziehen müssen.

Hier verwendet Paulus einmalig in den kleineren Briefen das koordinierende Konjunktionspaar τε – καί, das nicht nur eine »notwendige Verbindung«[91] bezeichnet, sondern dem zweiten Glied durch καί einen steigernden und hervorhebenden Akzent gibt (vgl. auch Röm 1,20)[92]. Das heißt vielmehr: Der negativen und passiven Situation wird die positive und aktive Seite übergeordnet. Darin zeigt sich die Wirksamkeit der χάρις als δύναμις (2Kor 4,7f.; 12,8–10), was wiederum für den semantischen Gehalt von χάρις

---

84 Ewald 61 Anm. 2; Haupt 11 Anm. 3; Lohmeyer 22.
85 Gnilka 49.
86 Wie Ewald 63 ihn von seiner anderen Voraussetzung her versuchte.
87 Gnilka 48 Anm. 8 nach Haupt 13; Lohmeyer 25; Bultmann 1954: 291; Friedrich – gg. Ewald 63, der auf Grund seiner anderen Voraussetzung an »Heilsgnade überhaupt« denken muß.
88 Lohmeyer 25 Anm. 2.
89 Gg. O'Brien 1977: 25 Anm. 30.
90 Gnilka 48 Anm. 8 mit Haupt gg. Benoit, Heinzelmann, Hofmann.
91 K–G 522,2 vgl. B–D–R 444,2.
92 K–G 522,4 – also nicht nur »völlige Gleichstellung« (so Ewald 62 Anm. 1, der noch weiter einschränkend auf das Nebeneinander von Gefangenschaft und Auftreten im Gerichtssaal deutet) noch gar eine Überordnung des zweiten Gliedes (so Dibelius 54f. – dagegen m.R. Haupt, Lohmeyer, Gnilka).

kennzeichnend ist: »Gnade« ist als Übersetzung semantisch inadäquater als »Solidarität« (s. o. zu 4,23; 1,2).

Die aktive und positive Seite enthält in dem Doppelausdruck ἀπολογίᾳ καὶ βεβαιώσει in sich offenbar nochmals eine Steigerung: »Sofern Vorwürfe zurückgewiesen werden müssen, handelt es sich um eine ἀπολογία τοῦ εὐαγγελίου; sofern es auf eine positive Beweisführung für seine Wahrheit ankommt, um βεβαίωσις desselben.«[93] Man wird also, obwohl der Doppelausdruck von einem gemeinsamen Artikel abhängt, dennoch nicht den zweiten Ausdruck nicht nur als Bezeichnung eines Elements des ersten Ausdrucks sehen dürfen, so daß damit nur »Rechtfertigung vor den Richtern in der Verteidigung« gemeint sei[94]; denn 1Kor 1,6 zeigt, daß dieser Ausdruck mehr besagt und offenbar grundsätzlich mit der Missionsverkündigung verbunden ist, während der erste V. 16 wiederholt wird, so daß V. 12ff. die hier gegebene kurze Andeutung entfaltet. Darum wird man die semantisch klare Entfaltung der Komponenten durch Lightfoot gern wieder aufnehmen: »As ἀπολογία implies the negative or defensive side of the Apostle's preaching, the preparatory process of removing obstacles and prejudices, so βεβαίωσις denotes the positive or aggressive side, the direct advancement and establishment of the Gospel. The two together will thus comprise all modes of preaching and extending the truth« (85). Diese Einsicht wird aber nur klar, wenn man »Evangelium« streng in dem bei Paulus belegten urchristlichen Sinne als informierenden Nachrichtensatz versteht (1Kor 15,1–5) und nicht im nachapostolischen Sinne pragmatisch-kerygmatisch verengt (s. o. zu V. 5)[95].

4.2.2.2. Der Wunsch des Paulus (1,8)

Die Konstruktionen und Relationen von V. 8 sind wegen der gedrängten Dichte nicht leicht zu erfassen. Ruft Paulus Gott dafür zum Zeugen an, »daß ich mit Christus-Jesus-Sehnsucht nach euch allen Verlangen trage«[96], bzw. »wie ich mich sehne nach euch allen mit der Liebe Christi Jesu«[97]? Schon die rein grammatisch bedingte Umstellung des Doppelnamens (s. o. V. 6) muß in der Übersetzung nicht nachvollzogen werden, da sie unnütz das Verständnis erschwert. Mit der weiteren Einsicht, daß das einleitende ὡς (= ὅτι) die Tatsache (Dibelius: »daß«) und nicht den Grad des Wünschens (gegen Lohmeyers »wie«) beschreibt (s. o.), ist schon ein wesentlicher Anfang zur Klarstellung gemacht, der in die Richtung weist, dem Trend zum »Leidenschaftlichen«[98] hier nicht vorschnell zu erliegen. Was meint ἐπιποθεῖν, und wie ist es auf die anderen Satzelemente zu beziehen?

Nach der bisherigen Strukturanalyse waren immer die Ich-Sätze vorgeordnet und die Ihr-Sätze untergeordnet, was einer zu direkten Verbindung sowohl des Akkusativs wie der ἐν-Wendung mit dem Verb widerrät, obwohl die Interpreten in der Regel sofort einen Objektakkusativ annehmen.

Da außer dem direkten Objektakkusativ (2,26; 2Kor 9,14) dem Verb auch der AcI folgen kann (1Thess 3,6; 2Kor 5,2; Röm 1,11)[99], so wäre an unserer Stelle im Duktus der bisher streng eingehaltenen Struktur eher ein AcI als ein bloßer Akkusativ zu erwarten. Wie ein solcher Infinitiv tatsächlich mitgedacht, aber ausgelassen wurde, zeigt 2,26[100]: Epaphroditus hat Heimweh. So kann auch an unserer Stelle ein so

---

93 Haupt 12.
94 So Ewald 63.
95 Dazu ausführlich Schenk 1975 und 1983.
96 Dibelius 54.
97 Lohmeyer 22; ähnlich Gnilka 47 »in der herzlichen Liebe Christi Jesu«.
98 Lohmeyer 27.
99 Vgl. BauerWB 589; EWNT II 82, während ThWNT das Verb nicht bearbeitet hat.
100 Vgl. die nachträgliche Ergänzung in breiter Überlieferung: GNTCom 613f.

einfacher und schwacher Infinitiv wie εἶναι mitgedacht und gedanklich zu ergänzen sein. Dafür spricht nicht nur hier die Gesamtstruktur der Abfolge von »Ich«- und »Ihr«-Sätzen überhaupt, sondern auch die Erwartung, daß nun, nachdem V. 7d den V. 3b und V. 7c den V. 5b aufnahm, eine analoge Entfaltung auch für die entsprechende Zuversicht der Vollendung von V. 6 zu erwarten wäre: Daß ihr alle in dem Bereich der Liebe, die durch Jesus Christus charakterisiert ist, seid.

Wortsemantisch bezeichnet das von Paulus 6mal verwendete Verb (von 9 ntl. Stellen – auch LXX nur 11mal – wozu noch 4maliges Adjektiv-Substantiv kommt, das ohne Parallele in NT wie LXX ist) ein Verlangen als ein gesteigertes Wünschen für sich selbst. 2Kor 5,2:4 zeigt das Kontextsynonym θέλειν als Suprenym und στενάζειν als Komplenym an, sofern sich das ἐπιποθεῖν in ihm äußert. Für »das Verlangen, sich mit Paulus zu versöhnen« ist das Substantiv 2Kor 7,7.11 mit ζῆλος als dem Element der Intensivierung verbunden[101]. Phil 2,26 ist es Bezeichnung der Vorstufe zu dem »höchsten Grad der psychischen Erregung«, der Verzweiflung[102]. Das Adjektiv gehört als resultandum und damit als Hyponym in dieses Wortfeld und bezeichnet das Resultat eines erfüllten Wunsches: »ersehnt« (Barn 1,3 den Anblick; 1Clem 65,1 den Frieden; Phil 4,1 neben ἀγαπητός den Bruder, »den man als Bruder zu haben wünscht«)[103]. Damit ist gegeben, daß die Erfüllung des ἐπιποθεῖν zwar da, wo es ausdrücklich ausgesprochen ist, im Sehen bei der persönlichen Begegnung liegen kann (1Thess 3,6; Röm 1,11 und als verstärktes Funktionsverbgefüge ἐπιποθίαν ἔχω 15,23), jedoch nicht unbedingt darauf zu beschränken ist, sondern wie etwa auch 2Kor 9,14 in einem weiteren Sinn verstanden werden kann. Nach dem Gesamtzusammenhang des Briefes Phil B denkt Paulus nicht bald und direkt hier schon an ein persönliches Kommen, sondern sieht es bei V. 25–26 als einen ferneren und sicher auch global auf alle Gemeinden bezogenen Wunsch an (s. u.). Erst recht erscheint 2,24 nach der Darlegung 2,19ff. als ein momentaner und spontaner Nachtrag (s. u.). Darum darf dieser Gedanke hier nicht vorschnell eingetragen werden[104].

Sucht man infolgedessen nach anderen präzisierenden semantischen Komponenten, so fällt der Blick auf den Zusammenhang von ἐπιποθεῖν mit der Fürbitte, so daß das Lexem auch im Wortfeld der Gebetssprache semantisch spezifisch strukturiert sein kann: 2Kor 5,2 war στενάζειν ein komplenymer und zudem von Paulus nur übernommener Gebetsterminus, wobei die dort folgenden unpaulinischen Sätze V. 6 und 8 unmittelbare Ausformungen dieser Klage- und Bittgebete der Korinther sind, die Paulus kritisch kommentierend zitiert[105]. Auch 2Kor 7,7 ist die Klage der Reue (ὀδυρμός) der direkt darauf folgende Terminus[106]. 2Kor 9.14 schließlich wird in der Fürbitte das starke Interesse für jemanden bekundet. Von daher ist die Verwendung in Briefeingangsgebetsberichten Röm 1,11 und hier Phil 1,8 auch im Rahmen der Bittgebetsterminologie zu sehen. Wenn diese Wortfeldzusammenhänge nicht beachtet und analysiert werden, führt es auch zu der fragwürdigen Entscheidung, diese beiden Stellen aus den Briefeingangsgebeten als Unterbrechungen auszuklammern[107]. Dagegen bekundet ἐπιθυμεῖν im Zusammenhang des Wortfeldes Bittgebet, was Gegenstand brennenden Interesses und damit des Gebets ist.

Damit aber wird der Zusammenhang mit dem folgenden V. 9, der ohnehin mit dem meist überspielten koordinierenden καί wie mit dem Synonym »Liebe« vorgegeben ist, auch noch durch das Strukturelement der beiden Gebetsaussagen in der ersten Person Singular hergestellt:

101 Bultmann 2Kor 61.   102 Haupt 111.   103 BauerWB 580; Haupt 14, 156.
104 Haupt 14; Ewald 64 gg. Lohmeyer 27 »räumlich geeint« wie Gnilka 50.
105 Barrett z. St.; Osten–Sacken 1975: 104–124; Schenk 1979 z. St.
106 Bultmann 2Kor 58.   107 O'Brien 1977: 29, 221.

V. 8 ἐπιποθέω

V. 9 προσεύχομαι.

»Dann aber ist nicht einzusehen, warum man προσεύχομαι nicht, wie schon Theodoret erkannte, mit in den Nebensatz V. 8 hineinnehmen und dadurch eine höchst störende Härte der Anknüpfung vermeiden soll.«[108]

Das bedeutet, daß in V. 8 πάντας ὑμᾶς als selbständiges Subjekt zu nehmen ist, und daß weiterhin ἐν σπλάγχνοις Χριστοῦ Ἰησοῦ (ergänze εἶναι) als prädikative Ergänzung darauf zu beziehen und nicht direkt mit ἐπιποθῶ zu verbinden ist, mithin also keine »mystische Vereinigung des Apostels mit dem Herrn« aussagt[109]. Die hier vorgeschlagene Entscheidung wird schließlich auch durch den anaphorischen Artikel beim Synonym V. 9 (ἡ ἀγάπη ὑμῶν), die es als ganz bewußte Wiederaufnahme kennzeichnet, ohnehin nahegelegt. Das Personalpronomen hat dann an beiden Stellen die semantische Komponente der Subjektangabe:

V. 8 ὑμᾶς ἐν σπλάγχνοις

V. 9 ὑμῶν ἡ ἀγάπη.

Daß der gut griechische Plural σπλάγχνα (Paulus 7mal, davon 3mal Phlm und je 2mal Phil und 2Kor) vom jüdisch-hellenistischen Sprachgebrauch der späten LXX-Schriften und den TestXII (statt οἰκτιρμοί) ein Metonym für ἀγάπη ist (z. B. Sap 10,5; 4Makk 15,23), ist offenkundig[110]. Eine direkte Kontextsynonymie liegt außer an der zweiten Phil-Stelle 2,1 (s. u.) auch 2Kor 2,4:7,15 und Phlm 7 vor. Der Sprachgebrauch des Phil weicht darum nicht durch einen »übertragenen Sinn« von dem des 2Kor und Phlm ab[111], sondern dürfte – noch dazu bei der vorauszusetzenden literarisch nahen Gleichzeitigkeit der drei literarischen Quellen – immer gleich sein und ἀγάπη meinen: Auch 2Kor 6,12 ist metonymisch: »Ihr verschließt euch in eurer Liebe zu mir«; ganz deutlich wird das 7,5, weil dort περισσότερος das Moment der Steigerung betont: »Die Liebe des Titus zu euch ist gewachsen.« Phlm 7 dürfte das zugeordnete ἀναπαύω semantisch nicht darauf zu beschränken sein, daß andere Christen durch die Liebe des Philemon im Innersten »erquickt« worden sind, da es nach V. 6 ja nie um Fortsetzung und Steigerung geht, sondern um aktive Anregung: Seine Liebe hat ihre Liebe angeregt und damit belebt. Daß es sich nicht um eine »Erquickung« im Sinne einer »Erholung von etwas« handelt, sondern um Ermunterung zu neuem Dienst, zeigt hier auch das Synonym παράκλησις. So zeigt auch der Mt 11,28f. angeführte Handlungsimperativ, daß ἀναπαύω geradezu Startimpuls ist: »Dieses ›Ruhen‹ ist nicht quietistisch gedacht; es bedeutet nicht das Erlöschen des Willens und den Verzicht auf das Wirken«[112], im Gegenteil: Es ist Vorgabe für neues Wirken. Dieser semantische Gehalt ist nun nicht nur für Phlm 7 vorauszusetzen, sondern auch für Phlm 12: Paulus schickt Onesimus weniger als »sein Herz«, sondern als seine aktive »Liebe« zurück, wobei das aktive Moment unmittelbar davor mit εὔχρηστος umschrieben war: Weil er ihm jetzt »nützlich« ist, kann er τὰ ἐμὰ σπλάγχνα heißen; Paulus hätte auch ἀγάπη sagen können. Der geläufige Schlußwunsch Phlm 20 »Ich möchte an dir meine Freude haben« würde nicht verstärkt, wenn der auf ὀναίμην folgende doppelnde Wunsch-Imperativ ἀνάπαυσόν μου τὰ σπλάγχνα nur meinte: »Erquicke mein Herz.« Eine Steigerung liegt aber dann vor, wenn man das gefundene belebende und aktivierende Moment des Verbs auch hier wieder veranschlagt, so daß Paulus wirklich meint: »Belebe meine Liebe!« Darum erstaunt es nicht, wenn IgnEph 2,1 ἀγάπη wirklich in einem solchen Zusammenhang

---

108 Von Ewald 65 als Möglichkeit immerhin erwogen.
109 Wie Dibelius 54 meinte, was semantisch ohnehin schwer zu präzisieren ist.
110 Haupt 14f.; Lohmeyer 28 Anm. 2; Gnilka 50 Anm. 18; vgl. weitere Belege bei BauerWB 1511; Köster ThWNT VII 558f.
111 Gg. Köster ebd. 555.   112 Schlatter Mt 386; Bauernfeind ThWNT I 352f.

mit ἀναπαύω erscheint wie in den beiden Phlm-Stellen σπλάγχνα. Da dies nun nicht nur allein zusammen, sondern auch noch im Zusammenhang mit der Erwähnung des »Onesimus«, ja sogar mit der Verwendung der ὀναίμην-Gruß-Formel erscheint, so dürfte wohl nicht nur eine semantische Parallele, sondern direkte literarische Abhängigkeit von Phlm 20 vorliegen und damit bestätigen, daß σπλάγχνα in Phlm als ἀγάπη unmittelbar verstanden werden konnte[113].

Somit ist σπλάγχνα bei Paulus durchgehend nicht organologisch, sondern immer metonymisch gebraucht. In Phil 1,8 ist schon durch die Artikellosigkeit eine wie immer geartete Herz-Jesu-Vorstellung ausgeschlossen[114]. Vielmehr gibt ἐν wie so oft direkt lokal den Ort in einem Kraftfeld an und kann darum hier als Herrschaftsbereich der »Liebe« – und zwar Gottes – verstanden werden. Gott ist als Subjekt und auctor schon durch die Verwendung im Gebetszusammenhang anzunehmen. Darum kann der hier angeschlossene Genitiv kein Genitivus auctoris sein[115], sondern »es ist ein charakterisierender Genitiv (Gen. qualitatis)«[116] – hier ebenso wie in der Sachparallele 2Kor 5,14 ἀγάπη Χριστοῦ[117]. Damit ist Jesus nicht als Vorbild gemeint, sondern wie immer von der Basisformel des Evangeliums her als der auferweckte Mitregent Gottes.

4.3. Das Ergebnis der Strukturanalyse

Überblickt man an dieser Stelle das Ergebnis der Kompositionsanalyse von Phil 1,3–11, so hat sich ergeben, daß eine Ausgliederung der Verse 7–8 als eines unterbrechenden Einschubs nicht gerechtfertigt erscheint. Vielmehr ist der gesamte Text als Einheit zu nehmen[118]. Es wurde sogar deutlich, daß ein Einschnitt zwischen V. 8 und V. 9 weniger stark akzentuiert werden darf als zwischen V. 6 und V. 7. Beide Einschnitte sind auf keinen Fall gleichartig noch gleichwertig. Eine prinzipielle Zweiteilung nach den Kategorien zuerst »Dankgebet«, dann – nach der Unterbrechung – »Fürbittgebet« besteht nicht. Ebensowenig handelt es sich um einen auf diese Weise dreigeteilten Text. Alle Sätze haben den Charakter von Gebetsberichten. In allen Teilen finden sich Dank- und Fürbittelemente. Grundprinzip ist die Formung von Senderbezug in der Protasis und Empfängerbezug in der Apodosis.

Im wesentlichen dürfte durch die textlinguistisch fragende Analyse hier eine Zweiteilung mit einem Haupteinschnitt zwischen V. 6 und V. 7 herausgearbeitet sein. Jeder der beiden Teile weist zwei Unterabschnitte auf. Die Unterabschnitte des zweiten Teils V. 7–11 sind denen des ersten Teils parallelisierend zugeordnet. Da der zweite ausführlicher als der erste ist, stellt er eine Entfaltung des ersten dar:

∅	: 4.0.	(V. 7a.b)	δίκαιον ἐμοί
1.1. (V. 3) εὐχαριστῶ	: 4.1.		φρονεῖν ὑπέρ
1.2. ἐπί . . . ὑμῶν	: 4.2.		διά . . . ὑμᾶς

---

113 Dieser offenbar literarische Zusammenhang ist bisher weder in den Ign-Kommentaren von Bauer 1920 und Fischer 1956 z.St. noch in den einschlägigen Monographien von Rathke 1967: 55f. oder Lindemann 1979: 199–221 notiert oder diskutiert, obwohl er durch den Zusammenhang von drei sonst so nicht verbundenen Textelementen besonders auffallend ist; doch setzt ein solches Entdecken und Zuordnen eben eine nicht nur konkordante, sondern textlinguistisch orientierte Weise zu beobachten voraus.

114 Ewald 65.   115 Gg. Gnilka 50 nach Michaelis und Köster ThWNT VII 556.

116 Ewald 65 betont gegen einen auctoris.   117 Dazu näher Schenk 1979 z.St.

118 Dibelius 52–54.

2.1.	(V. 4f) μετὰ χαρᾶς	: ∅
2.2.	ἐπί … ὑμῶν	: 5.2. (V. 7c.d)	ἐν … πάντας ὑμᾶς

∅		: 6.0. (V. 8−11)	μάρτυς μου
3.1.	πεποιθώς	: 6.1.1.	ἐπιποθῶ
3.2.	ἐν ὑμῖν	: 6.2.1.	πάντας ὑμᾶς ἐν
		6.1.2.	προσεύχομαι
		6.2.2.	ἀγάπη ὑμῶν

4.4. Das vollendungsorientierte Leben als Gegenstand der Fürbitte (1,9–11)

Da es sich nur um einen Gebetsbericht und nicht um das Gebet selbst handelt, ist das einleitende ἵνα nicht final, sondern explikativ als Inhaltsangabe zu verstehen[119]. Das wird auch daran deutlich, daß τοῦτο kataphorisch (vorausweisend) voransteht und unser ἵνα (nach Verben des Bittens und Befehlens: Apg 8,15; Jak 5,16)[120] dies anaphorisch wiederaufnimmt.

Vermehren und vergrößern soll Gott »ihre Liebe« – Hingabe. Durch den Zusatz des Possessivpronomens wird das Substantiv semantisch als nomen actionis bestimmt und entspricht so einem substantivierten Infinitiv. Nach der christologisch qualifizierenden Näherbestimmung des Synonyms in V. 8 ist es klar, daß es sich um die von Gott geschenkte »Liebe« handelt[121]. Ἀγάπη ist so die christliche Dienstbefähigung, die vita Christiana schlechthin, und hat keine primär emotionalen Implikationen. Auch daß sie hier ohne Objekt steht, weist auf einen umfassenden Sinn. Er dürfte sachlich aber dem entsprechen, was 1Thess 3,12 (und zwar ebenfalls in einer Fürbitte) mit »untereinander und gegenüber allen Menschen« semantisch entfaltet wird. Dagegen wird man an eine Liebe zu Gott bei dem seltenen und traditionellen Gebrauch, den Paulus davon macht (1Kor 2,9; 8,3; Röm 8,28)[122], nicht zu denken haben, wie auch die Fortsetzung des Gedankens hier zeigt. Eine solche Frage kann außerdem nur als Scheinfrage auf der Basis einer isolierten Wortsemantik überhaupt entstehen, da »Lieben« mit dem Objekt Gott ja völlig andere Bedeutungskomponenten hat (z. B. verehren, anbeten Mt 4,10), die im Zusammenhang mit dem Objekt »Mensch« ganz und gar nicht vorhanden sind und umgekehrt.

Ein Unterton der Mahnung ist hier in pragmatischer Hinsicht nicht hineinzulesen, auch nicht in der Gestalt, daß »bewußt gemacht« würde, daß sie noch (ἔτι) »der Steigerung bedarf«[123] oder im Sinne der Logik, daß das, was nicht voranschreitet, »verkümmert«, noch gar darin, daß die Liebe erbeten werden »muß«. Das alles sind vom erbaulichen Ziel her eingetragene Assoziationen, die aber weder der semantischen noch der pragmatischen Textanalyse entsprungen sind. Nicht die »Liebe« wird hier erbeten, sondern – wie auch 1Thess 3,12 – ihre Vermehrung in einer ganz bestimmten Hinsicht und Richtung: Ihr Fortschritt und Zuwachs. Sie selbst dagegen wird gerade als gegeben

---

119 Greeven ThWNT II 807; Spicq 1958/59 II 276–284 ausführlich zum ganzen; O'Brien 1977: 30 Anm. 51.
120 B–D–R 369,4; Haupt 16.
121 Beare 54f; im Sinne von Röm 5,5 »ausgegossen in unser Denk- und Urteilsvermögen« (καρδία s. o. zu V. 7) wodurch eine enge Beziehung zum Intellekt von vornherein gegeben ist.
122 Stauffer ThWNT I 50f.   123 Gg. Gnilka 51.

vorausgesetzt. Daß das Wachstum ausdrücklich mit ἔτι als »noch mehr und mehr« beschrieben wird, zeigt im Gegenteil zu Gnilkas Fehlinterpretation, »daß also schon ein hohes Maß von περισσεύειν ἐν ἐπιγνώσει κτλ. vorausgesetzt ist«[124]. Semantisch wichtig ist hinsichtlich der Bedeutungskomponenten auch der Hinweis Lohmeyers: »In περισσεύειν liegt sogar der Gedanke der Überschreitung eines gegebenen Maßes . . . Aber diese Bedeutung ist in der Koine kaum noch scharf empfunden.«[125] Abgesehen von dieser referenzsemantischen Feststellung gilt dies hier auch textsemantisch der hier verhandelten Sache nach von dem konkreten Objekt her: Die Erkenntnismenge kann nie größer als die Menge der betreffenden Objekt-Strukturen werden, sondern kann sie höchstens erreichen (so daß dann 1 = 1 ist). Diese im übrigen erkenntnistheoretisch wichtige Grundeinsicht gilt es auch hier zu beachten.

Das in LXX nur 9mal und nur mit personalem Subjekt vorkommende Verb (Hauck ThWbNT 5,58–63) wird von Paulus 24mal verwendet, wobei auch hier hinsichtlich der Häufigkeit wieder 2Kor 10mal und Phil 5mal zusammenhängen (ferner περισσεία 3mal, περίσσευμα 2mal, περίσσος 2mal, περισσοτέρως 10mal zeigt Phil 1,14 einen engen Zusammenhang mit der Verbbedeutung und kulminiert mit 7mal wieder in 2Kor). Synonyme sind die seltener gebrauchten Verben πλεονάζειν (7mal und 1Thess 3,12 wie 2Kor 4,15 mit unserem Lexem parallel; s. o. zu 4,17), πληροῦν (13mal, so daß es hier V. 11 folgt und Röm 15,3 parallel stehen kann; s. o. 4,18) und πλουτίζειν (3mal s. o. 4,19).

Neben den Verwendungen in den Gebeten um das Qualitätswachstum der Gemeinde (außer den beiden genannten Stellen auch Röm 15,3) steht die imperativische Ermunterung (1Kor 14,12; 15,58; 1Thess 4,1.10 mit μᾶλλον wie hier, wobei zusätzlich die V. 9–10a voranstehende Versicherung des guten Zustandes zeigt, daß es mehr um Ermunterung als um »Mahnung« geht), ferner die Feststellung (2Kor 8,2) oder beides charakteristischerweise verbunden (2Kor 8,7) oder die gewisse Erwartung (Phil 1,26; 2Kor 8,9 mit voranstehendem transitivem Gottesbezug, was wieder den Zusammenhang zur Verwendung im Gebet klar werden läßt). Es fällt unter den textlinguistischen Frageaspekten der Häufigkeit, Verteilung und Verbindung auf, daß die Synonyme der Wachstums-Terminologie nur im Gal ganz fehlen. Dies zeigt einmal, daß das Fehlen des Dankgebets am Anfang nicht das einzige Spezifikum ist, sondern daß es zu diesem Sachverhalt offenbar ergänzende und verstärkende Sachverhalte gibt. Zum anderen bewahrt die Beobachtung des Fehlens im Gal davor, Wachstumserwartungen zu einer Dauerhaltung und einem frommen Allgemeinplatz zu machen. Man kann sie nicht in der Kirchensprache zu einer nichtssagenden oder gar gefährlichen Selbstverständlichkeit erklären: Es gibt Gemeindeverhältnisse und Arten von Gemeindeleben, die einfach nicht gestärkt werden dürfen, so sehr auch die soziologische Tendenz der Reproduktion des Bestehenden sich ideologisch gerade solcher Wendungen wie der vom Wachstum der Gemeinde bedienen. Dies ist dann keine Interpretation der Texte, sondern schlichtweg ein Mißbrauch. Semantisch erhellte Exegese erhellt so auch die Fragen einer Textrezeption im Sinne einer semantischen Hermeneutik.

Das Objekt des Wachstums heißt in den globalen Bestimmungen »der rühmliche Zustand der Gemeinde« (1,26 s. u.), »jede gute Tat« (2Kor 8,7) oder »das vom Herrn bestimmte Handeln« (1Kor 15,58). In dem nächststehenden Bittgebet Phlm 6 haben wir ἐν ἐπιγνώσει παντὸς ἀγαθοῦ und als Synonymwendung zu περισσεύειν ist dort ἐνεργὴς γένηται vorangestellt (dieses Adjektiv hat an der zweiten paulinischen Verwendungsstelle 1Kor 16,9 ebenfalls einen Bezug zum Wachstum und meint nicht bloß

---

124 Ewald 66, 68 »scil. als es schon der Fall ist«.
125 Lohmeyer 30 Anm. 4 nach M–M s. v.

Wirksamkeit, so daß sich die textsemantisch gefundenen Wortfeldzusammenhänge sehr gut bestätigen). Auch 2Kor 8,7 wird das zunächst mit ἐν παντὶ Zusammengefaßte anschließend entfaltet als πίστει, λόγῳ καὶ γνώσει καὶ πάσῃ σπουδῇ καὶ τῇ ἐξ ἡμῶν ἐν ὑμῖν ἀγάπῃ bzw. im Dankgebet 1Kor 1,5 nach dem Synonym ἐπλουτίσθητε mit ἐν παντὶ λόγῳ καὶ πάσῃ γνώσει, um es dann durch μὴ ὑστερεῖσθαι ἐν μηδενὶ χαρίσματι wieder zusammenzufassen (V. 7). Wichtig zu sehen ist hier, daß sowohl die Entfaltungen einen mehrfachen Beleg für γνῶσις erbringen, so daß der Bezug zur Wachstumsthematik nicht zufällig ist, als auch die Zusammenfassung mit anderen Charismen als Gaben der Liebe Gottes auf Grundbefindlichkeiten der Gemeinde hinweist. So ist denn auch 1Kor 14,12 das περισσεύειν geradezu das Ziel des Strebens nach den wertvollen, dem sachgemäßen Gemeindeaufbau dienenden Charismen. Darum ist eine referenzsemantische Voraussetzung dieses Gebets von Phil 1,9–11 eine Gemeindestruktur, die durch die Gegenseitigkeit aller um den zentralen Gehalt der Evangeliumsverkündigung und ihrer Anwendung für die jeweils neue Gegenwart bestimmt ist. Dieses Gebet unter pastoralen Veranstaltungsstrukturen und anderen hierarchischen Elementen derzeitiger Partialkirchentümer kann man nur unter gleichzeitigem Einsatz für die Überwindung solcher Strukturen zugunsten evangeliumsgemäßerer gelten lassen, denn jene blockieren so gut wie alles, was hier erbeten wird. Anders gesagt: Schon dieses Gebet als solches erfleht von Gott als mögliches pragmatisches Potential zugleich eine Überwindung von bestehenden nicht evangeliumsgemäßen Kirchenstrukturen.

4.4.1. Die Erkenntnis als grundlegendes Ziel

Inhalt und Bereich des »Zuwachses« wird unter einer gemeinsamen Präposition ἐν als eine Einheit angegeben und doch zugleich durch das zusätzliche πάσῃ im zweiten Glied als eine Einheit von individualisierenden Akten bestimmt. Das wesentliche semantische Moment und die inhaltliche Füllung dieser Erkenntnisakte der Doppelbestimmung gibt die Ziel- oder Folgebestimmung V. 10a an: Damit (oder: »so daß« konsekutiv von der Parallele Röm 12,2 her)[126] ihr entscheiden könnt, was im Interesse Gottes zu tun oder zu lassen sei.

Die ganze Wirkung von V. 10a entspricht völlig der hellenistischen Ethik der Popularphilosophie[127]. In der kynisch-stoischen Tradition meint τὰ διαφέροντα das, »worauf es ankommt«[128], »das Wesentliche, das Bessere«[129]. Bei Epikt I 20.12 ist »das Gute und Böse« der Gegensatz zu den Adiaphora, den ethisch indifferenten Dingen. Es geht der Bezeichnung mithin um die »sittlich differenten und daher der Prüfung bedürftigen Dinge«[130]. Das zugeordnete δοκιμάζειν ist in LXX noch kaum für menschliches Subjekt verwendet und schon gar nicht ein ethisch relevanter Grundbegriff. Erst Test Ass 5,4 zeigt sich eine dem Paulus entsprechende Verwendung[131].

Die vollständige Wendung ist Röm 2,18 als hellenistisch-jüdisches Selbstzeugnis zitiert. Dabei ist sie synonym identisch mit den parallelen Wendungen, die ihr voranstehen als »den Willen (Gottes) erkennen« bzw. nachfolgend begründet mit »aus dem Gesetz unterwiesen sein« (das Ethos ist also nicht »das« Gesetz, sondern »aus dem« Gesetz – entgegen einer verbreiteten Pseudosemantik, die Gesetz mit Imperativ gleich-

---

126 Oepke ThWNT II 430; Spicq 1958/59 II 280, während O'Brien 1977: 34 mit anderen final verstehen will, doch ist diese Differenz hier im Text nicht erheblich.
127 Belege bei Weiß ThWNT IX 64f.; Lietzmann Röm 43; Lohmeyer 32 Anm. 2: vor allem Plutarch und Priene-Inschrift.
128 Lietzmann ebd.   129 Michel Röm 87.
130 Kühl Röm 89; Zahn Röm 138.   131 Lohmeyer 33 Anm. 3.

setzt, und darum jeden Imperativ in unpaulinischer Weise als »gesetzlich« fehldiagnostiziert).

Die gesamte Wendung sagt also: »Es gibt diese Erkenntnis nicht ohne kritische Prüfung.«[132] Absolutes ϑέλημα (vgl. 1Kor 16,12) ist synonym mit διαφέροντα und kann dem Wortfeld entsprechend auch mit dem Hyponym »Interesse« wiedergegeben werden[133]. Das »Prüfen« der Interessen lassen auch Röm 12,2 (hier vertritt ϑέλημα das διαφέροντα) und 1Thess 5,21 als Daueraufgabe und Grundfunktion christlicher Versammlung mit ihren prophetisch-charismatischen Wesenskomponenten erkennen, wie der Textzusammenhang in beiden Fällen zeigt[134]. Doch bezeichnet das prüfende δοκιμάζειν nicht nur den Prozeß als solchen, sondern auch sein Ergebnis, das Entscheiden: Röm 1,28 etwas »auf Grund einer Prüfung für bewährt und gut erachten«[135]. Um dies zu erreichen, braucht man also ἐπίγνωσις καὶ πάσα αἴσθησις, womit angezeigt ist, daß dabei »die Erfassung der Situation . . . eine erhebliche Rolle spielt, also nicht ausschließlich die moralische Wertung«[136]. Dieses Element der Situationserfassung wird vor allem dem zweiten Ausdruck – wegen des akzentuierten πάσῃ – zu entnehmen sein, der ntl. Hapaxlegomenon ist. Beide Termini unterscheiden sich nicht als »intellektuell« einerseits und »sittlich« andererseits[137]; einer Nebenordnung in dem Sinne, daß da, »wo für die verständige Überlegung noch nicht Stoff genug vorliegt, . . . der Mensch auf diesen seinen sittlichen Takt angewiesen« sei[138], widerspricht die Unterordnung von πάσῃ αἰσθήσει unter das nicht differenzierte ἐπιγνώσει mittels einer einzigen Präposition. So ist auch das Verb, das Lk 9,45 als ntl. Hapaxlegomenon erscheint, nicht speziell »sittlich« getönt, sondern meint die »Aufnahmefähigkeit«. Meinte es ursprünglich die sinnliche Wahrnehmung überhaupt[139], so verwendete es die popularphilosophische Ethik des Hellenismus als »Einsicht«, »die durch Empfindung oder Wahrnehmung zustande kommt«[140]. So verweist Dibelius[141] mit Recht erhellend auf Epikt II 18.8:
»Warst du nur einmal geldgierig, wurde dann aber die Vernunft (λόγος) zur Hilfe genommen zur Einsicht (αἴσθησις) in die schlechte Art dieses Handelns, so ist diese Begierde überwunden.«[142]
Auch der LXX-Sprachgebrauch würde dem entsprechen: Von 27 Belegen ist es 25mal Übersetzung von hebr. d‘t und 22 Belege finden sich allein in Prov; dabei fällt eine Verwendungsgruppe auf, die den Gegensatz zum Unüberlegten, Gehässigen oder Indiskreten betont, und so klarmacht, daß αἴσθησις Zusammenhänge und Umstände einer Handlung bedenkt. So wird man αἴσθησις als Durchdringung empirischer Erfahrung und so als Individualisierung der ihr übergeordneten »Erkenntnis« als der alles bestimmenden theoretischen Durchdringung in induktiver wie deduktiver Weise zuordnen. Das καί zwischen beiden hat die Funktion eines inklusiven σύν. Mag so für manche ein kritisches Bewußtsein als wissenschaftliche Grundhaltung etwas Beliebiges sein, der Christ ist dadurch, daß mit Christus die Liebe Gottes die Herrschaft über sein Leben ergreift, zur Wissenschaft verpflichtet.

Wenn man die paulinische Semantik von ἐπίγνωσις (5mal + Verb 10mal; Simplex

132 Käsemann Röm 65.　　　　　　133 Lietzmann Röm 43.
134 Grundmann ThWNT II 258–264; Therrien 1973: 165ff. z. St.
135 Kühl Röm 58; Lietzmann Röm 33f.; so ist es als »Zuerkennung einer Eignung« 1Kor 16,3 geradezu terminus technicus; vgl. M–M s. v.; Conzelmann 1Kor 352 Anm. 3.
136 Käsemann Röm 65.
137 Gg. Gnilka 51f., der es mit »Feingefühl« übersetzt.
138 So Haupt 16 analog zu Gnilka.　　　139 Delling ThWNT I 186–188.
140 Ewald 69.　　　　　　　　　　　141 Dibelius 54.
142 Vgl. außer Delling ebd. auch Lohmeyer 32 Anm. 1; O'Brien 1977: 34 Anm. 71.

20mal + Verb 43mal) an unserer Stelle erheben will, so ist zunächst von den Stellen, wo es »erkennen-, wissen-wollen« heißt, ebenso abzusehen wie von denen, wo Dinge und Vorgänge menschlichen Lebens das Objekt bilden. Ebenso hat M. Dibelius[143] schon betont und zur Geltung gebracht, daß man sich davor hüten muß, von den deutero- und tritopaulinischen Stellen auszugehen, wo die zusammenfassende und feste Bedeutung »Gotteserkenntnis durch Christus« auch im absoluten Gebrauch vorliegt (Kol 1,9f.; 2,2; 3,10; Verb 1,6; Eph 1,17; 4,13; 1Tim 2,4; Verb 4,3; 2Tim 2,2; 3,7; Tit 1,1). Wenn Kol und Eph als paulinisch angesehen werden, so führt das zu einer mangelnden methodischen Vorsicht, wie sich jüngst wieder gezeigt hat: O'Brien[144] deutet Phlm 6 von Eph 1,17 her. Selbst wenn man nicht die gut begründete Hypothese zu teilen vermag, daß Eph 1,17 literarisch von Kol 1,9 wie diese Stelle in gleicher Relation von Phlm 6 abhängt, so ist doch mindestens methodische Vorsicht im Richtungsgefälle der Ableitung geboten, da spätere Verwendungen meist semantische Abweichungen aufweisen[145] und sich hier zeigen läßt, daß es anderenfalls zu einer eindeutigen Fehlanalyse kommt: Phlm 6 bietet die nächste Parallele zu Phil 1,9 schon darum, weil der Beleg im gattungsanalogen Fürbittbericht des Proömiums steht.

Dort hat ἐπίγνωσις ein klares und durch πάντος noch verstärktes Objekt, und dieses ἀγαϑοῦ meint gut paulinisch den Liebeswillen Gottes, wie wir eben schon erinnernd feststellen konnten (Gal 6,10; Röm 12,2.9.21), und im Phlm steht es ganz speziell einleitend im Vorblick auf das von dem Adressaten konkret erwartete ἀγαϑόν in V. 14, auf das es hinzielt: Den Rechtsverzicht im Blick auf den schuldig gewordenen Sklaven. Schon aus dem erstgenannten Grunde ist an dem ethischen Verständnis von ἐπίγνωσις in Phlm 6 festzuhalten[146]. Aus dem zweiten Grund, dem textlinguistischen Zusammenhang mit Phlm 14, erheben sich nun aber auch Bedenken gegen die gängige Übersetzung der Fortsetzung in Phlm 6 mit: »das Gute, das in uns ist«[147]. Diese Bedenken verstärken sich von der gattungskritischen Erwägung her, daß ja innerhalb des Fürbittberichts ein inklusiv zu verstehendes ἡμῖν kaum zu erwarten ist[148], sondern ἐν bei Personen muß (vgl. Röm 3,7) instrumental-kausal von der Mission des Paulus her gemeint sein, auf die Paulus ja Phlm 19 in gleicher Intention anspielt, daß Philemon sich selbst als Christ letztlich Paulus verdankt. Im gleichen Sinne meint Phlm 6: »das durch uns vermittelt ist«. Eine abkürzende Formulierung dürfte weiter ebenso bei εἰς Χριστόν dort vorliegen, was nach Analogie mit unserer Stelle und dem Gesamtzusammenhang Phil 1,10 (vgl. V. 6) Abkürzung für εἰς ἡμέραν Χριστοῦ sein dürfte (ebenso auch 2Kor 1,21), während eine doxologische Deutung »auf Christus hin«[149] gegen sich hat, daß Paulus keine Christusdoxologien kennt und diese nicht nur für den Christus praesens, sondern erst recht für die eschatologische Vollendung ausgeschlossen werden müssen, da dann ja die Herrschaft Christi ein Ende hat (1Kor 15,28) und der Sohn in die Reihe der Söhne zurücktritt. (Lohse verfällt auf diese unpaulinische Lösung, weil er Wickert konzediert, daß Zukunftseschatologie bei Paulus eo ipso den Gerichtsaspekt meint, was aber ebenso lutherisch wie unpaulinisch ist. Im Wortfeld der paulinischen Vollendungseschatologie ist das Gericht nur ein untergeordneter Aspekt der Vollendung, ein Hypolexem, während die dogmatische Tradition das Gericht als übergreifenden »Gerichtshorizont« zu einem Suprenym gemacht hat, das die Vollendung nur als Partialaspekt und Hyponym versteht). Auf jeden Fall wird εἰς hier nicht

143 Dibelius 1914 (= 1956): 2–4.   144 O'Brien 1977: 32f., 56f., 85f.
145 Vgl. meine Rez. in ThLZ 104 (1979) 823–825.
146 Stuhlmacher Phlm 14 nach Dibelius 1956: 6; Lohmeyer 179, 272 gg. O'Brien 1977: 57 Anm. 45.
147 Stuhlmacher ebd. mit Soden, Dibelius, Lohmeyer.
148 Lohmeyer 176 Anm. 1.   149 Lohse Phlm 273.

im Sinne von ἐν zu nehmen sein[150], weil die Abänderung im Hellenismus wohl eher in der umgekehrten Richtung, nicht aber so sehr in dieser erfolgt und Paulus hier nicht bloß in der Zwangslage gesehen werden dürfte, ein drittes ἐν vermeiden zu müssen. Daß Paulus ἐπίγνωσις vorwiegend ethisch und handlungsbezogen versteht, zeigen auch die übrigen drei Stellen, die im Röm stehen: 1,32 steht als zusammenfassende globale Objektangabe δικαίωμα, Gottes universaler Rechtswille als des Schöpfers (was 2,26 als Inhalt des jüdischen Gesetzes dem θέλημα bzw. dem τὰ διαφέροντα von 2,18 entspricht, und 8,4 führt Paulus diesen Gedanken im Duktus des Röm zum Ziel: Dieser Rechts- und Liebeswille Gottes ist unter der Herrschaft des auferweckten Jesus nicht nur gültig, sondern auch praktizierbar). Nicht anders ist nach dem Kontext die 1,28 voranstehende, gedrängt zusammenfassende und zu 1,32 parallel stehende Anklage zu verstehen, daß die Menschheit sich dagegen entschieden hat, τὸν θεὸν ἔχειν ἐν ἐπιγνώσει. Hier verweist das Funktionsverbgefüge auf einen Dauerzustand[151]. Als Objektbezeichnung ist hier (wie V. 21 beim verbalen Simplex) abkürzend für δικαίωμα τοῦ θεοῦ (bzw. V. 25 mit dem für Gottes Rechtsforderung kontextsynonymen ἀλήθεια τοῦ θεοῦ) einfach τὸν θεὸν gesetzt, was man vom Kontext isoliert völlig falsch verstehen würde, wenn man den ethischen Aspekt ausblenden würde. »Gott« erscheint hier aber als Kundgeber seines Rechtswillens als Objekt. Dies sind die semantisch entscheidenden Komponenten. Auch Röm 10,2 »Eifer für Gott« – aber leider nicht der ἐπίγνωσις entsprechend – zeigt den Bezug zum Wortfeld ethischen Handelns. Dieser ist also für Phil 1,9 in jedem Fall anzunehmen.

Im Sinne übersetzungslinguistischer Präzision sind dazu drei hermeneutisch wichtige Zusatzbemerkungen nötig:

a) Die derzeit beliebte Betonung, daß damit nicht nur »intellektuelles Verstehen«, sondern ein »existenzielles Anerkennen« gemeint sei[152], ist überflüssig und geradezu irreführend, wenn man meint, damit ein theologisches Proprium auszusprechen: Der Sache nach schließt jede wirkliche menschliche »Erkenntnis« das Moment des Verbindlichen ein, denn entsprechend der unumkehrbaren hierarchischen Sprachstruktur von vorgeordneter Semantik und ihr immer nachgeordneter und von ihr abhängiger Pragmatik trägt jede lokutionäre Aussage ein illokutionäres Potential in sich selbst. Daß die protestantische Maxime von »eigentlicher« Anerkenntnis und nur vorläufiger Erkenntnis gar kein theologisches Proprium darstellt, zeigt die Strukturparallele, die sie in dem Leninschen Satz (aus: Materialismus und Empiriokritizismus) hat: »Die Wahrheit ist parteilich.« Auch hier wird die Pragmatik der Semantik übergeordnet, womit man mehr an der Brauchbarkeit und Wirksamkeit interessiert ist. Die gemeinsame Antithese von Protestantismus und Leninismus gegen den logischen Empirismus des Wiener Kreises ist deutlich. Will man die leninsche Maxime sprachanalytisch orten, so kann man sagen, daß sie den Ausdruck »Wahrheit« nur metaphorisch als pragmatische Kategorie verwendet, als menschliche Verhaltensweise des Strebens nach Wahrheit, aber nicht im eigentlichen semantischen Sinne als positive Eigenschaft von Aussagen. Nimmt man beide Formen der theologischen wie leninschen Maxime nicht in ihrem bloß metaphorischen Sinn, so entstehen unzulässige Vermengungen, falsche Verallgemeinerungen und Scheinlösungen[153]. Beide bedürfen der linguistischen Präzisierung, um nicht ideologisches Mittel in den Händen derer zu werden, die damit nur die Interessen von bestehenden Gruppen und ihren Machtverhältnissen verschleiern. Auf theologischer Ebene ist das mittels der Diastase von »Glaube« und »Vernunft«

150 Gg. O'Brien 1977: 57f.
152 Z. B. Stuhlmacher Phm 34.
151 Kühl Röm 58.
153 Vgl. dazu im einzelnen Klaus 1964: 97ff.

(bzw. »Wissen«) vollzogene Abwehrreaktion gegen das hermeneutische Wirksamwerden von kritischen Konsequenzen aus den exegetischen Erkenntnissen[154].

b) Ebenso müßig ist in diesem Zusammenhang der Streit, ob das Kompositum speziell das pragmatische Moment heraushebt oder ob das Kompositum mit dem Simplex synonym ist, was sich bei Röm 1,21:28 und auch von der LXX wie von den Stellen mit einer relativ unbestimmten Verwendung her als das Normale nahelegt[155]. Das Kompositum hat in sich nur die Möglichkeit, »das Moment der auf das Objekt gerichteten Aktivität mehr heraustreten zu lassen (Er-Kenntnis) als das Simplex«[156]. Daher kann es rhetorisch steigernd verwendet werden. Doch löst sich das meist starr als Alternative gestellte Problem auch hier, wenn man methodisch zwischen Wort-Semantik (Lexik) und Kontextsemantik differenziert. Diese Differenzierung hat zu unserem Gegenstand schon M. Dibelius[157] klar zur Geltung gebracht, ohne daß man das in der Folgezeit entsprechend beachtet hätte: »Das rhetorische Mittel (sc. der Steigerung durch Kompositum an einigen Stellen) hat natürlich eine Wirkung, die sich auf die Sache erstreckt: ἐπίγνωσις scheint an den fraglichen Stellen mehr zu bedeuten als γνῶσις – aber eben nur an jenen Stellen, nicht im Lexikon.« Die Beobachtungsebene der Stilistik bietet so eine überzeugende Lösung und damit hoffentlich auch ein Ende mit den hilflos hin und her pendelnden Vorschlägen zwischen Intensivum, Directivum oder Äquivalentum des Kompositums im Verhältnis zum Simplex[158].

c) Übersetzungslinguistisch haben wir gegenüber dem vorwissenschaftlichen Ein-Phasen-Konzept der Übersetzer auf Grund des Zwei-Phasen-Konzepts[159] die Linguistik der Zielsprache genauso sorgfältig zu analysieren wie die der Ausgangssprache der Texte. Darum muß man hier zu bestimmen versuchen, ob man bei der Übersetzung im präzisen Sinne von »Erkenntnis« reden kann. Seit Kants erkenntnistheoretischem Manifest, der »Kritik der reinen Vernunft«, ist klar: Die Erkenntnis unterscheidet sich »scharf vom Denkakt, von bloßer Vorstellung wie von jeder Art von Phantasievorstellung«[160]. Denken ist ein »rein bewußtseinsimmanenter Akt, der sich zweigliedrig auf Übereinstimmung von Vorstellungen innerhalb des Bewußtseins bezieht« (immanenter Wahrheitsbegriff der Syntaktik)[161], während sich »Erkenntnis« darüber hinaus dreigliedrig auch noch auf ein unabhängig Seiendes als »Objekt« (im wörtlichen Sinne des »Entgegengeworfenen«) in einem transzendenten (= das Bewußtsein überschreitenden) Wahrheitsbegriff bezieht, wobei diese entscheidende Definitionseigenschaft des »Objekts« in seiner »Übergegenständlichkeit« (= Unabhängigkeit gegenüber der Erkenntnis)[162] besteht.

Es ist so, wie Kant treffend in der Vorrede zur zweiten Ausgabe bemerken konnte: »Denken kann ich, was ich will, wenn ich mir nur nicht selbst widerspreche.«[163] So wird § 22 dann mit der differenzierenden Feststellung eingeleitet: »Sich einen Gegenstand denken und einen Gegenstand erkennen ist also nicht einerlei«[164]; und in Kants Terminologie hieß das präzis: »Zum Erkenntnisse gehören nämlich zwei Stücke, erstlich der Begriff, dadurch überhaupt ein Gegenstand gedacht wird (die Kategorien) und zweitens die Anschauung, dadurch er gegeben wird.« So schließt das Erkennen das

---

154 Hermeneutisch Schenk 1975 und bezüglich der Anwendung etwa in der Perikopenrevision 1975a.
155 Bultmann ThWNT I 707 gg Zahn Röm 171; Lietzmann Röm 34; Kühl Röm 58.
156 Ewald 69.   157 Dibelius 1956: 3 Anm. 2.
158 So wiederum O'Brien 1977: 32f. Anm. 64.
159 Schenk 1976 mit Jäger 1975 gg. Nida-Taber 1968.
160 N. Hartmann 1960: 69f.   161 Ebd. 99.
162 Ebd. 70f.   163 Kant 1868: 34 Anm. 1.
164 Ebd. 148.

Denken ein, geht aber hinsichtlich des Objektbezugs darüber hinaus: Zur logischen Deduktion muß die empirische Verifikation kommen.

Um einer Antwort im Blick auf unsere Textstelle näherzukommen, wäre zu prüfen, ob das Verhältnis, in dem hier »Liebe« und »Erkenntnis« zueinanderstehen, noch präzisiert werden kann. Die Schwierigkeit liegt wieder in der Verwendung der polysemen Präposition ἐν, die eben leider die unbestimmteste ist, die wir haben: »ἐν bezeichnet eben nicht nur das Ineinander, sondern auch das Auf-, An- und Nebeneinander.«[165] Sicher ist, daß eine Übersetzung wie »eure Liebe soll überfließen in Erkenntnis«[166], durch ihre metaphorische Verstärkung des Verbs mehr verunklart als präzisiert. 2Kor 8,7 wird das Gesamtobjekt mit ἐν, doch die Entfaltung dessen dann mit dem bloßen Dativ angegeben. Hier sind beide also nachweislich gleichbedeutend, und da zudem auch γνῶσις unter den Objekten genannt ist, läge es doch nahe, auch hier anzunehmen, daß Paulus den normalen griechischen Sprachgebrauch spiegelt, in dem der Dativ bei Verben des Füllens und Vollseins ausdrückt, womit und woran das περισσεύειν stattfindet[167]; vgl. 2Kor 3,9 und transitiv determiniert 1Thess 3,12 ebenfalls in einem Fürbittgebet, was dann mit ἐν nur pleonastisch verstärkt würde. Dagegen sind zwei verschiedene Einwände erhoben worden:

Nur wenn das Subjekt eine Person sei, gebe ἐν bei περισσεύειν das Objekt an, (1Kor 15,58; 2Kor 8,7; Röm 15,13; vgl. Kol 2,7); sei das Subjekt aber eine Sache, so gebe ἐν die »Sphäre« an[168]. Gegen diese Unterscheidung als einen Vorschlag zu einer hilfreichen Präzisierung ist aber einzuwenden, daß dabei der Zusammenhang von bloßem Dativ und dessen möglicher Verstärkung mit ἐν (2Kor 8,7) nicht gesehen wird, und daß 2Kor 3,9 wie 1Thess 3,12 zweifelsfrei das Objekt angegeben ist, wobei 2Kor 3,9 auch noch ein vergleichbares »sachliches« Subjekt vorliegt. Doch ist darüber hinaus die Anwendung der Differenzierung »sachliches Subjekt« im Gegenüber zu einem personalen bei dem hier vorhandenen Subjekt-Syntagma ἡ ἀγάπη ὑμῶν – und damit bei jedem nomen actionis überhaupt – fraglich: Die unmittelbare Fortsetzung in V. 10 zeigt, daß das personale ὑμεῖς das eigentliche Subjekt ist. Hier liegt also ein Subjektwechsel nur in der Oberflächenstruktur vor, während der gleitende Übergang zugleich deutlich zeigt, daß in der semantischen Tiefenstruktur Konstanz herrscht und damit deutlich zeigt, daß schon in V. 9 »Ihr« das bestimmende Subjekt ist: Ihr – hinsichtlich eurer Agape-Hingabe – mögt wachsen. Dies würde also für eine Objektbezeichnung sprechen. Hätte dagegen O'Brien recht, so wäre klar, daß »Erkenntnis und Erfahrung« hier nicht als Wesenselemente christlicher Liebe bestimmt werden können, was aber bei einer Objektrelation klar der Fall ist[169].

Der zweite Einwand, der ebenfalls eine Präzision vorschlägt, die aber erstaunlicherweise quer zu dem Vorschlag des ersten Einwands liegt, sagt: Man müsse nicht nur zwischen bloßem Dativ und dem ἐν-Gebrauch unterscheiden, sondern dabei wiederum auch noch zwischen determiniertem und undeterminiertem Gebrauch. Die determinierten Stellen seien nicht heranzuziehen, da der Artikel nicht das Objekt bezeichne, sondern den Bereich angebe, »auf dem Gebiet von« (1Kor 15,58; Röm 15,13)[170]. So soll hier die sphärische Bedeutung gerade an den Stellen gefunden werden, an denen sie die vorgenannte Klassifikation ausgeschlossen fand. Doch belegen beide Stellen nicht das, was sie sollen: Bei 1Kor 15,58 wurde verkannt, daß ἔργον ein nomen actionis ist (vgl. die anschließende Wiederaufnahme mit κόπος) – also nicht den Bereich

---

165 Ewald 67 Anm. 1; K–G 431.   166 Gnilka 51.   167 B–D–R 172 Anm. 3.
168 O'Brien 1977: 32 Anm. 60, der sich für diese Unterscheidung zu Unrecht auf B–D 172 beruft.
169 So Barth 20 und Michaelis 20 wie Sullivan 1963: 408, gg. die sich O'Brien 1977: 32 Anm. 61
    denn auch konsequent wendet.
170 Ewald 67 Anm. 1.

angeben kann. Bei dem Gebetswunsch Röm 15,13 bezeichnet der Artikel anaphorisch die Wiederaufnahme der Gottesprädikation, die den Gebetswunsch einleitet (der Gott, der Hoffnung gibt – am Schluß von V. 12)[171] und steht außerdem durch den Parallelismus mit den erbetenen Gütern des voranstehenden Satzes klar als Objektbezeichnung. Doch Ewald[172] übersetzt (einen Vorschlag Calvins aufgreifend) »bei gleichzeitiger Erkenntnis« im Sinne eines hebr. b^e oder lateinischen cum, weil die seiner Meinung nach nächsten Parallelen eine solche Verwendung von ἐν nahelegen: Kol 2,7; 4,2; Eph 4,19; 6,24. Diese Begründung ist nun unter der Voraussetzung der Verfasser-Differenz eher eine Gegeninstanz dafür, daß Paulus hier eine im Überfluß vorhandene Liebe erbitte, als »unter oder bei oder zugleich mit (in und mit) Erkenntnis stattfindend«[173] gemeint haben soll. Denn auch bei dieser Interpretation wären »Erkenntnis und Erfahrung« nicht semantische Komponenten von ἀγάπη, sondern die Beziehung wäre eine synthetische von zwei verschiedenen Wortfeldern. Doch Ewald hält diesen Deutungsversuch selbst für so wenig gesichert, daß er in seiner abschließenden Übersetzung ein Verständnis als Objekt als alternative Möglichkeit stehenläßt.

Der doppelte, methodisch respektable und auch diskutable Versuch, hier entscheidungskräftigere homogene Teilmengen zu gewinnen, der an und für sich der einzige Weg ist, um strittige Interpretationsfragen zu entscheiden[174], muß also in diesem Falle als nicht gelungen angesehen werden.

Anhangsweise muß auch auf die kausale Deutemöglichkeit im Sinne des lateinischen »per« aufmerksam gemacht werden, die ebenfalls schon von Calvin erwogen wurde und »dem Gebrauch des ἐν auch im Profangriechischen durchaus entsprechen« würde[175]. Dies ist nun paulinisch gerade auch bei περισσεύειν bezeugt und diese Parallele Röm 3,7 zu unserer Stelle ist durch die doppelte Präpositionsentsprechung (ἐν + εἰς) fast verführerisch. Doch ist diese formale Nähe in der Oberflächenstruktur durch die gravierenden Unterschiede in der semantischen Tiefenstruktur nicht als Interpretationsanalogie geeignet:

– In Röm 3,7 steht die ἐν-Wendung voran und zeigt schon darin eine größere Selbständigkeit als die Nach-, und damit stärkere Zuordnung in Phil 1,9.
– In Röm 3,7 liegt eine Differenz der Personen vor, während Phil 1,9 eine Kontinuität ohne Personenwechsel hat.
– Auch die Semantik der Bezugsgrößen ist Röm 3,7 antonym (ἀλήθεια – ψεῦσμα), während Phil 1,9 ein koordinierender Zusammenhang von ἀγάπη und ἐπίγνωσις vorliegt.

So dürfte durch alle drei Experimental-Tests das Verständnis von ἐν als Objektanzeiger gestärkt hervorgegangen sein. Der Vergleich mit der allernächsten Strukturparallele im briefeinleitenden Fürbittbericht Phlm 6 kann auch in dieser Hinsicht bestätigend herangezogen werden:

A: ὅπως ἡ κοινωνία . . σου ἐνεργὴς γένηται
B: ἵνα ἡ ἀγάπη ὑμῶν . . περισσεύει
A': ἐν ἐπιγνώσει . . παντὸς ἀγαθοῦ . . εἰς Χρ.
B': ἐν ἐπιγνώσει πάσῃ . . εἰς ἡμ. Χρ.

Diese Parallele muß in ihrer durch die semantische Tiefenstruktur noch verstärkten Analogie gesehen werden:
– Das Funktionsverbgefüge des Prädikats Phlm 6 meint in dieser verstärkten Ausdrucksweise nicht nur »zur Wirkung kommen« oder »sich auswirken«[176], sondern

171 Lietzmann Röm 119; Michel Röm 260f.; Käsemann Röm 374.
172 Ewald 70.   173 Ebd. 67.   174 Hirsch 1972: 8.   175 Ewald 67.
176 So Lohse Phlm 272f. und Stuhlmacher Phlm 31 z. St.

enthält von 1Kor 16,9 und dem dort bezeugten Hendiadioin mit μεγάλη her zugleich auch das Moment der Steigerung.

– κοινωνία ist – gerade wenn Phil 1,5 m.R. als Parallele herangezogen wird – eben nicht passivisch als »Teilhabe«[177] zu verstehen, sondern aktiv als »werktätige Teilnahme«[178]. Denn »faßt man κοινωνία τῆς πίστεως als Glaubensgemeinschaft, so macht das hinzugefügte σου Schwierigkeiten« (ebd.). Dies wird nun weiter auch dadurch textsemantisch belegt, daß der Ausdruck κοινωνία gerade ἀγάπη aus dem Vordersatz als Kontextsynonym aufnimmt[179], während πίστις homonym wiederholt wird, und außerdem V. 7 dann variierend wieder zur Verwendung von ἀγάπη aus V. 5 zurückkehrt: Es geht dabei immer um die »Handlung der hilfreichen Teilnahme« und die Genitivbeziehung ist kausal zu werten als »die aus dem Glauben erwachsene Wohltat«.

– Der ganze Text des Philemonbriefes ist ja auf das eine Ziel ausgerichtet, daß der Adressat eine besondere »Liebestat« an Onesimus tun soll: τὸ ἀγαθόν σου V. 14. Diese soll aber »freiwillig« (ἑκούσιον) geschehen, und damit eben aus »Erkenntnis und Einsicht« (σῆς γνώμης). Dies also ist schon der Gegenstand der Fürbitte des Paulus V. 6. Sofern ἐπίγνωσις durch γνώμη kontextsynonym aufgenommen wird, geht es Paulus im Gebet um dasselbe wie in der Briefargumentation: Einsicht gewinnen. Von daher ist V. 6 klar das Wachstum »an« Einsicht und Erkenntnis gemeint. Wenn dagegen Haupt[180] das ἐν im Sinne eines εἰς verstehen will (= »daß« alle daran etwas lernen sollen), so beruft er sich zu Unrecht auf 2Kor 9,12ff., wo dieser Gedanke klar durch ἐπί ausgesprochen ist. Doch im Phlm ist ἐπίγνωσις nicht die Erkennbarkeit. So ist für beide Stellen die Deutung, daß ἐν das Objekt des περισσεύειν (= ἐνεργὴς γίνεσθαι) der ἀγάπη (= κοινωνία) meint, im höchsten Grade wahrscheinlich und erklärungsadäquat.

Die Fürbitte des Paulus in ihrem ersten Teil Phil 1,9f. geht von der ethischen Aporie aus, vor die jeder bewußt das Verhalten und Handeln gestalten Wollende steht, wie sie sehr deutlich Epiktet I 22 beschrieben hat:

»Denn wer von uns behauptet nicht, daß das Gute nützlich sei und zu wählen, und daß man es in jeder Lage suchen und verfolgen müsse? Wer von uns behauptet nicht, daß das Gerechte schön und anständig sei?

Wann entsteht also der Streit? . . .

Wenn der eine sagt: Er hat schön gehandelt, er ist mannhaft;

der andere aber: Nein, sondern verzweifelt;

da entsteht der Zwiespalt der Menschen untereinander« (49f.).

Also »nicht darüber wird gestritten, daß das Gute zu wählen und in jeder Lage zu verfolgen sei, sondern darüber, worin nun eigentlich das Gute besteht«[181]. Die ethische Grundfrage, die Handlungen vorausbedenkt, besteht für jeden Menschen. Epiktet konnte sagen: »Was sollen wir also tun? Dies ist die Grundfrage des wahrhaft Philosophierenden und Geburtsschmerzen Leidenden« (I 22,17). »Die wahre philosophische Bildung besteht nach Epiktet darin, daß man jene ›Urbegriffe‹ des Guten, Rechten, Tugendhaften durch Denken ausgestaltet, d.h. sie recht anzuwenden lernt.«[182]

Für Paulus heißt die Antwort auf die ethische Grundfrage nun nicht platt verkürzend: Antwort auf alle diese Fragen geben wir nun mit dem Wort Gottes, sondern für den Christen spitzt sich das ethische Fragen zunächst erst noch einmal zu, indem auch noch die Evangeliumsgemäßheit jedes Orientierungsvorschlags für das Verhalten gefragt werden muß. Alle Christen sollen in dieser ihrer Mündigkeit wachsen. In ihre Sprach-

177 So Lohse ebd., Stuhlmacher ebd.   178 Haupt 181.
179 Haupt 186.   180 Ebd.   181 Dibelius 1956: 5.   182 Ebd.

und Denkfähigkeit sollen sie sach- und fachkundig handlungsfähig werden und so ständig an Kompetenz gewinnen. Das heißt, daß »Liebe« und »Erkenntnis« hier in einer inhaltlich ganz bestimmten Weise einander zugeordnet werden. Es ist so gar nicht möglich, daß sie gegeneinander zu stehen kommen – etwa in dem Sinne: Je mehr Liebe, desto mehr Inkompetenz – als das »Gutgemeinte«. In diesem paulinischen Wortfeld ist kein komplementäres Gegenüber von Liebe und Wahrheit möglich, als handele es sich um zwei verschiedene Prinzipien, die sich gegenseitig ausgleichen müßten, wie das in der Maxime der Fall ist, die fordert, die Wahrheit in Liebe zu sagen. Vielmehr ist hier das Maß der Liebe am Maß der Einsicht, Kompetenz und Urteilsfähigkeit orientiert, was deutlich macht, daß die Semantik der paulinischen ἀγάπη nicht primär rein emotionales Mitleid oder kurzschlüssig pragmatisch das soziale Engagement sein kann. Es geht dabei vielmehr um die Bereitschaft, sich vom zentralen Gehalt des Evangeliums durch dauernden Umgang mit ihm prägen zu lassen. Dabei ist die dynamisch-charismatische Gemeindestruktur von 1Kor 12–14 (vgl. Röm 12,3ff.) vorausgesetzt, die einen solchen Prozeß ständig vollzieht im Miteinander, nicht aber eine Publikum und Konsumenten produzierende Kirche mit ihrer heute üblichen Veranstaltungs- statt einer Versammlungsstruktur: »Wer die Welt gestalten will, muß aufhören, sie genießen zu wollen« (N. Lenau).

4.4.2. Der möglichst große, positive Handlungsertrag als das endgültige Ziel

Das V. 10b einleitende zweite ἵνα dürfte entsprechend dem ersten von V. 9 im Zusammenhang des hier vorliegenden Gebetsberichts den zweiten Gebetsgegenstand benennen[183]. Die Entscheidung für diese Interpretation erfolgt von der Textfunktion her: Paulus zählt auf, was er im Gebet nennt, und dies geschah seit V. 3 immer in Einzelsätzen. Es wäre auch inkonsequent, hier eine finale Bedeutung anzunehmen, dann aber durch das Partizip V. 11 einen weiteren Gebetsgehalt zitiert zu sehen[184]. Diese Tatsache schließt nicht aus, daß der Sachbezug von Erkenntnis V. 9 und Tun V. 10f als solcher der einer finalen Zuordnung ist. Hätte Paulus hier nicht einen Gebetsbericht, sondern eine Sachstandbeschreibung gegeben, so hätte er dies sicher final formulieren müssen. Das ist das berechtigte Moment derer, die hier für eine finale Bedeutung eintreten und dies im ἵνα begründet sehen[185]. Doch bedarf es eben einer solchen Vermengung von Sachlogik und Textpragmatik nicht. Schließlich liegt eine direkte Zielangabe in dem anschließenden εἰς ἡμέραν faktisch vor, denn dies meint klar »für diesen Tag« und also weder temporal »an« (ἐν) noch »bis« (ἄχρι)[186].

Das Resultat des δοκιμάζειν τὰ διαφέροντα wird also zunächst rein formal in einem Doppelausdruck positiv (εἰλικρινεῖς) und negativ (ἀπρόσκοποι) bezeichnet, der semantisch eine einheitliche Funktion hat und also auch mit nur einem Ausdruck kommunikativ äquivalent übersetzt werden kann als die »Vollkommenheit«[187]. Beide Ausdrücke sind »in der Koine wie bei Paulus wohl selten, aber nicht ganz ungewöhnlich«[188]. »Beide setzen eine Norm voraus, an der Lauterkeit und Makellosigkeit sich messen.«[189] Diese ist nun vom Ausgangspunkt einer präzis angegebenen und definier-

---

183 Vgl. Haupt, Lohmeyer, Gnilka, Spicq 1958/59; Wiles 1974: 210.
184 O'Brien 1977: 35.
185 So Ewald 69, der es dann aber parallel zu εἰς τὸ δοκιμάζειν und direkt von περισσεύῃ abhängig ansehen muß, da er m. R. vermerkt, daß eine direkte finale Unterordnung mit ἵνα γένησθε – vgl. 2,15 – formuliert sein müßte.
186 Vgl. O'Brien 1977: 35 mit Haupt, Ewald, Lohmeyer, Gnilka.
187 Haupt 17 Anm. 1; Lohmeyer 33.
188 Lohmeyer 33 Anm. 5+6.   189 Ebd.

ten ἀγάπη wie von dem ebenso klar bezeichneten Ziel her deutlich. Bezugspunkt ist in beiden Richtungen Christus als der, »der keinen Grund, an ihnen Anstoß zu nehmen, findet«[190]. Dies anzugeben ist nötig, denn bei der Mehrdeutigkeit alles Ethischen ist in jedem Falle die Möglichkeit gegeben, daß die nach anderen Normen Urteilenden sehr wohl Anstoß nehmen könnten. Von semantischem Belang ist, daß Paulus da, wo er ἀπρόσκοπος in der Bedeutung Menschen gegenüber verwendet (1Kor 10,32), es allein setzt und ohne die positive Ergänzung, die hier dabei steht. Denn bei diesem Zusatz εἰλικρινής ist wichtiger als die Etymologie (»am Sonnenlicht geprüft«)[191] die Tatsache, daß dieses Prädikat in LXX nur Sap 7,25 von der göttlichen Weisheit verwendet ist. Dies ist beachtenswert, weil Paulus hier damit eine Richtungsaussage macht, ohne etwa ein illusionäres Soll zu setzen: Ziel ist die möglichste Vollkommenheit. Daß dagegen das faktische Resultat neben den »guten« auch die nutzlosen Handlungen enthalten wird, weiß Paulus aus der eigenen täglichen Erfahrung nur zu genau (1Kor 3,13; 4,5; 2Kor 5,10). Als Gebetswunsch setzt das positive Ziel geradezu das Versagen als die faktische Gefahr immer voraus. Man hüte sich also vor einer moralisierenden Interpretation und Übersetzung, die aber bei einer direkt finalen Einleitung der Doppelwendung geradezu unvermeidlich ist. Dagegen ist im Gefolge von Sap 7,25 noch darauf zu verweisen, daß das entsprechende Substantiv in 1Kor 5,8 mit ἀλήθεια und 2Kor 1,12 mit ἁγιότης[192] als Gottesprädikat im Hendiadioin steht. Eben dieser Gottesbezug ist hier im Kontext der Bitte an Gott zu beachten. 2Kor 2,17 ist die Präpositionalwendung adverbial als »uneigennützig« stärker kontextsemantisch verselbständigt, wobei sie als Antonym zu »verwässern« erscheint[193]; dennoch wird sie durch die Art, wie sie zugleich durch die drei angeschlossenen Wendungen positiv näher erläuternd beschrieben wird (in Gottes Auftrag begründet, in der Verantwortung vor Gott und durch Christus bestimmt[194]), wiederum in ihrer Gottesbeziehung verdeutlicht, die es ausschließt, daraus einen rein moralischen Formalbegriff zu machen.

Wie bei V. 6 so besteht auch hier nochmals die Gelegenheit, darauf hinzuweisen, daß Paulus der Wendung ἡμέρα Χριστοῦ primär positive Ausdrücke zuordnet und damit in ἡμέρα nicht primär einen drohenden Gerichtsaspekt ausdrückt. Im Vordergrund steht die ἡμέρα als die positive Vollendung des Schaffens Gottes. Der Gerichtsaspekt wird nicht verselbständigt, noch etwa zum Oberbegriff gemacht. Ziel des Gebets ist das Einbringen eines Optimums von durch Christus vollendbaren Handlungen. Dies unterstreicht auch die positiv ausgerichtete Fortsetzung mit V. 11. Diese geht zugleich mit Notwendigkeit vom Person-Aspekt zum Werkaspekt über, da es Paulus in seiner christologisch entworfenen Eschatologie nicht um ein Gericht der Person nach den Werken geht, sondern der Werke. Wo das Gericht nur die negative Kehrseite der Vollendung ist, kann es auch nur ein Gericht der Werke geben.

Bei V. 11 ist die weitgehende Kontextsynonymie mit dem Voranstehenden deutlich:

	πεπληρωμένοι	καρπὸν δικαιοσύνης	εἰς δόξαν
V. 9	περισσεύῃ	V. 10 εἰλικρινεῖς καὶ ἀπρόσκοποι	εἰς ἡμέραν

Das Perfektpartizip πεπληρωμένοι muß von dem voranstehenden eschatologischen Bezug her passiv als Resultat eines Prozesses verstanden werden und nicht medial als

---

190 Haupt 17.
191 Die Etymologie, die Ewald 69 wie Gnilka 52 und Büchsel ThWNT II 396 interessiert, dürfte den Briefpartnern damals aber kaum noch bewußt gewesen sein; dgg. prinzipiell Barr 1965.
192 So mit den alexandrinischen Zeugen gegenüber dem unpl ἁγνότης – vgl. GNTCom 575.
193 Barrett 2Kor 103 z. St.   194 Bultmann 2Kor 73 z. St.

Beschreibung dieses Prozesses selbst[195], denn auch der Akkusativ ist beim Passiv durchaus möglich[196]. Schließlich verwendet auch die antithetische Formulierung Röm 1,29f. in der zusammenfassenden Beschreibung der Verfallenheit der vorchristlichen Menschheit den Ausdruck zur Bezeichnung des Resultats.

Dieses Resultat im Akkusativobjekt ist in jedem Falle als Singular καρπόν zu lesen und von der pluralisierenden Korrektur späterer Handschriften strikt fernzuhalten. Wie schwer das fällt, zeigt Lohmeyers Übersetzung[197], der trotz dieser ausdrücklichen Feststellung in der Übersetzung den Plural verwendet[198]. Der Singular ist auch nicht einfach kollektiv zu verstehen, denn er wurde schon »in LXX kaum noch bildlich empfunden«[199]. Von der beim Partizip gefällten Entscheidung her kann er nicht als nomen actionis (»Reifen in Gerechtigkeit«)[200], sondern nur als Bezeichnung des Resultats verstanden werden. Nun erschien er schon 4,17 im gleichen eschatologischen Bezug und dort auf dem Hintergrund eines finanztechnischen Gebrauchs (s. o.). Paulus dürfte dies hier wieder aufnehmen und hier direkt auf diesen vorangehenden Brief anspielen: Es geht um das Resultat der Philipper – nun in allen ihren Handlungen – als Ertrag und Profit.

Den Genitiv δικαιοσύνης hat Gnilka[201] leider wieder appositiv (»die Frucht, die in Gerechtigkeit besteht« – so wohl Hebr 12,11)[202] und qualitativ (»Hier noch im Rahmen ihres alttestamentlichen Bedeutungshorizontes«: Rechtsein)[203] verstehen wollen. Damit setzt man schon prinzipiell wieder den diachronischen Aspekt vor den synchronischen. Dagegen ist einzuwenden:

a) Setzt man synchronisch an, so ist der Kontext die erste und allernächste Entscheidungsinstanz: Die angeschlossene Präpositionalwendung wird mittels eines anaphorischen Artikels so eng angebunden, daß damit nicht eine zweite, eigene Näherbestimmung erfolgt, sondern eine die erste präzisierende:

$$δικαιοσύνης = διὰ \ \mathrm{Ἰ}ησοῦ \ Χριστοῦ$$

Dieses gleiche Verfahren, artikellose Aussagen durch einen determinierten Ausdruck näher zu bestimmen, ist ein für Paulus charakteristisches Stilmerkmal. Eine besonders nahe Analogie zu unserer Stelle liegt 1Kor 2,7 vor (vgl. noch Phil 3,6; Gal 3,21; Röm 1,18; 2,9.14; 9,30)[204].

b) Weiter ist synchronisch zu beachten, daß auch »sonst bei Paulus der zu καρπός hinzugefügte Genitiv ein Genitivus originis ist«[205] (vgl. 1,22 »Ertrag des Wirkens« mit Sap 3,15 πόνων καρπός, ferner Gal 5,22 das auch sachlich mit unserer Stelle synonyme πνεῦμα, was für Beare[206] den Ausschlag zur Entscheidung für dieses Verständnis an unserer Stelle gibt; Röm 6,22 Personalpronomen; vgl. Eph 5,9 φῶς).

c) Die Wendung καρπὸς δικαιοσύνης ist wohl LXX-Prägung (Amos 6,13 und zwar »als Ertrag (Ergebnis) eines Treueverhaltens, vgl. als Parallelbegriff ›Frucht der Weisheit‹ in Prov 8,18, wozu nach 17.19 sedaka gehört«[207]; weiter Prov 11,30 und ohne hebräische Entsprechung 3,9; 13,2). Dabei ist aber eben δικαιοσύνη gerade

---

195 O'Brien 1977: 35 Anm. 82 gg. Beare 55 wie NEB.
196 B–D–R 159,1.
197 Lohmeyer 30.
198 Ähnlich Ziesler 1972: 203 gg. 151.
199 Lohmeyer 34 Anm. 1.
200 So Lohmeyer 34 trotz seiner wichtigen Einsicht in Anm. 1.
201 Gnilka 53 nach Hofmann, Ewald, Dibelius, Michaelis, Schrenk ThWNT II 214.
202 Vgl. Michel Hebr 302 z. St. und prinzipiell B–D–R 167.
203 Vgl. Ewald 70: ein Adjektiv vertretend »gottwohlgefällig«.
204 B–D–R 412,3 Anm. 7; Haupt 18 Anm. 1, der sich von daher für den auctoris entscheidet, worin ihm K. Barth 15 folgte.
205 So Haupt 17.
206 Beare 55.
207 Wolff Amos 331 z. St.

nicht als »Inbegriff des Normgemäßen«[208], sondern eben als Genitivus auctoris gebraucht (vgl. analog auch Sir 1,16 καρπὸς σοφίας). Dies wurde von Ziesler[209] als entscheidend für die Interpretation von Phil 1,11 erkannt. Dies bedeutet, daß auch die im Zusammenhang immer wieder herangezogene Stelle Jak 3,18 als Gen. auct. verstanden werden muß nach dem Kontext dort als »Frucht jener Gerechtigkeit, weil sie V. 17 als Äußerungen der ›Weisheit von oben‹ gekennzeichnet ist«[210].

So ergibt also auch der diachrone Aspekt nach einer etwas sorgfältigeren Prüfung genau das Gegenteil von dem, wofür er meist herangezogen wurde: Er zeigt den Ursprung an. Das läßt sich übrigens auch noch bei Epikur (fr 519: »Höchstes Ergebnis der Gerechtigkeit ist Ungestörtheit, ἀταραξία« – Klem Alex Strom Vi. 2 S. 266,39) belegen. So sprechen die drei Argumente, die – meist je nur für sich genommen – herangezogen wurden, zusammengenommen klar für einen Gen. auct. und gegen einen appositivus oder qualitativus. Das apodiktische Votum Gnilkas: »Die Annahme eines Gen. originis kommt nicht in Frage«[211], macht sich mit einem Machtwort die Sache zu leicht. Die Gerechtigkeit als rechte Gemeinschaft mit Gott ist die Wirkkraft der Ergebnisfülle der Handlungen für die Vollendung. »Daß bei diesem ›durch Christus‹ an das Pneuma-Wirken des erhöhten Herrn und nicht in erster Linie an die vergangene Heilstat des Todes und der Auferstehung Christi gedacht ist, ergibt sich mit ausreichender Sicherheit nicht nur aus Röm 7,4, sondern auch aus der Parallele Röm 6,22.«[212] Somit steht also δικαιοσύνη in dem von Paulus präzis verwendeten Sinne, daß der auferweckte Jesus die Herrschaft über unser Leben ergreift, was für jeden Verhaltensakt neu ansteht.

4.4.3. Die Vollendung in der Anerkennung durch Gott

Die abschließende Finalwendung εἰς δόξαν καὶ ἔπαινον θεοῦ scheint keine Probleme zu bieten, da der vorher genannte Ertrag »nun hier aber nicht nach seinem Wert für die Gemeinde selbst in Betracht gezogen« wird, »als die davon Anerkennung und Loben haben werden, sondern als Beitrag zur Verherrlichung Gottes«[213]. Der abweisende Negationssatz weist immerhin auf ein Problem hin, das wenigstens in Gestalt der Negierung noch erhalten ist: Obwohl sich die meisten Kommentare selbstverständlich einig sind, daß sich hier »sinnvoll« als »jüdische Gepflogenheit« die »Schlußdoxologie anfüge«[214], so ist dies gar nicht so selbstverständlich, wie sich schon zu 4,20 (s.o.) zeigte:

a) Um eine vollzogene Doxologie handelt es sich ohnehin nicht. Die hierzu meistens angegebenen, aber nicht zitierten Stellen spiegeln das eher vor. Es handelt sich größtenteils um die Selbstverpflichtung zum künftigen Loben in Psalmschlüssen[215].

b) Auch für die Behauptung eines Doxologieberichts[216] ergeben die fünf hier in Frage stehenden Worte als stilistisches Kriterium nichts her. Die Kategorie »Bericht« kommt dem Gesamtpassus V. 3–11 zu und sagt nichts über die Teilsätze. Dafür ist unsere Schlußwendung zu kurz. Diese Worte können sich auf einen unmittelbaren

---

208 So Lohmeyer 34.   209 Ziesler 1972: 151, dem O'Brien 1977: 36 folgt.
210 Mußner Jak 175 z. St. gg. Hauck ThWNT III 618 »Gerechtigkeit als Ertrag«.
211 Gnilka 53 Anm. 16.   212 Thüsing 1965: 182.
213 Haupt 18.   214 Gnilka 53; vgl. auch Ewald oder Beare.
215 Gg. Gnilka 53 vgl. zur erstgenannten Stelle 2Sam 22,50 deren Zitierung Röm 15,9; die letztgenannte LXX-Stelle Sir 39,10 handelt gar von der Anerkennung des Schriftgelehrten und nicht einmal von Gott.
216 O'Brien 1977: 37.

Satzbezug beschränken: Zeitlich ist hier die Situation der künftigen Endvollendung im Blick.

c) Es ist das einzige paulinische Briefeingangsgebetsreferat mit einem solchen Abschluß und weist in dieser Singularität nicht auf einen verbreiteten Formtyp. Die Koppelung von ἔπαινος und δόξα findet sich nachpaulinisch nur Eph 1,6.12.12 und 1Petr 1,7 und dürfte darum direkt literarisch von Phil 1,11 abhängen, denn in beiden Fällen handelt es sich um das Vorkommen in einem Briefproömium[217]. LXX hat diese Doppelung nur in dem Psalmenpotpourri 1Paralip 16,27 (vgl. Ps 96,1ff.)[218], wobei der Nominalsatz schildert, daß δόξα (= ἰσχύς) als objektive und ἔπαινός (= καύχημα) als subjektive Gegebenheit Gott umgeben. An dieser Stelle kann nur der zweite Ausdruck ein nomen actionis sein, während der erste wegen seines Synonyms eindeutig nicht so verwendet ist. Das macht die Vereinigung beider als späte und inhomogene wie singuläre Zusammenstellung deutlich. Für unsere Stelle fällt dieser LXX-Beleg aber als Sachparallele aus, weil beide Nomina als nomina actionis angesehen werden müssen.

d) Sieht man, wie entwertend freizügig derzeit mit den Ausdrücken »liturgisch« und »doxologisch« umgegangen wird[219], so fällt der Schein, als handele es sich dabei um wirklich formkritisch ernstzunehmende Gattungsbestimmungen. Schon das Auftauchen der Wendung εἰς δόξαν τοῦ θεοῦ in Röm 15,7 genügt, um von einem angeblichen »Umbruch des Stils . . . in die Doxologie« zu reden[220]. Die Wendung ist aber zunächst erst einmal spezifisch paulinisch und nicht formelhaft vorgeprägt[221]. Daß das nominale Syntagma von Gott im Sinne eines Genitivus objectivus redet, wird dadurch klar, daß dort das verbale Syntagma δοξάζειν τὸν θεόν klärend 15,6.9 vorangeht und nachfolgt (vgl. auch V. 11 synonym im Psalmzitat ἐπαινεῖν). Von einem »Umbruch« kann also keine Rede sein.

e) Diese Stelle zeigt aber weiter, daß dieses Syntagma nicht den direkten Vollzug einer Doxologie meint, sondern in diesem Mahntext im Hinblick auf ein anderes menschliches Handeln, hier nämlich das Sich-gegenseitig-Annehmen, steht und es motiviert. Dasselbe gilt für alle einschlägigen paulinischen Stellen, für 1Kor 10,31 (ποιεῖτε) wie 2Kor 4,15 (διὰ τὴν εὐχαριστίαν) und entsprechend auch für 2Kor 1,20 (hier πρὸς δόξαν – aber auch δι' ἡμῶν; so schließlich auch in der einzigen vergleichbaren LXX-Parallele 3Makk 2,9 πρὸς δόξαν τοῦ μεγάλου καὶ ἐντίμου ὀνόματος σου) wie für Röm 3,7 (ἐν τῷ ἐμῷ ψεύσματι); auch Phil 2,11 (s. u.) geht entsprechend das akklamierende Bekennen voraus, und dies gilt wirklich als vorausgesetzter eigener Handlungsakt, denn unsere δόξα-Wendung gehört nicht in die Kyrios-Akklamation hinein[222], wobei außerdem das dort folgende πατρός (statt θεοῦ), das deutlich in die Gebetssprache gehört (s. o. zu 4,20; 1,2), diese Differenz markiert. Dieser Gebrauch von l[e]kabod bei einem bestimmten anderen menschlichen Handeln mit Gott als Objekt wird auch in Qumran 1QS 10,9 (»mein Saitenspiel zur Ehre Gottes«) und 1QSb 4,25 (»dienen zur Ehre Gottes«) belegt (daneben bezieht sich die Präpositionalwendung in den Hodajoth in einem zweiten Anwendungsbereich auf das, was Gott zu seiner Ehre geschaffen hat; 1QH 1,10; 6,10; 7,24; 8,5; 10,12; 18,22). Dies ließe sich auf unsere Stelle also nur dann anwenden, wenn man mit Beare (z. St.) das Partizip πεπληρωμένοι als Medium verstehen und auf im menschlichen Handeln bestehendes »bringing forth« eines kollektiven καρπόν

---

217 Lohmeyer 34 Anm. 2 hat darauf wenigstens für Eph aufmerksam gemacht; es gilt aber für beide, falls nicht Eph zu den direkten Vorlagen von 1Petr zu zählen ist.
218 Galling 1958: 52 z. St.
219 Vgl. Bujard 1973 passim und Schenk 1983a.
220 Käsemann Röm 371f. z. St.
221 Hunzinger 1970: 148f.
222 Ebd. m. R. gg. Strecker 1964: 69f.

deuten könnte oder müßte. Da aber eine passivische Deutung und ein nichtkollektives, eschatologisches Verständnis des Objekts näherlag, so fallen die genannten fünf paulinischen und die beiden qumranischen Stellen als sachliche Parallelen und damit als Beleg für die Deutung auf einen Genitivus objektivus aus.

f) Andererseits findet sich im AT kein Vorläufer für einen direkt vollziehenden doxologischen Gebrauch unserer Wendung: 2Chron 26,18 ist die einzige Stelle, wo εἰς δόξαν und »Gott« aufeinander bezogen sind; doch steht dort eben gerade παρά zur Kennzeichnung der Art der Beziehung. Dieser Drohspruch der Priester gegen die Ausübung kultischer Funktionen sagt: »Das dient dir nicht zur Anerkennung von seiten Jahwes.«[223].
An den sonstigen εἰς-δόξαν-Stellen sind die Objekte immer Menschen, wobei dann auch noch die Verwendung von Doppelprädikationen wie an unserer Stelle auffällt: Ex 28,2.40 (εἰς τιμὴν καὶ δόξαν Aarons), 1Chron 22,6 (εἰς ὄνομα καὶ εἰς δόξαν aller Länder), 2Chron 3,6 (zum Schmuck des Tempels), Dan 4,27 (εἰς τιμὴν τῆς δόξης des Königs), Sir 45,23 (die Würde für Pinhas), 49,12 (das Volk ist bestimmt εἰς δόξαν αἰῶνος), 2Makk 5,16 (πρὸς αὔξιν καὶ δόξαν τοῦ τόπου zu Vergrößerung und Ansehen der Stadt). »Wenn das Ehren von Menschen durch Menschen im AT nicht seltener vorkommt als das Ehren Gottes durch Menschen, zeigt das schon, daß beides nicht in Konkurrenz zueinander stehen muß.«[224] Auch von Paulus her muß man sich gegen die Verwendung einer zu weit gefaßten und darum mißverständlichen Absolutheit der Parole Soli Deo Gloria wenden und Bedenken anmelden, wenn sie unbewußt zur Interpretationsvoraussetzung von δόξα-Zusammenhängen gemacht wird, als müsse ein δοξάζειν der Menschen durch Gott von vornherein als ausgeschlossen gelten.

g) Von dem eben bezeichneten atl. und hellenistisch-jüdischen Hintergrund her wäre es dagegen nicht verwunderlich, wenn Gott nicht Objekt des Syntagmas εἰς δόξαν καὶ ἔπαινον wäre. Man kann sich eher darüber wundern, woher die Exegese an unserer Stelle die undiskutierte Selbstverständlichkeit für die Auffassung einer Objektangabe nimmt. Wie wenig selbstverständlich sie ist, zeigt außer der Vorgeschichte der Wendung auch die Nachgeschichte unseres Textes, der es in der Textüberlieferung – wenngleich offenbar sekundär – doch als Möglichkeit immerhin nicht ausgeschlossen war, als Objekt (ἐ)μοῖ hinzuzusetzen (p[46], F, G,it) und damit θεοῦ als Subjektangabe zu verstehen[225].

h) Nun sind im Proömium 1Petr 1,7 im engen eschatologischen Sachzusammenhang mit unserer Stelle beide Ausdrücke (vermehrt um τιμή) ganz klar »Ausdruck für die Anerkennung, Bejahung des Frommen durch Gott«[226]; sie implizieren also einen Gottesbezug als Subjekt: Wenn Jesus Christus zur Heilsvollendung erscheint, erlangt ihr Anerkennung (ἔπαινος, τιμή), indem ihr Anteil an seiner Auferweckungswirklichkeit (δόξα) bekommt[227]. Diese Parallele hat um so mehr Gewicht, wenn man veranschlagen darf, daß sie unter direkter Kenntnis und Verwendung der entsprechenden Doppelung im entsprechenden Proömiumskontext unter dem entsprechenden eschatologischen Dankzusammenhang des Phil formuliert wurde.
Demgegenüber ist die Abänderung des Sinnes von ἔπαινος in der gleichfalls in literarischer Abhängigkeit zu Phil 1,11 stehenden Proömiumsverwendung in Eph 1,6.12.14 kein Gegenargument: Da Eph beide Ausdrücke dem Sachzusammenhang der eschatologischen Vollendung von Phil 1,11 (und 1Petr 1,7) entwendet und auf

---

223 Galling 1958: 146f. z. St.   224 Westermann THAT I 797f.   225 GNTCom 611.
226 Preisker ThWNT II 584; Windisch-Preisker 1951: 52f. z. St.; Schelkle 1976: 36f. z. St.
227 Schenk 1976a: 5 z. St.

die Erwählung und Berufung vorverlegt hat, mußte er beide Ausdrücke in einer entsprechenden Weise umdeuten: »Zum Lob seiner Herrlichkeit, die die Gnade ist.«[228] Dieser Verwitterungsprozeß, der die εἰς-δόξαν-Stellen der gegenwärtigen Zwischenzeit hineinstellt und damit dem eschatologischen Vollendungszusammenhang entnimmt, verdeutlicht noch einmal, wie wichtig es ist, beide Anwendungsbereiche strikt zu differenzieren.

i) Das Verständnis von ϑεοῦ als Gen.subj. wird klar von den beiden einzigen theologischen Verwendungen von ἔπαινος bei Paulus bestätigt, die typischerweise in vergleichbaren vollendungseschatologischen Zusammenhängen erscheinen: 1Kor 4,5 »Wenn der Herr kommt . . . wird jeder – entsprechend seiner Treue V. 3 – ›Anerkennung‹ von Gott (ἀπὸ τοῦ κυρίου) empfangen«; und Röm 2,29 spricht diese Hoffnung für den aus, der unter dem gegenwärtigen Pneuma-Herrn steht.

Ebenso gehört δόξα zum festen Bestandteil dessen, was im Eschaton von Gott empfangen wird. Der Gerichtsmaßstab steht fest (Röm 2,7.10: Dem ἔργον ἀγαϑόν = τῷ ἐργαζομένῳ τὸν ἀγαϑόν ist δόξα καὶ τιμή versprochen, die in der ζωὴ αἰώνιος besteht). Wen wundert es, daß diese Ausdrücke dann in der abschließenden Zusammenfassung 2,29 synonym mit ἔπαινον ἐκ τοῦ ϑεοῦ bezeichnet werden? Δόξα beschreibt die vollendete Auferweckungswirklichkeit, da begründend die Nachricht von der Auferweckung Jesu διὰ τῆς δόξης τοῦ πατρός ist (Röm 6,4 vgl. 2Kor 4,4), und da das δοξάζεσϑαι (Röm 8,30) das Ziel der in die Christusgemeinschaft Berufenen ist; so ist δόξα τοῦ ϑεοῦ (Röm 5,2) feste Umschreibung für den Inhalt der christlichen Hoffnung (Phil 3,21; Röm 8,18.21 verbunden mit ἐλευϑερία; 1Kor 15,43 mit ἀφϑαρσία; 1Thess 2,12 mit βασιλεία).

Wird die Wortgruppe also auch abgesehen von unserer Stelle ca. zehnmal im Blick auf die Endvollendung gebraucht, so ist dieses Verständnis auch Phil 1,11 das naheliegendste. Bei ἔπαινος ist sogar niemals Gott Objekt, wohl aber Subjekt und bei menschlichen Objekten meint es auch sonst »Anerkennung« (Röm 13,1; 2Kor 8,18; Phil 4,8; das Verb 1Kor 11,2.17.22 »positiv bewerten«, »Zustimmung geben« – während das doxologisch gebrauchte Verb Röm 15,11 nur im Zitat erscheint).

j) Dafür, daß wir die beiden Substantive hier im Sinne von Aktionsverben mit Gott als Subjekt zu nehmen haben, spricht auch die textsyntaktische Tatsache, daß die beiden vorangehenden Satzschlüsse mit finalem εἰς immer aktivische Aussagen mit einer Subjektangabe mittels Nomen (V. 10 Χριστοῦ) bzw. Personalpronomen (V. 10a ὑμᾶς) machten – also V. 11: »für die Vollendung und Anerkennung durch Gott«.

So gehen die paulinischen Gemeinden dem vollendenden Erscheinen Jesu nicht wie einem dunklen Hinrichtungstag entgegen, sondern wie einem Ehren- und Siegestag. Christusbestimmtes Verhalten ist weniger durch Furcht vor dem Endgericht (wie etwa bei Matthäus durchgehend), sondern als durch Freude, gegenseitigen Anreiz und gegenseitige Fürbitte für ein leistungskräftiges und qualitätsstarkes Fortschreiten auf dem erfreulichen Weg gekennzeichnet, auf den sie durch die Nachricht von der Auferweckung Jesu gebracht wurden.

Dieses Ergebnis erfordert einige hermeneutische Erwägungen: Unsere überkommene abendländische Vorstellung vom forensischen Endgericht scheint viel zu sehr von römischen (so wohl schon bei Matthäus) und germanischen Rechtsvorstellungen geprägt[229], als daß wir Paulus adäquat ohne eine kritische Trennung von kirchlich herrschend gewordenen Denkschemata erfassen könnten. Darum genügt es nicht, mit

228 Schlier Eph 55, 67, 72 z. St.; Gnilka Eph 74, 83 z. St.; Schenk 1970: 5f. z. St.
229 K. Koch 1968: 52.

Luther etwa nur paradox vom »lieben Jüngsten Tag« zu reden, um so erst nachträglich wieder einen Ausgleich zu schaffen. Man wird vielmehr so belastete Termini wie »Jüngsten Tag« (dies irae) überhaupt nicht mehr verwenden dürfen, um den Ballast einer Geschichte von Mißverständnissen wirksam auszuschalten. Es genügt auf keinen Fall, durch paradoxe Formulierungen nur nachträgliche Ausgleiche zu schaffen, weil sie meist zum Rückfall in das durch das Paradox Negierte verleiten.

Wir haben Paulus gegebenenfalls nicht nur ohne die lutherische oder eine andere abendländische Tradition, sondern auch gegen sie zu verstehen: Trotz einer »massiven Werkvorstellung« vertritt Paulus »keineswegs eine Leistungsreligion«[230]. Wir sollten uns darum von dem Zwang der Denkassoziation befreien, die eine bestimmte Konfessionsideologie internalisiert hat, als ob das eine zugleich immer mit dem anderen gegeben sei. Die Begegnung mit paulinischen Texten zeigt, daß es sich dabei nicht um einen Denkzwang der Logik der Sache – also hier der logischen Syntax des Evangeliums – handelt, sondern eher um einen Gedankenzwang einer eingeschliffenen Fixierung durch die partialkirchlichen Traditionen.

Für Paulus dagegen ist der Ertrag eines reichen Wirkens von Gott selbst gewirkt (καρπὸν δικαιοσύνης). Alles ist empfangen, daher ist kein Anlaß zu einem Leistungsdenken gegeben. Die Taten wandern direkt zu Gott. Sind die Taten selbst immer vor Gott, so bedarf es keiner himmlischen Rechnungsbücher. Wer aus Gott einen himmlischen Buchhalter macht, der hat nicht einmal das zeitgenössische Judentum richtig beschrieben und erfaßt, wie K. Koch in seiner Analyse des Wortfeldes der guten Taten als der »Vorräte im Himmel« (Mt 6,19–21) mit reichen Belegen der Terminologie wie der Denkzusammenhänge in der frühjüdischen Apokalyptik gezeigt hat. Man vergleiche etwa 2Bar 14,12:

»Denn die Gerechten erwarten gern das Ende,
und furchtlos gehen sie aus diesem Leben,
weil sie bei dir eine(n) Kraft (= Vorrat) von Werken haben,
der in den Vorratskammern aufbewahrt wird.«

Der logische Zusammenhang besteht darin, daß die gute Tat selbst himmlischen Ursprungs ist und darum als Geschenk auch ewiges Leben aus sich entläßt[231]. Eine gute Tat ist eine solche, die aus der Verantwortung vor Gott getan, faktisch ihm Raum zur Wirkung gibt und die darum auch Gott zur Vollendung überlassen wird. Die gute Tat in diesem Sinne wird so als himmlischer Vorrat »zu einem Teil des künftig in Sichtbarkeit erscheinenden Reiches Gottes; sie ist »zugleich ein Stück der zukünftigen Welt«[232]. Wird Geschichte so zum Bereich des Möglichen auf Gottes vollendende Zukunft hin, so haben die philippischen Geldsendungen, ihre aktive Mitarbeit am Evangelium, ihre Solidarität mit Paulus und alles, was sie noch tun werden, einen direkten positiven und verständlichen Bezug zum Reich Gottes, zur Auferweckung und zum ewigen Leben. »Den Apokalyptikern und Evangelisten war es möglich, deutlich von Auferweckung und Reich Gottes zu sprechen, weil sie den Menschen durchgängig als einen werdenden betrachteten, nicht als einen, der immer schon er selbst ist. Nichts anderes steckt hinter der Auffassung von der Tat als Sphäre. Der Mensch aber wird er selbst und gewinnt ewiges Leben nur dadurch, daß Gott ihm zuvor Möglichkeiten eröffnet, die er in Freiheit zu übernehmen und aktiv zu realisieren hat.«[233]

230 Ebd. 53.
232 Ebd. 52, 55.
231 Ebd. 57.
233 Ebd. 60.

4.5. Zusammenfassung: Übersetzung

V. 3   Ich danke meinem Gott
      für Euer gesamtes Gedenken.

V. 4   Immer, in jedem meiner Bittgebete für Euch alle, habe ich Anlaß, diese Fürbitte mit freudiger Dankbarkeit zu tun

V. 5   wegen Eurer aktiven Beteiligung an der
      Verbreitung der Christusnachricht, die Ihr von
      Anfang an bis heute geübt habt.

V. 6   Ich bin der festen Zuversicht,
      daß Gott Eure von Christus bestimmten Handlungsweisen bis zum vollendenden Erscheinen Jesu Christi auch vollenden wird,
      da er es ja ist, der Euch zu Christen gemacht hat und Eure Handlungsweisen seither bestimmt.

V. 7   Und zwar scheint es mir darum berechtigt, diese feste Zuversicht für Euch alle zu haben,
      weil Ihr alle so sehr an mich denkt,
      und weil Ihr alle ja aktiv an der mir von Gott gegebenen Lage beteiligt seid –
      sowohl an meiner Gefangenschaft als auch erst recht, wenn ich die Christusnachricht verteidige und beweise.

V. 8   Ja, Gott weiß es, daß ich wünsche,
      Ihr alle möchtet mit der Liebe, die Jesus Christus ist, durchdrungen sein;

V. 9   und daß ich dafür bete,
      daß Eure von Gott geschenkte Hingabefähigkeit noch viel reicher an Erkenntnis- und Urteilsfähigkeit werde,

V. 10   damit Ihr immer neu darüber entscheiden könnt, was Gott jeweils will,
      daß Ihr also möglichst vollkommen seid für das vollendende Erscheinen Jesu,

V. 11   damit Ihr also möglichst vollgefüllt seid mit einem reichen Profit der dauernden Christusgemeinschaft
      für die Vollendung und Anerkennung durch Gott.

5. Der Selbstbericht des Paulus über seine Lage in Phil B Information zur Mitfreude (1,12–26)

5.1. Zur Textsegmentierung und Textverknüpfung

Durchgehend spricht Paulus von sich in der ersten Person. Der Adressatenbezug des Selbstberichts wird nach der Eröffnung in V. 12 erst V. 24–26 wieder explizit artikuliert, so daß die Rahmung mit Texteröffnung und -abschluß deutlich durch diese Entsprechung signalisiert ist. Der Rahmen dürfte auch durch die Verwendung von εἰς προκοπήν in V. 12 wie in V. 25 markiert sein. Ein drittes, assistierendes Rahmungssignal dürfte im Gebrauch der emphatisch verstärkten Form des Personalpronomens (V. 12 ἐμέ wie V. 26 ἐμῆς) vorliegen, während der übrige Text die kurze Normalform verwendet (abgesehen von der wohl ebenfalls betonten Setzung in dem ersten Begründungssatz V. 21). Daß das Textsegment des Selbstberichts mit V. 26 abgeschlossen ist, wird daran deutlich, daß ab 1,27 der Imperativ die Textgestalt bestimmt.

Der zentrale Gegenstand der Aussagen wird hier zunächst V. 12 durch εὐαγγέλιον bezeichnet. Dieser Ausdruck meint konkret den Inhalt der Pistisformel. Daher ist die an der morphologischen Oberflächenstruktur orientierte Übersetzung »Gute (εὐ-) Nachricht (-αγγελιον)« für das, was urgemeindlich-apostolisch damit bezeichnet ist, zu formal. Es kommt der Bezeichnung auf den Inhalt an, und dieser besteht in dem Basissatz von der Auferweckung Jesu von den Toten[1]. Darum wäre die sachliche Kennzeichnung als »Christusnachricht« präziser. Auf jeden Fall sollte für den damit bezeichneten Aussagesatz eine primär semantische Kennzeichnung einer rein pragmatisch orientierten wie »Gute Nachricht« vorgezogen werden. Eine zweite Präzisierung liegt darin, daß der Terminus apostolisch konsequent für die missionarische, grundlegende Tätigkeit steht und nicht auf die innergemeindliche Arbeit und Verkündigung angewendet wird. Die dritte Präzisierung, die beachtet werden will, ist die, daß bei Paulus die Überlieferung über den irdischen Jesus nicht unter diese Bezeichnung fällt, die Markus pseudosemantisch diesem Stoff dann aufgeprägt hat. Eine rein pragmatische Kennzeichnung wie »Gute« Nachricht eignet sich natürlich bestens dazu, solche semantischen Differenzen zu verschleiern und holistisch zu harmonisieren. Ebenso wichtig ist heute die vierte inzwischen getroffene Präzisierung des semantischen Gehalts: Ließ sich vor der formkritischen Differenzierung von Evangelium und Bekenntnis noch naiv formulieren: »Christus verkündigen heißt soviel wie ›bekennen‹«[2], so ist dies heute, nachdem die Eigenständigkeit beider und zugleich das präzise Abfolgeverhältnis zwischen beiden herausgearbeitet ist (Röm 10,9; 1Kor 12,3; 15,1–3)[3], so nicht mehr möglich zu formulieren: So steht etwa εὐαγγέλιον nie mit dem Kyrios-Titel, während dieser fest am Bekenntnis haftet[4].

Um dieses präzis bezeichnete Thema »Evangelium« geht es allein in unserem Abschnitt. Dabei ist zu sehen, daß sowohl Synonymvarianten als auch Metonyme als

---

1 Vgl. vor allem Kramer 1963: 46–51; Stuhlmacher 1968; Käsemann Röm zu 1,1; Conzelmann 1Kor zu 15,1; zur hermeneutischen Tragweite Schenk 1983: 22–47.
2 Lohmeyer 44.   3 Vgl. dazu näherhin Schenk 1975 und 1976/77.
4 Kramer 1963: 49 vgl. 61 ff.

stilistische Verkürzungen in entsprechenden Kontexten zu veranschlagen sind. Acht gleichbedeutende Bezeichnungen folgen hier aufeinander:

Für V. 12 προκοπὴ τοῦ εὐαγγελίου steht
V. 13 φανεροὺς ἐν Χριστῷ γενέσθαι
V. 14 τὸν λόγον (τοῦ θεοῦ) λαλεῖν
V. 15 τὸν Χριστὸν κηρύσσουσιν (als verkürztes Metonym)
V. 16 εἰς ἀπολογίαν τοῦ εὐαγγελίου
V. 17 τὸν Χριστόν καταγγέλουσιν (wie V. 15 Metonym)
V. 18 Χριστός καταγγέλεται (dasselbe in Passivtransformation)
V. 18 τούτῳ (Proform als anaphorische Zusammenfassung)[5].

Der Artikel bei Χριστόν in V. 15 und 17 ist deutlich kontextbedingt anaphorisch, da der Name metonymisch für das Evangelium steht. Dies ist also in keinem Falle ein Indiz dafür, daß Χριστός noch appellativisch als Titel erscheine[6].

In V. 14 wird der Zusatz τοῦ θεοῦ eventuell als sekundäre interpretative Ergänzung anzusehen sein, da Paulus auch hier mit der anaphorischen Kraft des Artikels das Objekt schon kontextsynonym präzisiert hat, wodurch also das Suprenym auch in seiner allgemeinsten Form als Synonym auftreten kann. Die Kraft des anaphorischen Artikels hat Paulus offenbar stärker empfunden als die späteren Abschreiber[7] – oder aber die Erweiterung ist Kennzeichen einer stärker atomisierenden Textverwendung in der Kirche, die die Kontextbeziehungen dann mit Notwendigkeit auflösen muß. Das Phänomen der kirchlichen Bibelverwendung in Gestalt der Atomisierung (Zitierung) müßte mit seinen Folgen viel stärker bedacht werden. Wann hat man die Texte wirklich als Gesamtheiten gelesen und erfaßt? Paulus braucht jedenfalls das Suprenym kontextsynonym in der Wendung ohne Apposition auch 1Thess 1,6 und Gal 6,6 (vgl. die Aufnahme in Kol 4,3). Dagegen kann auch die stilistische Beobachtung nicht durchschlagen, daß mit dieser Näherbestimmung in V. 14 drei Zeilen mit je 13 Silben vorliegen würden, da der Kontext ein solches Mittel gehobener Prosa nicht verwendet. Diese achtmalige Variation des gleichen Themas, die im zweiten Teil des Selbstberichts V. 18b–26 so offenbar keine Fortsetzung findet, erweist diesen Abschnitt darum als in sich geschlossenen, einheitlichen Subtext.

Wie er V. 12 mit einer präsentischen Ich-Aussage eröffnet wurde, so schließt er auch mit einem entsprechenden Selbstbericht V. 18a:

βούλομαι : χαίρω.

Wenn die Information des Selbstberichts nach der Eröffnung ausdrücklich auf den Leser bezogen war (V. 12 ὑμᾶς), die Schlußaussage aber einen solchen Bezug nicht verbalisiert, so ist doch die Intention textpragmatisch als Sprechhandlung darauf gerichtet, ihre Mitfreude hervorzurufen. Denn schon V. 5 stand ihre eigene bisherige aktive Teilnahme unter dem Aspekt der χαρά. Da mit diesem Ausdruck auch der Zusammenhang mit dem Dankgebet gegeben war, so dürfte die Funktion der Sprechhandlung hier präzis dahin zu bestimmen sein, daß Paulus mit seinem Freuen-Danken auch ihr Beten anregen will: V. 12–18a erweist sich dann als Information zum Dankgebet der Philipper.

An die Stelle des Leitwortes »Christusbotschaft« von V. 12–18a tritt in V. 18b–26 als Leitmorphem die neunmalige Zukunftsaussage in der ersten Person mit nicht minder

5 Haupt 29.
6 Kramer 1963: 206–213 m. R. gg. die Verquickung von Artikel- und Titelfrage, wie sie sich nicht nur bei Lohmeyer 44 Anm. 2, sondern leider auch nach Kramers Untersuchung öfter noch – z. B. bei Gnilka 60 – findet.
7 GNTCom 611f.: Der Zusatz ist leichter erklärlich als die Auslassung.

starker Deutlichkeit (darum ist gegen GNT³ wie N–A²⁶ der Haupteinschnitt nicht zwischen V. 14 und 15 oder V. 17:18, sondern zwischen V. 18a und 18b zu machen):

V. 18b χαρήσομαι
V. 19   μοι ἀποβήσεται
V. 20a αἰσχυνθήσομαι
V. 20b μεγαλυνθήσεται . . . μου
V. 22   αἱρήσομαι
V. 23   εἰς τὸ ἀναλῦσαι
V. 25a μενῶ
V. 25a παραμενῶ
V. 26   ἐμῆς παρουσίας πάλιν.

Wie das Präsens χαίρω als betonter Abschluß des ersten Teils erschien, so ist das Futurum χαρήσομαι also durch die damit eröffnete Reihe als Überschrift zum nächsten Teil erwiesen. Er findet in dem Hinweis auf die χαρά der Adressaten, die V. 24 ebenfalls künftig erwartet wird, eine Abrundung. Künftige Freude und künftiger Dank zeigen die Gegenwart als die Zeit des Bittgebets. Die Funktion von V. 18b–26 dürfte primär darin zu sehen sein, Informationen zum Bittgebet zu geben[8].

Beide Teile verhalten sich hier etwa so zueinander wie im Wetterbericht die Wetterlage und die Wetteraussichten: Nach dem Selbstbericht über die Lage des Paulus folgt der über seine Aussichten. Sie sind verbunden durch das Leitwort »Freude«. Die dabei jeweils V. 18a voranstehenden wie V. 18b nachfolgenden Begründungsgänge zeigen, daß dabei mit dem Stichwort »Freude« weder ein Zweckoptimismus suggeriert wird noch eine illusionäre seelische Dauerhaltung irrational installiert werden soll, die auch abgesehen von den sie begründenden konkreten geschichtlichen Voraussetzungen möglich wären. So ist auch der psychologische Bereich der Affekte und Emotionen im Kraftfeld des Evangeliums diszipliniert und in rationale und voluntative Begründungszusammenhänge eingebettet.

5.2. Information zum Dankgebet: Der Stand der Dinge bei Paulus (1,12–18a)

5.2.1. Textsegmentierung

(V. 12) 1. Γινώσκειν δὲ ὑμᾶς βούλομαι, ἀδελφοί,
         2. ὅτι τὰ κατ’ ἐμὲ μᾶλλον εἰς προκοπὴν τοῦ εὐαγγελίου ἐλήλυθεν,
(V. 13) 3.   ὥστε τοὺς δεσμούς μου φανεροὺς ἐν Χριστῷ γενέσθαι
                 ἐν ὅλῳ τῷ πραιτωρίῳ καὶ τοῖς λοιποῖς πᾶσιν,
(V. 14) 4.   καὶ τοὺς πλείονας τῶν ἀδελφῶν ἐν κυρίῳ
         5.   – πεποιθότας τοῖς δεσμοῖς μου περισσοτέρως –
         6.   τολμᾶν ἀφόβως τὸν λόγον λαλεῖν.

(V. 15) 7.   (A) τινὲς μὲν καὶ διὰ φθόνον καὶ ἔριν
         8.   (B) τινὲς δὲ καὶ δι’ εὐδοκίαν τὸν Χριστὸν κηρύσσουσιν
(V. 16) 9.   (B’) οἱ μὲν ἐξ ἀγάπης
         10.   = εἰδότες ὅτι εἰς ἀπολογίαν τοῦ εὐαγγελίου κεῖμαι,

---

8 Vgl. zur logischen Syntax der Gebetsstrukturen: Schenk 1972.

(V. 17) 11. (Aʼ) οἱ δὲ ἐξ ἐριθείας τὸν Χριστὸν καταγγέλλουσιν
12.   οὐχ ἁγνῶς
13.   = οἰόμενοι θλῖψιν ἐγείρειν τοῖς δεσμοῖς μου.
(V. 18) 14. Τί γάρ;
15. πλὴν ὅτι παντὶ τρόπῳ
16. – εἴτε προφάσει (A) εἴτε ἀληθείᾳ (B) –
17. Χριστὸς καταγγέλλεται,
18. καὶ ἐν τούτῳ χαίρω.

5.2.2. Die Struktur der Hauptinformation (1,12–14)

5.2.2.1. Die Eröffnungsformel

Der neue Abschnitt beginnt mit einer Eröffnungsformel zur brieflichen Nachrichtüber-mittlung, für die Mullins (1964) 19 Parallelbelege aus Papyribriefen zusammengetra-gen hat[9]. Diese »Disclosure-Formel« besteht aus vier Elementen:
a) Der Willenserklärung in der 1. Person singularis Indikativ (θέλω, hier synonym βούλομαι).
b) Noetisches Verb im Infinitiv (εἰδέναι, οὐ ἀγνοεῖν, hier γινώσκειν).
c) Adressat im Akkusativ (ὑμᾶς), eventuell mit vokativischer Anrede (ἀδελφοί).
d) Information (eventuell als ὅτι-Satz eingeleitet).
Es handelt sich um eine ausgesprochen metasprachliche Formel, die textpragmatisch die Senderintention im Blick auf eine folgende Nachricht ausspricht und diese als Information charakterisiert. Sie findet sich in Briefeinleitungsteilen auch 2Kor 1,8 und Röm 1,13, wobei umstritten ist, ob sie zum Eingangsgebetsbericht zu zählen ist oder nicht, was zum Beispiel daran deutlich wird, daß O'Brien dies etwa für 2Kor 1,8 bejaht, doch für Röm 1,13 bestreitet[10]. Dabei ist Röm 1,13–15 deutlich Rückblick auf eine inzwischen überholte Situation: Einst war er bereit, auch in Rom zu missionieren (vgl. V. 15 den Inf. Aorist εὐαγγελίσασθαι; jetzt will er in Rom dagegen »nicht das Evange-lium verkünden, weil dies keine Gemeindearbeit ist«, sondern vielmehr die bestehende Gemeinde in ihrem Aufbau stabilisieren und »stärken« (1,11)[11]. Diese Frage verliert aber an Gewicht, wenn schon die textpragmatische Funktion der Gebetsberichte nicht darin bestand, die Leser über das Beten zu informieren, sondern primär den Kontakt zu den Empfängern herzustellen, sich selbst wieder näherzukom-men und den Abstand zu überbrücken. Dann ist die Zuordnung nach anderen Ge-sichtspunkten vorzunehmen, und die Vexierfrage nach der Zugehörigkeit oder Nicht-zugehörigkeit zum Gebetsbericht erweist sich textlinguistisch als falsche Frage. Darum findet sich diese Disclosure-Formel auch öfter außerhalb des Briefeingangs: 1Thess 4,13 und Röm 11,25 im Blick auf neu entdeckte Aussagen als logische Konsequenz des Evangeliums im Blick auf die Eschatologie; 1Kor 10,1 im Blick auf eine offenbar neu entdeckte typologische Schriftauslegung, auf die die Formel die Aufmerksamkeit lenkt. 1Kor 12,1 ist deutlich Briefantwort auf die Anfrage hinsichtlich der Charismen und macht wiederum auf Tatbestände aufmerksam, die die Anstrengung des Denkens erfordern. Über die Funktion der Aufforderung zum Denken hinaus kann hier in jedem Falle die pragmatische Funktion einer Ermunterung zum Dankgebet angenom-men werden, wie es sich an unserer Stelle mit der Zielstellung der χαρά-Vermittlung V.

9 Vgl. schon Deißmann 1923: 153ff.; Roller 1933: 65; Gnilka 55: vor allem in amtlichen Briefen.
10 O'Brien 1977: 200–202, 235, 248.   11 Vgl. Kettunen 1978.

18 und darüber hinaus der prinzipielle Zusammenhang von Beten und Denken überhaupt nahelegt. Verwandt ist auf jeden Fall das Syntagma γνωρίζω ὑμῖν, das in der Oberflächenstruktur nicht den Willensaspekt (a) artikuliert, der aber in der pragmatischen Intention dieser ebenfalls metasprachlichen Wendung durchaus enthalten ist und ebenso die Wichtigkeit und Denknotwendigkeit im Blick auf die folgenden Nachrichten hervorhebt: 2Kor 8,1 ist es eine vergleichbare Information über eine neue Situation, die zugleich offenbar auch einem Briefeingang zugehört. Dagegen wird sonst an wichtiges Bekanntes erinnert, von dem aus zu denken ist (Gal 1,11 und 1Kor 15,1 das Evangelium, bzw. 1Kor 12,3 das Bekenntnis als Folge des Evangeliums).

Daraus wird deutlich, daß die Disclosure-Formel nicht direkt als Briefeingangsformel zu bestimmen ist. Jedenfalls ist sie in ihrer Funktion nicht darauf zu verengen, denn daraus ergäben sich dann falsche Folgerungen[12]. Schon die Tatsache, daß Röm 1,13 eine Information von V. 10b wiederholt, macht deutlich, daß offenbar eher die Aufforderung zum Nachdenken die primäre Funktion in der paulinischen Verwendung darstellt; die textpragmatische Funktion der Wendung liegt nur bedingt darin, neues zu vermitteln; primär ist die Absicht hervorzuheben, daß am Folgenden viel liegt[13]. Ist diese metasprachliche Funktion dieser explizit performativen Sprechhandlungsformel erkannt, dann kann man nicht mehr die »Dürftigkeit der Mitteilungen«[14] beklagen: Die Konkreta sind soweit mitteilenswert, wie sie der Gewinnung theologischer Einsicht im Rahmen der Argumentation dienen. Diese »apostolische Sachlichkeit« reagiert nun hier in unserem Zusammenhang auf die Frage, wie es dem Apostel gehe, »mit dem Bescheid darüber, wie es dem Evangelium geht«[15].

5.2.2.2. Die doppelte Entfaltung

Nach der Nachrichteneinleitungsformel gibt der ὅτι-Satz zunächst den Gesamtinhalt an. Dieser wird in V. 13f. durch zwei Nebensätze konkretisierend entfaltet.

Diese Entfaltung wird V. 13 durch ὥστε gegeben, das Paulus 39mal verwendet, nie dagegen in Kol, Eph und den Pastoralbriefen auftaucht; 14mal folgt ein Infinitiv (Phil 2,12; 4,1 dagegen ein Imperativ). Hier schließt sich V. 13 ein erster und V. 14 ein zweiter, nebengeordneter AcI an. Aus diesem Grunde hat ὥστε hier unmöglich eine konsekutive (oder finale – vgl. B–D–R 391,2) Bedeutung[16], als würde das Resultat der »Ausbreitung« statt ihres Vollzugs[17] beschrieben. Der Tempuswechsel vom Perfekt zum Aorist schließt ein konsekutives Verständnis aus und erfordert ein explikatives[18]. Für Paulus ist dieses explikative Verständnis auch 1Kor 5,7 belegt[19], wo es ebenfalls um den Inhalt einer Information (ἀκούω) geht. Analog ist dies auch nach der vergleichba-

---

12 Wie z. B. bei Plag 1969: 45, der Mullins Funktionsbestimmung zum Zwecke einer literarkritischen Isolierung von Röm 11,25 verwendet, die auch aus anderen Gründen abzuweisen ist – vgl. meine Rez. 1970b.
13 Luz 1968: 286 Anm. 84 mit B. Weiß Röm 495.
14 Gnilka 55; vgl. Lohmeyer 38.
15 K. Barth 18 – doch ist gg. ihn nicht eine »deutliche Korrektur« am Fragen der Philipper vorauszusetzen, da diese sich nach V. 3ff. wie schon 4,14f. durch die gleiche »Sachlichkeit« auszeichnen. Was als Frage der Philipper erscheint, ist eher das Fragen der kopflastig historisch interessierten Exegeten, die Texte überfordern und pragmatische Fehlschlüsse dazu benutzen.
16 Gg. Haupt 18 Anm. 3; Dibelius 54 »so daß«.
17 Als »Vorstoß«, wie K. Barth 21, 26, 29 semantisch gut präzisiert.
18 Ewald 72 Anm. 1 verweist m. R. auf K–G 473,4 Anm. 11 »es ereignet sich etwas von der Art daß« und dazu das analoge Beispiel Isocr 6,40; man darf also nicht nur K–G 584,2 heranziehen, obwohl auch der Bezug zur indirekten Rede (f) vergleichbar ist.
19 BauerWB 1778: »derart, daß«.

ren Disclosure-Formel 2Kor 1,8 zu verstehen, wo – wie hier – ein ὅτι-Satz als erster steht und ὥστε dann eher explikativ als konsekutiv ist, weil beide das erläutern, was dort die Adverbialbestimmung mit ὑπέρ schon zusammenfassend vorausgestellt hat. An unserer Stelle ist ὥστε im Blick auf den zweiten AcI auch als Filler in dem Slot am Beginn von V. 14 vorauszusetzen. Es ist in der semantischen Tiefenstruktur vorhanden und könnte in der morphologischen Oberflächenstruktur verbalisiert werden.

Das übergeordnete Objekt τὰ κατ' ἐμέ ist in »laxem Koinegriechisch« formuliert (LXX Tob 10,8; 1Esr 1,22; im Singular Röm 1,12; vgl. dagegen das korrektere περί 1,27; 2,19.23)[20]. Es wird V. 13 wie V. 14 durch das synonyme Hyponym δεσμά μου aufgenommen und passivisch als seine »Lage« (»was mir widerfahren ist«) bestimmt (nachpaulinisch zuerst Kol 4,7[21] aufgenommen und von da aus dann wieder mit dem langen wörtlichen Gesamtzusammenhang Eph 6,21, wobei es dann aber aktivisch abgewandelt ist).

Es besteht also die Kontextsynonymie: V. 12 τὰ κατ' ἐμέ

V. 13 τοὺς δεσμούς μου

V. 14 τοῖς δεσμοῖς μου.

Diese Synonymie dürfte der Anlaß dafür sein, daß V. 13 den Akkusativ zunächst direkt aufnimmt und an den Anfang stellt, was dann zur passivischen Konstruktion dieses Satzes führte. Nach dem Übergang zum Aktivum V. 14 mußte der synonyme Ausdruck in einem untergeordneten Partizipialsatz nachgetragen werden und erscheint von daher im Dativ.

Die passivische Konstruktion von V. 13 hat auch zu der bekannten Schwierigkeit geführt, wie das φανεροὺς ἐν Χριστῷ γενέσθαι zu verstehen sei. Sieht man von der Zwangsvorstellung ab, daß ἐν Χριστῷ eine »Formel« sei, und erkennt man aus dem Kontext, daß dadurch hier das voranstehende προκοπή τοῦ εὐαγγελίου kontextsynonym aufgenommen und nachfolgend durch τὸν λόγον λαλεῖν weitergeführt wird, so ist Χριστός nur (wie V. 15.17.18) Metonym für den Inhalt der Evangeliumsformel: Die Haft hat in der Christusverkündigung ihren Grund[22]. Sie diente »zu ihrer Veröffentlichung« (vgl. als nächste Sachparallele 2Kor 2,14 und auch 4,4. Beide Stellen zeigen, daß φανεροῦν eine Kundgabe zur Kenntnisnahme bezeichnet, bei der noch offen ist, ob sie – ihrer Intention gemäß – angenommen wurde, oder aber abgelehnt wurde)[23]. Im Kontext bietet hier Phil 1,20 noch einen weiteren Beleg für dieses metonyme Synonym für Evangelium: daß »Christus« vergrößert wird durch meine jeweilige Lebenslage (s. u.).

Erreichtes Ziel ist die Residenz des Provinzstatthalters (πραιτώριον – vgl. Mk 15,16 parr Mt und Joh; Apg 23,35) als Ort des Gefangenseins wie der gerichtlichen Verhandlung. Der Ausdruck muß nicht wegen der darauffolgenden personalen Bestimmung ebenfalls als Kollektivbezeichnung genommen werden (»Prätorianergarde«– so wegen der vorausgesetzten Herkunft aus Rom)[24], zumal der Artikel danach neu gesetzt und so ein Abstand geschaffen wird. Es sind jedoch durch ὅλος und durch τοῖς + πᾶσιν ganz bestimmte feste Personenkreise bezeichnet: »innerhalb des ganzen Hauses hier

20 Lohmeyer 39 Anm. 2.
21 Gg. Gnilka 55 Anm. 4 nicht »V. 8«.
22 Ewald 73; vgl. Beare 56f.: »it is because of my activities«.
23 Vgl. Kramer 1963: 143 Anm. 524, wogegen weniger eine Parallele in dem ἐν κυρίῳ von 1Kor 15,58 und 2Kor 2,12 liegt, was Gnilka 57 Anm. 18 von Haupt 19 übernimmt.
24 Haupt 19; Beare 56f.; dagegen Lohmeyer 38f.: Fraglich bleibt, ob der Ausdruck in Inschriften kollektiv zu nehmen ist, wie auch, ob es in Ephesus Prätoriantruppen gegeben hat. Zur Lokalität vgl. dagegen auch die Exkurse bei Dibelius 51f. und Gnilka 56f.

und darüber hinaus in weitesten Kreisen«. Eine präzisere Fassung des weiteren Kreises ist nicht möglich[25].

Der zweite AcI V. 14 beschreibt die gesteigerte missionarische Wirksamkeit anderer als Paulus als einer Gruppe: Diese sind die »Mehrzahl«, wie der Artikel und die Parallelen 1Kor 10,5;15,6 zeigen[26].

Hierbei ist zu begründen, weshalb das Syntagma τῷ κυρίῳ auf den voranstehenden personalen Ausdruck zu beziehen ist und nicht – wie von vielen Exegeten vorgeschlagen – zum folgenden Partizip[27]:

- Schon textlinguistisch ist eine solche Akzentuierung gegenüber den letztgenannten Personengruppen außerhalb der Gemeinde ein einleuchtendes Motiv für diese Zufügung[28].

- Nicht nur bei πέποιθα ist diese Wendung – wenn sie dazugehört – immer nachgestellt (2,24; Gal 5,10; Röm 14,14 vgl. 2Thess 3,4), sondern sie erscheint an sämtlichen 30 paulinischen Stellen nur in dieser Position[29]. Außerdem scheint hier auch kein Anlaß für eine besonders emphatische Vorausstellung gegeben[30].

- Das Partizip hat in dem Dativ τοῖς δεσμοῖς μου schon seinen für den Gedankengang hier entscheidenden Grund: Die Gefangenschaft des Paulus spornt sie an. Dazu würde dann ἐν κυρίῳ eine Doppelbegründung bringen, die dann in Spannung dazu träte, aber auch dadurch ausgeschlossen wäre, daß Paulus den theologischen Wirkaspekt der Gnade nicht durch ἐν κυρίῳ zu bezeichnen pflegt[31].

- Die Behauptung, daß Paulus nie ἐν κυρίῳ auf ἀδελφοί beziehe[32], ist ungenau, denn Phlm 16 liegt diese Verbindung vor. Für »überflüssig« könnte man sie ebenso wie hier dort erklären, wo Paulus 1Kor 4,17 Timotheus sein Kind »im Herrn« oder 9,1 die Gemeinde sein Werk »im Herrn« nennt (vgl. 9,1 synonym »Siegel seines Apostolats«), wobei gerade hier ὑμεῖς ein direktes ἀδελφοί-Synonym ist, so daß es immerhin zwei sehr nahe Sachparallelen gibt.

- Andererseits besagen Kol 1,2; 4,7 und Eph 6,21 auch als deuteropaulinische Belege für das zusammengesetzte Syntagma ἀδελφοὶ ἐν κυρίῳ etwas, und zwar nicht als direkte Autorparallelen, wohl aber sofern sie in einem Verhältnis direkter literarischer Abhängigkeit zu unseren Stellen stehen dürften (vgl. oben zu V. 12 τὰ κατ' ἐμέ). Doch dies ist weder der einzige noch der entscheidende Grund und auf keinen Fall sind es die nächsten und durchschlagendsten Analogien, die zweifelsohne in den im vorigen Punkt genannten Stellen liegen.

- Entscheidend aber gegen die Behauptung einer tautologischen und überflüssigen Näherbestimmung von ἀδελφοί spricht die darin sich aussprechende Verkennung der präzisen Funktion dieser »Im-Herrn-Wendung«, die immer auf ein aktives Tun in der Gemeindearbeit ausgerichtet ist. An den beiden genannten Stellen für Onesi-

25 K. Barth 18: bewußt allgemein; vgl. dagegen die verschiedenen Veranschaulichungen von den je verschiedenen Bestimmungen des engeren Kreises her bei Ewald 73; Lohmeyer 39; Gnilka 57.
26 Ewald 73; Haupt 21; Lohmeyer 42 Anm. 1; Gnilka 58 Anm. 27; gg. B–D–R 244,3 Anm. 5 ist hier ein Gegensatz zu den bisher Genannten oder Vorhandenen nicht gegeben, weshalb die Bedeutung »weitere« oder »mehrere« nicht anzunehmen ist, was auch schon dadurch ausgeschlossen wird, daß φανεροῦν nichts über den Missionserfolg aussagte.
27 So Ewald, Haupt, Dibelius, Gnilka – dagegen findet die eine so profunde Grammatik wie die von Moule 108 »extremely unlikely«, vielmehr handele es sich um einen verkürzten Ausdruck für τῶν ἀδελφῶν τῶν ἐν κυρίῳ – ebenso Beare 59.
28 Lohmeyer 42.
29 Kramer 1963: 176f.: »Ausnahme« ist nur die eingeschlossene Stellung zwischen Artikel und Nomen 1Kor 7,22, die indessen dadurch kein wirklicher Beleg für eine »Vorausstellung« ist.
30 Lohmeyer 42 Anm. 2.   31 Kramer 1963 passim.
32 So Haupt 21 Anm. 2; Gnilka 59 Anm. 29.

135

mus (Phlm 16) und Timotheus (1Kor 4,17) haben sie präzis den Sinn, sie als aktive Mitarbeiter zu empfehlen. Auch 1Thess 5,12 kennzeichnet das Syntagma ausdrücklich Gemeindeverantwortliche und steht darum mit dem Terminus für Gemeindearbeit (κοπιῶντες) zusammen wie 1Kor 15,58 mit dem entsprechenden κόπος. So ist denn ferner auch Röm 16,6 ἐκοπίασεν durch εἰς ὑμᾶς speziell als Gemeindearbeit gekennzeichnet und erhält dort darum V. 12a und b zweimal diesen Zusatz ἐν κυρίῳ, wobei der an sich mögliche Bezug auf ein anderes Verb durch den Relativsatz ausgeschlossen ist. Auf diesem Hintergrund gewinnt dann auch dieser Zusatz dort in V. 11 (τοὺς ὄντας ἐν κυρίῳ) einen präzisen Sinn: Als bloße Bezeichnung eines Christen wäre er überflüssig, ja sogar den anderen Mitchristen gegenüber sinnlos. So muß er im Kontext der anderen Stellen die Genannten speziell als Mitarbeiter auszeichnen: εἶναι ἐν κυρίῳ heißt also »Gemeindemitarbeiter sein«. Soll dort Röm 16,2 Phöbe ἐν κυρίῳ aufgenommen werden, dann heißt das »als Mitarbeiterin« (das Syntagma ist also auf αὐτήν zu beziehen wie in Phil 2,29 auf αὐτόν – s. u.). Die Verwendung unseres Syntagmas erscheint dann auch in 1Kor 11,11 nicht mehr als untypische Ausnahme, da es nicht allgemein »um die Zusammengehörigkeit von Mann und Frau« geht[33], sondern eben um das gemeinsame Wirken in den Gemeindeversammlungen. Auch die zweite von Kramer[34] als »nicht typisch« bewertete Ausnahme, 1Kor 7,22, erklärt sich auf diesem Hintergrund besser: Da das Antonym δοῦλος ist, und dies nicht so allgemein ist, wie es klingt, sondern aktive Gemeindemitarbeiter bezeichnet (s. o. zu 1,1), so ist der Zusammenhang auch an dieser Stelle deutlich. Die Konsequenz aus all diesen Beobachtungen kann im Blick auf unsere Stelle nur lauten: Paulus benutzt die Konnotation der »Aktivität« in dem Syntagma »im Herrn«, um diesen semantischen Akzent auch hier einzubringen: Es ist die Mehrheit der »aktiv mitarbeitenden« Mitchristen. So liegt hier ein schönes Beispiel dafür vor, wie eine Konnotation in einem bestimmten Text zu einer Denotation werden kann[35].

5.2.2.3. Der dreifache Mut

Der Hauptton des Satzes liegt auf dem dreifach[36] betonten Mut der Mitchristen zur Verbreitung der Christusnachricht: πεποιθότας

τολμᾶν
ἀφόβως

Darin liegt eher eine Anerkennung als »betonte Distanz«[37]. Der erste Ausdruck »Zuversicht« ist suprenym zu dem Hyponym τολμᾶν (vgl. 2Kor 10,2) und kann darum als Kontextsynonym stehen. Da mit diesem Partizip hier der Ausgangspunkt für den »Mut« angesichts gefährlicher Verhältnisse im Vordergrund steht, so dürfte auch der Doppelkomparativ περισσοτέρως auf das Partizip zu beziehen sein: Christuszeugen waren sie auch vorher; doch durch die Haft des Paulus ist ihre »Zuversicht« gerade gestärkt worden. Paulus verwendet den Doppelkomparativ 10mal von 12 ntl. Stellen, davon 7mal im 2Kor, wobei es allgemein die Größe (1,12; 2,4; 7,18; 12,5 »wie sehr«) meinen kann, hier aber wie Hebr 2,1; 13,19 steigernd gemeint ist[38].

---

33 Gg. Kramer 1963: 177.   34 Ebd.
35 Vgl. dazu prinzipiell Ullmann 1973: 147ff.; Eco 1972: 108ff. Woran denkt man zuerst, wenn man »Wagner« hört? Wohl 100:1 nicht zuerst an einen »Wagenbauer«.
36 Lohmeyer 42.
37 Ebd. 42f.
38 BauerWB 1292; Dobschütz 1Thess 121 zu 1Thess 2,17.

Das πεποιθέναι kann einen Prozeß beschreiben, der steigt, wie die quantitative Gegenüberstellung 2Kor 10,7f. im polemischen Vergleich zeigt (πέποιθεν – περισσότερον). Nach Röm 15,13 kann Gott gebeten werden, für die mit πεποιθέναι synonyme ἐλπίς (s. o. zu V. 6) ein περισσεύειν zu geben. Darüber, wie diese quantitative Veränderung hier inhaltlich gefüllt zu denken ist, gibt dann das Referat ihres Überzeugungswissens V. 16 Auskunft: Ich bin zur Verteidigung der Christusnachricht bestimmt[39]. Darin sind die Genannten mit der συγκοινωνία der philippischen Adressaten (V. 7) gleich geworden, wie auch der wörtliche Anklang daran zeigt: Paulus sieht in seiner jetzigen Umgebung die gleiche positive Einstellung wie in Philippi, wobei nicht nur an seine derzeitige Ortsgemeinde im engeren Sinne zu denken ist[40].
So entspricht V. 14 περισσοτέρως dem
μᾶλλον im übergeordneten V. 12
als Kontextsynonym, für das ja περισσεύειν »als volkstümlicher Ersatz« stehen kann (vgl. die Doppelung 2Kor 7,13)[41]. Der Komparativ μᾶλλον – dieser konkrete Vergleich (vgl. hier noch 2,28; 1Kor 7,38; 12,31; Röm 15,15 u. ö.: potius, nicht magis)[42] – spricht das Unerwartete aus, während προκοπή stärker das Resultat der Steigerung beschreibt. Es kann mit »Fortschritt« wiedergegeben werden, da das zugeordnete ἔρχεσθαι εἰς den Gedanken einer »Entwicklung« ausdrückt[43].

5.2.3. Die Struktur der Zusatzinformation (1,15–18a)

5.2.3.1. Der anaphorische Anschluß

V. 15–18a ist offenbar eine durch die V. 14 beschriebene »Sachlage« notwendige Ergänzung, da der zugrundeliegende »Sachverhalt« differenzierter war. Der Schein, daß der Anschluß an das Vorhergehende in V. 15 »syndetisch« sei, verkennt die semantischen Implikate syntaktischer Textelemente: Zwar ist μέν kataphorisch auf δέ bezogen und bezeichnet einen Gegensatz[44], doch da das μέν dabei konzessiv ist (»obgleich«)[45], liegt darin zugleich ein anaphorisches Element, das auch darin zum Ausdruck kommt, daß das Indefinitpronomen τινές in unserem Zusammenhang diesen anaphorischen Charakter hat und somit diese Gesamttendenz unterstützt. Damit ist deutlich ein doppelter Rückverweis auf die πλείονας τῶν ἀδελφῶν ἐν κυρίῳ von V. 14 gegeben. Beide Gruppen von V. 15 gehören zu ihnen, denn
a) muß nicht nur die »Freude« von V. 18a auch einen Bezug auf die negativ akzentuierte Gruppe haben[46], sondern diese ist gerade das Ziel der Aussagen;
b) der V. 14 mehrfach hervorgehobene »Mut« gilt auch für die im Folgenden negativ akzentuierte Gruppe[47].
c) Auch zwischen der durch die Haft des Paulus gestärkten Gewißheit V. 14 und der Absicht, Paulus aus kleinlichen Eifersüchteleien zu beweisen, daß es auch ohne ihn geht (V. 17), besteht kein solcher Gegensatz, der auf verschiedene Personengruppen deuten würde: »Denn daß die Sache des Evangeliums durch die Gefangenschaft des Paulus nicht gefährdet, sondern gefördert werde, konnten auch solche glauben, die im übrigen auf Paulus neidisch waren.«[48]

39 Haupt 21.
40 Gg. Gnilka 58f.
41 B–D–R 244.
42 Ewald, Haupt, Lohmeyer, Gnilka.
43 Gnilka 56 Anm. 9.
44 B–D–R 301,1 Anm. 2.
45 B–D–R 447,2a Anm. 11.
46 Dibelius 56.
47 Dies ist für Haupt 22 »entscheidend«.
48 Haupt 22 gg. Schmithals 1965a: 54 Anm. 44 und Baumbach 1971: 296ff., die diesen Unterschied zu einem Gegensatz vergröbern.

d) Daß es sich dabei nur um den Unterschied von zweierlei Dingen, nicht aber um einen Gegensatz handelt, zeigt schließlich das von vielen Exegeten nicht ernst genommene oder mißverstandene doppelte adverbiale καί von V. 15: Es kennzeichnet die folgenden Motive deutlich als »Nebenmotive«[49]. Die steigernde Kraft des adverbialen καί wurde oft mißverstanden, weil man den konkreten Bezug nicht präzis genug analysierte: So berief sich Lohmeyer[50] zu Unrecht auf B–D–R 442, 8a Anm. 23 für eine Verstärkung – nun gerade des Gegensatzes, da das nur gilt, wo lediglich im zweiten Glied ein solches καί auftritt[51]. Dagegen gilt: »Je nach Beschaffenheit des zu ergänzenden Gegengliedes kann die steigernde Kraft von καί entweder verstärkend oder vermindernd sein«, und gerade bei den unbestimmten und demonstrativen Pronomen »ist sie eine nachträgliche Beschränkung«[52]. Dieser Fall kommt hier bei τις klar in Frage und hat Röm 5,7 seine klare Parallele (auch 8,24, wenn die Lesart mit dem adverbialen Zusatz ursprünglich sein sollte[53]). Es geht also zweimal deutlich um ein jeweils hinzutretendes Nebenmotiv[54].

5.2.3.2. Die Gegenüberstellung der beiden Gruppen

Die beiden Gruppen werden nach einer ersten Gegenüberstellung V. 15 in chiastischer Reihenfolge V. 16f. nochmals einander gegenübergestellt (A–B : B–A), wobei das Gegenüber durch gleiche morphologische Mittel gekennzeichnet ist[55]:

V. 15	τινές/τινές	+ διά/διά		+ Χριστὸν κηρύσσουσιν
= V. 16f	οἱ/οἱ	+ ἐξ/ἐξ	+ Ptz./Ptz.	+ Χριστὸν καταγγέλλουσιν
= V. 18a	Dativ/Dativ			+ Χριστὸς καταγγέλεται

(Die Aufhebung des – nicht nur semitisch gebrauchten – Chiasmus in einem Teil der Textüberlieferung zeigt, wie sehr bald der Chiasmus nicht mehr als Stilmittel textpragmatischer Verstärkung verstanden wurde. Mag dies ein Abschreiber nun bewußt im Blick auf die veränderte wissenssoziologische Lage seiner Leser getan haben oder unabsichtlich, weil er selbst schon nicht mehr dieses Stilmittel als bewußtes Mittel verstand. Falls die einfache Parallelisierung der Doppelung eine kommunikativ-äquivalente Ausdrucksform ist, liegt ein interessanter Akt textpragmatischer Transformation vor, wie er im diachronen Überlieferungsprozeß auch im Blick auf Übersetzungen insgesamt notwendig anzupacken ist. Wenn durch eine solche textsyntaktische Transformation aber ein Stück der kommunikativen Äquivalenz verlorengeht, so muß dies auf andere Weise in der Zielsprache neu verbalisiert werden.)
Unterbrochen wird der beobachtete Parallelismus der Glieder in V. 17 durch ein zusätzliches οὐχ ἁγνῶς, was demnach als verstärkendes Moment zu der negativen Seite hinzutritt und verdeutlicht – wie schon der Chiasmus mit den negativen Außengliedern überhaupt –, daß auf der negativen Seite das Hauptinteresse der Information liegt.

---

49 Dibelius 56 als Forderung, die er seltsamerweise durch den Text aber nicht erfüllt sieht.
50 Lohmeyer 44 Anm. 3.
51 Gnilka 60 Anm. 5 folgt diesem Fehler mit weiterführenden Verallgemeinerungen, wenn er den Gegensatz auch noch »unterstrichen sieht«.
52 K–G 524,1.
53 Vgl. GNTCom 517.
54 Haupt 22; Ewald 75f., der aber daraus zu Unrecht ableitet, daß beide Gruppen nicht zu der von V. 14 gehören und dann ebd. 78f. beide von Pl kritisiert sieht – vgl. dagegen Gnilka 61f. Anm. 15 mit Barth, Michaelis und Beare 56, 59 »in part« berücksichtigen es, während es leider bei Luther 75, WilckensNT wie EÜ unberücksichtigt bleibt. Wenn GN es wenigstens im ersten Falle berücksichtigt, so ist die Inkonsequenz um so deutlicher und bedauerlicher und läßt den Verdacht einer bewußt parteilichen Harmonisierung nicht unterdrücken.
55 Haupt 27; Dibelius 56; Gnilka 60.

Neben der textsyntaktischen Einheitlichkeit auf der Ausdrucksebene ist auch die textsemantische Kohärenz durch die Synonymketten der Motive deutlich wie durch die gleichzeitigen Antonymbildungen
(V = Antonym):

Negativ:	V	Positiv:
V. 15 φθόνος + ἔρις	V	εὐδοκία
V. 16f ἐριθεία	V	ἀγάπη
οἰόμενοι		εἰδότες
+ οὐχ ἁγνῶς θλῖψιν	V	ὅτι εἰς ἀπολογίαν
V. 18 πρόφασις	V	ἀλήθεια

5.2.3.2.1. Das negative Nebenmotiv

Die sechs negativen Bestimmungen haben im ersten Falle einen Doppelausdruck, dessen Elemente in der zeitgenössischen Popularphilosophie wie im hellenistischen Judentum geläufig sind[56], die aber sonst in paulinischen Katalogen nicht unmittelbar miteinander verbunden begegnen (Röm 1,29 im Hingabekatalog; im Warnkatalog Gal 5,21:20 in umgekehrter Reihenfolge); ἔρις ist bei Paulus etwas häufiger (2Kor 12,20; Röm 13,13), wobei 1Kor 1,11; 3,3 deutlich auf die innergemeindliche Konkurrenz bezogen sind. So ist es hier durchaus möglich, den Ausdruck nach dem Kontext am besten mit »Rivalität« zu übersetzen[57].

Das Lexem ἐριθεία hängt zwar etymologisch nicht mit ἔρις zusammen[58], sondern ist von ἐριθεύειν abgeleitet: »arbeiten im Dienst des eigenen Gewinns«[59] und steht damit im Gegensatz zur Arbeit im allgemeinen Interesse. Das Wort ist selten (fehlt in LXX) und scheint im Hellenismus – außer Komposita – nicht belegt. Doch ist der Gebrauch bei Aristot Pol 5,3.9 für das »Buhlen um die Gunst der Parteien« immer noch erhellend und für Paulus bestimmend (vgl. 2,3; Röm 2,8 und in Katalogen Gal 5,20, 2Kor 12,20; nachpaulinisch Jak 3,14.16; IgnPhilad 8,2). Hier ist es kontextsynonym mit dem vorausgehenden Doppelausdruck[60] und steht mit ihm parallel zu den unter sich synonymen Antonymen, weshalb es gleichfalls am besten mit »Rivalität« zu übersetzen ist[61].

Das nur hier als Adverb verwendete ἁγνῶς (vgl. 2Kor 6,6; 7,11; 11,2f.) hat keinen Bezug zur kultischen Reinheit, sondern ist bei Paulus immer von der typischen Verwendung in griechischen Ehreninschriften her geprägt, wohl auf dem Weg über die atl. Weisheit (Spr 15,30; 19,17; 20,9; 21,8)[62], und meint deshalb hier »mit unlauteren Motiven«[63].

Paulus referiert ihre eigene Intention als θλῖψις ἐγείρειν wieder mit einer ungewöhnlichen Wendung, deren Verbverbindung jedoch von der LXX bestimmt ist (Spr 10,12; 15,1; 17,11; Sir 33,8; 36,20; Cant 2,7; 3,5; 8,4 – was die sekundäre Lesart durch ἐπιφέρειν richtig interpretiert)[64]. Als Referateinleitung ist das paulinische Hapaxlegomenon (doch in der LXX nicht seltene) οἴεσθαι verwendet, das als Antonym zu εἰδότες über den Charakter der bloßen Intentionsangabe hinaus hier vom Kontext her

---

56 Wibbing 1959: 97f.
57 Haupt 24 Anm. 1 mit Verweis auf Herod 5,88; XenCyrop 6,2.4; 8,2.26; vgl. Ewald 75 und WilckensNT, was Gnilka 60 Anm. 7 zu Unrecht bestreitet.
58 Haupt 24 Anm. 2 gg. Lietzmann, Jülicher, Michel zu Röm 2,8.
59 Frisk WB I 558 »um Gunst schleichen, Ämter erschleichen«; vgl. BauerWB 612; Büchsel ThWNT II 257f.; Giesen EWNT II 130f.
60 Dibelius 56.   61 WilckensNT.
62 Ewald 77 Anm. 1; Lohmeyer 46 Anm. 2; Hauck ThWNT I 123f.; Festugière 1942.
63 Beare 56, 60 »with unhallowed motives«.   64 Haupt 25 Anm. 1; Lohmeyer 45 Anm. 7.

auch den Gehalt einer unbegründeten und irrigen Meinung erhält. Darin zeigt sich grundsätzlich, wie wichtig Paulus der wirklich erkennende Bezug einer ausgesagten Sachlage auf einen zugrundeliegenden Sachverhalt ist (1Kor 15,15). Auch πρόφασις (1Thess 2,5) ist in der gebräuchlichen Antonym-Verwendung mit ἀλήθεια durch diesen Gegensatz zu »objektiv richtigen Tatsachenangaben« geprägt[65].

Paulus zeigt hier also sowohl ein ausgeprägtes Gespür für die Differenz von bloßer subjektiver Meinung und objektiver Tatsachenfeststellung (und damit ein ausgesprochen wissenschaftliches Erkenntnissensorium) als auch eine ausgeprägte Fähigkeit zum Verstehen psychologischer Tatbestände der Kommunikation, wenn er die Reaktion auf seine starke Persönlichkeit bei anderen veranschlagt, »die in dem Gefühl, ihr nicht gewachsen zu sein, sie als einen Druck empfinden« und entsprechend reagieren[66].

5.2.3.2.2. Das positive Nebenmotiv

Für die vier Glieder auf der positiven Seite ist darum der Streit müßig, ob ἀλήθεια nur pragmatisch die subjektive Wahrhaftigkeit meine[67] oder semantisch die objektive Wahrheit[68]. Der Zusammenhang mit εἰδότες hier zeigt klar, daß der subjektive Sinn nur auf der Basis von sachkundiger Kompetenz möglich ist. Die Zuverlässigkeit der Erkenntnis ist die unumgängliche Voraussetzung für die Zuverlässigkeit ihrer Vertreter. Subjektive Ehrlichkeit allein wäre hier zu wenig.

Zugleich wird durch diesen Zusammenhang auch die Basis für eine zureichende Erfassung von εὐδοκία gelegt: Es ist immer »ein freundlicher, auf das Beste des anderen gerichteter Wille«, der »nicht als bloßer Reflex von dem Verhalten des anderen« abhängig ist (Röm 10,1)[69]. Dies ergibt sich referenzsemantisch klar aus der Analyse der gegenüberstehenden Antithesenreihe. So kann diese pragmatische Relation auch niemals für sich isoliert zu einer parteiischen Willkür werden (daher 2,13 von Gott). Darum ist auch das an sich weitere Suprenym ἀγάπη hier Kontextsynonym für εὐδοκία. Es umfaßt die wohlwollende Zuneigung ebenso wie es – analog zu 1,11 (s. o.) – mit εἰδότες einen intellektuellen Bezug hat. Der explizierende Wissenssatz betont nicht nur das V. 7 wieder aufnehmende Ziel der Haft des Paulus, sondern erklärt es auch noch im Prädikat als ein Wissen von der von Gott gesetzten Bestimmung (κεῖμαι wie 1Thess 3,3; Lk 2,34)[70].

5.2.3.3. Die Zusammenfassung

Paulus faßt V. 18a seine Erörterung zuerst – wie Röm 3,3 – mit einer Frage als »geläufiger Formel populärer Bildungsvorträge« zusammen[71]: »Sie weckt und lenkt

---

65 Haupt 28 Anm. 1; Lohmeyer 48 Anm. 1; Belege bei Wettstein z. St. und M–M s. v.; Ewald faßt den Dativ modal für begleitende Umstände: K–G 425,6.
66 Damit dürfte Haupt 23 referenzsemantisch diesen sozialpsychologischen Sachverhalt sehr präzis beschrieben haben.
67 So Haupt 28 Anm. 1; Ewald 80 f.; Dibelius 56 »ehrlich«.
68 Lohmeyer 49 Anm. 1 nach Cremer-Kögel s. v., da Pl es niemals im subjektiven Sinne verwende.
69 Haupt 25 f. Anm. 2 beschreibt auch hier wieder empirisch-psychologische Tatbestände treffend; vgl. LXX- und jüdisch-hellenistische Belege für göttliches und menschliches Subjekt bei Schrenk ThWNT II 743 f.; Lohmeyer 45 Anm. 2; Gnilka 61 Anm. 12.
70 So übereinstimmend Haupt, Ewald, Dibelius, Lohmeyer, Gnilka; es ist nicht nur ein auf Mitleid abzielendes Gefangen-»Liegen« – gg. LutherÜ – bezeichnet, was Luther 75 darum m. R. änderte.
71 Lohmeyer 47 Anm. 2 mit Belegen.

auf die Hauptsache hin.« Darum ist das anschließende πλὴν ὅτι »außer daß« die weiterführende Antwort[72].

Schon »Chrysostomus rühmte den Apostel als echten Philosophen, der ohne Rücksicht auf das ihm persönlich Unsympathische die Tatsachen nimmt, wie sie wirklich sind«[73]. Diese »großartige Sachlichkeit« wird ausnahmslos hervorgehoben[74]. Sie setzt aber nicht erst mit dieser Zusammenfassung ein, sondern ist von Anfang an in dem konzessiven μέν von V. 15, das den Ton auf den zweiten Teil legt[75], gegeben (während das anschließende Syntagma οἱ μέν diese konzessive Funktion nicht hat, sondern rein distributiv »die einen« »den anderen« gegenüberstellt)[76].

Die Antwort auf die Frage, was Paulus denn zu dieser »selbstlosen Sachlichkeit«[77] bestimmt, ist unschwer zu geben: »Jede Verkündigung empfängt ihre Geltung und Gegenständlichkeit allein von ihrem göttlichen Gehalt« her (vgl. auch 1Kor 1,17–2,5)[78]. Darum muß man nicht zusätzliche Gründe wie etwa eschatologische »Naherwartung«[79] heranziehen, und Paulus rekurriert ebensowenig auf eine Gebrochenheit alles Irdischen, bei der es ohne Ausrutscher nicht abgeht (Gal 6,1–5). Denn auch das würde für sich allein nicht genügen. Die ethische Zweideutigkeit wird – auch im Bereich der Gemeinde – immer erst zur erträglichen Tatsache, wenn klar ist, daß der Gehalt der Christusbotschaft als zuverlässige Wahrheit diese selbst trägt und nicht eine ethische Verifizierung. Dafür geben in unserem Zusammenhang wie auch sonst bei Paulus die Betonungen des »Wissens« genügend her. Auf dieser semantisch gesicherten Basis – und nur auf ihr – ist christliche Gemeinschaft als »Pakt der Großherzigen« (J. P. Sartre) möglich. Andererseits wird dann – wie hier deutlich wird – eine unredliche Motivation nicht einfach überspielt oder bagatellisiert, sondern wie auch 2Kor 2,27; 4,1f. klar beim Namen genannt[80].

So scheint es vom Ende dieses Abschnitts her nicht mehr als eine Überinterpretation, wenn man beobachtet, daß γινώσκειν in der Informationseinleitungsformel V. 12 ausnahmsweise einmal vorangestellt ist. Darin dürfte eine beabsichtigte starke Betonung liegen und zugleich ein nicht zufälliger Rückbezug auf die ἐπίγνωσις der ἀγάπη von V. 9[81]. Wir finden vielmehr in V. 12–18a ein ausführliches Beispiel dafür, wie in einem konkreten Falle Erkenntnis und Liebe zu einer Lagebeurteilung und zu dem entsprechenden Verhalten führen. Paulus gibt an sich selbst ein persönliches Beispiel dafür, wie er das, was er für die Philipper V. 9–11 wie für alle Christen von Gott erbittet und erhofft, auch selbst vollzieht. Wie er sich 4,8 generell als Modell anbietet, so vermittelt er hier dafür einen speziellen Modellfall.

5.2.3.4. Ein Exkurs?

Überblickt man textlinguistisch die Zusammenhänge und stellt man die Kontextverbindungen in Rechnung, so wird man den Subtext V. 15–18a eher als einen Ergänzungsbericht denn als »Exkurs«[82] klassifizieren, zumal diese Bezeichnung weiterhin

---

72 B–D–R 449,2 Anm. 4; gg. Ewald 80 ist weder der Lesart zu folgen, die nur πλήν hat, noch ist mit Haupt 28 und Bauer WB das Ganze zu einem Fragesatz zu machen, denn das ὅτι in diesem Zusammenhang ist ein »emphatisches« ὅτι wie bei οὐχ ὅτι in 3,12; 4,11.17; 2Kor 1,24; 3,5; vgl. Beyer 1968: 122 Anm. 2 »jedenfalls«.
73 Ewald 81 Anm. 1.   74 Dibelius 57 wie die anderen Kommentare.
75 B–D–R 447,2a Anm. 11.   76 B–D–R 250.   77 Lohmeyer 47.
78 Lohmeyer 49.   79 So Gnilka 64.   80 Beare 61.
81 Zahn 1906 I 375, 382 Anm. 5, was Ewald 71 Anm. 1 zu Unrecht bestreitet.
82 Wie dies leider seit Dibelius 56 üblich ist.

dazu geführt hat, die darin beschriebenen Gruppen in Philippi lokalisiert zu sehen, so daß hier textpragmatisch eine »indirekte Mahnung« vorliege[83].
Dagegen spricht aber

a) textpragmatisch der eindeutige Berichtscharakter des ganzen, der von V. 12 und 18a gerahmt wird und so ausdrücklich eine Informationsfunktion hat.
b) Schon V. 7 beschrieb die philippische Einstellung zu Paulus und seiner gegenwärtigen Lage und V. 16 wird diese für einen Teil anderer Mitchristen wiederholt: Sie befinden sich in Übereinstimmung mit den Philippern, was aber lokale Unterschiedenheit voraussetzt.
c) Es wäre absurd, wenn Paulus nach Philippi über Philippi berichtet.
d) Textpragmatisch kann das Textsegment auch nicht als »indirekt« mahnend aufgefaßt werden, da es immer beide Seiten, die rühmliche wie die weniger rühmliche, betrachtet.
e) Die Zusammenfassung V. 18 zeigt, daß Paulus nicht nur beide Seiten letztlich positiv zu würdigen vermag, sondern daß dies gerade das textpragmatische Ziel dieses Abschnitts ist.
f) Paulus geht in »Mahnungen« mit φϑόνος, ἔρις und ἐριϑεία ganz anders um.
g) Das einschränkende καί V. 15 bei beiden Bestimmungen wird dabei (aber auch leider sonst meistens) unterschlagen.
h) Der hier angesprochene Unterschied liegt nicht im semantischen Lehrgehalt des Evangeliums, sondern nur in der pragmatischen Motivierung. Mit Lehren, die den semantischen Gehalt des Evangeliums und seine logischen Konsequenzen tangieren, geht Paulus ganz anders um, wie Gal 1,6ff. zeigt.

So geht es insgesamt um eine Information zur Mitfreude und damit zum Dankgebet über den Stand der Dinge bei Paulus.

5.2.4. Zusammenfassung: Übersetzung

(V. 12) Liebe Mitchristen,
        ich will Euch berichten,
        daß sich meine Lage hier wider Erwarten zu einer Ausbreitung der Christusnachricht entwickelt hat:
(V. 13) Erstens ist hier im ganzen Statthalterpalast und darüber hinaus öffentlich klar geworden, daß ich aufgrund der Christusnachricht festgenommen und unter Anklage gestellt wurde.
(V. 14) Zweitens hat die Mehrheit der aktiven Mitchristen hier gerade angesichts meiner Haft in steigendem Maße Mut gewonnen und wagt darum, diese Nachricht furchtlos zu verbreiten.
(V. 15) Obwohl einige die Christusnachricht auch aus Neid und Rivalität verbreiten, tun es andere doch auch aus Zuneigung zu mir.
(V. 16) Die es aus Zuneigung tun, haben erkannt, daß ich jetzt hier bin, weil ich dazu bestimmt bin, die Christusnachricht zu verteidigen.
(V. 17) Die anderen, die mit unlauteren Motiven und Geltungsbedürfnis die Christusnachricht verbreiten, bilden sich ein, mich in meiner Haft noch mehr zu belasten.
(V. 18) Aber was macht das schon aus?

83 Schmithals 1965a: 54 Anm. 44; Baumbach 1971: 297f.

Die Hauptsache ist doch, daß in jedem Falle
– ob nun zum Vorwand oder wirklich sachgerecht =
die Christusnachricht verbreitet wird.
Darüber freue ich mich dann.

5.3. Information zum Bittgebet: Die persönliche Zukunft des Paulus (1,18b–26)

5.3.1. Textsegmentierung

(V. 18b)   Ἀλλὰ καὶ χαρήσομαι
(V. 19)   οἶδα (γὰρ)
    ὅτι τοῦτό μοι ἀποβήσεται εἰς σωτηρίαν
     διὰ τῆς ὑμῶν δεήσεως
     καὶ ἐπιχορηγίας τοῦ πνεύματος Ἰησοῦ Χριστοῦ
    κατὰ τὴν ἀποκαραδοκίαν καὶ ἐλπίδα μου
    ὅτι ἐν οὐδενὶ αἰσχυνθήσομαι
    ἀλλ' ἐν πάσῃ παρρησίᾳ
        ὡς πάντοτε καὶ νῦν
    μεγαλυνθήσεται Χριστὸς
      ἐν τῷ σώματί μου
      εἴτε διὰ ζωῆς εἴτε διὰ θανάτου.
(V. 21)   ἐμοὶ γὰρ τὸ ζῆν Χριστὸς
    καὶ τὸ ἀποθανεῖν κέρδος
(V. 22)   εἰ δὲ τὸ ζῆν ἐν σαρκί
     τοῦτό μοι καρπὸς ἔργου
     καὶ τί αἱρήσομαι
   οὐ γνωρίζω.
(V. 23)   συνέχομαι δὲ ἐκ τῶν δύο
    τὴν ἐπιθυμίαν ἔχων
     εἰς τὸ ἀναλῦσαι
     καὶ σὺν Χριστῷ εἶναι
   πολλῷ (γὰρ) μᾶλλον κρεῖσσον
(V. 24)   τὸ δὲ ἐπιμένειν (ἐν) τῇ σαρκὶ
    ἀναγκαιότερον δι' ὑμᾶς
(V. 25)   καὶ τοῦτο πεποιθὼς οἶδα
   A   ὅτι μενῶ
    καὶ παραμενῶ πᾶσιν ὑμῖν
   B   εἰς τὴν ὑμῶν προκοπὴν
    καὶ χαρὰν τῆς πίστεως
(V. 26)   B' ἵνα τὸ καύχημα ὑμῶν περισσεύῃ ἐν Χ. Ἰ. ἐν ἐμοὶ
   A' διὰ τῆς ἐμῆς παρουσίας πάλιν πρὸς ὑμᾶς.

5.3.2. Die Überschrift (1,18b)

Eine nur wörtliche Wiedergabe würde dem entscheidenden Gewicht dieses Satzes
kaum gerecht. Er hat vier sich potenzierende Verstärkungen:

a) ἀλλά im Anschluß an das positive Präsens nicht widersprechend, sondern steigernd[84].

b) Das adverbiale καί verstärkt diese Steigerungsfunktion noch (s. o. zu V. 15).

c) Durch die Wiederholung des gleichen Lexems liegt die Aussageabsicht stärker auf dem wechselnden Tempusmorphem als auf dem Lexem als solchem. Das Futur ist es, das durch alle Verstärkungselemente betont werden soll[85]. Das Ziel der Aussage ist also die Unumstößlichkeit der Freudenhoffnung im Blick auf alles Kommende.

d) Die Begründung mit dem kurzen und sicher betont und bewußt verkürzten (s. u.) οἶδα γὰρ ὅτι (V. 19) wird so knapp angeschlossen, daß sie unmittelbar mitzuhören ist; und das Gewicht des Überschriftsatzes wird noch größer, wenn man sieht, daß ihm nicht nur der erste Begründungssatz V. 19, sondern der ganze Begründungszusammenhang bis V. 26 zugeordnet ist.

So dürfte der Einleitungssatz, der den ganzen ersten Teil des Abschnitts im Unterschied zu seinem nachfolgenden zweiten Teil ausmacht, nur dann adäquat verständlich zu machen sein, wenn man ihn mit seinen Verstärkungen etwa so wiedergibt: »Ja, ich werde auf jeden Fall auch künftig immer Grund zur Freude haben.«

5.3.3. Die Struktur der Gewißheitssätze über den Inhalt der Hoffnung (1,19–26)

Außer den schon hervorgehobenen reichen Futurformen (s. o. 5.1.) fallen in diesem Abschnitt die noetischen Verben auf:

V. 19 οἶδα

V. 22 αἱρήσομαι, γνωρίζω

V. 23 συνέχομαι

V. 25 πεποιθὼς οἶδα

Dabei zeigte sich schon bei der Analyse von πεποιθώς V. 6 (s. o.), daß die Doppelwendung von V. 25 für den paulinischen Ausdruck der Zuversicht wesentlich ist. Sie ist als Doppelwendung von der Art des folgenden Inhalts her auch schon V. 19 sachlich vorauszusetzen, so daß sich beide Stellen als Anfangs- und Schlußklammer ganz direkt entsprechen. Die Weglassung erfolgte V. 19 nur um des verkürzend betonenden Anschlusses an die Überschrift willen. Semantisch ist also in V. 19 ein slot vor οἶδα mit dem entsprechenden filler zu versehen: (πεποιθὼς) οἶδα.

Nun bringt nicht nur der angeschlossene Satz mit ὅτι in V. 19 den Inhalt, sondern ὅτι in V. 20 ist dem genau parallel als weitere Inhaltsangabe.

Was in beiden Fällen folgt, ist auch inhaltlich synonym:

V. 19 τοῦτό μοι ἀποβήσεται εἰς σωτηρίαν

V. 20 ἐν οὐδενὶ αἰσχυνθήσομαι

Im zweiten Falle bringt ὅτι die Inhaltsangabe des voranstehenden Hendiadyoin (ohne Artikelwiederholung, so daß eine Bedeutungsdifferenzierung beider hier textsemantisch ausgeschlossen ist) τὴν ἀποκαραδοκίαν καὶ ἐλπίδα. Da beides Aktionsnomen sind, können sie verbal aufgelöst wiedergegeben werden[86]. So entsprechen sie kontextsemantisch dem (πεποιθὼς) οἶδα von V. 19 und sind mit ihm synonym. Darin liegt die textsemantische Lösung des berechtigten Anliegens derer, die den ὅτι-Satz von V. 20 direkt auf das οἶδα in V. 19 zurückbeziehen wollten[87].

---

84 B–R–D 448,6; Lohmeyer 50.
86 Lohmeyer 53 Anm. 1.
85 Ewald 84.
87 So Hofmann, Michaelis.

Weiter ist das kausale κατά von V. 20 (s. o. 4,11.19)

mit γάρ von V. 19

identisch und wiederholt so die Begründung für die Überschrift. Beachtet man diese makrosyntaktische Relation nicht, so hat der Text an unserer Stelle seine bekannten Schwierigkeiten:

a) Diese Präpositionalwendung scheint »der vorangegangenen nicht koordiniert«; der Anschluß erscheint nur allgemein als »locker«.

b) »Sein Inhalt wird nicht durch den ersten, sondern den zweiten ›Daß‹-Satz angegeben.«[88] Sollte er dem ersten ὅτι noch untergeordnet werden, »müßte das ὅτι als ›weil‹ gefaßt werden, wogegen das Futurum spricht«[89].

Dagegen liegt die Lösung darin, daß das hier gemeinte ἀποκαραδοκ(ῶ) καὶ ἐλπί(ζω) also den eingangs aufgelisteten noetischen Verben von V. 19.22f.25 funktionsgleich zuzuordnen ist. Semantisch bedeutet dies, daß man in das Aktionslexem ἀποκαραδοκ– in der hier vorliegenden Konstellation ebensowenig wie an der zweiten paulinischen Stelle Röm 8,19 ein »negatives Moment« hineinlesen kann[90] und auf »berechtigte Unsicherheit« und »ängstliches Harren« abheben darf[91]. Im Gegenteil liegt im Ausdruck das semantische Element der »gespannten« Erwartung, wie ja die darauf folgende positive Inhaltsangabe zeigt[92]. Diese beiden ὅτι-Sätze sind nun also als Angaben des Hoffnungsinhalts synonym.

5.3.3.1. Das erste Hoffnungsbekenntnis (1,19)

Paulus bedient sich dafür des LXX-Zitats Ijob 13,16. Dabei ist τοῦτο dasselbe wie V. 12 τὰ κατ᾽ ἐμέ: Seine »gegenwärtige Lage«[93]. Die gleiche »Allgemeinheit«[94] hat auch σωτηρία als Ziel, denn die spannungsvollen Möglichkeiten von V. 20 εἴτε διὰ ζωῆς εἴτε διὰ θανάτου sind hier schon mitgedacht. Darum ist die Alternative entweder Freispruch im jetzigen Prozeß oder eschatologische Vollendung als semantischer Gehalt von σωτηρία falsch, denn sie geht von einem unpaulinischen Dualismus von Eschaton und Geschichte aus, während für Paulus alle Zukunftsmöglichkeiten ihre Einheit in Gott dem Schöpfer haben. Die Entfaltung V. 21–25 zeigt gerade, daß für Paulus beides damit umschlossen ist. Die paulinische Ontologie ist sicher nicht erfaßt, wenn Lohmeyer[95], meint, daß Paulus nicht »von den empirischen Möglichkeiten rede«, da er sonst »nicht Worte der heiligen Schrift darbieten würde«. Die Koppelung von Vernunftargumenten mit Schriftargumenten, wie sie allenthalben bei Paulus vorliegen (vgl. nur 1Kor 9,6–10; 11,6–10), bezeugen eher das Gegenteil. Daß Paulus also »die Grenzen des Empirischen« durchbreche[96], sollte man so lieber nicht sagen, denn für Paulus sind die Auferweckung Jesu und die Gegenwart des Auferweckten ebenso empirisch-geschichtlich wie die hier angesprochenen Gefährdungen.

Die gleiche Grundgewißheit der Hoffnung spricht Paulus Röm 8,28 mit einem aus der Überlieferung übernommenen konditionalen Relativsatz aus: Alles verhilft ihm zum Guten[97]; und Röm 8,35–38 entfaltet dies in der Gewißheit, daß uns nichts – und zwar

---

88 Lohmeyer 53.   89 Ebd. Anm. 2.

90 Käsemann Röm 227 m. R. gg. Luthers »ängstliches Harren«, das deutlich die Differenz der Eschatologie Luthers von der des Pl signalisiert.

91 Gg. Gnilka 67 nach Bertram 1958, die damit typisch im Rahmen der abendländischen Gerichtseschatologie bleiben.

92 Haupt 31; Ewald 83 Anm. 2 »mit vorgerecktem Kopf erwarten«; vgl. auch Lohmeyer 53 Anm. 1.

93 Haupt, Ewald, Lohmeyer, Michaelis, Gnilka z. St.

94 Ewald 81.   95 Lohmeyer 50f.

96 Gnilka 65 nach Lohmeyer.   97 J. B. Bauer 1959; Osten-Sacken 1975: 63–65.

keine κτίσις(!) – von der Liebe des Schöpfers abtrennen kann[98], wobei V. 38 θάνατος und ζωή wie hier ausdrücklich hinzugesetzt sind und das Ganze wieder unter der analogen Überschrift πέπεισμαι wie hier gebracht wird. Diese rahmenden Spitzenaussagen von Röm 8 sind die nächsten Sachparallelen für Phil 1,19.

Nicht weniger erhellend ist diesbezüglich für die paulinische Ontologie 2Kor 1,10 auf dem Hintergrund einer Rettungserfahrung in Ephesus (eventuell der gleichen, auf die er hier als Möglichkeit vorausblickt), weil Paulus dort den Plural θάνατοι verwendet[99]: »Es ist der totenerweckende Gott, der uns aus so großen Todesgefahren errettet hat, und er wird uns auch künftig von jeder Form oder Gestalt, die der Tod annehmen wird, erretten – dieser Gott, der unsere Hoffnung begründet hat.«[100] Hier wird wie 2Kor 1,3ff. insgesamt und in den paulinischen Peristasenkatalogen durchgehend der für Paulus bestimmende Denkzusammenhang der verschiedenen Ausformungen des einen schöpferischen Auferweckungshandelns in der Geschichte deutlich. Was Schöpfung ist, ist für Paulus in der Auferweckung Jesu definiert und wird darum in der Gerechtmachung des Gottlosen ebenso erfahren wie in vorläufigen Todeserweckungen, die aus Todesgefahren retten[101].

So ist auch Phil 1,19 bezogen auf jede mögliche Gestalt, die der Tod annehmen kann. Die Unmöglichkeit, das richtig zu erfassen, hat aber einen Grund in der assoziativen Amalgamierung der paulinischen Eschatologie mit anderen Eschatologien im Laufe der kirchlichen Überlieferung. Es entspricht nicht exakt dem paulinischen Denken, wenn man seine positive Hoffnung auf die in Jesu Auferweckung begründete Heilsvollendung – etwa von den Synoptikern her – mit einer die Gerichtsbezogenheit negativ assoziierenden Vorstellung beschreibt als »endgültige Rettung, die der Mensch im Endgericht erfahren soll«[102]. Für Paulus ist das eschatologische Wortfeld gerade nicht dadurch bestimmt, daß »Endgericht« das Suprenym und »Rettung« nur ein Hyponym dazu wäre. Im Gegenteil ist die Endvollendung der σωτηρία als Vollendung (Röm 5,9–11) das umfassende Suprenym, während das Gericht der Werke nur ein Hyponym dazu – als die Kehrseite und Begleiterscheinung der Vollendung – darstellt und somit ein deutlich untergeordneter Aspekt ist.

Dies wird deutlich an der Doppelbegründung, die V. 19 in chiastischer Reihenfolge für die Hoffnung gibt[103]:

διὰ

A   τῆς ὑμῶν
  B   δεήσεως
    C | καὶ
  B'   ἐπιχορηγίας
A'   τοῦ πνεύματος

Neben der – hier wie V. 3 und 5 – selbstverständlich vorausgesetzten Fürbitte der Gemeinde (vgl. auch 2Kor 1,11 im Sachzusammenhang mit V. 10 und damit auch darin parallel zu unserer Stelle) wird hier das Pneuma im Genitivus subjectivus[104] genannt und durch das epexegetisch qualifizierende Genitiv-Attribut (wie an den drei anderen paulinischen Stellen entsprechend: Gal 4,6; 2Kor 3,17; Röm 8,9) näher als der auferweckte, gegenwärtige Herr, den Gott uns gegeben hat, bestimmt. Darum kann Gal 3,5 die entsprechende partizipiale Gottesbezeichnung verwenden (2Kor 9,10 mit anderem

98 Osten-Sacken 1975: 21ff.
99 So mit p[46]: GNTCom 547, Bachmann und Kümmel gg. Barrett und Bultmann z. St.
100 Schenk 1979: 4f.   101 Schrage 1974: 152f.
102 So Gnilka 66; Beare 62.   103 Haupt 29f.
104 Haupt 30; Ewald 83; Lohmeyer 52; Gnilka 62 – und wegen des Chiasmus eben nicht als »objectivus«.

Objekt, die aber die paulinische Ontologie von Gott als dem »Schaffer« und Beschaffer sehr deutlich zum Ausdruck bringt). Die Parallele Gal 3,5 zeigt klar, daß beide hier vorliegenden Ausdrücke schon fest zusammengehören. Von der Sache her ist hier ἐπιχωρηγία als nomen actionis zu verstehen und bezeichnet die ständige Selbstdarbietung des auferweckten Herrn als unsere »Ausrüstung« und »Ausstattung«[105].

Als Begründung für die Hoffnung gehört ἐπιχωρηγία somit nicht nur in das gleiche Wortfeld christlicher Vollendungserwartung wie ἀρραβῶν (2Kor 1,22; 5,5 in gleicher Funktion) und ἀπαρχή (Röm 8,16.23), sondern ist mit ihnen synonym: Die »Grundausstattung« oder »Grundausrüstung« (das ἐνδύσασθαι) als Vorschuß für die »Vollausstattung« oder »Vollausrüstung« (das ἐπενδύσασθαι) mit der endgültigen δόξα, ζωή oder σωτηρία, wie die entsprechenden komplenymen Synonyme dazu heißen. Damit also wird die entscheidende christologische Begründung der V. 19a zunächst mit dem vorchristlichen LXX-Zitat ausgesprochenen christlichen Hoffnung in der bei Paulus auch sonst üblichen Weise gegeben.

5.3.3.2. Das zweite Hoffnungsbekenntnis (1,20)

Wenngleich hier nicht eine so deutliche Anspielung auf eine bestimmte Stelle wie V. 19 vorliegt, so ist doch nicht zu verkennen, daß auch hier »der Inhalt der Hoffnung« wieder »mit alttestamentlichen Worten« angegeben wird[106]. Denn durch die LXX ist die ursprüngliche griechische Bedeutung von αἰσχύνομαι als Ausdruck zur Bezeichnung psychischer, vorzugsweise emotionaler Tatbestände (»sich schämen«, »beschämt werden«) durch den häufigen Bezug auf Gottes Handeln wesentlich objektiviert worden[107]. Vor allem in den Psalmen korrespondiert die Hoffnung, nicht zunichte gemacht zu werden, der anderen, daß die Verfolgungskraft der Verfolger zunichte wird. Man wird dieses »Preisgeben« um dieser präzisen Distinktion willen heute nicht mehr mit dem aussterbenden Wort »zuschandenwerden« wiedergeben können (man reitet wohl nur noch »ein Pferd zuschanden« – jedenfalls in dem mir bekannten Sozio- oder Dialektbereich).

Diese Objektivierung kommt deutlich zum Ausdruck, wenn 1Kor 1,17f. καταισχύνειν und καταργεῖν synonym setzen kann; und in Röm 5,5 ist es geradezu das Kennzeichen der Hoffnung überhaupt: οὐ καταισχύνει. So ist es auch an unserer Stelle »nicht etwa das Zagen und Zittern des menschlichen Herzens, sondern das Ausbleiben der erbetenen göttlichen Hilfe«, wie Lohmeyer[108] dies geradezu definitorisch gut präzisiert hat. Daß der Satz »von einem objektiven Geschehen« redet[109], wird an dem erweiternden Zusammenhang von ἐν οὐδενί mit τοῦτο von V. 19 (s. o. = V. 12f.) deutlich, das den Vorblick auf das satzbeschließende διὰ θανάτου freigibt: Eine »Preisgabe« findet auf keinen Fall statt – selbst im Tode nicht. Das ist der entscheidende Unterschied zur vorösterlichen Menschheitssituation, deren Kennzeichen gerade die »Preisgabe« ist, die mit παρέδωκεν (Röm 1,24.26.28) bzw. κατακρίνειν (Röm 8,1.3; 15,16.18) synonym zu καταργεῖν ausgedrückt ist. Dieser Sachverhalt wird verzeichnet, wenn man

---

105 Ewald 83 Anm. 1; als nomen actionis ist es aktivisch – wie Eph 4,16 offenbar von unserer Stelle her – und nicht passivisch »das Dargereichte«. Dann müßte Gott als Subjekt hier stärker zu veranschlagen sein, wie das Gal 3,5 zweifellos der Fall ist. In der Sache käme beides letztlich auf dasselbe hinaus.
106 Lohmeyer 53; vgl. die Belegstellen in den Kommentaren.
107 Bultmann ThWNT I 188–190.
108 Lohmeyer 53; Wolter 1978: 151f. »das nicht als Täuschung entlarvt wird«.
109 Ewald 83f.
110 Haupt 31; vgl. ähnlich Bultmann ThWNT I 190 »zugleich der Sinn von enttäuscht werden«.

das subjektive Bedeutungsmoment hier unbegründet einführt, als sei hier »die immer stete Sorge des Paulus, ob er auch Treue halten werde« gemeint[110]. Es geht hier eben nicht um »Bewährung«[111], da hier textlinguistisch präzisiert gerade nicht »die Voraussetzung für die σωτηρία«[112], sondern nach der Parallelstruktur der Sätze diese σωτηρία selbst durch das synonyme οὐ καταισχυνθήσομαι beschrieben wird.

Von dem gleichen atl. Sachzusammenhang her stehen αἰσχύνομαι und παρρησία als Antonyme in Korrespondenz zueinander[113], und dieser zweite Ausdruck ist in seinem polysemen Bedeutungsspektrum von daher auf eine kontextuelle Eindeutigkeit hin zu präzisieren: Weder bloße »Öffentlichkeit«[114] einerseits noch das verbale Ausdrücken (der Freimut als stoische Grundtugend[115] steht hier nicht im Blick) dürften die Seme sein, die nach dem Kontext entscheidend sind. Von der totalisierenden Antithese des Textes her

ἐν οὐδενί

ἀλλ᾽ ἐν πάσῃ

ist der entscheidende Bedeutungskern von der Beziehung zur Gefahr her bestimmt: παρρησία ist die Hoffnung angesichts von Widerständen, Bedrohungen und Feinden. Wiederum dürfte Lohmeyer[116] die klarste semantische Definition formuliert haben: »Diese Offenheit ist der freie Mut des Bekenntnisses, der allen äußeren Widerständen zum Trotz seine feste Überzeugung heraussagt.« Statt »in aller Öffentlichkeit« wird darum an unserer Stelle die Wendung am besten zu übersetzen sein mit »allen Widerständen zum Trotz«.

In synthetischem Parallelismus erfolgt die positive Ergänzung des Hauptverbs

ἐν οὐδενὶ αἰσχυνθήσομαι

durch   μεγαλυνθήσεται Χριστός.

Die seit Luthers Übersetzung kaum diskutierte doxologische Übersetzung »verherrlicht« hält sich fast ungebrochen durch[117], obwohl Paulus keine Christusdoxologien kennt. Von diesem meist nicht genügend bedachten Sachverhalt her ist es aber fraglich, ob μέγας-Akklamationen der entscheidende Interpretationshintergrund für das Verb sein können. Auch von der LXX her ist nicht unbedingt daran zu denken, daß das »vergrößern« nur oder zunächst in rühmenden Worten geschieht. Mt 23,5 zeigt, daß diese allgemeine Bedeutung zu seiner Zeit in christlichen Kreisen noch geläufig ist, und die Beschränkung des Verbs auf die doxologische Verwendung bei Lukas kann ein autorspezifischer Septuagintismus sein, der nicht auf einen schon christlich geprägten Sprachgebrauch weisen muß. Entscheidend dürfte sein, daß Paulus an der einzigen vergleichbaren Verwendungsstelle, 2Kor 10,15 selbst als Objekt erscheint, dort εἰς περισσείαν als quantitatives Ziel angegeben ist und der Blick im Gesamtzusammenhang auf die Mission gerichtet wird. Das Verb ist dort »nicht als ein Zu-großer-Geltung-kommen, sondern als eine Bewältigung größerer Aufgaben« zu verstehen[118]. Da nun auch unser Gesamtabschnitt seit 1,12 als Überschrift an der προκοπὴ τοῦ

---

111 So wiederholt Gnilka 67 f.; ähnlich Beare 62.
112 So Gnilka ebd. im Gefolge seiner im Ansatz falschen Erfassung der eschatologischen Wortfelder bei Pl.
113 Haupt 32 Anm. 1; vgl. Stellen und Bedeutungsspektrum bei Lohmeyer 54 Anm. 4; Schlier ThWNT V 872 f.; Gnilka 68 Anm. 28.
114 Ewald 83; Gnilka 68; Schlier ThWNT V 881 f. präzisiert leider die Polysemie nicht, wenn er »hier die Öffentlichkeit vor Gott und vor Menschen« »umfaßt« sieht.
115 Lohmeyer 54, Anm. 4.
116 Ebd.
117 Ewald 85 f.; Lohmeyer 53 f.; Beare 62; Grundmann ThWNT IV 549; dagegen jedoch K. Barth 28 f. nach Schlatter, Erläuterungen z. St.
118 Bultmann 2Kor 198 z. St.

εὐαγγελίου interessiert ist und der Schluß V. 25 genau wieder auf diese προκοπή hinausläuft, dazwischen aber V. 18 Χριστὸς καταγγέλεται als zusammenfassender Grund für die »Freude« angegeben war und diese durch das futurische »Freuen« überboten werden soll, so fordert der Gesamtzusammenhang eine Synonymentsprechung von

προκοπὴ τοῦ εὐαγγελίου   V. 12

und μεγαλυνθήσεται Χριστός   V. 20 anzunehmen.

Dafür spricht auch schon die adverbiale Vorordnung, die sich auf die apostolische Existenz des Paulus bezieht und die danach doppelt synonym aufgenommen und entfaltet wird[119]:

ὡς πάντοτε καὶ νῦν
= ἐν τῷ σώματί μου
= εἴτε διὰ ζωῆς εἴτε διὰ θανάτου.

Damit wird weiter anthropologisches σῶμα deutlich zeitlich-geschichtlich definiert als die ihm als Christen gegebene Lebens- und Wirkungszeit (ebenso 2Kor 5,10 διὰ τοῦ σώματος; vgl. mit V. 22 hier auch Gal 2,20 νῦν ζῶ ἐν σαρκί). Nicht minder wichtig ist die Präzisierung, die für den folgenden Abschnitt nicht aus den Augen verloren werden darf, daß θάνατος hier durch den mit dem instrumentalen ἐν synonymen διά + Genitiv nicht allgemein »sterben« heißt, sondern primär die aktive »Lebenshingabe« meint.

Das ist insofern wichtig, als der folgende Unterabschnitt V. 21–26 ganz davon bestimmt ist. Es finden sich folgende Synonymketten, die in einem antonymen Verhältnis zueinander stehen[120]:

Negativ:	Antonym:	Positiv:
V. 20 διὰ θανάτου	V	V. 20 διὰ ζωῆς
= V. 21 τὸ ἀποθανεῖν	V	V. 22 τὸ ζῆν ἐν σαρκί
= V. 23 εἰς τὸ ἀναλῦσαι	V	V. 24 τὸ ἐπιμένειν ἐν τῇ σαρκί
		V. 25 μενῶ
		V. 26 διὰ τῆς ἐμῆς παρουσίας πάλιν.

Als erstes ist zu beachten, daß dabei V. 21 wie 23 gerade nicht eine allgemeingültige Aussage machen, wofür sie den generellen Infinitiv des Präsens benutzen müßten, sondern daß der »Momentanbegriff des Aorist« benutzt und so eine spezielle und einmalige Aussage gemacht wird[121]. Damit wird das Gegenüber zur Antonymseite beachtenswert eingeengt. Geht es auf der einen Seite nicht um das Sterben allgemein, sondern um die Hingabe des Lebens, so auch auf der anderen nicht um das menschliche Leben überhaupt, sondern um das Weiterleben des Christen als Wirkungsmöglichkeit für das Evangelium. Es geht also in diesen Reihen nicht einfach um »Leben« – »Tod«[122]. Unter diesem aktiven Aspekt geht es beide Male um Lebenseinsatz. Danach ist auch die erste Reihe Bezeichnung für aktives Einsetzen des Lebens in möglicherweise letzter Konsequenz. Der Einsatz des Lebens kann gefordert sein. Das hat der Christ jeweils in Gemeinschaft mit den Mitchristen zu erfragen. Ebenso kann ein unbedingtes Weiterlebenwollen unter bestimmten Bedingungen alles andere als ein konkretes Gebot Gottes sein[123]: Das Leben ist nicht der »Güter höchstes«, wohl aber der höchstmögliche Preis, weil man ihn ganz ja nur einmal einsetzen kann. Genau in diesem Fragenkreis bewegt sich das Hin und Her des Paulus in dem Abschnitt V. 21–

---

119 Haupt 31.
120 Ebd.; ein durchgeführter Chiasmus findet sich gg. Hoffmann 1966: 293f. hier nicht, was Gnilka 69f. darum auch abgewiesen hat.
121 K–G 389D.
122 Gg. Gnilka 70, was dann zu bedenklichen Verallgemeinerungen führt.
123 Barth KD III/4, 457f.

26. Es ist dasselbe Pro und Contra, das die prophetische Existenz der Gemeindeversammlungen bestimmt und das sich in den Argumentationsketten mit den notwendigen Widersprüchen auch sonst in paulinischen Briefen niedergeschlagen hat (vgl. etwa 1Kor 11,2–16).

5.3.3.3. Das dritte Hoffnungsbekenntnis (1,21a)

Weil der Satz V. 20 in seinen letzten drei Worten eine über die in den Anfangsworten signalisierte Gefahr der »Preisgabe« hinausgehende Zuspitzung bis zur äußersten Möglichkeit gibt, (Paulus deutet erstmalig im Brief diese Möglichkeit seines Prozeßausgangs an, und 2,17 zeigt dann immer noch, daß er ernsthaft mit diesem negativen Ausgang rechnet), so führt dies notwendig V. 21a zu einer erneuten, drittmaligen begründenden Beschreibung christlicher Hoffnung[124] in Kurzfassung: ἐμοὶ γὰρ τὸ ζῆν Χριστός.

Damit wird das, was V. 19 mit dem LXX-Zitat aussprach, V. 20 mit atl. geprägten Worten wiederholte, und wofür ἐπιχορηγίας πνεύματος schon eine christologische Begründung gab, nochmals verdichtet ausgesprochen. Sie entspricht genau dem, was Gal 2,20 unter anderem Aspekt formuliert[125]:

ζῶ δὲ οὐκέτι ἐγώ

ζῆ δὲ ἐν ἐμοὶ Χριστός

Beide Male werden bekenntnishaft (1. Person) grundlegende Aussagen gemacht, die jeder Christ nachsprechen kann[126].

Subjekt unseres Nominalsatzes ist nur τὸ ζῆν, während Χριστός Prädikatsnomen dazu ist:»Paulus sagt, daß ihm im Unterschied von anderen der Begriff des ζῆν identisch ist mit dem Begriff Χριστός . . . Wenn man sonst von ζῆν spricht, meint man . . . Familie, Genuß irdischer Güter, Arbeit zu irdischen Zwecken, kurz ein dieser Welt angehörendes Dasein bilden den Inhalt des Begriffs Leben. Für ihn dagegen ist Christus das konstitutive Merkmal dessen, was ihm ζῆν heißt.«[127] Dies wird deutlich durch betont vorangestelltes ἐμοί als nicht ohne die speziellen Voraussetzungen des Christwerdens mögliches und etwa absolutes und allgemeinverständliches Lebensbekenntnis gekennzeichnet.

Die Sachparallele des Satzes zu den ὅτι-Sätzen von V. 19 und 20 macht auch die Strukturgleichheit deutlich, so daß auch hier

    das γάρ

    dem γάρ von V. 19

sowie dem κατά von V. 20 entspricht.

Als vorangehendes metasprachliches Beschreibungsverb des mitgeteilten pragmatischen Aktes auf noetischer Ebene ist auch hier πεποιθὼς οἶδα wieder vorausgesetzt und kann gedanklich als Filler ergänzt werden, um die textpragmatische Gesamtstruktur besser zu verdeutlichen. Damit wird die eingangs aufgelistete Sammlung noetischer Elemente des Textes um diese weitere – als Slot-Filler in der semantischen Tiefenstruktur des Textes enthaltene – zu ergänzen sein. Damit ist zugleich angezeigt, daß Paulus mit dieser dritten Ausformulierung christlicher Hoffnung noch immer begründend auf seine Gewißheit künftiger Freude von V. 18b bezogen bleibt. Mit V. 21 beginnt also nicht ein neuer Teil, sondern eher ein Unterabschnitt – analog wie V. 15–18a zu V. 12–

---

124 Ewald 84; Gnilka 70: »übergreifende Feststellung«.
125 Haupt 35 Anm. 1.
126 K. Barth 30 verweist auf eine ganze Kette von entsprechenden Aussagen: 2Kor 4,10.16; 5,15.17; vgl. auch die entsprechende pluralische Bekenntnisformel Röm 14,7–9.
127 Haupt 34.

14 –, wo ebenfalls eine Spannung, die V. 18a gleichfalls mit εἴτε – εἴτε zusammenfassend angab, beschrieb, während diese Korrelationsbeziehung hier V. 20 voransteht.

5.3.3.4. Die mögliche Hoffnungskonsequenz der Lebenshingabe (1,21.23)

5.3.3.4.1. Die erste Ausformulierung (1,21)

Auch nach der umfassenden monographischen Behandlung dieses Fragenkreises durch P. Hoffmann[128] scheinen noch einige textlinguistische Präzisierungen möglich. Luthers Übersetzung von V. 21, die leider Christus zum Subjekt machte[129], die ferner die aoristische Lebenshingabe (s. o.) zum Sterben überhaupt verallgemeinerte und den ganzen Satz ungeachtet seines Begründungsgefüges rein isomorph rohübersetzte, wirkt in der Verstärkung dieser Mißverständnisse durch das Kirchenlied (EKG 316 Christus der ist mein Leben) leider bis heute ungebrochen stark. Man meint etwa: »Leben und Tod sind darin nicht mehr Gegensätze, sondern verschiedene Erscheinungsweisen ein und desselben religiösen Gehalts. Darum können auch beide Sätze einander völlig parallel gebaut werden.«[130] Es wird undiskutiert vorausgesetzt, daß die Einleitung des zweiten Satzes einfach ein »kopulatives καί« sei[131]; ja – beide Sätze sind sogar als »synonymer Parallelismus«[132] ausgegeben worden. Der Tod meine schon V. 20 die »Krönung seines Lebens für Christus«[133], was mindestens dem εἴτε – εἴτε dieses Satzes widerspricht und nicht minder dem »Unentschieden« in der anschließenden Gegenüberstellung der beiden Hoffnungskonsequenzen V. 22b–24. Aus »religiösen« Gründen sei V. 21 kein »folgerndes οὕτως nötig«[134]. Was aber ist, wenn es darum nicht morphologisch in der Oberflächenstruktur verbalisiert ist, weil es implizit in der semantischen Tiefenstruktur der Syntax gegeben ist? Was ist aber, wenn Paulus nicht von demselben »religiösen Gehalt« bestimmt ist, der hier die Frömmigkeitstradition seiner Ausleger bestimmt?

Schon der Blick auf die Einleitung der unmittelbaren Antithese in V. 22 mit εἰ δέ, die das andere Glied εἴτε διὰ ζωῆς von V. 20 (Schluß) im Konditionalsatz entfaltet, sollte warnen. Dabei steht δέ weiterhin noch in einem makrosyntaktischen Bezug zu dem vorangehenden γάρ: γάρ V δέ. In dieser Antonymfolge γάρ V δέ hat γάρ zwar seine folgernde Funktion: »also«, wird aber zugleich im Blick auf eine weitere Folgerung eingeschränkt und bedeutet »zwar« im Blick auf das folgende »aber«. Dasselbe ist um so mehr zu beachten, als es sich gleich bei der analogen Gegenüberstellung im zweiten Durchgang ebenso wiederholt wie 2,21f. (vgl. ferner Gal 5,14:15.17a:b.17c:18; 2Kor 1,12f.:14; Röm 5,7:8)[135].

Die Warnung vor einer Isolierung von V. 21 gilt erst recht, wenn bei V. 22 nicht vergessen wird, daß καρπός eben nicht allgemein »das Bild von der Frucht« ist, sondern hier ebenso wie 4,17 (s. o.) und 1,11 – was man hier keinen Moment schon vergessen glauben sollte – der wachsende eschatologische Profit und Ertrag ist, und damit nicht weniger bezeichnet als κέρδος in V. 21. Beide sind Synonyme:

$$κέρδος \text{ V. 21}$$
$$= καρπός \text{ V. 22.}$$

Gerade wenn κέρδος 3,7 der zusammenfassend referierte Ausdruck des Pharisäers Paulus für seinen Hoffnungsinhalt in der Zeit vor der Beschlagnahme durch den

---

128 Hoffmann 1966: 286–296.
129 Kol 3,4 dürfte unter Aufnahme dieser Phil-Stelle den ersten Schritt in diese Richtung getan haben: Dibelius 57.
130 Lohmeyer 58 f.   131 Gnilka 71.   132 Dibelius 57.
133 Gnilka 69.   134 Lohmeyer 59 Anm. 1.   135 BauerWB 302.

auferweckten Jesus ist, ist der eschatologische Gehalt des Ausdrucks im Sinne des apokalyptischen »Schatzes im Himmel« klar[136]. Er gehört also zum apokalyptischen Wortfeld der guten Taten. Dagegen gehören beide Ausdrücke als Termini der Missionssprache (1Kor 9,19–22; Röm 1,13) gerade in ein anderes Wortfeld[137], weshalb deutlich nicht der bloße Wortausdruck, sondern das jeweils vorgeordnete Wortfeld semantisch ausschlaggebend ist. Nicht ein Wort bestimmt das Wortfeld, das eine paradigmatische Struktur ist, sondern das Wortfeld ist die semantisch übergeordnete Kategorie für die Bedeutung der je einzelnen Wörter. Das ἀποθανεῖν trägt als ethischer Akt der Lebenshingabe einen weiteren guten Punkt im Blick auf Gottes Endvollendung hin bei, nicht aber allgemein als bloßes passives »Sterben«.

Da das γάρ von V. 21 beweisen soll, »daß Paulus der einen Zukunftsmöglichkeit« auch »freudig entgegensehen kann«[138], und da V. 21a eine zusammenfassende Kurzfassung der ὅτι-Sätze von V. 19 und 20 ist, so kann hier wohl nur eine konjunktionslose Hypotaxe vorliegen, wie sie griechische[139] wie semitische Rhetorik gern verwendete: »Diese Konstruktion ist auf Sprichwörter, juristische Sätze und allgemeingültige oder pointierte Aussagen beschränkt.«[140] Bedingungen wie paralleler Bau, Präsens, Persongleichheit, Wortgleichheit (oder gleiches Wortfeld) sind hier gegeben. Weiter fällt in dem Zusammenhang auch der Dativ (ἐ)μοί auf, der im semitischen (hebr. lij bzw. aramäisch lijth) ja das nicht vorhandene ἔχειν ersetzt. Das καί des Nachsatzes ist dem textlinguistischen Gefälle nach wohl eher als adverbiale Steigerung (wie gerade V. 15 schon – s. o.) denn als Konjunktion zu nehmen. »Das bedeutet, daß es sich nicht um eine primitive, sondern um eine rhetorisch bewußt gebrauchte, abgekürzte, lapidare Ausdrucksweise handelt.«[141] Nur die Auffassung von V. 21 und seines Verhältnisses von Protasis und Apodosis als einer syllogistischen Grund-Folge-Beziehung wird dem Kontext gerecht: »Denn wenn für mich das Leben nichts anderes als der auferweckte Jesus ist, dann ist einerseits sogar die Hingabe des Lebens nichts weniger als ein Gewinn.«

Damit ist der Begründungsgang geleistet, der für eine Einbeziehung von εἴτε διὰ θανάτου V. 20 in das ἐν οὐδενὶ αἰσχυνθήσομαι nötig war: »Auch das Sterben bedeutet für mich nicht etwa ein zu Schanden werden.«[142] Textsemantisch wird also κέρδος V. 21

vom Antonym αἰσχυνθήσομαι V. 20 (bzw. mit der Negation
                    οὐκ αἰσχυνθήσεσθαι als Synonym)
bestimmt und ist primär auf die Preisgabe oder Nichtpreisgabe durch Gott ausgerichtet. Auch von daher ist »Sterben als Gewinnzuwachs« nie eine Selbstverständlichkeit, sondern Hingabe paradoxerweise kein Verlust. In dem Antonymcharakter steckt also zunächst wesentlich der Gehalt, zu betonen, daß es kein Verlust ist. Paulus meint natürlich auf jeden Fall dies auch, daß der Tod eine trennende Funktion nicht mehr hat; daß er »verliert«, kann man nicht sagen, da christliche Hoffnung ja erst von der Auferweckung Jesu von den Toten ausgehen kann. Bei positiven Ausdrücken – wie hier κέρδος – in Aussagen der übergreifenden Antithese ist also die negierte Bedeutung der Antithese immer semantisch gegenwärtig und muß verbalisiert werden (s. u. auch zu V. 24 δι’ ὑμᾶς = nicht ἐμέ). Man hätte so wohl auch zu übersetzen, wenn die

---

136 Koch 1969.   137 Gg. Barth 33 »Arbeitsertrag«.
138 Haupt 35.   139 Beyer 1968: 237.   140 Ebd. 233.
141 Ebd.; vgl. auch dasselbe bei einem Oxymoron von der Art der pl Kurzformulierungen in 2Kor 5,20 mit all ihren entsprechenden Schwierigkeiten einer semantisch unmißverständlichen Decodierung; dazu mein Lösungsvorschlag Schenk 1979 z. St.
142 Ewald 85.

Antithese nicht als positives Synonym καρπός anbieten und so die Gewichte der positiven Seite semantisch verstärken würde.

Hermeneutisch ergeben sich damit einige textlinguistische Präzisierungen:

a) Die textpragmatische Ausrichtung auf den vorgegebenen referenzsemantischen Zusammenhang liegt also auf diesem Denkgefüge von Weiterleben oder Lebenshingabe. Es ist damit nicht primär der »natürliche Mensch« und dessen Lebensbewertung im Sinne von: »Ist es für diesen ein Verlust, so für Paulus ein Gewinn.«[143] Dies ist nicht die Pragmatik dieses Textes in seinem Kommunikationsziel als Sprechhandlung. Da aber sein semantischer Gehalt – hier wie in jedem Falle – immer ein entsprechendes größeres und mehrgestaltiges pragmatisches Potential hat, so ist hier dieses Potential wohl auch auf die eben angesprochene Lebensbewertung anwendbar. Nur sollte man das illokutionäre Potential deutlich von der daraus vollzogenen direkten illokutionären Sprechhandlung, also der Teilrealisierung, unterscheiden lernen. Daneben wird man sich auch zu hüten haben, zu biologistisch vom »natürlichen« Menschen zu reden, denn kulturell und soziologisch ist der Mensch immer verschieden geprägt, wie sich gleich am Beispiel der nächsten Fragestellung zeigt.

b) Von der erreichten textsemantischen Präzisierung (Weiterleben oder Lebenshingabe) her ist auch deutlich, daß der primäre Referenzbezug semantisch auch nicht herstellbar ist auf die häufig verwendete griechische Sprichwortweisheit, die in einer rigoros betonten Abwendung vom Leben den Tod als Gewinn hinstellt[144]. Daß Paulus gerade mit der Voraustellung des Personalpronomens textpragmatisch »eine bewußte Distanz von der communis opinio« vollziehe[145], dürfte nicht anzunehmen sein, nachdem der voranstehende Text diesen Tatbestand in sich genügend erhellt. Vor allem ist auf diesem Hintergrund die Schlußfolgerung fatal, daß »das Leben, das Christus ist, durch den Tod . . . nur gemehrt werde«[146]. Man kann auch hier wiederum nur sagen, daß die paulinischen Aussagen ein in dieser Richtung auswertbares pragmatisches Potential sogar solcher Resignation gegenüber enthalten, und 2Kor 5,1ff. etwa zeigt, wie es einmal hinsichtlich dieser Frage tatsächlich ausgewertet wird[147]. In keinem Falle aber ist es »Ewigkeitsheimweh«[148]. Man geht aber – wie die eben zitierten Formulierungen zeigen – in die Irre, wenn man sich entweder hier pragmatisch direkt darauf bezieht oder gar eine referenzsemantische Beziehung auf die entsprechenden griechischen Sprichworte annimmt. Der Sachverhalt, von dem Paulus ausgeht und von dem her er denkt, ist der auferweckte Jesus und nicht eine religiöse oder existenzielle Notwendigkeit, dem Tode gegenüber so oder so Christus utilitaristisch einzubringen. Nicht: Weil der Mensch eben eine Hoffnung »brauche«, darum wird dies so gesagt; dagegen spricht klar die von Paulus eben hier ernsthaft erwogene Doppelmöglichkeit wie sonst der Hinweis auf die eschatologische Verwandlung der bei der Parusie Lebenden als eines einheitlichen Aktes des Schöpferhandelns Gottes zusammen mit der Christenerweckung, die einer ideologischen Begründung der christlichen Hoffnung als einer »Antwort« auf die Todesfrage einen Riegel vorschieben (1Kor 15,50ff. 1Thess 4,14ff.).

---

143 So Haupt 34.
144 Gnilka 71; vgl. zu den Belegen für die hellenistischen κέρδος-Sentenzen neben den Kommentaren zuletzt Palmer 1975.
145 Lohmeyer 57 Anm. 1.
146 So Gnilka 71.
147 Dazu i. e. Schenk 1979 nach Osten-Sacken 1975.
148 K. Barth 32 dagegen m. R.

5.3.3.4.2. Die zweite Ausformulierung (1,23)

Auch bei V. 23 suggeriert heute noch die eingeprägte Eindeutschung Luthers »Ich habe Lust abzuscheiden und bei Christus zu sein« immer wieder den Gedanken, daß Paulus meine, die vollendende unmittelbare Christusgemeinschaft begänne nun nicht mehr bei der Parusie, sondern mit dem Sterben[149]. Nun ist dabei – abgesehen von der fälligen Beachtung des Aorist-Infinitivs (s. o.) und der damit verbundenen Tatsache, daß es um Lebenshingabe und nicht allgemein ums Sterben geht – hier noch weiteres unbeachtet und unaufgearbeitet geblieben:

a) So ist zu fragen, ob die herkömmliche Übersetzung das εἰς genügend berücksichtigt, da »die Repräsentanten des Koinetextes« (D E F G) und die lateinischen Übersetzungen das εἰς vernachlässigt haben[150], weil es ihnen offenbar Schwierigkeiten machte. Der erste Infinitiv ist also nicht kurzweg auf den Indikativ bezogen, sondern sein Verlangen geht erst auf etwas hin, so daß stärker »die Richtung auf das Ziel« betont ist[151] als das Ziel selbst.

b) Ehe man ἀναλῦσαι referenzsemantisch primär auf die wenigen Stellen bezieht, in denen das Lexem Euphemismus für »Sterben« sein kann (2Tim 4,6 dürfte literarisch direkt von unserer Stelle abhängen und unter dem Einfluß griechischer Verwendung den semantischen Gehalt variieren)[152], sollte man sehen, daß die nächstliegende textsemantische Beziehung im Kontext durch das Antonym ἐπιμένειν (vgl. 1Kor 16,7f. »sich aufhalten«) gegeben ist, das ganz im gleichen Bildfeld der Reise- und Wohnkultur bleibt. Außerdem ist ἀναλύειν als »Aufbrechen« und »Losgehen« (vom Lichten der Anker wie vom Lösen der Zeltpflöcke) nicht nur Lk 12,36, sondern auch in der Papyri noch geläufig[153]; somit stellt die Betonung der semantischen Komponente des Aufbruchs, das der Zielrichtungsangabe des εἰς entspricht, nicht einen anachronistischen Etymologismus dar. Das Aufbrechen geschieht aber eben doch auf das Ziel hin und ist nicht das Ziel selbst, wie 2Makk 15,28 deutlich zeigt. Diesen semantischen Unterschied aufzuheben, gliche dem Betrug des Igels in seinem Wettlauf mit dem Hasen in der bekannten Wettlauf-Fabel. Das Moment hat seine genaue Sachentsprechung im ἐκδημεῖν 2Kor 5,6.8, das stärker das »Verlassen«, die »Übersiedlung« (3Makk 4,11) meint und nicht das bloß statische »in der Fremde Sein«, was ἀποδημεῖν heißen müßte[154]. Es dürfte sich dort um Zitate der korinthischen Frömmigkeit und ihres »Stöhnens« handeln[155]. Paulus kann diese Stichworte nur darum dort V. 9 – wiederum mit εἴτε – εἴτε – als ethische Ausdrücke aufnehmen, weil er da ebenso wie hier Phil 1,20 auf das Leben als einen Akt verantwortlichen Handelns im Hinblick auf Gott zielt.

c) Das hier wie 1Thess 2,17 positiv verwendete[156] ἐπιθυμ- entspricht dem 2Kor 5,2 im einschlägigen Sachzusammenhang von den Korinthern übernommenen Terminus ἐπιποθεῖν, das sich dort im στενάζειν äußert und sich direkt in den 2Kor 5,6.8 zitierten korinthischen »Stöhn-Sätzen« äußert. Paulus selbst würde angesichts der Bedeutung der Gegenwart des auferweckten Herrn, die gerade 2Kor 5,5 wie hier

---

149 So zuletzt Wiefel 1974: 80f.   150 Lohmeyer 62f. Anm. 4.
151 Haupt 37.
152 Vgl. Stellen bei Dibelius 58f.; Lohmeyer 63f. Anm. 1; Gnilka 73f. nach Dupont 1952: 177–181; Hoffmann 1966: 296–301 verweist gg. Dupont methodisch m.R. darauf, daß man nicht vorschnell ἀπολύω-Stellen heranziehen sollte. Auch die von Lee 1970: 361 herangezogene Stelle aus Libanius, Oratio XVII.29 kann kaum seine Annahme erhärten, daß beiden Stellen ein antiker Hexameter zugrunde liege.
153 M–M s.v.; LXX 18mal nur in hellenistischen Texten ohne hebr. Äquivalent: Büchsel ThWNT IV 338; Haupt 37 Anm. 2; Lohmeyer 63 Anm. 1.
154 Bachmann 2Kor 233 Anm. 2 z. St. mit Papyri-Belegen und M–M s.v.
155 Osten-Sacken 1975: 104–124.   156 Vgl. auch LXX so: Lohmeyer 62f. Anm. 2.

Phil 1,19 als Grund der Hoffnung betont vorausgestellt ist, von sich aus nie mit 2Kor 5,6 stöhnen können: »Solange wir im vergänglichen Leben zuhause sind, sind wir noch nicht zum Herrn aufgebrochen.«[157] Paulus nimmt sie dort tolerierend-verstehend auf[158], und er kann das nur, indem er 2Kor 5,4 sie von einer allgemeinen Lebensverdrossenheit ablöst und auf die handfesten apostolischen Verfolgungsleiden (4,8f.17 als Kontextvoraussetzung) anwendet und so umdeutet. Die »positive« Verwendung von ἐπιθυμεῖν in Phil 1,23 ist also eine Klassifizierung, die nur im Blick auf die »negative« Verwendung des Ausdrucks zur Bezeichnung der »Begierde« gilt; sie geht aber nicht so weit, daß die ἐπιθυμία synonym mit der ἀποκαραδοκία καὶ ἐλπίς von V. 20 würde. Sie ist vielmehr durch die Synonymität mit den Termini von 2Kor 5,2 semantisch präzisierend dem Wortfeld der Klage zuzuordnen. In dieser Relation zur christlichen Hoffnung überhaupt kann damit also nur deren gelegentlicher, negativer Defizitaspekt ausgesagt sein.

d) Man wird weiter zu beachten haben, daß die Protasis V. 23 ein Partizipialsatz ist. Dies ist um so auffallender, als die Antithese V. 24 sich diesbezüglich unterscheidet: »Statt nun mit einem dem ἐπιθυμίαν ἔχων analogen Partizipialsatz fortzufahren, verwandelt Paulus . . . die zweite Hälfte des Gedankens in einen Hauptsatz.«[159] Man kann sich darum nicht mit der Feststellung begnügen, daß »die Konstruktion ἐπιθυμίαν ἔχων gut griechisch« ist[160], oder dies hier nur auf die »Lebhaftigkeit der Sprechweise« zurückführen[161]. Vielmehr dürfte gerade nach den beiden voranstehenden Konditionalsätzen V. 21 und 22 auch V. 23 durch das Partizip angezeigt sein, daß auch hier eine hypotaktische Protasis vorliegt[162]. Die Apodosis dazu kann aber nicht in V. 24a liegen, da das γάρ hier ursprünglich sein dürfte und seine Auslassung eine eindeutige Glättung darstellt[163]. Dieses γάρ ist makrosyntaktisch auch wieder (s. o. V. 21f.) auf das folgende δέ zu beziehen und hat als »zwar« neben seiner anaphorisch-begründenden zugleich auch eine kataphorische Funktion. Dann aber kann die Apodosis zur partizipialen Protasis nur im καί der letzten Wendung von V. 23 liegen, so daß eine grammatische Parataxe für eine logische Hypotaxe steht[164]: »Wenn sich mein Wunsch gelegentlich auf den Aufbruch hin richtet, dann geschieht das nur unter der Voraussetzung und im Blick auf die vollendete Christusgemeinschaft.«

Dies scheint die Lösung der vermeintlichen Aporie zu sein, daß Paulus 1,6 mit ἄχρι (und nicht nur mit rein funktionalem εἰς wie 1,11 und 2,16, wo aber immerhin auch der Terminus der eschatologischen ἡμέρα aufgenommen wird) eindeutig temporal die Naherwartung belegt, was 4,5 durch ἐγγύς bekräftigt wird, doch hier angeblich die Vollendung als schon im Sterben vollzogen ansähe. Eine solche Spannung zu anderen paulinischen Aussagen, die man erst ausgleichen müßte, dürfte vielmehr bei genauer Berücksichtigung aller Einzelelemente der Aussage gar nicht erst vorliegen. Methodisch ist die Aporie wohl erst so entstanden, daß man textpragmatisch vorzugsweise nach etwas anderem fragte als nach dem, was Paulus ganz direkt hier zur Sprache bringen will: Paulus ist von den beiden Möglichkeiten und ihrer Abwägung zueinander so gefangen, daß er solche Implikate nicht erfragt, die diejenigen Frager bestimmen, denen eine solche Situation nicht auf den Nägeln brennt, sondern die – längst relativ

157 Barrett 2Kor 258 z. St.   158 Dazu näher Schenk 1979.   159 Haupt 39.
160 Lohmeyer 62f. Anm. 4.   161 So Haupt 39.   162 Beyer 1968: 196ff.
163 Lohmeyer 63 Anm. 3; Dibelius 58; Beare 61, 63; Gnilka 75 Anm. 32 gg. Haupt 38; Ewald 90 Anm. 1.
164 Beyer 1968: 74; daher gg. Kellermann 1979: 109–113 keine »besondere Märtyrerauferstehung«.

ferneschatologisch orientiert – über das generelle Sterben und ihr Heil als Seelenheil nachdenken, statt zur unmittelbaren letzten Lebenshingabe gefordert zu sein.

Ein Widerspruch zu »früheren« paulinischen Aussagen dürfte somit erst eine nicht haltbare Konstruktion in der Forschungsgeschichte sein. Denn

a) 1Thess 4,17 bleibt hinsichtlich der Beschreibung der Vollendung als eines σὺν Χριστῷ εἶναι nach wie vor die nächste Sachparallele zu unserer Stelle (σὺν κυρίῳ ἐσόμεθα vgl. 5,10 σὺν αὐτῷ ζήσωμεν)[165].

b) Das Element des vorbereitenden »Zusammenführens« 1Thess 4,14 (ἄξει σὺν αὐτῷ) dürfte auch im Blick sein, wenn im Bezug auf die erweckende Kraft des kommenden Herrn Phil 1,23 vom Sehnen auf den Aufbruch »hin« spricht.

c) Der Entrückung von 1Thess 4,17 folgt ja nicht eine ausdrücklich erwähnte Rückkehr von der »Einholung«, wie das im Blick auf das »Zusammenführen« von V. 14 zu erwarten wäre[166]. In ähnlicher Weise will auch Phil 1,23 nicht alle Stadien kontinuierlich systematisch darstellen.

d) Wenn Paulus 1Thess 4,16 von νεκροὶ ἐν Χριστῷ spricht, so ist das ebenso eine solche Zielpunktaussage, die von dem jetzt schon geschenkten ἀρραβών her auf die Endvollendung hinblickt wie die Zielaussagen von Phil 1,23, und nicht die Beschreibung eines Zwischenzustands. Sie drückt nicht mehr als die Gewißheit aus, daß auch der Tod uns nicht aus dem in Gang befindlichen Vollendungsprozeß der Liebe Gottes heraustrennen kann (Röm 8,38f.). Die Kontinuität liegt dabei ganz in Gottes Heilskraft und nicht in anthropologischen Kontinuitäten durch einen »Zwischenzustand« (1Kor 15,35ff.), weshalb die schöpferische Verwandlung der dann Lebenden wie die schöpferische Auferweckung der dann Toten in 1Kor 15 wie 1Thess 4 immer sachlich parallelisiert sind.

e) Die paulinische Theozentrik hat es für Paulus so wenig sinnvoll erscheinen lassen wie im Blick auf Jesus über die Tage zwischen seinem Todesfreitag und seiner Auferweckung am ersten Tage der Woche einen Zwischenzustand zu postulieren. Gegen Hoffmann[167] ist weder aus »Abyssos« Röm 10,7 die Vorstellung von Christus im Totenreich herauszulesen, da dort »sprichwörtlich übermenschliche Anstrenungen . . . welche etwas Unmögliches verwirklichen sollen«, bezeichnet sind[168], noch ist aus dem formelhaften Gebrauch von ἐκ νεκρῶν über das Begrabensein hinaus eine Unterweltsvorstellung von Apg 2,27 her einfach als Voraussetzung anzunehmen (wie Hoffmann[169] im übrigen leider von »einer allgemeinen Auferweckung« spricht, wo doch Paulus nur eine neuschöpferische Verwandlung bzw. Auferweckung der Christen kennt, was schon entscheidend gegen allgemeine »Totenreichserwägungen« spricht). Beides verkennt die durchgehende Schöpfungsstruktur der paulinischen Erweckungsaussagen. Aus der Auferweckungstheologie als Schöpfungstheologie ergibt sich offenbar eine andere anthropologische Konsequenz als aus einer weniger konsequenten Anwendung der logischen Syntax des Evangeliums.

Versteht man Phil 1,23 als konditionale Hypotaxe und nimmt man das εἰς in der Protasis als Richtungsbeschreibung wirklich ernst, so liegt hier höchstens eine verkürzte Perspektive vor[170]. Was für 2Kor 5,1ff. festgestellt wurde, dürfte auch hier gelten: »Die Auferstehung ist dabei nicht bewußt ausgelassen, sondern nur nicht beachtet.«[171]

---

165 Wie Hoffmann 1966: 213f.; Gnilka 76 m. R. anmerken.
166 Hoffmann 1966: 226.   167 Hoffmann 1966: 176–180.
168 Käsemann Röm 278 z. St.   169 Hoffmann 1966: 180–185.
170 In diese Richtung weist m. R. Michaelis 26f.
171 Hoffmann 1966: 273.

In linguistischer Präzision wird man das eher noch abgeschwächter formulieren müssen, da in der semantischen Tiefenstruktur Gehalte vorhanden sind, die nicht unbedingt verbalisiert werden müssen. Wortfelder und Synonymwendungen sind stärker zu veranschlagen als unsere an »Begriffen« einseitig haftende theologische Denktradition.

Wenn Paulus oft »abgekürzt« redet und eine »verkürzte Ausdrucksweise«[172] in eschatologischen Aussagen beispielsweise auch 2Kor 4,14 vorliegt (»der Jesus auferweckte, wird auch uns mit Jesus auferwecken und mit euch zusammen hinstellen«; vgl. auch »Verwandeltwerden« bezeichnet 1Kor 15,51 den Gesamtvorgang, dagegen 1Kor 15,52 nur einen Teilaspekt, was indessen keine Unstimmigkeit darstellt, sondern nur klarmacht, daß eine sachliche Identität der Vorgänge vorausgesetzt ist, was aber eine isolierte Wortsemantik verkennen muß), so wird man das auch hier Phil 1,23 veranschlagen dürfen.

Das hier vorliegende Kommunikationsproblem des metasprachlichen Kommentators ist textpragmatisch bestimmt: In der unmittelbaren Kommunikation der Briefempfänger versteht sich vieles von selbst, was für die, die sich nachträglich in eine neue Kommunikationssituation zu dem Brief begeben, erst expliziert werden muß: Die größte Relevanz hat meist die Information, die nicht explizit erwähnt ist; »nur wenn der Sprecher sich nicht sicher ist, daß für den Hörer momentan der gleiche Sachverhalt von der größten Relevanz ist wie für ihn selbst, muß er die Aufmerksamkeit des Hörers auf den Sachverhalt lenken«[173].

Es besteht also kein Anlaß, hier eine vermeintliche Diskrepanz zu anderen paulinischen Aussagen ausgleichend erklären zu müssen, sei es

a) durch die Behauptung einer Fortentwicklung im eschatologischen Denken bei Paulus vom apokalyptischen zum individualisierend-hellenistischen Vorstellungskreis[174];

b) sei es durch eine religionspsychologische Unterscheidung im Gefolge der Kategorien Boussets, die vermeintlich persönliche Vollendungsfrömmigkeit von lehrhafter Vollendungstheologie abheben wollte[175] und darin die hierarchische Vorordnung der Semantik vor der Pragmatik verkennt[176];

c) sei es durch die Annahme einer rein von der Situation bestimmten unterschiedlichen Fragestellung[177], wobei ein derzeit gängiger Absolutismus der »Situation« auch nur eine Spielart des Pragmatismus darstellt;

d) sei es durch den jüngsten Erklärungsvorschlag, daß nur das »Daß« der Hoffnung verbindlich sei, während das »Wie« für den Pharisäer Paulus zur dogmatisch nicht genormten Haggada gehöre[178]. Dies ist aber nur eine andere historische Verkleidung der gleichen religionsphilosophischen Vorentscheidung wie bei Dibelius, die zwischen irrationaler Religion und rationaler Theologie unterscheidet. Für Paulus aber liegt »Theologie« doch nirgends anders vor als im praktischen Vollzug in der direkten Kommunikation seiner Gemeindebriefe, so daß eine solche Unterscheidung nicht anwendbar ist, da es bei Paulus eben gar nicht um Religion geht und Theologie von daher anders bestimmt werden muß – nämlich als Kirchenleitung. Die logischen Regeln der Sprache gelten für alle christlichen Verkündigungsaussagen, sofern sie verantwortlich gemacht werden. Im speziellen scheint es außerdem fraglich, ob für den Christen Paulus eine Auffassung der Eschatologie als Haggada

---

172 Gnilka 78.

173 Posner 1973: 128.

174 So von Pfleiderer 1902: 321ff. bis Wiefel 1974; dagegen m. R. Gnilka 81–88.

175 Dibelius 58f.

176 Schenk 1975.

177 So Gnilka 48 mit Hoffmann 1966: 327.

178 So Baumbach 1977.

noch so bestimmend angenommen werden kann wie für den Pharisäer Paulus, da das Kategoriengefüge ein anderes ist und das Komplenym »Halacha« für Paulus im Blick auf die Jesus-Halacha ebenfalls relativiert erscheint angesichts des auferweckten Jesus, der nicht einfach an die Stelle der Tora trat, sondern ihren Mißbrauch abtat, um sie aufzurichten.

Man muß also den paulinischen Gesamthorizont bedenken: Für die paulinische Stetserwartung ist die Vollendung durch das Kommen des auferweckten Herrn tagtäglich näher als das eigene Sterben (4,5; 1Kor 15,51f.; 1Thess 4,17). Wenn er hier plötzlich in einer Ausnahmesituation lebt, in der einmal die eigene Hinrichtung näher erscheint als die Endvollendung, dann läßt sich die verkürzte Ausdrucksweise ohne weiteres verständlich machen. Diese aber wird mißbraucht, wenn man im nachhinein daraus unter prinzipieller Aufgabe der genuin christlichen und evangeliumsgemäßen Stetserwartung auf die weltweite Vollendung der Königsherrschaft Gottes ein platonisierendes »Nun ist der Tod mir der Eingang in das Leben« macht.

5.3.3.5. Die entgegengesetzte Hoffnungskonsequenz der weiteren Missionsarbeit (1,22.24.25f.)

5.3.3.5.1. Die andere Form des eschatologischen Gewinns (1,22)

Die Frage, wo die Apodosis zur Protasis des Konditionalsatzes beginnt, hat die verschiedensten Antworten erfahren. Dies ist nicht »nur« eine Frage der Interpunktion[179], sondern eine Frage der Textsyntax, die semantische Implikate hat. Man hat die Frage nicht gelöst, wenn man mit der Mehrheit der Ausleger die Apodosis mit τοῦτο einsetzen läßt, weil man dann nicht nur in beiden Sätzen zu viele Ergänzungen anbringen müßte, sondern auch darum, weil darüber, was dann ergänzt werden müßte, die Antworten weit auseinandergehen: Ist einmal oder beide Male nur ἐστιν[180] oder ζῆν ἐστιν bzw. κέρδος zu ergänzen[181], so würde es doch immer gegen das eschatologische Verständnis von καρπός als Synonym zu κέρδος in V. 21 (s.o.) verstoßen. Außerdem würde verkannt, daß τὸ ζῆν ἐν σαρκί (auch in der Parallele V. 24 ist ἐν als urspr. Lesart anzusehen, die vielleicht nur wegen des Schlusses des voranstehenden Wortes (-ειν) übersehen wurde)[182] durch die unmittelbare Wiederaufnahme dieses Subjekts mit anaphorischer Pro-Form (τοῦτο) als eine Einheit gekennzeichnet ist und als Vordersatz so noch kein echtes Prädikat hätte.

So ist die von Lohmeyer[183] wiederaufgenommene Auslegung der griechischen Väter, daß die Protasis bis ἔργου reicht, die wahrscheinlichste, zumal eine logische Hypotaxe durch eine grammatische Parataxe ausgedrückt und durch das darauf folgende καί hier gut angezeigt sein kann[184], wobei offenbleiben darf, ob die Apodosis eine direkte Frage sein soll oder nicht. Gegen diese Lösung spricht nicht, daß das Subjekt durch die Wiederaufnahme mittels der Pro-Form zu stark betont würde[185], im Gegenteil: denn gerade das Subjekt ist ja die Antithese, die eine Betonung nicht nur gut verträgt, sondern gerade fordert, so daß nur der antithetische Charakter dadurch besonders hervorgekehrt wäre, was textlinguistisch der wiederholten Antithese V. 23ff. gut

179 Gg. Gnilka 72.
180 Ewald 87; Dibelius 56f.; Gnilka 69, 72.
181 So Haupt 35f. ausführlich für diese zweite Möglichkeit analog zu Röm 2,28f. plädierend.
182 Haupt 39 Anm. 1; Lohmeyer 65 Anm. 2; Gnilka 75 Anm. 38.
183 Lohmeyer 59 Anm. 2, 61 Anm. 1.
184 Beyer 1968: 74, 233 – so daß man nicht mit B–D–R 368; 442,8 – vgl. K–G 521,3 – unbedingt wegen des καί auf eine direkte Frage wie 2Kor 2,2; Mk 10,26; Joh 9,36 aus sein müßte.
185 Gg. Haupt 35.

entspricht. So kann man entweder mit Lohmeyer[186] in dem Slot vor τοῦτο den Filler εἰ wiederholen oder die semantische Funktion des wiederholenden τοῦτο durch ein »auch« wiedergeben.

Ebensowenig spricht gegen diese Fassung, daß die Apodosis so wieder zum Ganzen zurückkehrt. Vielmehr hat diese Aufteilung in V. 21 ihre dualistische Entsprechung, sofern dort am Anfang die Ganzheitsaussage stand, die dann zu dem einen Teilaspekt überging. Die noetischen Verben von V. 22 entsprechen dem am Anfang von V. 21 textpragmatisch vorauszusetzenden πεποιθὼς οἶδα (s. o.): γνωρίζω meint hier – ohne den sonst bei Paulus gebrauchten kausativen Sinneinschlag – einfach »wissen«[187]; und V. 24a parallelisiert mit einem weiterführenden δέ dies zu einer neu ansetzenden Wiederholung, die dann in V. 23f vorliegt.

Auch συνέχομαι[188] beschreibt wie an der zweiten paulinischen Stelle, 2Kor 5,14, dies totale Bestimmtsein von etwas für das Gebiet der Erkenntnis, also eine logisch zwingende Notwendigkeit – dort für die Heilserkenntnis überhaupt, hier für eine Aporie der Willensbildung. Textpragmatisch ist die parallelisierende Doppelung der Aporie-aussage ebenso wichtig wie die folgende Wiederholung der sachlichen Antithese. Sie zeigt nämlich, wie wenig Paulus unter dem »Interessenkonflikt« leidet. Vielmehr stehen diese noetischen Aussagen von V. 22f wie ihre Vorgänger (V. 19.20.21) und Nachfolger (V. 25) immer noch im Dienste des Begründungszusammenhangs für die Überschrift V. 18b: Ich werde immer Grund zur Freude haben – ob so oder so – in jedem denkbaren Falle! Man hüte sich also, Paulus hier eine große »seelische Bedräng-nis, die die Wahl zwischen dem gewinnbringenden Tod und dem fruchtbringenden Leben« nicht finden könne, zuzuschreiben[189], da κέρδος und καρπός ja Synonyme sind, die das identische Ziel des Gewinns in jedem Falle beschreiben. Auch bei καρπός denkt er an seinen eschatologischen Profit. Der missionarische Bezug liegt hier nicht in diesem Ausdruck, sondern dieser Bezug auf andere Menschen wird erst mit ἔργου eingebracht. Wie wenig Paulus von seelischer Bedrängnis bestimmt ist, zeigt sich im Folgenden auch daran, daß er dem gehäuften Komparativ auf der einen Seite, der einem Superlativ entspricht (πολλῷ μᾶλλον κρεῖσσον), beinahe noch überbietend einen positiven Komparativ auf der antithetischen Gegenseite (ἀναγκαιότερον) an-fügt.

5.3.3.5.2. Die wiederholenden Ausformulierungen (1,24–26)

Dieser Abschluß ist dadurch gekennzeichnet, daß »Ihr« (zuletzt V. 19) durch fünfmali-ge Verwendung wieder in den Vordergrund tritt. Dies darf aber nicht nur auf die philippischen Adressaten eingeengt verstanden werden, denn

– einmal meint es V. 24 durch die Antithese zu V. 23 stärker »nicht um meinet-willen«[190],

– zum anderen ist ὑμεῖς schon in dem nomen actionis ἔργου V. 22, der apostolischen Weiterwirksamkeit insgesamt[191], vorbereitet und enthalten, so daß auch von daher ein nicht ausschließlich auf die Philipper bezogener semantischer Gehalt vorliegen muß.

186 Lohmeyer 59.
187 Lohmeyer 61 Anm. 3 zu entsprechenden hellenistischen und LXX-Belegen.
188 Vgl. Belege bei Haupt 37 Anm. 2; Lohmeyer 62 Anm. 2; Gnilka 73 Anm. 20.
189 Gg. Gnilka 72f.
190 Ewald 90 – s. o. zu V. 21.
191 Lohmeyer 60 Anm. 1 weist m. R. darauf hin, daß es im Sinne der Kategorie »Energeia« bei W. von Humboldt gemeint ist, die er dem als nomen resultandum verwendeten »Ergon« gegenüberstellt, was den Linguistikern prinzipiell für die Definition der Sprache wichtig ist.

– V. 25 bestätigt dies durch die Verwendung von πᾶσιν ὑμῖν: »Daß mit diesem ὑμεῖς wieder nicht allein die Philipper gemeint sein können, sondern diese wie in dem δι' ὑμᾶς V. 24 hier nur als Teil der sämtlichen Gemeinden . . . in Betracht kommen, ergibt sich evident aus dem Zusatz πᾶσιν, welcher, wenn es sich nur um die philippische Gemeinde handelte, ohne jeden Sinn wäre.«[192]

Dabei taucht nun ἔργου V. 22 wie ὑμῖν V. 24 immer in den nachgeordneten Zielbestimmungen auf. Dies ist darum nun auch für den ὅτι-Satz von V. 25 anzunehmen.

Mit μενῶ

καὶ παραμενῶ πᾶσιν ὑμῖν

ist nicht eine bloße spielerische Wortwiederholung des Simplex im Kompositum gegeben[193], sondern wie V. 21.22.23 ein Doppelsatz mit Protasis und Apodosis, also eine grammatische Parataxe für eine logische Hypotaxe im gleichen Sinne des Wenn-Dann-Gefüges wie in den bisherigen Fällen. Haupt[194] hat diese konditionale Bedeutung vom Zusammenhang her mit Recht betont, ohne sie schon so umfassend begründen zu können, wie das heute auf dem Hintergrund der Materialsammlung von K. Beyer (1961) zu den Konditionalsätzen im Rahmen der semitischen Syntax möglich ist[195]. Gegen Dibelius [196] und Gnilka[197] liegt in der konditionalen Fassung keine Abschwächung. Schließlich ist gar die Alternative: »Wir haben es mit einem Bekenntnis zu tun, nicht mit den Exzerpten eines studiosus der Logik«[198] eher fatal. Christliches Bekennen, Hoffnung und Zuversicht sind nicht per definitionem unlogisch, wenn sie kommunikativ vermittelbar sein sollen, sowohl unter missionarischem wie unter ökumenischem Aspekt, wenigstens soweit wir es an Paulus ablesen können, aber doch wohl auch universell: Wie sollte man sich sonst verständigen? Oder will man sich nur »Bekenntnisse« – also schlicht »Meinungen« – gegenseitig an den Kopf werfen? Die Logik gilt zum Glück auch für das Reich Gottes und ist eine Gestalt der Liebe, weil dieser Gott ein menschenfreundlicher Gott ist[199].

Von dieser Satzstruktur her ist ebenfalls deutlich, daß im Nachsatz eine Synonymie von ἔργον V. 21 (als nomen actionis) und παραμένειν V. 25 vorliegt. Dieses Kompositum meint also nicht nur kein »Sitzen auf dem Altenteil« in Philippi[200], sondern überhaupt kein »Sitzen«. Nach Lohmeyers[201] wichtigem Nachweis, daß παραμένειν in der Koine nicht selten »dienen« heißt, den Hauck[202] weiter ausgebaut hat (Παραμένων als häufiger Sklavenname!), ist dies nun von der Satzstruktur her an unserer Stelle ebenso sicher wie es sich an der zweiten paulinischen Stelle 1Kor 16,6 aus dem Kontext ergibt[203]. Nur in der semantischen Steigerung entsprechend den Kontextparallelen ist der Nachsatz sinnvoll.

Diese syntaktische Lösung kann auch den Ausgangspunkt für die Erschließung der anschließenden Sätze bilden. Sprechen schon die äußeren Synonymglieder

---

192 Haupt 42 gg. Lohmeyer 65, 67 nicht »die Summe aller Glieder der Gemeinde«.
193 Gg. Dibelius 58.   194 Haupt 41.
195 Auch Ewald 91 f. plädierte schon für das konditionale Verständnis, dessen Begründungsvorschlag dafür, das ὅ τι zu trennen und relativisch zu fassen, allerdings ohne ein folgendes Relativum nicht durchführbar ist und was darum schon Wohlenberg ebd. Anm. 1 zurückgewiesen hat, was aber Gnilka 93 Anm. 1 übersieht und was nun insgesamt nach dem besser vorhandenen Begründungszusammenhang unnötig und überflüssig ist.
196 Dibelius 58.   197 Gnilka 93.
198 So Gnilka 94.   199 Bochenski 1968.
200 Wie Haupt 42 m. R. einschränkte.   201 Lohmeyer 67 Anm. 3.
202 Vgl. Hauck ThWNT IV 581 f.
203 Mit GNT und N–A[26] als ursprüngliche Lesart. Wenn Gnilka 94 Anm. 9 dies für »unwahrscheinlich« erklärt, so müßten wenigstens die Gegengründe benannt werden. Nur in der semantischen Steigerung – entsprechend den Kontextparallelen – ist der Nachsatz sinnvoll.

μενῶ V. 25 =˙ ἐμῆς παρουσίας V. 26
und auch die inneren Synonymglieder der Finalbestimmungen
εἰς V. 25 = ἵνα V. 26
für eine chiastische Gestaltung des Abschlusses, so schließlich auch die weiteren synonymen Glieder innerhalb der Finalsätze:
προκοπή V. 25 = περισσεύειν V. 26
sowie χαρά V. 25 = καύχημα V. 26.
So zeigt sich uns folgender Aufbau:

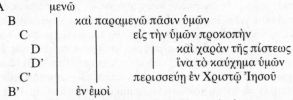

A   μενῶ
  B | καὶ παραμενῶ πᾶσιν ὑμῶν
    C | εἰς τὴν ὑμῶν προκοπὴν
      D   καὶ χαρὰν τῆς πίστεως
      D'   ἵνα τὸ καύχημα ὑμῶν
    C' | περισσεύῃ ἐν Χριστῷ Ἰησοῦ
  B' | ἐν ἐμοὶ

A'   διὰ τῆς ἐμῆς παρουσίας πάλιν πρὸς ὑμᾶς

Von diesem Aufbau her läßt sich klären, wie die gedrängten Aussagen in beiden Finalsätzen in ihrem semantischen Gehalt zu bestimmen sind:

Im ersten Finalsatz hat die Beziehungssetzung der beiden Genitive auf die mit einem Artikel verbundenen Akkusative alle möglichen Kombinationsvarianten durchlaufen, wobei die Behauptungen der Möglichkeiten und Unmöglichkeiten sich ständig gegenseitig aufhoben[204]. Außerdem ist man wohl zu leicht geneigt, anzunehmen, daß eine globale Zusammenfassung sehr allgemein sei, was dazu führt, semantisch unpräzise und erbaulich zu werden, sofern es Gnilka[205] »natürlich« erscheint, daß προκοπή »das Evangelium, den Glauben, das Gemeindeleben« so quasi alles in einem bezeichnet, doch gerade der Verweis auf V. 12 dabei macht skeptisch, da dort nur von der προκοπή der rein missionarisch gefaßten Evangeliumsverkündigung die Rede ist, hier dagegen aber doch offenbar die inneren Verhältnisse der Gemeinde im Blick sind, die nach Paulus sonst klar davon zu unterscheiden sind. Eine Hilfe der Erfassung bietet die chiastische Synonymentsprechung, sofern sie der syntagmatischen Textverknüpfung im Gebetswunsch Röm 15,13 entspricht: πληρῶσαι ὑμᾶς πάσης χαρᾶς . . . ἐν τῷ πιστεύειν.

D. h. daß hier πίστις, das hier erstmalig im Brief auftaucht, als nomen actionis für ἐν τῇ πιστεύειν steht (vgl. auch die Wiederaufnahme des Substantivs V. 27 durch das Verb V. 29 im Folgenden), wobei der Genitiv kausal, also als Genitivus subjectivus zu nehmen ist. D. h. weiter, daß προκοπή = περισσεύειν = πληρῶσαι dasjenige ist, was damit geschieht. Dann sind offenbar beide Verbindungen von Akkusativ + Genitiv je für sich zu nehmen und durch ein epexegetisches καί verbunden zu sehen: »zu eurem Fortschritt, ja zur Freude aus Glauben«; beide Akkusative sind als nomina actionis zu fassen, wobei προκοπή das Suprenym für das Hyponym χαρά ist[206].

Beim zweiten Finalsatz ist von der Faustregel auszugehen, daß καύχημα bei Paulus meist nicht nomen actionis (so καύχησις) ist, sondern den Gegenstand oder Inhalt bezeichnet[207]. »Doch ist der Unterschied . . . nicht scharf.«[208] Wenn ὑμῶν noch Objekt sein sollte, dann müßte ἐν ἐμοί das Subjekt enthalten (»daß ihr rühmlicher Zustand noch weiter zunehme«)[209]. Doch eine solche subjektiv-kausale Fassung von ἐν

204 Vgl. Haupt 42 f. und Gnilka 94 einerseits und Ewald 93 und Lohmeyer 67 f. andererseits.
205 Gnilka 94.
206 Haupt 43; wie Röm 1,5 »Gnade« Suprenym für das Hyponym »Apostolat« ist.
207 Ewald 95; Haupt 43; Gnilka 94; Bultmann ThWNT III 646–654.
208 Bultmann ThWNT III 649 Anm. 35.   209 So Hauck ThWNT VI 61.

ἐμοί scheitert daran, daß der unmittelbar erläuternde Anschluß durch διὰ τῆς ἐμῆς παρουσίας πάλιν (Nachstellung als paulinische Stileigenart: Gal 1,13; 1Kor 8,7)[210] dann unmöglich gemacht wurde. Sollte also Paulus als Objekt transitiv[211] oder intransitiv (es »soll ihre Möglichkeit, sich rühmen zu können, wachsen, nämlich dadurch, daß ihr Glaube dank der Wirksamkeit des Paulus fortschreitet«)[212] und ὑμῶν als Subjekt zu nehmen sein: »damit ihr an mir noch mehr zu rühmen habt am Vollendungstag«? Dann würde unter der Hand doch aus dem Ruhmesgrund (καύχη-μα) das nomen actionis καύχησις gemacht. Also sollte eher Gott das Subjekt der Anerkennungsaktion sein, für das καύχημα den Grund angibt. Da die zweite καύχημα-Stelle, 2,16, reziprok die Gemeinde als Ruhmesgrund für Paulus angibt (und zwar für die ἡ μέρα Χριστοῦ!) und 2Kor 1,14 beide – Apostel und Gemeinde – sich das gegenseitig bewirken (und zwar ἐν τῇ ἡμέρᾳ τοῦ κυρίου ἡμῶν Ἰησοῦ!), so dürfte auch zugleich klar sein, daß hier ἐν Χριστῷ Ἰησοῦ nicht unklar eine »Sphäre« angibt[213], sondern hier wie 1Kor 15,31 (dort ist V. 32 τὸ ὄφελος Synonymparallele zu »Ruhm«) eine abkürzende Kurzformulierung für die vollständige Wendung ἐν τῇ ἡμέρᾳ τοῦ . . . ist, mithin »in Christus« in diesen Fällen als Metonym für den Parusieterminus ἡμέρα steht. Auch 1Thess 2,19f. ist die Gemeinde Gegenstand des Rühmens ἐν τῇ παρουσίᾳ, wobei zwar Paulus klar Subjekt ist, doch geschieht dies im Blick auf die Anerkennung vor dem Herrn. Ist der Gedanke hier Phil 1,26 so gefaßt, entspricht er ganz dem Abschluß in 1,11: Jeder Christ trägt für sich und den anderen möglichst viel Profit zur Anerkennung durch Gott bei. Man wird auf jeden Fall stärker, als es bisher üblich war, die eschatologischen καύχημα-καύχησις-Stellen als besondere Verwendungsgruppe bei Paulus für sich nehmen müssen und sie aus dem gängigen existenzialen Gesamtdeutungsschema deutlich heraushalten. Hier gehört der Ausdruck synonym in das Wortfeld von eschatologischem κέρδος, καρπός, δόξα und ἐπαινός.

Was ist also mit dem Abschluß V. 25f. erreicht? Was meint seine Einleitung καὶ τοῦτο πεποιθὼς οἶδα? Ist Paulus also über das εἴτε διὰ ζωῆς εἴτε διὰ θανάτου von V. 20 hinausgelangt, so daß er meinen könnte: »Die Zuversicht konkretisiert sich in der Hoffnung auf ein baldiges Wiedersehn?«[214] Man beruft sich dabei auf 2,24, die Gewißheitsaussage, selbst bald kommen zu können. Doch das geht so in dieser Eindeutigkeit nicht, denn auch dort rechnet unmittelbar vorhergehend 2,17 auch noch mit der gegenteiligen Möglichkeit – genau wie hier. Beide Stellen zusammen zeigen vielmehr, daß Paulus auch 1,25f. bei dem »Unentschieden« der beiden Möglichkeiten von V. 22–24 bleibt.

Dieselbe Zurückhaltung zeigt sich nun eben auch in dem kurzen zusammenfassenden Rückblick, den 1,27 einschiebt, und der ausdrücklich bei dem εἴτε – εἴτε bleibt und das Kommen-Können nicht als unumstößliche einzige Möglichkeit zeigt. Darum dürfte das καὶ am Anfang von V. 25 folgernd und vorweisend gemeint sein, und auch das τοῦτο kann – mit diesem καὶ verbunden – nur ebenso kataphorisch sein und auf den ὅτι-Satz vorausweisen[215]; doch selbst bei einem Rückbezug auf V. 24 wäre nicht nur das ἀναγκαιότερον gemeint, sondern δι' ὑμᾶς eingeschlossen. Damit läuft die syntakti-

---

210 Haupt 43 Anm. 1.   211 Haupt 43; Ewald 93f.
212 So Bultmann ThWNT III 652.
213 So Haupt 43; Ewald 93f.; Bultmann ebd. 649 Anm. 35; Gnilka 95: »Ort«, der es daneben auch noch in ἐν ἐμοί »geortet« sieht.
214 So Gnilka 95; man versteht aber von diesem Verständnis des Resultats her nicht mehr, wieso Gnilka sich dann einleitend ganz von der analogen Interpretation des Schlusses durch Michaelis z. St. distanziert. Daneben ist Gnilka Beleg dafür (»2,13«) ein irreführender Druckfehler.
215 So m. R. Haupt 41f. wie Michaelis gg. Dibelius 58; Gnilka 94.

sche Entscheidung sachlich auf dasselbe hinaus[216], wobei die Spitze der Gewißheit nicht in dem Lebenbleiben, sondern in den Finalsätzen liegt: Paulus ist also selbst für diesen Fall des κέρδος als καύχημα gewiß, und der letzte ὅτι-Satz samt seiner Einleitung ist nicht nur formal, sondern auch funktional seinen einleitenden Parallelen V. 19 und 20 adäquat[217]. Darum wird man – da und wie schon V. 22f. keine »Seelenqual« zu finden war – auch im Abschluß V. 25f. keinen Ausweg daraus erwarten können: »Dieser ganze Gedankengang ist doch gar nicht darauf angelegt, ein bestimmtes Urteil über die Zukunft bei ihnen hervorzurufen, sondern im Gegenteil ihnen die Entscheidung gleichgültig zu machen. Es handelt sich ihm gar nicht um die Frage, ob er leben oder sterben werde, sondern um die Gewißheit, daß nichts eintreten könne, was ihm nicht zur Freude dienen könne.«[218]

5.3.4. Das Gliederungsergebnis

Damit ist die Grundstruktur von 1,18b–26 klar. Der Abschnitt ist eine Einheit. Die Teilung in einen Dreischritt (1.) Christus wird verherrlicht V. 18b–20; (2.) Leben oder Tod V. 21–24; (3.) Die Hoffnung auf baldiges Wiedersehen. 25–26[219] entspricht der Intention so wenig wie dem Argumentationsgefälle. Paulus ist hier nicht »vor schwere Entscheidungen« gestellt[220], da der Ausgang des Prozesses für ihn offenbar gar nicht in seine Entscheidung gestellt war. Bei seinem radikalen Mut zur Wahrheit, der zu seinem Zeugenauftrag gehörte, ging es ihm nicht darum, taktische Handlungsstrategien zu entwerfen. Schließlich war er kein Kirchenpolitiker, der Machtstrukturen kalkuliert und damit den Auftrag der Kirche paralysiert (Barmen 3 und 4).
Wenn Paulus nach der grundsätzlichen Beschreibung der Hoffnung V. 19–20 eine doppelte Entfaltung zufügte, so entspricht das genau dem Zweischritt im vorangehenden Abschnitt V. 12–18a, wobei die angeschlossene Diskussion der Alternative dort von der Realwirklichkeit und hier von der Realmöglichkeit her vorgegeben ist. In beiden Fällen läuft seine Überlegung auf einen Ausgleich hinaus. Somit ist der Unterteil V. 21–26 hier nur eine weiterführende Entfaltung für die Begründung V. 20 und damit letztlich für V. 18b überhaupt:
1. Bekenntnis der Grundgewißheit V. 18b
2.1. Erste Begründung im Blick auf die Basis der Hoffnung V. 19
2.2. Zweite Begründung im Blick auf das Ziel der Hoffnung V. 20
2.2.1. Dritte Begründung angesichts zweier möglicher Entwicklungen V. 21–26
2.2.1.1. Erste Gegenüberstellung V. 21–22
2.2.1.2. Zweite Gegenüberstellung V. 23–24
2.2.1.3. Die Gleichwertigkeit beider Möglichkeiten V. 25–26
Der Zusammenhang von V. 21–26 mit V. 18b–20 ist klar: »Wie mein jetziger Zustand sich auch gestalten möge, es wird mir zur Freude gereichen; und zwar hat jede Möglichkeit, wenn ich sie näher betrachte, solchen Vorteil, daß ich mich im Blick darauf nicht zu entscheiden wüßte.«[221]
Wenn Paulus also durchaus nicht in Handlungsaporien steckt, so könnte hinter der Erkenntnisbemühung beider Abschnitte V. 12–18a wie V. 18b–26 wohl aber als Hin-

---

216 Ewald 92f. Anm. 2; an eine spezielle prophetische Eingebung – so Lohmeyer 66 nach Bengel – ist also sicher nicht zu denken.
217 Haupt 41; Lohmeyer 66. 218 Haupt 41 vgl. ebd. 42–44.
219 Wie bei Gnilka 54 vgl. ebd. 65ff. 220 Gnilka 54.
221 Haupt 44.

tergrund oder Ausgangspunkt eine Gebetsaporie stecken, die sich im ersten Falle hinsichtlich der Konkretionen seines Dankgebets und im zweiten Abschnitt hinsichtlich seines Bittgebets ergeben haben. Indem er die Gemeinde an beiden Problemen und ihrer Klärung beteiligt, gibt er ihnen zugleich damit direkte Hilfen für analoge Fragen, in die sie hineingeraten werden, wie darüber hinaus indirekte Modelle für ihre Meinungsbildung und Urteilsfindung in ihren regelmäßigen Gemeindeversammlungen, deren Hauptaufgabe es ist, gemeinsam herauszufinden, was sie als Zeugen Gottes zu tun haben, und was sie konkret zu beten haben und was nicht.

5.3.5. Zusammenfassung: Übersetzung

V. 18b Ja, ich werde auch künftig in jedem Falle immer Grund zur Freude haben.
V. 19 Denn mit Ijob weiß ich:
>>Auch meine jetzige Lage wird mich auf jeden Fall der Zukunft Gottes entgegenbringen<< (Ijob 13,16 LXX);
und zwar (1.) weil Ihr ja für mich betet,
und (2.) weil sich doch der auferweckte Jesus uns ständig neu als Hoffnungsbegründer zur Verfügung stellt.
V. 20 Aufgrund meiner festgegründeten Hoffnung weiß ich:
Gott wird mich in keiner Lage preisgeben,
sondern allen Widerständen zum Trotz wird so wie bisher immer nun auch jetzt die Christusnachricht durch mich ausgebreitet werden –
sei es durch mein Weiterleben
oder sei es durch die Hingabe meines Lebens.
V. 21 Wenn also für mich das Leben ganz und gar der auferweckte Herr ist,
dann ist einerseits sogar die Lebenshingabe gar kein Verlust,
sondern ein Gewinnposten.
V. 22 Wenn aber andererseits auch das Weiterleben für mich ein Gewinnposten ist,
wegen der weiteren Wirksamkeit für die Christusnachricht,
dann weiß ich wirklich nicht, was ich vorziehen soll.
V. 23 Ich werde ja von beiden Möglichkeiten gleich stark bestimmt: Wenn ich meinen Wunsch gelegentlich auf den Aufbruch hin richte,
dann geschieht das im Blick auf die vollendete Christusgemeinschaft hin.
V. 24 Das wäre zwar bei weitem das beste,
doch andererseits ist das Weiterleben um Euretwillen das wichtigere.
V. 25 Also bin ich dessen ganz gewiß:
Wenn ich weiterlebe,
dann um Euch und allen zur Verfügung zu stehen,
damit Ihr Fortschritte, ja Euer Christsein Euch Freude macht,
und damit Euer Zustand noch anerkennungswürdiger sein wird bei der vollendenden Erscheinung des auferweckten Jesus,
weil ich dann nochmals bei Euch sein und etwas ausrichten könnte.

6. Prinzipielle Richtlinien für die Gemeindearbeit in Phil B (1,27–2,18)

6.1. Erinnerung an die drei grundlegenden Daueraufgaben der Gemeindearbeit (1,27–30)

6.1.1. Textsegmentierung

(V. 27) 1.0. Μόνον ἀξίως τοῦ εὐαγγελίου τοῦ Χριστοῦ πολιτεύεσθε
         ἵνα – εἴτε ἐλθὼν καὶ ἰδὼν ὑμᾶς
           εἴτε ἀπὼν ἀκούω τὰ περὶ ὑμῶν –
      1.1. ὅτι στήκετε ἐν ἑνὶ πνεύματι
      1.2. μιᾷ ψυχῇ συναθλοῦντες τῇ πίστει τοῦ εὐαγγελίου
(V. 28) 1.3. καὶ μὴ πτυρόμενοι ἐν μηδενὶ ὑπὸ τῶν ἀντικειμένων
      2.1. ἥτις ἐστὶν αὐτοῖς ἔνδειξις ἀπωλείας
         ὑμῶν δὲ σωτηρίας
           καὶ τοῦτο ἀπὸ θεοῦ
(V. 29) 2.2. ὅτι ὑμῖν ἐχαρίσθη τὸ ὑπὲρ Χριστοῦ
         – οὐ μόνον τὸ εἰς αὐτὸν πιστεύειν
         ἀλλὰ καὶ τὸ ὑπὲρ αὐτοῦ – πάσχειν
(V. 30) 2.3. τὸν αὐτὸν ἀγῶνα ἔχοντες
         οἷον εἴδετε ἐν ἐμοὶ
         καὶ νῦν ἀκούετε ἐν ἐμοί.

6.1.2. Textverknüpfung

Der Aufbau dieses Abschnitts, der nur im thesenartigen Anfangssatz einen Imperativ hat, ist klar: Nach der abkürzenden Parenthese in V. 27b, die ein Reflex von V. 18b–26 ist und die »Gefangenschaft des Paulus in ihren noch völlig ungewissen Aussichten« erinnert[1], folgen – und zwar nicht »verschleiert«[2], sondern wegen des zwischengeschalteten Informationswunsches in Nebensätzen formuliert – drei Aufgaben, wobei der Zusammenhang durch den ersten Indikativ und den zwei davon abhängigen Partizipien (einmal asyndetisch und einmal parataktisch angeschlossen) deutlich ist.
Paulus setzt zunächst mit ἵνα an, um den Imperativ zu explizieren, worauf man dann wie 2,2 einen Konjunktiv erwartet, auf den dann – wie dort auch – zwei Partizipien folgen könnten. Die Unterbrechung ordnet aber dem Gesamtgedanken nachträglich noch den weiteren Wunsch über, daß dies auch von Paulus selbst erfahren werden möchte. Dadurch folgt dem ersten Imperativ statt eines ἵνα + Konjunktiv ein ὅτι + Indikativ. In 2,1f. wird dann klarer dieser Wunsch gleich an die erste Stelle gesetzt. Beachtenswert ist, daß auch der dritte Einsatz 2,12 mit einem solchen direkten Senderbezug beginnt.

---

1 Lohmeyer 74f. Anm. 5.
2 So Lohmeyer ebd.

Der die Parenthese übergreifende Zusammenhang der vier Verben ist auch semantisch deutlich. Der einleitende Imperativ bestimmt das Wortfeld als Archilexem (Suprenym) für die drei folgenden Hyponyme:

$$\pi o\lambda\iota\tau\epsilon\acute{\upsilon}\epsilon\sigma\vartheta\epsilon$$

στήκετε   συναθλοῦντες   μὴ πτυρόμενοι

Deutlich wird der Strukturzusammenhang auch dadurch, daß den Verben synonyme Wendungen als Bezugsbestimmungen zugeordnet sind:

V. 27 εὐαγγέλιον τοῦ Χριστοῦ = πνεῦμα = εὐαγγέλιον (= 29 Χριστός)

Eine solche fehlt im dritten Unterglied wegen der antithetischen Formulierung, könnte dort aber auch stehen und ist sachlich positiv ja gemeint und darum entbehrlich, ja sie hätte als dritte Präpositionalbestimmung zu einer Überladenheit geführt. Dagegen ist in der anschließenden Begründung dergestalt nochmals aufgenommen, daß Χριστός als Kürzel für εὐαγγέλιον τοῦ Χριστοῦ von V. 27a steht und so das zweite Glied dieses Syntagmas wiederholt wie das Ende von V. 27 das erste Glied. Viermal wird so der auferweckte Herr als Sachgehalt des Evangeliums beschrieben. Außerdem ist in V. 27 die Funktion des Genitivs in der Adverbialwendung mit der Dativbeziehung in der Präpositionalbestimmung identisch:

ἀξίως τοῦ εὐαγγελίου τοῦ Χριστοῦ
= ἐν ἑνὶ πνεύματι

V. 28b–30 folgt ein »dreifacher Ermutigungsgrund«[3]. Diese Sätze beziehen sich speziell auf die vorangehend genannte dritte Aufgabe und sind ihr so als Unterteil zuzuordnen. Paulus geht hier also wieder ganz analog wie schon V. 12ff. und V. 18bff. vor. Die Angabe des Grundes erfolgt dabei nicht nur im zweiten Satz (V. 29), wo das offenkundige kausale ὅτι steht, sondern funktionsadäquat auch im ersten Falle (V. 28b) durch ein kausales Relativum und dann V. 30 durch ein kausales Partizip. Veranschlagt man diese Funktionsgleichheit nach der semantischen Tiefenstruktur, so entfällt die rein an der Oberflächenstruktur orientierte, vermeintliche Schwierigkeit, daß ὅτι von V. 29 keine direkte Begründung für den voranstehenden Satz V. 28b gibt, so daß man meint, V. 28b oder V. 29 als Unterbrechung auffassen zu müssen[4]. Vielmehr sind alle drei Sätze von ihrem Einsatzpunkt her parallel funktionsgleich. Das wird weiter daran deutlich, daß auch alle drei Begründungssätze im letzten Glied auf ein betontes καί hinauslaufen: καὶ τοῦτο – ἀλλὰ καὶ – καὶ νῦν.

Es besteht darum kein Grund, die durchgehende Dreigliedrigkeit[5] zu bestreiten[6]. Denn gerade im Dienst solcher Rhetorik dürften die Zusatzgedanken V. 27 und V. 29 als Parenthesen formuliert sein, und am Ende von V. 28 dürfte καὶ τοῦτο ἀπὸ θεοῦ von diesem Gliederungsprinzip her seinen Platz erhalten haben, so daß die Wendung nicht nur auf den unmittelbar voranstehenden Ausdruck bezogen werden darf[7]. Für die Parenthese in V. 29 aber ergibt sich aus dieser rhetorischen Stilisierung, daß gerade darum[8] das erste τὸ ὑπὲρ Χριστοῦ nicht als Thema verselbständigt werden darf[9]. Das, was also bloß satzsyntaktisch als Bruch erscheint, dürfte textsyntaktisch von vornherein eingeplant sein.

---

3 Haupt 47f. vgl. 49f.   4 Gnilka 96f.
5 J. Weiß 1897; Michaelis, Lohmeyer 72f.   6 Gg. Gnilka 96f.
7 Gg. Gnilka 98.   8 Gg. Lohmeyer 78; Ewald 101.
9 Haupt 49; Dibelius 59; Gnilka 96f.

6.1.3. Der Aufgabenkatalog (1,27–28a)

Das einleitende μόνον hat nicht die Funktion einer Einschränkung[10], sondern der Hervorhebung (vgl. Gal 1,23; 2,10; 3,2; 5,13; 6,12) und läßt sich an allen entsprechenden Stellen mit »vor allem« übersetzen[11]. Der Themenimperativ πολιτεύεσθε hat, wie gerade seine dreifache Entfaltung hier zeigt, durchaus den gruppensoziologischen Aspekt des gemeinsamen Handelns[12] und ist darum nicht mit περιπατεῖν gleichzusetzen[13]. Die Handlungsnorm wird im Phil hier einmalig mit dem von Paulus offenbar schon übernommenen und nach ihm nicht mehr belegten Missionsterminus εὐαγγέλιον τοῦ Χριστοῦ[14]: 8mal Gal 1,7; 1Thess 3,2; 1Kor 9,12; 2Kor 2,12; 9,13; 10,14; Röm 15,19 + 2mal ad hoc variiert 2Kor 4,4; Röm 1,9 (nachpl ähnlich nur Mk 1,1) angegeben, der die Pistisformel (Gen. obj.) im Blick auf ihren Inhalt bezeichnet. Aus der Zuordnung zu den Erstbegegnungsverben (πιστεύειν usw.) darf aber gerade nicht gefolgert werden, daß es unmöglich sei, das »Evangelium mit einem Verkündigungsinhalt einfach zu identifizieren«[15]. Im Gegenteil ist gerade die inhaltliche Fixierung hier vorausgesetzt, da als Zwischenstufe zwischen der Erstbegegnung mit dem Missionskerygma und dem dauernden Handeln hier ja sachlich die verhaltensregelnde Meinungsbildung der gemeindlichen Prophetie steht, die sich nach Röm 12,6 (15,5) gerade an dem inhaltlichen Maßstab der Pistisformel orientiert. Dieser Fehler wird aber solange nicht aussterben, wie man »Evangelium« bei Paulus semantisch nicht präzis definiert als Missionsverkündigung nimmt und sieht, daß bei ihm gemeindliche »Verkündigung« eben gerade keine Evangeliumsverkündigung ist, sondern Folgerungen daraus zieht. Die Normbeziehung wird mit ἀξίως bezeichnet (auch 1Thess 2,12 missionsbezogen: der berufende Gott; ferner Röm 16,2), das in hellenistischer Zeit abgeblaßt und mit κατά synonym ist (2Kor 11,17 Herr; Röm 8,3f. Geist; 12,6 Glaubensinhalt; 14,15 Liebe; 15,5 Christus sind samt und sonders Synonyme)[15a].

Die ersten Aufgabenkonkretion wird mit dem vor Paulus offenbar nicht belegten, hellenistisch neugebildeten Verb στήκειν beschrieben[16] (aus diesem und den folgenden Gründen ist auch eine speziell militärische Implikation nicht zu veranschlagen)[17]. Es ist für Paulus ein grundlegender Ausdruck der Stabilisierung nach der Erstbegegnung mit dem Evangelium als Daueraufgabe (Röm 14,4 Antonym πίπτειν), erscheint regelmäßig angesichts von Gefährdungen[18] und steht immer in imperativischer Funktion (4,1; Gal 5,1; 1Kor 16,13; 1Thess 3,8 vgl. 2Thess 2,15). In dieser Grundsatzmahnung hat es immer ἐν-Zusätze (Herr 4,1; 1Thess 3,8; Glaubensinhalt 1Kor 16,13; Freiheit Gal 5,1), wodurch es auf perfektisch-indikatives ἱστάναι bezogen ist (1Kor 15,1f. »im Evangelium« in chiastischer Entsprechung zum »Festhalten« synonym[19]; 2Kor 1,24 Glaubensinhalt; Röm 5,2 Frieden als Gnade). Es geht also Paulus nicht nur um ein Dastehen, sondern um ein Feststehen, und wiederum nicht um das Feststehen an sich, sondern um die Stabilisierung der grundlegenden Bezogenheit auf das Evangelium und damit auf den auferweckten Herrn. Aus diesem Wortfeldzusammenhang kann also paradigmatisch begründet werden, was sich syntagmatisch aus den analogen

---

10 Gg. Haupt 44f.
11 Gnilka 97 – doch sollte er dann nicht inkonsequent ebd. 96 in der Übersetzung wie Lohmeyer »nur« setzen; auch L 75, GN, WilckensNT haben an den Gal-Stellen leider das »nur«.
12 Luther 75, WilckensNT nach Haupt 48f.; Ewald 95; Lohmeyer 74; Beare 66f.; Gnilka 97f.
13 Gg. GN »Verhalten«; Dibelius 59; Strathmann ThWNT VI534.
14 Kramer 1963: 46–51.
15 So Stuhlmacher 1968: 58f.; dagegen Güttgemanns 1970: 71–74; Zeller 1973: 29–31.
15a Lohmeyer 74.
16 BauerWB 1521; B–D–R 73.
17 Gg. Lohmeyer 75 Anm. 2; Gnilka 97.
18 Gnilka 99 Anm. 20.
19 Schenk 1976/77: 469ff.

synonymen Zuordnungen hier im Kontext ergab: πνεῦμα kann nur den auferweckten, gegenwärtigen Herrn als den Christus der messianischen Zwischenzeit meinen[20]. Die Wiederaufnahme von πνεῦμα in 2,1 bestätigt die christologische Füllung ebenso wie die vergleichbaren ἐν- Verbindungen (1Kor 6,17; 12,9.11.13). Dabei ist wesentlich, daß dieser Imperativ anschließend in 2,1–5 eine nähere Entfaltung findet.

Die zweite Aufgabenkonkretion besteht in der Zusammenarbeit in der Missionsverkündigung. Das in LXX nicht belegte Verb steht auch an der zweiten pl Stelle, 4,3, mit »bei der Evangeliumsverkündigung« zusammen und ist dort synonym mit συνεργοί. Das bestätigt die semantisch relevante Tatsache, daß auch von der Wortgeschichte her mehr das Moment des Einsatzes als des Kämpferischen betont ist[21]. Die Gemeinsamkeit in der Erfüllung dieser Aufgabe beschreibt der Semitismus μιᾷ ψυχῇ (»in gemeinsamem Streben«[22]; dieser semitische Hintergrund blieb bisher allgemein unbeachtet). Dabei ist mehr die Zusammenarbeit als speziell die Einmütigkeit betont[23]. Da der kommunikative Bezug wesentlich schon in dieser Modalwendung gegeben ist, so kann der folgende Dativ dies nicht als sociativus oder instrumentalis wiederholen, sondern nur ein Dat. commodi sein »für«[24]; πίστις ist nomen actionis und steht im normalen missionstechnischen Sinne für das Verb im Aorist (vgl. daß gerade V. 29 anschließend diese Zeitform vorausgenommen ist!), das entgegen unserem erweiterten Sprachgebrauch urapostolisch nur die Annahme der Christusnachricht bezeichnet und nicht allgemein »sich halten«[25]. Der Genitivus ist von daher klar als ein objectivus bestimmt, und »Glauben« tritt darum nicht als »fast wie eine personifizierte Größe« hinzu[26]. Neben die erste Aufgabe der Gemeinde als Stabilisierung nach innen tritt die Mission nach außen als zweite Grundfunktion der Gemeinde.

Die dritte Aufgabenkonkretion besteht in der – vom Gesamtduktus her gegenseitigen – Stärkung angesichts der Anfeindungen. Die ἀντικείμενοι sind auch 1Kor 16,9 Bezeichnung für die Gegenreaktion auf die Verbreitung der Osternachricht. Ihr Ziel ist

20 Haupt, Ewald, Dibelius, Gnilka gg. BauerWB 1339; Lohmeyer 75, der hier gewaltsam die Trichotomie von 1Thess 5,23 herstellen möchte; Beare 67; Schweizer ThWNT VI 433, da Hebr 4,12 als Argument der Parallele mit »Seele« gegen die genannten Gründe nicht aufkommt, zumal es hier um einen kollektiven und nicht um einen individuellen Imperativ geht; GN.

21 Ewald 97f. Anm. 1 gg. Gnilka, der hier insgesamt »Kriegssprache« sehen will oder Beare 67–69, der hier das Bildfeld der olympischen Athletensprache finden will, was das Verb aber gegen seine Kontextsemantik isoliert, da Pl im Zusammenhang mit »Evangelium« nicht an Knochen- und Muskelstärke, sondern eben gerade überhaupt nicht an »Stärke« denkt; gg. Haupt 46f. ist hier aber auch noch nicht die Aussage der folgenden dritten Mahnung hineinzulesen: Gegner sind hier noch nicht in den Blick genommen.

22 Wolff 1973: 35.

23 Gg. Ewald 97 »einmütig bedarf wohl keiner Rechtfertigung«; Haupt 46 wollte es als Individualisierung des πνεῦμα verstehen.

24 Ewald 97; Haupt 47; Dibelius 59; Gnilka 99 gg. Lohmeyer 75f., der die Deutung von Erasmus und Wohlenberg erneuern wollte, daß mit dem Glauben als Macht zusammengekämpft würde. Das ist aber nur von der Textstruktur her unwahrscheinlich, da wir hier im Aufgaben- und noch nicht im Begründungsteil sind.

25 Gg. Ewald 98; typisch ist, daß Haupt 47; Dibelius 59 »das Christsein« sagen. Pl ist das ganze Zu-Christus-Gehören als »Glauben« bezeichnet, das dann als Bestandteile das »Stehen«, Leiden und anderes umfassen würde. Die terminologisch wie geschichtlich differenzierte Fassung der Sachverhalte zeigt der Chiasmus in 1Kor 15,1–3: dort ist das aoristische ἐπιστεύσατε mit dem ebenfalls aoristischen παρελάβετε synonym und darum semantisch identisch (vgl. auch Gal 1,9.12 bzw. δέχεσθαι in 2Kor 1,14; ὑπακούειν in Röm 1,5:10,16; φωτισμός in 2Kor 4,4) und kann darum gg. Stuhlmacher 1968: 58f. nicht gg. den Nachricht- und Inhaltscharakter des »Evangeliums« ausgespielt werden; ja selbst die Fassung als ingressiver Aorist »zum Glauben kommen« wäre lk und nicht pl verstanden: Schenk 1976/77, 1982, 1983.

26 Gg. Gnilka 99.

die Verunsicherung durch »Einschüchterung« (das spätgriechische Verb wurde auch vom Scheumachen der Pferde gebraucht[27]). Gedacht ist an jede Art von Einschüchterungsversuchen (ἐν μηδενί). Als ehemaliger Christenverfolger ist Paulus in dieser Frage kompetent. Aus V. 29 ist zu erkennen, daß es für die Gemeinde ein πάσχειν ist, aus V. 30, daß es der jetzigen Haft des Pl entspricht, wie den eigenen anfänglichen Verfolgungen in Philippi, die auch 1Thess 2,2 erinnert und die Apg 16,11ff. sicher legendär nachwirken. Auch in Thessalonich hatte die Gemeinde von Anfang an den Druck der Umwelt zu spüren (1Thess 2,14, dabei dürfte aber V. 15f. eine nachpl Glosse sein). 2Kor 7,5 berichtet dann später wieder von »Kämpfen« in Mazedonien, die die Gemeinden einschüchtern, woraus sich deutlich eine Kontinuität der mazedonischen Gesamtsituation ergibt. Wortsemantisch liefert der Text zwei Synonyme zu den Komplenymen unseres Verses μάχαι = ἀντικειμένοι, φόβοι = πτύρεσθαι.

Damit ist klar, daß damit nicht inner-, sondern außergemeindliche Widerstände bezeichnet sind[28]. Schon der Anschluß der Proselyten an das Judentum als eine exklusive Minderheitsgruppe machte die Konvertiten ihren Verwandten zu Todfeinden: »Als erstes lernen sie, die Götter zu verachten, ihr Vaterland zu verleugnen und ihre Eltern, Kinder und Geschwister geringzuschätzen« (Tacitus, Hist V. 5). Darum ist es ein fester Topos der Synagogenpredigt, daß sich die geborenen Israeliten der Proselyten anzunehmen haben: »Sie haben Vaterland, Freunde, Verwandte um der Tugend und der Frömmigkeit willen verlassen; so sollen ihnen denn eine andere Heimat, andere Verwandte, andere Freunde nicht versagt bleiben; Schutz und Zuflucht biete sich vielmehr denen, die ins Lager der Frömmigkeit übergehen« (Philo, LegSpec I.52 vgl. IV.178). Als Unterteil unter der Generalmahnung V. 27a dürfte auch die dritte nur den Philippern Bekanntes wiederholen. Nichts spricht dafür, daß sie jetzt plötzlich Leidenserfahrungen machen, auf die sie unvorbereitet sind, und daß 1,12–30 insgesamt unter das Thema »Leiden« zu stellen wären[29]. Einmal wirkten sie von Anfang an missionarisch (s. o. zu 1,5.8), und der Aorist V. 29 zeigt, daß ihnen auch die entsprechenden Ablehnungen nicht neu sind. Wenn nicht schon ihre eigene Konversion Trennungen brachte, so waren die Juden als Anschauungsobjekt ihnen schon vorher gegenwärtig, weshalb es ja die Gottesfürchtigen als Sympathisanten neben den direkten Proselyten gab. Naiv dürften sie nicht gewesen sein und ebensowenig läßt sich das Problem nur Heiden zuweisen, da nach Gal 2,12; 6,12 ja auch Judenchristen vor Juden Angst haben und Paulus selbst Christenverfolger war. Daß Paulus diese letzte Mahnung besonders wichtig war, ergibt sich daraus, daß sich die drei anschließenden Begründungen auf sie konzentrieren, doch daß schon 1,12ff. und 18bff. eine diese Mahnung vorbereitende, indirekte Abzweckung haben, verkennt nicht nur die positive Funktion dieser Stücke als Information zum Dankgebet und zur Fürbitte, sondern auch die 1,3ff. vorausgesetzte Solidarität und Stabilität der Philipper.

6.1.4. Der dreifache Ermutigungsgrund (1,28b–30)

Der erste Grund, den das kausale Relativum ἥτις (an ἔνδειξις attrahiert[30]) angibt, muß sich – da es ja ein Zeichen für die Feinde bezeichnet – nicht auf ein in ihnen selbst enthaltenes Verhalten[31], sondern auf das gesamte bisherige, dreifach gekennzeichnete

---

27 Haupt 47; Belege bei Lohmeyer 75 Anm. 2; Beare 67; Gnilka 99 Anm. 26.
28 Haupt 47; Ewald 98; Lohmeyer 75; Gnilka 99.
29 Gg. Walter 1977.   30 B–D–R 446,1.3; Haupt, Ewald, Dibelius, Lohmeyer.
31 So Ewald 98–101 und Bonnard, die es auf ein in ἀντικειμένων enthaltenes Verb beziehen wollen.

Verhalten der Gemeinde beziehen[32]. Die auftragstreue Gemeinde ist das ihnen von Gott gegebene positive Beweis-Zeichen: »ἀπὸ θεοῦ gebraucht Pl immer in Verbindung mit dem Gnadenwirken Gottes«[33]. Obwohl die an den Dativ αὐτοῖς angleichende Lesart des Reichstextes ὑμῖν, die der Lutherübersetzung zugrunde lag, längst als sekundär erkannt ist, ist leider immer noch nicht die von Beare (67) nach über einem halben Jahrhundert wiederholte Klage Haupts (48) gegenstandslos, daß die Ausleger und Übersetzer[34] dennoch so tun, als stünde der Dativ auch im zweiten Falle und als wäre so auch an ein Beweiszeichen für die Gemeinde gedacht. »Die Differenz im Kasus trägt einen sachlich wichtigen Gedanken: Der ›Erweis‹ ist unmittelbar nur ›ihnen‹, den Widersachern bestimmt; es ist der des eigenen Verderbens wie des Heils der Gläubigen.«[35] Das Mißverständnis hängt mit einem irrationalen Grundverständnis des ausgeweiteten Glaubensbegriffs zusammen, der im Gegensatz zu Paulus antirational entworfen ist. Dagegen ist ἔνδειξις (vgl. Röm 3,25f. und das Verb 9,22f.) synonym mit ἀποκαλύπτεσθαι und πεφανεροῦσθαι (Röm 1,17f.; 2,5; 3,21; 8,18f.) und meint das geschichtlich wirkliche In-Erscheinung-Treten, wofür Gal 3,23 im synonymen Parallelismus auch ἐλθεῖν setzen kann[36]. Das, was Gott die Gegner der Gemeinde an den Tatsachen Ostern, Osternachricht, deren Annahme und Durchhalten erkennen lassen will, ist, daß sie so noch auf dem überholten Weg des Verderbens (3,19; Röm 9,22) sind, und also anachronistisch für eine durch die Auferweckung Jesu überholte Sache kämpfen, während die Gemeinde, die wie Paulus V. 19 nichts vom sieghaft die Welt für Gott freikämpfenden Christus abbringen kann, auf diesem von Gott eröffneten Weg zur Vollendung (σωτηρία immer im Sinne der Endvollendung 1,19; 2,12) ist. Das Gesamtverhalten der Gemeinde in ihren drei Gestalten hat eine eminent missionarische Bestimmung. Dabei ist es den Christen verwehrt, ihrer eigenen moralischen Wirkung zuviel zuzutrauen. Sie tun, was ihre Aufgabe ist, und überlassen damit die Vollendung ihres Handelns der freien Gnade Gottes.

V. 29 gibt einen zweiten Grund an, wobei der Aorist nicht dahingehend verallgemeinert werden darf, daß sie überhaupt »reich beschenkt sind«[37], sondern es ist einerseits konkret auf die Annahme des Evangeliums als Berufung zum Dienst, in der jeder sein Charisma bekommt, gezielt und – nach der zweiten hier ausdrücklich gegebenen und von Anfang an angezielten Aussage – darüber hinaus auf die Erfahrung der Verfolgung schon in der Anfangszeit (Aorist!)[38]. Erst der nächste Satz V. 30 geht zu entsprechenden Gegenwartserfahrungen der Philipper über. Der Gedanke der von Gott geschenkten Leiden nimmt die Aussage von 1,7 (s. o.) wieder auf. Unterbrechung und Parenthese dienen hier dazu, die Wichtigkeit und den Zusammenhang der Ablehnung mit der »Verkündigung«[39] (wobei der auferweckte Herr als der Sachgehalt der Pistisformel bezeichnet ist) hervorzuheben. Was die Peristasenkataloge der Kor – und nachpauli-

32 Lohmeyer 76; Dibelius 59; Beare 67; Gnilka 100, während es Haupt 47f. zu Unrecht nur auf das dritte Glied einschränken wollte ; doch gilt es dafür am wenigsten, da das Nichtscheuwerden ja erst eine Reaktion auf die Anfeindungen ist.
33 Gnilka 100 Anm. 32; vgl. außer 1,2parr (s. o.) auch 1Kor 1,30; 4,5; 6,19; Röm 15,15.
34 Noch Luther 75 und WilckensNT haben leider wieder dieses »für euch aber zur Rettung«; dagegen hat GN dem Sachverhalt Rechnung getragen.
35 Lohmeyer 77 Anm. 3; doch leider trägt er dann doch den joh Gedanken eines Gerichtsvollzugs durch die Verkündigung ein wie auch Bonnard – dagegen Gnilka 100 Anm. 29 m. R.
36 Lührmann 1965: 145f.; Zeller 1973: 170 weist m. R. darauf hin, daß dies semantisch von dem anderen, proleptischen Offenbarungsbegriff der vorweggebenden Deutung strikt zu unterscheiden ist, da nur Homographie vorliegt.
37 So Gnilka 100.   38 Gg. Walter 1977.
39 Bonnard m. R., wobei der auferweckte Herr als der Sachgehalt der Pistisformel bezeichnet ist.

nisch der 1Petr – wiederholt einprägen, ist hier nur kurz und darum ohne besonderen Nachdruck mit dem Verb »geschenkt« angesprochen: Der Auferweckte stellt berufend die Seinen an den Ort des Kreuzes als einen zukunftsgewissen Ort. Ablehnungen und Anfeindungen sind darum kein Beweis dafür, daß Gott sich von ihnen abgewendet habe[40]. Weil ihr Handlungsziel nicht ihr eigener Erfolg ist, darum sind die Mißerfolge kein Grund, ihre Handlungsweisen und -mittel, sofern sie christusbestimmt sind, zu verlassen.

V. 30 stellt als dritte Begründung die direkte Verbindung zwischen Pl selbst und den Phil wieder her, womit natürlich V. 12ff. 18bff. erinnert wird. Dabei wird mit der Verwendung von ἀγών (auch 1Thess 2,2 für die analoge Situation; Kol 2,1 dürfte direkte literarische Nachwirkung dieser pl Verwendung sein, während sonst mehr das Wettkampfbild nachwirkte) mehr das aktive Element gegenüber dem passiven von V. 28 betont und damit auf das gemeinsame Zusammenwirken von V. 27 (συναθλοῦντες) zurückgelenkt: ἀγών enthält die semantischen Komponenten der Anstrengung wie der Entbehrung. Es ist in dem hier verwendeten Sinn von der jüdisch-hellenistischen Märtyrersprache vorgeprägt[41] und darf darum weder zu direkt von militärischen oder athletischen Bildfeldern her verstanden werden. Auch beim Vergleich mit hellenistischem Material sind die verschiedenen Wortfelder zu unterscheiden und nicht vorschnell dahin zu verallgemeinern, daß der Kampf als solcher die Würde des Menschen ausmache[42]. Das doppelte ἐν ἐμοί, mit dem Pl die Brücke von der Vergangenheit in die Gegenwart schlägt[43], ist stärker als das an der zweiten Stelle zu erwartende ὑπὲρ ἐμού. Das beispielhafte ἐν + 1. Person des Personalpronomens gehört für Paulus betont (vgl. auch 4,9; 1Kor 4,6 Plural) zum Wortfeld seiner Vorbild-Modell Vorstellung (3,17 τύπος vgl. auch die μίμησις-Stellen 1Kor 4,16; 11,1; 1Thess 1,6 vgl. 2,14 in Abwandlung auf die dortige Gemeinde selbst; sachverwandt auch Gal 4,12). Diese Imitatio Pauli ist ein Hyponym des Wortfeldes unter dem Archilexem der apostolischen Vaterschaft, da Paulus sie nur gegenüber von ihm gegründeten Gemeinden verwendet, während beide Konzepte im Röm bezeichnenderweise fehlen[44]. Dieser semantische Zusammenhang ist zu beachten, weil dann die Einschaltungen 1,27; 2,2.12.16 ein größeres Gewicht als das eines bloßen Vorbildes hinsichtlich der wirklichen Kommunikationsbeziehungen erhalten. Sie sind soziologisch stärker mit einem Autoritätsaspekt gefüllt, als es ohne die Beachtung des Wortfeldes erscheint. Von daher sind seine ausführlichen Berichte über sein Ergehen und Verhalten auch dann zu verstehen, wenn diese Terminologie nicht direkt verwendet wird[45].

6.1.5. Zusammenfassung: Übersetzung

V. 27   Gestaltet vor allem dadurch eure gemeindliche Zusammenarbeit der grundlegenden Nachricht von Jesu Auferweckung entsprechend, daß ihr
        –   falls ich kommen und euch sehen kann oder eben abwesend den
              Stand der Dinge bei euch erfahre –
        (1.) ganz in dem einen, gegenwärtigen Herrn fest gegründet steht! und

---

40 Beare 68.   41 Lohmeyer 79 Anm. 1; Stauffer ThWNT I 134–139.
42 Dautzenberg EWNT I 59–64.   43 Haupt 50.   44 Holmberg 1977: 80f.
45 Dies ist das berechtigte Moment der Beschreibung der apostolischen Existenz als christologischer Verkündigung bei Güttgemanns 1966: 126–198, das aber – wie gerade unser Satz zeigt –
   nicht zu einer überstarken Abhebung des Apostels von der Gemeinde und ihrem Leiden
   führen kann und darf.

euch (2.) gemeinsam für die Verbreitung und Annahme der Christusnachricht einsetzt!

V. 28   und euch (3.) durch nichts von den feindlich Ablehnenden einschüchtern laßt!

Denn (1.) sind diese neuen Realitäten für sie der von Gott gegebene Wirklichkeitsbeweis, daß sie auf überholtem Posten für eine verlorene Sache kämpfen, ihr aber auf dem Wege zur Weltvollendung seid.

V. 29   Denn (2.) war euch ja von Gott das Geschenk zuteil geworden, für die Christusnachricht zu leiden, also nicht nur sie anzunehmen, sondern eben auch für sie zu leiden.

V. 30   Denn ihr führt doch (3.) denselben Kampf, den ihr anfangs an meiner Person gesehen habt und ebenso jetzt von mir hört.

6.2. Entfaltung der ersten gemeindlichen Daueraufgabe: Die einmütige Zusammenarbeit der verschiedenen Charismen (2,1–11)

6.2.1. Textsegmentierung

(V. 1)	1.1.	Εἴ τις οὖν παράκλησις ἐν Χριστῷ
	1.2.	εἴ τι παραμύθιον ἀγάπης
	1.3.	εἴ τις κοινωνία πνεύματος
	1.4.	εἴ τις σπλάγχνα καὶ οἰκτιρμοί
(V. 2)	2.0.	πληρώσατέ μου τὴν χαρὰν
	2.1.1.	ἵνα τὸ αὐτὸ φρονῆτε
	2.1.2.	τὴν αὐτὴν ἀγάπην ἔχοντες
	2.1.3.	σύμψυχοι
	2.1.4.	τὸ ἓν φρονοῦντες
(V. 3)	2.2.1.	μηδὲν κατ' ἐριθείαν
	2.2.1.1.	μηδὲ κατὰ κενοδοξίαν
	2.2.1.2.	ἀλλὰ τῇ ταπεινοφροσύνῃ ἀλλήλους ἡγούμενοι ὑπερέχοντας ἑαυτῶν
(V. 4)	2.2.2.1.	μὴ τὰ ἑαυτῶν ἕκαστος σκοποῦντες
	2.2.2.2.	ἀλλὰ καὶ τὰ ἑτέρων ἕκαστοι
(V. 5)	2.3.	τοῦτο φρονεῖτε ἐν ὑμῖν
	3.1.	ὃ καὶ ἐν Χριστῷ Ἰησοῦ
(V. 6)	3.1.1.	ὃς ἐν μορφῇ θεοῦ ὑπάρχων
	3.1.2.	οὐχ ἁρπαγμὸν ἡγήσατο
	3.1.2.1.	τὸ εἶναι ἴσα θεῷ
(V. 7)	3.1.3.	ἀλλὰ ἑαυτὸν ἐκένωσεν
	3.1.4.	μορφὴν δούλου λαβών
	3.2.1.	ἐν ὁμοιώματι ἀνθρώπων γενόμενος
	3.2.2.	καὶ σχήματι εὑρεθεὶς ὡς ἄνθρωπος
(V. 8)	3.2.3.	ἐταπείνωσεν ἑαυτὸν
	3.2.4.	γενόμενος ὑπήκοος μέχρι θανάτου
	3.2.4.1.	– θανάτου δὲ σταυροῦ –
(V. 9)	3.3.1.	διὸ καὶ ὁ θεὸς αὐτὸν ὑπερύψωσεν

	3.3.2.	καὶ ἐχαρίσατο αὐτῷ τὸ ὄνομα
	3.3.2.1.	– τὸ ὑπὲρ πᾶν ὄνομα –
(V. 10)	3.3.3.	ἵνα ἐν τῷ ὀνόματι Ἰησοῦ πᾶν γόνυ κάμψῃ
	3.3.3.1.	– ἐπουρανίων καὶ ἐπιγείων καὶ καταχθονίων –
(V. 11)	3.3.4.	καὶ πᾶσα γλῶσσα ἐξομολογήσηται
	3.3.4.1.	ὅτι κύριος Ἰησοῦς Χριστός
	3.3.4.2.	εἰς δόξαν θεοῦ πατρός.

6.2.2. Textverknüpfung

Den Kontextanschluß stellt οὖν her, das hier nicht etwa Konsequenzen aus 1,28b–30 zieht, da keine direkten Wort- oder Sachverbindungen hergestellt werden, wohl aber 2,2 mit der vierfachen Ermunterung zur Einheit 1,27 seine klare Entsprechung hat:

1,27: στήκετε ἐν ἑνὶ πνεύματι   μιᾷ ψυχῇ συν-

= 2,2: τὸ αὐτὸ φρονῆτε
        τὴν αὐτὴν ἀγάπην ἔχοντες   σύμψυχοι
        τὸ ἓν φρονοῦντες

Dem entspricht, daß schon 2,1 πνεῦμα aus 1,27 direkt wiederaufgenommen wurde. So hat also οὖν hier den schon klassisch »häufigen Sinn einer Epanalepse« als Wiederaufnahme des Hauptgedankens[46]; vgl. Hebr 4,14 und nach Parenthesen 1Kor 8,4; 11,20, was auch dagegen spricht, den Einschnitt zwischen 1,30 und 2,1 zu groß zu machen und das Leiden zum »Thema« des ersten Briefteils zu erklären: Es erweist sich nochmals deutlich als Parenthese[47]. Durch die bewußten Wiederaufnahmen wird klar, daß hier kein neuer Teil eingeführt, sondern die erste der drei Daueraufgaben der Gemeinde in den Mittelpunkt gerückt und entfaltet wird.

Der Abschnitt beginnt V. 1 mit einem vierfachen Konditionalgefüge, das offenbar eine einheitliche Protasis für eine anschließende Apodosis darstellen soll. Dabei ist die Bedingungspartikel εἰ jedesmal wiederholt (anders als bei der Doppelung 1,22 s. o.), was klar eine besondere Betonung jedes einzelnen Gliedes darstellt. Die hypotaktische Apodosis dazu findet sich in V. 2 als konjunktionslose Parataxe: hier wird die Folgerung, die daraus gezogen werden soll, mit einem Imperativ eingebracht[48]: »So . . .«[49] Da der damit eingeleitete aoristische Imperativ seinem semantischen Gehalt nach zu einer Steigerung aufruft (πληρώσατε s. o. zu 4,18f.; 1,11), so liegt in ihm zugleich die Anerkennung, daß der Zustand der Philipper diesbezüglich schon ein erfreulicher ist. Von diesem speziellen Gehalt des imperativischen Nachsatzes her ist die Entscheidung zu fällen, daß das betonte vierfache εἰ von V. 1 darum betont ist, weil es jeweils einen wirklichen Fall voraussetzt, also nicht mit »wenn«, sondern mit »da« übersetzt werden muß[50]. (In V. 1 liegt kein »Appell« vor[51], da auch der Versuch, in allen vier Einzelzeilen jeweils in dem zweiten Substantiv die Apodosis zu sehen[52], schon als gescheiterter Versuch anzusehen ist[53].) Vielmehr wird die angegebene Bedingung als erfüllte Bedingung kausal als gegebene Voraussetzung angesehen[54]. Textpragmatisch bedeutet das:

---

46 B–D–R 451,1 Anm. 2; Haupt 50; Gnilka 103.
48 Gg. Gnilka 102 nicht zwei Imperative!
50 BauerWB 433 f.; darum ist die wiederholte Charakterisierung von V. 1 als »beschwörend« – so Haupt 51; Dibelius 60; Lohmeyer 84; Gnilka 102–104 – textpragmatisch falsch.
51 Gg. Dibelius 60.
53 So mit Wohlenberg bei Ewald 107 Anm. 1.

47 Gg. Walter 1977.
49 Lohmeyer 80.

52 So Ewald 102–107 nach Hofmann.
54 Beare 71 f.

In V. 1 soll nicht mehr eine angesprochene Sachlage in einen Sachverhalt überführt werden, sondern die ausgesprochene Sachlage wird einem Sachverhalt entsprechend als bestehende Kompetenz ausgesagt, die zur Voraussetzung für weitere Sachlagen in V. 2 wird, die nun handelnd in einen Sachverhalt überführt werden sollen. Also haben die vier Bestimmungen von V. 1 die Funktion, die indikativische Voraussetzung für die nachfolgenden Imperative zu geben. Sie sind also funktionsgleich mit den drei Kausalbestimmungen von 1,28b–30. Für eine Zweiteilung der Bestimmungen von V. 1 etwa in dem Sinne, daß das erste Paar »vom seelsorgerlichen Verhalten des Apostels der Gemeinde gegenüber, das zweite von dem, was beide miteinander verbindet« handelt, spricht nichts[55]. Gegen eine solche Aufteilung spricht der betonte Gleichbau der vier Einführungswendungen wie der Rückbezug auf 1,27–30 mit οὖν, so daß von dem Anschluß her nur »bei euch« gemeint sein kann. Die Relation von Indikativ und Imperativ ist 2,1ff. so strukturiert, daß die Indikative von V. 1 empirisch gegebene Sachverhalte der Gemeinde sind. Damit besteht also nicht nur eine syntaktisch-formale Indikativ-Imperativ-Beziehung, sondern eine semantisch gefüllte Beziehung. Die Persongleichheit in Protasis und Apodosis gibt die Ermöglichung an, so daß der Imperativ zu einem »Können« wird: »Weil ihr . . ., darum könnt ihr . . .!« – also nicht ein absolut normatives »da muß man . . .«. Paulus steht darin in israelitischer Tradition. Schon Israel könnte der Aufgabe, den Bund zu halten, »gar nicht nachkommen, wenn es darin nicht mit Jahwe konfrontiert würde, also mit dem, was der Aufgabe erst Sinn und Ziel verleiht. Wenn Israel nicht auf Jahwe hört, dann vollzieht es andere Aufgaben, indem es auf andere Imperative hört und zu anderen Entscheidungen gelangt oder gezwungen wird«[56].

Der primäre Sachverhalt, den die Philipper herstellen sollen, ist nach der Aussage des Hauptsatzes der Apodosis die vergrößerte χαρά des Pl. Nach 4,10 und 1,7 erschien diese χαρά als schon gegeben – und zwar gerade durch die Adressaten gegeben. Sie hatte dort immer einen anaphorischen Bezug zum Dankgebet: Es ist also Freude vor Gott. Auch 1,18a war sie vorgegeben, und die Geber waren alle, die die Christusnachricht weitertragen. 1,18b erschien sie auch als künftig mögliche Sachlage, die Gott herstellen soll, in der Gewißheit, daß er es auf jeden Fall tun wird. Hier nun wird die Kompetenz der Adressaten angesprochen, aus der ihnen gegebenen Voraussetzung dies zu verwirklichen. Doch wie die Fortsetzung zeigt, ist sie ein Gesamtziel, das über Teilziele verwirklicht wird. Noch genauer wird man sagen, daß sie als ein Gesamtziel zunächst hinsichtlich des Senders angegeben wird (2,2a, das dem entspricht, was 1,27b nachgetragen wurde). Dann wird ein untergeordnetes Gesamtziel hinsichtlich der Adressaten angegeben (2,2b entspricht dem 1,27a vorangestellten Gesamtziel). Wie 1,27c–28a dann die Entfaltung in Teilziele folgt, so auch hier 2,3–4. Die drei Glieder sind also sachlich parallel:

$$2,2a \ \rightarrow \ > 2,2b \ \rightarrow \ > 2,3{-}4$$
$$\downarrow \qquad\qquad \downarrow$$
$$= 1,27b \ \rightarrow \ > 1,27a \ \rightarrow \ > 1,27c{-}28a$$

Das entspricht auch morphologisch genau 1,27, wo ebenfalls (allerdings in Breviloquenz) ein folgernd entfaltendes ἵνα folgte wie hier 2,2b als Übergang. An beiden Stellen wird deutlich, daß es nicht nur metasprachlich auf direkte Lexeme der Bitte oder des Wunsches folgen kann[57], sondern auch sofern die direkte Sprechhandlung des Bittens vorliegt und diese nur im Morphem der Imperativform ausgedrückt ist. Unter-

55 Gg. Gnilka 104; vgl. Haupt 51–53 zu ähnlichen Entscheidungen in der Auslegungsgeschichte.
56 Müller 1978: 96–99, 98.   57 B–D–R 392.

geordnet sind hier ein Konjunktiv und weiter vier Partizipien. Die ἵνα-Konstruktion läuft also offenbar bis zum Ende von V. 4[58]:

V. 2b ἵνα . . . φρονῆτε → ἔχοντες → φρονοῦντες → V. 3 ἡγούμενοι → V. 4 σκοποῦν-τες. Diese Hypotaxen zweiten Grades übernehmen von dem übergeordneten Imperativ V. 2a diese Funktion. Für die beiden Antithesen in V. 3 und V. 4 ist sogar die Annahme von direkt imperativischen Partizipien (Röm 12,9ff.)[59] möglich. Die Behauptung, »die konkrete Weisung wird nicht unmittelbar ausgesprochen«[60], stimmt also so nicht, da nicht nur der erste Imperativ durchaus eine konkrete Weisung ist, sondern auch die syntaktische Struktur des ihm Nachfolgenden zu beachten ist und nicht nur die einzelnen Elemente isoliert ohne die semantischen und pragmatischen Implikate der Textsyntax. Man kann ebensowenig[61] sagen, daß »eine offene Mahnung« kaum ausgesprochen würde und sie »unter dem warmen Wort (sc. des ersten Imperativs) verhüllt« bleibe, um daraus dann prinzipielle Folgerungen für die Ethik abzuleiten, sei es eine »reine Innerlichkeit der Gesinnung«[62], sei es, daß man die rein grammatische Oberflächenstruktur allein für die Ablehnung von Imperativen als solchen mißbraucht, die man dann als angebliche »Gesetzlichkeit« klassifiziert. Dabei ist mehr der »kantische Autonomiebegriff« mit seiner Ablehnung aller »fremden« Autorität als Paulus selbst maßgebend[63].

Parallel zu dem ersten direkten Imperativ von V. 2a ist deutlich der direkte Imperativ von V. 5a. Beide sind strukturell gleichzuordnen, denn wie V. 2 auf die indikativische Grundlegung von V. 1 zurückweist, so weist V. 5 wiederum chiastisch auf die V. 6ff. anschließende indikativische Formulierung voraus. Daß beide Indikativkomplexe zusammenhängen, zeigen das anaphorische Relativpronomen und das es noch in der Funktion des Rückbezugs verstärkende adverbiale καί an. Dabei ist der Rückbezug auch direkt markiert, denn

ἐν Χριστῷ Ἰησοῦ V. 5
= ἐν Χριστῷ   V. 1.

Da die indikativische Vorgabe in V. 1 die christusbestimmte Kommunikationswirklichkeit der philippischen Gemeinde einschließlich ihrer eigenen Sprechhandlungen bezeichnete, so dürfte nun das dazu chiastisch zugeordnete Traditionsstück V. 6–11 am ehesten auch direkt eine aus Philippi stammende Formulierung aufnehmen. Diese Annahme legt sich auch von der Tatsache her nahe, daß Paulus sonst nie eine so umfangreiche Einschaltung verwendet. Wenn man methodisch schon immer darauf zu achten hatte, daß der nichtpaulinische Charakter dieses Stückes nicht notwendig sofort als vorpaulinisch präzisiert werden darf, sondern auch als nebenpaulinisch oder von einem Schüler stammend angesehen werden kann[64], so dürfte sich aus der Beachtung der chiastischen Textsyntax ergeben, daß wir mit einer Herkunft dieses Stückes aus der philippischen Gemeinde rechnen müssen, das Paulus kommentiert und zur verstärkenden Begründung seiner gemeindeinternen Mahnungen an sie zurückschickt.

---

58 Gnilka 104.
59 B–D–R 468,2b.
60 Gnilka 104.
61 Wie Lohmeyer 81.
62 Ebd.
63 Schrage 1961: 10 Anm. 12.
64 Beare 30, 78 hat das Verdienst, das hier weitgehend mißachtete methodische Problem wenigstens offen gehalten zu haben: »not a pre-Pauline . . . but . . . under Pauline influence«; doch scheint die Begründung aus dem Kontext von 2,1 her besser und naheliegender als von 1Kor 15,47 oder 2Kor 8,9 her, die weniger typisch pl sind, als Beare annimmt. Jedenfalls ist es für den Leser irreführend, wenn Gnilka 131 Anm. 1 Beare zu denen rechnet, die das Segment als vorpl ansehen, weil dabei gerade die spezifisch methodische Bedeutung des Beitrags von Beare – die Unterscheidung von vorpl und nebenpl – für die offenen Fragen der Forschung eingeebnet wird. Auch Kramer 1963: 61 hat dieses Problem noch offen gehalten, wenn er von »vor- bzw. nebenpl« sprach.

Daß V. 5b wirklich mit seiner Imperativbeziehung zu V. 2a noch zum Vorangehenden gehört, läßt sich auch durch die Wiederaufnahme des V. 2b doppelt gebrauchten Verbs – über dessen Entfaltung in V. 3f. hinweg – nicht gut leugnen. Dabei kommt noch hinzu, daß das neutrische Demonstrativum V. 5 nicht ohne Bezug zu den beiden neutrischen Artikeln bei den entsprechenden Objekten des Verbs in V. 2b gehört werden konnte:

V. 5 τοῦτο φρονεῖτε

V. 2b τὸ αὐτὸ φρονῆτε

τὸ ἓν φρονοῦντες

Dies ist weiter dadurch deutlich verstärkt, daß V. 5 ἐν ὑμῖν (wie 1,6 s. o.) den Gemeindebezug, den V. 3f. explizierte, nochmals aufnimmt[65]. Dabei ist der Streit überflüssig, ob das Demonstrativum kataphorisch[66] oder anaphorisch zu nehmen ist, da in dem wiederholten Verblexem und dem zugehörigen neutrischen Objekt dazu automatisch das rückbeziehend-wiederaufnehmende Moment gegeben ist. Andererseits ist der Rückbezug des Relativums im Nachsatz von V. 5 mit seiner Verstärkung durch ein adverbiales καί so stark, daß der Zusammenhang auf keinen Fall auseinandergerissen werden kann[67]: das καί tritt sehr oft »hinter das Relativum, um anzuzeigen, daß der relative Satz etwas enthalte, was dem Gedanken des Hauptsatzes entspricht« im Sinne eines »wirklich« oder »tatsächlich« (3,12)[68]. Also wird der reine Hauptgedanke von 1,27c, den 2,2b–4 entfaltete und der zunächst formal unter V. 2a untergeordnet erschien, gerade in der Zusammenfassung V. 5 mit der direkten Imperativform nochmals stark in seinem Eigengewicht unterstrichen. Dieser Sachverhalt einer vierfachen, synonymen Nennung des Hauptimperativs ist auch durch den ursprünglich sicher asyndetischen Anschluß von V. 5 markiert[69]. So schließt der Überleitungscharakter zum anschließenden Indikativ den Charakter des zusammenfassenden Rückblicks nicht aus, sondern ein[70].

Aus dem Gesamtduktus von 1,27ff. her ist auch die Bedeutung von ἐν Χριστῷ zu präzisieren:

a) Aus dem Kontext wird die nicht paradigmatische, sondern soteriologische Deutung dadurch nahegelegt, daß die Vordersatz-Nachsatz-Entsprechung die gleiche Präposition verwendet (ἐν ὑμῖν – ἐν Χριστῷ). Beide weisen auf Bereiche und haben dieses semantisch verbindende Element.

b) Auf ein »paradigmatisches« ἐν kann dagegen auch darum nicht verwiesen werden, weil Pl dies nur mit der ersten Person verbindet (s. o. 1,30)[71] und andererseits der dann unvollständige, elliptische Relativsatz sicher nicht durch ein ἰδεῖν oder ähnliches zu ergänzen ist.

c) Seit 1,27a signalisiert der Name die Gesamtbestimmung: »in der Bindung an und in Entsprechung zur Christusnachricht«. Er ist als Kürzel zu sehen.

---

65 Haupt 61–63; Dibelius 60 – aber ohne daß damit auch ἕκαστοι zu V. 5 zu ziehen wäre.
66 So Gnilka 108f. gg. Lohmeyer 91 Anm. 5, der zu kategorisch bestritt, daß das Demonstrativum überhaupt auf ein Relativum vorweisen könne: B–D–R 290,3 belegt das so nicht und Percy 1946: 120 Anm. 92 widerlegt es.
67 Gg. Lohmeyer 90f.
68 K–G 524, 554; gg. Dibelius 60 ist daraus aber nicht die Konsequenz zu ziehen, daß καί nun nicht zu übersetzen sei, wenngleich ein solches καί aus der Verbindung Demonstrativum + Relativum so etwas wie einen Vergleichssatz (»So – wie«) macht.
69 GNTCom 613; das schon in p⁴⁶ zugefügte γάρ ist ein Zeichen dafür, daß man sich »verführen ließ, in der Demut den Hauptbegriff sowohl von V. 2–4 als auch von V. 5ff. zu sehen«: Ewald 112 Anm. 1.
70 Gg. Gnilkas 108 falsche Alternative.
71 Gnilka 108f. gg. Lohmeyer 91 Anm. 4.

d) Der hier direkt wiederaufgenommene Imperativ von 1,27c war dort mit dem Sachgehalt der Christusnachricht, also dem auferweckten Herrn und also dessen Präsenz in der Formulierung ἐν ἑνὶ πνεύματι angegeben[72]: Pl ist stärker von der Gegenwart des auferweckten Herrn als von einem dauernden historischen Bezug auf Tod und Auferweckung bestimmt, weshalb man stärker an den »Bereich der Christusherrschaft« im Sinne eines Kraftfeldes denken muß. Das aber schließt nicht aus, sondern ein, daß der Bezug auf die anfängliche Evangeliumsverkündigung immer präsent ist.

e) Unser Unterabschnitt setzte 2,1 schon im ersten Satz mit einem betont an 1,27ff. anschließenden ἐν Χριστῷ ein: in der Christusnachricht und ihrem Sachgehalt, dem auferweckten Herrn, also in seinem gegenwärtigen Herrschaftsbereich und -vollzug ist die gemeindliche Paraklesis gegründet und gebunden. So ist V. 1 eine weitere direkte Klammer zu V. 5a.

f) Dies wird nicht weniger von der nächsten anschließenden Christos-Erwähnung V. 11 bestätigt: Als Einleitung zu dem unmittelbar angeschlossenen Überlieferungsstück hat die Verwendung des Syntagmas mit dem Doppelnamen hier einen beabsichtigten, unmittelbaren Bezug auf die Akklamation zum Kyrios Jesus Christos als dem gegenwärtigen Herrn. Dabei stellt gerade der dort auffallende Zusatz »Christos« gegenüber der normalen Formulierung dieser Akklamation eine Verstärkung dar, die die Verbindung zur Einleitung herstellt.

Gerade diese Art der Zusammenbindung weist dann auch aus, warum Paulus dieses Überlieferungsstück als Indikativ hier einfügt: Es geschieht wegen des Sachbezugs, der in der abschließenden Strophe V. 9–11 liegt, und eben nicht wegen einer angeblich anschaulichen Beispielhaftigkeit in den ersten Strophen. Erst am Ende ist überhaupt ausgesprochen und das erreicht, was für den Kontextbezug wichtig ist. Die dritte Strophe ist also alles andere als ein bloß mitzitierter Überhang. Dies ließe sich mit größerem Recht von den ersten beiden Strophen sagen. Andererseits kann nicht stark genug betont werden, daß auch die angebliche »Beispielhaftigkeit« der ersten Strophen für den Kontext auch nur assoziativ-oberflächlich gegeben erscheint, aber nicht wirklich gegeben ist:

a) Anders als V. 4b hatte Christus »nicht auch, sondern ausschließlich das Interesse anderer ins Auge gefaßt«[73]. Damit gehört das »auch« von V. 4b wesentlich zum Ausschluß eines falschen Verständnisses des Textes, während es gerade die Koinehandschriften und die Vulgata ausließen (noch in L75 und Wi fehlt dieses Adverb, während es GN und EÜ berücksichtigen).

b) Noch mehr spricht gegen eine Wortassoziation mit V. 4a, »daß in dem ganzen folgenden Abschnitt nicht mit einer Silbe betont wird, daß Christus um unseretwillen solche großen Opfer brachte« (ebd.).

c) Anders auch als V. 3 spricht der Text gar nicht von einer »Erniedrigung unter andere Menschen, sondern unter den bisherigen Zustand Christi« (ebd.).

d) Anders schließlich auch als V. 2 liegt der Gesichtspunkt von einem »Vorbild der Einmütigkeitsgesinnung«, der die Hauptmahnung bildet, dem anschließend zitierten Überlieferungsstück völlig fern (ebd.).

Als bestimmende Gesamtgliederung hat der Abschnitt klar die Struktur:

A Indikativ V. 1
B Imperativ V. 2–5a
A' Indikativ V. 5b + 6–11

---

72 Gnilka 110 stimmt Thüsing 1965: 65f. m. R. gg. Neugebauer 1961: 34ff., 147ff. zu.
73 Haupt 60.

Dabei hat Teil A die durchgehende viermalige Form:
εἰ τι(ς) + Substantiv + koordiniertes Substantiv.
Man kann und muß dabei als Indefinitpronomen weder[74] an allen Stellen die Form τις lesen noch umgekehrt an allen τι[75], wohl aber ist im letzten Sinne eine lässige Inkongruenz anzunehmen[76]. Das Syntagma war wohl schon eine feste Wendung, wie die Nachstellung von οὖν im ersten Glied zeigt[77], und ist adverbial zu verstehen.
Der Unterteil B$_1$ (V. 2) im Anschluß an das ἵνα wird teils in drei[78], teils in vier Segmente[79] geteilt, je nachdem, ob man das Adjektiv σύμψυχοι selbständig nimmt oder nicht. Da die Entscheidung dafür aber sowohl bei Lohmeyer wie bei Gnilka im Hinblick auf eine Einteilung der Verse 1–4 in »Strophen« insgesamt geschieht, solche aber weder von einer Gleichmäßigkeit der Silben- noch der Akzentzahl der einzelnen vorliegen, so ist die Gliederung nach Sinnperioden der hier vorliegenden gehobenen Prosa wohl angemessener. Man wird in V. 2b den verbgleichen Außengliedern auch dann zwei Innenglieder entsprechen lassen, wenn man meint, daß das Adjektiv syntaktisch direkt zur folgenden Wendung zu ziehen sei. Viergliedrigkeit ergibt sich aber vor allem dann, wenn man analog auch V. 3b die Adverbialwendung nach ἀλλά als Einheit für sich nimmt (was sowohl Lohmeyer wie Gnilka tun, wobei klar ist, daß es V. 3b rhetorisch getrennt ist und dennoch syntaktisch zweifellos zum folgenden Partizip gehört). Wesentlich für eine Selbständigkeit des Adjektivs in V. 2b spricht aber, daß textsyntaktisch in solchen imperativischen Reihenbildungen gerade Adjektive den Partizipien wertgleiche Nominalformen sind und darum erwartet werden müssen: »Das Partizip steht dabei auf einer Linie mit anderen Nomina (Subst. und Adj.), die auch in volkstümlich-energischer, schlagwortartiger Weise ohne Verbum einen Satz vertreten können.«[80] Damit liegt klar eine chiastische Komposition vor:

A   τὸ αὐτὸ φρονῆτε
  B   τὴν αὐτὴν ἀγάπην ἔχοντες
  B'   σύμψυχοι
A'   τὸ ἓν φρονοῦντες.

Deutlich sind die Unterteile V. 3–4 (B$_2$) durch die Doppelantithese von Negation + ἀλλά geprägt, wobei V. 3 mit einer Doppelnegation einsetzt, der ein konkretes Verb folgt, während V. 4 sehr allgemein formuliert und damit eine Art zusammenfassender Wiederholung von V. 3 mit Verstärkungsfunktion ist.
Analog dazu könnte man auch die Schlußzeile von Teil A (V. 1) als eine solche Zusammenfassung ansehen, da sie durch die Parataxe von der Struktur der vorangehenden Glieder abweicht[81]. Auch der letzte Satz von B$_1$ (V. 2b) hat mit der Verbwiederholung die Funktion einer solchen Zusammenfassung.
Dürfte es also einerseits zu gezwungen erscheinen, wenn Lohmeyer hier wie auch schon 1,27–30 je fünf analoge Dreizeiler herausstellen wollte, so ist doch andererseits auch deutlich, daß dieser Abschnitt genauso, nicht aber stärker als der vorangehende rhetorisch stilisiert ist[82].

---

74 So Lohmeyer 80 Anm. 1, 2.   75 So Haupt 52 f.
76 So mit B–D–R 137,2.   77 So mit Dibelius, Lohmeyer, Gnilka.
78 So Gnilka 102 f. im Blick auf dreigliedrige Strophen.
79 So Lohmeyer 80 f. im Blick auf viergliedrige Strophen; ähnlich auch Dibelius; vgl. die Diskussion bei Haupt 56 f.
80 B–D–R 468,2 Anm. 4 nach Frisk.
81 So Lohmeyer 82; darin aber eine vortrinitarische, triadische Struktur finden zu wollen, ist wohl eine Überbewertung, da dies nicht im Sinne der pl Christologie und Theologie ist. Damit ist nicht ausgeschlossen, daß hier Gott als Geber der Liebe zu denken ist.
82 Unzutreffend ist eine Beschreibung des Sachverhalts wie die von Gnilka 102: »In diesem

6.2.3. Kommunikationsvorgaben und -aufgaben (2,1–5)

6.2.3.1. Vier gute Voraussetzungen der Philipper (2,1)

a) Gegenseitige Ermunterung: Bei dem von Pl 18mal verwendeten Substantiv παράκλησις (vgl. Verb 42mal) ist das stärker von LXX her geprägte Wortfeld der lexical unit παράκλ[1]. (vor allem 2Kor 1,3–7 10mal und 7,4–13 7mal) von dem allgemeingriechischen παράκλ.[2] der Ermunterung und Ermahnung zu unterscheiden[83]. Die zweite Bedeutung kommt bezeichnenderweise in LXX nur in rein griechischen Teilen vor[84] und ist vor allem in hellenistischen Briefen weit verbreitet, wobei es selbst bei amtlichen Briefen einen mehr intimen Ton hat. Die umfassende Untersuchung von Bjerkelund[85] hat ergeben, daß es da weder Befehl noch Anordnung meint, also vom stärkeren ἐπιτάσσειν wie vom bloßen Bitten (δέομαι) zu unterscheiden ist. Paulus verwendet es für sich da, wo seine Autorität nicht zum Problem geworden ist: So fällt im Gal dieses Wort völlig aus. Es beschreibt den Typ der ermunternden Mahnung, der die Entscheidung der geistlichen Urteilsfähigkeit der Hörer als Mitdenkender überläßt. Unsere Stelle ist die einzige im Phil, die das Substantiv verwendet und den Ausdruck sicher nicht im Sinne von »Trost« verwendet[86]. Denn zugeordnete präpositionale ἐν- (1Thess 4,1) oder διά-Wendungen (Phlm 9; 1Kor 1,10; 2Kor 10,1; Röm 12,1; 15,30) mit christologisch-soteriologischen Bestimmungen finden sich nur bei dem Gebrauch des Ausdrucks in der Bedeutung »Ermunterung«. Beim Verb ist 4,2 (wie 2Kor 2,8; 6,1; Röm 12,1; 15,30; 16,17) der anschließende Infinitiv (bzw. ἵνα 1Kor 1,10; 16,15f.; 2Kor 8,6; 1Thess 4,1) ein weiterer Indikator für diese Bedeutung. Es ist hier also nomen actionis für wegweisendes und zukunftsweisendes Ermuntern und Ermutigen, etwas zu tun, das selbständige Meinungsbildung und Urteilsfähigkeit erschließt und ausbildet. Es erscheint darum als eine der wesentlichen Funktionen des jedem möglichen und zuzumutenden innergemeindlichen Redens (Prophetie) in den Gemeindeversammlungen um den Herrenmahlstisch (1Kor 14,3.31; Röm 12,8). Ihre Norm ist die Evangeliumsgemäßheit (Röm 12,6 gemäß dem Sachgehalt der Pistisformel; 1Thess 2,15 gemäß dem berufenden Gott), wofür hier abkürzend ἐν Χριστῷ als »an der begründenden Christusnachricht orientiert« steht.

b) Gegenseitige Ermutigung: Dieses Lexem wird von Pl in seinen drei Formen nur viermal und zwar immer im Gefolge von παράκλησις verwendet (1Kor 14,3 παραμυθία und verbal 1Thess 2,12; 5,14. Es ist ein gutgriechisches Wort[87] und kommt in LXX nur in originalgriechischen Texten vor und dort eben gerade anders als die ermahnende παράκλησις in der Bedeutung des ermunternden Tröstens[88]. Das dürfte

---

Abschnitt schlägt Pl eine gehobene Sprache an. Der Zuspruch wird feierlich und beschwörend.«

83 Schmitz-Stählin ThWNT V 773–799, die aber noch wie Cremer-Kögel s.v. die beiden Bedeutungsfelder zu sehr ineinanderfließen lassen – ebenso auch Gnilka 103f., während nach einer präziseren Semantik die vom Kontext her differenzierten Bedeutungskomponenten stärker nach den zwei verschiedenen lexikalischen Einheiten voneinander abzuheben sind.

84 Schmitz ebd. 776f.   85 Bjerkelund 1967: 188–190.

86 Gg. Lohmeyer 80, 83, da seine Unterscheidung der semantischen Bedeutung hinsichtlich einer Eindeutigkeit der nur konsolatorischen Verwendung des Substantivs bei Pl nicht stichhaltig ist; vgl. BauerWB 1225f., der aber für unsere Stelle auch beide Bedeutungen offen lassen will; dagegen m.R. Haupt 52, 54.

87 Bauer WB 1231; Stählin ThWNT V 815–822; EWNT III 75.

88 J. Weiß 1910: 322; vgl. den Grabbeleg bei Lohmeyer 83 Anm. 1: Er war die »Stütze« seines Vaters und seiner Mutter – sowie Briefbelege, nach denen die Auskunft über die Gesundheit »Beruhigung« gibt.

der pl Verwendung entsprechen, da 1Thess 5,14 als spezielles Objekt im ntl. Hapaxle-gomenon die ὀλιγόψυχοι angibt, was als Koinewort ängstliches, verzweifeltes den Mut-Verlieren und Verzagen meint. Sie stehen dort zwischen denen, die sich verfeh-len, auf der einen und den Schwachen auf der anderen Seite, sind also von beiden abzuheben[89] (dies ist auch hier vorauszusetzen, da sich im Kontext die Komposita von ψυχ-Ausdrücken häufen: 1,27; 2,2.19.20). Die philippische Gemeinde übt Solidarität mit denen, die in Verzweiflung geraten. Der beigeordnete Genitiv ἀγάπης bezeichnet im Zusammenhang mit den umgebenden Näherbestimmungen als auctoris Grund und Ursprung solcher Solidarität und ist nicht nur als qualificationis zu fassen[90]. Es ist hier (wie an der ersten Stelle 1,8f. s. o.) mit σπλάγχνα kontextsynonym und wird darum auch V. 2 wieder aufgenommen.

c) Aktive Zusammenarbeit: In dem hier vorliegenden dritten Syntagma κοινωνία πνεύματος kann nicht das erste Nomen passivisch und der Genitiv als objectivus gefaßt werden als »der Geist, an dem sie zusammen Anteil gewonnen haben«[91]. Nach dem Zusammenhang mit 1,27 ist πνεῦμα vielmehr ebenso wie der hier voranstehende Genitiv als auctoris zu fassen und präzis auf den auferweckten, gegenwärtigen Herrn zu beziehen; κοινωνία ist in Übereinstimmung mit der Funktionsgleichheit in 1,5 (s. o.) – sie wird bei der Gemeinde als vorhanden anerkannt – aktiv zu verstehen (wie auch 1,7; 4,14 s. o.), wofür auch das Gefälle von den beiden bisher hier parallel genannten Activa »Ermunterung« und »Ermutigung« her spricht: Es gibt bei ihnen die vom auferweck-ten, gegenwärtigen Herrn bestimmte Zusammenarbeit.

d) Das abschließende parataktische Syntagma ist semantisch nicht so zu entschlüsseln, daß das zweite Wort einfach das erste »spezifiziert«[92] und das ganze als »herzliche Liebe«, »herzliches Mitgefühl«[93] oder »herzliche, erbarmende Liebe« übersetzt wer-den kann – selbst wenn man hinzusetzt, daß sie »Gott gehört«[94]. Man hat einerseits zu beachten, daß οἰκτιρμοί an den beiden anderen Stellen klar durch das Gottesprädikat bestimmt ist (Röm 12,1; 2Kor 1,3 – es »steht bei Pl nur von Gott«[95] – anders typischer-weise in der Analogieethik Kol 3,12, was von unserer Stelle literarisch abhängig sein kann als Umdeutung). Es bezeichnet Gott als den, der sich der Menschen annimmt. Obwohl das gutgriechische, ursprünglich etwas derbe σπλάγχνα, das hier von 1,8 her (s. o.) aufgenommen wird, seit TestXII[96] mit οἰκτιρμοί identisch sein könnte, so ist es doch hier in der Abfolge der Nennung der bei den Philippern vorhandenen Sachverhal-te als das der Zuwendung Gottes entsprechende menschliche Verhalten der aktiven Freundlichkeit zu nehmen, ohne daß beide Substantive zu identifizieren wären[97]. Die parataktische Art der Zuordnung konnte hier durch bloßes καί in der Oberflächenge-stalt loser gegeben werden (möglicherweise auch aus rhythmischen Gründen[98]: wegen des dreisilbigen Abschlusses oder um der gesamten Zeile vier Akzente zu geben), da von der Tiefenstruktur der ersten drei Glieder her die entsprechende logische Zuord-nung offenbar von Hörern selbst selbstverständlich so vollzogen werden konnte (dann ist καί also nicht nur in satzverbindenden Positionen gelegentlich semantisch-logisch hypotaktisch zu verstehen, sondern auch, wenn es wortverbindend ist). Eine gewisse

89 Dobschütz 1909: 221; Schweizer ThWNT IX 666 f.
90 Lohmeyer 83 Anm. 2; Gnilka 104 gg. Haupt.
91 So Gnilka 104 wie Haupt 54.   92 Haupt 54.
93 So Dibelius 60.   94 So Gnilka 104.
95 Lohmeyer 84 Anm. 1 gg. Ewald 106.   96 Köster ThWNT VII 551 f.
97 Gg. Lohmeyer 84 »so gewiß Gott Liebe und Erbarmen ist« – auch wenn für Pl die »Regungen des menschlichen Herzens« von Christus bestimmt sind, so bleibt das doch menschliches Handeln.
98 Dibelius 60.

Zusammenfassung[99] kann diese vierte Wendung wohl dadurch angeben, daß sie im Plural die innere Gesinnungseinheit der ersten drei Aktivitäten als deren Suprenym benennt:

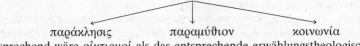

σπλάγχνα

παράκλησις   παραμύθιον   κοινωνία

Entsprechend wäre οἰκτιρμοί als das entsprechende erwählungstheologische Suprenym der geschichtlichen Realisierungen:

οἰκτιρμοί

Χριστός   ἀγάπη   πνεῦμα

6.2.3.2. Die Daueraufgabe einmütiger Zusammenarbeit (2,2b)

Die zunächst reichlich plerophor und redundant erscheinende viergliedrige Form der Mahnung wird verständlich, wenn man in Betracht zieht, daß die Formulierung ἓν καὶ τὸ αὐτὸ φρονέω (bzw. λέγω) eine damals sehr geläufige griechische Wendung zur Bezeichnung der Einmütigkeit ist[100]. Darum wird sie notwendig entfaltend präzisiert mit der bei Pl einmaligen Wendung τὴν αὐτὴν ἀγάπην ἔχοντες[101], wobei diese auffallende Setzung von αὐτήν zunächst als Wiederaufnahme des voranstehenden αὐτό zu verstehen ist, aber doch zugleich auch von der 1,9 vollzogenen Verbindung von Liebe und Erkenntniswachstum her präzisiert verstanden werden muß: Es geht eben nicht nur um eine Einmütigkeit überhaupt, sondern um die am Evangelium gewonnene Einmütigkeit, wie es ja sehr wohl auch kirchliche Einmütigkeit, die nicht am Evangelium orientiert ist, als Dauergefahr gibt. Darum eben wird ἀγάπη als Norm aus V. 1 betont wiederholt: Aus der Vorgabe der Liebe Gottes sollen die gleichen Konsequenzen abgeleitet werden. Da ständig neue Handlungssituationen die Daueraufgabe neuer Meinungsbildung und Urteilsfindung herausfordern, so ist die Aufgabe der Gemeinde immer neu in gemeinsamer Orientierung am Evangelium zu bewältigen. Blickt man auf diese Notwendigkeit, so besteht kein Anlaß, aus der Ermunterung zu diesem Tun einen entsprechenden Mißstand oder ein Defizit in der philippischen Situation herauszulesen. Dazu ist diese Aufforderung zur Einmütigkeit bei Paulus zu häufig (4,2; 1Kor 1,10; 2Kor 13,11; Röm 12,16; 15,5)[102]. Das Syntagma ist semantisch zunächst für sich als eine eigene Einheit zu nehmen und nicht gleich vom Gebrauch des Verbs bei Paulus überhaupt her semantisch zu erfassen[103].

Hatte Paulus dies mit der zweiten Zeile nach der objektiven Seite der Inhaltsorientierung hin geklärt, so entfaltet er es nun in der dritten Zeile durch das schlagwortartige Adjektiv σύμψυχοι nach der subjektiv voluntativen Seite hin. Dies entspricht der Erweiterung des Satzes, der sonst, etwa Röm 12,16 mit

εἰς ἀλλήλους   (was hier auch V. 3f kennzeichnenderweise folgt)

= σύμψυχοι   (was griech. συμφρονεῖν entspricht[104]).

Mit diesem seltenen Ausdruck wird deutlich die semitische Wendung μιᾷ ψυχῇ von 1,27 aufgenommen, so daß das Verständnis und die Übersetzung hier entsprechend auf

---

99 So von Lohmeyer 84f. vorgeschlagen, doch auf der Basis seiner Annahme der Synonymie
    zweier göttlicher Aktivitäten.
100 Lohmeyer 85 Anm. 1, 86 Anm. 1; vgl. schon Parallelen bei Wettstein.
101 Gnilka 105; demgegenüber hat Lohmeyer 85 die formale Analogie zu 1,30 überbetont.
102 Vgl. Lohmeyer 85 Anm. 1.   103 Gg. Gnilka 104f.   104 Ewald 109.

die Gleichgerichtetheit des willentlichen Strebens ausgerichtet werden muß (gg. Gnilka ist der Unterschied, dort nach außen – hier nach innen gerichtet, künstlich: sie ist immer nach innen gerichtet angesichts der Aufgabe nach außen: auch Röm 12,16 steht sie streng im Kontext der Mahnung des Verhaltens zu Nichtchristen und ist nur darum keine tautologische Wiederholung von 12,10)[105].

Die alte Frage, ob die letzte Zeile nur die erste wiederhole[106] oder nicht, dürfte so zu entscheiden sein, daß zwar in Anlehnung an die geläufige hellenistische Wendung der Unterschied nicht überbetont werden darf, doch diese Zeile nun als Zusammenfassung der inzwischen getroffenen Präzisierung steht. Bei einer bloß doppelnden Wiederholung könnte der Artikel fehlen. Da er aber dasteht, charakterisiert er nicht nur in anaphorischer Funktion den Charakter der Zusammenfassung, sondern bedeutet auch, daß sie nicht nur überhaupt in Übereinstimmung (ἕν), sondern eben von ihrem einen Gegenstand her (τὸ ἕν) bestimmt einmütig sind[107].

6.2.3.3. Die antithetische Entfaltung (2,3f.)

Zunächst stehen V. 3 zwei Negativa, die diese Einmütigkeit gefährdende Faktoren bezeichnen und darum abgewehrt werden: ἐριθεία wird von 1,17 (s. o.) wiederholt, wobei ἐξ dort den Quellort und κατά hier den Maßstab anzeigen[108], beides so also nur rhetorisch wechselt[109]. Hinsichtlich der Einstellung zu ihr gibt es zwischen unserer Stelle und 1,17 keinen Widerspruch, wenn man einmal sieht, daß Pl sie dort – nachdem sie einmal passiert ist – großmütig duldend und vergebend ertragen kann. Damit aber ist sie nicht als Verhaltensweise legitimiert. Sofern sie als eine mögliche Gefahr noch bevorsteht, wird sie wie hier mahnend abgewehrt. Die zweite Wendung mit κενοδοξία (vgl. adjektivisch nur noch Gal 5,26 und dort ebenfalls wie hier nach 1,17:15 in Verbindung mit »Neid«[110]; auch in LXX nur in hellenistischen Schichten) bezeichnet das Geltungsbedürfnis als einen Aspekt der Rivalität, und zwar nicht bei dem, der sich seiner Werte überhaupt bewußt ist – das war Pl selbst sehr wohl, wenn es darauf ankam – sondern bei dem, der »sogar auf eingebildete Vorzüge (κενός) stolz ist«[111]. Pl hat also nicht die mögliche Realitätsbezogenheit in einer ununterscheidbaren Gleichmacherei aus dem Blick verloren. Anmaßung wird nicht mit echter Kompetenz auf eine Stufe gestellt, wie vor allem die Fortsetzung zeigt. Beide abgelehnte Haltungen können so zusammen mit dem weiterführenden negierten Partizip von V. 4a als antithetische Hyponyme stehen für das, was in diesem Wortfeld »Einmütigkeit« als Suprenym bezeichnet:

V. 4a gibt also nochmals die Entfaltung im Partizipialsatz. Die von Lohmeyer[112] vollzogene fortlaufende Parallelisierung (3 Nomina von V. 3a = drei Partizipialbestim-

---

105 Dazu Schenk 1967: 77–79 und 1973: 3, 16.
106 So Gnilka 105, der aber dennoch ebd. 102 die Wendungen wiederum zu verschieden übersetzt.
107 Haupt 56f.; Lohmeyer 86; die αὐτό wiederholende Lesart ist sekundäre Angleichung an die vorangehenden Formen: GNTCom 612.
108 Haupt 58.
109 Gg. Gnilka 105 nicht zu »Streitsucht« zu subjektivieren.
110 Vgl. die hellenistischen Belege bei Lohmeyer 87 Anm. 1; Gnilka 105 Anm. 19.
111 Haupt 58.   112 Lohmeyer 87.

mungen V. 3b–4) ist zu gewaltsam und künstlich. Das Subjekt von V. 4a ist singularisch zu lesen[113]. Erst im Nachsatz V. 4b steht verstärkend der ungewöhnliche Plural als Steigerung: »wirklich jeder«, was außerdem noch durch die Endstellung betont ist (nicht zum V. 5 folgenden Satz zu ziehen)[114], da es das Pluralelement des Partizips der Protasis hier vertritt). Das Verb σκοπέω steht als Synonym zu φρονέω und meint ein intensives Sehen, Fixieren, In-den-Blick-nehmen (Bauer WB 1491); es geht um einen »Scharfblick« (3,17 vgl. Gal 6,1; 2Kor 4,18; Röm 16,17 und das Substantiv Phil 3,14 »Ziel«), wobei nicht der Scharfblick als solcher kritisiert wird – da das Partizip ja auch für die Gegensatzwendung in V. 4b gilt –, sondern erst durch sein Objekt in seiner Richtigkeit oder Fraglichkeit bestimmt wird. Dem Charakter von V. 4 als zusammenfassender Wiederholung von V. 3 (ähnlich den Schlußzeilen in V. 1 und V. 2) entsprechend, ist in dem τὰ ἑαυτῶν bzw. τὰ ἑτέρων[115] nicht ein spezielles neues Objekt als semantischer Gehalt anzunehmen: Nach dem Zusammenhang dürfte es wirklich um die »Vorzüge« gehen und nicht so sehr um die jeweiligen Interessen oder gar »auch ihre Fehler«[116]. Das zeigen die verwandten Formulierungen desselben Gedankens mit ζητεῖν (2,21 als Klage mit Antithese; 1Kor 10,24 als Mahnung mit V. 33 als abschließendem Selbstbekenntnis des Pl; 13,5 als Kennzeichen der Liebe[117]; um so wichtiger ist die spezielle semantische Füllung, die es hier vom Kontext her erhält).

Der antithetische Nachsatz V. 4b zeigt durch sein adverbiales καί, daß Pl nicht einer totalen Selbstaufgabe das Wort redet, sondern daß genau wie im ursprünglichen Sinn des Liebesgebots von Lev 19,18 (»wie dich selbst«[118]) das Interesse des anderen »in sein Interesse mit aufgenommen« wird[119], (wobei nur statt auf Interesse hier stärker auf »Vorzüge« abzuheben ist). Da das καί nun trotz der Antithese koordiniert[120], ist auch der Vordersatz nicht als eine Aussage der Ausschließlichkeit zu verstehen, sondern: »charakterisiert ist der Standpunkt eines sozusagen gedankenlosen Egoismus«[121]. Das Mißverständnis einer Selbstaufgabe – etwa in einem dauernden Geben – wird auch 2Kor 8,13–15 betont abgewehrt. Gegenseitiges Helfen geschieht im sich ständig ergänzenden Wechsel: »Jeder muß wissen, wann an ihm die Reihe ist zu helfen«[122]. Die gewisse Einschränkung im Sinne eines μόνον kann als semantisches Element ja schon aus dem Intensivum dieses Verbs der Wahrnehmung (σκοπεῖν) entnommen werden. Damit ist ausgeschlossen, daß einem absoluten Altruismus das Wort geredet würde und der andere das Seine im Sinne einer realistischen Selbstbeurteilung gar nicht in den Blick nähme. Das Liebesgebot steht hier sicher nicht nur allgemein und traditionsgeschichtlich im Hintergrund, sondern wohl noch direkter, denn Röm 13,8 formuliert Pl im Hinblick auf das Zitat von Lev 19,18 in V. 9 den Gehalt von πλήσιος mit τὸν ἕτερον. Dies steht nun semantisch tatsächlich dem hebräischen rēa'[123] am nächsten, so daß M. Rade[124] in der Tat seufzen konnte: »Man möchte wünschen, daß niemals einer der LXX auf den Gedanken gekommen wäre, rēa' mit πλήσιος zu übersetzen.«

Die positive Wendung von V. 4b hat ihre Entsprechung in V. 3b in dem Häufigkeitswort der philippischen Korrespondenz ἡγούμενοι, das hier morphologisch schon vom

113 GNTCom 612, Haupt, Ewald, Lohmeyer, Gnilka.
114 Gg. Ewald 111 und Tischendorf.   115 B–D–R 306,2.
116 Gg. Haupt 59 Anm. 1; Ewald 110.
117 Gnilka 107; »die ganze Wendung scheint stoisch beeinflußt zu sein«: Lohmeyer 89 Anm. 2 nach Fridrichsen.
118 Berger 1972: 80ff.; Nissen 1974: 278ff., 300f.
119 Ewald 110.   120 Haupt 59.
121 Ewald 110.   122 Bultmann 1976: 257.
123 Kühlewein THAT II 786ff.   124 Rade 1927: 79.

nachfogenden Zitat V. 6 her veranlaßt sein dürfte (vgl. V. 26; 3,7.8a.8b). Das Wort – obwohl es mit doppeltem Akkusativ auch »halten für« oder »ansehen« meinen kann – hat hier doch seinen Bezug zu dem semantischen Moment der Überordnung behalten und tendiert in Richtung auf »achten«, »schätzen« (vgl. 1Thess 5,13)[125]. Röm 12,10 hat eine ganz verwandte Wendung im Katalog des persönlichen Miteinanders in der Gemeinde und signalisiert so eine gewisse Standardmahnung. In Entsprechung zu der bisher im ganzen Abschnitt betonten Wirklichkeitsbezogenheit ist auch ὑπερέχοντας (wiederum Vorzugswort der philippischen Korrespondenz: 3,8; 4,7) nicht etwas, was erst durch das ἡγεῖσθαι entsteht, sondern was das ἡγεῖσθαι als solches schon bestehendes anerkennt, wie auch die beiden folgenden Phil-Stellen erweisen: also die, die durch wirkliche Sachkompetenz oder Profiliertheit auf ihrem Gebiet hervorstechen oder überragen (»ein Plus an Begabung«[126]).

Dies sind die eigentlichen Forderungen, während das Syntagma τῇ ταπεινοφροσύνῃ nicht als Mahnung erscheint, sondern als modale Basis dafür genau wie die ἀγάπη von 1,9 als schon vorgegeben vorausgesetzt ist[127]. Der Ausdruck findet sich bei Pl nur hier (Kol 3,12 dürfte hier wieder direkt literarisch von Phil abhängig sein wie dann Eph 4,2 von Kol und 1Petr 5,5, so daß aus diesen Stellen gg. Gnilka 106 kein »fester Topos« von »Gemeindebelehrung«, schon gar nicht von »vorchristlicher«, abgelesen werden darf. Kol 2,18.23 könnte es Selbstformulierung der Irrlehrer sein). Es ist zu seiner Zeit ein ausgesprochen modernes Wort und noch nicht in seiner Bedeutung festgelegt. Darum hüte man sich vor einer Ausweitung zu einer ethischen Grundkategorie als sei »Demut um der Demut willen« der »Sinn jeder gläubig-sittlichen Tat«[128]. Man muß sich dieses moderne Wort vielmehr mit einem Bindestrich denken ταπεινο-φροσύνη. Dadurch wird deutlich, daß es das Verb φρονεῖν betont aus dem Kontext von V. 2 aufnimmt und genauso das Verb ταπεινοῦν als eine Form von φρονεῖν aus dem angeschlossenen Zitat V. 7 (wie ἡγεῖσθαι aus V. 6). Vielleicht ist aber nicht nur die erste Worthälfte als philippisches Zitat in Anführungsstriche zu setzen, sondern auch die zweite, da 4,17 wie 1,7 φρονεῖν ὑπέρ (s. o.) auf philippische Formulierung anzuspielen schien. Es geht also um etwas, was in Philippi vorhanden ist. Das neumodische Wort hat als Zusammensetzung noch keine feste Bedeutung, wie die wenigen Belege vom Ende des Jahrhunderts bei Josephus, Epiktet und Plutarch zeigen, wo es immer negativ eine niedrige, unterwürfige Gesinnung bezeichnet[129]. Da es auf keinen Fall von vornherein eine feste Tugend bezeichnet, so ist auch zwischen dem Kompositum und bloßem ταπεινός stärker zu unterscheiden und beides nicht zu selbstverständlich als Einheit anzusehen[130]. Das Kompositum ist hier kein fester Begriff; für seine semantische Analyse sind seine Einzelelemente vorrangig bestimmend. Man tut darum gut daran, das stark traditionsgesättigte und im Sinne der Unterwürfigkeit festgelegte Wort

---

125 BauerWB 679 f.
126 BauerWB 1663; Ewald 110 – doch leider bleibt er nicht bei dieser Kontextbedeutung, sondern verschiebt es im Rahmen einer statischen Ständegesellschaft auf »Vorzug von Ehre und Rang« überhaupt, »worin man den anderen für höhergestellt (!) erachtet«. Hierbei ist typisch, wie leicht ein Aktualisierungszwang zur Anpassung an das Bestehende führt unter Aufgabe des kritischen Potentials einer pl Aussage.
127 Ewald 110 Anm. 1.
128 So Lohmeyer 88; dies ist eher eine Grundkategorie der mittelalterlichen Feudalordnung, das die Unterwerfung und Aufgabe der Freiheit beschrieb. Dieses »Die-Gesinnung-eines-Knechtes-annehmen« hat das deutsche Lexem bis heute nicht verloren und ist darum ungeeignet zur Übersetzung der ntl. ταπεινο-Stellen; vgl. Mettke 1979: 39.
129 Grundmann ThWNT VIII 1–27, 5, 15; gg. Gnilka 106 wäre nicht von einer »vor(!)neutestamentlichen Gräzität bei Epiktet« zu reden; älter scheint nur das Adjektiv Prov 29,23.
130 Leivestadt 1966 in kritischer Ergänzung zu Grundmann ThWNT VIII.

184

»Demut« als Übersetzungsausdruck auf jeden Fall zu vermeiden[131]. Bezugspunkt ist hier weder primär Gott noch der andere Mensch[132], sondern von φρονεῖν her ist hier jeder zunächst an sich selbst gemessen. Vom Kontext her erscheint das »Anerkennen der eigenen Grenzen« als die zutreffendste Beschreibung des semantischen Gehalts.

6.2.3.4. Zusammenfassung: Übersetzung (2,1–5)

V. 1 Da es nun bei euch ja in der Christusnachricht gegründete Urteilsbildung gibt,
da es (2.) von der Liebe Gottes bestimmte Ermutigung gibt,
da es (3.) die vom auferweckten Herrn bestimmte Zusammenarbeit gibt,
da also Gottes Zuwendung und die davon bestimmte Liebe bei euch in Geltung sind,

V. 2 So macht doch bitte das Maß meiner Freude dadurch voll,
daß ihr einmütig denkt,
indem ihr aus Gottes Liebe die gleichen Konsequenzen zieht,
und indem euer Streben in die gleiche Richtung geht,
daß ihr also in dieser Einmütigkeit denkt!

V. 3 Weder sei Rivalität die Quelle
noch Geltungsbedürfnis der Maßstab,
sondern indem jeder seine Grenzen anerkennt, könnt ihr doch gegenseitig hervorstechende Sachkompetenzen anerkennen,

V. 4 so daß also jeder nicht nur sein eigenes Profil,
sondern wirklich jeder auch das des anderen fest im Blick hat!

V. 5 Also gelte ein solches Denken unter euch,
das tatsächlich vom auferweckten, gegenwärtigen Herrn bestimmt ist!

6.2.4. *Ein Zeugnis philippischer Christologie und Frömmigkeit (2,6–11)*

6.2.4.1. Der nichtpaulinische Charakter

F. Chr. Baur fand Ausdrücke und Gedanken dieses Abschnitts so gnostisch, daß dies für ihn einer der Gründe war, den ganzen Phil Pl abzusprechen[133]. In der Tat stellen die singulären Wendungen die Übersetzung vor schwierige Aufgaben: μορφή θεοῦ, εἶναι ἴσα θεῷ, κενοῦν braucht Pl sonst nur senso malo, δοῦλος und ταπεινοῦν sind singulär für Christus, σχῆμα nur noch 1Kor 7,31 und da Überlieferungsbestandteil, ὑπερυψοῦν, χαρίζεσθαι mit Christus als Objekt, Verbindung von ὄνομα und Ἰησοῦς (statt κύριος), καταχθόνιος[134].
Andererseits betont man seit J. Weiß den auffallenden rhetorischen Charakter und sah 2 Strophen mit je 5 Zeilen[135]. In seiner Heidelberger Akademie-Untersuchung von 1928 wollte Lohmeyer für V. 6–8 und 9–11 je 3 Strophen mit jeweils 3 Zeilen (analog zu seinem Dreierprinzip seit 1,27ff. – s. o.!) herausstellen[136]. Zugleich klassifizierte er

---

131 Gg. Gnilka 105f. und alle bisherigen Kommentare.
132 Gg. Lohmeyer 88: »Demut vor Gott« ist »gleichbedeutend mit ›Demut‹ vor den Brüdern«. Solche paränetischen Analogieschlüsse sind höchst gefährlich, da es keine Kriterien für den Bereich ihrer Verwendung wie Vermeidung gibt.
133 Ewald 126 Anm. 1.
134 Vgl. Lohmeyer 92 Anm. 1; Schweizer 1955: 52 Anm. 228; Bornkamm 1959: 178 Anm. 1a.
135 J. Weiß 1897: 28f.; Dibelius 61; Deißmann 1925: 149: 2 Strophen mit je 7 Zeilen.
136 Lohmeyer 90–99; ihm folgten Käsemann 1950, Michaelis, Beare, Bornkamm 1959, Schille 1965; für V. 6–8 zuletzt Wengst 1972: 144–156, der aber für V. 9–11 mit Strecker 1964 3 Doppelzeiler annimmt.

das Segment als »Hymnus«, »Gedicht«, »Carmen Christi«. In beiderlei Hinsicht hat er Nachfolger gefunden[137], obwohl schon vorher der Blick für den Parallelismus auch für den ersten Teil V. 6–8 geschärft worden war[138]. Diese Parallelismusbeobachtung wurde dann unabhängig voneinander von mehreren für die Gesamtgliederung als wesentlich angesehen[139], und J. Jeremias (1953) machte sie zum bestimmenden Gliederungsprinzip[140].

Methodische Priorität haben die syntaktischen Perioden. Sieht man von dem als Akkusativobjekt fungierenden substantivierten Infinitiv V. 6 zunächst einmal ab, so haben wir 12 Verbalphrasen, die sich gleichmäßig auf je 4 in V. 6–7b.7c–8.9–11 verteilen.

a) Übergeordnet sind die finiten Verben:

V. 9 ist Gott Subjekt der im Parallelismus stehenden Handlungsverben ὑπερύψωσεν + ἐχαρίσατο.

Dem sind die beiden parallelen konjunktivischen Aoriste nach ἵνα als die Handlungsverben der πάντες abhängig zugeordnet:

κάμψῃ + ἐξομολογήσηται.

V. 8 folgt dem finiten Handlungsverb, dessen Subjekt Christus ist, ein Partizipium conjunctum innerhalb eines Funktionsverbgefüges, das dadurch auch das Handlungs-Sem erhält (ein epexegetisches Partizip im Aorist der koinzidenten Handlung)[141]: ἐταπείνωσεν ἑαυτόν, = γενόμενος ὑπήκοος.

V. 7 hat die gleiche Struktur, indem hier dem doppelten, antithetischen Aorist von Handlungsverben (im ersten Fall in einem Funktionsverbgefüge) wiederum ein Partizipium conjunctum folgt, das hier selbst ebenfalls ein Handlungsverb ist:

 οὐχ ἁρπαγμὸν ἡγήσατο

ἀλλὰ ἑαυτὸν ἐκένωσεν

  μορφὴν δούλου λαβών.

b) Bei den den finiten Verben V. 6f und 7cf voranstehenden Participia conjuncta dagegen handelt es sich immer um Verbalphrasen ohne das Element der aktiven Handlung, sondern um reine Zustandsverben:

V. 6 ἐν μορφῇ θεοῦ ὑπάρχων

: V. 7c ἐν ὁμοιώματι ἀνθρώπων γενόμενος

  καὶ σχήματι εὑρεθεὶς ὡς ἄνθρωπος

Als solche Zustandbeschreibungen sind sie deutlich die Protasis für die Apodosis der finiten Handlungsbeschreibungen, die ihnen folgen. Damit ergibt sich klar ein Zusammenhang der jeweils vier aufeinanderfolgenden Glieder.

c) Dies wird durch weitere Entsprechungen unterstrichen:

---

137 Vgl. den auch nach dem Urteil Käsemanns 1968 instruktiven Forschungsbericht zu dieser meistbehandelten Phil-Stelle von Martin 1967.

138 Dibelius 61; Lietzmann 1926: 178.

139 Cerfaux 1946; Dupont 1950; Boman 1950 gab seinen früheren Anschluß an Lohmeyer auf, da Dreigliedrigkeit als Grundform semitischer Metrik anzusehen sei.

140 Ihm folgten Bonnard, Michel 1954, Friedrich; Strecker 1964 sah aber V. 8 ganz als pl Zusatz an und fand so 3 Doppelzeiler; Georgi 1964 sah vorpl einen Parallelismus, jetzt aber Dreizeiler vorliegen; Deichgräber 1967: 118–133 4 Zweizeiler + 3 Zweizeiler; Gnilka 136f. will V. 6a als Einzelzeile isolieren, der dann 5 Doppelzeiler folgen, wobei er aber ähnlich inkonsequent wie bei V. 1 und 2 (s. o.) zuerst V. 7 das Partizip mit dem finiten Bezugsverb in eine Zeile zwingt, dagegen in V. 8 zwei Zeilen annimmt. Dagegen lenkte Hunzinger 1970 zur Klarheit des Vorschlags von Jeremias zurück und sah nur die Akklamation als selbständige Schlußzeile an, während Hofius 1976: 4ff. dazu die Deichgräbersche Modifikation für V. 9–11 aufnimmt und darüber hinaus V. 9c und 11c als betont überschießende Glieder der beiden Strophen ansieht.

141 Beare 82.

1.1 und 1.4 haben μορφῇ gemeinsam als Anfangs- und Schlußring.

2.1 und 2.4 haben entsprechend γενόμενος gemeinsam als solchen Anfangs- und Schlußring.

1.1 und 1.2 haben θεός zum wesentlichen Zustandskennzeichen und entsprechen sich darin zugleich antithetisch.

2.1 und 2.2 haben ἄνθρωπος als wesentliches Zustandskennzeichen und stehen damit zugleich in semantischer Opposition zu 1.1 + 2.1.
Hinzu kommen

2.1 und 2.2 noch zwei Substantive auf -μα, wobei der Zusammenhang durch das Homoioteleuton des Dativs -ματι noch verstärkt wird und der Zusammenhang beider durch die Abhängigkeit von der gleichen Präposition ἐν weiter unterstrichen ist.

1.1 und 2.1 beginnen beide die Protasis des Zustands mit ἐν. Hinzu kommt

1.2 und 2.2 haben jeweils Vergleichspartikel im Blick auf ihre jeweiligen Zustandsschilderungen.

1.3 und 2.3 haben beide ἑαυτόν beim finiten Verb und diese stehen beide ohne weiteres Objekt.

1.3 und 2.3 entsprechen sich die beiden Verben in ihren semantischen Hauptkomponenten: Preisgabe, Verzicht, Entsagung.

1.3+4 und 2.3+4 steht die Abfolge von Objekt und Verb in den jeweiligen Handlungsgliedern parallel, doch ist die 1. Gruppe in bezug auf die zweite chiastisch angeordnet:

V. 7 ἑαυτὸν ← ἐκένωσεν   V. 8 ἐταπείνωσεν → ἑαυτόν

μορφὴν δούλου ← λαβών   γενόμενος → ὑπήκοος

Über diese von Jeremias her bekannten Beobachtungen hat Hunzinger gegenüber abweichenden Gliederungsvorschlägen auf den weiteren syntaktischen Tatbestand aufmerksam gemacht, daß es sich in V. 6–8 um zwei asyndetisch nebeneinanderstehende Satzgefüge handelt: »Die syntaktische Struktur selbst setzt eine Zäsur . . . Am natürlichsten ergibt sich die Zäsur zwischen V. 7b und 7c, d. h. an der Stelle, wo in jedem Fall ein Asyndeton vorliegt. So zerreißt man keinen Parallelismus und gewinnt zwei gleich gewichtige Strophen, die, genau wie die letzte Strophe V. 9–11, je vier Zeilen umfassen.«[142]

d) Mir ist darüber hinaus die wortsemantische Unterscheidung von Handlungs- und Zustandsverben wichtig wie ihre textsemantische Zuordnung in dem gesamten Subtext. Alle stehen im Aorist[143]. Die doppelt beschriebene Aktivität der Preisgabe Jesu V. 8 ist auf den doppelt beschriebenen Zustand des Mensch-Seins V. 7c.d bezogen. Entsprechendes gilt strukturell auch vom Gefälle der vier Sätze von V. 9–11: Die Protasis V. 9 ist aktiv formuliert, weil Gott der Handelnde ist. Da Jesus naturgemäß das Objekt ist, so ist durch eine rein syntaktische Transformation, die den semantischen Gehalt nicht verändert, deutlich, daß sie in bezug auf Jesus passivisch sind, also von seinem Erhöhtwordensein sprechen und so wiederum seinen Zustand im Blick

142 Hunzinger 1970: 147; dagegen zerreißt die Interpunktion in GNT wie bei N–A sowie die Trikola bei Wengst (= Lohmeyer) den Parallelismus; außerdem wird auch noch der Zusammenhang der beiden von ἐν abhängigen Dative gesprengt. Will man dem andererseits dadurch entgehen, daß man (wie Friedrich und Deichgräber) dann die beiden Partizipien noch der ersten Periode zurechnet, so entstünde – abgesehen von der Überfülle des ersten Teils und dem Widerspruch gg. alle einschlägigen bisherigen Beobachtungszusammenhänge – außerdem ein weiteres Asyndeton mit dem Einsatz von V. 8, was Hunzinger ebd. zu Recht kritisiert und schon Norden 1923: 384 gg. den Vorschlag von Haupt 79 einwandte, mit V. 8 asyndetisch einen neuen Satz zu beginnen.

143 Beare 76.

haben, der daraus entstanden ist. Die beiden folgenden Verben der zugehörigen Apodosis V. 10–11 sprechen darum wieder von einem Handeln, das diesem Zustand des Erhöhtseins entspricht, der angesichts dieses Zustands geforderten Anerkennung. Damit ist die Relation Protasis-Apodosis sachlich V7c–8 wie 9–11 als Relation Zustand-Handlung beschrieben.

Liegt dieses Schema und das damit gekennzeichnete Gefälle auch in dem ersten Protasis-Apodosis-Gefüge unseres Subtextes V. 6–7b vor? Unstreitig spricht die erste partizipiale Protasis vom Zustand, was die Apodosis des zweiten Satzes aufnimmt – allerdings diesmal nur untergeordnet als Objekt des substantivierten Infinitivs. Das ist zweifellos eine Verschiebung, doch eine Verschiebung innerhalb des Grundschemas Zustand-Handlung. Sie weist um so deutlicher darauf hin, daß der Parallelismus membrorum im Dienst des Zustands-Handlungs-Schemas das gestaltende Prinzip ist, und dies um so mehr, als auch die beiden folgenden Zeilen weiterhin von dem sich preisgebenden Handeln Jesu sprechen. Wie steht es nun mit der Abweichung im zweiten Satz dieses ersten Satzgefüges? Wenn aus diesem Vergleich mit dem Aussageduktus des gesamten Zusammenhangs deutlich ist, daß jede Zustandsprotasis auf die entsprechende Handlungsapodosis hindrängt, dann ist es nicht verwunderlich, wenn diese Absicht an dieser einen Stelle das formale Gleichgewicht von doppelter Protasis und doppelter Apodosis sprengt, und hier die Protasis der Zustandsschilderung nur in einem Glied, die Handlungsaussagen der Apodosis dagegen in drei Gliedern erscheinen. Immerhin ist ja die Zustandsschilderung im substantivierten Infinitiv des zweiten Gliedes noch verschoben enthalten. So ist der Parallelismus an dieser Stelle zwar durchbrochen, aber noch deutlich genug bewahrt. Dieses Zerbrechen hat aber seine Bedeutung für das Verständnis des ganzen: Es markiert von vornherein das Gewicht der Handlungsaussagen, mit der jede der einzelnen Einheiten endet und auf die hin sie zulaufen. Das Gefälle des ganzen ist deutlich: Die drei Zustandsschilderungen V. 6a.7c.9 sind nicht Selbstzweck, sondern stehen als Voraussetzung im Hinblick auf die ihnen jeweils folgenden Handlungsverben.

e) Bei der semantischen Präzisierung der Zustandsschilderungen ist von diesem Gesamtgefälle auszugehen, besonders wenn man den Gehalt des Anfangszustands ἐν μορφῇ θεοῦ bestimmen will. Seit Foersters Materialsammlung zu ἁρπαγμὸν ἡγήσατο dürfte feststehen, daß eine sprichwörtliche Redensart verwendet ist. Die Wendung mit ihrem idiomatischen Charakter aus der Sphäre des Trivialen spricht kaum für eine »hymnische« Verwendung: »Etwas für ein gefundenes Fressen halten« würde man eine Stilschicht höher mit »seinen Vorteil aus etwas ziehen« aufnehmen können. Als idiomatische Wendung wird semantisch auch klar, daß das Objekt nicht isoliert zu nehmen ist (das zu Raubende), sondern als Funktionsverbgefüge ist ἁρπαγμός im Sinne von ἁρπαγμά (»Beute«) zu fassen[144]. Wegen des idiomatischen Charakters des Syntagmas ist es auch ausgeschlossen, die Negation zum Substantiv statt zum Verb zu ziehen, so daß V. 6b eine positive Aussage machen würde: »Er sah es als Nicht-Beute an«[145]. Doch da hier ja auch die Antithese mit ἀλλά folgt und beide Sätze zwei verschiedene

144 Foerster ThWNT I 422–424 nach ders. 1930; Dibelius 61; Käsemann 1960: 69f.; Gnilka 115; vgl. zuletzt Hoover 1971; Glasson 1974/75 wandte sich von daher nochmals gg. eine Adam-Christus-Typologie, wie sie Gibbs 1970 und Hooker 1973 erneuern wollten. Gg. die These von einer bestandenen »Versuchung« auf der Basis der semantischen Entscheidung für eine res rapienda statt einer res rapta bei Lohmeyer 92f.; Michaelis 36; Cullmann 1957: 182; Gewieß 1963 hat sich zuletzt Hofius 1976: 56 Anm. 1 m. R. gewandt: Eine Analogie zu Gen 3,5 liegt nicht vor.

145 So Carmignac 1972 mit einer ansonsten verdienstvollen Untersuchung der Satzstellung der Negation bei Pl.

Verben haben, so ist der Verbbezug anzunehmen. Die auffallende Voranstellung der Negation vor den ganzen Satz signalisiert keinen Subjektbezug, sondern eine emphatische Negation seines Tuns (»wirklich nicht«), wodurch im wesentlichen die Antithese und damit das Handlungsverb einen noch stärkeren Nachdruck erhält (»sondern im Gegenteil«[146]).

Ebenso ist bei der Erfassung der einleitenden Zustandsbestimmungen zu veranschlagen, daß adverbiales ἴσα gegenüber dem adjektivischen ἴσος eine abgeschwächte Bedeutung hat und keineswegs eine strenge Gleichstellung bezeichnet[147]: Es geht nicht um das Göttliche als Eigenschaft, sondern um eine gottgleiche Würdestellung. Da diese Wendung in V. 6b mit dem anaphorischen Artikel »dieses ebengenannte« ἐν μορφῇ θεοῦ ὑπάρχων wiederaufnimmt, so kann auch diese erste Wendung in V. 6a nichts anderes meinen: »avec les traîts de Dieu«; V. 7 meint dann in Antithese dazu: »avec les traîts d'un serviteur (de Dieu)«[148], also keine mit göttlicher Herrlichkeit ausgestattete Menschennatur, sondern die Züge eines von Gott Beauftragten.

Weiterhin ist zu beachten, daß ὄνομα in der 3. Strophe dem Ausdruck μορφῇ der ersten Strophen entspricht. Anthropologisch ist das Suprenym von V. 9 durch die Hyponyme von V. 10f. definiert:

und weiter erläutert durch die V. 10 dazwischengeschaltete Trias. Nun ist das christologische ὄνομα V. 9 durch ὑπὲρ πᾶν darauf bezogen. Durch die Wiederholung von ὑπέρ ist ὄνομα zugleich auf ὑπερύψωσεν als Status bezogen. Als Kennzeichnung der unterscheidenden Merkmale von Personen hat ὄνομα wie schon das hebräische Äquivalent šēm sowohl dianoetische wie dynamische Elemente[149]. Auf dem Hintergrund der Inthronisation mit den dazugehörigen Thronnamen[150] ist die Verwendung von ὄνομα hier verständlich. Der semantische Akzent liegt hier zuerst V. 9 dianoetisch auf dem neuen Status des Inthronisierten und bei der Wiederholung in V. 10 dynamisch auf der Person. Dabei ist ἐν nicht instrumental gebraucht, sondern führt einfach das Objekt ein (wie hebr. bᵉ = »ihm«[151]) oder falls die beiden Handlungskonjunktive im Aorist eine einzige, koinzidierende Handlung bezeichnen, denkt die Präposition schon an den Akklamationsakt (»unter Anrufung«)[152]. Die Verwendung ist im Gattungskontext urchristlicher Akklamations-Kyriologie offenbar fest geprägt: An den 8 pl Stellen, an denen ὄνομα im christologischen Bezug erscheint, steht immer der Kyrios-Titel und kein anderer[153] (1Kor 1,2.10; 5,4; 6,11; Röm 10,13; vgl. 2Thess 1,12; 3,6 ferner Röm 1,5:4; diesen Zusammenhang so mißachtet zu haben, ist die Hauptschwäche von Delling[154] und seiner damit verbundenen erfolglosen Bestreitung des Bekenntnischarakters der Taufe). Die Inthronisationsvorstellung des Kontextes wie der Gattungskontexte sprechen dagegen, daß κύριος von Gott auf Jesus übertragen sei, da hier der von Gott ja verliehene Thronname des κύριος als messianischem Mitregenten vorliegt.

---

146 Vgl. gg. Carmignac den Einspruch von Grelot 1973a.
147 BauerWB 753; B–D–R 434,1; Gnilka 117: so schon klassisch und in LXX; darum ist Joh 5,18 nicht als Parallele heranzuziehen.
148 Grelot 1972: 495ff. unter Verweis auf JosAp II 22.190 und analog zu dem »Abbild« Kol 1,15.
149 V. d. Woude THAT II 935–962; durch diese Darstellung sind die Ausführungen von Bietenhard ThWNT V 242ff. zu modifizieren.
150 V. d. Woude ebd. 943f.
151 Ebd. 952.
152 Hofius 1976: 4f.
153 Kramer 1963: 71–77.
154 Delling 1961: 56ff., 72ff.

Dagegen spricht auch, daß Jes 45,23 diesen ja gar nicht vorgegeben hat[155]. Man kann auch nicht damit argumentieren, daß Pl Röm 14,11 die Jesajastelle auf Gott bezieht. Da nur eine Wendung angespielt ist, so kann sie semantisch verschieden verwendet werden, dies um so mehr, wenn hier im Phil eine nichtpl Verfasserschaft vorliegt[156]. Auf jeden Fall ist der urchristliche Akklamationszusammenhang von ὄνομα und κύριος deutlich, da der Parallelismus der Glieder V. 10f. beide chiastisch im Rahmen einander besonders deutlich zuordnet[157]:

A   (V. 10a)»damit unter Anrufung des Namens Jesu
 B   (V. 10b)sich jedes Knie beuge . . .
 B' (V. 11a)und jede Zunge bekenne:
A'   (V. 11b)Herr ist Jesus Christus«.

6.2.4.2. Die paulinische Redaktion

Ist die methodische Prävalenz der syntaktisch-semantischen Strukturerhellung geklärt, so sind dagegen die Fragen einer eventuellen Gliederung in Sprechrhythmen demgegenüber nicht gleichrangig, sondern deutlich untergeordneter Wertigkeit: So können die 7 Silben τὸ εἶναι ἴσα θεῷ durchaus als selbständige Sprechphase in Form einer Trikola gedacht werden. Ebenso wären die 6 Silben der Sprechphase θανάτου δὲ σταυροῦ eine Trikola, aber vielleicht sollte man da schon von dem Kolon μέχρι θανάτου eine Einheit annehmen, was dem Parallelismus der Verse wie Strophen zustatten käme. Auf jeden Fall ist das steigernde μέχρι, wenn man von der Aussage der Auftragstreue herkommt, schon im Blick auf σταυροῦ formuliert. Nicht weniger stünde dann als Vierheber die 7-silbige attributive Ergänzung V. 9b τὸ ὑπὲρ πᾶν ὄνομα als Entlastung des längsten und mit 19 Silben über jede Verslänge hinausragenden Satzes als selbständige Einheit da. 16 Silben mit 5 Akzenten hat die Trias am Ende von V. 10. Am Schluß V. 11 erscheint die siebensilbige Sprechphase εἰς δόξαν θεοῦ πατρός als Trikola.

Man hüte sich aber, diese Stücke einzig und allein von diesem untergeordneten Gesichtspunkt her schon als redaktionelle Zutaten zu kennzeichnen. Dazu reicht die Aufgliederung in Sprechphasen nicht aus, da sie zunächst ja ohnehin auf den direkten Schreiber und Leser dieses Textes als gehobener Prosa abgestellt ist. Paulinismen müßten als solche genuine Differenzen syntaktisch und semantisch noch stärker als pl zu kennzeichnen sein.

a) Am ehesten scheint τὸ ὑπὲρ πᾶν ὄνομα, ein dem Nomen nachgestelltes präpositionales Attribut mit Artikel, noch dazu wenn es mit ὑπέρ gebildet ist (und zwar mit Genitiv wie mit Akkusativ), Anspruch auf redaktionellen Ursprung zu haben, da dies ein pl Stilmerkmal ist (2Kor 7,11; 9,3 und wohl auch im Herrenmahlwort 1Kor 11,24)[158]. Wenn dies der wohl mit größter Sicherheit bestimmbare pl Zusatz ist, so liegt gleiches wohl auch bei der ὑπερ-Verstärkung im voranstehenden Kompositum ὑπερ-

155 Wengst 1972: 152 gg. Schweizer, Käsemann, Georgi, Gnilka.
156 Baarda 1971 hat vorgeschlagen, schon die Präpositionalwendung V. 10a als Zitatbestandteil anzusehen, da der Verwender bei Jes hebr. lij gelesen und in rabbinischer Manier als Kürzel für lsm jsw »im Namen Jesu« verstanden habe; dagegen spricht aber, daß hier LXX verwendet ist. Dieser Sachverhalt stimmt auch skeptisch gg. Grelot 1973a, der eine aramäische Rückübersetzung des angenommenen Originals bietet, da er wegen der vorgeblich »archaischen« Christologie und semitischen Sprache einen frühen »liturgischen« (!) Ursprung annimmt, worin ein zusätzlicher Anachronismus liegt.
157 Deichgräber 1967: 122; Hofius 1976: 4f.
158 So m. R. Jeremias 1963: 98, 160 nach Schürmann und Friedrich.

ὕψωσεν vor (wirkliche Steigerung: zum Kosmokrator[159]; anders als bei jeder anderen Präposition ist die Verwendung von ὑπέϱ-Komposita im NT fast nur bei Pl vertreten: 10 von 14 sind pl und danach nur 2Thess, Eph, 1Tim und Lk-Apg je ein- oder zweimal[160]).

b) Weiter ist die Schlußklausel εἰς δόξαν θεοῦ πατϱός V. 11c mitnichten eine »Formel« – noch gar eine »liturgische«, denn sie »begegnet vielmehr im gesamten Bereich der griechischen Bibel ausschließlich bei Pl und hier gleich mehrfach« (s. o. zu 1,11)[161]. Syntaktisch gehört sie weder in die Akklamation von V. 11b hinein, noch ist sie eine dem ἵνα von V. 10a parallele Finalbestimmung, sondern schließt an das Verb ἐξομολογήσηται V. 11a an und gehört damit zu den beiden koinzidierenden Konjunktiven[162]. Wäre die Vorlage von Pl unabhängig, so müßte hier ein pl Zusatz gesehen werden. Die Frage stellt sich aber anders, wenn die Vorlage aus Philippi stammt, denn dann könnte ja unter pl Einfluß eine Resonanz seines Wirkens und Einflusses in der Formulierung angenommen werden.

c) Dagegen scheint die seit Lohmeyer zunächst so gut wie unangefochtene Bestimmung θανάτου δὲ σταυϱοῦ V. 8c als pl Zusatz am wenigsten Wahrscheinlichkeit für sich zu haben, denn einmal ist der Hinweis auf eine »spezifische Betonung des Kreuzes« bei Pl[163] doch noch zu allgemein, wenn man nicht sagt, in welchem Sinne die Betonung stünde. Für Lohmeyer war es die Stärkung der Martyriumsbereitschaft. Teilt man aber diese Gesamtzielbestimmung nicht, dann entfällt dieses Motiv auch hier für die Redaktionskritik. Das bloße Stichwort σταυϱός ist aber auch überbetont, wenn man behauptet, daß hier »die σταυϱός-Theologie durchbricht«[164]; denn daß der Terminus soteriologisch gemeint sei, läßt sich nicht erweisen, da eine soteriologische Finalbestimmung weder mit ὑπέϱ noch mit ἵνα hier gegeben ist, vielmehr das entsprechende ἵνα erst V. 10 auftaucht. Außerdem sind die Sühnetodformeln eher vorpl als spezifisch pl[165]. Ginge es als dritte Möglichkeit dagegen um den speziellen Gedanken der Verwerfung Jesu, so ist dies referenzsemantisch vorgegeben und nicht spezifisch pl:»Kreuzestod als Sklavenlos«[166] läge im Gefälle der Strophe[167], doch da es im Duktus der aktiven Handlungsverben steht, so ist dies nicht passiv als ein Ergehen zu fassen (gg. Hofius, der dann auch noch von Hebr 12,2 den Gedanken der »Schande« einträgt). Da die Steigerung schon mit μέχϱι einsetzt, so ist die aktive Auftragstreue bis zum äußersten betont, und dies liegt im Duktus der gesamten Strophe und erscheint darum nicht als Zusatz. Dagg. scheint ein Beweisgang mit der Stichwortwiederaufnahme (der Anadiplosis oder Epizeugsis[168]) für einen »den Formgesetzen semitischer Poesie verpflichteten Hymnus«[169] nicht durchzuschlagen, da solche Formgesetze sowohl für die Vorlage wie für einen Redaktor bestimmend sein können. Hinzu kommt, daß die Anadiplosis nicht unbedingt ein hymnisches Formgesetz ist, sondern auch ein rhetorisch-argumentativer Pleonasmus zur Präzisierung sein kann, wie die nächste Parallele Röm 9,30 zeigt.

d) Wollte man die paulinischen Zusätze primär metrisch bestimmen, dann müßte man auch erwägen, ob man nicht auch den substantivierten Infinitiv V. 6b τὸ εἶναι ἴσα θεῷ

159 Bertram ThWNT IX 607.   160 Morgenthaler 1959: 160; M–G 974f.
161 Hunzinger 1970: 149 gg. Lohmeyer, Dibelius, Käsemann, Bornkamm, Strecker.
162 Hofius 1976: 9, 54 mit Jeremias.   163 Hunzinger 1970: 148.
164 So Gnilka 132; vgl. dagegen Brandenburger 1969; Kuhn 1975.
165 Kramer 1963: 105ff.; Wengst 1972: 55ff. nach Lohse 1963 und Popkes 1967.
166 Haupt 82.   167 Hofius 1976: 16f. nach Dibelius 78ff.
168 B–D–R 493.
169 Hofius 1976: 9–12, der neben auf Ri 5,5.11; Ps 68,25.29.34; Cant 2,15 auch auf die »freier gestalteten« Stellen Jes 26,6; Joh 1,14; OdSal 11,3 (nur im syrischen, nicht aber im griechischen Text) als Belege hinweist.

ausscheiden wollte, der als solcher ja schon eine auffallende Ausnahme im Hinblick auf den parallelen Aufbau darstellte; oder – falls ein strenger Parallelismus zur ersten Zeile V. 6a als ursprünglich anzunehmen wäre, dann hätte ursprünglich eine partizipial formulierte Zustandsbeschreibung in der Form καὶ ἴσα θεῷ ὢν gestanden und man müßte als redaktionellen Zusatz die betonte Negationsantithese οὐχ ἁρπαγμὸν ἡγήσατο + ἀλλά ansehen. Die damit gegebene Gewichtsverlagerung zugunsten der Handlungsverben wäre dann eine pl Unterstreichung. Wenn man also die Redaktion quantitativ bestimmen will, so kann man auch an V. 6b nicht stillschweigend vorbeigehen. Man hüte sich auf jeden Fall, unter dieser Fragestellung mit zweierlei Maß zu messen.

e) Diese Vorsicht ist auch bei den Genitivzusätzen V. 10c (16 Silben mit 5 Akzenten) angebracht. Sollten die V. 9 und 11 wirklich pl Erweiterungen enthalten, dann fiele die Länge dieser Erläuterung in der Tat auf, denn sie würde auch die beiden parallelen, von ἵνα abhängigen Verben übermäßig stark trennen. Man wird dafür aber nicht veranschlagen können, daß diese Genitive durch das Verb von dem regierenden Nomen getrennt sind: Dies wäre nur ein Beleg für griechischen und gegen semitischen Ursprung, falls eine ursprüngliche Einheit vorliegt[170]. Die Frage nach dem Autor der Trias hängt mit der Erfassung ihres semantischen Gehalts zusammen: Wollte Dibelius »vor allem an die Geisterwelt«[171] denken, so ist diese Totalinterpretation auf die Mächte hin vorschnell zu einem common sense geworden. Dagg. hat Hunzinger[172] den schlagenden Gegenbeweis geführt: Bei Pl ist die Zusammenfassung von Teilen der Gesamtrealität des Alls mit den Ausdrücken ἐπίγειοι – (ἐπ)ουράνιοι belegt (1Kor 15,40; vgl. Phil 3,19f. und 2Kor 5,1 in nebenpl Gemeindeformulierungen). Jedenfalls kann Pl 1Kor 4,9 auch Menschen und Engel als Teil des Kosmos zusammenfassend nebeneinander nennen[173]. Vor allem »ist καταχθόνιοι im allgemeinen Sprachgebrauch der römischen Zeit eine ganz geläufige Bezeichnung der Verstorbenen in der Unterwelt als Wiedergabe des lateinischen manes. So steht in genauer Entsprechung zu der lateinischen Formel Dis Manibus über zahlreichen Grabinschriften θεοῖς καταχθονίοις – und zwar so formelhaft, daß es in den meisten Fällen wie D. M. (das auch griechische Inschriften oft in lateinischen Buchstaben bieten) abgekürzt als Θ. Κ. erscheint. Dabei ist aber eben nicht an die Unterweltgötter gedacht, sondern an die vergöttlichten Toten selbst«[174]. Nun hat Pl auch Röm 14,9 als Ziel der Auferweckung Jesu die Angabe, daß Jesus über Lebende und Tote der Herr sei, in einer offenbar schon übernommenen Bekenntnisformulierung. Wenn er dort dann V. 11 unmittelbar auf LXX-Jes 45,23 eingeht, was ja auch hier im Rahmen angespielt ist, so liegt in Röm 14 ein deutlicher Reflex dieser unserer älteren Phil-Stelle vor, zumal das Zitat dort einen Sachbezug unterbricht, der 2Kor 5,10 wiederum syntaktisch direkt verbunden ist. Weisen so die nächsten pl Stellen alle in den Kontext eschatologischer Todüberwindung, so ist deutlich, daß auch Phil 2,10f. an ›Engel‹, lebende und tote Menschen denkt. Dies ist im römischen Milieu von Philippi durchaus als bekannt vorauszusetzen,

---

170 Lohmeyer 1928: 9; doch kann man nicht inkonsequent dies wie Gnilka 133 einmal als Beleg dafür nehmen und es dann dadurch – ebd. 137 – wieder aufheben, daß man es als Zusatz einklammert, auch wenn man mit einem vorpl Zusatz rechnet, der V. 6–7 (!) mit V. 8–11 verklammert haben soll: ebd. 138.

171 Dibelius 63.

172 Hunzinger 1970: 150–154; Hofius 1976: 20–40.

173 Hunzinger 1970: 153 vgl. 150 Anm. 34 gg. Gnilka 128 Anm. 114, der leider meint, Pl könne sich das so wenig zusammen »vorstellen« (!) wie mancher Exeget. Methodisch ist Wahrheit überhaupt von Vorstellbarkeit unabhängig. Ein Argument mit der Vorstellbarkeit ist immer ein Signal apologetischer Subjektivität; suggestiv auch Käsemann (1950): 85f. »mehr als sonderbar«.

174 Hunzinger 1970: 152f. mit Belegmaterial.

da analog auch Apollo als Herrscher über die Trias von Göttern, Menschen und Hadesbewohnern (superos, in terris, inferos) beschrieben ist (Porphyrius nach Servius zu Vergil, Bucol V. 66; Apuleius, Metam XI 5,1; 25,3)[175]. »Die Trias in Phil 2,10 könnte aus der Verbindung dieser beiden zweigliedrigen Schemata entstanden sein: die Herrschaft des erhöhten Christus umfaßt die Gesamtheit der himmlischen und irdischen Welt, der Lebenden wie der Toten.«[176] Stammt also das diesbezügliche Gegenüber »Irdisch–Himmlisch« 2Kor 5,1 aus einer pl Gemeinde selbst, und ist der Ausdruck καταχθόνιοι für Verstorbene so naheliegend, so sind die Argumente der Sprechphasen allein nicht ausreichend, um die Trias als erläuternde Glosse dem Pl vorgegebenen Text abzusprechen – schon gar nicht, wenn er aus der ebenso pl wie römisch geprägten philippischen Gemeinde selbst stammen sollte. Im Zusammenhang der Trias ist eine vorzugsweise negative Qualifizierung der »Himmlischen« ausgeschlossen. Da als Ziel die Huldigung angegeben ist, so ist nicht an eine Unterwerfung feindlicher Himmlischer, sondern an die Akklamation anerkennender Himmelswesen zu denken wie bei der Geburt des Messias Lk 2,14 oder der Inthronisation Apk 5,6ff. (vgl. auch Hebr 1,4ff.; 1Tim 3,16)[177]. Somit umschließt die Trias hier »alle der Anbetung fähigen Wesen im gesamten Raum der Schöpfung: die Engel im Himmel, die Lebenden auf der Erde, die Toten in der Unterwelt«[178].

6.2.4.3. Der angebliche Hymnencharakter

Die Überbewertung der sprechrhythmischen Züge hängt wohl mit der undiskutierten Voraussetzung zusammen, daß hier ein »Hymnus« oder »Lied« vorliege[179]. Die Festigkeit dieser Prämisse steht aber in einem umgekehrten Verhältnis zu ihrer Wahrscheinlichkeit. Noch immer sind keine methodischen Klarheiten darüber gegeben, was einen Hymnus ausmacht[180]. Die üblichen Hinweise auf Partizipialstil, Relativstil, Demonstrativstil und Prädikationsstil sind zu allgemein[181] und hier zudem in dieser Weise gar nicht nachweisbar. Das einleitende Relativum ist normal textsyntaktisch bedingt. Die Partizipien sind normale conjuncta. Die Hauptverben sind Handlungsverben, die sich von Zustandsschilderungen aus erheben. Insofern ist dieser Text eher narrativ als hymnisch, doch die Abzweckung auf eine finale Zielbestimmung am Ende läßt auch dies nicht einseitig überbetont sein. Das Postulat, daß der Text ursprünglich mit εὐλογητός eingeleitet wurde[182], ist die Konsequenz der Prämisse, scheitert aber daran, daß die Berakah urchristlich nicht christologisch verwendet wurde[183]. Nichts berechtigt zu dem Urteil, daß Phil 2,7 »beim Prozeß der Menschwerdung preisend verharrt« werde[184]. Die Kategorie »Lobpreis« ist zur Gattungsbestimmung zu allgemein, die Beschreibung der urgemeindlichen Versammlungen als »Feiern« führt leicht anachro-

175 Hofius 1976: 24f.
176 Hunzinger 1970: 152.
177 Hofius 1976: 34–36.
178 Ebd. 53.
179 Vgl. zum zeitgeschichtlichen Hintergrund Delling ThWNT VIII 492ff.
180 Schille 1965: 16ff. läßt zu viel offen; Wengst 1972: 12f., 20ff. will schon bloß von »Liedern« sprechen und bestimmt 144ff. unser Segment als »Weglied«, weil er eine Abhängigkeit vom gnostischen Weg-Schema annimmt, während Hofius 1976 Weg und Geschichte des Gottessohnes eher in Anknüpfung an atl. Geschichtspsalmen gegeben sieht, doch wird daraus noch kein »hymnischer« Geschichtsbericht; vgl. zur methodischen Rückfrage auch Hahn 1970 und Rese 1970; zur Bestreitung bei Kol 1,15ff. vgl. Schenk 1983a: 144–146.
181 Norden 1923: 143ff., auf den man sich dabei zu berufen pflegt, war diesbezüglich weit präziser in der Angabe der Bedingungen: Bujard 1973.
182 So Hunzinger 1970: 156 und 144 ebenso für 1Petr 3,18.
183 Schenk 1967: 97.
184 Gnilka 146.

nistische Gegenwartskategorien ein[185]. Die nur quantitative größere Länge eines vorgegebenen Textes, der nicht eine kurze »Formel« ist, macht einen Text noch nicht zu einem »Lied« oder dergleichen, falls »Lied« hier mehr besagen soll als eine undefinierte Restkategorie (= Nicht-Pistisformel oder Nicht-Homologie). Das offene Problem zeigt sich auch da, wo man von einem »Bekenntnislied«[186] spricht, doch fehlt unserem Text die explizite oder implizite 1. Person der Bekenntnisaussage, weshalb hier auch kein bekennendes Gotteslob oder ein bekennender Geschichtsbericht vorliegt. Schließlich macht auch eine bloße sprechrhythmische Gestaltung keinen Text zu einem Lied. Jeder Text hat Form und Struktur, und die Einblicke in die pl Rhetorik haben immer deutlicher gezeigt, daß Formstrukturen nicht im Sinne der klassischen Formgeschichte auf bestimmte, vorgeprägte Texte eingeengt werden können. Wesentlich erscheint in dem Zusammenhang auch, daß etwa eine gängige Klassifizierung des Stils des Kol als »hymnisch-liturgisch« seit Bujard[187] nicht mehr möglich ist, und das sollte auch sonst kritisch machen. Seine Warnung vor einer »oberflächlichen Lektüre von Nordens Zusammenstellung der Zitat-Kriterien« ist nirgendwo mehr angebracht als im Bereich urchristlicher Texte, die als »Lieder« bestimmt werden[188].

Konsequent dürfte die hymnisch-liturgische Prämisse bei Gamber (1970) durchgespielt sein. Von der Konsequenz der Prämisse, »daß ein Text, dessen Strophen nach einer einheitlichen Melodie vorgetragen werden, eine fest rhythmische Normierung verlangt«, gliedert er in 8 Zeilen mit je 6 (mindestens 5) Hebungen, die als Zweizeiler zwei Vierergruppen bilden. Dazu muß er am Anfang als erste Halbzeile »Dank sei Gott in Christus« vorschalten, die 2. Strophe mit V. 8 einsetzen lassen und in der Akklamation eine selbständige 9. Schlußzeile sehen, die als Kehrvers steht, mit dem die Anwesenden auf die durch einen Vorsänger vorgetragenen Strophen respondieren. Dabei wird auch noch die abschließende Finalbestimmung von V. 11 in die Akklamation hineingenommen. Wenngleich man darüber nur das Urteil »völlig undiskutabel«[189] fällen kann, so hat der Versuch doch den Vorzug, daß er die Implikationen der Behauptung des Hymnencharakters ernst nimmt. Daran ändert auch die Modifikation von Eckmann (1980) nichts, die gg. die übliche Silben- und Akzenteanalyse nun strenger metrisch in Kurzsilben und Langsilben (wobei auch zwei Kurzsilben eine Langsilbe vertreten) gliedert. Obwohl sie 5 verschiedene metrische Zeilenstrukturen erreicht, verteilen sich diese nicht gleichmäßig genug und trotz Ausschaltung des 1. Partizips in V. 6 und des Reflexivpronomens in V. 8 geht der Vorschlag am Ende von V. 8 wie bei der Trias V. 11 nicht auf und muß immer wieder Sinneinheiten trennen. Man hat eher den Eindruck einer Beckmesserei als eines Ergebnisses. Das nützliche Ergebnis kann nur in der Konsequenz bestehen, der Lied-Prämisse von einem hier vorliegenden »Carmen Christi« überhaupt den Abschied zu geben.

Da dieser Text aus der Korrespondenz zu 2,1 mit dieser Anfangsklammer zusammen die Schlußklammer um die Aufforderungen von V. 2–5 herum bildet, und am Anfang der Ausgangspunkt ist, was bei den Philippern positiv vorauszusetzen ist, so liegt es am nächsten, hier einen Text aus Philippi zu sehen. Nach der 1Kor 14,26 expliziten Vorstellung einer Gemeindeversammlung, die nach Ausweis von Röm 12 nicht nur im pl Wirkungsbereich grundlegend ist, bringt man beim Zusammenkommen nicht nur ein »Lied« mit – eine Stelle, auf die sich die Hymnensucher gern stützen –, sondern

---

185 Schenk 1970; gg. die Hymnisierung als eine Tendenz, die den antikultischen Charakter urchristlicher Sozialisierung verkennt, vgl. auch Judge 1979: 138 und Berger 1977.
186 Schweizer 1955: 51 f.   187 Bujard 1973: 224 ff.
188 Vgl. auch die Klage von Käsemann 1968: 665 f., daß auch bei Martin 1967 die Rede von »Poesie« noch immer nicht aufgegeben sei.
189 Hofius 1976: 4 Anm. 10.

ebenso eine »Lehre« oder eine »Entdeckung« (ἀποκάλυψις), um von der Glossolalie, deren Interpretation und prophetischer Weisungsrede einmal abzusehen. Damit ist die Suche nach Liedern zunächst einmal nur eine Möglichkeit unter anderen, wobei man »auf den unterschiedlichen Umfang der Kola in den Psalmen, den Hodajoth von Qumran und den Salomo-Oden« verweisen könnte, um zu zeigen, »wie ungeeignet das Argument der Zeilenlänge ist, wenn es darum geht, die Integrität eines hymnischen Textes zu beurteilen«[190]. Warum suchen aber die Gattungsanalytiker weniger nach den anderen Formen, die offenbar nicht weniger wichtig sind? Der Einleitungsrahmen 2,1 sprach von »Ermunterungen« und »Ermutigungen«, die offenbar dem prophetischen Redetyp zugeordnet waren. Zugleich wäre auch an die mehrfach erwähnte aktive Beteiligung der Phil an der missionarischen Evangeliumsverkündigung 1,5.27 zu denken, die Pl so wichtig war, daß er sie 1,18 »auf jede Weise« – und sogar mit unlauteren Nebenabsichten – akzeptierte. Hatte man aus Philippi diesen Text 2,6–11 als Muster einer διδαχή oder ἀποκάλυψις oder als einen Propagandatext übermittelt, um zu sagen: Sieh einmal, so evangelisiert man bei uns in der römisch geprägten Kultur; und nun schickt Pl diesen Text zurück, indem er ihn als Möglichkeit akzeptiert. Um dies bestimmen zu können, muß die semantische Analyse noch vorangetrieben werden.

6.2.4.4. Textsemantische Analyse

Unser Subtext hat eine zu lange und zu große Rolle in der dogmatischen Besinnung der Christologie gespielt, als daß sich eine Analyse ihm unbefangen nähern könnte. Dabei hat man typischerweise schon den Textzusammenhang im Anschluß an die Mahnungen und den Exkurscharakter so verstanden, daß man meinte, nun wolle Pl die Philipper nicht mehr ermahnen, sondern ihnen auch und vor allem eine Belehrung über die christologischen Stadien des Ursprungs, der Erniedrigung und der Erhöhung geben (z.B. »Carlov unter Berufung auf Flacius«[191]). Wenngleich das textpragmatisch als falsche Zielbestimmung erkannt ist, so wirkt es doch indirekt bis heute immer noch stark nach[192].

6.2.4.4.1. Das religionsgeschichtliche Interpretationsmodell E. Käsemanns

Zwar scheint eine Ausdeutung der Vorlage auf eine reine Vorbild- und Gesinnungsethik hin seit Käsemanns grandiosem Auslegungsentwurf von 1950 überwunden, doch die wiederholten, divergierenden Behandlungen des Textes zeigen, in welchen Aporien die Auslegung hier immer noch steckt. Man sollte dogmengeschichtlich bestimmte Termini der Spätzeit wie Präexistenz, Inkarnation, Menschwerdung, Doketismus usw. zunächst einmal fernhalten[193].
Käsemanns Entwurf ist von der Voraussetzung bestimmt, daß sich der Text am besten auf dem Hintergrund eines gnostischen Erlösungsmythos erschließe:
a) Μορφή V. 6 meine in der Sprache des religiösen Hellenismus nicht mehr die »Gestalt«, sondern die »Daseinsweise«[194] (mit Verweis auf – die jedoch christlichen

---

190 Ebd. 7. 191 Ewald 113.
192 So etwa, wenn Strecker 1964a: 521 V. 5b als »Überleitung von dem ekklesiologischen zum christologischen Thema« bestimmen wollte. Mit einer solchen, literaturwissenschaftlich ungeklärten Verwendung der Kategorie »Thema« wird die Textstruktur kaum beschreibungsadäquat erfaßt. Zur Interpretation bei K. Barth 53–62 zeigt die hervorragende kritische Analyse von Käsemann 1960: 52 f., wie sehr »die kirchliche Dogmatik bei der Exegese Pate gestanden hat«.
193 Vgl. nach Käsemanns Aufarbeitung der Forschungsgeschichte von 1900–1950 die umfänglichere Darstellung von Martin 1967 und das Referat bei Gnilka 131 ff.
194 Käsemann 1960: 67 f. gg. Behm ThWNT IV 750.

Texte – OrSib 2,230, wo Uriel »alle Gestalten voll Trauer« zum Gottesgericht führt, und 8,458 in Bezug auf die Jungfrauengeburt: »Der dem Himmel entstammt, verschmähte der Menschen Gestalt nicht«). Die Stellen ergeben nicht, was Käsemann belegen wollte[195]. Dennoch folgt Gnilka (113f.) Käsemann, um sich dann (117) aber mit dem synonymen Parallelismus der 2. Zeile von V. 6 für »Stellung« zu entscheiden und die Spannung unter Anschluß an Reitzensteins Argumentationsweise der Religionsgeschichtlichen Schule mit einem Verweis auf die Unschärfe einfachen religiösen Empfindens auszugleichen. Dieses Verschleierungsprinzip wäre aber – konsequent angewendet – das Ende jeder exegetischen Bemühung, weshalb auch in Zweifelsfällen besser darauf zu verzichten ist. Wissenssoziologisch ist heute entgegen dem Ansatz der Religionsgeschichtlichen Schule deutlich, daß das Urchristentum »eher in den Bereich der Lehren philosophischer Schulen als zu den esoterischen Ritualen der Mysterienreligionen« gehört[196]. Auf dem Hintergrund des Dualismus wie des Verhängnisgedankens erscheint dann die Antithese V. 7 μορφῇ δούλου als das Dasein des Menschen, »sofern es den Mächten ausgeliefert ist«[197]. Dieses Syntagma sei also weder im positiven Sinne des Gott-Dienens[198] noch speziell im Sinne des deuterojesajanischen Gottesknechts (gg. Lohmeyer, Jeremias) zu verstehen. Damit führt Käsemann die Interpretationslinie von Haupt weiter, der sagte: »Mensch sein heißt abhängiges Wesen sein; auch der Höhergestellte steht tausendfach unter dem Zwang physischer, sozialer, geschichtlicher Art«[199]. Aus dem Bereich der Mysterienreligionen gibt es dafür tatsächlich Parallelen: In der Selbstvorstellung der Isis (Apul.Met.XI 5.5) als »Herrin der Elemente« (5,1), die »die Unwetter des Winters zum Schweigen gebracht und die stürmischen Meereswogen besänftigt« hat. Sie verspricht auch (6,3) dem häßlichen Aussehen (deformem) einen plötzlichen Wechsel der Gestalt (figuram mutatam). Darum wird sie auch nach der Initiationsweihe von ihren Mysten gepriesen als die, die in jedem Augenblick Gutes tut (25,2): ». . . daß du zu Wasser, zu Lande die Menschen beschirmst, die Stürme des Lebens verscheuchst und deine hilfreiche Hand reichst, mit der du die unentwirrbar gedrehten Fäden des Verhängnisses wieder aufdrehst, die Unwetter des Schicksals beschwichtigst und den schädlichen Lauf der Gestirne hemmst.« Käsemann verweist weiter auf das »Versklavtsein« des vorösterlichen Juden Gal 4,3f., für das der »Sohn gesandt und unter dem Gesetz geboren wurde«[200].

b) Bei allen Aktionsverben wird die ältere ethische Auslegung mit Vehemenz zurückgewiesen:

– Das von Foerster als Sprichwort identifizierte Syntagma ἁρπαγμὸν ἡγήσατο beschreibt »keine Entscheidung, sondern ein Verhalten, ein objektives Faktum . . . Christus gibt auf, was er wirklich besessen hat (ἡγεῖσθαι ist wie 3,7 auf ein wirklich Vorhandenes bezogen)«[201]. Für eine vorgeschichtliche Versuchung, einen Entscheidungsspielraum oder einen Entschluß ist hier kein Anhalt gegeben.

– Auch ἐκένωσεν beschreibt, »was Christus tut, nicht was er war . . . Ihm geht es einfach um den Übergang εἰς ἄλλο γένος . . . Auf die Frage, wie das möglich war, antwortet einzig das betonte ἑαυτόν, das auf den eigenen Willen Christi weist und den Vorgang als Tat beschreibt«, ohne ein »Gegenüber für ein ethisches Vorbild«; 2Kor 8,9 »gibt den besten Kommentar«[202]: »Um euretwillen wurde der zum Bettler, der bis dahin reich war«.

---

195 Schweizer 1955: 54 Anm. 234.   196 Judge 1979: 163.
197 Käsemann 1960: 72–74; Bornkamm 1959: 181; Beare 82f.
198 So Michaelis 37 und gg. Käsemann dann wieder Schweizer 1955: 53–55.
199 Käsemann 1960: 76.   200 Ebd. 73.
201 Ebd. 70.   202 Ebd. 72 nach Oepke ThWNT III 661.

– Zu ἐταπείνωσεν wird treffend bemerkt: »Wie bei dem ἐκένωσεν geht es bei dem ἐταπείνωσεν vielmehr um den Aufweis eines objektiven Tatbestands, eben des Niedrigwerdens und nicht um die Tugend und Gesinnung einer Demut«[203].

c) Erwartet man nun dasselbe auch für γενόμενος ὑπήκοος, so wird man davon überrascht, daß Käsemann diesen Partizipialsatz offenbar kausal der Erniedrigung zuordnet, denn nun sieht er »zum ersten Male einen eindeutig ethisch qualifizierten Begriff in unserem Text« auftauchen, indem ὑπακοή per definitionem streng von δουλεία abgehoben wird, sofern »dieser Begriff den entschlossenen, nicht bloß den zwangsläufig geschuldeten Gehorsam«[204] bezeichne. Beide Hauptakzente der Auslegung Käsemanns werden wie folgt zueinander in Beziehung gesetzt: »Jesus steht in der Sphäre der δουλεία als der, welcher willig untertan ist.« (ebd.). Das διό von V. 9 wird faktisch mittels einer rhetorischen Frage auf V. 8b zurückbezogen: »Was anders kann das besagen als dies, daß die Manifestation (!) des Erniedrigten und Gehorsamen das eigentliche (!) eschatologische Ereignis war« (ebd.). Als »Epiphanie«, »Manifestation« und »eschatologisches Ereignis« schlechthin[205] ist diese Interpretation an die Prämisse gebunden, daß es hier um Offenbarung gehe: »Er offenbart Gehorsam« (ebd. auffallend genug ist, daß die verwendeten Termini alle zum Wortfeld des deuteropl Revelationsschemas[206] gehören). Die christologische ὑπακοή-Passage Röm 5,12ff., wo die Verlorenheit der ganzen Menschheit als unentrinnbares Versklavtsein unter die Verderbensmächte deutlich expliziert ist, wird als begründender Kommentar zu Phil 2,8 angesehen. Käsemann[207] interpretiert den Text weiter von Hebr 2,15; 5,8f. her, so daß seine Arbeitshypothese lautet: »Das aber unterscheidet Jesu Tod vom Zwange des Schicksals, dem die Menschen verfallen sind . . . und verbindet diesen Tod mit der Inkarnation, daß er vom Willen des Freien oder wie nun interpretierend gesagt werden kann, als Selbsthingabe des Dienenden ergriffen wird, der auf die eigene Größe verzichtet und darin die Ananke überwindet. Eschatologisches Ereignis ist es, wenn Ananke überwunden wird. Und dies geschieht dort, wo der neue Mensch sich freiwillig in den Bann der Knechtschaft durch die Mächte begibt und Niedrigkeit als Möglichkeit des Dienens begreift.«[208]

Auf dem Hintergrund dieses als Offenbarung des Gehorsams verstandenen γενόμενος ὑπήκοος, als dem Skopos des ganzen, auf den der ganze Text hinausläuft, wird auch klar, warum dieser Interpretation so viel daran liegen muß, daß ὁμοίωμα von Röm 8,3 her nicht als »Gleichbild«, sondern als vom Urbild unterschiedenes Abbild im Sinne einer »Analogie« oder eines »Korrelats« verstanden werden muß: Er ist nicht wie jeder x-beliebige Mensch, sondern bleibt als Mensch letztlich doch der himmlische Anthropos[209]: »Der Anthropos bleibt himmlisches Wesen und kann darum gar nicht zum Vorbild werden.«[210]

Ganz ähnlich liegt für Georgi das Aussagezentrum in V. 7f. Demgegenüber soll V. 9–11

---

203 Ebd. 77 nach K. Barth 59; vgl. ähnlich Georgi 1964: 283, allerdings ohne Bezug zur Gnosis, sondern unter Ableitung von der Weisheitstradition, wie sie bei Philo Cong 107; Post 136; Her 29 vorliegt. Er kann ähnlich wie Haupt formulieren, daß ταπεινοῦν die »tätige Anerkennung der Zufälligkeit und Begrenztheit des Menschenlebens in all seinem Ausgeliefert- und Bedingtsein, seiner Unabgeschlossenheit und Unvollkommenheit« sei.

204 Ebd. 79.   205 So wiederholt ebd. 79–81.

206 Vgl. Lührmann 1965.   207 Ebenso auch Beare 84.

208 Käsemann 1960: 81 vgl. 90: Gehorsam ist dies, »daß Niedrigkeit als Möglichkeit der Freiheit zum Dienen ergriffen wird«.

209 Ebd. 74f. – im Grunde dann doch mit Schneider ThWNT V 181ff.; ja Käsemann sieht dann sogar eine gewisse Berechtigung in Lohmeyers Menschensohn-Interpretation von ὡς ἄνθρωπος, was nur als eine historisch falsche Verobjektivierung erscheint.

210 Ebd. 81.

»nur die Gültigkeit und Geltung der Offenbarung beschrieben werden«[211] wie die Präexistenzaussage von V. 6 nur »das Folgende als Offenbarungsgeschehen qualifiziert«[212]. Für Käsemann hat V. 9–11 die Bedeutung, »daß der Gehorsame der Kosmokrator ist«. Überraschend ist auch, daß ein juridisches Bezugsfeld zur Skoposbestimmung eingeführt wird: Als Gehorsamer »ist er Kriterium und κριτής aller Geschichte: Im Weltgericht steht einzig dieses Thema zur Diskussion, ob wir gehorsam waren oder nicht. Robinson hat dieses Ergebnis Käsemanns richtig nicht als exegetische Aussage, sondern als hermeneutisches Urteil bewertet: Hier »entmythologisiert Käsemann die Erhöhung«[213]. Doch stimmt er dieser Entmythologisierung ausdrücklich zu, wenn er den Text als »kerygmatisches Lied« beschreibt und ebenso V. 7f. als Zentrum ansieht: »Obwohl Präexistenz und Erhöhung sozusagen chronologisch von dem Leben Jesu getrennt sind, enthüllen gerade sie das Woher und das Wohin seines Lebens. Sie sind daher als ein Versuch zu verstehen, dieses Leben zu deuten.« (ebd.,; überdeutlich wird in allen drei Fällen, wie gewaltsam die sogenannte neue Frage nach dem historischen Jesus, die in Wirklichkeit nur nach einem existentialen Jesus fragt, dem philippischen Subtext aufgepreßt wird.)

6.2.4.4.2. Das konsequent gnostische Interpretationsmodell

Die Verwunderung, daß das letzte Handlungsverb der 2. Strophe plötzlich eine völlig andere Funktion als alle anderen haben sollte – obwohl es nur in partizipialer Hypotaxe steht –, steigert sich dann zu der Anfrage, ob man dann nicht lieber – also wenn schon, denn schon – konsequent gnostisch interpretieren sollte, falls erweisbar wäre, daß alle Handlungsverben nicht unbedingt Gott zum Bezugspunkt haben. Der Vergleich der Käsemannschen Interpretation in ihren Aporien mit der konsequent gnostischen bei dem Nag-Hammadi-Spezialisten Schenke[214] verstärkt diese Frage:

a) Der hier natürlich als res rapienda verstandene V. 6b wird »wirklich und konkret verständlich nur auf dem Hintergrund des in der Gnosis weitverbreiteten Topos von der Entstehung der Welt durch den Fall eines göttlichen Wesens, gewöhnlich der Sophia: Sie trachtet in räuberischer Weise danach, dem göttlichen Urvater gleich zu sein, indem sie wie dieser etwas aus sich selbst allein hervorzubringen versucht; entsprechend wird ihr Produkt, zunächst der Demiurg, der seinerseits wieder Gott gleich sein will, und dann auch die Welt, nur eine Fehlgeburt«.

b) Man hätte unsere Wendung auf diesem Hintergrund zu paraphrasieren: »Der Gottessohn begeht nicht den Fehler seiner Schwester, sondern steigt, den Reichtum seiner göttlichen Fülle um der zu Rettenden willen (!) im Himmel zurücklassend (ἐκένωσεν; vgl. 2Kor 8,9), in die Welt hinab, um (!) den Fehler wiedergutzumachen.« (Vgl. die Verwendung von dieser Stelle bei dem Valentinianer Theodot: »Er ging aus dem Horos heraus, und da er ein Engel des Pleromas war, brachte er die Engel des besonderen Samens mit sich heraus« Clem. Exc.Theod. 35,1)[215].

c) »Die Beschreibung seiner menschlichen Daseinsweise: ἐν ὁμοιώματι ἀνθρώπων γενόμενος καὶ σχήματι εὑρεθεὶς ὡς ἄνθρωπος klingt durchaus nach (!) Doketismus, wie dieser eben bei der Übertragung der gnostischen Erlöser-Vorstellung auf Jesus mit einer gewissen Notwendigkeit herauskommt.

d) Weiter gehören das δοῦλος-Sein, das ταπεινοῦν und das ὑπήκοος-Sein offenbar

---

211 Georgi 1964: 288.   212 Ebd. 278.
213 Robinson 1967: 117 Anm. 10.
214 Schenke 1973; vgl. parallel dazu unter anderem Aspekt ebenfalls konsequent gnostisch: Magne 1973, dessen These von der Rehabilitation des alttestamentlichen als des obersten Gottes als Skopos dieses Textes ebensowenig überzeugen kann.
215 Zitat nach Foerster 1969: I 294.

zusammen. Dann aber muß man fragen, nicht nur, wessen Sklave er wird, sondern auch, vor wem er sich eigentlich demütigt und wem er gehorsam wird und ob also diese drei Ausdrücke nicht denselben Bezugspunkt haben.« (Vgl. die Verwendung dieser Stelle bei den Sethianern: »Er täuschte ihn durch die Ähnlichkeit mit dem Tier, um die Fesseln des unvollkommenen Nous zu lösen, der in der Unreinigkeit des Mutterschoßes gezeugt ist«; dabei ist »Sklave-Sein« »die Notwendigkeit, daß der vollkommene Mensch, der Logos, in den Schoß der Jungfrau einging und die Wehen in dieser Finsternis löste«)[216]. »Kann man nicht, ja muß man nicht verstehen bzw. wenigstens als ursprünglich einmal gemeint ansehen: Er wurde zum Sklaven der widergöttlichen Mächte, er demütigte sich vor ihnen, er wurde ihnen gehorsam – das entspräche dem gnostischen Motiv, daß der Erlöser aus List den Archonten zunächst unerkennbar bleibt, – bis zu seinem Tode, d. h. bis zu dem Augenblick, wo er sich von ihnen töten läßt, um sie selbst so gerade zugrunde zu richten (vgl. 1Kor 2,6)?«[217] Nach dem Baruch-Buch des Gnostikers Justin schickt »der Vater Elohim« seinen 3. Engel »Baruch zur Hilfe für (!) den Geist, der in allen Menschen ist. Er kommt zur Erde (= Eden) und gebietet, von allen Paradiesbäumen (= Engelsmächten) zu essen außer dem einen« (eben Naas), »d. h. den anderen 11 Engeln der Erde zu gehorchen. Denn die 11 haben zwar Leidenschaften, Gesetzwidrigkeiten aber haben sie nicht. Naas aber hatte Gesetzwidrigkeit« (Hipp. Ref. V 26,22)[218].

Eine solche Interpretation würde gegen Käsemann der Tatsache Rechnung tragen, daß das hypotaktische Partizip nicht nur nicht anders, sondern auf keinen Fall höher bewertet werden darf als die entsprechenden finiten Handlungsverben. Dennoch ist diese Interpretation abzuweisen, da alle entscheidenden Gedanken von außen eingetragen sind[219]. Die beigefügten gnostischen Belege zeigen in der Tat, daß Gnostiker später diesen Text so oder so ähnlich gelesen haben. Die Interpretation zeigt zugleich, wie ein Gnosisspezialist ihn heute entsprechend durch diese Brille lesen (= umcodieren) kann. Die Hauptdifferenz liegt in den Finalbestimmungen, worauf später noch zurückzukommen ist.

Fragt man aber nach der Funktion des Zielpunktes des Textes, der Erhöhungsbeschreibung, so antwortet Wengst in Aufnahme der Käsemannschen Konzeption auch abgesehen von der Konzentration auf die Gehorsams-Offenbarung: Das »Wegelied«, das seine nächste Parallele in dem Perlenlied der ActThom habe, nimmt den Anfang auf, um die Frage zu beantworten, »wie Jesus zum Kyrios wurde«[220]: Sein Weg ging durch die Zwangsherrschaft der Mächte hindurch. Die Gemeinde »unterstellt sich dem akklamierten Herrn und weiß sich damit zugleich unter seinem Schutz. Sie ist nicht mehr unter der Zwangsherrschaft der Mächte«[221]. Darum also habe die Gemeinde »die Frage, wie Jesus Kyrios wurde, mit dem gnostischen Wegeschema beantwortet und sich nicht damit begnügt, auf seine Auferweckung hinzuweisen« (ebd.). Sollte also die Entstehung in dieser Gerichtetheit verlaufen sein und »von den zwei künstlich (durch das διό) zusammengeschweißten Hälften . . . im Grunde nicht die zweite der ersten, sondern die erste der zweiten angeschweißt« sein[222], dann sollte man meinen, daß dieses spracherzeugende Motiv »Beantwortung einer Frage« gattungskritisch eher auf eine Didache als auf ein »Lied« als Gattung verweist. Dabei ist allerdings offen, ob die Füllung der »Frage« vom Mächtedenken und gar deren feindlichem Charakter her – also der axiomatische Gnosisbezug überhaupt – vertretbar ist.

---

216 Ebd. 387.
218 Ebd. 75.
220 Wengst 1972: 155.
222 Schenke 1973: 220.

217 Ebd. 219f.
219 Hofius 1976: 36 Anm. 58.
221 Ebd. 156.

6.2.4.4.3. Die zugrundeliegenden Interpretationsvoraussetzungen

Das gnostische Interpretationsmodell hängt von der Tragfähigkeit bestimmter Faktoren und Vorentscheidungen ab, die verdeutlichend namhaft gemacht werden müssen: a) Die Trias von V. 10 wird nicht nur als ursprünglicher Bestandteil der Vorlage angesehen, sondern zugleich ist ihre Interpretation auf die knechtenden Mächte hin maßgebend. Was aber wird, wenn V. 10 mit Sicherheit nicht vorzugsweise Mächte und noch dazu knechtende gemeint sind, wie Hunzinger und Hofius gezeigt haben? Eine wesentliche Stütze fällt dahin.

b) Käsemanns Interpretation der μορφὴ δούλου als Daseinsweise unter der Knechtschaft der Mächte hängt wesentlich daran, daß Lohmeyers Dreizeilengliederung stimmt, worauf Käsemann[223] auffallend oft zurückweist und auf die zwangsweise auch Wengst[224] zurückkommt. Danach beschreiben »drei Wendungen die Menschwerdung«[225]. ἐκένωσεν mit μορφὴν δούλου λαβών als »erster Erläuterung« und ἐν ὁμοιώματι ἀνθρ. als »abschließender«[226], während die folgende Trias »das Menschsein« beschreibe. Erstaunlich ist, daß Gnilka bei dieser Zuordnung bleibt, obwohl er dann bei seiner Gliederung[227] ein völlig anderes Schema entwickelt. Auch die seltsame Bestimmung, »καί verbindet die beiden Verben ἐκένωσεν und ἐταπείνωσεν miteinander«[228], wird weder der syntaktischen noch der semantischen Struktur gerecht und kann nur als Ausdruck der Zwänge gewertet werden, in die diese Interpretation führt. Parallelismus wie Chiasmus der ersten beiden Strophen werden nicht beachtet. Was aber wird aus der ganzen Interpretation, wenn μορφὴ δούλου nicht mit ὁμοίωμα ἀνθρώπων kurzgeschlossen werden kann? Der Einschnitt gegenüber dem Voranstehenden durch das Asyndeton wie der Zusammenhang des Folgenden durch die gemeinsame Präposition ἐν + Dativ, verstärkt durch das verbindende καί, weisen zu deutlich in die entgegengesetzte Richtung. Auch für Schenke[229] war ja »der Punkt hinter λαβών (d. h. die Erkenntnis, daß mit λαβών der erste Gedanke zu Ende ist) einer der Schlüssel zum Verständnis des Ganzen«. Man wird auf keinen Fall mehr sagen können, daß im Textzusammenhang »δοῦλος durch ἄνθρωπος erläutert« ist[230]. Interessant ist, daß die logische Folge dieser Interpretation der Logik der Textverknüpfung in genauer Umkehrung widerspricht, denn man postuliert schlicht die Prämisse: »Das ἐν ὁμοιώματι ἀνθρώπων γενόμενος ist die Voraussetzung (!) der μορφὴ δούλου Jesu.«[231]

c) Die hervorhebende Isolierung des untergeordneten Partizip conjunctum γενόμενος ὑπήκοος von seinem Vollverb ἐταπείνωσεν ist als einer der bedenklichsten Punkte der Käsemannschen Interpretation empfunden und selbst von seinem getreuesten Rezipienten Wengst[232] nicht übernommen worden. Er stimmt hier Dibelius[233] zu, den Käsemann vehement zurückwies: »Es ist nicht textgemäß, den Gehorsam, der hier erwähnt wird, nun zum Hauptthema zu machen.« Als Begründung ist aber gg. Dibelius nicht auf den weiteren paränetischen Zusammenhang V. 3 mit dem als »Demut« mißverstandenen ταπεινοῦν zu verweisen, sondern auf V. 9–11 als der »Hauptsache, für die die Erniedrigung Voraussetzung war«[234] – und zwar nur Voraussetzung im Sinne faktischer, nicht ethischer Vorgegebenheit. Zur Klärung scheint es wichtig, entschieden zwischen Grund und Voraussetzung zu unterscheiden: Daß die Erhöhung

223 Käsemann 1960: 72, 73, 74, 77.
224 Wengst 1972: 147 f.
225 Gnilka 117.
226 Ebd. 119 f.
227 Ebd. 136 f.
228 Ebd. 121.
229 Schenke 1973: 219.
230 So Gnilka 120.
231 Rengstorf ThWNT II 282 Anm. 115.
232 Wengst 1972: 149 Anm. 24.
233 Dibelius 81.
234 Wengst 1972: 149.

»ihren Grund in der Erniedrigung hat«, daß jene also »begründende« Voraussetzung sei (ebd.), wird man nicht sagen können. Denn V. 9 steht der »Erhöhung« das handlungskoinzidente ἐχαρίσατο parallel zur Seite. Dies ist oft zu wenig in seiner semantischen Bedeutung gewertet worden: Was dem Tode Jesu folgt, ist damit als reines Geschenk in der Art des schöpferischen Handelns Gottes ausgewiesen und darum in keinster Weise als Lohn und bestätigende Legitimation[235].

Genau dies spricht aber auch dagegen, die Denkstruktur des Hebräerbriefs zum Deutekanon von Phil 2,6ff. zu machen, da solches χαρίζεσθαι nicht nur im Hebr fehlt, sondern 2,9 gerade χάριτι θεοῦ nicht für das auf den Tod Jesu folgende Ereignis hat, sondern für den Tod Jesu setzt, und darum den Tod Jesu nicht nur als Voraussetzung, sondern eben als Grund (διὰ τὸ πάθημα τοῦ θανάτου) für die Krönung mit Herrlichkeit und »Ehre« (τιμή!) setzt[236]. Man kann dagegen auch nicht einwenden, daß Hebr 1,4 doch vom »Erben« des Namens spricht, denn auch dort geht 1,3 der Todesbezug stärker als »Grund« voraus und außerdem ist als dessen Folge ein Aktivum der Parallelausdruck (»er hat sich gesetzt«, so daß das Passivum »geerbt haben« mehr das Resultat als die Art betont und insgesamt der Lohn-Aspekt des τιμή-Charakters bestimmender erscheint. Schließlich hat er nach 1,2 den Sohnesnamen nicht bei der Erhöhung, sondern schon in der Präexistenz geerbt und in der damit bezeichneten Höherstellung als die Engel ist damit im Denkschema eher ein Über-Engel gemeint).

In Phil 2,9 kennzeichnet χαρίζεσθαι die »Erhöhung« als creatio ex nihilo. Dieses Moment steckt wohl auch in dem plerophoren Kompositum der »Über-Erhöhung« (ὑπερ-ύψωσεν). Der semantische Gehalt des schöpferischen Aspekts spricht dagegen, daß hier »Erhöhung« ein grundsätzlich anderes Deuteschema als »Auferweckung« sei. Eine solche Unterscheidung wäre nur an der morphologischen Oberflächenstruktur und nicht an der semantischen Tiefenstruktur orientiert. Auch dem semantischen Gehalt nach ist hier von der Auferweckung Jesu geredet[237]. In diesem Zusammenhang bezeichnet also διό nur die Voraussetzung und nicht den Grund.

Das ergibt sich auch aus der Sache: Diese Voraussetzung besteht nach den beiden strophenparallelen Hauptverben (ἐκένωσεν – ἐταπείνωσεν) in der »Preisgabe«, dessen Objekt beide Male das Reflexivpronomen bezeichnet. Da es dabei auch im ersten Falle nicht darum geht, daß eine mit göttlicher Herrlichkeit ausgestattete Menschennatur angenommen wurde, sollte man sich hüten, hier von Inkarnation zu sprechen und nicht formulieren, daß »ἑαυτὸν ἐκένωσεν die Menschwerdung« bezeichne[238], da hier ja nicht eine Menschwerdung Gottes ausgesagt ist. So bezeichnet die 1. Strophe »die Preisgabe des göttlichen Seins in das menschliche« wie die 2. Strophe »die Preisgabe des menschlichen Seins in den Tod«[239]. Ist aber beides preisgegeben, so ist »Erhöhung« nur als Geschenk der creatio ex nihilo an ihm möglich. Daß das ἐταπείνωσεν im Verzicht besteht, zeigt auch die parallele Anwendung des Pl auf sich selbst in 2Kor 11,7, wo es auch im Antonym zu ὑψοῦν (dort mit wechselndem Subjekt auf die Gemeinde bezogen; dadurch ist anschließend V. 8 διακονία paralleles Synonym). Von dieser Parallele her ist zugleich nochmals deutlich, daß die im pl Bereich einmalige christologische »Erhöhungsaussage« nicht die Spitze eines Eisberges einer speziellen »Erhöhungschristologie« ist, die von einer Auferweckungschristologie zu unterscheiden und direkt mit ähnlichen Ausdrücken des Hebr wie des späten Johannesevange-

---

235 Gg. Gnilka 125 »Lohn für den ihm entgegengebrachten Gehorsam«.
236 Gg. Hofius 1976: 65, 75 ff., der nach Lohmeyer 1928: 77 ff., Käsemann 1939: 63 ff., Hengel 1975: 134 f. den Hebr als Entfaltung der Christologie von Phil 2 ansehen will, wobei man überall der Gefahr erliegt, daß Züge des Hebr in Phil 2 hineingelesen werden.
237 K. Barth 61; Hofius 1976: 65 f. Anm. 34.
238 So Gnilka 118.   239 Hunzinger 1970: 156.

liums nur wegen der gleichen Oberflächenstruktur ohne differenzierte Bestimmung der semantischen Tiefenstruktur zu verbinden wäre. Phil 2,9 könnte eine von der semantischen Opposition der Antonyme ταπεινοῦν - ὑψοῦν verursachte ad-hoc-Formulierung sein, wenn nicht eine andere Möglichkeit näher läge: Im Unterschied zu dem üblichen Gebrauch des Passivum in dieser Antithese (Jak 4,10; 1Petr 5,6 vgl. Gen 16,9; 2Esr 8,21; Sir 18,21; 34,26) findet sich 2Kor 11,7 wie Phil 2,8f. das Reflexivpronomen, das sich in der gleichen Antithese auch Q–Lk 14,11 (= 18,14 par. Mt 23,12 vgl. 18,4) findet. Danach ist hier mit einer christologischen Verwendung und Anwendung dieser Jesusüberlieferung durch die Philipper zu rechnen.

Neben den Reflexivpronomen der Haupthandlungsverben der ersten beiden Strophen geben auch die nach- und untergeordneten Parallelzeilen an, daß diese Preisgabe total und vollständig war. Man kann nämlich nicht die einzelnen Worte wortsemantisch zu stark isolieren, um ihnen eine überfüllte Einzelbedeutung zuzuweisen, sondern sie sind textsemantisch eingepaßt und in ihrer Einzelbedeutung dadurch immer auch abgeschwächt. Die Berechtigung dafür scheint in der beabsichtigten Stichwortaufnahme gegeben, in der die 4. Zeile des Resultats jeweils zur 1. Zeile antithetisch steht: Da der Inhalt des ἐκένωσεν die μορφὴ θεοῦ ist, so erscheint in der Schlußzeile die μορφὴ δούλου als Antithese. Sie weist so auf die Vollständigkeit und Endgültigkeit der Preisgabe der ersten Ausgangsstellung. Da ebenso der Inhalt des ἐταπείνωσεν das ἀνθρώπων γενόμενος ist, so erscheint auch in der Schlußzeile γενόμενος und wird mit dem ergänzenden Hinweis auf den Tod noch unterstrichen. Damit ist auch die Vollständigkeit und Endgültigkeit dieser zweiten Preisgabe ausgesagt[240].

Hinzu kommt, daß γενόμενος V. 7b in der Tat »noch das Moment der Bewegung, des Werdens« hat[241]. Dies bezeichnet hier aber nicht theologisch gefüllt eine »Menschwerdung« Gottes – denn die göttliche Stellung ist ja am Ende der ersten Strophe als restlos preisgegeben beschrieben worden[242] –, sondern ebenso wie in der doppelten Verwendung in Gal 4,4 (»geboren von einer Frau, geboren unter dem Gesetz«) schlicht und präzis den empirischen Vorgang der Geburt. Diesem Geborenwerden der ersten Zeile entspricht V. 8 in der Schlußzeile darum das Sterben als komplenymer Vorgang am Ende. Darum verwundert es auch nicht, daß die dazwischenliegende Lebensspanne in der zweiten Zeile beschrieben ist: εὑρεθεὶς ὡς hat »wie Gal 2,17 einfach konstatierende Bedeutung«[243] und σχῆμα ist von 1Kor 7,31 her das Wesen, »sofern es in Erscheinung tritt und dann allgemein die Erscheinungsweise«[244]; so heißt das also: »nach

---

240 Wenn Hofius 1976: 58f. Anm. 8 gg. Hunzinger 1970 mit Jeremias die ersten beiden Viererblöcke als einen »synthetischen Parallelismus« bestimmen will, indem der erste »den Tatbestand der Erniedrigung« und der zweite »den Weg der Erniedrigung« beschreiben soll, so wirkt das wie ein Rest existenzialer Interpretation, wie sie bei Käsemann, Georgi und Robinson zu finden war. Der Ausbruch aus der Exegese zeigt sich darin, daß Hofius sich hier eines linguistisch unpräzisierten Metapher-Begriffs bedienen muß, von einer »ungeschützten Sprache des Lobens«, die »das Geheimnis« nur »meditierend umkreisen« könne, redet, was dann allen Ernstes auch noch in Antithese zu »bloßen Begriffen« gestellt wird. Das verhindert nun wirklich die Lösung semantischer Probleme. »Begriff« und »Metapher« unterscheiden sich niemals hinsichtlich des Grades ihrer semantischen Bestimmtheit oder Unbestimmtheit. Bestimmtheit eignet beiden, und die Metapher hat oft gerade die Funktion größerer oder betonterer Bestimmtheit. Bei der Metapher hat nur der semantische Code durch den neuen Kontext gewechselt, doch ist dieser Code seinerseits gerade von den Bedingungen semantischer Präzision bestimmt, so daß es darauf ankommt, seine abweichenden semantischen Komponenten in der Analyse so präzis wie möglich zu bestimmen; vgl. Plett 1979: 255–267.
241 Gnilka 120 Anm. 65.   242 Beare 83 markiert das Problem.
243 Käsemann 1960: 75 gg. Lohmeyer 94.   244 Käsemann ebd. nach BauerWB 1277.

seiner Erscheinungsweise mußte Jesus als Mensch identifiziert werden, und das ist faktisch geschehen«[245].

Genauso ist die Priorität der Textsemantik gegenüber einer bloßen und isolierten Wortsemantik hinsichtlich der ersten beiden Zeilen noch an weiteren Punkten zu veranschlagen: ἐν ὁμοιώματι meint als adverbial zu verstehende Präpositionalwendung nichts anderes als das parallele ὡς. Auch dafür gibt es bei Pl Parallelen: Röm 5,14 steht ἐπὶ ὁμοιώματι dafür, daß die anderen nicht »in gleicher Weise« wie Adam sich durch Übertretungen verfehlten, deutlich als adverbiale Modalbestimmung. Dieses adverbiale Verständnis »in gleicher Weise« würde aber auch Röm 6,5 wie 8,3 einiges von den dort isoliert wortsemantisch aufgeladenen Scheinproblemen lösen können: ὁμοίωμα ist offenbar nie bei Pl ein betontes Einzellexem, sondern nur Element eines adverbialen Syntagmas und entfällt auch darum als ein Signal für einen »Doketismus« oder christologische Spezifika überhaupt.

Letztendlich dürfte textsemantisch die Parallelität der jeweils vierten Zeilen der ersten beiden Strophen auch darin zu beachten sein, daß δοῦλος dem ὑπήκοος synonym parallel entspricht. Zu bestreiten, daß in δοῦλος der Dienstgedanke liegt, geht für Pl schon darum nicht an, weil er sich im ersten Attribut dieses Briefes als »Sklave Jesu Christi« bezeichnet (s. o. zu 1.1). Dieses Lexem ist also für die angeschriebenen Philipper nicht als von vornherein und ausschließlich negativ besetzt zu denken, wie auch die Verbverwendung 2,22 (s. u.) zeigt[246]. Δουλεία und ὑπακοή sind nicht als zwangsweiser und freiwilliger Dienst zu unterscheiden. Beides bezeichnet die durchgehaltene Auftragstreue. Eine »Offenbarung des Gehorsams« ist hier nicht impliziert[247].

Das kann man nicht mit einem Hinweis auf die Verwendung des Syntagmas μορφὴ δούλου bestreiten, denn das Lexem μορφή darf textsemantisch nicht überbetont werden. Es steht ja einmal dem θανάτου in der Schlußzeile der 2. Strophe als Markierung des Endpunktes entsprechend und ist dadurch bedingt, daß es als Unterschiedsmarkierung zu μορφὴ θεοῦ der ersten Zeile nötig wurde. Von der Gesamtstruktur her ist zu beachten, daß diese 4. Zeile ja im Unterschied zu der ersten keine Zustandsschilderung ist, sondern den Ton mit dem Handlungsverb λαβών auf die Tat legt. Damit hat man sich μορφὴ in dieser Zeile gewissermaßen in Anführungsstrichen zu denken. Ähnliche textsemantische Hauptakzente auf der impliziten Negation einer Antithese lagen ja auch 1,21 (s. o. »Gewinn« = also kein Verlust) und 1,24 (s. o. »um euretwillen« = also nicht um meinetwillen) vor. Das Lexem μορφή steht also primär im Hinblick auf den Abschied von der μορφὴ θεοῦ, also weder als Menschwerdung Gottes noch als Eintritt in eine unfreiwillige Knechtung.

245 Käsemann ebd.
246 Gg. Hofius 1976: 61, der im Anschluß an Rengstorf ThWNT II 281 »Sklave« formal antonym als »scharfen Gegensatz« und »äußersten Kontrast« zu »Gott« bestimmen wollte, um es als »Metapher« für »Ohnmacht und Schmach« zu erhalten, wofür er es eben dringend in seiner Interpretation vom Hebr her braucht!
247 Gg. Käsemann 1960: 79–81; gg. seinen Verweis auf Röm 5,12ff. hat Gnilka 123 m. R. Bedenken angemeldet, »weil dort der Zusammenhang von Adam-Anthropos und den übrigen Menschen den Gedankengang bestimmt, während im Lied der Ausblick auf die Menschen ja nicht da ist« – jedenfalls nicht vor V. 10. Auch gg. Beare 84 wird man nicht prinzipiell da, wo Pl Christus und Anthropos miteinander verwendet, sofort auf einen Adam-Bezug schließen dürfen. Diese Differenzierung gilt es auch im Blick auf die Heranziehung von Hebr 2,14f.; 5,8f. zu bewähren, wo deutlich genug die ihm folgenden Gehorsamen in den Blick genommen sind: Wengst 1972: 149 Anm. 24 m. R. gg. Käsemann.

6.2.4.5. Referenzsemantisches Umfeld

Hat nun aber nicht doch die Deutung Käsemanns – trotz aller erhobenen Einwände – das Gewicht der vergleichbaren Textparallelen der Umwelt für sich? Versuchen wir, einige der wiederholt herangezogenen Belege in den Blick zu nehmen:

a) Das sogen. »Perlenlied«[248] in den ActThom 108–113 enthält in dem Brief, den der Königssohn in der Fremde aus der Heimat erhält, den Aufruf: »Gedenke, daß du ein Königssohn bist! Unter ein knechtendes Joch (δουλικὸν ζυγόν) bist du geraten!« (110,44). Sehen wir einmal von der Frage ab, ob dieser Text ein »Zeugnis vorchristlicher Gnosis« sein kann[249], – denn dafür müßten traditions- und redaktionsgeschichtliche Analysen differenziert und detailliert urteilen, da dieser Text einerseits am Übergang von der Gnosis zum Manichäismus steht und andererseits mehrschichtiges älteres Gut enthält[250] – so ist doch eine Heranziehung der genannten Stelle zur Erhellung von Phil 2,7 nicht möglich, weil sie in dem Brief steht, der den eingeschlafenen Erlöser wecken will, und eben dieser seltene Zug des selbst erst zu erlösenden Erlösers fraglos zu den Zügen spätester Gnosis gehört. Die bloße Wortparallele kann gegen den Kontext semantisch für Phil 2,7 nichts entscheiden.

b) Andersartig aber nicht besser steht es mit der Anthropologie der gnostischen Missionsanweisung des Traktats Poimandres, der CH 1,12–14 die Anthropogonie als Fall des Urmenschen beschreibt[251]. Gezeigt wird, wie aus dem himmlischen Anthropos der irdische Mensch wird. Von daher ist nicht der himmlische Anthropos ein »Urmensch-Erlöser, der als Anthropos von allen Menschen qualitativ unterschieden ist«[252], sondern der oberste Vater-Gott zeugte einen ihm gleichen Menschen (ἴσον), den er als seinen eigenen Sohn und damit seine eigene Gestalt (μορφή) liebte (I, 12). Diese μορφή ist zugleich εἰκὼν πατρός, zeichnet sich durch »Schönheit« (καλή) aus und ist als solche nicht völlig von der Bedeutung »Gestalt« zu trennen, denn sie spiegelt sich im Wasser (I,14)! Die anschließende Klage I,15 zeigt den Zusammenhang: »Obwohl er über die Planetensphären gesetzt war, wurde er ein den Planetensphären unterworfener Sklave (ἐναρμόνιος γέγονε δοῦλος).« Gerade das Vorkommen in der Gattung Klage wie die Verwendung des Passivums γέγονε zeigt, daß hier ein anderer Tatbestand ins Auge gefaßt ist als Phil 2,7 mit dem ja aktiven Handlungsverb λαβών. Dasselbe gilt damit auch für die Heranziehung der Versklavungsklage Gal 4,3: Worin Gal 4,3 und CH 1,15 übereinstimmen, unterscheiden sie sich von Phil 2,7: Unserem Text fehlt das entscheidende Passivum.

Sachbezüge wie die Spiegelung im Wasser zeigen, daß das Bedeutungselement »Gestalt« hellenistisch hier durchaus noch erhalten ist. Außer daß der Zeilenparallelismus mehr für »Stellung« als für »Daseinsweise« spricht[253], hat Schweizer[254] auch auf die Komposita hingewiesen: Da es um verschiedene Gestalten geht, ist μεταμορφοῦσθαι (2Kor 3,18; Röm 12,1) als »Wechsel der Stellung« und σύμμορφος (Phil 3,21; Röm

---

248 Hennecke-Schneemelcher II 349–353; Foerster 1969 I 455–459.
249 Adam 1959, dem Gnilka 146 wie Wengst 1972: 154f. folgen; vgl. dgg. zuletzt entschieden Hengel 1975: 54 Anm. 66 nach Menard 1968.
250 Forschungsbericht bei Rudolph 1971: 214–221 und 1972: 349; Nagel 1973: 171–173; Conzelmann 1976.
251 Nock-Festugière 1945 I 11f.; Übersetzungen bei Barrett 1959: 96 und Foerster 1969 I 416–429; zur Analyse Haenchen 1956 und Schenke 1962: 44–48.
252 So Käsemann 1960: 69; Gnilka 146.
253 So Gnilka 117.
254 Schweizer 1955: 54 Anm. 234 zur Begründung für Bonnard 42f. »la condition«, »position« – gg. Käsemann 1960: 65–69.

8,28) als »Gleichgestaltung« möglich. Letztentscheidend ist aber immer der Kontext in textsemantischer Hinsicht und nicht entferntere Parallelen[255].

c) Eine Differenz in der wesentlichen Aussagefunktion wird im Vergleich mit dem Text aus dem christlichen, möglicherweise antimarcionitisch konzipierten Hymnenbuch aus dem 2./3. Jhdt., OdSal 7,3–6, deutlich[256]:

(3) »Er ließ sich selbst mich erkennen . . .
          denn seine Freundlichkeit machte seine Größe klein

(4)   (vgl. Act.Thom 15; 80), er wurde wie ich,
damit ich ihn erfassen könnte;
          an Gestalt erschien er wie ich,
damit ich ihn anziehen könnte . . .

(6)   Wie meine Natur wurde er,
damit ich ihn kennenlernen könnte,
          und wie mein Bild,
damit ich vor ihm nicht zurückwiche.«

Käsemanns Interpretation würde genau auf diesen Text passen. Dennoch wird die entscheidende Differenz[257] auf den ersten Blick deutlich: Entscheidend für die Erniedrigung des Erlösers ist seine offenbarend-erlösende Funktion. Genau die viermalige Finalbestimmung ist der Zielpunkt von OdSal 7, wie es genau das ist, was den ersten beiden Strophen von Phil 2 fehlt. Dies spricht nun nicht nur gegen die gnostische Ableitung, sondern auch gegen eine Ableitung aus der jüdisch-hellenistischen Weisheitstradition von der Sendung des Gottessohnes[258].

Gerade die so oft gerühmte »nächste« Parallele bei Pl, 2Kor 8,9 wird als solche immer um den gleichen Aspekt verkürzt herangezogen[259], obwohl doch dort die soteriologische Absicht durch eine Doppelbestimmung und die pleonastische Setzung des Personalpronomens in der Apodosis mehrfach verstärkt ausgedrückt und gekennzeichnet ist:

δι’ ὑμᾶς		ἐ	πτώχε	υσεν	πλού	σιος ὤν
ἵνα ὑμεῖς	τῇ ἐκείνου	πτωχε	ίᾳ	πλου	τήσητε.

Zum klaren Formschema der Sendungsformel gehört seit Sap 9,9f. das teleologische ἵνα als konstitutiver Bestandteil[260]. Darum spricht gegen eine Ableitung von Phil 2,6–8 aus der Sendungsformel weniger das Fehlen der Termini »Sohn Gottes« und »Sendung« – das hieße die Kritik zu sehr an den Elementen der Struktur und nicht einmal an der Oberflächenstruktur als solcher ansetzen, geschweige denn im Blick auf die mögliche Identität der semantischen Tiefenstruktur –, sondern eben das Fehlen der soterio-

---

255 Hofius 1976: 57f. stimmt Schweizer unter Beachtung von Spicq 1973 auch darin zu.
256 Text und Übersetzung bei Charlesworth 1973; Lattke 1979; vgl. Bauer bei Hennecke-Schneemelcher II 584; zum Forschungsstand Rudolph 1969: 221–224; Charlesworth 1969 und 1973a.
257 Gg. Gnilka 119, 146.
258 Gg. Georgi 1964: 265, dem immerhin auffiel, daß Phil 2 Objekte der »Erlösung« gar nicht ausdrücklich erwähnt!
259 Gnilka 119 wie Käsemann 1960: 72 und Oepke ThWNT III 661; auch Hofius 1976: 60 behauptet zu Unrecht eine »genaue« (!) Übereinstimmung.
260 Kramer 1963: 108–120 mit Schweizer; die Bestreitung der Existenz der Sendungsformel durch Wengst 1972: 58–60 geht an entscheidenden Beobachtungen des jüdischen Hintergrundes vorüber.

logischen Zielaussage[261]. Käsemanns Interpretation las den Text faktisch so, als enthielte der Schluß der 2. Strophe ein solches soteriologisches ἵνα. Da diese Zeile dies nicht hat, so ist seine Skoposbestimmung als »Offenbarung des Gehorsams« hinfällig[262].

6.2.4.6. Die Mythisierung Jesu

Wir stehen damit an dem entscheidenden Differenzpunkt, als sich zeigt, daß trotz einer gewissen Nähe zur Sendungsformel sich gleichzeitig die Differenz zu ihr in der Tatsache auftut, daß der Abstieg hier keine direkt soteriologische Funktion hat, sondern diese sich erst als Folge des Aufstiegs ergibt.

In weiterführenden Untersuchungen dieses Gegenstandsbereichs hat C. H. Talbert (1975), (1976), (1977) zweierlei gezeigt:

a) Der Mythos von einem himmlischen Erlöser, der herunter- und wieder hinaufsteigt für sein rettendes Werk, findet sich im vorchristlichen Judentum nicht nur im Blick auf die »Weisheit«, sondern ebenso auch in der Angelologie (Tob 12,14f.19f.)[263] und beides hat sich oft verbunden.

b) Der dafür zugrundeliegende Mythos von ab- und wieder aufsteigenden Erlösergrößen ist überhaupt und generell in der antiken Mittelmeerwelt zu finden – und zwar nicht nur in bezug auf Götterbesuche (wie Jupiter und Merkur bei Philemon und Baucis: Ovid Met. 8,626–721, oder Serapis: Tacitus Ann. 4,83f.), sondern auch und gerade zur Interpretation von historischen Personen. Das, was oft fälschlicherweise als typisch christlich erscheint, die Anwendung auf einen historischen Menschen, ist eben nicht typisch christlich, sondern gerade untypisch: Das taten nicht nur die Gnostiker ebenso hinsichtlich Menanders oder Simons neben Jesus, sondern längst der Hellenismus ganz allgemein. Apg 14,8–18 beschreibt einen solchen Vorgang in Anwendung auf Pl und Barnabas anschaulich genug. Darum hüte man sich, an diesem Punkt in einer solchen Historisierung eine spezifisch christliche Entmythologisierung des Mythos zu sehen; es liegt im Gegenteil eine nicht spezifisch christliche Bewertung historischer Fakten und Personen durch die Verwendung dieses Mythos vor[264]:

a) In Vergils 4. Ekloge wird um 40 v. Chr. die Geburt des Augustus in der Terminologie des Apollos-Mythos geschildert[265]. Soteriologische Absicht ist die Friedensstiftung:

(7) »Schon wird ein neues Geschlecht vom erhabenen Himmel gesendet . . .

(9) schon herrscht des Augustus Apollo . . .

(13) Wenn du uns führst, wird jede Spur unserer Lasten getilgt, wo sie nur sei, und frei
     von beständiger Furcht sind die Länder.«

Auf diesen Abstieg und Dienst folgt Zeile 15–17 die Erhöhung, die himmlische Präsentation und Inthronisation einschließt[266]:

(15) »Er wird das Leben der Götter erhalten; Helden und Götter

(16) anschauen gemischt, und er selbst wird von jedem gesehen und leiten

---

261 Gg. Wengst 1972: 151; dieser Fehler ist allerdings dadurch provoziert, daß schon Kramer 1963: 119f. diesen entscheidenden Differenzpunkt im Blick auf Phil 2 nicht diskutiert hat.
262 Noch Hofius 1976: 15, 64f. beachtet nicht, daß die von ihm als Deutekanon verwendeten Stellen Hebr 2,9.14f.; 9,26; 10,5ff. gerade da eine Finalbestimmung haben, wo sie Phil 2,6–8 fehlt!
263 Talbert 1976: 423–430.
264 Ebd. 421 Anm. 1; vgl. Pannenberg 1972: 5ff.
265 Ebd. 420.
266 Norden 1924: 116–128; Schweizer 1955: 106; Wengst 1972: 159, wobei offen bleiben kann, ob hier vom »inthronisierten Erlöser«, der speziell »entdämonisierende« Funktion hat, belegbar geredet werden kann, wie Käsemann 1960: 88 meinte; dgg. jedenfalls Hofius 1976: 52.

(17) sämtliche Länder der Welt mit des Vaters Tugend und Frieden.«
b) Ganz ähnlich wird von Horaz, Ode I 2,25–46 Augustus als Erscheinung des Merkur-Mythos bewertet[267]:
(25) »Wen der Götter ruft nun das Volk, des Reiches
(26) Sturz zu hindern? . . .
(29) Wem wird Vater Zeus all des Frevels Sühne
(30) auferlegen? . . . O komm doch . . .
(32) . . . Seher Apollo!
(33) Oder du, hold lächelnde Erycina!
(34) Komm . . .
(39) Mars . . .!
(41) Oder wenn, in Jünglingsgestalt verwandelt,
(42) du schon weilst auf Erden, o Flügelsohn der
(43) güt'gen Maia, lässest von uns dich rufen
(44) Rächer des Caesar!
(45) Kehr erst spät zum Himmel zurück und wohne
(46) lang und gern allhier in Quirinus' Volke!«
(Vgl. dazu auch die Romulus-Ode III 3,9ff.:
»Ja, solchen Sinns erkämpften die Himmelsburg
sich Pollux und der rastlose Herkules,
in deren Mitte einst Augustus
Nektar wird schlürfen mit Purpurlippen«
als Lohn für den »iustum et tenacem propositi virum« (3,1).
c) Schließlich gibt der Herakles-Mythos selbst auch ein Beispiel für die Verwendung vom ὑπακούειν-Synonym πείθεσθαι in diesem Zusammenhang[268], wie wir ihn in ethisch-popularphilosophischer Verwendung im Enkomion-Stil bei Epiktet II 16,44 finden:
»Was wäre Herakles gewesen, wenn er bei den Seinen zu Hause geblieben wäre?
    Erytheus – aber nicht Herakles!
Also, wie viele Vertraute und Freunde hatte er, als er die Welt durchzog?
    Aber keinen lieber als Gott!
Darum (διὰ τοῦτο!) wurde er auch für einen Sohn des Zeus gehalten (ἐπιστεύθη), und er war es auch.
Diesem also gehorchend (πειθόμενος!) zog er herum und zerstörte Ungerechtigkeit und Gesetzlosigkeit.«
Hier hätten wir fast alle entscheidenden Strukturelemente von Phil 2,6–11 beisammen.
d) Dieser Herakles-Mythos ist nach dem Zeugnis Plutarchs, Moralia 330D (Alex.fort. virt. 1,8) auch auf Alexander übertragen worden, der »nicht wie ein Räuber (!) Asien überrannte und nicht gesonnen war, es wie eine Beute (!) oder die Gabe eines unerwarteten Glückszufalls niederzutreten und auszuplündern . . .,
sondern (!) weil er zeigen wollte, daß alles Irdische einem Logos unterworfen sei und alle Menschen die eine Nation eines Staates seien,
nahm er solcherlei Gestalt an (! – die eines Asiaten).
Wenn nun der Gott, der die Seele Alexanders hierher herabgesandt (!),
sie nicht so schnell wieder heimgerufen hätte (!),
dann hätte ein Gesetz alle Menschen erleuchtet.«
Man wird diese Stelle im Zusammenhang mit den anderen, vorgenannten lesen müssen und den Ton nicht nur auf die sprichwörtliche Redensart vom ἁρπαγμός beschränken.

267 Talbert 1976: 420.   268 Schweizer 1955: 134 Anm. 615.

Gerade das durchschimmernde Abstieg-Aufstiegsschema des Herakles-Mythos ist das entscheidende Bezugsfeld. Natürlich ist der Text nicht in der Weise zu direkt auf Phil 2 zu beziehen, um ihn speziell aus dem »antiken Herrscherideal« als solchem erklären zu wollen[269], doch darf dabei der Wahrheitsgehalt seines Ansatzes, der im Aufweis der Bedeutung des Heraklesmythos liegt[270], nicht übersehen werden. Die Einzelmotive aus dem zugrundeliegenden Herakles-Mythos sind nicht nur in das Herrscherideal eingegangen, sondern in verschiedene Richtungen gewandert. So ist das hier vorkommende Verzichtmotiv ein ebenso augenfälliger Bestandteil im hellenistischen Ideal der Bruderliebe (φιλαδελφία: Philo LegGai 87) – etwa bei den Dioskuren, wenn der unsterbliche Pollux an seinem sterblichen Stiefbruder Castor in wunderbarem Austausch handelt: »Doch während der eine sterblich und der andere unsterblich war, hielt der des besseren Loses Gewürdigte es nicht für anständig, selbstsüchtig zu handeln, anstatt herzliche Verbundenheit mit seinem Bruder zu zeigen . . . So brachte er einen wunderbaren Austausch großartig zustande: Er mischte sich selbst Sterblichkeit, seinem Bruder aber Unsterblichkeit bei.« (Philo LegGai 84 f.)

e) Deutlich wird dies auch in der Romulustradition bei Plutarch VitRom 27 f., die Phil 2 sehr nahe kommt[271]:

»Es war die gute Absicht der Götter, o Proclus, von denen ich kam (ἐκεῖθεν ὄντας) daß ich nur kurze Zeit unter den Menschen war, und daß ich – nachdem ich eine Stadt gegründet habe, die bestimmt war, die größte für Herrschaft in Herrlichkeit auf Erden zu sein – wiederum im Himmel wohnen sollte (αὖθις οἰκεῖν οὐρανόν) . . . Und ich werde deine sühnende Gottheit sein, Quirinus.«

Das hier erkennbare Strukturmuster ist unverkennbar mit dem Hintergrund von Phil 2 identisch[272]:

(1) Er kam von den Göttern in deren Auftrag.
(2) Er erfüllt seinen Auftrag im Gehorsam.
(3) Er wurde zum Himmel erhoben.
(4) Er erhielt einen neuen Status zum Wohle seines Volkes.

Im Bezugsfeld seiner möglichen zeitgeschichtlichen Parallelen und Hintergrundtexte von absteigenden und aufsteigenden Halbgöttern machen also zwei grundlegende Sachverhalte das wesentliche von Phil 2 aus:

(1) »The descent is not explicitly for a redemptive purpose.
(2) The soteriological effects are the result of the exaltation or ascent.«[273] Daraus ist der Schluß zu ziehen, daß keine zu enge Beziehung zu einem einzigen Typ und vor allem nicht zu den jüdischen Spielarten anzunehmen ist. Von der Prämisse »vorpl – also judenchristlich« kann man nicht etwa aus Phil 2 die Theologie der Stephanusgruppe erschließen (gg. Georgi). Die Sendungsformel hat vielmehr nur die gleiche Wurzel wie Phil 2. »The pattern is closer to the mythology of the immortals than to any other in antiquity« (Talbert ebd.).

f) Wenn Philo darum der Umwelt die Ideale des Judentums vermitteln will, so tut er das, indem er in seiner Mosebiographie als Propagandatext Mose nach dem Mythos der Unsterblichen wie nach dem Mythos der ab- und aufsteigenden Erlösergestalten zeich-

---

269 Ehrhardt 1945 und 1948, den Käsemann 1960: 64 f. und Gnilka 138 f. darin m. R. kritisieren – doch eben nur darin!
270 Auch Knox 1948 und Simon 1955: 77–118 haben darauf verwiesen: Beare 80 f.; so urteilt auch Schmithals 1966 gerechter über Ehrhardt als andere Kritiker. Vgl. auch Bornhäuser 1938.
271 Talbert 1975: 433 f.; dahinter stehen alte, in vorchristliche Zeit bis Ennius – zitiert bei Cicero Rep. I 41 – zurückreichende Traditionen – vgl. Leipoldt 1948: 737 ff.
272 Talbert 1976: 435 Anm. 2.
273 Ebd. 435.

net. Waren schon die Erzväter inkarnierte Repräsentanten (νόμοι ἔμψυχοι) des universalen Weltgesetzes, so ist erst recht Mose eine solche lex animata. Sein Auftreten als historischer Gesetzgeber ist Fleischwerdung des ungeschriebenen Gesetzes. Er hatte eine vorhistorische Präexistenz, war »schon lange vorher als das mit Seele und Vernunft begabte Gesetz geschaffen worden« (VitMos I 162). Er »empfing Herrschaft und Königswürde« (ebd. 148f.), weil er Thronfolgehoffnungen über Ägypten »aufgab« und »verzichtete«. Und da er als Herrscher Israels »nicht darauf bedacht war, sein eigenes Haus zu fördern« (ebd. 150), materiellen Reichtum »verachtete« (153), der Gewinnsucht »entsagte« (155), »ehrt ihn Gott dadurch, daß er ihm dafür den größten und vollkommensten Reichtum gewährt: das ist aber der Reichtum der gesamten Erde und des Meeres und der Ströme und der anderen Grundelemente wie der zusammengesetzten Stoffe. Er würdigte ihn nämlich der Ehre, als Teilhaber seiner eigenen Macht zu erscheinen und überließ ihm das ganze Weltall wie ein ihm als Erben gebührendes Besitztum« (155).

(156) »Daher (!) gehorchte ihm denn wie einem Herrn jedes der Elemente, indem es seine Natur änderte und sich seinen Anordnungen fügte.«

(158) »Er kam in den Genuß der wertvollen Gemeinschaft mit dem Vater und Schöpfer des Alls und wurde der gleichen Benennung gewürdigt:
So wird er nun des ganzen Volkes Gott und König genannt.«

Diesem Höhepunkt der Mosebiographie Philos gegenüber ist Phil 2 geradezu bescheiden. Die Propagandaabsicht ist deutlich: »The Gentiles who read this Life were intended to see in Judaism the realisation of all their own dreams. The Jews had the perfect king, the ideal legislator.«[274] Dabei bedient sich VitMos 148ff. zunächst nur des Halbgott-(Unsterblichen-)Mythos, um dann 162 zum Abstiegs-Aufstiegs-Mythos der Ewig-Göttlichen überzugehen (wie übrigens auch in der Charakterisierung des Caligula LegGai 77ff. diese beiden Stufen nacheinander in Anwendung auf ein und dieselbe historische Person folgen).

Phil 2,6–11 dürfte das Modell eines philippischen Missionstextes sein, das Christus römisch-hellenistisch geprägten Bürgern im Hinblick auf ihre Denkmuster zu verkündigen versucht. Als solches Modell nimmt Pl es operational auf, ohne daß damit dieser Eintagsfliege Ewigkeitswert zugesprochen würde.

6.2.4.7. Hermeneutische Konsequenzen

Im Unterschied zu all diesen Formen – auch der jüdisch-weisheitlichen Sendungsformel – wird gezeigt, daß Strophe 1 wohl dem üblichen himmlischen Ausgangspunkt entspricht und Strophe 2 auch dem verzichtenden, auftragstreuen Dienen. Doch wird das die Welt einbeziehende ἵνα gerade nicht aus dem Dienst des Menschenlebens abgeleitet, sondern erst von seiner Erhöhung her als creatio ex nihilo. Dem semantischen Potential nach ist die 3. Strophe auch hermeneutisch der Maßstab für eine christlich mögliche Verwendung des soteriologischen Zielpunktes in der weisheitsmythologischen Sendungsformel. Auch wenn unser Text empfänger-pragmatisch nicht mehr als auf diese hin konzipiert angesehen werden kann, so bietet er doch das entscheidende Potential für eine kritische, evangeliumsgemäße Rezeption. Pl hat den Text nicht wegen des Jesus-Vorbilds der ersten beiden Strophen zum Indikativ der Paränese genommen, sondern wegen dieser dritten und eigentlichen Zielstrophe. Diese enthält das teleologische ἵνα, das mit Konjunktiv Aorist die beabsichtigte Folge

---

274 Talbert 1977: 104f. vgl. 96f. und Meeks 1967 und 1967a.

beschreibt[275]; die Abänderung des Futurs aus Jes 45,23 ist nicht überzubetonen, da ein Indikativ Futuri dasselbe besagen würde. Es geht nicht um einen schon geschehenen Vorgang der Vollendung, sondern um eine Beschreibung gegenwärtiger Ziele und künftiger bis auf die vollendende Wiederkunft hin, da ja die Verstorbenen eingeschlossen sind. Dgg. zeigt Beare [276], wie ein konsequenter Bezug der Trias auf die knechtenden kosmischen Mächte den offenkundigen Gattungszusammenhang mit dem gemeindlichen Kyrios-Bekenntnis bestreiten muß, als habe die Akklamation nichts mit dem Bekenntnis der Kirche zu tun. Richtig ist dgg. die Präzisierung, daß die teleologische Konjunktion nicht einmal primär soteriologisch, sondern zunächst einmal missiologisch zu klassifizieren ist. Es sind die Huldigungsakte, die der geschehenen Inthronisation folgen, nicht aber Inthronisationsrufe, die integraler Bestandteil des Inthronisationsaktes wären[277].

Die der Inthronisation nachfolgenden Akte, die hier mit LXX-Jes 45,23 formuliert sind, sind eindeutig Missionsziele und Missionsfolgen. In diesem Zusammenhang heißt ἐξομολογεῖσθαι »etwas als zu Recht bestehend anerkennen« (Röm 14,11; 15,9)[278]. Doch ist dies ein missiologischer Rechtsakt der Erstbegegnung mit der Osternachricht (1Kor 12,3; Röm 10,9). Hofius[279] ist im Recht, sofern Käsemann und Gnilka im Interesse einer Voraussetzung von Mächten »Rechtsakt« vom Bekenntnis abheben wollen, auf das Bekenntnis zu insistieren, doch ist seine Antithese »Bekenntnis des Glaubens« zu unscharf, sofern sie im Sinne eines ausgeweiteten Glaubensbegriffes auf das Christsein überhaupt, wie er herrschend geworden ist, statt präzis auf die Erstbegegnung bezogen, mißverstanden werden kann. Für das Syntagma der koinzidenten Tathandlung γόνυ κάμψειν ist semantisch der semitische Code der Bezeichnung für eine »Unterwerfung« maßgebend (1Kön 18,39; 2Chron 7,3 – während sie im rein griechischen Code »ausruhen« bezeichnen würde)[280]. Diese zugeordnete Handlung der Proskynese ist kein Gebetsgestus, sondern ein dem damaligen Code-System sozialisierter Zeichenhandlungen entsprechender Unterwerfungsgestus. Im sozialen Kontext der römischen Kolonie Philippi hieß das immerhin auch, daß die Loyalität dem Staat gegenüber dann nur eine begrenzte sein konnte, und keinesfalls konnte ihnen dann noch der Kaiser als Kyrios gelten[281]. Die Doppelheit der konzidierenden Tat- und Worthandlung der von der Christusverkündigung überführten Nichtchristen beschreibt Pl in der gleichen Reihenfolge mit anderen atl. Anklängen ebenso 1Kor 14,25 als Folge der in der Gemeindeversammlung geübten prophetischen Rede:

πεσὼν ἐπὶ πρόσωπον προσκυνήσει | τῷ θεῷ
ἀπαγγέλλων ὅτι   Ὄντως | ὁ θεὸς | ἐν ὑμῖν ἐστιν.

Auch dies bestätigt die Annahme, daß Phil 2,6–11 am ehesten ein christlicher Propagandatext zur Mission unter Nichtchristen vorliegt, der in der philippischen Gemeinde formuliert sein dürfte.

Dabei sind die All-Aussagen der teleologischen Konjunktion als Potential zugeordnet, so daß aus ihnen und der sie entfaltenden Trias nicht geschlossen werden darf, daß es hier nur um den einen Akt künftiger Endvollendung gehe[282], was sich aber natürlich

275 B–D–R 369; Bauer WB s. v.   276 Beare 86f.   277 Hofius 1976: 33f.
278 Gnilka 124 Anm. 120 – auch nach dem Sprachgebrauch der zeitgenössischen Papyri – vgl. Preisigke I 519.
279 Hofius 1976: 37f.
280 Schlier ThWNT III 599f.; Hofius 1976: 39.
281 L. Schottroff 1979. Vgl. schon Bornhäuser 1938.
282 Gg. Campenhausen 1972: 222, dem Hofius 1976: 51–55 folgt.

aus einer Identifizierung von Gott und Kyrios leider zwangsläufig ergibt. Dabei ist aber der Tatsache nicht genügend Rechnung getragen, daß die abschließende Finalbestimmung mit dem ausschließlichen Gottesbezug eine Vergöttlichung des Auferweckten gerade ausschließt. Damit ist deutlich die geschichtliche Christologie eines »messianischen Intermezzos« mit ihrem adoptianischen Wesenskern festgehalten. Phil 2,6–11 proklamiert die Verwirklichung »der eschatologischen Königsherrschaft Gottes in der Erhöhung des gekreuzigten Jesus Christus«[283].

Ist also in dem Text die jeweilige völlige Preisgabe das Aussageziel der beiden ersten Strophen und beides als die Voraussetzung für die Auferweckung Jesu zum Herrn als tatsächlicher creatio ex nihilo in den Blick genommen, so läßt sich Phil 2,6–11 nicht mehr in traditioneller Weise christologisch auswerten. Dies geht weder in der Denkstruktur einer christologischen Zwei-Naturen-Konzeption, die vom Sein zum Werden hin denkt und nach der in hypostatischer Union »wahr' Mensch und wahrer Gott« für einen ausgesagt wäre, in dessen Menschheit die Gottheit erscheint (so Kähler). Der Text bietet aber auch kein Material für ein christologisches Zwei-Stände-Konzept, das vom Werden zum Sein hin denkt[284]. Weder spricht der Übergang von der ersten Strophe zur zweiten von Gott, der Mensch wird, (Inkarnation) noch der Übergang von der zweiten zur dritten Strophe von einem Menschen, der Gott wird. Der erhöhte Jesus bleibt über allen Geschöpfen aber doch unter Gott er selbst.

Dieser Sachverhalt wird oft nicht gesehen, weil die Sehweise durch einen vereinfachenden Dualismus verstellt ist, als gäbe es nur die binäre Relation Gott–Mensch oder auch Herrscher–Beherrschte. Im Gegenteil ist selbst soziologisch für damalige Verhältnisse die Beziehung mehr relational und umfaßt auch die Relationen von Obersubjekt und Untersubjekt, wie z. B. Plutarch, VitAlex 9 zeigt: »Als Philippus gegen Byzanz zog, blieb Alexander trotz seiner sechzehn Jahre als Regent (!) und königlicher Siegelbewahrer in Mazedonien zurück.« Das semantische Bezugssystem besteht also hier nicht nur aus zwei, sondern mindestens aus drei Mengen, so daß relationslogisch die je eigenen Relationseigenschaften und -beziehungen gesehen werden müssen. Theologisch ist ein Cooperator kein Konkreator und beides schließt sich ebensowenig aus wie eine Mitregentschaft die Regentschaft. Gott hat hier so wenig Jesu seinen eigenen Namen oder seine absolute göttliche Herrscherstellung verliehen wie etwa an Mose, wenn dieser nach dem samaritanischen Memar Marqua mit dem Namen Gottes »bekleidet« wurde oder an Henoch, wenn dieser nach Sepher Hekhaloth (hebrHen) als »kleiner Jahwe« prädiziert wird[285].

Das διό von Phil 2,9 darf nicht enthistorisierend überspielt werden, indem man den Erhöhten den Erniedrigten »bleiben«, bildlich gesprochen »seine Wundmale behalten« läßt[286]. Dann wird gegen den Text die ontologische Besonderheit der nachösterlichen Situation, also der Gegenwart, auf den bloß noetischen Aspekt der »Offenbarung« und Erkennbarkeit verengt[287]. Weder ist hier der Irdische Erkenntnisgrund für den Auferweckten noch der Auferweckte Erkenntnisgrund für den Irdischen. Man wird sehen müssen, daß Phil 2,6–11 in der dritten Strophe das spezifisch urchristliche Evangelium unverkürzt festhält und darum in eine gewisse Spannung zu dem ad-hoc übernommenen zeitgenössischen Abstiegs-Aufstiegsschema setzt.

283 Hofius 1976: 65, von dem ich mich nur darin unterscheide, daß ich diesen Satz nicht mehr einleiten kann mit »besingt die Offenbarung der . . .«.
284 K. Barth KD IV/1 196 ff.; Klappert 1971: 172 ff.
285 Gg. Hofius 1976: 27 f., 51 f.
286 So K. Barth 60 f.
287 Vgl. Käsemanns 1960: 57 f. nachdrückliche Kritik an K. Barths bloßem Offenbarungs-Ostern, womit er sich auf der lk Linie befindet; vgl. Schenk 1982 und 1983: 62–65.

Man wird den Text heute nicht als christologisch rezipierbaren Grundlagentext für eine gegenwärtig zu verantwortende Christologie aufnehmen können, sondern nur operational als mögliches Beispiel einer ad-hoc-Entfaltung des Evangeliums in zeitgenössische Denkmuster der damaligen Umwelt hinein; und es ist zu fragen, ob eine solche interpretatio ad hominem auf die Dauer mehr Schaden als Nutzen einträgt, wie sich an den mythischen Jesusbiographien der sogenannten »Evangelien« zeigt[288]. Dies dürfte auch zur Konsequenz haben, daß man Phil 2,6–11 auf Grund heutiger exegetischer Einsichten nicht mehr als ständig unausgelegt wiederholten Lesungstext im christlichen Gemeindegottesdienst einen Platz anweisen kann[289]; er ist kein Grundlagentext, von dessen semantischem Gehalt aus heute weitergedacht werden kann, sondern nur ein Beispieltext zur Ermunterung für mögliche pragmatische Modellbildungen. Schon Bornkamm[290] betonte die Konsequenz für die Homiletik: Eine Predigt darüber »darf in gewissem Sinne nicht textgemäß sein und nicht einfach in die Art seiner Aussagen einstimmen«. Die ausführlichen hermeneutischen Überlegungen, die Beare's Kommentar[291] der Frage gewidmet hat, behalten auch bei exegetischen Modifikationen ihr Recht:

(1) »It cannot be employed directly as a statement of Christian doctrine in our day.« (30)
(2) »Its total theological significance has been consistently overestimated.« (32)
(3) »Its most persistent influence has been based upon misunderstanding.« (ebd.).

Wesentlich bleibt der Ansatz: Der Text ist von der Basisformel der Christusnachricht »Gott erweckte Jesus von den Toten« her und auf die Kyrios-Akklamation hin komponiert[292]. Damit ist die semantische Basis und ihre erste pragmatische Folge als wichtigstes Kennzeichen des Christentums in seiner Relation zur Geltung gebracht. Die Struktur zwischen beiden ist als irreflexiv und asymmetrisch[293] festgehalten. Damit ist Grund und Ziel aller theologisch verantwortbaren Ausarbeitung und Entfaltung christlicher Verkündigung gegeben. Man wird niemals nur eins von beiden im Auge haben dürfen noch ihre systemwissenschaftliche Relation zueinander verkehren, denn »Engagement (commitment) ohne Einsicht (discernment) ist Götzendienst, und Einsicht ohne Engagement ist Heuchelei«[294].

6.2.4.8. Zusammenfassung: Übersetzung

(6)   Als er in gottgleicher Würdestellung war,
      hielt er diese Würdegleichheit wirklich nicht für einen auszunutzenden Vorteil,
(7)   sondern gab im Gegenteil sich selbst völlig preis,
         indem er einen Dienstauftrag annahm.
      Als er wie jeder Mensch geboren war
      und als Mensch in Erscheinung trat,
(8)   gab er sich selbst völlig preis,
         indem er bis zum Tod, diesem Hinrichtungstod, dem Auftrag treu blieb.
(9)   Darum hat Gott ihn zum Herrn über alles schöpferisch erhöht
      und ihm diese maßgebende Stellung über alle gegeben,
(10)   damit sich ihm jeder –
         ob als Lebender, Toter oder übermenschliche Macht – unterstelle

---

288 Talbert 1977: 132–134.
290 Vgl. Bornkamm 1959: 184–187.
292 Kramer 1963: 63 f.
294 Ramsey 1963: 19.

289 Schenk 1976: 96.
291 Beare 30–34.
293 Evangelium → Bekenntnis; vgl. Czayka 1974: 30 f.

(11)   und jeder Mund anerkennen soll:
        »Herr ist Jesus Christus« –
        So wird Gott, der Vater, verherrlicht.

6.3. Die gemeinsame Auftragstreue auf dem gemeinsamen Heilsweg zum Ziel der Vollendung hin (2,12–18)

6.3.1. Textsegmentierung

(V. 12) 1.0.   Ὥστε, ἀγαπητοί μου
         1.1.   – καθὼς πάντοτε ὑπηκούσατε
         1.1.1.   μὴ ὡς ἐν τῇ παρουσίᾳ μου μόνον
         1.1.2.   ἀλλὰ νῦν πολλῷ μᾶλλον ἐν τῇ ἀπουσίᾳ μου –
         1.2.   μετὰ φόβου καὶ τρόμου τὴν ἑαυτῶν σωτηρίαν
                                              κατεργάζεσθε.
(V. 13) 1.2.1.   θεὸς γάρ ἐστιν ὁ ἐνεργῶν ἐν ὑμῖν
         1.2.2.   καὶ τὸ θέλειν καὶ τὸ ἐνεργεῖν ὑπὲρ τῆς εὐδοκίας
(V. 14) 2.   πάντα ποιεῖτε χωρὶς γογγυσμῶν καὶ διαλογισμῶν,
(V. 15) 3.   ἵνα γένησθε ἄμεμπτοι καὶ ἀκέραιοι
         3.1.   τέκνα θεοῦ ἄμωμα
         3.2.   μέσον γενεᾶς σκολιᾶς καὶ διεστραμμένης
         4.   ἐν οἷς φαίνεσθε ὡς φωστῆρες ἐν κόσμῳ
(V. 16) 5.   λόγον ζωῆς ἐπέχοντες
         5.1.   εἰς καύχημα ἐμοὶ εἰς ἡμέραν Χριστοῦ,
         5.1.1.   ὅτι οὐκ εἰς κενὸν ἔδραμον
         5.1.2.   οὐδὲ εἰς κενὸν ἐκοπίασα,
(V. 17) 5.1.3.   ἀλλὰ – εἰ καὶ σπένδομαι –
         5.2.   ἐπὶ τῇ θυσίᾳ καὶ λειτουργίᾳ τῆς πίστεως ὑμῶν
         5.2.1.   χαίρω καὶ συγχαίρω πᾶσιν ὑμῖν.
(V. 18) 6.   τὸ δὲ αὐτὸ καὶ ὑμεῖς χαίρετε καὶ συγχαίρετέ μοι.

6.3.2. Zur Struktur der Einleitung (2,12)

Pl setzt V. 12 mit einem folgernden ὥστε an, um einen Imperativ folgen zu lassen[295]; dieser steht aber erst 29 Worte später: κατεργάζεσθε. Diese Zielgerichtetheit auf einen Imperativ hin wird durch die Anrede unterstrichen (4,1; Röm 12,19; 1Kor 10,14; 2Kor 10,14; 2Kor 7,1 vgl. ohne Imperativ 12,19). Die Anredewendung ist sonst Explikation für ἀδελφοί (4,1; 1Kor 15,58) und steht hier abgekürzt. Die Folgerungspartikel kann sich hier weder auf 2,6–11 zurückbeziehen noch auf V. 1–5. Pl merkt oder beabsichtigt dies und schiebt deshalb parenthetisch einen Begründungssatz dazwischen: καθὼς (s. o. zu 1,7)[296]. Diese Parenthese wird man eher als V. 6–11 als die eigentliche Protasis für die Apodosis mit ὥστε ansehen. Dieser begründende Hauptsatz bestätigt ihnen ihre ὑπακοή als gegebene Tatsache und gibt der Anrede »zugleich die sachliche Begrün-

295 B–D–R 391,2.   296 B–D–R 453; Lohmeyer 100 Anm. 2.

dung«[297] (die die Phil direkt ansprechende Parenthese als Indikativ wie die Verschränkung mit V. 6–11 verweist wiederum darauf, daß V. 6–11 ein philippischer Text sein muß). Dieses καθώς hat also die gleiche spezifische Indikativ-Funktion in der Paränese wie 2,1 das vierfache εἰ (s. o.) als Verweis auf bei ihnen vorhandene Wirklichkeit. Diese Textfunktion wird verkannt, wenn man in ihr einen versteckten Imperativ sehen will: »Indem er ihren Gehorsam bestätigt, fordert er ihn«[298]; das ist ein textpragmatisches Fehlurteil. Der Verweis auf die Parallele 2,1 stellt zugleich klar, daß die indikativische Funktion auch nicht dadurch abgeschwächt werden darf, daß man ihr pragmatisch nur eine Höflichkeitsfunktion zumißt, als suche »Pl durch freundliche Anerkennung seiner Mahnung alles Verletzende zu nehmen«[299] oder »die Strenge der nachfolgenden Mahnung zu mindern«[300]Paulus ist kein solcher Taktiker der Seelenführung. Der Sachbezug ist positiver und größer. Das ergibt sich (a) aus dem folgenden, abschließenden Rückbezug auf die eigene Person V. 16, wo zwei ebenfalls im Aorist formulierte kontextkomplenyme Syntagmen zu ὑπηκούσατε . . . μου . . . μου gebracht werden:

= οὐκ εἰς κενὸν ἔδραμον
οὐδὲ εἰς κενὸν ἐκοπίασα.

Das ergibt (b) auch der Rückbezug auf die eigene Person, der genau so schon mit auffallend ähnlichen syntaktischen Verwicklungen am Eingang des 2. Unterteils (2,2 mit der Zielangabe der Freude des Apostels, auf das auch hier V. 17f. zuläuft!) und noch stärker am Beginn des ersten Unterteils 1,27 zu bemerken war. Mit 1,27 verbindet darüber hinaus noch stärker auch die V. 12 folgende Ergänzung mit dem Hinweis auf An- und Abwesenheit des Pl.

Diese Antithese-Passage macht hinsichtlich ihrer makrosyntaktischen Zuordnung große Schwierigkeiten. Wegen des Gebrauchs der Negation μή meinte man, sie müsse schon zum Imperativsatz gehören. Darum schloß man die Parenthese mit ὑπηκούσατε[301]. Doch da παρουσία auf den Gründungsaufenthalt zurückblickt (Antithese zu νῦν) und darum mit dem vorangehenden Aorist zusammengehört, so macht dieses semantische Moment eine solche Zertrennung zweifelhaft[302]. Außerdem trifft der Ausgangspunkt, der grammatisch puristische Hinweis auf die Verwendung von μή so nicht zu, da es in der Koine auch in aussagenden, kausalen und anderen Nebensätzen möglich ist (vgl. Gal 4,18)[303]. Nun hat aber dabei gleichzeitig das Verständnis des ὡς seine zusätzlichen Schwierigkeiten, weshalb einige Handschriften es glättend auslassen[304]. Gehört es aber offenbar noch zur Parenthese und damit zum Kausalsatz, so hat es die Funktion, die einleitende Kausalkonjunktion verkürzt zu wiederholen (καθώς = ὡς) und bedeutet »da«, was vor allem bei ὡς . . . . καί üblich ist[305], und dem hier antonym μὴ ὡς . . . . ἀλλά entspricht – also faktisch in syntaktischer Transformation vorliegt. Die Parenthese ist somit erst mit ἀπουσίᾳ μου beendet[306]. Die

---

297 So Lohmeyer 101.
298 So Gnilka 148.
299 So Haupt 90f.
300 So Lohmeyer 100f.
301 Haupt 91; Lohmeyer 101f.; Beare 389f.; auch Luther75 »so seid es«; ebensowenig befriedigt es, wenn Gnilka 147f. umgekehrt nur die anschließende Antithese zur Parenthese macht.
302 Beare 89 signalisiert das Problem, indem er die Anwesenheit als »during my life« und die Abwesenheit als »after my death« neu gefüllt sehen muß!
303 B–D–R 428; Lipsius 229.
304 GNTCom 613: deutlich sekundär.
305 B–D–R 453,2.
306 Balz ThWNT IX 210; der gewalttätige Vorschlag von Glombitza 1959, die Antithese so zu verkürzen, daß μή sich direkt auf den Imperativ bezöge und damit eine Warnung vor Menschenangst vorläge, ist m. R. abgewiesen worden: Balz ebd. Anm. 134; Gnilka 148f.; Pedersen 1978: 4 Anm. 10.

indikativische Begründung des folgenden Imperativs ist in der Parenthese mit Absicht so ausführlich und betont ebenso wie 2,1 die bei den Hörern gegebene Voraussetzung. Der Zusammenhang beider Passagen ist auch durch den semantischen Zusammenhang der Zeitangaben deutlich: Das πάντοτε des ersten Satzes wird (wie 1,4 s. o.) durch die folgenden ihm hyponymen und in sich komplenymen Präpositionalwendungen wieder-aufgenommen:

πάντοτε = ἐν τῇ παρουσίᾳ μου
+ ἐν τῇ ἀπουσίᾳ μου.

Daß die Indikativparenthese erst hier endet, ergibt sich schließlich auch aus dem präpositionalen Anfang des imperativischen Folgerungssatzes: Das Syntagma μετὰ φόβου καὶ τρόμου zeigt klar durch μετά noch die vorhandene Vorgabe für den Imperativ an: φόβος + τρόμος werden also nicht gefordert; sie nehmen nur synonym anknüpfend nach der dazwischengeschalteten Antithese den bestimmenden Indikativ in einem Hendiadyoin auf

ὑπακοή
= φόβος καὶ τρόμος[307].

Bestätigt wird diese Synonymie durch 2Kor 7,15, wo die gleiche Aufeinanderfolge im Sinn einer Wiederaufnahme vorliegt, so daß es schon Windisch[308] als »Erläuterung« von ὑπακούειν bestimmt hat. Die literarisch von Pl abhängige Wiederaufnahme Eph 6,5 in gleicher Funktion zur paulinisierenden Ergänzung eines in der Sklavenregel der kolossischen Haustafel vorgefundenen ὑπακούειν bestätigt das augenfällig: Die Handlungsreaktion wird nicht von dem Drohen der sozial Übergeordneten her bestimmt, sondern von der gemeinsamen Verantwortung dem Herrn gegenüber – eine geradezu als »dreist« bezeichnete Anwendung[309]. Die Wendung ist offenbar ein Septuagintismus (nur griech. Judt 2,28; 15,2; 4Makk 4,10 im Blick auf Feinde; vgl. grHen 13,3 in wechselnder Reihenfolge der Glieder), die dort noch 6mal für unterschiedliche hebr. Doppelbezeichnungen steht (Gen 9,2; Ex 15,16; Dt 2,25; Jes 19,16; Ps 55(54),6; vgl. 1QpHab 3,4; 4,7f. im Blick auf die Römer; 1QS 1,16f.; 10,15f. für das Verhalten der in den Bund Eintretenden in einer Trias mit einer Tendenz zur »positiven« Verwendung[310]. Ist ihr Bezugspunkt meist Jahwe oder sind es Feinde, so hat die Wendung doch nicht unbedingt einen drohenden Akzent, denn schon Gen 9,2 beschreibt sie positiv ein neues Herrschaftsverhältnis zwischen Mensch und Tier (nicht ein »Kriegsverhältnis«[311], da man nicht überall den Vorstellungshintergrund des »heiligen Krieges« annehmen muß, sondern auch auf dem Hintergrund des dtn-dtr. geprägten Sprachgebrauchs von hebr. jr' als »Grundsatzerklärung eines Treueverhältnisses«[312] zur pl Verwendung vordringen kann). Schon Dibelius[313] hatte negativ abgrenzend darauf verwiesen, daß das Syntagma »nicht auf Sündenangst zu beziehen« sei; allerdings trifft seine positive Bestimmung »Demut« den semantischen Gehalt noch nicht, weil dahinter ein Verständnis der Parallelwendungen von 2,8 steht (s. o.), das so nicht weitergeführt werden kann: ὑπηκούσατε steht klar im Anschluß an V. 8 und wird durch die Komplenyme V. 16 näher bestimmt, so daß sein Gehalt »Auftragstreue« auch für unser synonymes Syntagma anzunehmen ist.

---

307 Das ist die textlinguistisch präzise Funktionszuordnung, die Thomsen 1922/23 zu dem syntaktisch so nicht möglichen Lösungsvorschlag brachte, das Präpositionalsyntagma syntaktisch direkt zum Bestandteil des Vorangehenden zu machen. Man muß das, was diesem Vorschlag berechtigend zugrunde liegt, nur eben nicht syntaktisch, sondern semantisch lösen.
308 Windisch 2Kor 241 z. St.; vgl. auch Pedersen 1978: 17f.
309 Pedersen 1978: 19f.   310 Ebd. 14.
311 So richtiger Wanke ThWNT IX 195 gg. Pedersen 1978: 13.
312 Stähli THAT I 765–778.   313 Dibelius 63f.

Dem fügt sich auch die dritte pl Stelle – und nur bei ihm findet sich außer Eph 6,5 das Syntagma im NT – 1Kor 2,3 ein, die auf denselben positiven Sinn weist: Im Rückblick auf die anfängliche Mission in Korinth beschreibt Pl damit sein Auftreten neben der christologisch bestimmten und bewußt ergriffenen (V. 2 ἔκρινα!) »Schwachheit« und meint damit nicht eine Stimmung der Schüchternheit, sondern – wie die Fortsetzung V. 4f. mit dem Vertrauen auf die Selbstwirksamkeit der Christusnachricht zeigt – die Auftragstreue, die J. Weiß[314] treffend mit der Frage ausdrückt, »ob er seiner Aufgabe werde genügen können«. Das Verhalten der Philipper steht also unter der gleichen Maxime wie das Verhalten des Pl selbst. Da nun ὑπακούειν hier direkte Wiederaufnahme der jesulogischen Formulierung der Philipper selbst aus 2,8 war, so korrespondieren alle semantischen Aspekte von den verschiedensten Blickrichtungen her in koinzidierender Weise. Über die semantische Präzisierung hinaus ergibt sich, daß das Syntagma keineswegs durch eine allgemeine Wort-für-Wort-Wiedergabe als kommunikativ-äquivalent übersetzt gelten darf. Zugleich ist deutlich, daß die Frage, ob sich ὑπακούειν wie φόβος καὶ τρόμος auf Pl oder auf Gott beziehe[315], gegenstandslos ist, da der Bezugspunkt das Evangelium und dieses mit dem Apostolat komplenym ist: Das Gegenüber ist Pl, sofern er als Apostel der Exponent des Evangeliums ist[316], und da Pl selbst wie Jesus so bestimmt sind, letztlich Gott selbst[317].

6.3.3. Die Zielbestimmtheit des ersten Imperativs

Das Kompositum κατεργάζεσθαι kann sowohl schlicht im Sinne des Simplex stehen wie ein Intensivum sein (19 von 22 ntl. Stellen sind pl, davon 10mal im ethisch negativen Sinne)[318]. Das Intensivum kann hier nicht im gleichen Sinne wie das deutsche Intensivum »er-arbeiten« gefaßt werden[319]. Es geht auch nicht grundsätzlich um »das zu wirkende Heil«[320]. Von der gefundenen Präzisierung des dazugehörigen Mittels (μετὰ φόβου καὶ τρόμου) als »Auftragstreue« als einer schon vorhandenen Vorgabe her, kann es sich sachlich nur um Fortsetzung auf ein Ziel hin handeln, was der Grundbedeutung entspricht, daß eine Aktivität »bis zur Gewinnung des schließlichen Resultats fortgesetzt werden muß«[321]: »vollenden«. Die Präposition κατα- bezeichnet hier dann das Eintreten eines Unter-Subjekts unter ein Über-Subjekt, dessen ἐργάζεσθαι vor- und übergeordnet ist. Gott ist immer schon als Subjekt gedacht, wenn κατεργάζεσθαι von Pl positiv verwendet ist[322]. Dieser Sinn ist von den beiden bisherigen Verwendungen des Ziel-Lexems σωτηρία (1,19.28 s. o.) als Bezeichnung der Endvollendung her völlig klar. Die 1,19 getroffene Präzisierung ist hier im Blick zu behalten: Die Bestimmung »ewiges Heil«[323] ist zu allgemein, denn einerseits muß der Zusammenhang von der vorläufigen Rettung (Versöhnung, Gerechtmachung) auf das Endziel der Vollendung hin gesehen werden und zum anderen ist nicht »Endgericht« das übergeordnete Suprenym dieses pl Wortfeldes. Es ist das Ziel, zu dem die Gemeinde faktisch schon auf dem Wege ist, wie 1,28 bestätigte und wie auch die andere σωτηρία-Stelle 1,19 im

---

314 J. Weiß 1Kor 48 z. St.; vgl. Pedersen 1978: 15–17.
315 Gnilka 148 bezieht das erste inkonsequent ebenso bestimmt nur auf Pl – mit Bonnard gg. Lohmeyer – wie das zweite – gg. K. Barth und Bonnard – nur auf Gott.
316 Beare 89.   317 Balz ThWNT IX 210.
318 Bertram ThWNT III 635–637.   319 Gg. BauerWB 834f.
320 So zu allgemein Lohmeyer 103; Gnilka 149 in pauschaler Soteriologie.
321 Haupt 91.
322 Bertram ThWNT III 636; Pedersen 1978: 21f.
323 So Gnilka 149.

Blick auf die passive Lebenserfahrung der Gemeinde bestätigte. Unsere Stelle bringt die Ergänzung nach der aktiven Seite des Lebens hin dazu. Also ergibt sich die Zielbestimmtheit von κατεργάζεσθαι auch von dem Bezugsobjekt τὴν ἑαυτῶν σωτηρίαν her.

Das bedeutet, daß der Akkusativ hier nicht einfach als ergänzender Akkusativ, sondern als loserer Akkusativ der Beziehung zu nehmen ist[324] (wie schon 4,10 »was betrifft«; auch 1Kor 12,13b löst dieser grammatische Lösungsvorschlag ein kompliziertes theologisches Problem. Im übrigen ist dieser Gebrauch auch beim Simplex nicht ungewöhnlich: 1Kor 16,10 ἔργον κυρίου ἐργάζεται).

Im Textverlauf hier hat σωτηρία V. 16 ein zusätzliches Synonym (= ζωή, wobei der Zusammenhang dort mit λόγος ζωῆς den gleichen inneren Bezug von Weg und Ziel deutlich macht durch die Kennzeichnung des Evangeliums als λόγος ζωῆς (vgl. Röm 1,16 δύναμις θεοῦ εἰς σωτηρίαν). Außerdem sind die zugehörigen Verben Kontextsynonyme: κατεργάζεσθαι

= ἐπέχειν λόγον.

V. 13 ist eine komplenyme Doppelung erläuternd dazu: θέλειν + ἐνεργεῖν.
Zusammenfassend meint V. 14 dasselbe   = πάντα ποιεῖτε
also die Lebensgestaltung der Christen als Christen.

Die Gemeinde ist im Plural angesprochen und durch den in Anknüpfung an V. 3f. auffallenden Zusatz ἑαυτῶν ist σωτηρία als gemeinsames Vollendungsheil besonders betont (vgl. das Possessivpronomen 1,28 und Röm 13,11 als pluralische Näherbestimmung – sonst 11mal absolut verwendet). Gegen eine durch eine übergeordnete Gerichtsvorstellung in σωτηρία eingetragene Individualisierung ist wesentlich, daß sie für Pl »nur als Heil einer Gemeinschaft denkbar ist«[325]; das Reflexivpronomen betont auf jeden Fall die kooperative Gemeinsamkeit, und auch wenn das Moment der Gegenseitigkeit nicht mehr so wie V. 2–5 im Vordergrund steht, so klingt es doch hier nach und ist in der Sache damit gegeben[326]. Es ist aber nicht gesamtbestimmend für den 3. Teil der Gemeindeparänese und entfaltet einen anderen Totalaspekt als V. 2–5 und entspricht darum stärker der ersten Entfaltung des Ethos in 1,27f.

Zusammenfassend ist festzustellen, daß es in der analysierten Wendung nicht um eine gerichtsdrohende Warnung vor falscher Sicherheit geht, wofür sie oft unanalysiert herangezogen wird. Nur eine unvollständige, konkordante Rohübersetzung kann darin einen Beleg der »Sorge und Angst um sein eigenes Heil« sehen[327]; (dies entspricht natürlich ebenso der langen Tradition des selbstbeobachtenden Bewußtseins des Abendlandes wie es vielen semantischen Gehalten pl Wendungen, die dafür herangezogen werden, nicht entspricht)[328].

6.3.4. Die theologische Begründung des ersten Imperativs (2,13)

Daß dem Imperativ von V. 12b neben der Vorordnung der gemeindlichen Voraussetzung als Indikativ (V. 12a) auch noch eine nachgeordnete theologisch-indikativische Begründung in V. 13 folgt, entspricht genau der Struktur von V. 1–11:

V. 1   entspricht V. 12a
V. 2–5   ″   V. 12b
V. 6–11   ″   V. 13.

---

324 B–D–R 160,1 und 197,1.
326 Gnilka 149f.
328 Vgl. Stendahl 1963 und 1978: 10ff.

325 Lohmeyer 103; Pedersen 1978: 22f.
327 So zuletzt Wilckens 1978: 146.

Man hat den Anschluß von V. 13 als »seltsam paradox« charakterisiert[329]: »Weil Gott alles wirkt, darum habt ihr alles zu tun!« ist ein vielzitiertes Oxymoron geworden[330]. Es klingt aber wohl nur für unsere Ohren so und auch nur dann, wenn man von einer semantisch unvollständigen bloßen Wort-für-Wort-Übersetzung von V. 12 ausgeht, nicht aber, wenn man den Brief im Zusammenhang gelesen hat und von 1,6 herkommt. Hier wird nichts anderes als dort gesagt, daß nämlich Gott nicht nur im Christwerden wirkt, sondern auch in der kontinuierlichen Gestaltung des Christseins. Auch das Verhalten der Christen als Inhalt der Fürbitte 1,9–11 wäre sonst unverständlich. Liest es eine pl Gemeinde von diesen ihren prägenden Sachzusammenhängen her, so ist es weder verwunderlich noch »paradox« – paradox nur für unsere Ohren, deren theologische Systemstruktur durch einen offenbar weniger pl geprägten Code von Strukturrelationen der abendländischen Tradition vorgeprägt ist – und man sollte solche suggestiven Formulierungen nicht zu oft wiederholen, um ein Paradox-Christentum nicht noch stärker zu verfestigen. Die Bereitschaft für das, was Gott im Wollen und Wirken ausrichten will, ist sowohl Gegenstand des Gebets wie der gegenseitigen Ermutigung und Ermunterung der Christen.

Die Funktion des Begründungssatzes wird völlig klar, wenn man sieht, daß (a) das Prädikatsnomen θεός betont vorangestellt ist, und dem entspricht, (b) daß statt der einfachen finiten Verbkonstruktion (ἐνεργεῖ) die periphrastische Funktionsverbverwendung ἐστιν ὁ ἐνεργῶν das personale Moment nochmals betont: Gott ist ja derjenige, der bei euch am Werke ist« (das Verb von Gott immer im Blick auf das Heilswerk 1Kor 12,6(11); Gal 2,8; 3,5; öfter vom menschlichen Wirken: vgl. Gal 5,6 mit unserer Stelle). Damit ist klar die Funktion des Satzes bestimmt: Sie geht nicht auf den Gedanken aus, »Gott werde die Lässigkeit der Leser strafen, sie sollten sich also vor ihm fürchten; also nicht der »Ernst der Verantwortlichkeit der Philipper« soll gestärkt werden[331], wie dies von einer unvollständigen semantischen Erfassung des Syntagmas φόβος καὶ τρόμος her eingelesen wird. Vielmehr wird durch »das γάρ in erster Linie eine Ermutigung eingeführt«; daß ihnen mit dem voranstehendem Imperativ »nicht zu Schweres zugemutet werde, wird nun dadurch begründet, daß sie durch Gott selbst« es erhalten[332].

(c) Schon 1,6 erschien unser Text den mit πεποιθὼς οἶδα eingeführten Zuversichtssätzen analog, die den πιστὸς ὁ θεός-Formeln entsprachen (s. o.). (d) Sowohl vom Ort des Satzes im Text wie von seiner formtypischen Indikativfunktion und dem Aussagegefälle her, das auf Gottes Wirken für den zu begründenden Imperativ ermuntern den Ton legt, ist zu erwarten, daß das absolute εὐδοκία am Schluß Gott zum Subjekt haben muß, auch wenn das bei Pl einmalig ist (in LXX aber die Regel; anders 1,17 und Röm 10,1)[333]. Die Stellung am Schluß dürfte sich außer durch die Betonungsfunktion hier auch durch den Parallelismus von Tun und Wollen und den Chiasmus der zugeordneten Subjekte nahelegen. Da in unserem Subtext ohnehin die häufige Verwendung von ca. 10 Doppelausdrücken auffällt[334], so dürfte dieses Formprinzip auch hier bestimmend sein.

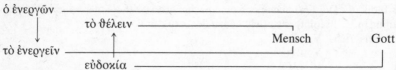

329 So Bornkamm 1959: 91.
330 Vgl. daraufhin Gnilka 149; Merk 1968: 184f.; Stuhlmacher 1966: 235.
331 Dgg. m. R. Haupt 93. 332 Haupt ebd.
333 Vgl. Lohmeyer 104 Anm. 3. 334 Vgl. schon Bultmann 1910: 70; Dibelius 64.

Dem betonten Anfang mit Gott entspricht ein betonter Schlußverweis auf Gottes Aktivität zur Stärkung der Ermutigung (damit wird der deutende Zusatz von C, aeth αὐτοῦ für Gott als kontextgemäß erwiesen)[335]. Nur eine solche Funktionsbestimmung wird dem Text gerecht, die die abschließende Präpositionalwendung auf das subjektgleiche Anfangsverb bezieht und damit zugleich kausal deutet. Der Begründungsfunktion des Gesamtsatzes entspricht das Verständnis »um seiner freien, aus seinem innersten Wesen fließenden Liebe (εὐδοκία) willen«, mit ὑπέρ zur Bezeichnung der inneren, geistigen Ursache[336], (wobei m. R. εὐδοκία wie 1,17 mit ἀγάπη identifiziert wird; vgl. zum Präpositionsgebrauch 2Kor 12,8; öfter bei »Leiden« wie 1,29 (s. o.) und »Danken« wie Röm 15,9[337]). Von der Gesamtstruktur her ist ein finales Verständnis der Präposition, das sie an das Imperativ-Referat καὶ τὸ θέλειν καὶ τὸ ἐνεργεῖν unmittelbar anschließt und »zur Verwirklichung des Ratschlusses Gottes« versteht[338], ausgeschlossen, weil dann die Begründungsfunktion des ganzen Satzes abgeschwächt würde und die Wendung so verstanden wird, als stünde sie in dem vorangehenden Imperativsatz. Im Grunde ist darum der Lösungsvorschlag, die Wendung zum folgenden Imperativsatz zu ziehen[339], mit diesem Lösungsvorschlag funktionsgleich[340], und was gegen sie spricht, spricht gegen die finale Lösung überhaupt.
Somit läßt sich die Indikativfunktion von V. 13 mit Haupt im Blick auf den voranstehenden Indikativ so angeben: »Gott regt zunächst das Wollen des Menschen an, indem er von widergöttlichen Zielen dasselbe auf die Dinge seines Reiches hin richtet; er tut dann noch mehr, indem er auch das Maß der Tatkraft gibt, welches dazu gehört, ein als richtig erkanntes Ziel zu verwirklichen.«[341] Das θέλειν entspricht dem δοκιμάζειν von 1,10 und Röm 12,1, dem das Herausfinden des Willens Gottes durch das (ἐπι)γινώσκειν des νοῦς vorausgeht, und dem die Ausführung folgt.

6.3.5. Der zweite Imperativ als abgrenzende Präzisierung der Ausführung (2,14)

Mit dem Imperativ ποιεῖτε werden die bisherigen Handlungsverben wieder aufgenommen, und πάντα unterstreicht, daß wir uns noch im Bereich der generellen Handlungsweisen befinden. Somit wird hier nicht ein neuer, vom vorangehenden unabhängiger Einzelimperativ locker angeschlossen, sondern das Neue (Rhema) besteht nur in der eingrenzenden Präzisierung (χωρίς) mittels zweier LXX-griechischer Ausdrücke. Dabei weist der Plural beider Ausdrücke, den schon die Textüberlieferung wie Übersetzungen fälschlich singularisierten, deutlich auf Einzelakte hin[342]:
a) In seiner lexikalischen Grundbedeutung bezeichnet das von Pl nur hier verwendete nomen actionis γογγυσμός »die Unzufriedenheit wegen eines nicht erfüllten Anspruchs« (hebr. lun meint »rebellieren«, wobei in der griech. Übersetzung die Gefahr einer Abschwächung liegt)[343]. Gegenüber dieses Mißfallens ist bei der Häufung in Ex 15–17 und Num 14–17 (Israel in der Wüste) Gott, was bei der einzigen pl Verwendung

---

335 Schrenk ThWNT II 744 Anm. 38 und Riesenfeld ThWNT VIII 517; gg. sy^p »das Tun desjenigen, was ihr wollt; bzw. vulg »pro bona volunta« sowie Zahn, Ewald, Martin; auch BauerWB 632 »über den guten Willen hinaus« ist eine Verlegenheitslösung, zumal dies die einzige ntl. Stelle wäre, wo diese Bedeutung vorläge: Riesenfeld ebd. 510.
336 Haupt 94 Anm. 2 nach K–G 435,1b.
337 Risenfeld ThWNT VIII 517; ferner Dibelius, Michaelis, Gnilka 150.
338 So Riesenfeld ebd. nach Lohmeyer 104f. und Moule 1971: 65.
339 So schon Hofmann und B–D 231,2 und jetzt B–D–R mit irrtümlichem Verweis auf Schrenk, während der kausale Aspekt leider nicht behandelt wird.
340 Moule 1971: 65.   341 So Haupt 94.   342 Vgl. Haupt 95.
343 Gnilka 158; Rengstorf ThWNT I 727–737; Heß EWNT I 618f.; Knierim THAT I 870–872.

des Verbs 1Kor 10,10 explizit und hier implizit dahintersteht. Vorausgesetzt ist die Situation der Gefahr und Bedrohung der Gemeinde von außen, in der Rebellion gegen Gott und damit die Tendenz zu einem Rückgängigmachen seiner Befreiungsgeschichte entsteht. Das Wort bezeichnet im hellenistischen Judentum ein prinzipielles Kennzeichen des Lebens im Widerspruch zu Gott und ist darum Jes 29,24 Antonym zu ὑπακούειν (Jes 58,7; Sir 10,25; 46,7; PsSal 5,15; 16,11; Sap 1,10f.[344]; darum ist die Analogie von dem widerwillig einem Bettler gegebenen Almosen, das nur auf die »Willigkeit« abhebt[345], m. R. abzuweisen).

b) Die lexikalische Grundbedeutung von διαλογισμός als nomen actionis ist das Erwägen, Überlegen und Erörtern und darum dem Verb gleich[346]. Trotz der absoluten Verwendung ist hier von der Verbindung mit γογγυσμός zum Doppelausdruck her von vornherein der negative Beiklang wie die Beziehung auf Gott mitgesetzt. Auch darin wirkt LXX-Verwendung weiter (Jes 59,7; LXX-Ps 55,6; 93,11; 145,4; Sir 27,5; Test Jud 14,2; Sap 7,20)[347]. Im Kontext der Gefahren von außen her geht es hier nicht um »schnellen Gehorsam«[348], der Überlegen überhaupt ausschlösse, auch nicht um »Zweifel« im Sinne skrupulösen Reflektierens[349], da Röm 1,21 und 1Kor 3,20 (mit μάταιος aus LXX-Ps 93,11) als nächste Parallelen zu nehmen sind und auch Röm 14,1 die Bedeutung »Zweifel« zu bestreiten ist[350], also das »mißtrauische Bedenken« (vgl. den Gebrauch in Papyrusurkunden, wo die alte Bedeutung »Berechnung« noch lebendig ist)[351]: Ein argwöhnisches Berechnen der möglichen negativen Folgen einer Handlung, die zu kompromißlerischem Taktieren führt, ist in der Tat die stärkste Gefahr einem Ethos gegenüber, das Gott die von ihm bestimmten und gewirkten Entscheidungen zur Vollendung überläßt, was ein Grundkennzeichen des pl Ethos ist (1,6.9–11 u. ö.).

6.3.6. Die dritte Aufgabe als übergeordnete Zielbestimmung (2,15a)

Die Verwendung von ἵνα nach einem Imperativ läßt auch das Folgende als Imperativ erscheinen (s. o. 1,27 wo die Konstruktion dann aber unter der Hand geändert wurde). Anders als 1,27 folgen hier aber nicht untergeordnet entfaltende Weiterführungen, sondern ein übergeordneter Zielaspekt. Darin entspricht die Stelle noch mehr der analogen Abfolge in 1,10 (s. o.), wo dann auch eine unserer Doppelwendung synonyme Doppelwendung folgt (1Clem 2,5 verbindet darum εἰλικρινής mit ἀκέραιος):

εἰλικρινεῖς   καὶ ἀπρόσκοποι
ἄμεμπτοι   καὶ ἀκέραιοι

Dieser Zielaspekt ist darum trotz des doppelten ἀ-privativum nicht primär auf die Einschränkung (χωρίς) des vorangehenden Hauptsatzes zu beziehen[352], sondern auf dessen grundsätzliche Weiterführung des Gesamtaspekts des Handelns überhaupt (πάντα ποιεῖτε). Der Plural der Adjektive weist wieder auf Einzeltaten von Einzelpersonen hin. Dieser Aspekt wird noch dadurch verstärkt, daß im Unterschied zum ἦτε von 1,10 hier γένησθε verwendet wird und damit die Nuance des Zustandekommens eines Resultats mehr aktualistisch ausdrückt.

---

344 Lohmeyer 105 Anm. 2.
345 So Haupt 95 Anm. 2; dgg. m. R. Lohmeyer 106 Anm. 2.
346 Schrenk ThWNT II 95–98.   347 Schrenk ebd.; Lohmeyer 106 Anm. 1.
348 So Haupt 95.   349 So Schrenk ebd. 97; Lohmeyer 104.
350 So mit Käsemann und Schlier z. St. m. R. Dautzenberg EWNT I 737 gg. Petzke ebd. 740f.
351 Gnilka 151 Anm. 35 mit Preisigke s. v.; vgl. Käsemann 1960: 294 »geheime Kritik an der Güte Gottes«.
352 Haupt 95.

Die Zielbestimmung ἄμεμπτοι meint, »daß sie Gott keine Ursache zum Tadel geben« und meint nicht primär eine Relation zu Menschen[353]; 3,6 mit der Verwendung für das vorchristliche Pharisäerideal des Pl zeigt, daß eine mehr formal-relationale Sekundärtugend vorliegt und die vorgegebene Kommunikationsbeziehung dafür letztlich sachbestimmend ist; nächste Parallele ist darum die deutlich eschatologische Ausrichtung in der dritten pl Stelle 1Thess 2,13 – vgl. das Adverb 2,10; 5,23 (in LXX vor allem über 10mal bei Hiob, sonst nur Gen 17,1; Est 8,12; Sap 10,5.15; 18,21)[354]. Das im Doppelausdruck damit zusammengebundene ἀκέραιος (Röm 16,19; im NT nur noch Mt 10,16 sprichwörtlich von den Tauben) steht auch an der einzigen LXX-Stelle Est 8,12f. im gleichen Kontext wie der Doppelausdruck von der Gesinnung als Herrschertugend, während es sonst in hellenistischer Verwendung vor allem von der Unvermischtheit von Wein, Gold usw. verwendet wird: Lauterkeit und Integrität[355].

6.3.6.1. Der begründende Indikativ (2,15b)

Die asyndetisch angeschlossenen, das Klagelied des Mose (LXX-Dtn 32,5) durch μέσον (Koine = ἐν μέσῳ)[356] zerteilend aufnehmenden Wendungen gehen »aus der Sphäre des Sollens in die des Seins hinüber« und haben so Begründungsfunktion[357]: τέκνα θεοῦ kann nicht mehr von dem aktualistischen γένησθε abhängig sein, da es ja das Grundresultat des zurechtbringenden Gotteshandelns ist (Röm 8,16f.21; 9,8 vgl. synonym υἱοί Gal 3,26; 4,6, was nach den Zusammenhängen nicht das semantische Element der Kindlichkeit, sondern entsprechend dem Zusammenhang mit dem christologischen Sohn-Begriff die mündige, aktive Berufung zur Mitregentschaft bezeichnet)[358]. τέκνα θεοῦ ist also »der neu eingeführte und also betonte Begriff«, also das »Rhema« im Sinne der funktionalen Satzperspektive, während ἄμωμα hier »nur hinzugesetzt« ist »in Erinnerung an den Ausdruck des Dtns, auf welchen Pl gerade durch den Begriff der Tadellosigkeit im vorigen geführt worden ist« (ebd.), der also nur das wiederholende »Thema« im Unterschied zum Rhema ist. Der Ausdruck ist hier nicht von der Opfersprache oder dem Hebr her zu verstehen, sondern von der Weisheitssprache[359], (Kol 1,22 wie Eph 1,4; 5,27 dürften von dieser einzigen pl Stelle literarisch abhängig sein). Unterstrichen durch den Gleichklang mit dem ἀ-privativum nimmt es synonym das voranstehende imperativische Doppeladjektiv auf und wird dann durch das von der Moseklage her vorgegebene Doppelattribut σκολιᾶς καὶ διεστραμμένης antonym weiter bestimmt, was Lohmeyer wortspielerisch mit »irre und verwirrte« wiedergibt[360]; beide waren ursprünglich vom Wege gebraucht, im Gegensatz zum »geraden«, und von daher in der Weisheitssprache ethisch[361] (vgl. das erste noch Lk 3,5; Apg 2,40; 1Petr 2,18, das zweite im passivischen Partizip auch noch Apg 20,30 sowie Lk 9,41 und Mt 17,17 in parallelen, aber voneinander unabhängigen Zusätzen zu Mk 9,19 unter dem Einfluß der gleichen LXX-Reminiszenz von Dt 32,5)[362]. Sobald die berufene Gemeinde als handelnde angesprochen ist, kommt das Problem ihrer Umwelt in den Blick (vgl. 1,27f.) und als ihr eigener Herkunftspunkt ist zunächst die Unterscheidung als der primäre Gedanke für den ethischen Kontext veranschlagt (Röm

---

353 Haupt 96; Grundmann ThWNT IV 576–578.   354 Lohmeyer 108 Anm. 1; Gnilka 152.
355 Haupt 96; Kittel ThWNT I 209f. wandte sich daher m. R. gg. die Bedeutung »einfältig«, was Gnilka 152 leider wieder verwendet; hellenistische Belege bei Lohmeyer 108 Anm. 1.
356 B–D–R 215,3; Lohmeyer 107 Anm. 1.
357 So Lohmeyer 107.   358 Haupt 96; Gnilka 152.
359 Lohmeyer 107 Anm. 2; Hauck ThWNT IV 836; Balz EWNT I 175f.
360 Ebd. 107f.; vgl. Haupt 97 Anm. 2 + 3 »verquer und verdreht«.
361 Bertram ThWNT VII 405–410 und 717f.   362 Busse EWNT I 751f.

12,1f.). Wie in der synoptischen Traditionsgeschichte von Q und ihren jüdisch-apokalyptischen Vorgaben her, redaktionell 7mal für Israel gebraucht[363], sofern es die Heilsführung Gottes ablehnt im Gegenüber und Gegensatz zu der neuen Gemeinschaft, die nun die Funktion des Bundesvolkes wahrnimmt, so ergibt sich auch hier von der Antithese des Zusammenhangs her, daß γενεά mit eschatologischem Akzent als die in der Ablehnung verharrende »Endzeit-Generation« zu verstehen ist.

6.3.7. Die vierte Aufgabe der Weltbezogenheit (2,15c.16a)

Die Schwierigkeit der Funktionsbestimmung des »nur locker und mit grammatischer Unregelmäßigkeit« durch die constructio ad sensum angefügten Relativsatzes hat Lohmeyer dazu geführt, hier stärker das »Sein« als das »Sollen« ausgedrückt zu sehen[364], obwohl er dafür eintritt, daß das anschließende »Partizipium in den Relativsatz hineingehört«[365]. Doch ist einerseits klar zu sehen, daß der Relativsatz über die voranstehende, vorläufige, bloße Nebeneinandersetzung von Gemeinde und Umwelt hinaus mit φαίνεσθε nun deutlich eine direkte Verhältnisbestimmung zwischen den beiden einbringt, und zum anderen der Partizipialsatz offenkundig die Aufgabe von V. 14 fortführt (partizipialer Imperativ wie Röm 12,9ff.)[366] und zugleich das bildliche φαίνεσθε durch ein »indem« expliziert[367]. Darum wird man beide Sätze zusammennehmen, ohne φαίνεσθε unbedingt grammatisch als direkten Imperativ aufzulösen[368], wohl aber funktional vom Kontext her so verstehen müssen. Die Konstruktionslösung dürfte darin liegen, daß man – was gerade beim Relativ- und Partizipialsatz naheliegend ist – sie als konditionale Protasis nimmt und εἰς καύχημα als Apodosis dazu versteht (s. o. 1,21ff.): »Wenn ihr . . .«
Die Wendung φαίνεσθε ὡς φωστῆρες ist nicht nur »Reminiszenz an Dan 12,5 LXX«[369], sondern bezeichnet einen wichtigen apokalyptischen Topos überhaupt, der überall »apokalyptische Würde« bezeichnet (Sap 3,7; 1Hen 108,11–14; 2Hen 66,7; AssMos 10,9; Mt 13,43; 4Esr 7,97.125; 2Bar 51,1f.)[370]. Man muß dabei nicht zwischen »Licht« und »Lichtträger« (ὡς = »als«) unterscheiden, wobei auch offen bleiben kann, wieweit der Ausdruck noch bildlich (ὡς = »wie«) als »Gestirn« empfunden wurde, da in jedem Falle klar auf die Funktion für die Umwelt (κόσμος) abgehoben ist: »das Dunkle erhellen«[371]. Bei Pl hat die Lichtmetaphorik, die er vom Anspruch Israels (Röm 2,19) auf die endzeitliche Gemeinde des Auferweckten überträgt und immer eschatologisch-ethisch verwendet (1Thess 5,4f.; Röm 13,12; auch 2Kor 6,14ff. möchte ich als pl ansehen[372]), deutlich einen missionarischen Akzent (2Kor 4,4–6)[373]. Außerdem meint das mediale φαίνεσθαι auch »strahlen« und nicht nur »erscheinen« oder gar bloß »sich abheben«[374]. Mission und Ethik sind bei Pl nicht strikt getrennt, wie außer 2Kor 4,4–6 auch der Zusammenhang beider Phil 1,27f. (s. o.) zeigte. Die Auftrags-

---

363 Hoffmann 1972: 64f., 67, 158ff., 228f.; Polag 1977: 138f.
364 Lohmeyer 108; B–D–R 296. 365 Ebd. gg. Haupt 97f., dem Gnilka 152f. folgt.
366 So Dibelius 64. 367 So Haupt 98f.
368 So nach Chrysostomus, Pelagius, Erasmus, Calvin: Michaelis, Bertram ThWNT VII 409, Beare 92.
396 Lohmeyer 108 Anm. 5. 370 Vgl. Bousset-Gressmann 1966: 277.
371 Gnilka 152f.
372 Mit Schmithals 1965 gg. Gnilka, Conzelmann ThWNT IX 334 u. a.
373 Conzelmann ebd. 337.
374 Bultmann-Lührmann ThWNT IX 1f.; Conzelmann ebd. 337 Anm. 286 gg. Lohmeyer 108f.; Haupt 97f.

treue nach innen und nach außen gehören zusammen. Das Zeugnis der Gemeinde wird direkt verbal wie indirekt durch das Verhalten vollzogen[375].

Der Evangeliumsbezug wird mit λόγος deutlich angezeigt und die Leuchtkraft wird vom Bild zur Sache wechselnd dem bei Pl einmaligen ἐπέχειν (»festhalten«) zugeschrieben[376]; dgg. weist das oben V. 12 festgestellte Kontextsynonym auf die Synonymie mit dem κατέχειν des Evangeliums von 1Kor 15,2 als nächster Parallele. Der Welt gegenüber ist weder taktische Anpassung noch überhebliche Distanz die angemessene Haltung, sondern strikte Auftragstreue des Zeugnisses in Mission, Gemeindegestaltung und Leiden (Barmen 3). Dem Evangelium gegenüber gibt es nur die Haltung treuen Bewahrens, da sein semantischer Gehalt im Vorgang immer neuer pragmatischer Entfaltung und Anwendung feststeht. Die hier einmalige pl Kennzeichnung als λόγος ζωῆς entspricht den analogen qualitativen Kennzeichnungen (wie καταλλαγῆς 2Kor 5,19; σοφίας 1Kor 2,4.13; 12,8; ἀληθείας 2Kor 6,7 bzw. antonym κολακείας 1Thess 2,5; und auch 1Kor 1,18 ist λόγος τοῦ σταυροῦ Ausweis des Kontextes weniger als inhaltsangebender Gen. objectivus, sondern als qualitativus zu verstehen als Charakterisierung des Evangeliums als Nachricht von der Auferweckung des Gekreuzigten und damit von der auferweckenden δύναμις θεοῦ 1,25 am τὰ μὴ ὄντα 1,28). Es ist das Wort, das »das wirkt, wovon es spricht« (1Thess 2,13) und insofern ist ζωή synonym mit σωτηρία V. 12 das »lebensvermittelnde Wort«[377]. 2Kor 2,16 bezeichnet bildlich vom weisheitlichen Sprachgebrauch her beide Seiten präpositional als ὀσμὴ ἐκ ζωῆς εἰς ζωήν, wobei das Abstractum ζωή als nomen resultantum auch im ersten Falle von der Auferweckung spricht (Röm 14,9 ἔζησεν; und Christus als πνεῦμα ζωοποιοῦν 1Kor 15,45) wie auch Röm 6,4 das Abstractum ζωή in der Wendung ἐν καινότητι ζωῆς im Anschluß an die unmittelbar voranstehend zitierte Pistisformel 4,24f. personal aufzulösen ist: »im Herrschaftsbereich des Neuen, also des auferweckten Jesus«.

6.3.7.1. Die Motivation vom Ziel her (2,16b.17)

Die finale Zielangabe mit vierfachem εἰς richtet sich auf den Vollendungstag (εἰς ἡμέραν Χριστοῦ s.o. 1,6), auf den hier schon σωτηρία (V. 12) und ζωή (V. 16a) hinblickten. Nun geht es aber nicht nur um die ἑαυτῶν σωτηρία, sondern auch um die σωτηρία des Pl und um deren größtmögliche Steigerung. Dazu wird eine doppelte, antithetische Entfaltung gegeben, wobei ὅτι hier nicht kausal[378], sondern dem εἰς entsprechend parataktisch final[379] zu nehmen ist, sodaß die doppelte Apodosis der doppelten Protasis von 15c.16a formal entspricht:

εἰς καύχημα ἐμοί
= οὐκ εἰς κενὸν ἔδραμον
+ οὐχ εἰς κενὸν ἐκοπίασα.

Der Handelnde bei der Vollendung ist Gott (s.o. 1,10). Er vollzieht die anerkennende καύχησις (s.o. 1,26), und καύχημα als Gegenstand »ist Zeichen der erfüllten Aufgabe und der bewahrten göttlichen Gabe«[380]. Diese hat nicht nur jeder Christ oder jede

---

375 Gg. Haupt 97f. und Gnilka 152f. ist hier nicht eine unpl Alternative aufzurichten.
376 Bauer WB 564f.; EWNT II 54; gg. Haupt 98f. nicht nur »verstärktes ἔχειν oder »tragen« – so Lohmeyer 109; auch die ebd. Anm. 3 erwogene feste Wendung λόγον ἐπέχειν + Genitiv = »eine Rolle spielen« wird gg. sy[p] m. R. abgewiesen.
377 Haupt 99; vgl. Apg 5,20; Gnilka 153 Anm. 45 betont gg. Lohmeyer 110 und Beare 93, daß man dies nicht semantisch unreflektiert mit dem joh Sprachgebrauch von Joh 1,4f.; 6,68; 1Joh 1,1 verbinden darf, da die Bedeutungsstrukturen zu verschieden sind.
378 Gg. Haupt 100.
379 B–D–R 456, 2 vgl. 391 – oder auch hypotaktisch-explikativ, was auf das gleiche hinausläuft.
380 Lohmeyer 110.

Gemeinde für sich selbst, sondern immer auch zugleich für und mit den anderen, wie die Reziprozität auch 2Kor 1,14 zeigt: »Es ist Sinn und Ziel des pl Aposteltums, daß für ihn nicht das Bekenntnis des eigenen Lebens genügt, sondern das Bekenntnis der von ihm gegründeten Gemeinden notwendig ist.«[381] Dieser Doppelaspekt bestimmt auch die beiden verwendeten Verben: τϱέχειν lenkt den Blick auf den eigenen Lebensweg unter dem Evangelium (persönlich auch 3,12–14; 1Kor 9,24–26; von der Gemeinde Gal 5,7 – anders Röm 9,16), während ϰοπιᾶν als terminus technicus für die Arbeit für andere in der Gemeinde (»Gemeindearbeit« s. o. zu 1,14) den zweiten Aspekt deutlicher noch als besonderen Akzent eigens heraushebt (pl 9mal und zwar meist gegen Briefende – vgl. auch das Substantiv 10mal)[382].

Wichtig ist, daß durch die Antonymentsprechung der ntl. nur von Pl (Gal 2,2; 1Thess 3,5; 2Kor 6,1)[383] verwendete Septuagintismus εἰς ϰενόν (Jes 29,8; 49,4; 65,23; Jer 6,29; 18,5 aber auch JosAnt 19,96 und Papyri)[384] im Wortfeld eschatologischer ϰαύχησις und nicht unter einem isolierten und übergeordneten Gerichtsaspekt steht, was für das 10malige pl ϰενός gilt, sofern es nicht die referenzsemantische Inhaltslosigkeit (1Kor 15,14 des Evangeliums als ausgeschlossener Widerspruch), sondern deren pragmatische Folge, die Wirkungslosigkeit beschreibt (1Kor 15,14 von der Annahme des Evangeliums = V. 17 synonym μάταιος; vgl. außer V. 10.58 1Thess 2,1 und εἰϰῇ Gal 4,11). So wie in ἀδόϰιμος 1Kor 9,27 durch die semantisch falsche Übersetzung »verwerflich« diese Art römisch-germanisch geprägter Gerichtsvorstellung und der zugehörige Angst-Aspekt nur fälschlich eingetragen wurde, so ist auch hier nicht ein »drohendes« Moment zu veranschlagen[385]. Es geht auch hier nicht um ein Gericht der Person nach den Werken, sondern um das Gericht der Werke; sie sind ϰενή, wenn sie nach 1Kor 3,12–15 unbrauchbar wertlos wie Holz, Heu und Schilf der eschatologischen Feuerprobe nicht standhalten; sie sind aber nicht εἰς ϰενόν, wenn sie τιμίοις sind und μισθός in Gestalt von ϰαύχησις erlangen. Entsprechend sorgfältig ist auch 2Kor 5,10 darauf zu achten, daß dem ἀγαθόν nach der ursprünglichen Lesart eben nicht das »ethisch Schlechte« (ϰαϰόν), sondern das Minderwertige, was keinen Gewinn und Nutzen schafft (φαυλόν) gegenübersteht[386]. Nicht die Angst vor einem Drohenden motiviert hier und in anderen entsprechenden Zusammenhängen, sondern es geht um die positive Motivation zu einer Haltung, die ihren ganzen Ehrgeiz daransetzt (φιλοτιμούμεθα 2Kor 5,9!), den geschenkten gemeinsamen Heilsanfang nicht nur zu bewahren, sondern anzuwenden, also nicht nur zu verwalten, sondern zu gestalten, damit die ζωή am Ende durch ein Höchstmaß von vollendbarem Material noch schöner und reicher werde. (Auch das Talentengleichnis aus Q-Mt 25,20–28 par. entspricht dem pl οὐχ εἰς ϰενόν, was aber schon der gerichtsdualistische Zusatz der Q-Redaktion V. 29 verdirbt und die mt Redaktion V. 30 noch steigert).

Der Begründungszusammenhang von V. 16b wird V. 17 fortgesetzt: ἀλλά markiert den unmittelbaren Zusammenhang innerhalb der Antithese, und darum beginnt hier kein neuer Abschnitt[387], vielmehr wird immer noch die Doppelmahnung von V. 15c16a begründet. Die neue konditionale Protasis nennt die extreme Möglichkeit des anstehenden Hinrichtungstodes und beschreibt diese mit dem inzwischen vom Kult gelösten und in der Märtyrersprache gebräuchlichen Wort vom »Ausgegossenwerden«

381 Ebd.
382 Hauck ThWNT III 827–829 nach Harnack 1928.
383 Haupt 100; Lohmeyer 110 Anm. 2.
384 Vgl. Oepke ThWNT III 659 f.
385 Gg. Gnilka 153; dgg. schon Dibelius 64: »nicht von ernster Sorge diktiert«.
386 Bachmann 2Kor 241 Anm. 2, 243 z. St. gg. frühe Textveränderungen wie die lat. Übersetzungen mit »malum«, und noch Bultmann 2Kor 145 z. St. interpretiert unter dem Zwang der Tradition »Verdammung« hinein, was Röm 8,1–4 ausschließt.
387 Gg. Lohmeyer, Beare, Friedrich – aber gg. Gnilka auch kein Unterabschnitt.

(σπένδομαι im passiven Sinne; vgl. TacAnn 15,64 vom Tod des Seneca)[388]. Da für die Philipper in ihrer römischen Kolonie ohnehin die heidnische Kultpraxis als Referenzbezug allein im Blick stehen dürfte und nicht der jüdische Tempel in Jerusalem, so kann keine Rede davon sein, daß damit Pl seiner Hinrichtung sakral-kultische Dignität gäbe oder ihn als »eigentliches« Opfer oder als christlichen Gottesdienst verstehe. Daß Pl auf seinen eventuellen Tod als Gefangener im Zusammenhang des Blicks auf seinen eschatologischen »Vorrat« hin zu sprechen kommt, ist von 1,21 ff. her nicht verwunderlich und bedarf hier keiner neuen Begründung.

Auf die umstrittene Frage, wo die Apodosis beginnt, muß wohl geantwortet werden: mit der Präpositionalwendung ἐπὶ τῇ[389], denn (a) muß die betonte Mitfreude der Philipper einen greifbaren Grund haben V. 18, zumal Pl ebenso an der Freude der Philipper als Mitfreuender teilhaben will, was eine konkrete Objektangabe erwarten läßt[390]. (b) Der Zusammenhang, nach dem der Hauptton des Begründungsgefüges auf der Apodosis liegt und für den die Protasis nur einen extremen Fall voraussetzt, verlangt eine starke Aussage in der Apodosis. (c) Außerdem war die χαρά des Pl, wenn sie sich auf die Philipper bezog (1,4.25), auf ihr Verhältnis zum Evangelium bezogen. (d) Würde man die Präpositionalwendung noch in die Protasis hineinnehmen, dann erscheint – noch dazu unter Überbetonung der kultischen Terminologie – Pl zugleich als Trankopfergabe wie als Opferpriester, was bei allem Sinn für Paradoxien doch wohl eher unwahrscheinlich ist. Darum wird man nicht übersetzen dürfen: »Selbst wenn ich verbluten muß beim Opferdienst an eurem Glauben«[391] – ganz gleich, ob man dann θυσία als Objekt oder nomen actionis bestimmt[392]. Dabei dürfte θυσία ebensowenig wie 4,10 (s. o.) noch spezifisch kultische Bedeutung haben, zumal es hier schon nach dem ebenfalls idiomatischen Ausdruck σπένδομαι steht und andererseits auch λειτουργία in V. 30 unkultisch wiederholt wird und wie 2Kor 9,12 schlicht die »freiwillige Leistung« meint. In einer größeren Nähe zum übergreifenden Wortfeld »Kult« würde man außerdem ohnehin diesen auch im kultischen Sinne umfassenderen Terminus λειτουρία als Suprenym nicht nach, sondern vor dem engeren und spezielleren Ausdruck θυσία erwarten. So dürfte ein durch καί verbundenes Hendiadyoin vorliegen, das als nomen actionis die Aktivität der Philipper meint, die hier wie 2,1 indikativischer Grund für die jeweils zugeordnete Paränese ist und zu weiterer, künftiger Aktivität in diesem Bereich ermuntert. Da diese Aktionsnomina ein Subjekt verlangen, ist πίστις hier nicht als Objekt »die Opfergabe, die sie darbringen«[393] – zumal πίστις dann »in einem weiten Sinn zu deuten« sei, was heutigem Sprachgebrauch zufolge ebenso naheliegend ist, wie es der exakten semantischen Füllung in strikter Beziehung auf die Erstbegegnung mit dem Evangelium fernliegt – s. o. 1,27.29), sondern als Gen. subjectivus ihre Annahme des Evangeliums, aus der heraus nun ihre Aktivität in jeder Gestalt und Form erwächst. Sachlich geht es um den gesamten Lebensvollzug in der Evangeliumsbestimmtheit wie Röm 12,1, wenngleich dort θυσία nicht ein nomen actionis ist[394]. Nur so kann dieser Satz des Pl, sich über ihre Aktivität zu freuen – und zwar mit ihnen zusammen – seiner Begründungsfunktion für ihren Auftrag von V. 15c.16a, ihr Licht in der Welt weiter leuchten zu lassen und die Christusbotschaft festzuhalten, gerecht werden.

388 Lohmeyer 113; Michel ThWNT VII 531; Gnilka 154 Anm. 53.
389 Ewald, Haupt, Gnilka 154f., Schweizer 1959: 156 Anm. 616.
390 Haupt 101.
391 Dibelius 64f.; ähnlich Lohmeyer 112f.; K. Weiß 1954: 357; Michel ThWNT VII 536f.
392 Käsemann 1960: 297.   393 So Gnilka 154.
394 Beare 94.

6.3.8. Der Schlußimperativ (2,18)

Die Anknüpfung τὸ δὲ αὐτό (Mt 27,44 red.) weist anaphorisch (= ὡσαύτως) – unterstrichen durch das adverbiale καί – auf das eben Gesagte zurück und verwandelt es in einen Imperativ[395]; das Objekt der Freude speziell im Tode des Pl zu sehen, wie Haupt und Gnilka meinen, ist durch die direkte Objektangabe mit ἐπί V. 17 nicht naheliegend, denn ein Objektwechsel ist durch die anaphorische Wendung ebenso wie Mt 27,44 ausgeschlossen. Pl hatte 1,4 mit der Freude über sie begonnen und 1,18 im Zentrum der Information den Ausdruck seiner gegenwärtigen und die Gewißheit der künftigen Freude für jeden möglichen Fall begründet. So schließt er auch die Paränese dieses Briefes mit einem Aufruf zu dieser Freude, die ein Vorschuß der gemeinsamen endgültigen καύχησις ist. Der Gedanke der Gemeinsamkeit ist dabei besonders stark betont[396]. Das pleonastische Personalpronomen verstärkt die Schlußmahnung.

6.3.9. Zusammenfassung: Übersetzung

(12) Liebe Mitchristen,
     weil ihr ständig eure Auftragstreue bewiesen habt,
     und weil ihr das nicht bloß in meiner Anwesenheit,
     sondern jetzt noch viel stärker während meiner Abwesenheit getan habt,
(13)   so setzt eure Arbeit in dieser Auftragstreue im Blick auf eure gemeinsame
        Vollendung hin fort!
     Denn Gott selbst ist ja derjenige, der nach seinem Liebeswillen sowohl in eurem
     Wollen wie in der Verwirklichung am Werke ist.
(14)   Tut alles ohne immer wieder gegen Gott zu rebellieren und ohne dauernde
        taktische Berechnungen!
(15)   Euer Handeln muß vielmehr so sein, daß es Gott zur Vollendung überlassen
        werden kann!
     Euch hat er doch zur kooperativen Partnerschaft freigemacht mitten aus dieser
     verirrten und verdrehten letzten Generation heraus.
        Wenn ihr ihnen als Leuchten eine Nasenlänge voraus seid, indem ihr die
        Christusnachricht, die in die Vollendung führt, in den ständig neuen Anwen-
        dungen durchhaltet,
(16) dann dient das auch zu meiner Anerkennung im Blick auf die vollendende
     Ankunft Jesu hin,
     weil ich dann nicht ergebnislos mein Leben für sein Werk geführt noch fruchtlos
     andere Christen gefestigt habe!
(17) Ja selbst, wenn ich jetzt hingerichtet werden sollte, so bin ich doch froh und teile
     mit euch allen diese Freude über das, was die bei euch gestiftete Christusgemein-
     schaft an Einsatz und freiwilliger Leistung zustande bringt.
(18) Darüber könnt ihr selbst euch nicht weniger freuen und diese Freude mit mir
     teilen!

---

395 Haupt 105; Dibelius 64f.; Lohmeyer 112; Gnilka 155f.
396 Dibelius 65.

7. Vorbereitende Kontaktpläne in Phil B (2,19–30)

7.1 Der Informationsbesuch des Timotheus und der eigene Besuch (2,19–24)

7.1.1. Textsegmentierung

(19)	1.	Ἐλπίζω δὲ ἐν κυρίῳ Ἰησοῦ
	1.1.	Τιμόθεον ταχέως πέμψαι ὑμῖν
	1.2.	ἵνα κἀγὼ εὐψυχῶ
	1.2.1.	γνοὺς τὰ περὶ ὑμῶν.

(20)	2.	οὐδένα γὰρ ἔχω ἰσόψυχον
	2.1.	= ὅστις γνησίως τὰ περὶ ὑμῶν μεριμνήσει
(21)	2.2.	– οἱ πάντες γὰρ τὰ ἑαυτῶν ζητοῦσιν
		οὐ τὰ Ἰησοῦ Χριστοῦ –
(22)	2.3.	τὴν δὲ δοκιμὴν αὐτοῦ γινώσκετε
		= ὅτι ὡς πατρὶ τέκνον σὺν ἐμοὶ ἐδούλευσεν εἰς τὸ εὐαγγέλιον.
(23)	3.1.	τοῦτον μὲν οὖν ἐλπίζω πέμψαι
	3.1.1.	ὡς ἂν ἀφίδω τὰ περὶ ἐμὲ ἐξαυτῆς
(24)	3.2.	πέποιθα δὲ ἐν κυρίῳ
	3.2.1.	ὅτι καὶ αὐτὸς ταχέως ἐλεύσομαι.

7.1.2. Der Rahmen (2,19a.23f.)

Diese Ankündigung ist ringkompositorisch geformt, sofern das Wiederholungssignal οὖν V. 23 zu V. 19 zurücklenkt (ebenso dann V. 25:28!) unter deutlicher Wiederaufnahme der entscheidenden Ausdrücke; dabei ist δέ in V. 19 wie dann in V. 25 das »einfach metabatische, welches die Einführung eines vom vorigen verschiedenen Gedankens bezeichnet«[1]:

V. 19 ἐλπίζω δὲ ἐν κυρίῳ Ἰησοῦ Τιμόθεον ταχέως πέμψαι
V. 23 ἐλπίζω τοῦτον (Proform) πέμψαι
V. 24 ἐν κυρίῳ ταχέως

Weiter liegt eine Synonymentsprechung von ταχέως (V. 19.24) = ἐξαυτῆς (V. 23) vor, was gerade durch die variierende Aufnahme bei Subjektgleichheit im zweiten Falle und die Wiederholung trotz Subjektwechsel im dritten Falle deutlich wird[2] (gerade kein deutliches Abheben).

Dabei ergibt sich überraschend, daß Pl V. 24 seine eigene Besuchsabsicht in einer überbietenden Weise zum Ziel des zunächst auf Timotheus orientierenden Passus macht. Diese Überbietung wird dreifach akzentuiert:
a) durch pleonastisches Pronomen mit adverbialem καί;
b) durch die Relation μέν (V. 23 konzessiv[3]) – δέ (V. 24), womit die Sendung des

---

1 Haupt 105f.   2 Gg. Gnilka 160 Anm. 27.   3 B–D–R 447, 2a Anm. 11.

Timotheus (nächst Pl, Petrus und Barnabas der meisterwähnte urchristliche Missionar: 24mal, 11mal in echten Paulinen, 6mal Apg, ferner 2Thess, Kol, ; 1Tim, 2Tim, Hebr) unter ein bloßes »zwar« tritt (s. o. 1,15 – kaum von den Kommentaren[4] und Übersetzungen entsprechend berücksichtigt, bzw. wird gar der kataphorische Zug der ersten Konjunktion bestritten[5], der es als Verstärkung »in der Tat« fassen will, doch ist der Zusammenhang von V. 19 und 23 nicht gegenüber dem von V. 23 und 24 zu vereinseitigen);

c) hinzu tritt die Markierung durch den Verbwechsel und die dabei veränderte Zuordnung der präpositionalen Ergänzung:

V. 19 ἐλπίζω δὲ ἐν κυρίῳ Ἰησοῦ
    ↓

V. 23 ἐλπίζω μὲν ↓
V. 24 πέποιθα δὲ ἐν κυρίῳ

Dies macht wieder einmal deutlich, daß ἐλπίζω und πέποιθα in einem Synonymverhältnis stehen (s. o. 1,6.19.25). Zugleich wird von daher erklärbar, wie es V. 19 zu der einmaligen Zuordnung von ἐν κυρίῳ zu ἐλπίζειν kommt: sie dürfte vom πέποιθα aus gewonnen sein, so daß eine Übertragung vorliegt (vgl. auch Röm 14,14; doch Phil 1,14 offenbar anders – s. o.). Dabei hat ἐλπίζειν nicht nur eine rein passive Bedeutung, sondern im Zusammenhang von künftigen Arbeitsmöglichkeiten immer auch das aktive Moment des Planens[6]. Somit steht ἐν κυρίῳ hier also wegen der Bezogenheit auf aktives Handeln. Welchen Sinn in diesem Zusammenhang diese Präpositionalwendung hat, zeigen die ausführlicheren Näherbestimmungen in den Parallelen:

a) Phlm 22 wird als Grund die Fürbitte angegeben, und diese war Phil 1,19 ja ein gleichgewichtiger Grund der Zuversicht neben dem Beistand des auferweckten Herrn (= »Geist«), sofern sie sich an dessen Geschichtshandeln beteiligt (Kierkegaard: Wer betet, nimmt teil an der Weltregierung Gottes).

b) 1Kor 16,7 taucht die Kyrios-Bezeichnung selbst auf, wobei der Bezug zum konkreten Geschichtshandeln deutlich ist. Die sprichwörtliche Wendung könnte die Bezeichnung auch auf Gott beziehen lassen, vgl. Jak 4,15; da sie aber griechischer und nicht jüdischer Herkunft ist, und 1Kor 16,10 im Kontext eine geschichtsbezogene, christologische Kyrios-Bezeichnung hat, so kann die Stelle hier herangezogen werden.

c) Da Phil 1,14 auch einen Dativ bei πέποιθα hat, der klar den Zuversichtsgrund angibt (τοῖς δεσμοῖς μου), so dürfte von dieser formal-funktionalen Parallele her zusammen mit den beiden vorgenannten Sachparallelen deutlich sein, daß ἐν κυρίῳ in unserem Zusammenhang kausal zu verstehen ist und die Hoffnung bzw. Zuversicht auf die konkrete geschichtliche Wirksamkeit des auferweckten Herrn gründet: Jesus wird »seine Herrenstellung darin bewähren, daß er die Verhältnisse so gestaltet, daß Timotheus reisen kann«[7]; die Präpositionalwendung zeigt mehr die Zuversicht als die Unsicherheit an[8]. Diese Differenz zeigt auch, wieweit Pl von einer anthropozentrischen Bedürfnisfrömmigkeit entfernt ist! Daß die Präpositionalwendung im ersten Falle durch den Namen erweitert ist und im zweiten die geläufige Kurzform (s. o. 4,10) bietet, zeigt die Übereinstimmung beider: dies ist nicht nur 1Thess 4,1 von 3,11.13 her der Fall, sondern auch hier[9], wenn man semantische Faktoren mitberücksichtigt. Die Erweiterung in V. 19 dürfte deutliche Kontextnachwirkung von V. 10f. sein, was den Referenzbezug auf das Bekenntnis der Gemeinde wie den Sachbezug unterstreicht: Da

---

4 Außer bei Haupt 109.   5 So von Ewald 155 Anm. 2.
6 Phlm 22; 1Kor 16,7; Röm 15,24; vgl. Gnilka 157.
7 Haupt 106.   8 Gg. Gnilka 157.
9 Kramer 1963: 178 kann also hierdurch ergänzt werden.

der auferweckte Jesus der Herr über Lebende, Tote und überindividuelle Mächte ist, so ist damit der Begründungszusammenhang zur konkreten Geschichtswirksamkeit offenkundig.

d) Wie der mit ἐν κυρίῳ bezeichnete Sachverhalt in 4,10 (s. o.) sich in der konkreten geschichtlichen Tatsache der aktiven Fürsorge der Philipper zeigte, also Realwirkliches im Blick hatte, so hier Realmögliches: Darum wird dann auch V. 23 das ἐν κυρίῳ von V. 19 durch die Beschreibung eines empirischen Sachverhalts (ἀφίδω)[10] in einem Temporalsatz (ὡς ἂν hellenistisch = ὅταν[11] wie Röm 15,24; 1Kor 11,34 vgl. Jos 2,14 und Papyri[12]) erläuternd aufgenommen: »Sobald ich den Stand der Dinge bei mir (die einzige Stelle mit περί + Akkusativ, sonst nur in den Postoralbriefen)[13] übersehe.« Der Temporalsatz ist Parenthese, denn der Hauptsatz schließt mit dem nachklappenden ἐξαυτῆς[14].

7.1.2.1. Der Zweck des Timotheusbesuches (2,19b)

Der ἵνα-Satz gibt klar den Zweck der Sendung des Timoetheus an, wobei der untergeordnete Partizipialsatz die Voraussetzung nennt, das Informationsinteresse des Pl, und der übergeordnete Finalsatz das Ziel, dem die Information dienen soll. Was Pl konkret erfahren will, ist völlig klar, da τὰ περὶ ὑμῶν wörtlich den Anfang der Paränese von 1,27 (s. o.) aufnimmt, was dort umfassend das πολιτεύεσθαι der Gemeinde meinte, das sich auf die Einmütigkeit der Zusammenarbeit zuspitzte. Darum war 2,2 das Informationsziel in dem Imperativ πληρώσατέ μου τὴν χαράν übergeordnet und V. 17f. klang diese Paränese mit χαίρειν aus, das zuletzt mit den Philippern als Subjekt erschien, doch auch Pl einbezog. In unserer Zweckbestimmung nimmt das adverbiale καί in dem außerdem das Personalpronomen pleonastisch betonenden κἀγώ unmittelbaren Bezug auf diesen Schluß von V. 18: »ich meinerseits«[15]. Damit ist eine klare Synonymbeziehung gegeben: χαίρω = εὐψυχῶ. Dieser Kontextsynonymie entspricht, daß dieses Hapaxlegomenon und überhaupt seltene hellenistische Wort[16] in einem Kondolenzschreiben (POxy 115,2) an der Stelle des sonst üblichen Grußwunsches χαίρειν steht; Polyb III,28 ist θαρσεῖν synonym, HermVis I 3.2 steht es mit ἰσχυροποιεῖν verbunden. Auch die Verwendung des Adjektivs (1Makk 9,14; 2Makk 7,20; 3Makk 7,18 vgl. Prov 24,66) und des Substantivs (2Makk 14,18; 4Makk 6,11; 9,23) bieten wertvolle semantische Präzisierungen zugleich für das Leitwort χαίρειν überhaupt, sofern es nicht um eine »fröhliche Stimmung im allgemeinen« geht, sondern um »einen Zuwachs an standhaftem und kraftvollem Mut gegenüber allen Gefahren im Gegensatz zu einer Mutlosigkeit, welche durch schlechte oder gänzlich fehlende Nachrichten erzeugt werden könnte«[17].

Da die entsprechenden Freudenmahnungen 1,27–2,18 direkt ausgesprochen sind, und da Pl präzis unterscheidend angibt, ob er sich über Geschehenes freut (4,10; 1,4.18a) oder über Künftiges freuen wird (1,18b) – und dabei den Wert von zugehörigen Informationen und Gründen (1,12–18a.18b–26) präzis angibt, so wird man ihm nicht gerecht, wenn man ihm hier die versteckte Art einer »vornehmen Mahnung«[18] unterstellt. Wenn Pl ermahnen will, dann tut er es auch direkt, und wenn er informiert werden will, dann sagt er es ebenso klar. Es besteht kein Anlaß, diese so offen

---

10 Vgl. zur Aspiration, die die Koine-Texte meist auslassen, B–D–R 14.
11 B–D–R 455,2.   12 Belege bei Lohmeyer 118 Anm. 2.
13 Ewald 155 Anm. 1.   14 Ewald 154f.
15 Ewald 151 gg. Gnilka 158, der irrtümlich meint, es schließe Pl mit Timotheus zusammen.
16 Haupt 106; Ewald 150f.; Dibelius 65; Lohmeyer 115 Anm. 2; Gnilka 158 Anm. 7.
17 Haupt 106 Anm. 2.   18 So Gnilka 158 nach Haupt 106.

erkennbare Textpragmatik nach dem unverhüllt eindeutigen Informationsteil 1,12ff und dem ebenso unverhüllten Mahnungsteil 1,27ff. hier nicht weniger in solcher Direktheit anzunehmen und bei Pl ideologisch-taktische Verschleierungen in verkirchlichten bürgerlichen Höflichkeits-Codes zu unterstellen. Ungeheuerlich scheint die Unterstellung, die mutmaßt: »Offenbar verhüllen die Worte das eigentlich Gemeinte.«[19] Der ganze Tenor der Lohmeyerschen Interpretation dieses Subtextes ist darauf angelegt, den klar ausgesprochenen Zweck der Sendung des Timotheus zu bestreiten, um einen anderen Zweck zu unterstellen, Pl wolle »für den Fall seines Todes Vorsorge treffen«[20] und Timotheus sei »der erkorene Nachfolger, den er als Erben des pl Vermächtnisses«[21] präsentiere. Hier fallen die fälschlich sogenannte »Interpretation«, die nicht mehr ist als die eigene Leserpragmatik, und die präzise exegetische Analyse, die als Bemerkungen in den Anmerkungsteil verbannt werden, nicht weniger diskrepant auseinander als auf seine Weise in Bultmanns Johanneskommentar. In solcher Weise wird aus Phil B fast ein 1Tim gemacht, wo diese Empfängerpragmatik in der Tat untergelegt ist. Zu solchen Urteilen kann es nur kommen, wenn man die Textstruktur nicht zureichend auf allen drei Ebenen der Textlinguistik erhellt[22] und behauptet, mit V. 19 beginne »eine Art Empfehlungsbrief für Timotheus«[23]. Die Textstruktur spricht dagegen: Diese Empfehlungsstruktur haben nur V. 20–22. Diese sind aber gerahmt von dem Wunsch und Plan der Sendung V. 19.23f., der schließlich am Ende noch durch die Überbietung mittels der eigenen Besuchsabsicht V. 24 relativiert wird. Außerdem ist der »Empfehlung« deutlich in V. 19b noch die klare Zweckbestimmung vorgeordnet, und die »Empfehlung« ist V. 20 durch begründendes γάρ auf jene Zweckbestimmung hingeordnet. Darüber hinaus ist das Objekt der Zweckbestimmung (τὰ περὶ ὑμῶν) im Begründungszusammenhang der Empfehlung wiederholt und bleibt so auf jene bezogen. Dies gilt um so mehr, als das finale Element der Zweckbestimmung auch noch im Futurum der Gewißheitsaussage (μεριμνήσει)[24] des ersten Empfehlungsgrundes weiterwirkt. Somit darf man der Empfehlung hier weder eine übergeordnete pragmatische Funktion zubilligen noch sie verabsolutierend zu einer Alleinfunktion machen.

7.1.2.2. Die eingeordnete Empfehlung (2,20–22)

Pl gibt V. 20 einen ersten Grund auf der Basis seiner Kenntnis und Beurteilung der Person an, aus der sich im Blick auf die Gemeinde eine zuversichtliche Hoffnungsaussage (Futurum!) ergibt. Für diese könnte als »filler« am Anfang des Relativsatzes ein πεποιθὼς οἶδα stehen.

In V. 22 fügt Pl einen zweiten Grund hinzu: ihre eigene Kenntnis ihrer Gemeindeanfänge (hier rückblickender Aorist anstelle des vorherigen Futurs) und ihr Beurteilungsvermögen (γινώσκετε). Von der Wortstellung her ist dabei αὐτοῦ nicht betont, und damit ist δέ nicht gegensätzlich, sondern gegenüberstellend (»andererseits« oder »zweitens«): »der Ton liegt auf τὴν δοκιμήν, d. h. es wird ein zweiter Rechtfertigungsgrund für die Sendung gerade des Timotheus geltend gemacht«[25] (δέ bezieht sich also makrosyntaktisch nicht direkt auf das γάρ von V. 21, sondern auf das von V. 20).

---

19 Lohmeyer 115.   20 Ebd.; dgg. Gnilka 160.   21 Ebd. 118.
22 Vg. dazu außer der Einleitung auch Schenk 1980.
23 So Dibelius 65, dem Gnilka 157 zustimmt.
24 Dies bleibt leider in Gnilkas 157 Übersetzung unbeachtet – vgl. dgg. Ewald, Dibelius, Lohmeyer, Beare.
25 Ewald 154.

Zwischen beiden steht parenthetisch V. 21. Man wird diesen Satz nicht isolieren und überbetonen dürfen, da er vom Gesamtzusammenhang her, in dem er steht, nur die Funktion einer Kontrastfolie für die umgebenden positiven Begründungsaussagen hat. Nimmt man den Satz als Kernspruch isoliert, dann entsteht ein Sachverhalt, den man derzeit gern »wirkungsgeschichtlich« nennt, der aber eher nur verwendungsgeschichtlich ist: »An diesem Satz hat sich die leidenschaftliche Sachlichkeit Calvins entzündet und aus ihm die unerbittliche Kraft und Schroffheit seines Wirkens geschöpft.«[26] Möglicherweise haben schon die Pastoralbriefe diesen Satz nicht nur isoliert, sondern ihm durch seine doppelte und betonte Stellung im fiktiven »Testament« des 2Tim eine übergeordnete Rahmenfunktion gegeben, sofern die Klagen des »Pl«, daß »alle« ihn verlassen haben, in 1,15 und 4,10.14–16 sich entsprechen[27] und so Timotheus als einzigen legitimen Paulus-Erben hervorheben. Fast könnte man geneigt sein, in dieser Parenthese einen Zusatz des Briefredaktors wie in 1,1 zu sehen. Dafür könnte man geltend machen, daß der Satz in Spannung zu den vergleichbaren Interessenaussagen 1,15.17 steht. Dagegen spricht aber, daß der Sprachstil des Satzes eher pl als pastoraltritopl ist (ζητεῖν nur 2Tim 1,17 und da positiv), so daß eher anzunehmen ist, daß der ganze Satz eine wesentliche Voraussetzung für die Abfassung der Pastoralbriefe überhaupt bildete (γνήσιος 1Tim 1,2; Tit 1,4; τέκνον ebd. u. ö. als betonter Terminus des Offenbarungsmittlers; 1Tim 3,14 ἐλπίζω ἐλθεῖν . . . ἐν τάχει; 2Tim 2,15 δοκιμόν).
Weiter ist der Zusammenhang von V. 21 mit V. 20 durch verschiedene Verbindungslinien deutlich:
a) οἱ πάντες (οὐ) ist schon im betont negierenden Anfang von V. 20 mit οὐδένα mitgesetzt; beide sind kontextsynonym, da gegenteilige Verbphasen folgen (der »Artikel vor πάντες soll jede Ausnahme ausschließen: einer wie der andere, allesamt«)[28].
b) Dabei sind auch die Verben synonym: μεριμνᾶν = ζητεῖν.
Das ist eine auffallende Parallele zur gleichen Synonymfolge in der entsprechenden Jesus-Halacha der Spruchquelle über das sog. »Sorgen« Lk 12,22–31 par, wo ebenfalls μεριμνᾶν (Lk 12,22.25.26 und hier sogar mit περί) durch (ἐπι)ζητεῖν (12,29.31 bzw. das Kompositum V. 30) aufgenommen wird. So dürften für Pl diese Jesuslogien dahinterstehen, die er auf neue Bereiche anwendet. Von diesem Formzwang der Vorlage würde am ehesten auch die antithetische Gestaltung hier verständlich, da sie der Jesushalacha entspricht:

Pl: μεριμνᾶν τὰ περὶ ὑμῶν = τὰ Χριστοῦ Ἰησοῦ ≠ ζητεῖν τὰ ἑαυτῶν
Q: μεριμνᾶν τὴν βασιλείαν ζητεῖν ≠ ψυχή/σῶμα

Dabei könnte man einmal veranschlagen, daß das Semitische das Reflexivverhältnis durch »Seele« umschreibt[29]; von daher könnte man wohl auch die auffallende Verwendung von Χριστός in paränetischen Aussagen erklären, da man nach dem pl Sprachgebrauch eigentlich κύριος erwartet[30], wie es 1Kor 7,32.34 in der Tat auch steht, so daß semantisch wieder ein synonymes Äquivalent vorliegt:

ζητεῖν τὰ Χριστοῦ Ἰησοῦ
= μεριμνᾶν τὰ τοῦ κυρίου zugleich mit der doppelten Entfaltung
= πῶς ἀρέσῃ τῷ κυρίῳ (V. 32)
= ἵνα ᾖ ἁγία καὶ τῷ σώματι καὶ τῷ πνεύματι (V. 34).

Die Abweichung an unserer Stelle dürfte nicht einem formalen Variationsbedürfnis gegenüber der im Rahmen V. 19.24 verwendeten Kyrios-Wendung entstammen, da Pl eher bei der gleichen Titulatur bleibt, sondern wohl den Zusammenhang mit der Jesus-

26 Lohmeyer 117 Anm. 1.
28 Lohmeyer 117 Anm. 3.
30 Kramer 1963: 136–138.

27 Vgl. Brox Past 238, 275 z. St.
29 B–D–R 283,5 Anm. 8.

Überlieferung signalisieren. Da Pl die Jesusüberlieferung dem Osterevangelium kategorial zu- und unterordnet (vgl. prinzipiell zu dem Hierarchieverhältnis 1Thess 4,14:15)[31], so erklärt sich der Austausch von βασιλεία durch Χριστός (das ja eine βασιλεία-Funktion bezeichnet), und zugleich wird ein weiterer Synonymzusammenhang im Kontext hier mit V. 22 deutlich:

(ζητεῖν) τὰ Χριστοῦ Ἰησοῦ

= δουλεύειν εἰς τὸ εὐαγγέλιον – und dazu Röm 14,15 den Kreis rundend:

= δουλεύειν τῷ Χριστῷ

Damit ist deutlich, daß die Christusbezeichnung wiederum den Evangeliumsinhalt, den auferweckten Herrn, vertritt (s. o. 1,12–18, und weiter daß μεριμνᾶν = ζητεῖν als ein aktives, engagiertes Interesse definiert ist, da das »aristokratische Wort« δουλεύειν (s. o. zu 1,1 δοῦλος)[32] die aktive Mitarbeit im Dienst der missionarischen Evangeliumsverkündigung (εἰς kennzeichnet wie 1,5 εὐαγγέλιον als nomen actionis) meint. Synonym zu δουλεύειν ist die Wiederaufnahme mit συναθλεῖν ἐν (4,3 vgl. 1,27 sowie Röm 1,9 λατρεύειν ἐν bzw. ἱερουργεῖν ἐν). Hinsichtlich der Objektbeziehung ist es darum nicht nötig, eine Koine-Verwendung von εἰς im Sinne von ἐν anzunehmen[33]. Die Verwendung des Substantivs als nomen actionis für die Missionsverkündigung macht es unmöglich, aus der Verbindung mit dem Verb δουλεύειν hier abzuleiten, daß das ausgerichtete »Evangelium« keinen festen und bestimmten Verkündigungsinhalt habe (s. o. zu 1,27)[34].

Diese Art des mit μεριμνᾶν = ζητεῖν ausgedrückten »Interesses« geht auf die Überwindung eines Defizits – sei es im Blick auf Lebenserhaltung oder auf Lebenssteigerung. Das wird auch durch 1Kor 14,12 bestätigt, wo gewissermaßen eine ausführliche Entfaltung eines solchen ζητεῖν τὰ περὶ ὑμῶν vorliegt:

πρὸς τὴν οἰκοδομὴν τῆς ἐκκλησίας ζητεῖτε

= ἵνα περισσεύητε.

Genau dies dürfte auch hier präzis hinter der Zuversicht stehen, Timotheus werde sich als »engagiert interessiert« am τὰ περὶ ὑμῶν erweisen, am Aufbau der Gemeinde. Auffallend ist immerhin, daß sich auch 1Kor 13,4 im Kontext die Antithese findet, sofern es Kennzeichen der ἀγάπη ist, οὐ ζητεῖ τὰ ἑαυτῆς. Dabei ist wohl ἑαυτοῦ nicht streng reflexiv zu fassen, da sonst ein logischer Widerspruch herauskäme: Wenn das Subjekt die ἀγάπη ist, so müßte sie ja gerade an sich selbst, also an ἀγάπη, interessiert sein. So ist vielleicht τὰ ἑαυτοῦ auch an den anderen Stellen nicht streng reflexiv zu fassen, sondern als relativ feste Bezeichnung für »private Interessen«. Vielleicht könnte man noch genauer sagen, daß die christologische Bestimmtheit dieser Antithese zeigt, daß es um die Relation von Schwachheit und Stärke geht. Steht dieses dauernde innergemeindliche Problem an, dann hieße Das-Seine-Suchen »seine Stärke auf Kosten der Schwachen demonstrieren«[35] s. o. zu 2,4!).

In diesem Sinn präzisiert auch der Zusatz σύμφορον (»Vorteil«) in 1Kor 10,33 (vgl. 7,35 in einem vergleichbaren Kontext):

μὴ ζητῶν τὸ ἐμαυτοῦ σύμφορον

ἀλλὰ τὸ τῶν πολλῶν – ἵνα σωθῶσιν.

Der damit abgeschlossene Subtext begann auch 1Kor 10,23 mit dem Synonympaar συμφέρει = οἰκοδομεῖ (das wir eben auch 1Kor 14,12 fanden) und schloß V. 24 die gleiche Mahnung an:

---

31 Vgl. dazu auch Schenk 1978.   32 Lohmeyer 117.   33 Gg. Lohmeyer 118 Anm. 1.
34 Gg. Stuhlmacher 1968: 58f.; sein holistisches Prinzip einer »ganzheitlichen Begriffserklärung« (ebd. 55), die solche Nuancen überspielt, beachtet zuwenig methodische Sachverhalte und Erfordernisse der Semantik.
35 Pedersen 1978: 24f.

μηδεὶς τὸ ἑαυτοῦ   ζητείτω
ἀλλὰ   τὸ τοῦ ἑτέρου.

Die Leser unseres Briefes lasen die Stelle natürlich von der antithetischen Mahnung 2,4 (s. o.) her, wo σκοπεῖν als weiteres Synonym in diesem Wortfeld hinzutritt. Dabei war das ausgleichende adverbiale καί in der positiven, antithetischen Apodosis wichtig, das offenbar auch an den anderen Stellen, an denen es nicht ausformuliert ist, dennoch mitzuhören ist. Was also meist rhetorisch schroff alternativ als Oxymoron formuliert ist, ist dann in der Sache doch mehr koordinativ gemeint. Ein ähnliches nicht total abweisendes, sondern gegebenenfalls auch toleriertes ζητεῖν zeigt ein nochmaliger Blick auf 1Kor 7,33f. mit dem doppelten ὁ (ἡ) γαμήσασ(α) μεριμνᾷ τὰ τοῦ κόσμου. Von daher ist nun auch Phil 2,21 nicht so sehr Schroffheit oder Bitterkeit ausgedrückt zu sehen, sondern die parenthetische Feststellung, daß die meisten Mitarbeiter des Pl zu sehr mit ihren eigenen Angelegenheiten beschäftigt sind – ohne damit völlig disqualifiziert zu werden –, geschieht im Blick darauf, daß der empfohlene Timotheus eben doch die beste Lösung ist, die Pl überhaupt anbieten kann, und nicht nur eine Notlösung.

7.1.2.3. Die Qualitäten des Timotheus (2,20.22)

Beide Satzgefüge haben eine übergeordnete, qualifizierende Bestimmung im Vordersatz, die in einem Nachsatz konkretisierend entfaltet wird.
Im ersten Falle V. 20 ist es das ntl. Hapaxlegomenon (und auch sonst seltene; LXX-Ps 54,14; Schol.EurAndr 419 »Die Kinder sind den Leuten ἰσόψυχά«)[36] ἰσόψυχον, das in wortspielerischer Weiterführung des εὐψυχῶ von V. 19 steht[37]. Durch den erläuternden Relativsatz[38] ist klar, daß das ἰσο- des Kompositums (nochmals Nachklang des Zitats von 2,6) ihn nicht mit Pl[39] oder gar den Philippern (»euch ebenbürtig«)[40] vergleicht, sondern die anderen mit ihm: »So wie die Worte lauten, können sie nur dahin verstanden werden, daß Pl keinen dem Timotheus gleichen besitze, daß er also in ihm den Besten sende, den er überhaupt senden könne.«[41] Der Relativsatz, der »nur die nähere Erklärung des Inhalts von ἰσόψοχος« ist[42], zeigt, daß das engagierte, aktive Interesse von μεριμνᾶν = ζητεῖν in -ψυχος steckt, und die anaphorische Wiederaufnahme τὴν δέ V. 22 erweist beide Qualitätsbestimmungen als synonym ἰσόψυχος = δοκιμὴ αὐτοῦ (vgl. auch den Zusammenhang in 2Kor 8,8 γνήσιον δοκιμάζων), so daß mit ἰσόψυχος vor allem die Zuverlässigkeit betont ist (»confident«[43]). Das wird schließlich durch die Synonymie mit dem Hapaxlegomenon-Adverb γνησίως bestätigt, das »häufig in den summarischen Begründungsformeln der Ehreninschriften« begegnet und von daher eine mehr allgemein qualifizierende Bedeutung des Treuen und Zuverlässigen hat und nicht mehr die geburtsrechtliche Legitimität meint[44]. Wenn 4,3 dann das Adjektiv (vgl. 2Kor 8,8) als Anrede wiederholt, so dürfte zweifellos ein Rückbezug auf diese Stelle hier vorliegen, Timotheus also dann in Philippi sein, weshalb der betreffende Satz einem späteren Brief zugehören dürfte (literarische Wiederaufnahme in 1Tim 1,2; Tit 1,4).

---

36 Haupt 106 Anm. 3; Lohmeyer 116 Anm. 2 Belege.
37 Lohmeyer 116 Anm. 1.   38 B–D–R 379; Gnilka 158 Anm. 10.
39 So ursprünglich Luther: »der so ganz meines Sinnes sei«; ferner Vincent, Bonnard, Jouon 1938.
40 So Fridrichsen 1938.
41 Haupt 106; ferner Dibelius, Lohmeyer, Michaelis, Beare 96: »I have no one of qualities like him«; vgl. auch Gnilka 158 sowie Luther 75, GN, WilckensNT.
42 Haupt 107.   43 Christou 1951: 296.
44 Haupt 107 Anm. 1; Dibelius 65: Lohmeyer 116 Anm. 5; Büchsel ThWNT I 727 – gg. Lightfoot, Ewald: »wie ein Blutsverwandter«.

Das bei Pl erstmalig belegte nomen resultantum δοκιμή (2Kor 13,3 als korinthisches Zitat und danach 2,9; 8,2; 9,13 sowie Röm 5,4, so daß es wohl aus den korinthischen Auseinandersetzungen stammt)[45] kann, da es hier auf die Anfangszeit zurückblickt (Aorist in der Apodosis), auch die Bewährung im Verfolgungsleiden einschließen (1,30), ist aber nicht darauf einzuengen[46]. Wie der angeschlossene Begründungssatz zeigt, geht es um die Mitarbeit an der Missionsarbeit überhaupt und damit um die den Philippern bekannte Zuverlässigkeit und Tauglichkeit.

Der Nachsatz beginnt mit einer asymmetrischen Kommunikationsbestimmung (τέκνον für Timotheus auch in der analogen Empfehlung 1Kor 4,17 und allgemein als Bezeichnung für die von Pl gewonnenen Christen dort unmittelbar vorher 4,14 sowie Gal 4,19; 1Thess 2,11 – dgg nicht im Röm!), so daß man danach ἐμοὶ ἐδούλευσεν erwartet. Doch der Satz wird überraschend in Richtung auf eine mehr symmetrische Relation umgebogen weitergeführt (analog 2,4 s. o.), »daß er mit Pl zusammen, also ihm koordiniert, als ein Knecht dem Herrn in bezug auf das Evangelium gedient hat«[47]. Die Vorordnung des Pl ist mit seiner Ostererscheinung und der darin liegenden Berufung zum Apostel als beauftragtem Boten unmittelbar vorgegeben. Dieses »Evangelium« und der ihm zugeordnete urchristliche Apostelbegriff bilden ein festes gemeinsames Wortfeld, so daß das eine nicht vom anderen ablösbar ist. »Übrigens setzt nach Röm 10,15 κηρύσσειν immer einen Auftrag voraus[48]. Darum kann ja auch keiner der beiden Termini semantisch isoliert für sich bestimmt werden, sondern jeder nur in der Einheit dieses urgemeindlichen Wortfeldes, worin etwa ein entscheidender Unterschied gegenüber dem Wortfeld des literarisierten Ausdrucks »Evangelium« bei Mk und Mt liegt. Die dauernd bleibende Vorordnung des Apostels ist in der Sache begründet, da das Evangelium von einer historischen Nachricht ausgeht und nicht von einer jederzeit und überall möglichen »religiösen« Erfahrung. Der Apostolat ist aber auch nicht global an den Kanon abgetreten worden, vielmehr ist der ntl Kanon nur sein Gefäß geworden.

7.1.3. Zusammenfassung: Übersetzung

(19) A   Ich meinerseits hoffe aber, daß unser auferweckter Herr es möglich macht,
       daß ich euch bald Timotheus schicken kann,
       damit auch ich Mut gewinne,
       wenn ich den Stand der Arbeit bei euch erfahre.

(20) B   Denn (1.) habe ich keinen zweiten von diesen Qualitäten zur Verfügung: Zuverlässig ist er am Fortgang der Arbeit bei euch interessiert.

(21) C   –Alle anderen sind ja zu sehr mit privaten Interessen beschäftigt statt mit den Interessen des auferweckten Herrn. –

(22) B'   Und (2.) ist euch selbst ja seine Zuverlässigkeit bekannt:
       Wie ein Sohn mit dem Vater so hat er mit mir für die Christusnachricht zusammengearbeitet.

(23) A'   Ihn also hoffe ich zwar sobald zu schicken, wie ich den Stand der Dinge bei mir übersehen kann,

(24)   doch bin ich zuversichtlich, daß unser auferweckter Herr es möglich macht, daß ich auch persönlich bald kommen kann.

45 Grundmann ThWNT II 258 f.; Schunack EWNT I 825–829; Lohmeyer 117 Anm. 4.
46 Gnilka 159 gg. Lohmeyer; anders als Röm 5,4 vgl. Wolter 1978: 140–142.
47 Haupt 108 f.; Dibelius 65; Lohmeyer 117; Gnilka 159 f.
48 Burchard 1978: 319.

7.2. Die Rücksendung des genesenen Geldüberbringers Epaphroditus (2,25–30) als Briefanlaß

7.2.1. Textsegmentierung

(25)	1.0.	Ἀναγκαῖον δὲ ἡγησάμεν Ἐπαφρόδιτον
	1.1.1.	– τὸν ἀδελφὸν καὶ συνεργὸν καὶ συστρατιώτην μου
	1.1.2.	ὑμῶν δὲ ἀπόστολον καὶ λειτουργὸν τῆς χρείας μου –
	1.2.	πέμψαι πρὸς ὑμᾶς,
(26)	2.0.	ἐπειδὴ ἐπιποθῶν ἦν πάντας ὑμᾶς
	2.1.	καὶ ἀδημονῶν
	2.1.1.	διότι ἠκούσατε
	2.1.2.	ὅτι ἠσθένησεν.
(27)	2.2.	καὶ γὰρ ἠσθένησεν παραπλήσιον θανάτῳ
	2.2.1.	ἀλλὰ ὁ θεὸς ἠλέησεν αὐτόν
	2.2.2.	– οὐκ αὐτὸν δὲ μόνον ἀλλὰ καὶ ἐμέ
	2.2.3.	ἵνα μὴ λύπην ἐπὶ λύπην σχῶ –
(28)	3.0.	σπουδαιοτέρως οὖν ἔπεμψα αὐτόν
	3.1.	ἵνα – ἰδόντες αὐτὸν – πάλιν χαρῆτε
	3.2.	κἀγὼ ἀλυπότερος ὦ.
(29)	4.0.	προσδέχεσθε οὖν αὐτὸν ἐν κυρίῳ μετὰ πάσης χαρᾶς
	4.1.	καὶ τοὺς τοιούτους ἐντίμους ἔχετε
(30)	4.1.1.	ὅτι διὰ τὸ ἔργον Χριστοῦ μέχρι θανάτου ἤγγισεν
	4.1.2.	παραβολευσάμενος τῇ ψυχῇ
	4.1.3.	ἵνα ἀναπληρώσῃ τὸ ὑμῶν ὑστέρημα τῆς πρός με λειτουργίας.

7.2.2. Die Begründung der Rücksendung

Auch diese Rücksendung (das semantische Element des »Zurück« ergibt sich aus dem zweiten Glied der ersten Parenthese und der daraus im folgenden immer wieder aufgenommenen Momente) wird wie vorher V. 19.23 doppelt genannt (V. 25 und V. 28 mit wiederaufnehmendem οὖν wie V. 23). Dabei entsprechen sich auch die übergeordneten Bestimmungen ἀναγκαῖον ἡγησάμην und σπουδαιοτέρως. Die Beobachtung dieses Parallelismus bewahrt davor, in ἀναγκαῖον zuviel Gewicht hineinzulegen und den ganzen Subtext mit unnötigen Mutmaßungen zu überladen: σπουδαιοτέρως hat fast superlativische Bedeutung[49] (doch kommt es auf dasselbe hinaus, wenn man es elativ »sehr eifrig«[50] faßt) und bezeichnet den Eifer. Da dieses Adjektiv 2Kor 8,17 (vgl. V. 22) mit der Freiwilligkeit (αὐθαίρετος) erläutert wird und so beides die Spontaneität bezeichnet[51], so ist auch ἀναγκαῖον nicht überzubewerten, sondern in diese Richtung zu interpretieren. Die Wendung ἀναγκαῖον ἡγησάμην erläutert auch 2Kor 9,5 eine Sendungsentscheidung (das Vorausreisen zur Vorbereitung des Kollektenabschlusses – die Aoriste dürften in beiden Fällen Aorist des Briefstils »hiermit« sein)[52] und dies scheint durch 2Makk 9,21, wo sie wiederum im Briefkontext erscheint,

---

49 B–D–R 244,1; vgl. Haupt 112 Anm. 2; Lohmeyer 120 Anm. 3.
50 So Ewald 158 Anm. 1.   51 Vgl. Windisch 2Kor 261 z. St.

ein epistolisch naheliegender Ausdruck zu sein und nicht mehr zu sagen, als daß die unter mehreren Möglichkeiten getroffene Entscheidung bewußt entschieden ist und als bessere erscheint. Das entspricht auch der 1,24 bei ἀναγκαιότερος gefundenen Funktion (s. o.).

Pl gibt klar drei Gründe an (ἐπειδή wie 1Kor 1,21 f.; 14,16; 15,21), ohne daß man zu der Mutmaßung gezwungen wäre, diese seien »nicht ganz durchsichtig«[53] (schon gar nicht darf aus ἀναγκαῖον gefolgert werden, »daß Epaphroditus nicht nur die Gabe überbringen, sondern auch für eine bestimmte Zeit bleiben sollte«)[54] Dgg. ist die Klarheit um so mehr zu betonen, als die Wiederholung V. 28 zwei dieser Gründe ausdrücklich wiederholt:

a) Im Blick auf Epaphroditus nennt V. 26a sein »Heimweh« (ἐπιποθῶν ἦν s. o. zu 1,8), was durch das periphrastische Funktionsverbgefüge noch verstärkt ausgedrückt ist[55] und sich noch durch den sehr starken Ausdruck zur »Verzweiflung« steigert (ἀδημονεῖν vgl. Mk 14,33 par mit nachfolgendem verbalen Ausdruck; bei PlatTheaet synonym mit ἀπορεῖν)[56]. Positiv ist dabei die Objektangabe: Gegenstand seiner Sorge ist die ganze Gemeinde, die ja nach 1,28f. in Auseinandersetzungen steht.

b) Dies darf also nicht egoistisch und individualistisch als mangelnde Belastbarkeit des Epaphroditus mißdeutet werden, weil es auch von den Nachrichten, die zu seiner Gemeinde über ihn gelangt sind, begründet ist: διότι ἠκούσατε ὅτι ἠσθένησεν; V. 28 wiederholt das präzisierend: ἵνα ἰδόντες αὐτὸν πάλιν χαρῆτε, wobei durch das synonyme ἄλυπος dieses »Frohwerden« als Überwindung von bedrückendem Kummer und Sorgen gekennzeichnet ist. Weil damit V. 28 das σπουδαιοτέρως direkt motiviert ist (ἵνα), so ist gemeint »eifriger – als geschehen sein würde, wenn ihr nicht durch die Nachricht von seinem Kranksein beunruhigt wäret«[57].

c) Der dritte Grund betrifft Pl selbst: V. 27 steht das Motiv zwar zunächst indirekt im Bericht über die Rekonvaleszenz, daß Pl froh ist, eine Last weniger zu haben. In der Wiederholung V. 28 ist es aber direkter auf ἔπεμψα selbst bezogen.

Daß also gerade die beiden Gründe, die sich nicht auf die Interessen der betreffenden Person selbst, sondern auf die der Philipper wie des Pl beziehen, im zweiten Durchgang wiederholt werden, ist ernst zu nehmen, und darum nicht als ein vornehmes Entschuldigen eines vorzeitigen Abbruchs und Versagens des Epaphroditus zu mißdeuten[58].

Schon die Anordnung der Prädikatsgruppen in V. 25 deutet nicht darauf hin, daß Epaphroditus den Auftrag hatte, bei Pl zu bleiben. Den drei auf Pl bezogenen Bestimmungen folgen die beiden auf die Philipper bezogenen. Im ersten Falle ist deutlich eine steigernde Linie »Mitchrist–Mitarbeiter–Mitstreiter« erkennbar[59].

Der erste Ausdruck ἀδελφός ist gerade darum auffallend, weil er überflüssig erscheint. Er soll wohl anzeigen, daß Epaphroditus ein Mann ist, der erst nach der anfänglichen Missionsarbeit des Pl in Philippi Christ geworden ist, und den Pl nun erst durch den von ihm übernommenen Auftrag als Mitchristen kennengelernt hat. Dieses deutet darauf hin, daß sein Motiv für die Übernahme des Auftrags auch darin lag, mit Pl selbst in

---

52 So mit Haupt 110 gg. Gnilka 162 Anm. 32.   53 Gg. Gnilka 161.
54 Ebd. Anm. 29 nach Haupt 109f., 114, der dies aber nicht hier, sondern in dem παραβολεύεσθαι von V. 30 finden will; ferner Friedrich.
55 B–D–R 353; Lohmeyer 119 Anm. 3 – sein Eintreten für die Bedeutung »Sehnsucht« (statt »Heimweh«) hat das berechtigte Moment, wenn man bei »Heimweh« einen unmittelbar abwertenden negativen Aspekt konnotiert sehen sollte.
56 »Von Furcht zerrissen werden«: Lohmeyer 119 Anm. 3; vgl. Haupt 111 Anm. 1.
57 Winer 1867: 228, weshalb Ewald 158 Anm. 1 gg. B. Weiß ein »eilender, als er es der Absicht der Gemeinde gemäß getan haben würde«, ausschließt.
58 Gg. Gnilka 161f.   59 Haupt 110; Lohmeyer 119.

Kontakt zu kommen und ihn bei dieser Gelegenheit kennenzulernen. Der Mann trägt ja einen ausgesprochen heidnischen Namen, der von der Göttin Aphrodite abgeleitet ist, so daß anzunehmen ist, daß er aus einer Familie stammt, die diesem Kult besonders verpflichtet war[60].

Der zweite, typisch pl Ausdruck (11 von 13 ntl. Belegen sind pl) bezeichnet die aktive Mitarbeit im Blick auf die Gemeinde (Pl von sich selbst mit Blick auf Gott: 1Kor 3,9; 2Kor 1,14 und 6,1 Partizip); Titus 2Kor 8,23; Timotheus 1Thess 3,2 und Röm 16,21; ferner andere Phil 4,3; Phlm 1.24; Röm 16,3.9; Partizip 1Kor 16,16). Das Wort steht hier deutlich in dem klärenden Zusammenhang V. 30 mit διὰ τὸ ἔργον Χριστοῦ (vgl. 1Kor 15,58; 16,10) und durch die parallele Verwendung für Timotheus ist es auch identisch mit der Aussage von V. 22 σὺν ἐμοὶ ἐδούλευσεν εἰς τὸ εὐαγγέλιον. Synonym dürfte in der Parallele 4,3 auch ἐν τῷ εὐαγγελίῳ συνήθλησαν μοι (= 1,27 s. o.) sein, was anschließend verkürzend mit συνεργοῖ aufgenommen wird. Dasselbe wird hier anschließend in V. 29 wohl auch durch αὐτὸν ἐν κυρίῳ ausgedrückt, das ihn als Mitarbeiter bezeichnet (s. o. zu 1,14; die Präpositionalwendung ist in beiden Fällen nicht dem Verb zuzuordnen[61]).

Da das Gefälle vom ersten zum zweiten Ausdruck das einer Differenzierung und Steigerung war und nicht etwa eine Identität vorlag, so dürfte auch für den Schritt vom zweiten zum dritten Ausdruck nicht eine Identität, sondern eine weiter differenzierende Steigerung anzunehmen sein: συνστρατιώτης wird nicht nur allgemein eine militia Christi als aktiven Einsatz für das Evangelium meinen, sondern die Kämpfe nach außen (1,28), in die das hineinführt[62]. So erscheint das Kompositum nur noch Phlm 2 für eine andere Person und eine andere Funktion als der συνεργός von V. 1 dort[63]. Dagegen dürfte das Hapaxlegomenon συναγονίζεσθαι Röm 15,30 ein vergleichbares Synonym sein, sofern es in der Fürbitte um Errettung aus drohender Gefahr von außen besteht. Der dritte Ausdruck kennzeichnet Epaphroditus als aktiven Mitstreiter mit dem gefangenen und verfolgten Pl (s. o. 4,14; 1,7.14).

So dürfte die dreifache Kennzeichnung genau der dreifachen Funktion der Gemeinde von 1,27f. entsprechen, wo sich nicht zufällig im Mittelglied eine semantische Äquivalenz nachweisen ließ. Wie dort die drei Aufgaben prinzipiellen Charakter haben, so dürfte auch hier die dreifache Kennzeichnung drei grundsätzliche Aspekte des Christseins erweisen: Frater in fide, cooperator in praedicatione, commilito in adversis (Anselm)[64]. Alle drei Aspekte bekommen ihr Spezifikum durch die Bezogenheit auf den Apostel und gelten nicht abgesehen von diesem Bezug.

Demgegenüber folgen zwei weitere Prädikate, die speziell die Beziehung zu seiner philippischen Gemeinde beschreiben. Der kontrastierend vorangestellte Gen. subjectivus ὑμῶν (vgl. V. 30) gehört zu beiden Prädikaten, wie das im vorausgehenden Glied auch der Fall war, und bezeichnet ihn als »Gemeindegesandten« (wie 2Kor 8,23 im Unterschied zu den österlichen »Christusgesandten«) und λειτουργός als den die λειτουργία von V. 30 Ausrichtenden[65]. Bei dem reichen Bedeutungsspektrum dieser »Dienstleistung« in der Koine vom Handwerk über die Banken bis zum priesterlichen Dienst ist (wie schon bei 2,17 s. o. und auch 4,18) der letztgenannte Sinnaspekt sicher auszuschließen, so daß in der Bezeichnung kein »sakraler« Klang[66] liegt, der seinem Dienst einen »religiösen Wert«[67] gäbe; denn »der Ausdruck λειτουργὸς τῆς χρείας

60 Beare 97f.

62 Haupt 111.

63 Das semantische Verhältnis bleibt noch zu unbestimmt, wenn Stuhlmacher Phlm 31 z. St. nur von »sinnverwandten Ausdrücken« spricht.

64 Hinweise bei Lohmeyer 119 Anm. 1.

66 So Dibelius 66.

61 Gg. Gnilka 164 Anm. 50.

65 Ewald 156 Anm. 1.

57 Gg. Gnilka 162, 164.

μου läßt sich doch nur gezwungen in dieser Weise deuten. Gerade der Gesichtspunkt, daß die Geldsendung an Pl eigentlich ein Gott gebrachtes Opfer sei, wäre mit keiner Silbe angedeutet, und derjenige, welcher den Bedürfnissen des Pl abzuhelfen gesandt wird, kann doch darum nicht ein Priester seines Bedürfnisses genannt werden. Da nun λειτουργός nicht an sich den Priesterbegriff involviert, sondern jeden öffentlichen Diener bezeichnen kann, so wird auch hier bei dieser Bedeutung zu bleiben sein und Epaphroditus als Mandatar der Gemeinde in Betracht kommen, welchem die Aufgabe geworden ist, das dem Pl zu leisten, was eigentlich die ganze Gemeinde ihm hätte leisten sollen und mögen«[68]. Das wird durch die Schlußwendung von V. 30 bestätigt, wo die Wendung ἀναπληροῦν τὸ ὑστέρημα –1Kor 16,17 ebenfalls für einen Besuch aus einer Gemeinde – meint »die Stelle eines Abwesenden vertreten« mit dem Gen. subjectivus ὑμῶν und dem Gen. objektivus τῆς πρὸς μὲ λειτουργίας[69], was eben nicht heißen kann »um zu ergänzen, was euch noch mangelte bei eurem Opferdienst für mich«[70], was durch die Parallele 1Kor 16,17 gänzlich ausgeschlossen wird.

Ebenso wichtig ist, daß die Zuordnung der beiden Prädikationsgruppen zueinander ernst genommen wird: In der zweiten Gruppe ist ὑμῶν nicht nur durch die voranstellende Position hervorgehoben und dies durch δέ noch weiter steigernd markiert. Das deutet nicht darauf hin, daß Epaphroditus in irgendeiner Weise rehabilitiert werden müßte – etwa wegen einer vorfristigen Rücksendung: »Hierin liegt nichts, was Epaphroditus dem Apostel sein könnte und sollte, sondern etwas, was er tatsächlich den Lesern gewesen war. Man könnte umschreiben: obgleich er mir Bruder etc. ist, aber nicht: obgleich er euer Bote ist. Einen Boten sendet man ganz natürlich zurück.«[71] Man darf also den Text nicht unter die textpragmatische Kategorie »Empfehlung« stellen und unter dieser Überschrift mit Timotheus V. 19ff. zusammenfassen, denn was hier steht, ist eher »eine Art Begleitschreiben, da der Bote in Philippi keine Empfehlung nötig hat«[72]. Ziel ist vielmehr die Stärkung seiner Autorität in der Gemeinde, was Pl analog auch in anderen Fällen tut und wobei er immer in den Plural der allgemeinen Regel übergeht. Die Parallelstellen sprechen für sich. Dem hier verwendeten Hapaxlegomenon stehen an den Parallelstellen folgende Synonyme gegenüber:

Phil 2,29:	τοὺς τοιούτους	ἐντίμους ἔχετε
1Kor 16,16:	τοῖς τοιούτοις	ὑποτάσσησθε
18:	τοὺς τοιούτους	ἐπιγινώσετε
1Thess 5,12:	τοὺς κοπιῶντας	εἰδέναι
13:		καὶ ἡγεῖσθαι

Dabei ist deutlich, daß die letzten beiden, allgemein scheinenden Verben von den Parallelen her emphatisch verstanden werden müssen: »an-erkennen«, »hoch-halten«[73]. So ist auch die in Philippi intendierte »Hochschätzung« dieses Mannes deutlich auf lokale, gemeindeleitende Verantwortung und deren Respektierung bezogen. Pl stärkt die Autorität derer, die in diese Funktion hineinwachsen[74]. Die Funktion unseres Textes besteht also präzis in der Legitimierung bzw. der Stärkung der Legitimität des Epaphroditus innerhalb seiner Gemeinde. Wenn diese Zielbestimmung durch das zweite οὖν V. 29 von der Struktur des Textes und seinem Gefälle her mit den beiden einzigen Imperativen V. 29 der Höhepunkt dieses Textes ist, dann ist jede andere Aussage des Textes im Hinblick darauf zu lesen. Selbst der Empfang μετὰ

---

68 Haupt 110 Anm. 1.
69 Vgl. Haupt 114.
70 Gg. Gnilka 161, 164.
71 Ewald 156 Anm. 2.
72 Dibelius 65; gg. Gnilka 164 auch keine »Rechtfertigung«.
73 Dobschütz Thess 215, 217f. z. St.
74 Holmberg 1978: 96ff. vgl. 191ff. zum soziologischen Aspekt der Internalisierung von Autorität.

πάσης χαρᾶς V. 29 ist von dieser Präzisierung der Parallelzeile her zu sehen. Χαρά ist damit zum Suprenym von ἔντιμος bestimmt und enthält damit das Moment des Stolzes, das sich ja auch in den Parallelen mit καύχησις zeigte (s. o. 1,16f.). Zugleich wird durch den Parallelismus wieder deutlich, daß χαρά bestimmte praktische Konsequenzen und Ausprägungen im Verhalten hat (s. u. auch zu 4,4ff.). Primär ist also in diesem Subtext der Nutzen für die philippische Gemeinde selbst vom Anfang bis zum Schluß das bestimmende Motiv der Rücksendung des Epaphroditus.

7.2.4. Die Lebensgefahr des Epaphroditus

Wichtig ist, daß jede Übersetzung beachtet, daß V. 26f.30 alle vier Verben, die sich darauf beziehen, im Aorist stehen, also von einem Zustand reden, der durch ein punktuelles Ereignis eintrat:

V. 26 ἠσθένησεν
V. 27 ἠσθένησεν παραπλήσιον θανάτῳ
V. 30 ἤγγισεν »μέχρι θανάτου«
παραβολευσάμενος τῇ ψυχῇ

Dies widerrät einer Übersetzung, die V. 26 meint mit »daß ihr von seiner Krankheit gehört habt« wiederzugeben. Eher würde »erkranken« den Aorist treffen, doch nach V. 30 ist es zweifelhaft, ob man überhaupt von Krankheit im speziellen Sinn einer »Erkrankung« reden kann[75]. Man muß zur Näherbestimmung von den deutlichen Aussagen am Schluß in V. 30 ausgehen. Wie in der Vierergruppe der Verben die beiden Todes-Erwähnungen chiastisch in der Mitte zu stehen kommen, so ist auch der Schluß in sich chiastisch aufgebaut. Offenbar haben wir es mit einer fortschreitenden Präzisierung der Angaben zu tun. V. 30 zeigt die Struktur:

διὰ τὸ ἔργον Χριστοῦ
  μέχρι θανάτου ἤγγισεν

  παραβολευσάμενος τῇ ψυχῇ
ἵνα ἀναπληρώσῃ τὸ ὑστέρημα

Die unmittelbare Anfügung des letzten Finalsatzes[76] macht deutlich, daß es »der Gang nach Ephesus«[77] und also die Erfüllung seines Auftrages der Gemeinde überhaupt war, der ihn in lebensbedrohliche Gefahr brachte. Von daher ist chiastisch auch die allgemeinere Wendung ἔργον Χριστοῦ hier konkret näherbestimmt, indem sie als Suprenym zum Kontextsynonym wird. Bei der doppelten Bezeichnung der Todesgefahr in den Innengliedern dürfte die erste eine betonte Wiederaufnahme der philippischen Formulierung μέχρι θανάτου aus V. 8 sein[78] (war der ehemalige Aphrodite-Verehrer gar selbst der Verfasser, der den Mythos der Unsterblichen auf Jesus übertrug?); auf ihre Vorgeprägtheit deutet hin, daß sie durch die nächste Zeile präzisierend erläutert wird[79]. Das präzisierende Wort ist selten (und darum in der Textüberlieferung öfter an ein geläufigeres angeglichen) und bezeichnet auf Inschriften ein wagemutiges Sich-Aussetzen im Blick auf Gefahren – und zwar aus Freundschaft[80]. Darum wird man es nicht nach der negativen Seite hin als »waghalsig« oder »Spiel mit dem

---

75 Etwa durch »römische Luft« oder »Seereise«: Ewald 27, 159; Haupt 113f. denkt an ein besonderes Ereignis im Dienst des Pl am Ort.
76 Ihn betonen m. R. Ewald 159; Lohmeyer 121.
77 Gnilka 161f. gg. Michaelis.　　　　　　78 Lohmeyer 121 Anm. 3.
79 Haupt 113.　　　　　　　　　　　　　　80 Deißmann 1923: 68f.; Dibelius.

Leben«[81] akzentuieren dürfen. Es ist auch hier analog zu dem Katalog, den Pl 2Kor 11,24–26 für seine Gefährdungen aufstellt, an Menschen oder Naturgewalten zu denken, so daß an aus Verfolgung wie aus Unfall resultierende Verletzungen, Beeinträchtigungen der Gesundheit und Lebenskraft gedacht sein muß. Von daher kann das doppelte ἠσθένησεν nicht mit »Krankheit« übersetzt werden; da aber auch »verletzt«, »verunglückt« oder »erschöpft« jeweils zu speziell wären, so ist nur ein allgemeineres »angeschlagen« verwendbar, da keine Einzelzüge deutlicher werden. Auf jeden Fall aber ist bei ἀσθενεῖν nicht an Krankheit im engeren Sinn zu denken. Das gilt auch von der Verwendungsgeschichte des Ausdruckes her, der 1Makk 1,26 von den Folgen der Verfolgung verwendet ist; Dan 11,33 charakterisiert er die Folge von »Schwert, Feuer, Haft und Enteignung«. Da es auch Mt 25,36.42f. zwischen dem Verlust der Bekleidung und dem Gefängnis genannt ist, so dürfte der ganze Zusammenhang dort ebenso nicht auf Krankheit, sondern auf Lebensminderung als Verfolgungsfolgen zu beziehen sein. Pl bezeichnet als weitere Folge dieses lebensgefährlichen Unglücks die λύπη für sich selbst wie für die philippische Gemeinde. Todesnot führt für sie natürlich zur Trauer. Dies ist ein deutliches Zeichen dafür, daß auch 1,23 (s. o.) mißverstanden ist, wenn man Pl von »Todesfreude« reden ließe[82], um den Unterschied dann etwa auf die Differenz der religionsgeschichtlichen Schule von »theologischer Reflexion« einerseits und »erlebter«, einfacher, unreflektierter Frömmigkeit« andererseits zu bringen (als ob der nachösterliche Pl einen Kinderglauben wie die volkskirchlich aufgewachsenen Interpreten gehabt hätte). Eine solche selbsttrügerische Zweckrationalisierung ist Pl nicht zu unterstellen. Die Härte blieb für ihn immer Härte, und Todesgefahren wurden auch 2Kor 1,3–11 nicht enthusiastisch-illusionär überflogen. Die θανατοῖς πολλάκις (2Kor 11,23) sind Realität, ebenso aber auch die vorläufige und die schließlich endgültig erwartbare Überwindung angesichts der geschichtlichen Auferweckung Jesu. 2Kor 1,9–11 zeigt, daß Pl beides zusammensieht[83]. Darum ist es nicht verwunderlich, wenn er von dieser creatio ex nihilo, die den totenerweckenden Gott kennzeichnet, her in dem schöpferischen ἐλεεῖν Gottes[84] genau wie bei der berufenden iustificatio impiorum so auch in der Wiedererlangung der Lebenskraft reden kann (sei es im Großen Röm 9,15ff.; 11,30–32 oder sei es im Blick auf seine eigene Person 1Kor 7,25; 2Kor 4,1). Die Folge soll das V. 28f. doppelt bezeichnete χαίρειν sein, das wie bisher an allen Stellen in seinem Zusammenhang mit dem Dankgebet, dem Mutgewinnen und Frohwerden verstanden werden muß (s. o. 4,10; 1,4.18.25; 2,2.17f.), und das sowenig einfach »Lebensfreude« wie »Todesfreude« ist. Die Philipper werden V. 29 auch zum Dankgebet aufgerufen, wenn Epaphroditus mit diesem Brief ankommt.

7.2.4. Zusammenfassung: Übersetzung

(25) Ich hielt es unbedingt für besser, euch Epaphroditus hiermit zurückzusenden:
    Er ist zwar mein Mitchrist, ja Mitarbeiter und sogar Mitstreiter geworden,
    doch bleibt er euer Gesandter und euer Überbringer für meinen Bedarf.
(26) Denn er hatte ja nach euch allen Heimweh und war geradezu verzweifelt darüber,
    daß ihr erfahren hattet, wie sehr er angeschlagen und mitgenommen war.
(27) Ja, obwohl er lebensgefährlich mitgenommen war, so hat sich doch Gott seiner
    angenommen – und nicht nur seiner, sondern auch meiner, damit ich nicht noch
    zusätzlichen Kummer habe.

81 So Haupt, Lohmeyer.
83 Dazu auch Schenk 1979: 4ff.

82 Gg. Lohmeyer 120; Ewald 117 Anm. 2.
84 Gnilka 163.

(28) Also ich schicke ihn hiermit um so lieber zurück,
damit ihr wieder froh sein könnt, indem ihr ihn gesund wiederseht und auch ich
wenigstens eine Sorge abhaken kann.

(29) Empfangt ihn also voller Stolz als einen verantwortlichen Mitarbeiter!
Solche Leute wie ihn erkennt als Autoritäten an!

(30) Denn er ist doch um der Ausbreitung der Christusnachricht willen dem Tode
nahegekommen, indem er sein Leben einsetzte, um euch Abwesende im Dienst
an mir zu vertreten.

8. Abschließende Entfaltung der Aufforderung zur Freude in Phil B (3,1; 4,4–7)

8.1. Textsegmentierung

(1)	1.0.	Τὸ λοιπόν, ἀδελφοί μου,
	1.1.	χαίρετε ἐν κυρίῳ
	1.1.1.	– τὰ αὐτὰ γράφειν ὑμῖν
	1.1.1.1.	ἐμοὶ μὲν οὐκ ὀκνηρόν
	1.1.1.2.	ὑμῖν δὲ ἀσφαλές –
(4)	1.2.	χαίρετε ἐν κυρίῳ
	1.3.	πάντοτε – πάλιν ἐρῶ – χαίρετε
(5)	2.1.	τὸ ἐπιεικὲς ὑμῶν γνωσθήτω πᾶσιν ἀνθρώποις.
	2.1.1.	ὁ κύριος ἐγγύς.
(6)	2.2.	μηδὲν μεριμνᾶτε,
	2.3.	ἀλλ᾽ ἐν παντὶ τῇ προσευχῇ καὶ τῇ δεήσει μετὰ εὐχαριστίας τὰ αἰτήματα ὑμῶν γνωριζέσθω πρὸς τὸν θεόν,
(7)	2.3.1.	καὶ ἡ εἰρήνη τοῦ θεοῦ ἡ ὑπερέχουσα πάντα νοῦν φρουρήσει τὰς καρδίας ὑμῶν καὶ τὰ νοήματα ὑμῶν ἐν Χριστῷ Ἰησοῦ.

8.2. Kennzeichen des Briefschlusses

a) Sicher ist (τὸ) λοιπόν wie 4,8; 2Kor 13,11; 1Thess 4,1 (vgl. davon literarisch abhängig 2Thess 3,1; Eph 6,10) als clausula epistolae anzusehen und nicht nur als emphatisches οὖν zu betrachten[1]. Auch Gal 6,17 ist im Grunde als hierher gehörig anzusehen, da der Genitiv »künftig«[2] nur eine situationsbedingte nuancierende Abwandlung darstellt. Dgg. ist 1Kor 7,29 kein Gegenbeweis, da τὸ λοιπόν sich dort konkret auf καιρός zurückbezieht und temporal »den Rest der Frist meint[3]. Erst recht gehört der Plural 1Kor 11,34 als Subjekt nicht in diesen Zusammenhang. Ausschlaggebend ist die Abfolge der anschließenden Anrede und eines Imperativs[4].

b) Ein Aufruf zur Freude steht auch 2Kor 13,11 und 1Thess 5,16 am Briefschluß[5].

c) Abschlußcharakter spricht auch aus den beiden brieflichen Selbstreflexionen in den beiden Parenthesen 3,1 und 4,4, die miteinander im Zusammenhang zu sehen sind, da

---

1 Ewald 161; Haupt 114; Gnilka 165 gg. Lohmeyer 123 Anm. 1.
2 Vgl. Schlier und Mußner Gal z. St.
3 Schrage 1964: 130f. und Conzelmann 1Kor 155 Anm. 3; J. Weiß 1Kor 198 z. St. gg. B–D–R 451,6.
4 Gg. Suhl 1975: 100f.
5 Gnilka 165 gg. Beare 100, der das Vb. mit Lightfoot als normale Grußwendung deuten wollte, wogegen außer dem Zusatz »im Herrn« noch stärker der Zusatz »ständig« in 4,4 spricht.

sie sich auf denselben Sachverhalt beziehen. Ihr nächster Kontext sind die drei Freudenimperative, die sie gliedernd unterbrechen. Daß sich in der Protasis der ersten Parenthese 3,1 das τὰ αὐτά wegen des Plurals nicht auf diese Freudenaufrufe beziehen könne, da es generisch gemeint ist und sich »auf den Begriff in seinem ganzen Umfang, in seiner ganzen Allgemeinheit« bezieht[6], wäre ein Fehlschluß[7], denn gerade der vorangehende (wie nach der literarkritischen Entscheidung auch nachfolgende) Imperativ des Präsens statt eines Aorists macht diese »Allgemeinheit« ja deutlich: Es geht um eine beständige Dauerhandlung[8]. Dies wird 4,4 schließlich noch durch das pleonastische πάντοτε unmißverständlich unterstrichen. Dies könnte bei jedem präsentischen Imperativ stehen. Syntaktisch wird es hier – gerade wenn man die Abfolge der beiden Parenthesen so direkt nebeneinander als den ursprünglichen Zusammenhang ansieht – am ehesten zum dritten Imperativ gehören, zumal es 1,4.20; 2,12 immer dem Bezugsverb vorangestellt war. Die Klimax der drei gleichen Imperative wird so am deutlichsten[9].

Das Futurum ἐρῶ in der zweiten Parenthese »bezeichnet den Vorsatz, den Pl faßt, zur Bekräftigung seine Mahnung zu wiederholen, und den er, indem er ihn ausspricht, ausführt«[10]. So klar hier im Futurum eine Kataphora vorliegt, sowenig ist eine solche für das τὰ αὐτά der ersten Parenthese anzunehmen; denn schon die Tatsache, daß diese selbst eine Proform verwendet, kennzeichnet sie klar als eine Anaphora, die sich auf den eben ausgesprochenen Imperativ zurückbezieht[11]. Die kataphorische Beziehung auf 3,2ff. hat immer schon in die Aporie geführt, daß man es dann letztlich doch auf schon entsprechende, mündlich gegebene Irrlehrerwarnungen zurückbeziehen mußte[12]; dies ist ein starker Grund dafür, literarkritisch nach 3,1 einen Bruch zu sehen. Der angebliche Grund für eine Kataphora, daß Pl ja noch nicht häufig, sondern nur 2,18 direkt imperativisch zur Freude aufgefordert hat, stimmt so nur oberflächlich gesehen. Das Bezugsfeld ist größer, wenn man sich an der semantischen Tiefenstruktur orientiert: Einmal tendiert der grammatische Imperativ mit diesem Sachgehalt »Freude« ja weniger nach der Seite des Befehls und der Bitte hin, sondern gehört auf die Seite des Imperativs als Einräumung und Zugeständnis[13] – eine semantische Differenz, die man beim Verhaftetbleiben an die grammatische Oberflächenstruktur leicht übersieht; zum anderen ist zu beachten, daß eine Ausweitung selbst schon 2,18 durch den zusätzlichen Imperativ συγχαίρετε gegeben ist: So ist weiter das Freuen der Philipper indirekt auch 1,26 wie 2,28f. angestrebt und 1,18 durch die Information als solche ja pragmatisch intendiert (s. o. zu den betreffenden Stellen).

Möglicherweise ist die Apodosis der ersten Parenthese im μέν-δέ-Gefüge als jambischer Dreiheber ohnehin die Aufnahme eines Sprichworts oder ein literarisches Zitat[14]. Das würde den möglichen semantischen Überschuß von ὀκνηρόν und ἀσφαλές im Kontext hier erklären und beides eventuell dadurch nur abgeblaßt verstehen lassen[15]. Immerhin kann das aktive Moment beachtet werden, da ἀσφαλές nicht nur als resultandum die »Sicherheit«, sondern auch das Element des actionis »Sicherung« = Stärkung hat[16]. Daß das Wiederholen als Zeichen geistiger Trägheit – also Langweilig-

---

6 K–G 366 Anm. 7 Gg. Ewald 161 Anm. 1.
8 Gnilka 165 mit Zerwick 1953.
9 So schon Bengel, als Möglichkeit auch Lohmeyer 167 Anm. 3, was Haupt 165 f. Anm. 1 zu
 Unrecht abweist, weil Pl dann nicht gern dasselbe sage; dgg. ist die doppelte Parenthese im
 Zusammenhang hier eine Sperre dagegen, das πάντοτε direkt auf ἐρῶ zu beziehen – gg. Ewald
 218 nach Hofmann.
10 Haupt 161 f. 11 Dibelius 66; Lohmeyer 123 f.
12 Ewald 162; Haupt 115; Gnilka 165. 13 B–D–R 387,2.
14 Moule 1971: 199 Anm. 1; Beare 143. 15 Dibelius 66.
16 Ewald 163.

keit – empfunden werden konnte (vgl. Mt 25,26; Röm 12,11 ὀκνηρός als »träge«!), würde schon für die Verwendung in einer zitierten Formel allgemeiner rhetorischer Bildung passen (meist verweist man auf aktives ὀκνῶ »zögern«, »Bedenken tragen«[17], doch sind die adjektivischen Parallelen als die nächsten zu nehmen). Insgesamt wird man die gesamte Parenthese als konjunktionslose Hypotaxe zu nehmen haben, die mit dem Imperativ zusammengehört, und nicht als isolierte Einleitung auf das Folgende von 3,2ff. beziehen[18].

d) Parusieausblicke am Briefende wie 4,5, wo dem Satz offenbar die Maranatha-Formel zugrunde liegt, sind mit der Verwendung dieser Formel 1Kor 16,22 (vgl. Apk 22,20 im Zusammenhang brieflicher Stilisierung) auch in der Doxologie 4,20 wie in der Bekenntnisformel 3,20 ganz analog gegeben (vgl. auch Röm 16,20; 1Thess 5,23 und ferner Jak 4,18)[19].

e) Element des Briefschlusses ist offenbar auch die 4,7 abschließende Subjektformulierung εἰρήνη θεοῦ als kontextgemäße Abwandlung des sonst an Briefschlüssen häufigeren ὁ θεὸς τῆς εἰρήνης (4,9; 1Thess 5,23; Röm 15,33; 16,20; erweitert 2Kor 13,11; absolut Gal 6,16)[20] in Korrespondenz zum Leitwort des Briefeingangsgrußes.

8.3. Die Praxis der Freude

Wie zuletzt 2,25–30 (s. o.) und auch davor aus der χαρά immer eine praktische Konsequenz und Ausformung abgeleitet wurde, so wird auch hier der dreifache Imperativ zum χαίρειν mit zwei (bzw. drei) praktischen Konsequenzen entfaltet[21]:

a) V. 5 nennt zuerst die ἐπιείκεια. Das determinierte Adjektiv neutrum steht für das nomen actionis (vgl. 3,8)[22]. Durch den Imperativ in der dritten Person ist die Sache stärker als die Person betont. Da die Adressaten der empfohlenen Handlung »alle Menschen« sind, so ist damit der missionarische Aspekt von 2,15f. (s. o.) wieder aufgenommen (offenbar ist der Weltbezug nach außen direkt gemeint und nicht nur durch innergemeindliches Verhalten vermittelt, wie Gnilka[23] durch einen Rückbezug auf 4,2ff. und 2,1ff. deuten will). Die ἐπιείκεια ist 2Kor 10,1 (vgl. Tit 3,2) Christusprädikat im Hendiadyoin mit dem Synonym πραΰτης. Die LXX hat es vorwiegend in späten Schriften, wo es vor allem als Herrschertugend des Hellenismus vorgeprägt zu sein scheint (Arist 188; von Gottes »Schonung«: Dan 3,42; 4,24; Sap 12,18; 2Makk 2,22; Synonyme sind ferner ταπεινοφροσύνη und φιλανθρωπία)[24]. Die zwei semantischen Elemente der »Gelassenheit«[25] und Freundlichkeit dürfen nicht auseinandergerissen werden, sondern sind im semantischen Konzept der Gewaltlosigkeit beieinander: Sap 2,19 erscheint das Wort als Sekundärziel (ἵνα γνῶμεν) angesichts der Mißhandlung der Gottestreuen. Epict.fr. 5,10 ist der Gewalttätige (ὑβριστής) das Antonym dazu.

Das entspricht im Sachgehalt dem Grundansatz der Sendungsrede aus der Jesus-Halacha der Q-Überlieferung: Lk 10,3par »wie Lämmer inmitten von Wölfen« samt der V. 4 angeschlossenen entsprechenden Ausrüstung dürfte hier von Pl auf den

---

17 Haupt 116; Dibelius 66; Gnilka 185 Anm. 3 nach den Papyri: Preisigke II 166.
18 Gg. Gnilka 184ff. 19 Gnilka 169.
20 Gnilka 170. 21 Haupt 161f.; Ewald 218f.
22 B–D–R 263,2. 23 Gnilka 169.
24 Preisker ThWNT II 585–587. 25 Lohmeyer 168.

Begriff gebracht worden sein. Da dort nun auch der begründende Hinweis auf die Nähe der Weltvollendung (Lk 10,9 par ἤγγικεν) wohl seinen ursprünglichen Haftpunkt hat (und erst durch Mk in die Tradition der Jesus-Halacha von da aus eingebracht sein dürfte)[26], so kann dieser traditionsgeschichtliche Hintergrund verständlich machen, wieso es hier gerade zu diesem asyndetisch angeschlossenen Begründungssatz von 4,5b und seiner eschatologischen Motivation gerade mit der Verwendung von ἐγγύς (vgl. 1Kor 7,29; Röm 13,12) kommt (gg. Lohmeyer, der mit Pelagius und Luther an eine »hilfreiche Allgegenwart« denken wollte, ist ein solcher Gedanke schon wegen der geschichtlich strukturierten pl Christologie und Eschatologie unmöglich, bei der die Auferweckung eben keine Vergöttlichung Jesu bezeichnet)[27].

Nachösterlich steht sicher für die Kyrios-Bezeichnung das aramäische Herrenmahlein-leitungswort Maranatha (1Kor 16,22) dahinter, als deren Übersetzung der ganze Satz gelten kann, auch wenn der enge Sachzusammenhang mit der Hoffnung Jesu nach Q ebenfalls gegeben ist. Die Begründungsfunktion wie die christologische Füllung des Kyrios-Satzes 4,5b ergibt sich aus der Entsprechung von κύριος zu dem doppelten vorangehenden ἐν κυρίῳ in 3,1 wie 4,4[28], das als Inhaltsangabe der Freude (s. o. 4,10) zugleich Begründungsfunktion hat. Da, wo vom Gegenüber der Träger der Christus-nachricht her Härte und Schroffheit als Reaktion so naheliegen und herausgefordert werden (ἄνθρωποι dürfte den Akzent des ablehnend-feindlichen tragen), kann in der Anerkennung der eigenen Grenzen (Synonym ταπεινοφροσύνη von 2,3 s. o.) und im Blick auf die vollendende Zukunft des Herrn, die naheliegende Härte und Schroffheit immer neu überwunden werden. Damit wird der »Pakt der Großherzigen«, wie ihn Pl 1,15–18a (s. o.) in einem Fall beispielhaft vorexerzierte und wie ihn 2,3f. (s. o.) in der Gemeinde eingeübt sehen will, über die Grenzen der Gemeinde hinaus zum generellen Handlungsziel und damit auch zum Erkenntnisziel (γνωσθήτω).

Damit ist 4,5 in komprimierter Weise auch grundsätzlich das Verhältnis von eschatolo-gischer und ethischer Zukunft (als anstehendem Handlungsraum) gekennzeichnet. Beide sind nicht so zu differenzieren, daß die ganz bestimmte Relation, in der sie zueinanderstehen, aufgelöst würde. Für diese Relation ist nun gerade die Stetserwar-tung der positiven Vollendung, die Ostern in Gang gesetzt hat, wichtig: Weil diese andringende Zukunft des Herrn immer näher ist als alles andere und lieber heute als morgen ersehnt wird, so wird auch die anstehende Zukunft als ethischer Handlungs-raum immer davon bestimmt: Diplomatisches Taktieren, Einschlagen von Umwegen, um ein Ziel durch Täuschungen doch noch zu erreichen, sind als Handlungsmittel dadurch ausgeschlossen, daß die vollendende Zukunft des Herrn stets vorher eintreten und darin die Abwege des Christen beschämen kann. So liegt in der Herrschertugend der ἐπιείκεια nicht nur der ganze Weg der Gewaltlosigkeit, sondern auch die Abwei-sung aller taktischen Manöver als Handlungsmittel.

b) Die Grundsatzparänese V. 6f. schließt in einer antithetischen Weisung das die Besorgnisse überwindende Beten an. Das Satzgefüge dieses Abschlusses ist wie V. 8f. und 2Kor 13,11 als zusammengehörige Einheit bestimmt durch das Konditionalgefüge: Imperativ + καί + Futur[29]. So zeigt sich auch hier wieder, daß es unmöglich ist, in isolierender Wortsemantik danach zu fragen, was καί bedeutet, sondern was die Doppelrelation von καί zwischen Imperativ-Protasis und Futur-Apodosis textseman-

---

26 Hoffmann 1972 z. St.; vgl. Schenk 1979 a zur Abhängigkeit von Mk 1,14f. von Q.
27 Dgg. m. R. Ewald 219; Dibelius 73; Gnilka 169.
28 Ewald 219; insofern hat Haupt 162 recht, wenn er in dem »Ausruf« 4,5b »die Begründung des ganzen Vorigen« sieht.
29 K–G 521,5; Beyer 1968: 253; Haupt 164 betont daher m. R., daß V. 6 nicht mit einem Punkt geschlossen werden darf; vgl. Ewald 220; Lohmeyer 170; Gnilka 171 Anm. 102.

tisch bedeutet. Die zu beantwortende Übersetzungsfrage darf nicht lauten: »Welches Wort steht im griechischen Text«, sondern »welche Relationen und Strukturen liegen dort vor«[30].

Die einleitende imperativische Bedingung mit der auf Dauer weisenden Präsensform wird antithetisch gedoppelt mit unterstreichenden Ausschließlichkeitsaussagen: μηδέν entspricht antonym ἐν παντί. Es geht um jeden einzelnen Fall[31]. Das zeigen auch die Plurale in den beiden kontextsynonym zu fassenden Syntagmen τὰ αἰτήματα ὑμῶν = τὰ νοήματα ὑμῶν. Es geht um jeden einzelnen Fall, indem »Gedanken« im Menschen aufsteigen, da mit den αἰτήματα ein γνωρίζειν (Wortspiel mit dem Erkenntnisverb von v. 5!) πρὸς τὸν θεόν möglich ist. Die νοήματα bezeichnen hier als nomen resultandum des νοεῖν das, was man denkt, die »Gedanken«[32], während der vorgenannte νοῦς = καρδία die Disposition dafür, also die Erkenntnisfähigkeit, bietet; das Nomen steht im NT nur noch 2Kor 2,11; 3,14; 4,4; 10,5; 11,3 und ist an diesen fünf Stellen offenbar ein korinthisches Schlagwort, das dort stärker das Denkvermögen meint[33]. Sofern sie sich auf einen ausstehenden, noch nicht verwirklichten Sachverhalt richten, werden sie zu αἰτήματα = »Anliegen« als Hyponym (im NT nur noch Lk 23,24; 1Joh 5,12). Dazu nun ist μεριμνᾶν ein wiederum untergeordnetes Hyponym nach der negativen Seite der Befürchtung der Verwirklichung eines möglichen Sachverhalts; die im μεριμνᾶν abge-wehrte Furchthaltung der »Besorgnis« kommt zustande, indem der Mensch entweder ein Gut, das er nicht hat und doch zu brauchen meint, nicht zu erlangen, oder ein Übel, das ihm droht, nicht abzuwehren weiß[34].

Zu Nicht-Besorgnissen werden diese Sachverhalte noch nicht, wenn sie im Bittgebet allein (προσευχή und δέησις sind als Hendiadyoin trotz des doppelt gesetzten Artikels zu nehmen s. o. 1,4) vor Gott als dem schöpferisch verfügenden Herrn der künftigen Möglichkeiten ausgebreitet werden, sondern erst dann, wenn das μετὰ εὐχαριστίας geschieht[35]; damit ist ausgedrückt, daß betendes Flehen und ängstliche Sorge noch nicht an sich schon ein Gegensatz und also die entsprechenden Antonyme sind. Die zugesetzte Präpositionalwendung innerhalb eines Imperativsatzes hat hier die gleiche ausgezeichnete Funktion, auf die wesentliche Vorgegebenheit zu verweisen, von der auszugehen ist wie in 2,3.12 (s. o.). Die Präpositionalwendung ist also die zentrale Bestimmung in dieser Aufforderung, da sie die Erwartung an Gottes künftiges Han-deln mit der Erfahrung bisherigen Gotteshandelns verknüpft[36]. Dies ist für das pl Gebetsethos grundlegend: »Erst aus dem Dank heraus wird jedes Bitten zu einem wahren ›Bitten und Flehen‹, weshalb Pl 1Thess 5,18 unbeschränkt ermahnen kann: ἐν παντὶ εὐχαριστεῖτε.«[37] Kontextsemantisch wird dieser Hauptakzent dadurch deutlich, daß wie 1,4 (s. o.) wiederum χαίρειν (4,4) mit εὐχαριστία verbunden und damit der übergeordnete Gesamtzusammenhang des Wortfeldes markiert wird. Sachlich wird dem Bedrohlichen der Zukunft begegnet, indem der Blick auf Gottes Wirken in der Vergangenheit entgegengestellt wird (s. o. 1,19–21 zur geschichtlichen Struktur der pl Zukunftshoffnungen).

Nach den zu 2,20f. (s. o.) gemachten Beobachtungen kann als sicher angenommen werden, daß Pl mit der Aufforderung zum Nicht-Sorgen an die Jesus-Halacha der Q-Überlieferung Lk 12,22par anknüpft. Die Antithese hier ist »dann ein praktischer

30 B–D–R 387,2 wäre in unserem Falle ebenso wie die Kommentare präzisierend zu ergänzen.
31 Haupt 162; Gnilka 170 mit Ewald, Barth, Bonnard, Friedrich gg. Dibelius, Lohmeyer, Michaelis, die es unter Nichtbeachtung der Kontextantithese mit προσευχῇ verbinden.
32 Ewald 221 Anm. 1; Behm ThWNT IV 958f.
33 Schenk EWNT II 1154f.   34 Haupt 163.
35 Ewald 220; Haupt 163.   36 Dazu näher Schenk 1972.
37 Lohmeyer 170.

Kommentar zu dem Spruch«[38]. Da Pl seinerseits den jesuanischen Sorgen-Spruch in 1Kor 7,32–34 wiederum auf einen anderen möglichen Sachverhalt anwendet, so ist ein breites Spektrum der Verwendungsgeschichte dieser Jesusüberlieferung erkennbar. Gerade aber das ist der Punkt, an dem nachösterlich von der grundlegenden geschichtlichen Auferweckungserfahrung her die Jesusüberlieferung von Pl neu kommentiert werden muß. Diese neue geschichtliche Erfahrung des gegenwärtigen Herrn ist der unverrückbar vorgegebene Ausgangspunkt, mit dem die rückblickende εὐχαριστία zum Ausgangspunkt wird, und deren Inhalt wird hier denn auch präzis mit den synonymen Anfangs- und Schlußsyntagma von v. 7 bezeichnet: ἡ εἰρήνη τοῦ θεοῦ = ἐν Χριστῷ Ἰησοῦ. Es ist auch klar, warum hier im Anfangssyntagma εἰρήνη (s. o. 1,2) ausnahmsweise einmal vorausstehlt und die Gottesbezeichnung im Gen. subjectivus folgt, da es um eine Bezeichnung der Folge und des Zustandes geht, den die einmalige aoristische Gerechtmachung (= Versöhnung) erzeugt (Röm 5,1ff.) und der mit Gottessohnschaft und Geistbegabung synonym ist. Besteht die Gerechtmachung darin, daß der auferweckte Jesus die Herrschaft über das Leben eines Menschen ergreift, so ist εἰρήνη θεοῦ der auferweckte Herr, sofern er die Herrschaft über diese Menschen ausübt.

Dieser Tatbestand betrifft den Menschen als Wesen mit Sprache und Denken, wofür hier νοῦς, »das Vermögen des Unterscheidens«[39] und der Erfassung von Sachverhalten steht, was synonym mit καρδία (s. o. 1,7) aufgenommen wird. Diese Relation von Christus zum Menschen als denkendem Wesen wird dann mit ὑπερέχειν (3,8 für γνῶσις wieder aufgenommen; etwas anders dgg. 2,3 s. o.) wie mit φρουρεῖν (2Kor 11,32 direkt vom Gefängnis; Gal 3,23 analog vom »Gesetz«) angegeben. Obwohl Einhelligkeit darüber besteht, daß vom Kontext her hier nicht ein Irrationalismus begründet wird, demzufolge »der Verstand nicht zu begreifen vermöge«, also die Frage der Erkenntnismöglichkeit gar nicht im Blick ist[40], wird doch das ὑπερ- des Kompositums immer noch als ein bloßes »Übertreffen« verstanden: »der alles weit hinter sich läßt, was der νοῦς leistet«[41]; eine solche Aussage entsteht erst in Anlehnung an unsere Stelle in Eph 3,20, wobei aber deutlich der Gattungswechsel aus der Fürbitte hier in die Doxologie, dort als der wesentlich semantisch in diese Richtung hin umprägende Faktor zu veranschlagen ist. Phil 4,7 ist aber eben nicht von Eph 3,20 her zu interpretieren. Das scheitert schon daran, daß hier nicht ein bloßes Nebeneinander der beiden Verben ὑπερέχειν und φρουρεῖν vorliegt, sondern der Zusammenhang klar so strukturiert ist, daß im ὑπερέχειν die faktische Voraussetzung und das Potential für das φρουρεῖν liegen. Wenn dem Textgefälle nach die Folge das »Bewahren« ist, dann muß das voranstehende Verb als Suprenym das semantische Potential dafür angeben. Somit ist nicht die Differenz im Präfix ὑπερ betont, sondern die integrierende Inklusivität ausgedrückt, also weder »höher als alle« noch »übersteigen«, sondern die Vorgegebenheit und damit das Umgreifende.

Ebenso wie hier die εἰρήνη so ist 1Kor 12,31b die ihr synonyme ἀγάπη mit der Kennzeichnung καθ᾽ὑπερ (|) βολὴν ὁδόν nicht als »überragende«, sondern als die einzelnen Charismen umgreifende und bestimmende (vgl. die Folge 13,1–3.8–13) zum Ausdruck gebracht (vgl. 2Kor 4,7.17). Deshalb kann 2Kor 5,14 als darauf direkt

---

38 Dibelius 73; Haupt 163; die Skepsis von Gnilka 170, der die inhaltliche Übereinstimmung nicht bestreitet, erscheint als eine methodisch nicht gerechtfertigte Skepsis. Gg. Lohmeyer 169 ist nicht an den in Q-Lk 12,11f. direkt vorausgehenden Spruch zu denken, da dieser Spruch traditionsgeschichtlich selbst eine spätere Konkretion des Jesus-Spruches vom Sorgen im Hinblick auf den Sachverhalt der Verfolgung darstellt: Schenk 1981 z. St.
39 Ewald 221 Anm. 1. 40 Haupt 164; Ewald 221.
41 BauerWB 1077; Gnilka 171.

zurückweisende Wiederaufnahme wiederum von dieser ἀγάπη Χριστοῦ (singuläres Syntagma als epexegetischer Genitiv) im Blick auf die christliche Meinungsbildung (κρινεῖν) ein synonymes συν-έχειν ausgesagt werden. So ist auch an unserer Stelle Phil 4,7 das ὑπερέχειν als συνέχειν gemeint.

Nur so ist es hier als semantische Voraussetzung für das zweite Verb des »Bewahrens« deutlich kenntlich gemacht. Es geht darum, daß das Denken bei der ihr vorgegebenen Sache bleibt; ὑπερέχειν bezeichnet also genau dasjenige erkenntnisleitende Moment, was die ontologisch begründete Erkenntnistheorie mit der »Übergegenständlichkeit« des Objekts der Erkenntnis benennt[42]: Die realistische Erkenntnistheorie setzt den Gegenstand als dem Subjekt unverfügbar und unveränderbar vorgegeben voraus und verwechselt damit nicht wie die subjektivistische Erkenntnistheorie Erkennen und Handeln. Das handelnde Ich steht in einer anderen Beziehung zum Gegenstand als das erkennende, indem es tatsächlich »verfügbar« macht, was aber vom objektiven Erkennen so nicht gesagt werden kann. Paulus ist auch erkenntnistheoretisch Realist. Das so bestimmte christliche Beten hat seinen Ort und seine Funktion in einem ontologischen Realismus. Demgegenüber kommt das antithetische μεριμνᾶν auf der Seite des erkenntnistheoretischen Idealismus zu stehen und ist ebenso Merkmal eines erblindeten Dezisionismus[43] wie eines unbelehrbaren, methodisch ungerechtfertigten Skeptizismus.

Phil 4,7 beschreibt als Daueraufgabe christlichen Denkens, was das Missionsziel 2Kor 10,5 synonym dazu mit αἰχμαλωτίζοντες πᾶν νόημα εἰς τὴν ὑπακοὴν τοῦ Χριστοῦ bezeichnet. Phil 4,7 darf also nicht nur unvollständig wortsemantisch und damit falsch übersetzt zum falsch isolierten Schlagwort für einen dem Evangelium wesensfremden Irrationalismus gemacht werden. Leider ist ein solcher Mißbrauch im Kanzelgruß des lutherischen Gottesdienstes der Gegenwart weit verbreitet. Anti-logische Strömungen in der Kirche waren immer ein untrügliches Anzeichen für Zeiten kirchlichen Niedergangs[44]. Pl schließt diesen Brief mit der entgegengesetzten Gewißheit einer wachsenden Bestimmtheit des menschlichen Denkens vom Sachgehalt des Evangeliums her, was schon sein Grundanliegen in der Einleitung dieses Briefes 1,9–11 war. Dies ist die grundlegende Daueraufgabe der Gemeindearbeit, der die Theologie als Denk-Diakonie zu dienen hat.

8.4. Zusammenfassung: Übersetzung

(3,1) Abschließend also, meine lieben Mitchristen:
   Ihr könnt im Blick auf unseren auferweckten Herrn froh sein!
      (Wenn ich das euch gegenüber so oft wiederhole, so ist das nicht ein Zeichen meiner Langweiligkeit, sondern dient eurer Festigung).
(4,4) Ihr könnt im Blick auf unseren auferweckten Herrn froh sein!
   Ich wiederhole es noch einmal:
   Ständig könnt ihr froh sein!
(4,5) Alle Leute sollen eure gelassene Gewaltlosigkeit erfahren!
   Dieser unser Herr ist ja mit seinem Vollendungshandeln nahe.

---

42 Hartmann 1960: 70f.   43 Habermas 1968: 166f.
44 Bocheński 1968: 28f.

(4,6) Wenn ihr in keinem Falle der Sorge verfallt,
sondern in jedem Falle eure Anliegen mit Danksagung im Bittgebet Gott erfahren laßt,

(4,7)   dann wird die euch geschenkte Gottesgemeinschaft,
die ja jedem Denken vorausgeht und es umgreift,
auch euer Denken und eure Gedanken
in dieser Christusgemeinschaft festhalten!

9. Das Fragment des Warnbriefes Phil C (3,2–4,3.8f.)

9.1. Textsegmentierung

1.1.   Βλέπετε τοὺς κύνας

1.2.   βλέπετε τοὺς κακοὺς »ἐργάτας«

1.3.   βλέπετε τὴν κατατομήν.

(V. 3)   2.1.   ἡμεῖς γάρ »ἐσμεν ἡ περιτομή,«

2.1.1.   Α   οἱ »πνεύματι θεοῦ

            Β   λατρεύοντες«

2.1.2.   C   καὶ

            Β'   »καυχώμενοι

            Α'   ἐν« – Χριστῷ Ἰησοῦ

2.1.3.   C''   καὶ

            Α''   »οὐκ ἐν σαρκὶ

            Β''   πεποιθότες.«

(V. 4)   3.1.   καίπερ ἐγὼ ἔχων πεποίθησιν καὶ ἐν σαρκί.

3.2.   Εἴ τις δοκεῖ ἄλλος πεποιθέναι ἐν σαρκί –
ἐγὼ μᾶλλον.

(V. 5)   3.3.1.   περιτομῇ ὀκταήμερος,

3.3.1.1.   Α   ἐκ γένους Ἰσραήλ,

3.3.1.2.   Β   φυλῆς Βενιαμίν,

3.3.1.3.   C   Ἑβραῖος ἐξ Ἑβραίων,

(V. 6)   3.3.1.4.   Α'   κατὰ νόμον – Φαρισαῖος,

3.3.1.5.   Β'   κατὰ ζῆλος – διώκων τὴν ἐκκλησίαν,

3.3.1.6.   C'   κατὰ δικαιοσύνην – τὴν ἐν νόμῳ –
                              γενόμενος ἄμεμπτος.

(V. 7)   3.4.   ἅτινα ἦν μοι »κέρδη«,

3.5.   ταῦτα ἥγημαι διὰ τὸν Χριστὸν ζημίαν.

(V. 8)   3.6.   ἀλλὰ μενοῦν γε καὶ ἡγοῦμαι πάντα ζημίαν εἶναι

3.6.1.   διὰ τὸ ὑπερέχον τῆς »γνώσεως« – Χριστοῦ Ἰησοῦ
                            τοῦ κυρίου μου,

3.6.2.   δι' ὃν τὰ πάντα ἐζημιώθην,

3.7.   – καὶ ἡγοῦμαι »σκύβαλα« –

3.8.1.   ἵνα

        Α   Χριστὸν

        Β   κερδήσω

(V. 9)   3.8.2.   C   καὶ

            Β'   εὑρεθῶ

            Α'   ἐν αὐτῷ,

3.9.1.   Α   – μὴ ἔχων ἐμὴν

        Β   »δικαιοσύνην« –

        C   τὴν ἐκ νόμου,

3.9.2.   D ἀλλὰ τὴν διὰ πίστεως Χριστοῦ,

		C'	τὴν ἐκ θεοῦ
		B'	δικαιοσύνην
		A'	ἐπὶ τῇ πίστει –

(V. 10) 3.10. τοῦ »γνῶναι« – αὐτὸν
  3.10.1. A καὶ τὴν »δύναμιν τῆς ἀναστάσεως« – αὐτοῦ
  3.10.2. B καὶ »κοινωνίαν« – παθημάτων αὐτοῦ,
  3.11.1. B' »συμμορφιζόμενος« – τῷ θανάτῳ αὐτοῦ,
(V. 11) 3.11.2. A' εἴ πως καταντήσω εἰς τὴν »ἐξανάστασιν« –
        τὴν ἐκ νεκρῶν.
(V. 12) 3.12.1. Οὐχ ὅτι »ἤδη ἔλαβον«
  3.12.1.1. ἢ »ἤδη τετελείωμαι«,
  3.12.2.1. »διώκω« δὲ
  3.12.2.2. εἰ καὶ »καταλάβω«,
  3.12.3. ἐφ᾽ ᾧ καὶ »κατελήμφθην« – ὑπὸ Χριστοῦ Ἰησοῦ.
(V. 13) 3.13. ἀδελφοί,
  3.13.1. ἐγὼ »ἐμαυτὸν« οὐ λογίζομαι »κατειληφέναι«.
  3.13.2. ἓν δέ,
  3.13.2.1. τὰ μὲν ὀπίσω ἐπιλανθανόμενος,
  3.13.2.2. τοῖς δὲ ἔμπροσθεν ἐπεκτεινόμενος,
(V. 14) 3.13.2.2.1. κατὰ σκοπὸν διώκω εἰς τὸ βραβεῖον »τῆς ἄνω
        κλήσεως τοῦ θεοῦ« –
  3.13.2.3. ἐν Χριστῷ Ἰησοῦ.
(V. 15) 4.1.1. Ὅσοι οὖν »τέλειοι«,
  4.1.2. τοῦτο φρονῶμεν·
  5.1. καὶ εἴ τι ἑτέρως φρονεῖτε,
  5.2. καὶ τοῦτο »ὁ θεὸς ὑμῖν ἀποκαλύψει«·
(V. 16) 6.1. πλὴν εἰς ὃ ἐφθάσαμεν,
  6.2. τῷ αὐτῷ στοιχεῖν.
(V. 17) 7.1.1. Συμμιμηταί μου γίνεσθε, ἀδελφοί,
  7.1.2. καὶ σκοπεῖτε τοὺς οὕτω περιπατοῦντας,
  7.2.1. καθὼς ἔχετε τύπον ἡμᾶς.
(V. 18) 7.2.2. πολλοὶ γὰρ περιπατοῦσιν
  7.2.2.1. – οὓς πολλάκις ἔλεγον ὑμῖν,
  7.2.2.2. νῦν δὲ καὶ κλαίων λέγω –,
  7.2.2.2.1. τοὺς ἐχθροὺς τοῦ σταυροῦ τοῦ Χριστοῦ,
(V. 19) 7.2.2.2.2. ὧν »τὸ τέλος« – »ἀπώλεια«,
  7.2.2.2.3. ὧν »ὁ θεὸς« – »ἡ κοιλία«
  7.2.2.2.4. καὶ »ἡ δόξα« – ἐν τῇ αἰσχύνῃ αὐτῶν,
  7.2.2.2.5. οἱ »τὰ ἐπίγεια φρονοῦντες«.
(V. 20) 7.3.1. ἡμῶν γὰρ »τὸ πολίτευμα ἐν οὐρανοῖς ὑπάρχει«,
  7.3.2. ἐξ οὗ καὶ σωτῆρα ἀπεκδεχόμεθα κύριον
        Ἰησοῦν Χριστόν,
(V. 21) 7.3.3. ὃς μετασχηματίσει τὸ σῶμα τῆς ταπεινώσεως ἡμῶν
  7.3.4. σύμμορφον τῷ σώματι τῆς »δόξης« – αὐτοῦ,
  7.3.5. κατὰ τὴν ἐνέργειαν τοῦ δύνασθαι αὐτὸν
  7.3.6. καὶ ὑποτάξαι αὐτῷ τὰ πάντα.
(V. 1) 8.1. Ὥστε, ἀδελφοί μου ἀγαπητοὶ καὶ ἐπιπόθητοι,
        χαρὰ καὶ στέφανός μου,
  8.1.1. οὕτως στήκετε ἐν κυρίῳ.
(V. 2) 8.2. Ἀγαπητοί,

	8.2.1.	Εὐοδίαν παρακαλῶ καὶ Συντύχην παρακαλῶ
	8.2.2.	τὸ αὐτὸ φρονεῖν ἐν κυρίῳ.
(V. 3)	8.2.3.	ναὶ ἐρωτῶ καὶ σέ, γνήσιε σύζυγε,
	8.2.3.1.	συλλαμβάνου αὐταῖς,
	8.2.3.1.1.	αἵτινες ἐν τῷ εὐαγγελίῳ συνήθλησάν μοι
	8.2.3.2.	μετὰ καὶ Κλήμεντος καὶ τῶν λοιπῶν συνεργῶν μου,
	8.2.3.2.1.	ὧν τὰ ὀνόματα ἐν βίβλῳ ζωῆς.
(V. 8)	8.3.	Τὸ λοιπόν, ἀδελφοί,
	8.3.1.1.1.	ὅσα ἐστὶν ἀληθῆ, ὅσα σεμνά,
	8.3.1.1.2.	ὅσα δίκαια, ὅσα ἁγνά,
	8.3.1.1.3.	ὅσα προσφιλῆ, ὅσα εὔφημα,
	8.3.1.1.4.	εἴ τις ἀρετὴ καὶ εἴ τις ἔπαινος,
	8.3.1.2.	ταῦτα λογίζεσθε·
(V. 9)	8.3.2.1.1.	ἃ καὶ ἐμάθετε καὶ παρελάβετε
	8.3.2.1.2.	καὶ ἠκούσατε καὶ εἴδετε ἐν ἐμοί,
	8.3.2.2.	ταῦτα πράσσετε·
	8.3.2.3.	καὶ ὁ θεὸς τῆς εἰρήνης ἔσται μεθ' ὑμῶν.

9.2. Das Problem der Textgliederung

Die Tatsache, daß Kümmel[1] für diesen umfassenden Komplex auf eine detaillierte Untergliederung verzichtet, ist als Gegensatz zu der sehr differenzierten Aufgliederung, die er von Phil 1–2 gibt, auffallend. Offenbar ist sie hier besonders schwierig. Dieser Eindruck verstärkt sich, wenn man einige ins einzelne gehende Gliederungsvorschläge von Phil 3 miteinander vergleicht.

Gnilka[2] macht folgenden Gliederungsvorschlag:
1. Warnung vor den Hunden 3,1b–4a
2. Die einstigen Vorzüge des Paulus 3,4b–7
3. Das Vorbild des Apostels 3,8–11
4. Noch nicht am Ziel 3,12–16
5. Unterwegs zum Ziel 3,17–21
6. Feststehen im Herrn 4,1.8–9

Demgegenüber unterschied Lohmeyer (6,124 ff.):
1.1. Von der Gefahr jüdischen Glaubens 3,2–6
   (Die äußere Gefahr des Judentums)
1.2. Vom Vorbild des Apostels 3,7–11
   (Das Beispiel des Paulus)
1.3. Von der Vollkommenheit 3,12–16
   (Die innere Gefahr der »Vollkommenen«)
1.4. Von den Abtrünnigen 3,17–21
   (Das Gegenbeispiel der Abtrünnigen)
2. Letzte Mahnungen zum Martyrium 4,1–9
2.1. Überleitung 4,1
2.2. Euodia und Syntyche 4,2–3
2.3. Letzte Wünsche 4,4–7
2.4. Letzte Bitten 4,8–9

1 Kümmel 1973: 281 f.   2 Gnilka 184.

Gnilka nimmt bei seinem Gliederungspunkt 1 materialiter den Satz 3,2a heraus und macht ihn zur Gesamtüberschrift seines ersten Segments, wobei er dieses auf Grund seiner singulären literarkritischen Entscheidung auch schon mit V. 1b einsetzen läßt. Doch schon diese Entscheidung ist fraglich, weil Pl 3,1b – und zwar nur hier in der gesamten phil Korrespondenz – sein γράφειν betont (vgl. gegen Briefschluß so auch Philemon 19.21; Gal 6,11; 1Kor 4,15, da 1Kor 4 ein Brief endet)[3], während hier aber Phil 3,18 (vgl. 4,11) von λέγειν spricht (wie Gal 1,9 zusammen mit dem Rückverweis auf früheres Reden), was typisch für Mahnredenstil (Gal 5,2; Röm 12,3 und 1Kor passim). Insofern bildet der dreifache homonyme Imperativ der 2. Person Plural 3,2 den wirklichen Neueinsatz, und das Ganze macht den Eindruck einer einheitlich konzipierten Rede, die wirklich vorgetragen sein kann, wenn auch nur in Gestalt brieflicher Verlesung.

Außerdem sind diese drei parallelen Imperative in 3,2 gleichberechtigt, so daß eine isolierende Herausstellung ausgerechnet des bildlichen Schimpfwortes als Überschrift nicht gerechtfertigt erscheint, da dieses metaphorisch unbestimmt ist und dann erst noch weiter doppelt erläutert wird. Das rhetorische Mittel der dreifachen Setzung des gleichen Imperativs muß in seiner wichtigen Verstärkungsfunktion gesehen[4] und gerade, weil es sich hier um die Einleitung des Ganzen handelt, kommunikativ äquivalent übersetzt werden. Daß genau dies allerdings durch die Weglassung der Verbwiederholungen und der damit entstehenden Substantivhäufung am besten geschieht[5], ist fraglich. Das im Phil nur hier vorkommende βλέπειν hat mit Akk. den Sinn von »seid auf der Hut vor«, obwohl weder ein μή (wie Gal 5,15; 1Kor 8,9; 10,12; Mk 13,5) noch ἀπό (Mk 8,15; 12,38) folgt, sondern der bloße Akkusativ (wie 1Kor 1,26; 10,18, wo er aber nicht warnend gemeint ist). Der Warnaspekt ist bei Verben des Fürchtens usw.[6] beim bloßen Akkusativ möglich und hier wohl von daher zu verstehen, wobei wiederum noch ein latinisierender Einschlag angenommen werden kann[7]. Durch den Übergang zur 1. Pers.Plur. in 3,3 ist wohl ausgeschlossen, daß der Imp. positiv, aber im ironischen Sinne gemeint ist (»Orientiert euch ruhig an den Hunden«).

Der dreifach wiederholte Imperativ markiert durch seine Häufung als Auftakt das Warninteresse des gesamten Textes. Darum ist auch fraglich, ob die Art der Weiterführung richtig beschrieben ist mit dem Satz: »Der dreifachen Warnung entsprechen (!) in V. 3–4a die drei Partizipien.«[8] Eine solche einengende Entsprechung liegt nicht vor. Wohl sind das Schlußglied der Warnkette 3,2 und das Anfangsglied von 3,3 mittels der antonymischen Paronomasie (Zerschneidung–Beschneidung) verzahnt, doch liegt diese Verzahnung gerade nicht in den Partizipialgliedern, sondern in dem vorangehenden Hauptsatz vor. Eher ist in dem ebenfalls dreimal gesetzten ἐν σαρκί eine analoge stilistische wie semantische Beziehung zu dem dreimaligen warnenden βλέπετε zu sehen, zumal der 3,3 zu beobachtende Chiasmus offenbar auf das erste ἐν σαρκί hinausläuft; außerdem ist dieser Präpositionalwendung wiederum dreimal konstant der Bezug zur πεποίθησις zugeordnet. Die erweiterte Ringkomposition 3,3 gliedert so:

3 Dieser meiner literarkritischen Bestimmung (Schenk 1969) folgen inzwischen Schmithals 1973; Vielhauer 1975: 141; Schenke-Fischer 1978: 166f. Anm. 7; Marxsen 1978: 88, 93; Sellin 1982: 72.
4 Bultmann 1910: 77; vgl. Ullmann 1973: 323 Häufungen als Interessenausdruck. Vgl. zusätzlich die Alliteration der Objekte.
5 So der Vorschlag von Dibelius und Lohmeyer.
6 B–D–R 149,1.
7 Lohmeyer 126 Anm. 1: »Es hat den gleichen Sinn wie lat. videre in der bekannten Formel videant consules usw.«
8 Gnilka 184f.

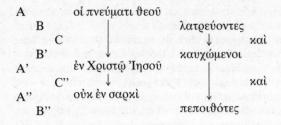

9.2.1. Die Funktion der Wir-Stücke

Stärker kennzeichnend ist, daß 3,3 im Kontrast zu 3,2 mit der 1. Pers. Plural einsetzt. Dabei ist ἡμεῖς dadurch auffallend betont, daß dieses Personalpronomen trotz der Gegebenheit im Verbalmorphem redundant nochmals überhaupt explizit verbalisiert ist und als solches herausgehoben nachdrücklich am Anfang steht. Dieser Kontrast sagt: »wir und nicht sie« – ja, »vor der Stärke dieses ›wir‹ behält das Wort ›Beschneidung‹ nur einen Nebenton[9]. Da sich nun weiter außer dem doxologischen »Wir« Phil A 4,20 diese Ausdrucksweise in der phil Korrespondenz überhaupt nicht fand, hilft auch diese Beobachtung dazu, die besondere Bedeutung dieses Textsignals, in dem sich der Sender mit den Empfängern zusammenschließt, für das vorliegende Textsegment nicht zu übersehen: »Es ist das erste Mal in diesem Brief, daß Pl sich und die Gemeinde in der Gemeinsamkeit eines ›wir‹ zusammenfaßt.«[10] Das behält als Besonderheitsmerkmal textkomparatistischer Häufigkeiten und Verteilungen auch seine Bedeutung, wenn man nicht der literarkritischen Hypothese der Einheitlichkeit des ganzen Briefes folgt. In Korrespondenz zu dieser Besonderheit von 3,3 verdient dann herausgestellt zu werden, daß 3,15b und 3,16b dem semantischen Gehalt nach mit der kohortativen 1. Pers.Plur. darauf zurücklenkt, während dazwischen 3,16a den Indikativ der 1. Pers.-.Plur. von 3,3 sogar direkt aufnimmt, und schließlich 3,20 das Personalpronomen ebenso betont satzeröffnend und mit γάρ verbunden voranstellt wie 3,3[11], wobei dann 3,20–21 durch eine Dreifachsetzung dieses Sems (3,20 -μεθα; 3,21 ἡμῖν) insgesamt bestimmt ist.

Deutlich ist, daß 3,3 und 3,20f. nicht auseinanderzureißen sind. Darum ist es nicht möglich, das »Wir« 3,3 auf Paulus und seine Begleiter zu beziehen[12], 3,20 aber natürlich die Christen als solche bezeichnet zu sehen[13]; denn auch der umgekehrt konsequente Versuch, das »Wir« an beiden Stellen nur auf Paulus und seine Mitarbeiter zu beziehen[14], führt zu einer nachträglichen Selbstaufhebung für 3,20f.: »Erwartung der wahren christlichen Missionare und damit (!) aller Christen.«[15] Dagegen spricht wesentlich, daß 3,3 wie 3,20 mit dem Syntagma ἡμ(εῖς) γάρ einsetzen und damit diese Wir-Stücke als indikativische Begründung den voranstehenden Imperativen zuordnen.

Wesentlich ist dabei weiter, daß mit der Schärfe des Wir-Einsatzes 3,20 der Gegensatz zu den in 3,18f. genannten »Vielen« markiert ist wie 3,3 zu den in 3,2 als Objekt genannten Personen. Diese Beobachtungen legen es nahe, einmal in den Indikativen

---

9 Lohmeyer 127.
10 Lohmeyer ebd.
11 B–D–R 284,2; Lohmeyer 156; Gnilka 206.
12 So Zahn 1906: 383; Ewald 166f.; Köster 1962: 320f.; dgg. Schmithals 1965a: 64 Anm. 1; Gnilka 187.
13 So Ewald 209 Anm. 1.
14 So Merk 1968: 189f., 192f.
15 Ebd. 193.

der 1. Pers.Plur. von 3,3 und 3,20f. eine chiastische Rahmung des Gesamttextes zu sehen, und daneben auch einen semantischen Bezug der »Vielen« von 3,18f. mit den in 3,2 einleitend genannten Personen. Dies wird aber nicht nur durch die jeweils folgenden Wir-Antithesen nahegelegt, sondern offenbar auch durch die inkorrekte Satzkonstruktion in 3,18[16], die mittels des pluralen Akkusativobjekts im Relativum οὕς und dem Artikel τούς auf das doppelte τούς von 3,2 zurückweist, da zwischen beiden Stellen ein solcher pluraler und maskuliner Akkusativ nur 3,17 wiederum als Antithese für Paulus und die Seinen stand, und darum nur als gezielte Wiederaufnahme für die am Anfang genannten feindlichen Agitatoren vorstellbar ist[17].

Im Zusammenhang damit ist auch der seltene absolute Gebrauch (wie 1Thess 4,1), also das Fehlen einer adverbiellen (1Thess 2,12; 4,12; 1Kor 7,17; Röm 13,13) oder attributiven (Gal 5,16; 2Kor 12,18 bloßer Dativ, sonst mit Präposition) Bestimmung bei περιπατεῖν zu sehen[18]. Pl unterbricht sich mit dem Relativsatz 3,18, weil er eigentlich das Attribut bringen wollte, dann jedoch sich genötigt sah, erst das Warnsignal der Anrede einzubringen, so daß er erst danach in der constructio ad sensum das Attribut »Feinde« im Akk. nachliefert. Damit erübrigt sich aber auch der Vorschlag, als adverbiale Ergänzung »very differently«[19] oder dergleichen hinzuzufügen. Sieht man die semantischen Zusammenhänge zum Anfang des Textes, so ist deutlich, daß Pl eine Ergänzung im Sinne von κατὰ σάρκα im Blick hat, was nun aber statt einer Präpositionalwendung aus gegebenem Anlaß personal konkretisiert wird. Beide stehen ja auch sonst in einem Wortfeldzusammenhang: Nach 3,6 gehörte zur σάρξ die »Verfolgung« der Gemeinde, wie auch Gal 4,26 dies ihr Kennzeichen ist; Röm 8,7 prädiziert im definierenden Nominalsatz das Orientiertsein der σάρξ auf »Feindschaft gegen Gott«. Aus diesem klaren Sachzusammenhang erklärt sich auch die weitere Konkretion, daß die σάρξ-Macht auch und gerade im Umgang mit dem Mosegesetz in ihrer dirigistischen Gefangenschaft hält (Röm 7,23). Zur Gestaltung der Formulierung Phil 3,18 ist wohl auch noch zu veranschlagen, daß Pl hier λέγω nicht im Sinne von »berichten«[20] verwendet, sondern – was Bauer im nächsten Unterabschnitt verhandelt – mit doppeltem Akkusativ »nennen«, »bezeichnen als« meint[21]. Das Relativum steht dabei, wie es unter latein. Einfluß häufiger der Fall ist[22], für das Demonstrativum: »Viele verhalten sich so, wie – ich bezeichnete sie euch gegenüber schon öfter so und also auch jetzt als – Zerstörer des Kreuzes Christi.« (Vgl. zu diesem Prädikat der Sache nach auch Gal 2,21; 5,11.)

Wenn p[46] also hier vor τοὺς ἐχθρούς zusätzlich das βλέπετε von 3,2 wiederholt, dann ist das wegen der Singularität dieser Lesart sicher nicht ursprünglich, semantisch jedoch ein deutlicher Hinweis darauf, daß dieser Abschreiber es schon so wie Erasmus, Calvin und die anderen genannten Interpreten verstand und durch die ausdrückliche Verbalisierung den Lesern verdeutlichte. Textsyntaktisch hat dieses Anliegen der Identifizierung der Gegner mit 3,2 mehr Recht als die Annahme eines völlig neuen Gegenübers, sei es als allgemein gefaßtes immer und überall vorhandenes gefährliches Gegenüber – ob in der Gemeinde[23] oder außerhalb[24] – sei es, daß man an Abtrünnige in der Verfolgung[25] denkt.

---

16 Lohmeyer 152f.; Gnilka 204 Anm. 104.
17 Ewald 203f.; Feine 1916: 29; K. Barth 110f.; Köster 1962: 325ff. wie schon Erasmus, Calvin, Bengel.
18 Lohmeyer 152 Anm. 2. 19 Beare 125.
20 So BauerWB 929. 21 Lohmeyer 153 Anm. 2.
22 B–D–R 293,2c. 23 So Gnilka 204.
24 So Beare 138f. nach Haupt, Michaelis, Bonnard.
25 So Lohmeyer 150ff.

Denn weiter ist zu beachten, daß Pl ja nicht nur 3,20 wie 3,3 das ganze »Wir« der Christen den bedrohenden Feinden von 3,2 wie 3,18f. entgegensetzt, sondern daß er offenbar im Vorgriff auf 3,20 schon 3,17 mit so einem auffallend gegensätzlichen »Wir« schloß und auf diese Weise 3,18f. mit diesem »Wir«-Bezug rahmt, wenngleich dies hier die Adressaten nicht mit umfaßt, sondern ihnen gegenübersteht und von der 1.Pers. Sing. des Senders von 3,17a ausgeht. Meint ἡμᾶς hier semantisch zwar »meinesgleichen« als Vorbild für die Adressaten[26], so ist doch die Setzung von ἡμᾶς als morphologisch-syntaktisches Signal im Blick auf den Einsatz von 3,20 mit vorangestelltem ἡμῶν als bewußte Klammerbildung gewählt, da Pl 4,9 den Vorbildgedanken durchaus wiederum singularisch formuliert. Textsyntaktisch ist also auch das »Wir« in 3,17b signifikant, während textsemantisch das für das Segment kennzeichnende »Wir« vor allem den Ring 3,3:3,20f. bestimmt und dazwischen 3,15b.16a erinnert war.

9.2.2. Die Ihr-Imperative

Um diesen Wir-Ring 3,3.20f. legt sich ein Ihr-Ring der anredenden Eingangsimperative 3,2 und des ihnen korrespondierenden Schlußimperativs 4,1, der eine Kette von Schlußimperativen von 4,1–3.8–9 einleitet. Wenn Lohmeyer[27] im Unterschied zu den meisten Kommentatoren 4,1 – ebenso wie das Interpretationssignal der mittelalterlichen Kapiteleinteilung – zum Folgenden schlagen will, so ist es typisch, daß er die beiden hier vorliegenden, wesentlichen Rückweiser (ὥστε, οὕτως) nicht beachtet und sie überhaupt in seiner Interpretation unberücksichtigt läßt[28]. Doch »der Aufruf gewinnt seine besondere Ausrichtung durch die vorangehenden Warnungen vor den die phil Gemeinde heimsuchenden Pseudomissionaren[29]. Der Schlußimperativ faßt alle direkten und indirekten Einzelmahnungen von 3,2ff. zusammen[30]. Dabei sind die beiden Rückweiser besonders in den Blick zu nehmen:
a) Das folgernde ὥστε mit Imperativ (s. o. 2,12), das typisch für Pl ist (außerpl im NT nur 1Petr 4,19), findet sich als Zusammenfassung in Schlußpositionen auch 1Thess 4,18; 1Kor 3,21; 4,5; 10,12; 11,33 und mit Anrede verbunden auch 14,39 und 15,58 (bzw. 5,8 Kohortativ).
b) Das bloße οὕτως beim Imperativ – wie 1Kor 9,24; 11,28; Röm 6,11 ohne ein korrespondierendes ὡς – weist nicht nur auf 3,2ff. insgesamt zurück[31], sondern steht hier bei dem positiven Imperativ στήκετε und hat darin einen direkten Vorgänger in dem letzten vorausgehenden positiven Imperativsatz 3,17 mit οὕτω[32]. Dieser direkte Rückbezug ist weiter dadurch besonders deutlich, daß dieses Adverb im phil Textcorpus nur an diesen beiden Stellen vorkommt. An beiden Stellen tritt weiterhin die vokativische Anrede »Brüder« hinzu, die den gemeinsamen christlichen Ausgangspunkt der »Mitchristen« signalisiert. In 3,17 indessen scheint οὕτω in Beziehung zu einem korrespondierenden καθώς (vgl. bei Imp. 1Kor 4,1; 7,17; 16,1; Röm 6,4.19) zu

---

26 Gg. Lohmeyer 152 ist sicher nicht speziell an phil Märtyrer zu denken, sondern eher an Pl-Mitarbeiter (so Gnilka 203), doch noch wahrscheinlicher handelt es sich nur um einen schriftstellerischen Plural (so Merk 1968: 190f. nach Dick 1900: 117; Jervell 1960: 195).
27 Lohmeyer 163ff., dem Friedrich 122 folgt.
28 Beare analysiert 4,1 überhaupt nicht erst; auch die Übersetzungen Luther 75; GN, EÜ, WilckensNT berücksichtigen οὕτως nicht und verunklaren so den zusammenfassenden Charakter von 4,1.
29 Gnilka 220.   30 Ewald 211.
31 Gnilka 220.
32 Der Schlußkonsonant ist hier wegen des folgenden Labials ausgelassen: B–D–R 21 Anm. 2; BauerWB 1184.

stehen[33]. Doch der Schein trügt: »Denn καθώς entspricht nicht dem οὕτω; es müßte sonst ἔχουσι stehen.«[34] Dieser Nachsatz ist also wie 1,7; 2,12 (s. o.)[35] als verstärkende Begründung aufzufassen: »Da ihr ja«. Damit aber hat οὕτω(ς) an unseren beiden Stellen eine größere Selbständigkeit und weist 3,17 wiederum weiter zurück.

Tatsächlich ist es auch 3,17 durch den gegensätzlichen Personbezug der 1.Pers.Plur. auf τῷ αὐτῷ des Kohortativs von 3,16 zurückbezogen. Der imperativische Infinitiv steht für στοιχῶμεν. Er findet sich im NT nur noch Röm 12,15 und dürfte darum an beiden Stellen eine besondere Betonung signalisieren, da er sich in den Papyri vor allem in dienstlichen Anweisungen findet[36]. Dieses τῷ αὐτῷ bezieht sich auf den für die christliche Existenz grundlegenden Relativsatz 3,16a zurück (εἰς ὁ ἐφθάσαμεν)[37], der aoristisch das Christwerden insgesamt bezeichnet. Obwohl die spätere Textüberlieferung durch Erweiterungen aus 2,2 und Gal 6,16 verwirrend ist, ist die älteste Kurzfassung durch die beiden Papyri jetzt entscheidend gesichert[38]. Insofern bezeichnet οὕτως wie 1Kor 15,11 den grundlegenden Evangeliumsbezug. »Das τῷ αὐτῷ schließt zwei Momente ein: 1. mit Bezug auf den Relativsatz: auf dem, was wir erlangt haben, 2. alle hierauf und so alle auf demselben Wege weitergehen.«[39]

Damit ergibt sich weiter eine dreifache Kontextsynonymie der imperativen Handlungsverben: στήκειν 4,1 (pl 6mal s. o. 1,27) = περιπατεῖν 3,17f. (pl 18mal immer in dem damals offenbar modernen und vom hellenistischen Judentum her geprägten ethischen Sinne der »Verhaltensorientierung« bzw. »Lebensgestaltung«, wenngleich es in LXX und bei Philo erst Ansätze für diese Wortverwendung gibt[40]; da es um die jeweilige Einheit von Lehren, Denken und Handeln geht, ergibt sich 3,17f. die antithetische Orientierung) = στοιχεῖν 3,16 (von 6 biblischen Belegen sind 4 pl: Gal 5,25; 6,16; Röm 4,12 neben Apg 21,24; Koh 11,6), wobei das lokale semantische Element »in der Spur« und damit »in Übereinstimmung bleiben« noch wirksam ist[41]. Die Modalbestimmungen bei allen drei Verben verstärken den intendierten Zusammenhang untereinander. Dies aber ist übersehen, wenn man das Fehlurteil fällt, das abgewehrte Gegenüber sei eine »Vernachlässigung der Ethik« und als wolle Pl sagen »entscheidend ist der Wandel«[42], denn »dabei ist aber« gerade das »τῷ αὐτῷ außer acht gelassen« (Gnilka 202). Nicht das Tun als solches steht in Frage, sondern der jeweilige Orientierungspunkt, weshalb sich 4,1 nicht einmal mit dem hier üblichen στήκετε ἐν κυρίῳ zufrieden gibt, sondern pleonastisch das redundante οὕτως hinzusetzte, da die Richtigkeit der Evangeliumsorientierung in Frage steht[43].

Dem damit bezeichneten Wortfeld gehören aber noch weitere Ausdrücke an: Wie στοιχεῖν in 3,16 die »Spurtreue« im Blick auf den österlich-christlichen Ausgangspunkt bezeichnet, so nimmt das Verb gleichzeitig das διώκειν von 3,12.14 (Röm 9,30f. vom Streben nach Gerechtigkeit, sonst nach ethischen Werten »Gutes« 1Thess 5,15; Liebe

---

33 So M–G s. v.; auch Gnilka 202 übersetzt diskussionslos »wie« – ebenso Luther75, GN, WilckensNT.
34 Lohmeyer 152 Anm. 1.
35 Die Begründung, die Merk 1968: 191f. für eine korrespondierende Verbindung gibt, berücksichtigt nicht diese spezielle pl Verwendung.
36 B–D–R 389; Moulton I 179.
37 Beare 131.
38 GNTCom 615; Lohmeyer 149 Anm. 3; Beare 131; Gnilka 201.
39 Ewald 196 Anm. 2, was die späteren Textglossen dann auseinandernehmen.
40 Seesemann ThWNT V 948 vgl. 944f.
41 Delling ThWNT VII 666–669, der aber zu Unrecht die Synonymie hier bestreitet, da er sie nicht als Kontextsynonymie auffaßt.
42 So Baumbach 1973: 303 wie Lütgert 1909: 21.
43 Ewald 211.

1Kor 14,1; Gastfreundschaft Röm 12,13; Friede und Aufbau der Gemeinde 14,19)[44], das dort im Blick auf die entsprechende christliche Hoffnung als »Zielorientierung« steht, synonym auf[45]. Zu diesem tritt dazwischen 3,13 noch das durch τοῖς ἔμπροσθεν bestimmte biblische Hapaxlegomenon ἐπεκτεινόμενος[46] als Synonym. Das Erkenntnismoment ist dabei, da es immer um die richtige Orientierung geht, eingeschlossen. Darum verwundert es nicht, daß zwischen dem διώκειν von 3,12–14 und dem στοιχεῖν[47] von 3,16 in 3,15 mit dem ersten Kohortativ mit der Verwendung von φρονῶμεν das semantische Element der nötigen Orientierung explizit auftaucht, dessen anaphorisches Objekt τοῦτο rückweisend alles zusammenfaßt, was Pl von sich 3,7–14 als beispielhaft getroffene Orientierung umschrieb. Damit ist dann das τῷ αὐτῷ von 3,16 der Sache nach zugleich auf das doppelte, identische τοῦτο von 3,15 zurückbezogen, so daß nun auch das οὕτως von 3,17 und 4,1 in der Verlängerung dieser Linie steht.

Daneben zeigt sich weiter, daß die Bezeichnungen für das »Sich orientieren« φρονεῖν 3,15 und σκοπεῖν 3,17 wie 2,5:2,4 (s. o.; 5 von 6 ntl Belegen sind pl) wiederum synonym sind, wobei dieser Zusammenhang auch darin deutlich wird, daß 3,14 hier das Substantiv σκοπός (»Orientierungsziel«) als ntl Hapaxlegomenon in dem Syntagma κατὰ σκοπὸν διώκω hat (auf das Ziel zulaufen«)[48]. Pl stellt auch mit diesem Textsignal von 3,17b zugleich den Bezug zum Ganzen der Auseinandersetzung wieder her: »Das σκοπεῖτε nimmt das dreimalige βλέπετε V. 2 wieder auf«[49], allerdings geschieht das in einem antonymen Sinne, so daß σκοπεῖν hier wohl nicht im negativen Sinne von »Sich hüten« (so Gal 6,1; Röm 16,17) gebraucht ist, wie der Verbund des 3,17 vorangehenden und vor allem des nachfolgenden Satzes zeigt wie auch die Synonymbeziehungen des Kontextes, sondern »Sich orientieren«, während umgekehrt das βλέπειν mit Akk. in 3,2 gerade »Sich hüten« meint. 3,17b ist dann also keine antithetische Parenthese, die das Anliegen der Warnung von 3,18f. vorwegnähme. Statt an den Beschneidungsforderern sollen sie sich an Pl (und seinesgleichen) »orientieren«.

Ist aber durch den semantischen Bezug von σκοπεῖν und βλέπειν die Einleitungswarnung von 3,2 überhaupt schon textsyntaktisch signalisiert, so wundert es nicht, daß und warum nun 3,18f. anschließend hier folgen. Daß 3,18f., obwohl sie nicht syntaktisch im Imperativ der 2. Pers.Plur, sondern schildernd formuliert sind, dennoch die textpragmatische Funktion der Warnung haben[50], wird durch das metasprachliche Signal der Redeeinleitung λέγω + ἔλεγον ὑμῖν signalisiert, und zwar mittels dieser Doppelung durch einen Vergangenheitsbezug wie Gal 1,9 (vgl. auch 2Kor 10,11; 13,2) mit dem gleichen rhetorischen Verstärkungsmittel der Vergangenheitsnennung auch noch in besonders starker Weise, wobei dann νῦν δὲ καὶ κλαίων dies nochmals mit einem dritten Mittel besonders verstärkt. Der semantische Gehalt ist dagegen entgegen dem Kontextbezug verzeichnet, wenn von ihm aus gegen eine Verbindung zum Textanfang 3,2 argumentiert wird: »Statt einer dreimaligen und insofern außerordentlich betonten Warnung mit βλέπετε bringt Pl hier seine tiefe Traurigkeit zum Ausdruck«[51]; daß Pl hier nur »zutiefst traurig« sei, »aber nicht warnt« und »nicht beschimpft« (ebd.), könnte man vielleicht nur sagen, wenn das Signal der Redeeinleitung nicht so direkt zu dem Prädikat »Feinde des Kreuzes Christi« gehörte, das nicht nur nicht weniger scharf

44 Oepke ThWNT II 232f.; Knoch EWNT I 819.
45 Klijn 1965: 282.
46 BauerWB 563, das bei Philo. Apost. Vätern und Apologeten ebenfalls nicht wieder begegnet.
47 Beare 128, 132 betont das gemeinsame Bildfeld.
48 BauerWB 1499 gg. ein etymologistisches »zum Ziel hinab« bei Lohmeyer 142, 146.
49 Feine 1916: 27.   50 Lohmeyer 152.
51 So Baumbach 1973: 304 mit eingeschränkten Bedeutungskomponenten.

ist als »Hunde« von 3,2, sondern ihr aufs engste entspricht, so daß beide sicher identische Personen meinen. Wesentlich ist weiter, daß der anaphorische Artikel hier nicht übersehen werden darf[52], der entscheidend dagegenspricht, daß hier eine neue Gruppe bezeichnet sei. Schließlich ist auch das bestimmende semantische Element in »Hund« die zerstörerische Feindschaft. Die Tränen signalisieren hier also klar nicht nur Schmerz, sondern auch »Ingrimm«, ja »grimmigen Zorn«[53]. Beare und Gnilka analysieren diese Frage überhaupt nicht und erleichtern damit ihre Interpretation, daß hier im Unterschied zu 3,2 nur allgemeine Warnungen vorlägen; doch κλαίων ist hier nicht so allgemein wie an den beiden anderen pl Stellen 1Kor 7,30; Röm 12,15 gemeint, die ja Generalisierungen bieten, sondern entspricht präziser dem διὰ πόλλων δακρύων von 2Kor 2,4, was referenzsemantisch dadurch gefüllt ist, daß es sich wohl auf die grimmige Satire des Zornbriefes 2Kor 10–13 zurückbezieht. Weder der Warnaspekt noch der Zornaspekt können hier unterschlagen werden, da sie unabweisbar durch verschiedene Textsignale gegeben sind. Wenn also p[46] in 3,18 das βλέπετε aus 3,2 wiederholt, so ist das wohl sekundär, verbalisiert aber neuen Lesern gegenüber den textpragmatischen Aspekt in einer zutreffenden Erläuterung und ist so ein Beispiel einer kommunikativ äquivalenten Textrezeption[54].

9.2.3. Die Vokative

Wie also Pl in 3,18 mit dem eingesprengten Relativsatz den Imperativaspekt zur Warnfunktion einbringt, so hat er auch sonst noch andere Mittel als nur die Imperativ- und Kohortativmorpheme des Verbs, diesen textpragmatischen Akzent zu verbalisieren: In 3,17 wie 4,1 wurde dies deutlich, als der Imperativ durch die Anrede ἀδελφοί verstärkt wurde. Diese Anrede findet sich nun aber schon auch vor dem die Gesamtgliederung wesentlich bestimmenden kohortativen Einsatz mit 3,15, und zwar in 3,13. Dort ist dieses ἀδελφοί der Adressaten direkt gefolgt von einem redundant verbalisierten ἐγώ des Senders. Damit wird die Beispiel- und Vorbildhaftigkeit dessen, was Pl von sich selbst sagt, auch für die Adressaten schon signalisiert. Was 3,17 als Mimesis-Aufforderung direkt ausformuliert, ist hier schon gegeben. Lohmeyer[55] sagt zunächst ganz richtig, daß damit ausgedrückt ist, »daß nur um ihretwillen diese weitere Ausführung gegeben ist«; doch ist ihm gegenüber zu betonen, daß gerade die Wiederholung der gleichen Anrede in 3,17 es verbietet, daß zwei verschiedene Gegner angeredet seien, hier erst die »Vollkommenen« und dort dann »alle«[56].

Die ἀδελφοί-Anrede hat also ebenfalls Imperativfunktion, wobei der Appellaspekt durch den Vokativ (62mal von 113 pl Stellen) schon ohnehin gegeben ist. Dabei stehen ca. 20 dieser Vokative direkt bei den Imperativen des Handlungsappells (wie 3,1 in Phil B). Daneben steht eine eigene umfängliche Gruppe, die etwa die Hälfte der Belege umfaßt, mit Einsichtsappell (4,8) wie in der Informationseröffnungsformel 1,12 (s. o.)[57]. Diese Anrede »ist Mahnung zum Aufmerken und Bitte um Aufnehmen«, mit

---

52 Ewald 203 m. R. betont. Herrenlose, verwilderte Hunde waren nicht nur außerhalb der antiken Städte eine Plage, die man los sein wollte.
53 So m. R. Lohmeyer 152 f.; Schmithals 1965a: 77.
54 Gg. Gnilka 204 Anm. 106 ist die damit vollzogene Identifikation mit 3,2 textgemäß.
55 Lohmeyer 142.
56 Ebd. 151 und ebenso versucht Baumbach 1973: 302, 304 die Abschnitte auf verschiedene Adressaten und Probleme abzuheben.
57 Diese bisherigen lexikalischen Erfassungen bei BauerWB 34 f.; von Soden ThWNT I 144–146; Beutler EWNT I 167–172 bieten noch keine funktionale Differenzierung für die Vokativ-Verwendung.

ihr »stellt sich Pl ganz in die Reihe« der »Mitchristen«[58]. »So ist denn auch deutlich, daß das Ich, das so nachdrucksvoll« 3,13 »an den Anfang gestellt ist, nicht im Sinne eines Bekenntnisses, sondern eines Beispiels gemeint ist.«[59]

9.2.4. Das paradigmatische Ich

Daß nun 3,13 schon der Vokativgruppe »Einsichtsappell« zuzuordnen ist, ergibt sich daraus, daß das, was Gegenstand des Beispiels ist, mit λογίζεσθαι bezeichnet ist (im Phil nur noch 4,8 wieder aufgenommen; von 40 ntl. Stellen sind 33 pl und davon ist 18mal wie hier der Mensch aktives Subjekt; mit folgendem AcI wie hier auch Röm 3,28; 14,14). Danach ist es hier nicht im Sinne von »meinen«, »annehmen« zu verstehen[60]. Denn »die Betonung des Subjekts des Hauptsatzes weist« ja 3,13 »auf einen Gegensatz gegen andere, die das von sich meinen«[61]. Damit ist der logisch-mathematische Aspekt dieses Ausdrucks »auf Grund von Berechnung bewerten«, der das objektive Moment gegen ein subjektives setzt, für diese Stelle noch schärfer zu akzentuieren. Dies ergibt sich auch daraus, daß der AcI von 3,13 ja keine neue Aussage macht, sondern nur die von 3,12a wiederholt. Der Ton liegt also weniger auf dem AcI als dem »Thema« im Sinne der funktionalen Satzperspektive, sondern auf dem neu dazugesetzten »Rhema« des ἐγὼ λογίζομαι. Das wird durch die Fortsetzung 3,13b bestätigt, die ebenso nun nur 3,12b wiederholt, doch als dem λογίζομαι entsprechenden Rhema das exklusive ἓν δέ einsetzt, was wiederum im logischen Sinne das objektive Moment der Gültigkeit betont und andere Meinungen als unsachgemäß ausschließt. Dieses ἓν δέ als »interjektionellen Kurzsatz« (»aber eins«)[62] zu beschreiben, klärt die pragmatische Funktion noch nicht, da eine der konventionellen rhetorischen bzw. epistolischen Ellipsen vorliegt[63], doch entspricht deren Vorschlag, ein »tue ich« zu ergänzen, nicht präzis genug der Funktion von 3,13. Diese Ergänzung wäre so möglich, wenn dieses Rhema in 3,12 stünde; da aber der bereits wiederholende V. 13 mit der Vokativanrede und dem Zusatz λογίζομαι direkter empfängerorientiert war, so ist dem damit gesetzten Gefälle nach bei der Ellipse eher ein λέγω ὑμῖν gemeint[64]. Damit hat aber ἓν δέ dieselbe Anredefunktion wie der in 3,18 eingeschobene und die Konstruktion zerbrechende Relativsatz, der das λέγω (ὑμῖν) betont einbringt: »eins aber wollet doch beachten«[65].

Das Moment der objektiven Eindeutigkeit und Ausschließlichkeit des ἓν δέ in 3,13b wird durch die zusätzliche Verwendung der Negation in 3,13a noch unterstrichen. Mit der durch p[46] verstärkten Bezeugung ist sicher οὐ als ursprünglich zu lesen, was aber schon bald als zu stark erschien und darum in οὔπω abgeschwächt wurde[66]. Die

---

58 Lohmeyer 145.   59 Ebd.

60 Gg. BauerWB 941; auch Wilckens Röm I 249 zu Röm 3,28 »im Disput ein Urteil fällen« bleibt noch zu formal, da die Verbindung mit der Vokativ-Anrede ja nicht eine Meinung oder Selbsteinschätzung indikativisch bekenntnishaft neben eine andere hinstellt, sondern sie vielmehr als beispielhaft verbindlich und das Gegenteil ausschließend anwendet.

61 Ewald 188.   62 Gnilka 191 Anm. 8 nach Fridrichsen.

63 B–D–R 481 Anm. 1.   64 Lohmeyer 145 Anm. 6.

65 Ewald 190; gg. ebd. 188 ist aber »sage ich« einem »tue ich« in textpragmatischer Hinsicht nicht »ganz gleich«.

66 GNTCom 615 – gg. Lohmeyer 145 Anm. 4, der die Differenz herunterspielt: »Der sachliche Unterschied ist nicht groß« – und nach der Übersetzung 142 »noch nicht« liest; ebenso Ewald 188; Dibelius 70; Gnilka 117 – ohne daß sie ihre Entscheidung für οὔπω begründeten. Sie verbinden die Negation zu Recht mit λογίζομαι, was aber zu der logischen Schwierigkeit führt, daß unklar bleibt, was es heißt, daß er »noch nicht« ein logisches Urteil fällte, das doch zugleich die ausdrücklich Angeredeten binden soll.

Einbringer der Lesart οὔπω werden diese Negation eher mit dem Infinitiv bzw. seinem zugehörigen Akkusativ ἐμαυτόν, der ja unmittelbar vorangeht, verbunden haben. Diese eingeschränkte Negation wird von Pl nur 1Kor 3,2 und 8,2 – und zwar beide Male adressatenkritisch – auf ein »noch« vorhandenes Verständnisunvermögen bezogen. Dies ist hier aber der Sache nach unmöglich, da es hier im Senderbezug steht und Pl hier gerade nicht eine Bescheidenheitsaussage macht, als beurteile er sich vorläufig, vorbehaltlich künftiger besserer Einsicht[67].

Das Urteil, das Pl mit der Negation im Blick auf die eigene Person so pointiert in ἐγὼ οὐ λογίζομαι fällt, schließt gerade die eigene Subjektivität des »Meinens« oder »Annehmens« wie die anderer aus. Er kann hier nicht anders urteilen, sondern muß sachlich so und nicht anders entscheiden. Es geht also um die »unbedingte Gültigkeit« (vgl. auch 1Kor 4,1; 2Kor 11,5; Röm 6,11; 8,18)[68]. Darum aber ist es wenig hilfreich, von einem »Glaubensurteil« zu sprechen[69]; auch die Formulierung Lohmeyers[70]: »eine unumstößliche Gewißheit der gläubigen Erkenntnis« ist nicht sachentsprechend, denn auf eine solche hätten sich ja die Vertreter der gegenteiligen, von Pl hier abgewehrten Erkenntnis ebenso berufen. Gerade durch die Negation hier bezeichnet das λογίζεσθαι allein eher ein bereits gefälltes »Glaubensurteil« der Gegenmissionare als ein Fehlurteil. An die Stelle der zitierten gläubigen Erfahrung tritt das Bestimmtsein des Urteils durch die Evangeliumsgemäßheit, wobei Evangelium immer urapostolisch als ein vorgegebener Text über ein vorgegebenes Ereignis und nicht als Ausdruck einer mehr oder weniger variablen religiösen Erfahrung ist. Denn ein Urteil im Sinne der Erkenntnistheorie liegt hier wirklich vor, da es um einen Satz mit Gültigkeitsanspruch in einem bestimmten Sachverhaltsbereich geht. Statt von »Glaubensurteil« wird man im Sinne des Pl eher von einer logischen Syntax des Evangeliums reden, weil nur so deutlich wird, daß aus der Evangeliumsnachricht von der Auferweckung Jesu nicht beliebige, sondern nur eindeutige logische Folgerungen möglich sind. Wie in jeder Auseinandersetzung so ist Pl auch hier dabei, die mit dem Osterevangelium als Axiom gegebenen Folgerungen logisch – also theo-logisch – zu erzwingen, weil dies die einzige Möglichkeit ist, evangeliumsgemäße Sätze von Selbsttäuschungen abzugrenzen. Entscheidend ist dabei ebenso der vorgegebene, von Gott real gesetzte Ausgangspunkt des Denkens, daß man also wirklich von da her denkt, wie die Bedingung, daß man dann wirklich konsequent von da her denkt. In jeder Gegner-Auseinandersetzung der pl Briefe zeigt sich, daß Pl seine Theologie wirklich im Sinne einer axiomatischen Theorie, also mit wissenschaftlichem Geltungsanspruch, entwickelt[71].

Der Sache nach ist hierbei auch darauf hinzuweisen, daß die üblich gewordene Bezeichnung von 3,12–14 als »eschatologischer Vorbehalt«[72] irreführend ist, da mit der Kennzeichnung als Vorbehalt der juristisch geprägte Gedanke einer »einschränkenden Bedingung« eingeführt wird, der nur negativ und statuarisch geprägt ist, während es Pl auf die strenge logische Korrespondenz mit dem Evangelium ankommt, damit irrige Aussagen über das künftige Handeln Gottes ausgeschlossen werden. Der Gedanke

---

67 So aber erscheint es leider in den Übersetzungen Luther 75, Wilckens NT: »ich schätze mich selber noch nicht so ein«, was dann bei GN zu »ich bilde mir nicht ein« oder EÜ »ich rede mir nicht ein« wird.
68 Heidland ThWNT IV 290f.
69 Ebd., was Gnilka 199 dann typischerweise durch ein Moment des Subjektiven wieder deutlich werden läßt: »Diesmal ist die Aussage in die Form (!) eines Glaubensurteils gekleidet (!).«
70 Lohmeyer 145 Anm. 5.
71 Bocheński 1968: 54ff.; vgl. von Kutschera 1972: 252ff.
72 Baumbach 1973: 301f., 306; vgl. gg. die mangelnde Beschreibungsadäquatheit dieser Kategorien Wolter 1978: 6f., 217ff.

eines vorbehaltlichen »noch nicht« dürfte wesentlich durch die lange Dominanz der falschen Lesart von Phil 3,13 mitbedingt sein.

Damit hat sich bestätigt, daß schon 3,13 einen deutlich markierten Empfängerbezug hat. Dieser zeigt sich nicht nur in der direkten Anrede, sondern auch noch in zwei wesentlich argumentativen Textsignalen. Die Intention ist im wesentlichen auf Einsichtgewinn gerichtet, so daß klar wird, wieso 3,15 die direkte Mahnpassage mit φρονεῖν, was sich als synonym mit λογίζεσθαι erweist, fortfahren kann und zugleich der Inhalt von 3,13f. (und damit zugleich auch wegen der Wiederholung von 3,12) in 3,15 mit dem anaphorisch-rückweisenden τοῦτο gekennzeichnet werden konnte. Der Anredecharakter, der von 3,2 und seinen Imperativen her angelegt ist, ist 3,13 durch die drei genannten Textelemente metasprachlichen Charakters als noch bestehend signalisiert.

Hat man diese textpragmatische Appellfunktion an die Empfänger in 3,13 sehen gelernt, so wird man noch einen Schritt weiter zurückgeführt, denn 3,12 setzt mit einer ähnlich elliptischen Konstruktion οὐχ ὅτι ein, zu der auch hier ein metasprachliches »λέγω zu ergänzen ist«[73]. Die Tatsache, daß die Wendung mikrosyntaktisch eine Richtigstellung im Blick auf den anschließend formulierten Satzinhalt einleitet, darf nicht zu dem Fehlschluß verführen, daß sie auch makrosyntaktisch eine Einleitungs- und damit Trennungsfunktion habe[74]. Pl sagt also nicht »nicht daß ich damit sagen wollte«: »In Wahrheit drückt ja auch V. 12 gar nicht diesen Gedanken aus. Mit nichts ist angedeutet, daß hier ein solches ›damit‹ zu ergänzen wäre.«[75]. Das beweisen auch die vergleichbaren pl Belege:

Die hier gebrauchte Wendung οὐχ ὅτι hatte 4,11 wie 4,17 (s. o.) textpragmatisch eine fortsetzende Weiterführungsfunktion, und dasselbe läßt sich auch an dem fortführenden Gebrauch in 2Kor 1,24; 3,5, wo es immer wie hier mit der 1. Person verbunden ist, erkennen[76]; in gleicher Funktion hatte auch 1,18a das äquivalente πλὴν ὅτι (s. o.), wodurch die Textfunktion nochmals bestätigt wird: Hier handelt es sich nicht um eine betonte Neueinleitung, die dazu veranlassen müßte, hier eine neue, zweite Front angesprochen zu sehen[77]. Es liegt hier also nicht eine Ellipse eines sachlichen Objekts vor, sondern die »Ellipse des Prädikats« ist vielmehr »ein kleines Zeichen der sachlichen Verbindung« mit dem bisherigen[78]. Damit ist die textpragmatische Funktion nicht die eines textgliedernden Neueinsatzes, sondern der adressatenorientierten Appellfunktion, die die Ich-Rede als beispielhaft markiert und darum den Appellsignalen in 3,13a und 13b entspricht.

Ein solches Textsignal liegt schließlich schon bei dem Einsatz der Ich-Rede in 3,4b vor: Auf die Polemik des Konditionalsatzes folgt eine Apodosis in konjunktionsloser Hypotaxe, deren Inhalt sich nicht aus der Protasis ergibt, sondern erst neu dazu in Beziehung gesetzt wird (vgl. 1Kor 3,12f.; 11,16; Röm 11,18)[79]; im Deutschen müßte man entsprechend der semantischen Tiefenstruktur ergänzend verbalisieren »so denkt daran«[80]. Wenn also ein solches appellatives λέγω ὑμῖν schon 3,4.12.13 herauszuhören ist und in der textpragmatischen Tiefenstruktur als gegeben angesehen werden muß, so ist die mit »Einst-Jetzt«-Doppelung verstärkende Verwendung des λέγω (ὑμῖν) in 3,18 als

---

73 Lohmeyer 143 Anm. 1.
74 Gg. Baumbach 1973: 302, der fälschlicherweise eine Selbstkorrektur eines möglichen enthusiastischen Mißverständnisses von 3,8–10 annimmt, was aber schon durch den Inhalt dieser Verse selbst wie durch den Anschluß von 3,11 in keiner Weise nahegelegt ist.
75 Ewald 185.   76 B–D–R 480,5 Anm. 6.
77 Gg. Baumbach 1973 nach Lütgert und Lohmeyer.
78 Lohmeyer 143.   79 K–G 577,4b; Bultmann 1910: 17.
80 Beyer 1968: 85 »so besteht Anlaß, darauf hinzuweisen«.

steigernder Höhepunkt nicht verwunderlich, selbst wenn dabei die Konstruktion λέγειν τινα »charakterisieren als« vorliegt[81].

9.2.5. Das Präsens als Appell

Diese exemplifizierende Funktion wird durchgängig ebenso auch noch durch ein weiteres Textsignal verdeutlichend ausgedrückt. In dem 3,12 parallel wiederholenden Textsegment 3,13–14 fällt auf, daß Pl in dem μέν-δέ-Partizipialsatz auch im ersten Falle präsentisch formuliert τὰ μὲν ὀπίσω ἐπιλανθανόμενος. Das bei Pl einmalig verwendete Verb bezeichnet auch CorpHerm 10,6 die betonte »Absage an die Vergangenheit«[82]. Diese Parallele macht ebenso wie die betonte μέν-δέ-Opposition zu ἐπεκτεινόμενος an unserer Stelle deutlich, daß der semantische Gehalt »nicht eigentlich ein ›Vergessen‹ ist, sondern daß dem griechischen Ohr . . . der genaue Sinn wirklich ist: das, was objektiv dahinten liegt, sich nicht wieder aufreden lassen, sondern es abweisen, es der verdienten Nichtbeachtung (τῶν ἐντολῶν μεμνημένος ἐπελανθάνετο) überlassen«[83] (Herod 3,147; dieses semantische Element des aktiven »Abschüttelns« wird von denen nicht berücksichtigt, die diskussionslos als mehr passives »vergessen« übersetzen)[84]. Darum ist im Zusammenhang mit dem voranstehenden Appellsignal ἓν δέ beachtenswert, daß nicht der Aorist »ἐπιλαθόμενος, sondern ἐπιλανθανόμενος« verwendet ist: Pl »will eben den Philippern sich als Beispiel hinstellen für die Gegenwart. Nicht als einen, der vergessen hat, sondern als einen, der sich je und je aus dem Sinn schlägt, was dahinten liegt, sollen sie ihn ansehen«[85]. Damit ist nicht verkannt, daß dem grundsätzlichen semantischen Gehalt nach dies grundlegend beim Christwerden entscheidend schon geschehen ist. Nur die differenzierende Unterscheidung des pragmatischen vom semantischen Textaspekt kann verhindern, daß aus einer solchen Formulierung falsche theologische Schlüsse gezogen werden.
Mit dieser Betonung des willentlichen Vergessens ist der Appellcharakter an die Leser, das Abgetane abgetan sein zu lassen und sich nicht wieder aufschwatzen zu lassen, in Kontinuität mit der textpragmatischen Empfängerorientierung von 3,8 an gegeben. Denn der betonte Übergang zum Präsens ἡγοῦμαι vollzog sich eben 3,8a in Ergänzung der perfektischen, auf das Christwerden bezogenen Aussage ἥγημαι von 3,7. Das hier dreimal verwendete Verb ἡγεῖσθαι hatte schon 2,3 (s. o.) einen engen semantischen Bezug zu φρονεῖν (2,2.5), das hier 3,15 wieder auftaucht, wie zu σκοπεῖν (2,4), was hier 3,17 wieder aufgenommen wird. Damit ist sowohl der Synonymbezug untereinander bestätigt als auch das damit verbundene semantische Element des urteilenden Bewertens, und ἡγεῖσθαι meint nicht die bloße Ansicht, wie sich dies auch 2,25 (s. o.) schon verstärkend nahelegte. Zugleich ist damit ausgeschlossen, daß in diesem Verb als solchem der semantische Gehalt des »Entschlusses« oder der »Entscheidung« betont wäre[86]. Es ist also nicht gesagt, daß für Pl »sein Verhältnis zu Christo unmöglich wäre, so lange er noch seine Dinge für Gewinnste erachtete«[87] Damit wäre die Syntax der Sache auf den Kopf gestellt. Dagegen spricht schon der dreimal mit διά + Akk.

81 Ewald 203; s. o. und Lohmeyer 153 Anm. 2 dazu.
82 Dibelius 70.
83 Ewald 193 Anm. 1 mit dem Hinweis auf das Zitat aus Herodot.
84 So Lohmeyer 142, 146; Beare 130; Gnilka 197,199.
85 Ewald 190 Anm. 1.
86 Gg. Gnilka 191, 193 »als Entschluß formulierter Wechsel vom Jüdischen zum Christlichen«; ähnlich Lohmeyer 132f.
87 So Haupt 125.

angegebene christologische Grund[88], der wegen des synonymen ὑπό beim Passiv 3,12d nicht final (»um willen«), sondern nur als Voraussetzung aufgefaßt werden kann, da schon das dritte διά 3,8c zu einem solchen passiven Aorist präzisierend übergeht: ἐζημιώθην ist nicht medial zu fassen[89]. Die pl Ostererfahrung, von der dabei die Rede ist, ist eben deutlich anders strukturiert als die Modelle einer Bekehrungssituation in den Parabeln vom Schatz im Acker oder gar von der gesuchten (!) Perle Mt 13,44–46[90]. Pl versteht unter christlicher Existenz eben etwas anderes als Mt und kann seine Lebenswende darum nicht als Bekehrung verstehen, weshalb diese Terminologie bei ihm nicht zufällig fehlt[91].

Überdeutlich ist der starke Nachdruck, mit dem 3,8a einsetzt, ohnehin markiert: Da ist zuerst das steigernde ἀλλά, das das Hinzukommende stark akzentuiert einführt[92]; hinzu tritt das versichernde und bekräftigende, im Griechischen sonst nicht bezeugte satzeinleitende μὲν οὖν γε[93]; drittens wird die Hervorhebung noch verstärkt durch ein kumulierendes adverbiales καί (s. o. 1,18 bei ἀλλά wie 2Kor 11,1; die Auslassung in einigen Handschriften ist auch hier wiederum Glättung des redundanten Stils). Aus dem Gegenüber von Perfekt in 3,7 und Präsens in 3,8 ergibt sich, daß der Gedankenfortschritt in diesem Bezug auf der Gegenwart liegt und dieser durch die Nachdrücklichkeit der Partikelhäufung unterstrichen ist[94]. Es geht »um die Gültigkeit des Einst . . . auch für die Gegenwart . . . In dieser Lage der gegenwärtigen Stunde ist das Präsens ›ich erachte‹, das dem Perfekt gegenübersteht, begründet«[95]. Der Ton liegt auf dem »auch jetzt noch«, und diese Steigerung ist empfängerbezogen auf die Lage angesichts der jüdischen Agitatoren. Damit ist deutlich der Empfängerbezug als wesentlich akzentuiert.

Diejenigen Ausleger, die bestreiten, daß im Gegenwartsbezug das Rhema des Satzes liegt und statt dessen in dem artikellosen πάντα den Gedankenfortschritt sehen wollen, haben übersehen, daß diesbezüglich keine Differenz zwischen 3.7 und 3,8 vorliegt, wie sie aber allerdings in der Zeitformdifferenz des Verbs wohl gegeben ist, da nämlich in der Pluralform des verallgemeinernden Relativums ἅτινα 3,7 immer ein »alles«, als semantisches Element schon eingeschlossen ist[96].

Dieses ἅτινα in 3,7 ist als Markierung des Wendepunktes noch stärker akzentuiert,

---

88 B–D–R 222,2a »wegen«.
89 Ewald 174; vgl. auch den red. Doppelausdruck Lk 9,25, der einen rein intransitiven Sinn fordert, während Gnilka 113 offenbar einen medialen Sinn voraussetzt, ohne es zu begründen.
90 Gg. Peterson 39.　　　　　　　　　　　91 O. Betz 1977: 62.
92 B–D–R 448,6 Anm. 7; vgl. 6mal in 2Kor 7,11 sowie 1,9.
93 B–D–R 450,4 Anm. 5 und 441,6 Anm. 6: Röm 9,20; 10,18 und red. Lk 11,28 ohne γε, was auch hier von vielen Handschriften, die das ganze als zu redundant empfanden (Lohmeyer 131 Anm. 2) ausgelassen wird, ohne daß der Vorschlag von Ewald 172, es zu streichen, genug gegründet ist.
94 Dibelius 69; K. Barth 94 Anm. 1.
95 Lohmeyer 133, der die »Lage« allerdings auf das Martyrium verschoben sieht.
96 K–G 541 Anm. 1; Röttger-Habenstein 35d, was Dibelius 69 wohl veranschlagt, während es diejenigen Kommentare übersehen, die in 3,8a πάντα betont sehen und meinen, daß damit eine erweiternde Verallgemeinerung vorläge: so z. B. Gnilka 192, der hier Beare 131 folgt, ohne zu erkennen, daß dies bei Beare eine notwendige Folge seiner semantisch weiten Fassung von σάρξ in 3,3f. ist, die Gnilka 187f. aber selbst abgelehnt hatte, und was zu dem weiteren Widerspruch führt, daß Gnilka 193 dann aber das substantivierte πάντα von 3,8c dann doch wieder einengend auf die »jüdischen« Vorzüge zurückführt, während der anaphorische Artikel von V. 8c gebiete, in beiden πάντα den gleichen semantischen Gehalt zu sehen; derselbe Fehler einer erweiternden und verallgemeinernden Füllung des ersten πάντα, der nicht sieht, daß dieses schon im ἅτινα von V. 7 gegeben ist, begegnet auch bei Ewald 172f.; Haupt 125; Lohmeyer 133; Friedrich 118 sowie bei Michaelis und Bonnard.

wenn ein asyndetischer Satzeinsatz, der ἀλλά wegläßt (p⁴⁶, Sin*A G 17 33 81 d e g Chrysost Ambst) ursprünglich sein sollte⁹⁷. Pl verwendet auch 3,17 und 4,2 das Stilmittel des markanten rhetorischen Asyndeton, so daß dies auch hier möglich ist, um das damit Eingeleitete stark zu akzentuieren. Andererseits kann eine Weglassung als Abschreibversehen wegen Homoioteleuton möglich sein. Doch wahrscheinlicher erscheint, daß es als erklärender Zusatz nachträglich ist. Dann aber ist es ein sinngemäßer Zusatz, der nur in der Oberflächenstruktur als Filler verbalisiert, was im Nachsatz ausgesprochen wird. Semantisch ergibt sich keine Änderung, pragmatisch wird aber die Negativkennzeichnung um einen Satz vorverlegt. Ohne die Adversativpartikel fungiert der Satz noch als Abschluß der positiven Aussagen von 3,5–6.

In 3,8d wird das Verb ἡγοῦμαι in dieser seiner präsentischen Form wiederholt, was einerseits chiastisch geformt ist im Blick auf die Eingangsverwendung V. 8a, wenn man auf die beiden dazwischenstehenden διά-Blöcke sieht, und zum anderen ergibt sich in der Abfolge vom Aorist zum Präsens eine Parallele zu dem Übergang von V. 7b zu V. 8a. Im Zusammenhang dieser doppelten Verbindung von V. 8c und der ἵνα-Fortsetzung V. 8d hat der Satz den Wert »eines zwischeneingeworfenen Gedankens«⁹⁸, weil erst so die semantische Antonymbeziehung der umgebenden Gegenüberstellung von ἐζημιώθην und κερδήσω, die die umgekehrte Reihenfolge beider Lexemmorpheme von V. 7 wiederholt, voll heraustritt⁹⁹.

Auch mit diesem parenthetischen Eingesprengtsein ist wiederum die Gegenwartsform des Verbs als Empfängerappell akzentuiert: »Wie der Gegenwartscharakter dieses ›Haltens‹ stark betont ist, so mit dem noch schärferen Wort die völlige Umkehrung.«¹⁰⁰ Zu dem Objekt σκύβαλα verweist Lohmeyer¹⁰¹ treffend auf die Inschrift 21 des Skelettbechers aus dem Silberschatz von Boskoreale. Ein Skelett gießt auf ein anderes, das am Boden liegt, eine Spende aus. Dazu lautet die Inschrift: »Sei fromm/ treu (εὐσέβου)-σκύβαλα und auf der Gegenseite: τοῦτ' ἄνθρωπος. Die Scheu, es mit »Exkrement« zu übersetzen¹⁰², ist unbegründet, da das bestimmende semantische Element nicht der »Begriff des Ekelhaften« ist, sondern der des Mißlingens, der ebenfalls die entscheidende Konnotation dessen ist, der heute zu etwas »Scheiße« sagt. Es geht also weniger um etwas »Überflüssiges«¹⁰³, sondern »um das, was man einmal weggetan, nicht mehr anrührt, noch auch nur ansieht«¹⁰⁴. Es ist das schon ausgeschiedene Stinkende, wobei auch der Aspekt des notwendig Vergangenen eine Rolle spielen dürfte. Eine nicht nur emotionale, sondern auch rationale Komponente ist auf jeden Fall anzunehmen, da der Synonymbezug zu σάρξ 3,3f. durch das Plur. des Neutrums dieses Ausdrucks deutlich genug über die entsprechenden Wörter ἅτινα, ταῦτα und das doppelte πάντα in 3,7f. gegeben ist, und auch der Gehalt von σκύβαλα signalisiert noch zusätzlich die Warnfunktion den Lesern gegenüber. Darin verbindet es sich auch mit den Invektiven von 3,19, wo κοιλία semantisch den Wortfeldbezug zu σκύβαλα wieder aufnimmt¹⁰⁵ und in τὰ ἐπίγεια das plurale Neutrum deutlich an V. 7f. anschließt. Pl dürfte auch mit σκύβαλα wiederum umwertend einen Ausdruck der Agi-

---

97 So Ewald 169; Haupt 125; GNT setzt es in Klammern, ohne es in GNTCom zu diskutieren und zu begründen.
98 Ewald 175.   99 Ebd. Anm. 1.
100 Lohmeyer 135.   101 Ebd. – wie auch Dibelius.
102 So Ewald 174 – dgg. K. Barth 94 »getrost« so übersetzen.
103 So Ewald 175 Anm. 2, der aber berechtigt die von Suida gegebene intuitiv-assoziative Etymologie »das von Hunden Ausgeschiedene«, die Lightfoot im Zusammenhang mit der Bezeichnung »Hunde« in 3,2 aufgreifen wollte, abweist, weil dies für das erste Jahrhundert kaum schon angenommen werden kann.
104 K. Barth 94f.
105 Vgl. Mk 7,19par als »After«; BauerWB 864f.

tatoren aufnehmen, denn schon der dualistischen Weisheit gilt alles ihr gegenüberstehende Wertvolle nur als »Kot«: Sap 7,9 verwendet das Synonym πηλός.

9.2.6. Semantische Singularitäten als textpragmatische Signale

Da das Ich von 3,4ff. von vornherein eine beispielhafte Funktion hat, so ist auch das oft als auffallend betonte singuläre Syntagma »mein« (statt »unser«) »Herr« 3,8, das bei Pl an keiner anderen Stelle begegnet, nicht als aus dem Rahmen fallend zu kennzeichnen: »Nirgends hat Pl sonst diesen Ausdruck persönlichster Nähe gewagt.«[106]. Damit ist der Ausdruck aber als senderpragmatisch bestimmt statt – wie es nach dem syntagmatischen Verlauf des Textes nötig wäre – empfängerpragmatisch. Es ist auch nicht so, daß Pl erst in den folgenden Sätzen »von einem bekenntnismäßigen zu einem exemplarischen« Ich »übergleitet«[107], sondern da das Ich hier ständig von 3,3f. an als ein Teil des »Wir« spricht, so ist die formale Ausnahme in der Verwendung des Kyrios-Titels mit dem singularen Possessivpronomen in der exemplarischen Funktion des Ich begründet und erweist sich so gerade in der Wir-Einbettung im Zusammenhang mit der sonstigen Verwendung des Kyrios-Titels als Bekenntnis in der 1. Person Plural stehend. Pl spricht hier gerade diese als selbstverständlich vorausgesetzte Gemeinsamkeit mit seiner Abweichung an, und diese gehört so ebenfalls in die Reihe der empfängerorientierten Textsignale, die bisher aufgewiesen werden konnten.

Ähnliches wiederholt sich vergleichsweise anschließend 3,9, wo Pl anders als sonst vom »Glauben« spricht, indem er es auf sich bezieht. Der πίστις als Annahme der Osternachricht geht deren Bekanntmachung voraus (1Kor 15,1–3.11–14; Röm 10,8ff.). Pl selbst steht in diesem Prozeß als Osterzeuge und Apostel parallel zu der der Annahme der Nachricht vorausgehenden Evangeliumsbekanntmachung. Als Osterzeuge ist er kein »Glaubender« in dem Sinne, wie alle anderen Christen dies als Schüler zweiter Hand sind. Weder das Verb noch das Substantiv benutzt der Osterzeuge sonst zur Bezeichnung seines eigenen Christwerdens, weshalb der Terminus «Osterglaube« eine verzeichnende Kategorie darstellt[108]. Pl schließt sich hier im Interesse des Leserappells mit allen übrigen Christen zusammen und formuliert darum so, wie es für ihre Situation der gefährdenden Herausforderung wichtig ist und abstrahiert deshalb von einer an sich gegebenen Differenzierung.

Damit erklärt sich überhaupt dieser wiederum parenthetische Zwischensatz 3,9b–c als empfängerbezogen[109]: Pl stellt sich selbst als typisch heraus. Damit ist überhaupt der antithetische Verweis auf δικαιοσύνη nicht Selbstzweck oder intern sachgegeben, sondern nur durch die Auseinandersetzung veranlaßt: »The righteousness terminology enters because of the discussion of the attacks of Jews and their apparent charge that they and not the Christians are ›the true circumcision‹ (Phil 3,3). The soteriology of the passage – being found in Christ, suffering and dying with him, attaining the resurrection - could have been written without the term ›righteousness‹ at all.«[110] Darum wäre die Parenthese mißverstanden in ihrer textpragmatischen Funktion, wenn man meinte, daß Pl mittels seiner Rechtfertigungslehre den Kontext »interpretiert« oder »auslegt«.

---

106 So Lohmeyer 134.   107 So Gnilka 193.
108 Dazu näher Schenk 1972a; die vergleichbare Ausnahme 2Kor 4,13 in der 1. Person Plural ist als exegetische Glosse dort ebenfalls eine kontextbedingte Abweichung. Ebenso ist Gal 2,16 deutlich empfängerpragmatisch bestimmt: Schenk 1982 z. St.
109 Gnilka 192, 197 nach Dibelius und Michaelis.
110 Sanders 1977: 505; zur Sachdifferenz gegenüber der semantischen Neubestimmung von »Rechtfertigung« bei Luther vgl. McGrath 1982.

Meist ist man sich nicht darüber im klaren, daß man mit der unreflektierten Rede von »Interpretieren« und »Auslegen« textpragmatische Kategorien einführt, die Kontextzusammenhänge von vornherein senderpragmatisch festlegen. Man mag wohl von einer lutherischen oder anderen Rechtfertigungslehre reden, doch muß offenbleiben, ob es so etwas wie eine entsprechende pl Rechtfertigungs-Lehre im Sinne einer vorgegebenen axiomatischen Größe überhaupt gibt. Gerade weil Phil 3,9 oft im Gefolge Bultmanns zur Schlüsselstelle für eine solche »Lehre« gemacht wurde, ist es wichtig zu betonen, daß in der Parenthese als solcher zunächst eine Ad-hoc-Antithese empfängerorientiert angesichts jüdischer Agitatoren formuliert ist.

9.2.7. Die Frage nach dem Haupteinschnitt im Text

Damit ist deutlich geworden, daß die Appellfunktion an die Leser nicht erst ab 3,12ff. gegeben ist, sondern schon in 3,8f. mehrfach – ja letztlich schon 3,4 signalisiert ist. Sicher findet sich erst mit dem Kohortativ von 3,15 »die von V. 2 ab intendierte paränetische Wendung gegenüber der etwa eintretenden Gefahr«[111]. Darum liegt hier nach 3,14 doch ein größerer Einschnitt, als es die Gliederungsvorschläge von Lohmeyer und Gnilka, die eingangs zitiert wurden, erkennen lassen, und das gibt eher denen recht, die hier den stärkeren Einschnitt sehen[112]. Doch auf jeden Fall ist dieser Einschnitt nicht so stark, daß gänzlich verschiedene Themen, Fragestellungen und Gegenüber im Unterschied zu 3,2 in den Blick kämen. Das Ich, das 3,4–14 dominiert, trat ja aus dem Kreis der Wir von 3,3 heraus und gehört so zu ihm, daß 3,15a und 3,16 nahtlos in den Kohortativ übergehen und so zu dem gemeinsamen Wir von 3,3 zurückkehren konnten. Pl selbst tritt 3,4 nur aus paradigmatischem Interesse aus dem Kreis der anderen Mitchristen heraus.

Eine Präzision ist darum auch noch hinsichtlich von 3,15a nötig. Wenn hier kein grundlegender Übergang, sondern nur eine Rückkehr zur expliziten Paränese vorliegt, so kann das οὖν schwerlich als ein paräneseeinleitendes verstanden werden. Es ist vielmehr deutlich genau wie 2,1.23.28f. (s.o.) im indikativischen Hauptsatz das οὖν der rückweisenden Wiederaufnahme. Damit weist es aber mit dem Stichwort τέλειοι auf das entsprechende Verb τετελείωμαι in 3,12 zurück, wo Pl sich negierend mit οὐχ davon abhob, was 3,13a synonym verstärkend wiederholte. Mit dem Plural des quantitativen Relativpronomens ὅσοι (= »alle die«)[113], das in der phil Korrespondenz hier erstmalig begegnet (und das 4,8 dann 6mal wiederholt), wird an dieser Stelle auf die personalen pluralischen Objekte von 3,2 zurückverwiesen, da sie dazwischen nie explizit auftauchten, wohl aber in dem dem ὅσοι hier entsprechenden πολλοί in 3,18 dann wiederholt werden, wobei sich die quantitative Kennzeichnung von hier deutlich wiederholt. Das Relativum als solches ist ohnehin ein textsyntaktischer Rückweiser und hat bezüglich gegnerischer Agitatoren am Anfang des Briefschlusses Gal 6,12 genau die gleiche Funktion wie hier (während es erst 6,16 dann entgegengesetzt die Gemeinde meint). Dann aber ist durch den Kontextbezug ausgeschlossen, daß Pl sich hier mit den ὅσοι τέλειοι zusammenfaßt und »wir alle« übersetzt werden könnte[114].

---

111 Ewald 195.
112 Außer Ewald auch Beare 108; Klijn 1965: 229f.; Vielhauer 1975: 157.
113 B–D–R 304 Anm. 1.
114 So Haupt 152; Ewald 193f.; Lütgert 1909: 17; Dibelius 70f.; Peterson 43; K. Barth 108f.; Beare 130; Baumbach 1973: 303; Delling ThWNT VIII 76f.: »reif«, wie schon Ewald 194 Anm. 1 übersetzte; auch nicht eine Gemeindeauswahl der Märtyrer: Lohmeyer 148; diese

Vielmehr wird man nicht nur annehmen, daß Pl hier eine Selbstbezeichnung der Gegner aufnimmt[115], und die darum auf jeden Fall in Anführungszeichen zu setzen ist, sondern daß er diese auch hier noch auf die Gegner selbst bezieht, woraus sich ein ironischer Gebrauch ergibt[116]. Dabei wird man weniger an einen schon verführten Teil der phil Gemeinde zu denken haben als an die Gegner selbst[117].

Die Bezeichnung τέλειοι ist Selbstbezeichnung aus dem Bereich der dualistischen Weisheit, so daß hier auch πνευματικοί stehen könnte[118a]; aus diesem Horizont scheint es in anderer Weise auch 1Kor 14,20 und in einem späteren Brief 1Kor 2,6; 3,1 ironisch aufgenommen – jedoch stärker dialektisch vermittelt als hier, wo es der Situation nach noch mehr um das Gegenüber zur Gemeinde geht, als daß diese selbst schon stärker von den Gegnern eingefärbt ist wie in Korinth. Hier wird also nicht etwa der Gedanke einer »christlichen Vollkommenheit« entwickelt, sondern man wird die 1.Person Plural, die erst zum Nachsatz gehört, mit Bedacht aus dem Vordersatz auch in der Übersetzung heraushalten müssen[118b]. Da der Nachsatz betont mit der 1. Person Plural erstmalig zu 3,3 zurückkehrt, so ist es nicht verwunderlich, daß der Vordersatz auch parallel dazu auf die in Antithese 3,2 davor genannten dritten Personen zurückblickt. Angesichts des ja referenzsemantisch für die damaligen Adressaten als bekannt vorgegebenen Situationsbezuges wird man eine adversative Partikel für die Richtigkeit dieser Interpretation nicht unbedingt fordern dürfen. Das Asyndeton beider Satzteile markiert als solches (3,7; 4,2) schon eine Antithese.

Auf eine mögliche Geneigtheit in der phil Gemeinde selbst wird erst in 3,15b mit dem ebenfalls ironischen Nachsatz eingegangen, wobei das adverbiale καί des Nachsatzes ironisch ist und «offenbaren« als Gegnerstichwort aufgenommen ist, während das erste καί wie 4,9 adversativ verwendet ist: »Doch wenn ihr etwas abweichend beurteilen solltet, so wird Gott euch auch das noch offenbaren.«[119] Gerade das Aufsparen einer adversativen Konjunktion für diese Fortsetzung kann das Fehlen einer entsprechenden Markierung im ersten Doppelsatz von 3,15a verständlich werden lassen. Auf jeden Fall ist deutlich, daß der Texteinschnitt, den 3,15 zweifellos markiert, dennoch in deutlicher Korrespondenz zum bisherigen Textverlauf gestaltet ist. Dieser Einschnitt ist auf jeden Fall größer als der mit 3,12 markierte, der noch im Rahmen der ich-bestimmten Passage steht, die bis 3,14 durchläuft. Er ist aber nicht so groß, daß von 3,15a eine neue Frontstellung angenommen werden kann oder muß.

Daß aber 3,12 nicht ein Hauptteil beginnen kann, der bis 3,16 reicht, um 3,17 einen neuen Hauptteil einsetzen zu lassen, ergibt sich[120] auch aus dem πλήν von 3,16. Die Behauptung, daß es bei Pl »abschließend zusammenfassend« gebraucht sei und darum 3,17 einen »Neueinsatz« darstelle[121], stimmt schon darum nicht, weil dann sofort hinzugesetzt werden muß, daß dieser vermeintliche »Neueinsatz« »aber den in V. 16

Verchristlichung setzt schon ein, wenn Lohmeyer dem Adj. »in Christus« zusetzt, was Pl hier gerade unterläßt.

115 So Haupt, Lütgert, Dibelius, Beare.
116 Gnilka 201 mit Schmithals 1965a: 72f. und Lightfoot.
117 Klijn 1965: 281.
118a Brandenburger 1968: 40 Anm. 4.
118b Gg. Luther 75 und EÜ, während GN und WickensNT hier im Sinne von Lightfoot, Schmithals, Klijn und Gnilka die nötige Vorsicht walten lassen.
119 Schmithals 1965a: 74; vgl. zum adversativen Sinn des nur hier im NT verwendeten Adverbs ἑτέρως Ewald 195 Anm. 1; Haacker EWNT II 166, wobei auch das in vergleichbaren Auseinandersetzungen entsprechend verwendete Adj. in Gal 1,6; 2Kor 11,4 als pragmatisches Signal zu vergleichen ist.
120 Gg. Lohmeyer und Gnilkas einleitend genannte Gliederungen.
121 So Baumbach 1973: 303f.

enthaltenen Imperativ zum rechten Wandel aufnimmt und fortführt«[122]. Vor allem aber stimmt die Behauptung nicht, daß πλήν bei Pl immer abschließend gebraucht sei, wie sich die im Gegenteil weiterführende und zur Hauptsache zurücklenkende Verwendung in 4,14 wie 1,18a (s.o.) zeigte (selbst die adversative Verwendung in 1Kor 11,11 ist eine unterbrechende Weiterführung). Hier ergibt sich die Funktion dieses πλήν, daß nach dem Zwischenimperativ in der 2. Person 3,15b, der erst einmal parenthetisch nach der negativen Seite hin anweisende Konsequenzen zog, nun 3,16a zu dem positiven Hauptkohortativ der 1. Person Plural von V. 15a zurückkehrt. Dabei erinnert das πλήν als Hervorhebung der Hauptsache den grundlegenden Indikativ mittels des Relativums: εἰς ὅ mit anschließendem Aorist ἐφθάσαμεν nimmt genau die christologische Zentralbestimmung auf, die bisher immer mit Präpositionen beim Aorist in diesem Text den Standort beim auferweckten Herrn bezeichnete: 3,7 διὰ τὸν Χριστόν = V. 8 δι' ὅν; V. 9 ἐν αὐτῷ; V. 12 ὑπὸ Χριστοῦ, weshalb das ἐν Χριστῷ in V. 14 dem von V. 9 entspricht und in der Parallelstruktur der Wiederholung von V. 12 in V. 13f. eine verkürzend erinnernde Wiederaufnahme des Satzes von V. 12c mit seiner Präpositionalwendung ist.

Die pl Gebrauchsweise von πλήν, der Rückgriff auf den grundlegenden Aorist des Christwerdens, der in der Präposition signalisierte christologische Rückbezug wie die Synonymie von στοιχεῖν mit den im Text sonst verwendeten Handlungsverben schließen aus, daß hier εἰς ὅ nur »die jeweils erreichte Stufe christlicher Erkenntnis bezeichnet, der der Wandel entsprechen soll«[123]. Phil 3,16 gibt einen christlichen Grundsatzimperativ wie Gal 5,15; 6,10; Röm 12,1; 15,5 und ist darum ebensowenig zu einer graduellen Aussage abzuschwächen wie Röm 12,6b die Anweisung zum dazugehörigen prophetisch-wegweisenden Reden κατὰ τὴν ἀναλογίαν, wo τῆς πίστεως objektiv den Inhalt der Evangeliumsformel bezeichnet und »Analogie« nicht im lateinischen Sinne der Ähnlichkeit, sondern im griechischen Sinne der übereinstimmenden Entsprechung gemeint ist. Pl meint in der Tat weder hier noch dort, daß »jeder nach seiner Fasson selig werden könne«[124], weshalb Pl hier τῷ αὐτῷ dem ἑτέρως von V. 15 betont entgegensetzt. Gegen ein graduelles Verständnis spricht auch der viermalige Gebrauch von φθάνειν bei Pl sonst, der sich immer auf Endgültiges bezieht: 1Thess 4,15 eschatologisch; evangeliumsbezogen auch 2Kor 10,14; in negativer Umkehrung Röm 9,31 von Israels εἰς νόμον οὐκ ἔφθασεν interessanterweise als Synonym zu καταλαμβάνω und Komplenym zu διώκω, was dem Wortfeldbezug hier im Verhältnis von Phil 3,16 zu 3,12 entspricht. Dagegen schließt es 1Thess 2,16 eine nachpl Glosse ab, die den Untergang Jerusalems schon voraussetzt. Dem pl Evangeliumsbezug vergleichbar ist andererseits auch die Verwendung an den beiden restlichen ntl. Stellen Q-Lk 11,20 par.

9.2.8. Die Frage nach dem Textschluß (4,1–3.8f.)

Wenngleich schon festgestellt wurde, daß 4,1 deutlich eine abschließende Zusammenfassung ansetzt, so ist doch damit noch nicht entschieden, wo diese Passage abschließt,

---

122 Ebd.; ähnlich inkonsequent schon Dibelius.
123 So graduell Beare 132 nach Lightfoot, B. Weiß, Haupt, Dibelius, Michaelis, was Gnilka zu Recht abweist, während Lohmeyer 149 einen »schon erreichten« Punkt im Martyrium sehen wollte.
124 Dgg. m.R. Gnilka 202! Was als Dictum Friedrichs II. von Preußen als Maxime für die Gestaltung des Staatsrechts ebenso seine Berechtigung hat, wie es als Basis einer wissenssoziologisch bestimmten Überzeugungsgemeinschaft, wie sie die Kirche Jesu Christi ist, von der Sachlogik her keine Geltung haben kann.

Zwar war deutlich, daß 4,1 drei Rückweiser enthielt, dennoch muß man, sobald man an den Vokativ ἀδελφοί erinnert, zugleich beachten, daß dieser auch 4,8 nochmals steht – und zwar wie 3,1 (s. o.) und 1Thess 4,1 bei briefabschließendem τὸ λοιπόν. Diese Markierung dürfte ein bewußter Anschluß an 4,1 (und damit an 3,13.17) sein, da 4,2–3 dazwischen drei singularische Anreden formuliert, während 4,1 und 4,8–9 pluralisch an alle »Mitchristen« gehen.

Ohnehin zeigten sich zu 4,8f. schon Beziehungen mit dem Bisherigen: V. 8 verwendet λογίζειν in Wiederaufnahme von 3,13 und das Relativum ὅσος, das hier 6mal steht, stand im Blick auf die Gegner in 3,15. Dies dürfte nicht nur eine äußerliche Zufälligkeit sein, sondern – da es den ὅσοι ja um die Zur-Geltung-Bringung des Gesetzes ging, so ist mit ὅσα der Bezug auf das hergestellt, was positiv Inhalt des Mosegesetzes ist, wie das schließlich positiv auch in der galatischen Auseinandersetzung Gal 5,14f. aufgenommen ist. Das einschränkende Moment, das in ὅσος liegt[125], bekäme dadurch hier seinen speziellen Sinn, zumal im Unterschied dazu 4,9 dann das normale Relativum verwendet und so beides deutlich differenziert: alttestamentliches Ethos ist Gegenstand kritischer Reflexion, evangeliumsbestimmte Überlieferung hat die Funktion des Maßstabes für kritische Rezeption. Im Kontextzusammenhang des Briefes Phil C bezeichnen die 6 Adjektive und zwei Substantive von 4,8 (konditionales Relativum und εἰ stehen auch 1Kor 7,36f.; 2Kor 2,10b funktionsgleich nebeneinander)[126] nicht allgemeine, aus der profanen Ethik übernommene Wahrheiten[127], sondern speziell die Wertvorstellungen der jüdischen Gesetzesüberlieferung. Dazu wird 4,9 in eine sachliche Beziehung der überbietenden Normierung gesetzt: das erste καί ist wie 3,15b adversativ und weder adverbial als rückweisendes »auch«[128], noch ist das erste und dritte καὶ korrelativ als »sowohl – als auch«[129] zu nehmen. Bei beiden ist verkannt, daß die Verbindung ὅς καί »idiomatisches Relativum« ist, das dem Satz größere Selbständigkeit gibt und damit stärker vom Vorhergehenden abhebt: »Dasjenige aber«[130]. »Das Vorbild des Apostels ist in V. 9 Motivierung und Norm« für V. 8[131]. Dies wird formal noch durch den parallelen Aufbau beider Verse unterstrichen: Beide enden nach der Periode der zweigliedrigen konditionalen Relativsätze mit parallelen Imperativen: dem ταῦτα λογίζεσθε von V. 8b entspricht V. 9b überbietend ταῦτα πράσσετε[132]. Daß Pl seine Lehre und sein Beispiel als normgebend und überbietend einbringt, ergibt sich auch daraus, daß 4,9 der Sache nach deutlich den entsprechenden Beispielimperativ von 3,17 wiederholt[133]; stand er dort aber noch ganz in Antithese zu den jüdischen Propagandisten 3,18f., so wird er nun hier durch die dialektisch positive Beziehung zum Inhalt der jüdischen Propaganda, dem Gesetz, in Beziehung gesetzt. Weiterhin ist bei aller Parallelität zwischen 4,8 und 4,9 dieser zweite Teil auch dadurch noch deutlich überbetont, daß der Imperativ in V. 9 durch καί + Futurum ergänzt wird, wodurch das, was V. 8 den Abschluß bildet, hier zu einer konditionalen Protasis für eine daraus resultierende Apodosis wird. Damit liegt hier dieselbe Konstruktion vor, wie sie auch 2Kor 13,11 an einem entsprechenden Briefende steht[134]. Sie hat aber makrosyntaktisch ein nicht zu unterschätzendes Gewicht für die Verhältnisbestimmung von 4,9 zu 4,8. Somit erweist sich 4,8f. als notwendig ergänzender Bestandteil

---

125 B–D–R 293,1 Anm. 3.   126 Beyer 1968: 228.   127 Merk 1968: 196.
128 So Haupt 167.   129 So Ewald 224.
130 B–D–R 293,2c Anm. 12; es vertritt ein Demonstrativum wie öfter bei Lk; eine Entsprechung findet sich in dem steigernden ὅς γε Röm 8,32; dies ist auch verkannt, wenn Lohmeyer 176 Anm. 1 und Gnilka 222 Anm. 19 das erste καί nur als aus rhythmischen Gründen gesetzt ansehen wollen, denn der Rhythmus der Gruppe wird dadurch nicht regelmäßiger.
131 Merk 1968: 196 Anm. 147.   132 Gnilka 219.   133 Schmithals 1965a: 81f.

der Auseinandersetzung von 3,2ff. insgesamt, wie sie funktionsgleich mit Gal 5,14f. im Gesamtduktus des Galaterbriefes ist. »Sind aber noch die Verse 4,8f. gegen Ende des Briefes von dem einen Thema des ganzen Schreibens bestimmt, so kann von den vorangehenden Versen 4,2f. nichts anderes gelten.«[135] Dafür spricht auch der enge, asyndetische Anschluß an 4,1, der dem Übergang von 3,16:17 (und 3,6:7) entspricht und »scheinbar unvermittelt« empfunden wurde[136]. Sein Zielverb φρονεῖν nimmt immerhin 3,15.19 auf und steht damit in Beziehung zum voranstehenden Text und dessen Mahnung zur richtigen Urteilsfindung. Es geht also nicht nur um eine Mahnung zur Eintracht und Einheit überhaupt, sondern um eine spezielle. Das wird noch dadurch unterstrichen, daß aus 4,1 der Sachbezug ἐν κυρίῳ wiederholt ist. Daß dieser wesentlich ist, zeigte generell schon 1,27; 2,2ff. (s.o.), doch kommt hier wie 1Kor 1,10; 2Kor 13,11 eine Irrlehrergefahr hinzu. Damit wird von 4,2f. her deutlich, warum 3,15f. parenthetisch das ἑτέρως φρονεῖτε in den Kohortativzusammenhang von V. 15a und V. 16 eingesprengt war: 4,2f. ist die konkretisierende Entfaltung und Verdeutlichung von 3,15b.

Wahrscheinlich wird man noch ein anderes Textsignal hinzunehmen müssen, das durch die herrschende Verseinteilung aber verunklart ist: 4,1 schließt angeblich mit dem Vokativ ἀγαπητοί (8mal bei Pl)[137]. Diese Schlußposition wäre an sich schon auffallend, da auch die Nachstellungen nach einem Partizip 2Kor 7,1 und Röm 12,19 keine eigentlichen Parallelen für eine Schlußstellung sind, da jeweils Imperative folgen; auch 2Kor 12,19 folgt eine Weiterführung, so daß diese Stellen alle eher der Einleitungsfunktion entsprechen, wie sie außer 2,12 (s.o.) auch 1Kor 10,14; 15,58 (mit ἀδελφοί verbunden) gegeben ist. So wäre unsere Stelle die einzige Ausnahme. Da nun weiterhin hier 4,1a diese Prädikation einleitend in der gleichen Verbindung wie 1Kor 15,58 schon einmal vorlag, so verstärkt diese Doppelung noch das Bedenken dagegen, daß die Schlußposition in 4,1 der ursprünglichen Textintention entspricht. Darum wird man annehmen müssen, daß dieses Wort eher eine V. 1a und V. 8 entsprechende Vokativeinleitung zu V. 2 ist. Damit ist signalisiert, daß die Sache, um die es 4,2f. geht, »zugleich für die ganze Gemeinde von Wichtigkeit ist«[138].

Da das vergleichbare Appellativ ἀδελφοί sonst 6mal bei der hier in Phil erstmalig und gleich doppelt verwendeten explizit performativen Redeeinleitung παρακαλῶ steht (1Thess 4,10; 5,14; 1Kor 1,10; 16,15; Röm 12,1; 16,17 – während es 15,30 bei p[46] B fehlt), so dürfte der entsprechenden Textverknüpfung für 4,2 zuzustimmen sein. Da παρακαλῶ ohnehin nicht den starken Sinn von »Mahnung« hat, womit es leider oft mißverständlich in Übersetzungen wiedergegeben wird, sondern eher den Charakter der freundschaftlichen Ermunterung (s.o. zum Subst. in 2,1), so würde die Anrede ἀγαπητοί gut dazu stimmen. Stimmig ist auch, daß παρακαλῶ anschließend in 4,3 synonym mit ἐρωτῶ wiederaufgenommen wird[139] und dieses ἐρωτῶ an einen dritten in bezug auf die beiden Frauen ausgesprochen ist; so ist der Bezug zu einem größeren Kreis der Gemeinde als solchem gegeben und würde noch einmal diese Anrede als zu V. 2f. gehörig verständlich machen.

Pl kennzeichnet die beiden angeredeten Damen 4,3 deutlich genug mit dem 1,27 (s.o.) verwendeten Verb als Mitarbeiterinnen in der missionarischen Ausbreitung des Evan-

---

134 Beyer 1968: 253, wobei hier nur wie Röm 13,3b vor dem Imperativ noch ein konditionaler Nebensatz steht. Diese »Wenn – So«-Entsprechung wurde schon von Haupt 167 gesehen und zur Geltung gebracht, blieb aber in der Folge bei den späteren Kommentatoren unberücksichtigt.

135 Schmithals 1965a: 82.   136 Lohmeyer 165.

137 Schneider EWNT I 28f.   138 So Wohlenberg bei Ewald 211 Anm. 2.

139 Vgl. dazu Schenk EWNT II 144f.

geliums, ja sogar als »seine« einstigen (Aorist) Mitarbeiterinnen dabei. Das läßt sich nicht zugunsten einer »diakonischen Tätigkeit« des »wirtschaftlichen Helfens« und »aktiver Teilnahme am Gemeindeleben« abschwächen[140]. Mit ihrer aktiven Verkündigungsfunktion, die sich nicht gegen den Wortlaut auf ein bloßes Patronats-Unterstützungsverhältnis abschwächen läßt, muß auch das in diesem Zusammenhang hier nun nötige Zurechtbringen zusammenhängen. Das aber schließt aus, daß an einen rein persönlichen Streit zwischen den beiden zu denken sei; ja die parallele Formulierung mit dem einmalig wiederholend gesetzten Verb und der jeweiligen Voranstellung ihrer Namen deutet im Gegenteil darauf hin, daß beide weniger gegeneinanderstanden, als daß sie parallel miteinander zurechtgebracht werden sollen[141]. Beide erscheinen eher als Komplizinnen, da auch der 4,3 angesprochene Mitarbeiter »sich beider Frauen gleichmäßig annehmen soll«[142]. Dann ist am ehesten an »Vorsteherinnen von Hausgemeinden zu denken«, die den Irrlehrern »ihre Versammlungen öffneten«[143]. Da Phil 2,6–11 als eine aus Philippi selbst stammende Formulierung anzusehen war (s. o.) und eher als Muster einer Missionsverkündigung denn als Hymnus erschien, so dürfte dieser Text mit seiner teilweise synkretistischen Adaption an die Denkweise der Umwelt aus dem Kreis dieser Frauen stammen, der aktiv evangelisierte, zumal die Offenheit für den Synkretismus des Mythos der absteigenden Göttergestalten auch leicht eine Offenheit gegenüber dem entsprechenden jüdisch-dualistischen Weisheitskonzept nahelegte.

Die bei Pl einmalige Anrede 4,3 an den, »der mit mir wirklich am gleichen Strang zieht« (2,19f.), sich zugleich der beiden Frauen anzunehmen (mit dem bei Pl einmalig verwendeten Verb) erklärt sich am einfachsten, wenn man in ihm Timotheus sieht, der inzwischen (s. o. 2,19–23) in Philippi ist und diese Aufgabe bewältigen soll[144]. Den Adressaten muß dieser enge Vertraute bekannt gewesen sein. Einem von außen Kommenden gegenüber ist es am ehesten verständlich, daß ihm diese Frauen empfehlend vorgestellt werden. Daß er als von außen Kommender in einem Brief an eine spezielle Gemeinde mitangeredet ist, wird sich aus der speziellen Situation erklären, so daß es nicht der Zusatzhypothese bedarf, daß der Name »Timotheus« ursprünglich dastand, aber vom Redaktor wegen des Zusammenstoßes mit 2,19ff. ausgelassen wurde und (wie 1,1 s. o.) durch eine redaktionelle Notiz aus dem Milieu der Pastoralbriefe (vgl. 1Tim 1,2 γνήσιε) ersetzt wurde. Da das Substantiv σύζυγος als Name nicht belegt ist, so ist die Annahme eines Appellativums und die genannte Zuordnung wohl die beste Lösung[145].

Damit löst sich zugleich noch eine andere Schwierigkeit: Der weitere Bezug des in der Präpositionalwendung 4,3c genannten Mannes mit dem römischen Namen Clemens erscheint als funktionslose Abschweifung, wenn er in den Relativsatz gehören sollte (auch sie sind Mitarbeiter); wird aber μετά mit dem auffallend adverbialen καί auf den Hauptsatz bezogen, dann sollen Clemens und die anderen dem angesprochenen Timotheus helfen[146]. Dagegen ist bisher nur eingewandt worden, daß es ein »psychologi-

---

140 Gg. Gnilka 166 nach Ewald, Haupt.
141 Ewald 213 »gleichwertiges Tun«; gg. Gnilka 166 Anm. 68 markiert die Doppelung weniger die »persönliche Form«, da die Fortsetzung mit dem AcI in die indirekte Rede übergeht.
142 Schmithals 1965a: 83; es ist geradezu unerfindlich, wieso Gnilka 166 den Vorschlag von Schmithals als »verstiegene« Erneuerung der symbolischen Deutung der Frauen auf Juden- und Heidenchristen meint abtun zu können.
143 Ebd.
144 Schenke-Fischer 1978: 128 nach Völter 1892: 124; Schmithals 1965a: 55 Anm. 47; Friedrich 123.
145 Gg. die Annahme eines Eigennamens von Haupt, Ewald 216f. bis Gnilka 166f.
146 So schon Ambrosiaster und zuletzt Ewald 215 nach Lightfoot, Hofmann, Wohlenberg, Zahn.

scher Mißgriff« wäre, so viele aufzubieten, zumal man ja an eine Vermittlerrolle in einem Streit zwischen den beiden Frauen dachte[147]. Wenn aber beide Voraussetzungen so nicht bestehen, so besteht kein Einwand gegen diesen Lösungsvorschlag: Da es sich nicht um einen Streit zwischen zwei Gemeindegliedern, sondern um ihre gemeinsame Tendenz der ganzen Gemeinde gegenüber geht, so ist eine Beteiligung mehrerer nicht befremdlich; da der Hauptakteur ein besuchsweiser Mitarbeiter des Pl ist, so ist die Aufforderung zur gemeinsamen Arbeit mit ihm beim Zurechtbringen der beiden, den jüdischen Agitatoren geneigten Frauen kein »psychologischer Mißgriff« mehr.

Da 4,8f. auf jeden Fall noch direkt auf 3,2ff. bezogen ist, so muß auch 4,3 insgesamt primär in diesem Kontextbezug verstanden werden können, ehe man sich zur Annahme einer hier vorliegenden Abschweifung einläßt. Bestand nun die Differenz nicht zwischen den beiden Frauen, dann bestand sie aber wohl zwischen dem auch namentlich genannten Clemens und diesen beiden Damen – und zwar im Blick auf die fremden Agitatoren. Stammt dabei weiter 2,6–11 aus dem Bereich der beiden Damen, dann kann sich 3,20–21 in seinen Berührungen wie in seinen Differenzen zu 2,6–11 wiederum am besten als phil Formulierung in Reaktion auf 2,6ff. verstehen lassen. Hat Clemens 3,20f. schon als Stellungnahme zu den Beschneidungsagitatoren und ihren phil Sympathisanten formuliert und Pl zur Kenntnis gebracht, so wird deutlich, daß und warum Pl, nachdem er in einem früheren Stadium 2,6ff. wohlwollend rezipiert hatte, nun auch etwas entsprechendes zu dieser phil Opposition sagen mußte, die ihm offenbar sachlich näherstand. Das dürfte einerseits die Wahl des milden Ausdrucks παρακαλῶ 4,2 erklären, der ja immer unter der Voraussetzung grundsätzlicher Übereinstimmung verwendet wird, und andererseits die eindeutige Option, mit der ein anderer Pl-Mitarbeiter den Clemens in der Klärung der jetzigen Auseinandersetzung eindeutig unterstützen soll.

Das dabei anscheinend unvermeidliche Rätselraten, ob vielleicht eine der hier genannten Personen mit denen von Apg 16,12ff. identisch sei[148], fragt vorschnell historisch, während methodisch erst zu entscheiden wäre, ob nicht doch Lk bei Kenntnis der pl Briefe durch den Frauennamen »Wohlgeruch« zu einer Purpurhändlerin aus Lydien, durch den Frauennamen »Glückskind« zu einer von Dämonen befreiten Magd und durch den Männernamen »Gelinder« zur Gestaltung des Kerkermeisters angeregt sein könnte, zumal alle drei Episoden der lk Philippi-Schilderung wiederholende Variationen bisheriger lk Szenen und Motive sind (Apg 16,14f. gastfreie Frauen vgl. Lk 4,29; 10,38 und Wende gegenüber Apg. 13,50; Dämonenaustreibung Apg 16,16ff. vgl. Lk 4,41; 8,2; Gefangenenbefreiung Apg 16,24ff. als »freie lk Analogiebildung zu 5,17f.; 12,1ff.)[149]. Eine wie geringe lokale Detailkenntnis Lk hat, zeigt sich schon darin, daß er einleitend Apg 16,12 tendenziös »Philippi« zur »ersten Stadt« Mazedonien macht, obwohl das Amphipolis war, was zu den mannigfachen Textkorrekturen an dieser Stelle geführt hat[150].

9.2.9. Überblick

Phil 3,2ff. weist somit – grob gesagt – folgende an den Subjekten orientierte Personstruktur auf:

147 Haupt 160; Gnilka 168 Anm. 80.
148 Zahn 1906: 278f., dem zuletzt auch Schenke-Fischer 1978: 124f. nachgeben.
149 Roloff 1979: 518; zur lk Direktabhängigkeit wagt Lindemann 1979: 163–173 im Abweichen von der formgeschichtlichen Linie m. R. ein »vorsichtiges Ja« zur literarischen Abhängigkeit.
150 Vgl. Zahn 1906: 278 sowie Conzelmann 1963: 90f. und Haenchen 1969: 432 z. St.

1. Indikativ 1. Person Singular	2. Indikativ 1. Person Plural	3. Kohortativ 1. Person Plural	4. Imperativ 2. Person Plural allgemein	5. Imperativ 2. Person Plural speziell	6. 3. Person
3,4–14	3,3		3,2		
			(3,13a)		(3,4b) 3,15a
		3,15b			
	3,16a			3,15c–d	
		3,16b			
			3,17		
					3,18–19
	3,20–21		4,1		
			4,8–9	4,2–3	

Hauptkomplexe sind somit die Ich-Rede 3,4–14, ihre innere Rahmung durch die zusammenfassenden Wir-Indikative 3.3.20f. und durch den äußeren Imperativ-Rahmen 3,2 und 4,1ff. Die Darstellung würde weniger schematisch, wenn man auch noch alle aufgewiesenen empfängerorientierten Appellsignale in 3,4c.8a8b.8d. 9.12a.13a.13b in den zentralen Hauptblock der Ich-Rede einzeichnen würde, der jetzt nur durch die »Brüder«-Anrede durch den eingeklammerten Hinweis auf 3,13a in Sp. 4 signalisiert ist. Damit würde die Relation zwischen der Ich-Rede des Senders und der Adressatenorientiertheit noch signifikanter. Damit zeigt sich deutlich, in wie starkem Maße die Ich-Rede durchgehend und von Anfang an einen ständig wiedererinnerten Empfängerbezug aufweist, und daß der häufige Wechsel, der 3,15ff. zu kennzeichnen scheint, sich zwar dort in der Oberflächenstruktur verstärkt, in der semantischen und pragmatischen Tiefenstruktur jedoch schon ständig präsent war. Ein entsprechendes Bild ergäbe sich, wenn man die Bezüge zwischen der Ich-Rede von Sp. 1 und den Feindbezügen von Sp. 6, die jetzt nur mit dem eingeklammerten Hinweis auf 3,4b angedeutet ist, noch ergänzen würde durch die Bezüge auf die vorösterliche Vergangenheit des Pl; denn Pl bekämpft in den Gegnern in einem erheblichen Maße »die Position, die er einst vertreten hat; er kämpft in Phil 3 gleichsam gegen seine eigene Vergangenheit«[151]: 3,5–6.7a.9b.12a.13a. Das erklärt bis zu einem gewissen Grade das Vorliegen dieser ungewöhnlich ausführlichen Ich-Rede des Pl.

9.3. Die Selbstempfehlung des Weisheitslehrers

In einer knappen Bemerkung zu dem Aufruf zur Nachahmung 3,17 hat K. Berger[152] daran erinnert, daß die positive Qualität des eigenen Verhaltens für eine Apologie zur

151 O. Betz 1977: 54 Anm. 2.   152 Berger 1977: 126.

Darstellung des eigenen Positionsverständnisses eng mit der Selbstempfehlung des Weisheitslehrers zusammenhängt. Er verweist auf die parallele Rede der personifizierten Weisheit im mt Jesus Mt 11,27 ff.[153]; sie ist dreiteilig: auf die singularische Selbstvorstellung (»alles ist mir von meinem Vater übergeben«) V. 27 folgt der Heilsimperativ zur Nachahmung V. 28 ff. (»kommt alle zu mir . . .«) mit der Verheißung (»ihr werdet Ruhe finden . . .«).

Dies entspricht nun ganz der Art, wie in dem alphabetischen Gedicht im zweiten Anhang des Sir 51,13–30 der Weisheitslehrer über sich selbst spricht: V. 13–22 stellt er sich als gottbegabter Weisheitslehrer vor, V. 23–28a.29a.30a folgt der imperativische Ruf, der V. 28b(29b).30b durch die Verheißung komplettiert wird. Das entspricht nun genau dem Schema, in dem die Dreiheit von Vorstellung (Präsentation), Ruf und Verheißung sich sonst von der rufenden Weisheit selbst findet: In Sir 14,1 f. wird die V. 3–18 folgende Selbstpräsentation ausdrücklich mit doppeltem καυχήσεται als Ruhmrede einführend gekennzeichnet, was Phil 3,3 eine auffallende Entsprechung hat. Auf diese Präsentation folgt V. 19 der imperativische Ruf, und V. 20–22 folgt die Verheißung. Fortgesetzt wird dies hier V. 23–29 durch einen Anhang, der die Identifikation der Weisheit mit dem Mosegesetz vollzieht. Dasselbe dreigliedrige Grundschema erscheint auch in der zweiten Rede der personifizierten Weisheit Prov 8,7–31 (Präsentation), 32–34 (Einladung). 35 (Verheißung), hier V. 36 noch erweitert durch eine hinzugefügte, die Verheißung komplettierende Warnung (»doch alle, die mich verwerfen, lieben den Tod«), die der begründenden Warnung Phil 3,18 f. entspricht. In Prov 1,24–32 nimmt diese Warnung sogar einen erstaunlichen Umfang an und wird zur mächtigen Drohung, während sie nur von einer knappen Einladung V. 23a, verbunden mit der Selbstpräsentation V. 23b einerseits und der Verheißung V. 33 anschließend andererseits gerahmt wird.

Von diesen Formparallelen her ergibt sich, daß in Phil 3 dazu deutliche Entsprechungen sowohl in den Einzelzügen als auch in ihrer Verknüpfung zu einem Gesamtcorpus vorliegen:

Phil 3,2	Warnung	
3,4–14	Selbstpräsentation	(A)
3,17	Einladungsruf	(B)
3,18–19	Begründende Drohung	
3,20–21	Begründende Verheißung	(C)

Ihre Verwendung hier dürfte sich aus zwei zusammentreffenden Voraussetzungen erklären lassen: Es ist anzunehmen, daß Pl diese Redeweise aus seiner Bildung und eigenen Praxis her geläufig war; andererseits ist anzunehmen, daß die Beschneidungsagitatoren in dieser Form in Philippi ihre Propagandareden gehalten haben, was es Pl nahelegt, in dieser Form der selbstvorstellenden Ruhmrede darauf einzugehen.

Zugleich wird deutlich, daß der entscheidende Unterschied zu der vorgegebenen Redegattung in der Einführung des »Wir« der gemeinsamen Basis in 3,3 liegt. Diese ist dann auch für die Einfügung der weiterführenden Kohortative 3,15–16 verantwortlich, die Präsentation und Einladungsruf entgegen ihrer sonstigen engen Bezogenheit aufeinander unterbrechen. Die Wichtigkeit dieses »Wir« spiegelt sich schließlich auch darin, daß die Zukunftsverheißung 3,20 f. hier durch die Formulierung im bekennenden Wir-Stil umgeprägt erscheint. Schließlich kommt das auch darin zum Ausdruck, daß der Schlußimperativ 4,1 das Moment des Bleibens in dem schon bestehenden Herrschaftsbereich als eine wesentliche semantische Konsequenz des hier durchgehend bestimmenden Wir-Einsatzes von 3,3 enthält.

153 Vgl. dazu Christ 1970: 86–91, 100; Suggs 1970: 71–77.

Entsprechende Beispiele lassen sich für den Gebrauch der zugrundeliegenden Elemente auch im Diatribestil bei Epikt. diss 4,8.17 ff. in der Warnung, sich nicht zu schnell und äußerlich als einen »Philosophen« (= Lebenskünstler) zu verstehen, nachweisen, was bei dem internationalen Charakter der »Weisheit« (= Lebenskunst) auch nicht verwunderlich ist. Als Beispiel wird zuerst Euphrates eingeführt:

(A) »Sieh, wie ich esse, wie ich trinke, wie ich schlafe, wie ich ertrage, wie ich mich enthalte, wie ich hilfreich bin, wie ich Begehren und Vermeiden gebrauche, wie ich die angeborenen und hinzugekommenen Verhältnisse beobachte –
(C) wie unverwirrbar und unverhindert ich bin.
(B) Von daher beurteile mich, wenn du kannst!«

Noch deutlicher wird es an Diogenes exemplifiziert:

(B) »Damit ihr seht, o Menschen, daß ihr das Glück und die Ruhe nicht dort sucht, wo sie sind, sondern wo sie nicht sind:
(A) Seht, so bin ich euch von Gott als Beispiel gesendet worden, der ich weder Besitztum noch Haus habe, weder Frau noch Kinder, nicht einmal Bett oder Mantel oder Geschick –
(C) und seht, wie gesund ich bin!
      Versucht mich!
      Und wenn ihr mich unzerstörbar gesehen habt,
(B) so hört die Heilmittel, womit ich behandelt wurde.«

In dem dazwischenstehenden Beispiel vom Arzt fallen Präsentation und Verheißung zusammen, womit alle Grundzüge auch hier deutlich sind:

(B) »Strömt zusammen, all ihr mit Fußgicht, Kopfschmerzen und Fieber, ihr Lahmen und Blinden!
(A) Ja, seht mich an –
      von jeder, jeder Krankheit bin ich frei.«

Die Tatsache, daß die Selbstempfehlung, die den Entscheidungsruf einschließt, Sir 24,1 f. als »Ruhmrede« vorgestellt ist, zeigt deutlich, daß dieses Preisen ein propagandistisches »Anpreisen« ist. Ebenso machen die Verwendung von καυχᾶσθαι und πεποιθέναι in dem sicher jüdisch vorgeprägten Zitat Röm 2,17–20 deutlich, daß die Funktion des Ruhms es ist, andere zu gewinnen. Darum ist es eine falsche Folgerung, zu Phil 3,3 zwischen beiden zu differenzieren und zu sagen, »daß sie die Beschneidung zwar propagierten«, aber nicht von den Philippern »forderten«, sondern »sich nur der eigenen Beschnittenheit rühmten«[154]. Dagegen spricht außerdem der Hinweis[155], daß die Selbstbezeichnungen »Hebräer« und »Israel« im Kontext der Propagandaliteratur stehen.

Dabei ist es letztlich auch unwesentlich, ob man die Agitatoren als Juden[156] oder Judenchristen[157] bestimmt, da das, was als mit der Ostern gesetzten Wirklichkeit als konkurrierend angesehen wird, in jedem Fall das Angebot des vollen Judewerdens mittels der Beschneidung zur Erlangung der vollen Gottesgemeinschaft ist, das die Sachdifferenz ausmacht. Das gälte der Sache nach sogar dann, wenn man die Beschneidung mit der Begründung verlangt hätte, nicht weil sie die Tora fordert, sondern weil auch Jesus beschnitten gewesen sei (Gal 4,4 f., falls die Vorlage eine Formulierung des »anderen« Evangeliums war; auf jeden Fall aber Kerinth nach Epiph. haer. 28.5.1 ff.; 30.26.1 f.)[158], weil dann »Jesus« nur als flexibles Symbol ohne festen semantischen

154 Gnilka 186 f., 213 nach Goppelt 1954: 136 f. und Schmithals 1965a: 62 f.
155 Gnilka 189, 213 mit Georgi 1964: 58–63.
156 Klijn 1965 nach Lipsius, Lütgert, Dibelius, Lohmeyer, Michaelis, Beare.
157 So Köster 1962 und Gnilka nach Haupt, Ewald, Feine.
158 Vgl. Gnilka 187 Anm. 13.

Gehalt verwendet würde, was das Hauptproblem der pseudosemantischen Entwicklung der Jesusüberlieferung ausmacht.

9.4. Die rhetorische Situation und Struktur

Da die pl Briefe ganz wesentlich gestaltete Rede sind[159], so ist es nicht verwunderlich, daß man nach einer langen Zeit der Vernachlässigung rhetorischer Fragestellungen diese Stilzüge heute wieder in verstärktem Maße zum Verständnis der Briefcorpora heranzuziehen versucht. Briefe sind Ersatz für mündliche Rede, und die Orientierung an ihren festen Formen war Bildungsgut der Lehrbücher des Briefschreibens (Ps-Demetrius, Typoi Epistolikoi 2,19f.; Ps-Proclus (= Ps-Liban.), Peri Epist./ De forma epist. 27). Schon auf der zweiten Bildungsstufe (15–18 Jahre) und nicht erst auf der dritten (über 18 Jahre, wozu Briefstilübungen gehörten) hat man wohl die Rhetorik erlernt[160]. Für Rabbinenschüler Palästinas ist die Kenntnis griechischer Rhetorik nachgewiesen worden[161].

Die grundlegende Redegliederung scheint vierteilig gewesen zu sein, obwohl man sich vor Lausbergs (1960) unhistorischer Systematisierung hüten muß, da die Redegliederung besonders oft variiert wurde[162]:

a) Einleitung (exordium), um Aufmerksamkeit zu erregen, was bei angenommener Übereinstimmung eine captatio sein kann.

b) Darlegung eines Sachverhalts (narratio, propositio), die aber auch schon erzählend argumentieren kann.

c) Begründung des Standpunkts (argumentatio) mit allen Mitteln der jeweiligen Topik, die Beispiele, Indizien und Zitate umfassen kann; meist ist die Widerlegung gegensätzlicher oder gegnerischer Einwände (refutatio) eingeschlossen, oder sie bildet einen selbständigen Teil.

d) Der Schluß (conclusio, peroratio) faßt zusammen und ruft die Leser zu einem Handeln auf, das die Konsequenzen zieht.

H. D. Betz[163] hat gezeigt, daß und wie diese Gestaltungsweise offenbar die Komposition des Gal insgesamt bestimmt[164]:

a)	Gal 1,1–11	Exordium
b)	1,12–2,14	Narratio
c)	2,15–21	Propositio
d)	3,1–6,11	Argumentatio
e)	6,12–17	Peroratio

Dieses Grundmuster ist durch weitere Strukturen jeweils modifiziert:

Seit Aristoteles unterscheidet man je nach den Praxisbereichen drei verschiedene

---

159 Vgl. Berger 1974.
160 Judge 1979: 149f., 163f.; Malherbe 1979: 207f., 217f.
161 Daube 1949; Fischel 1973: 51–89 am Beispiel Ben Zomas.
162 Fischer 1973: 139.
163 H. D. Betz 1975 und 1979: 14–25; vgl. Wuellner 1978; Schenk 1982.
164 Wenn Berger 1977: 42–46 dieses Schema außer an Apg 13,16–41 auch an Gal 3,1–14 exemplifizieren konnte, so ist damit die Tragfähigkeit für das Briefganze nicht eingeschränkt, sondern die Vielschichtigkeit der möglichen Verwendung rhetorischer Schemata weiterführend in den Blick gestellt.

Arten von Reden (genera), die zugleich als Modellfälle möglicher Beeinflussungsarten galten[165]:

a) genus iudiciale (forensisch) für die Anklage und Verteidigung vor Gericht und überhaupt in strittigen Auseinandersetzungen;

b) genus deliberativum (symbuleutisch) für zuratende und abratende Darlegung in der Volksversammlung;

c) genus demonstrativum (epideiktisch) für Lob und Tadel von Personen, Sachen, Ereignissen vor einem allgemeinen Publikum.

Hinzu kommen hinsichtlich der Intention des Senders noch drei officia[166]:

a) docere als sachlich nüchterne, informative Belehrung;

b) delectare als angenehm-temperierte, werbende Darlegung;

c) movere als emotional-aufwühlende, leidenschaftliche Einwirkung.

Die unterschiedlichen Argumentationsweisen hinsichtlich des Gesetzes im Gal und Röm hat Wuellner[167] so zu werten versucht, daß der Gal der Situation entsprechend mehr den Strukturen des genus iudiciale zugehört und darum stärker an Kontrastbildungen orientiert ist[168], während der Röm sich von seiner Struktur her nicht mit gegnerischen Argumenten auseinandersetzt, sondern dem genus demonstrativum folgt. Das wird schon im Exordium (Röm 1,1–17) klar, das statt eines Kontrastklischees (wie Gal 1,1–11) eine Harmoniestruktur anstrebt[169].

Sieht man, daß Pl im Röm mit der »Darstellungsfunktion« hinsichtlich des einen Heils für alle Menschen befaßt ist, und damit, daß dann entsprechend Juden und Nichtjuden auf demselben Grund stehen[170], so wird man auch hinsichtlich der davon bestimmten Behandlung des Gesetzes nicht direkte Einwände und Widersprüche von Gegnern voraussetzen, denn dann wäre die Topik des Röm insgesamt forensisch und nicht epideiktisch geprägt[171].

Derselbe Unterschied wie zwischen Röm und Gal besteht in etwa auch zwischen Phil B und Phil C: Phil B entspricht dem epideiktischen genus des Röm, während Phil C dem genus iudiciale des Gal nähersteht. Dieser Unterschied rhetorischer Situation und Struktur wird aber verkannt, wenn man direkt von Phil C auf B zurückschließt und etwa das vielmalige πάντες in Phil 1,4.7.8 – »mehr als in allen anderen Proömien der Pl-Briefe zusammen«, was richtig beobachtet ist – fälschlich dahingehend auswertet, daß bereits Phil B etwas von einer bedrohten Einheit der Gemeinde erkennen lasse[172]. Im Gegenteil ist gerade die grundlegende Differenz der beiden verwendeten rhetorischen genera – wie man jetzt präziser sagen kann als die oft nur als Differenz im »Ton« beschriebene und so nur intuitiv erfaßte Unterschiedlichkeit – ein entscheidendes Argument für eine literarkritische Differenzierung der beiden Textkomplexe. Das Briefproömium Phil 1,3ff. entspricht in seiner harmonistischen Exordium-Struktur stark dem Proömium des Röm.

Diese rhetorisch präzisierte Differenz will auch beachtet sein gegenüber der Meinung, die Warnungen von Phil 3,2.18f. könnten sich nicht auf jüdische oder judenchristliche Agitatoren beziehen, weil Pl sich undenkbar seinen Volksgenossen und gesetzesstren-

165 Fischer 1973: 143. 166 Ebd. 149.
167 Wuellner 1978: 463–483. 168 Ebd. 470–476.
169 Ebd. 476–479 und ders. 1976.
170 So seit Stendahl 1963: 205 vor allem von Wuellner, Wilckens, Sanders 1977: 488.
171 Karris 1974 gg. Donfried 1974, der den Typ der streng situationsbezogenen Auslegung des Röm (wie ihn nach Lütgert Preisker, Harder, Bartsch je unterschiedlich akzentuiert verfochten) erneuern wollte; zu welchen Verzeichnungen in der Gesetzesfrage das im Röm führt, zeigt sich z. B. auch nachteilig bei van Dülmen 1969: 72.
172 So Schmithals 1965a: 82.

gen Juden gegenüber so scharfer Ausdrücke bedient habe[173]. Der Verweis auf Röm 9–11 kann hierfür gerade wegen der totalen Verschiedenheit der Argumentationsstruktur nichts austragen. Denn einmal geht es Pl in Phil 3 nicht um »sein Volk insgesamt«, sondern strikt nur um die Agitatoren im Blick auf ihre Aktivität einer christlichen Gemeinde gegenüber[174], und zum anderen ist es ein wesentlicher Unterschied der Argumentationsweise, ob Pl Israel – und zwar übrigens nur einen Teil von ihm (Röm 11,35f.) – angesichts seines sich dem neuen Gotteshandeln in der Auferweckung Jesu Versagens im Blick hat, oder ob er Agitatoren im Blick hat, die eine von Ostern her berufene Gemeinde nötigen wollen, durch Übernahme der Beschneidung ihre Gottesgemeinschaft ergänzend zu vervollständigen. Die rhetorische Situation und das argumentative Ziel ist jeweils verschieden, da es immer darum geht, »in einer bestimmten Situation eine bestimmte Sache einem bestimmten Publikum durch Sprache glaubhaft zu machen, in einem jeweiligen Interesse zu überzeugen«[175]. Es geht also um die Beachtung der je konkreten semiotischen Triade von Sender–Botschaft–Empfänger, die schon Aristoteles unterschied, und die die Lasswell-Formel zu der Fassung erweiterte: Wer sagt was, durch welchen Kanal, zu wem, mit welcher Absicht und mit welchem Effekt? Dabei ist der zu entschlüsselnde Code der Verschlüsselung auch kulturgeschichtlich durch die jeweils vorgegebene Rhetorik bestimmt, gerade wenn diese ein so ausgeprägtes Bildungsgut war wie im hellenistisch-römischen Zeitalter.

Zweifellos steht Phil 3 darin dem Gal am nächsten, mit dem er auch nach allen bisherigen Untersuchungen die häufigsten Berührungen aufwies. Phil C ist darum dem forensisch-polemischen Argumentationstyp zuzuordnen. Die scharfe Antithese, mit der Phil 3,2–3 einsetzt, erinnert an die entsprechende Antithese[176] Gal 1,8f.12 und dürfte darum das entsprechende exordium darstellen. Daß darauf 3,5–6 ein Rückblick auf die Vergangenheit des Pl folgt, der ebenso wie die nächste verwandte Parallele[177] Gal 1,13f. eine argumentative Funktion hat, verweist darauf, daß wir es hier mit der narratio zu tun haben, zumal Gal 1,15f. ebenso wie hier Phil 3,7 der entsprechende Umschlag durch die Ostererscheinung angeschlossen ist. Somit dürfte 3,8 durch die mit den vier Partikeln stark akzentuierte Einleitung die eigentliche argumentatio beginnen, die ja darum auch durch mehrere ausdrückliche Textsignale stark auf den beispielhaften Charakter für die Gegenwart und damit die angeschriebenen Adressaten abhebt, und dieser erste Beweisgang dürfte bis 3,11 reichen, wo diese Satzperiode erst zu Ende gebracht wird. Dabei hat die parenthetisch eingebrachte Gerechtigkeits-Antithese von 3,9 eine enge Berührung mit Gal 2,16f. und der anschließende Bezug auf den Tod Jesu zu Gal 2,19f. Auch die starke paradigmatische Ich-Betonung von 3,8 hat in Gal 2,20 ihre nächste Parallele[178]. Wenn man diese ganze Passage 3,8–11 noch zur narratio ziehen wollte, dann würde die eigentliche Argumentatio erst 3,12 beginnen. Will man die propositio als eigenen Teil nehmen, dann könnte man 3,8–11 auch als propositio auffassen. Was in diesem Teil grundlegend dargestellt war, wird in dem Beweisgang 3,12–14 antithetisch an der eigenen Person des Senders exemplifiziert; das Moment der refutatio tritt ab 3,12 als entscheidender neuer Akzent hinzu, wie die Negations-Antithesen zeigen. Die Auseinandersetzung wird aber im wesentlichen nur implizit geführt. Dagegen geht 3,15 mit der ersten direkten Nennung der Agitatoren nach V. 2 explizit auf die Situation ein, indem das Wir der Gegenseite direkt konfrontierend gegenübergestellt wird, und diese Doppelheit hält sich bis V. 21 durch. Somit hätte 3,15–21 präzis den Charakter einer direkten refutatio, wenn man sie als eigenen

173 So Schmithals 1965a: 61, 80f. mit Haupt 125f.; Lütgert 1909: 25f.
174 Dibelius 67.   175 Fischer 1973: 161.   176 Beare 103.
177 Beare 108.   178 Gnilka 192.

Argumentationsteil sehen will. Deutlich genug bilden 4,1–3.8–9 die abschließende peroratio; dabei gibt 4,1 die grundlegend zusammenfassende Aufforderung, während 4,2–3 eine 3,15c exemplifizierende notwendige Einzelklärung beisteuert und 4,8f. schließlich eine positive Auswertung der jüdischen Gesetzesweisheit trotz aller Kontroversen vorschlägt.

Wenngleich die Apologie 2Kor 10–13 stärker durch die Selbstverteidigung des Pl bestimmt ist[179], so ist es doch der Brief, der außer dem Gal Phil C am nächsten steht und zu dem sich ebenfalls mehrere auffallende Beziehungen ergaben. Schon im Exordium 2Kor 10,2.7 geht es ebenso um πεποίθησις und καυχᾶσθαι mit der Antithese κατὰ σάρκα, was am Anfang der Narrenrede 2Kor 11,16–18 wiederholt wird und mit Phil 3,3f. vergleichbar ist. Die vermutliche Selbstbezeichnung der Agitatoren ist wie hier 3,2 auch dort 2Kor 11,13 ἐργάται;[180] sie steht dort aber in der Warnung, die hier 3,18f. entspräche, wo 11,15 am Ende auch ein ὧν τὸ τέλος . . . folgt. Die Berufung auf die Herkunft aus Israel wie das Hebräersein von Phil 3,5 hat dort 2Kor 11,22 ihre Entsprechung in einer vergleichbaren Antithese. Schließlich haben beide Schlußsätze Phil 4,9 und 2Kor 13,11 in der Peroratio die engste Strukturparallele konditionaler Relativsätze mit futurischer Apodosis. Diese Berührungen gehen also weiter, als man es bei dem speziellen Charakter der Selbstapologie erwartet, und betreffen auch nicht nur die vom Gegenstand her gegebenen Übereinstimmungen. Man wird darum für alle drei Briefe ein gemeinsames Grundmuster rhetorischer Strukturen annehmen müssen. Ohne daß dies im einzelnen schon ausführlicher dargestellt werden kann, so ist doch nach den angedeuteten Analogien zum Gal sowohl für 2Kor 10–13 wie für Phil 3 wahrscheinlich, daß sie ebenfalls keine einleitende Briefdanksagung enthalten haben, so daß bei der Redaktion in beiden Fällen nur das Briefpräskript weggefallen sein dürfte (entsprechendes gilt für 1Kor 1,10–4,21).

9.5. Die überholte Selbstempfehlung in der Selbstempfehlung (3,5f.)

Als Inhalt der dem jetzigen καυχᾶσθαι (3,3 synonym πεποιθέναι, was beides metasprachlich ist und V. 7 mit ἦν μοι κέρδη objektsprachlich einmal eine konkrete Füllung erhält) entgegengesetzten früheren Selbstpräsentation wird 3,5–6 ein siebengliedriges Segment eingebracht unter der Überschrift der ersten Zeile: »Ich empfing schon am Ende der ersten Woche nach meiner Geburt die Beschneidung« (mit personbezogenem Adj.[181] wie Joh 11,31 und dem Dat. der Beziehung[182] wie 2,7). Dieses »Selbstzeugnis des Pl in Phl 3,5f. ist . . . das einzige, das wir von einem Pharisäer besitzen, abgesehen von Flavius Josephus (vgl. Vita 12), die aber nicht als eine theologische Rechenschaftsablage eines Pharisäers verstanden sein will«[183]. Redaktioneller Gegenwartszusatz des Pl als Christ dürfte nur in V. 6 das für seinen Stil typisch nachgestellte Attribut (Präpositionalwendung mit anaphorischem Artikel s. o. zu 1,11) τὴν ἐν νόμῳ als Vorgriff auf die dann in V. 9 folgende Antithese und damit als nachträglich rückblickend formulierte Einschränkung sein.

Nimmt man dies heraus, so besteht kein Grund, dieses pharisäische Selbstzeugnis des Pl als das eines das Gesetz mißverstehenden Diasporajuden zu werten, sei es, daß er es nur isoliert ethisch und nicht in seinem Bundesbezug verstanden habe[184], sei es, daß er

---

179 H. D. Betz 1972 passim.
181 K–G 405,2.
183 O. Betz 1977: 54.

180 Köster 1962: 320; Gnilka 186 Anm. 10.
182 K–G 418 Anm. 19; vgl. B–D–R 197.
184 So Montefiore 1914: 92–112; Sandmel 1956: 37–51.

es mehr als Heilserlangungsmittel statt als Heilszeichen verstanden und damit mißverstanden habe[185]. Die Präsentation Phil 3,5f. hat vielmehr gerade so einen »echt jüdischen Klang«, daß O. Betz von »der pharisäischen Struktur der Gesamtaussage« im Sinne »bewährter Erwählung«[186] sprechen konnte: »Pl zählt zunächst das auf, was ihm von Gott gegeben wurde (V. 5), während die eigene Leistung in V. 6 gleichsam als Antwort auf Gottes zuvorkommende Gnade, als Bewährung der Erwählung (vgl. 2Petr 1,10) zu verstehen ist.«[187]

Dabei wird man aber immer im Auge behalten müssen, daß der pl Pharisäismus (wie der aller seiner Zeitgenossen) nicht unbedingt kongruent mit dem späteren rabbinischen aus der Zeit nach 70 sein muß, sondern außer den später rabbinisch erhaltenen und erkennbaren apokalyptischen Elementen auch Elemente der dualistischen Weisheit enthielt. Denn »der Pharisäer z. Z. des Pl darf nicht nach der reinigenden rechtgläubigen Redaktion der uns überkommenen Quellen allein rekonstruiert werden«[188]. Denn »der Rabbinismus ist der aus einer Gruppenexistenz in die Gesamtverantwortung für das Judentum hineingezogene Pharisäismus«[189].

»In puncto Gesetz« nennt Pl sich Pharisäer, d. h. einen, der auch die mündlich überlieferten Regeln der Halacha als verbindlich ansah. Hinsichtlich der Gliederung der zweiten Triade ist es nicht verwunderlich, daß als zweites der »Eifer« folgt, da auch in der Selbstempfehlung des Weisheitslehrers Sir 50,13ff. in V. 18f. »Eifer« und »Gesetz« unmittelbar nebeneinander genannt sind. Wenn hier durch die Präposition κατά der ζῆλος als Kriterium genannt ist, dann ist er »nicht Ausdruck eines persönlichen Affekts, sondern eines sachlichen Postulats«[190]. Exemplifiziert wird das, was damit gemeint ist, im Preis der Väter Sir 45,23 sehr gut an Pinhas, der als dritter die Priesterwürde empfing, »weil er ›Eifer‹ bewies in der Furcht des Herrn« = »weil er fest blieb in der Empörung des Volkes«: ζηλῶσαι wird durch στῆναι erklärt und so als standfeste Aktivität gerühmt. Daraus ergibt sich, daß ζῆλος nicht als solcher negativ bewertet ist und zwischen seiner Verwendung in Phil 3,6 und der Verwendung von στήκειν in Phil 4,1 eine Wortfeldbeziehung besteht, die eine solche synonyme Wiederaufnahme möglich machte. Das Schlüsselwort ζῆλος findet sich schon an der von Sir 45,23 gemeinten Grundstelle Num 25,10ff. Diese wird ebenso in LXX-Ps 105,30f. aufgenommen, wo dieser ζῆλος es ist, der für ihn zur Anrechnung zur »Gerechtigkeit« führt. Daß der Ausdruck in den Kontext der Auseinandersetzung im Abfall gehört, zeigt auch die Verwendung von ζῆλος und δικαιοσύνη unmittelbar nacheinander als Attribute der endgültigen Vernichtungstheophanie Sap 5,17f.: »Er nimmt als Rüstung seinen ›Eifer‹ und bewaffnet die Schöpfung zur Rache an den Feinden; als Panzer zieht er ›Gerechtigkeit‹ an.« So ist ζῆλος die Entschiedenheit, mit der man sich für die Reinerhaltung in Auseinandersetzungen einsetzt und nicht nur Aktivität als solche[191]. Röm 10,2 wird er Israel durchaus positiv zugebilligt (vgl. JosBell 2,393) – »doch ohne Erkenntnis«, also auf einer falschen, weil überholten Basis, während andererseits der ζῆλος des Pl sich auf die Reinheit des Evangeliums richtet (2Kor 11,2 gegen überholte Ergänzungsangebote des Evangeliums wie Gal 4,17f.). Man wird also den griech.

185 So Schoeps 1959: 224–230, der leider wie viele das lutherische Gesetzesprinzip in Pl hineinliest; vgl. gg. beide Spielarten: Sanders 1977: 495f. nach W. D. Davies 1979.
186 O. Betz 1977: 55f., 60f. gg. Montefiore 1914: 93.
187 Ebd. 55.
188 Brandenburger 1968: 29, 228; vgl. Köster 1971: 135.
189 Thoma 1973: 271f. zum Übergang vom Pharisäismus zum Rabbinismus nach der Tempelzerstörung.
190 Lohmeyer 130.
191 O. Betz 1977: 59 »tatkräftiger Eifer« ist wohl zu wenig.

Ausdruck darum mit »Leidenschaft« im Sinne des sachlichen Engagements übersetzen können.

Dieses zitierte pharisäisch-pl Selbstzeugnis wird aber verzeichnet, wenn man die beiden Dreizeiler meint so beschreiben zu müssen: »Pl formuliert keine ganzen Sätze; mit hingeworfenen Wendungen charakterisiert er seine Vergangenheit. Seine innere Erregtheit hält an. Erst mit V. 7 gewinnen die Aussagen wieder Ruhe und Ausgeglichenheit. Es ist, als wolle er auf solche Weise zu verstehen geben, daß sein Leben erst in Christus einen festen Standort gewann.«[192] Hier liegt deutlich eine falsche, weil pauschal und unmethodisch vorgenommene Psychologisierung des Stils vor. Der Vergleich und seine Antithese im Kontext beruhen im Gegenteil gerade darauf, daß früher durchaus ein »fester Stand« gegeben war. Der Verdacht ist darum nicht von der Hand zu weisen, daß die vermeintlich textpragmatische Folgerung Gnilkas hier in Wahrheit das abendländische Vorverständnis der gerichtsgejagten Heilsungewißheit ist, die in einer ungerechtfertigten Übertragung auf Pl ideologisch rationalisiert wird.

Man wird im Gegenteil »die knappe Form und Prägnanz«[193] in der steigernden Klimax der beiden Reihen, deren eine von ἐκ mit dem Genitiv der Herkunft und deren andere mit dem κατά mit Akkusativ des jeweiligen Gesichtspunktes regiert wird, betonen müssen, die deutlich vom »Pathos einer hellenistisch-jüdischen Rhetorik geprägt« ist[194]; denn JosBell 2,135 bedient sich beim Ruhm (!) der Essener einer vergleichbaren Diktion: »Des Zornes gerechte Verwalter, der Aufwallung Bezwinger, der Treue Vorkämpfer, des Friedens Diener«[195]; auch auf Akibas dreigliedrig klimaktisches Diktum über die Liebe Gottes Aboth 3,14f. wird dort verwiesen, was vom Menschen über Israels Erwählung bis zum Besitz der Tora steigernd fortschreitet:

»Geliebt ist der Mensch, denn er ist im Bild (Gottes) erschaffen; aus besonderer Liebe ist ihm kundgetan worden, daß er im Bild (Gottes) erschaffen ist, wie es heißt . . . (Gen 9,6).

Geliebt sind die Israeliten, denn sie heißen Kinder Gottes; aus besonderer Liebe ist ihnen kundgetan worden, daß sie Kinder Gottes heißen, wie es heißt . . . (Dt 14,1).

Geliebt sind die Israeliten, denn ihnen ist ein kostbares Gerät (= die Tora) gegeben worden; aus besonderer Liebe ist ihnen kundgetan worden, daß ihnen ein kostbares Gerät gegeben worden ist, durch das die Welt erschaffen wurde, wie es heißt . . . (Prov. 4,2).«

Schließlich ist hinsichtlich der rhetorischen Form-Prägnanz auch an die nächste verwandte Parallele der beiden Reihen von Phil 3,5f. zu erinnern, die beiden Reihen nämlich, in denen Pl Röm 2,17f.19f. geprägte Selbstbezeichnungen jüdischer Propaganda zunächst ohne zu kritisieren, ironisieren oder diffamieren wiedergibt, ehe er V. 21ff. dann tatsächlich mit Kritik einsetzt:

A_1	Εἰ δὲ σὺ Ἰουδαῖος ἐπονομάζῃ
$B_{1.1}$	καὶ ἐπαναπαύῃ νόμῳ
$B_{1.2}$	καὶ καυχᾶσαι ἐν θεῷ
$B_{1.3}$	καὶ γινώσκεις τὸ θέλημα
$B_{1.4}$	καὶ δοκιμάζεις τὰ διαφέροντα
C_1	κατηχούμενος ἐκ τοῦ νόμου . . .
A_2	πέποιθάς τε σεαυτὸν
$B_{2.1}$	ὁδηγὸν εἶναι τυφλῶν
$B_{2.2}$	φῶς τῶν ἐν σκότει
$B_{2.3}$	παιδευτὴν ἀφρόνων
$B_{2.4}$	διδάσκαλον νηπίων

192 So Gnilka 188f.   193 O. Betz 1977: 55.   194 Ebd. 56.

C₂   ἔχοντα τὴν μόρφωσιν τῆς γνώσεως καὶ
τῆς ἀληθείας ἐν τῷ νόμῳ.

Wiederum steht in der ersten Periode die von Gott geschenkte Erwählung im Vordergrund: »Nicht auf die eigene Gesetzeserfüllung zielt denn ja auch das Rühmen des Juden, sondern auf den Besitz der Tora als Offenbarung Gottes«[196], während es im zweiten Teil um die zu bewährende Aufgabe der Völkerwelt gegenüber geht, die sich aus dieser Gabe Gottes ergibt. Außer der Formprägnanz und den semantischen Entsprechungen hat diese Passage mit Phil 3 auch wesentlich weiterreichende Formulierungsparallelen, die darum auch hier als vorgegebene jüdische Propagandatermini genommen werden müssen: καυχᾶσθαι ἐν (V. 3), πεποιθέναι (V. 3f.), γνῶσις (V. 8), γινώσκειν (V. 10), μορφ- (V. 10.21).

Schließlich ist zur notwendigen Präzisierung der Stilanalyse in der exegetischen Arbeit am NT darauf hinzuweisen, daß das, was oft auch sonst, etwa in den Jesus-Preisreden der Apg (2,22–24.32f.; 10,36–42; 13,28–34) als schlechter oder unfertiger Stil klassifiziert wurde, bei näherem Hinsehen als bewußtes Stilmittel mittels rhetorischer Asyndeta des Enkomion-Stils zu bestimmen ist[197]. In dem hier vorliegenden Enkomion der Selbstpräsentation Phil 3,5–6 ist das ἐγώ von V. 4 hinzuzunehmen. Es mag mit ἐγώ εἰμι begonnen haben.

Gerade von diesem Stil und vergleichbaren weisheitlichen Selbstpräsentationen her ist es unmöglich, Pl hier nur auf etwas bezogen zu beschreiben, »was der sinnlich-irdischen Welt angehört . . . auf die Nationalität, die auf dem durch Zeugung gesetzten Zusammenhalt beruht«[198]; vielmehr ist hier auch die Abstammung Zeichen der geschichtlichen Gnade und »göttlichen Erwählung«[199], und was sie schließlich relativierte, ist nicht ein anderes Prinzip, sondern die neue geschichtliche Setzung der Gnade Gottes in der Auferweckung Jesu aus den Toten als creatio ex nihilo und damit als Israel transzendierende und faktisch alle Menschen als Menschen angehende Setzung, deren Gewicht nicht dem Sinai entspricht, sondern nur der Menschwerdung als Schöpfungsakt überhaupt. Darum ist das Argumentationsziel des Röm, daß »Adam« und nicht Mose der eigentliche Antityp zum auferweckten Jesus ist. Eine universale propagandistische Ausbreitung der Sinai-Erwählung ist von Pl nur darum abgewiesen, weil sie nach Ostern anachronistisch wäre. Wenn Christus nicht auferweckt wäre, dann wäre der Weg der Synagoge in der Tat der einzig gewiesene Weg. Selbst der historische Jesus ist Träger der Hoffnung Israels und nicht nur noch kein Christ, sondern auch nicht Inhalt des apostolischen Evangeliums.

9.6. Die Begründungsfunktion der Warnung (3,17f.)

Eine spezielle Art der syntaktischen Textabfolge im einzelnen dürfte sich ebenfalls durch ein weiteres, weisheitlich geprägtes Strukturmuster erklären lassen: Auf den zentralen Einladungsruf des Weisheitslehrers 3,17 folgt 3,18 eine antithetische Motivation, die durch πολλοὶ γάρ angeschlossen ist. Auf die eben (unter 9.3.) schon ins Auge gefaßte Selbstpräsentation bei Mt 11,27 folgt bei Lk 10,22–24, der den ursprünglichen

195 Ebd. Anm. 6.   196 Wilckens Röm I 148 z. St.
197 Vgl. Busse 1977: 343 ff. nach Haenchen.
198 So Haupt 121 in den typisch neuplatonischen Klassifikationskategorien des Abendlandes.
199 Lohmeyer 129.

Q-Zusammenhang behalten haben dürfte, statt der von Mt redaktionell gestalteten Fortsetzung der Q-Makarismus der »Sehenden« im Kontrast zu den πολλοί, die es nicht gesehen haben. Die einzige weitere Verwendung von πολλοί in Q steht in einem ähnlichen antithetischen Motivierungszusammenhang mit ὅτι verbunden im Spruch von der engen Pforte Q-Lk 13,23f. (par Mt 7,13f.). Der Imperativ zum Eingang wird motiviert mit den »Zahlreichen«, die einen anderen Weg gehen. Vergleicht man die synoptische Überlieferung sonst noch, so ist nur noch die Einleitungswarnung der Endzeitrede Mk 13,5f. (die Parallelen ergänzen charakteristischerweise offenbar unter einem Gattungszwang γάρ zu πολλοί) zu nennen, der motiviert wird durch solche πολλοί, die charakteristischerweise auch noch mittels der weisheitlichen Selbstpräsentationsformel ἐγώ εἰμι auftreten.

Das entspricht offenbar einer weisheitlich geprägten Stilform, die sich in Sir mehrfach findet: Eine Warnung vor Vertrauensseligkeit Sir 11,29a wird V. 29b begründet mit »denn zahlreich sind die Listen der Hinterhältigen«; analog schließt an eine Warnung vor den Vornehmen Sir 13,11a in V. 11b an »denn mit zahlreichen Reden stellt er dir eine Falle«. Interessant ist, daß neben diesen sachlichen Motivierungen auch ein personales πολλοί in diesem Zusammenhang auftreten kann. Die Warnung vor Reichen 8,2a motiviert V. 2b »denn schon vielen hat Gold Untergang gebracht«; entsprechend erhält die Warnung vor einer schönen Frau 9,8a in V. 8b die Begründung »viele wurden schon von der Schönheit einer Frau irregeführt«. Noch grundsätzlicher ist die Aufforderung zur Respektierung der Unauffälligkeit der Weisheit selbst im Gegensatz zum Augenschein 11,2–4 in V. 5–6 motiviert: »denn viele Herrscher wurden schon auf die Straße gesetzt« und »viele Mächtige wurden der Verachtung preisgegeben«. Die Mahnung zum Verzicht auf kosmologische Spekulationen 3,17–23 wird V. 24 antithetisch motiviert: »denn viele sind durch ihre Anmaßung in die Irre gegangen« (S² bringt ein entsprechendes antithetisches πολλοί asyndetisch schon nach dem ersten Imperativ in V. 18 ein, was offenkundig die Prägekraft dieses Formmusters zeigt). Schließlich wird der Einladungsruf der Weisheit selbst 6,18f. im Rahmen einer mehrgliedrigen antithetischen Motivation V. 22b abgeschlossen mit »nicht vielen ist sie offenbar«.

Von diesem Formtyp her erklärt sich sowohl der auffallende antithetische Anschluß von Phil 3,18f. an V. 17 als auch die Verwendung von πολλοί, so daß aus der Verwendung dieses Ausdrucks als solchem nicht geschlossen werden kann, daß die Anzahl der Agitatoren in Philippi tatsächlich numerisch groß war. Pl hat die Erfahrungstatsache rivalisierender Agitatoren überhaupt im Auge, wie sie ihm ständig begegneten. Darüber hinaus liegt die Annahme nahe, daß Pl mit der Verwendung dieser motivierenden Antithese ironisch auf den Gebrauch eines solchen Stilmittels bei den Agitatoren in Philippi reagierte, was ihm offenbar um so näherlag, als er sich selbst früher als jüdischer Agitator dieses rhetorischen Mittels bedient hatte und es ihm geläufig war. Dieses vorgegebene πολλοί dürfte dann in der Fortsetzung auch das πολλάκις hervorgerufen haben, da beides auch 2Kor 8,22 aufeinanderfolgt (dieses findet sich ferner ebenso rückblickend 2Kor 11,23.26f.; Röm 1,13, so daß 7 von 18 ntl. Belegen pl sind).

9.6.1. Die Warnung als Umkehrung der Selbstempfehlung (3,18f)

Daß 3,18f. auf den Anfang zurückbezogen ist, wurde schon deutlich, weil (a) durch den personalen pluralen Akkusativ eine Brücke zu 3,2 besteht, die (b) durch πολλοί V. 17 und ὅσοι V. 15 weiterverbunden war und (c) das dazugehörige plurale Neutrum von V. 19 anaphorisch V. 7f. aufnahm, wie (d) mit τέλος auf die Verwendung des Stamms in V. 12 und 15 zurückwies und (e) der Gefährlichkeitscharakter das gemeinsame semantische Element von »Hund« (= bissig 3,2) dort und »Feinde« hier war. Wie in der Selbstempfehlung von ehemals 3,5f. so stehen auch hier alle vier Warnungen »in kurzen prädikatlosen Sätzchen«, »und der letzte Zweizeiler schwebt mit seinen beiden Gliedern völlig in der Luft«[200]. Andererseits habe sie doch eine unverkennbare Prägnanz: Die drei mittleren Sätze von 3,19 »sind absichtlich knapp und fast abrupt; mit unvermittelter Schroffheit prallen in ihm tödliche Gegensätze aufeinander«[201]: »Allzu regelmäßig sind die drei knappen Sätzchen gebaut; ihre Subjekte nennen immer letzte Gedanken des Glaubens, ihre Prädikate immer letzte Gegensätze des Unglaubens.«[202]

Das erste Prädikat in 3,18 gibt Pl durch seine explizit-perlokutionäre Redeeinleitung λέγω (mit Akk = »charakterisieren als« – s. o.) deutlich als seine eigene, bewertende Präzisierung an. Der Ausdruck ἐχθρός hat schon, wenn er nur auf zwischenmenschliche Beziehungen angewendet wird (Gal 4,16; Röm 12,20) ein weites Bedeutungsspektrum, doch fällt die Präzisierung erst recht schwer, wenn die Verwendung wie hier darüber hinausgeht: »An sich hat ἐχθρός nicht notwendig den Sinn sozusagen aktiver Bekämpfung. Es kann sehr wohl auch nur ein gespanntes Verhältnis ausdrücken. Aber der Gedanke wäre hier sehr matt, ja angesichts des determinierten Ausdrucks (οἱ ἐχθροί) kaum erträglich«[203], was der auf κύνας von 3,2 rückweisende Artikel näherhin verdeutlicht. Das entscheidende semantische Element dürfte darum im Kontext hier das Moment des »Zerstörens« sein.

Ein präzisierendes Kontextsynonym ist in der überholten Selbstempfehlung 3,6 zweifellos das Prädikat διώκων τὴν ἐκκλησίαν (= Gal 1,13.23; 1Kor 15,9). Das Objekt ist nach dem Singular die Gesamtkirche[204]. Das Partizip Präsens des Verbs weist auf eine Dauerhaltung; wie in Qumran (1QS 2,2–10; 9,23; 10,18–20) dürfte das »nur zu Groll, Zorn und Haß und nicht zu Gewalttaten gegen die Gottlosen geführt« haben[205]. Die tatsächliche Haltung des Pl ist nicht nach dem moralisch vergröbernden Bild des Lk (Apg 8,3; 9,1; 22,4) vorzustellen, da Pl sich in seiner Selbstaussage darin davon unterscheidet, daß er sich (a) nicht gegen einzelne, sondern gegen die Bewegung als ganze richtete, und (b) nichts auf Inhaftierung und Tötung weist[206]. Lk verschärft dies notwendig von seinem vergröberten Pharisäerbild im ersten Band her (Lk 11,49; Apg 7,52)[207] und im Interesse seines Bekehrungsdualismus, nach dem die Größe der Sünde die Herrlichkeit der Bekehrung steigerte. Dagegen meint διώκων im pl Sinne »ständig den Abtrünnigen als zurechtbringender Agitator auf den Fersen sein«. Der semantische Gehalt des gleichen Ausdrucks ist also bei Pl und Lk sehr verschieden: Die übersetzende Wiedergabe »Verfolger« ist für die pl Aussagen ungeeignet, da dieser Ausdruck nicht nur in der Zielsprache falsche Vorstellungen erweckt, sondern zugleich auch noch die lk Implikate als Konkretionen automatisch einführt. Die jüdischen Agitatoren in Philippi entsprechen den Aktivitäten des Pharisäers Pl in seiner Zeit vor seiner Ostererscheinung. Darum ist auch aus κλαίων von 3,18 nicht »zu entnehmen, daß es sich um Christen handelt«[208]. Im übrigen ist aus dem Singular des Objekts »Kreuz« hier wie aus ἐκκλησία in V. 6 zu entnehmen, daß es nicht um verschiedene Urchristentümer ging noch daß es neben der von Ostern her bestimmten Gemeinde eine Jesusbewegung exorzisierender Wandermissionare in dieser Frühzeit gegeben habe.

200 Lohmeyer 152.　　　　201 Ebd. 153.
202 Ebd. 154, wobei die Ausdrücke »Glauben« und »Unglauben« im herkömmlichen und nicht im spezifisch pl Sinn verwendet zu verstehen sind.
203 Ewald 203.　　　204 Gnilka 190.　　　205 O. Betz 1977: 59.
206 Hultgren 1976: 109f.　　　207 Dazu Schenk 1980a: 8f.　　　208 Gg. Dibelius 70.

Damit stehen als nächste Sachparallelen hier nicht die Aussagen über die prinzipielle Gottesfeindschaft des adamitischen Menschen vor der Aufrichtung der Herrschaft Christi (Röm 5,10) und während ihres Vollzugs (1Kor 15,25f.) im Blick; eher schon die differenzierte Anwendung auf Israel nach Ostern (Röm 11,28), wenngleich der Zusammenhang mit der adamitischen Verfaßtheit dabei immer präsent ist, wie hier dann auch die weiteren Konkretisierungen zeigen. Die hier Phil 3,18 vorliegende Feind-Formulierung mit Bezug auf das Kreuz ist der morphologischen Gestalt nach einmalig[209]. Dennoch ist der semantische Gehalt des »Zunichtemachens« des Todes Jesu gerade judaistischen Agitatoren gegenüber in Gal 2,21 deutlich gegeben[210]: ἀτεθεῖν wie καταργεῖν in Gal 5,11 sind semantische Hyponyme zu diesem hier genannten Feind-Sein (vgl. auch Gal 5,20, wobei 6,12ff. wie 3,1ff. – vor allem V. 4 ἐπάθετε – den Zusammenhang im Blick auf das Kreuz semantisch präzisieren). Auch 1Kor 1,18–2,5 geht es ja nicht um eine subjektiv ausgesprochene Ablehnung einer Heilsbedeutung des Kreuzes, sondern um ein faktisches Aushöhlen mittels konkurrierender Heilsangebote. Der Bezugspunkt bei »Kreuz« liegt dabei weniger auf dem soteriologischen Bezug einer Kreuzessühne[211], sondern nach dem hier vorausgehenden Kontext mit 3,10 auf der »Gemeinschaft seiner Leiden« und dem »Gleichgestaltetwerden seinem Tode«[212], zumal die erläuternde Fortsetzung V. 19 in die gleiche Richtung weist wie der Verfolgungstrost in 1,28–30 (s. o.). Das Mitleiden mit Christus ist der Ausweis dafür, daß man durch den Auferweckten in die Hoffnung auf die künftige Vollendung gestellt ist, und darum seinen Standort unmittelbar vor der Auferweckung – also bei der zum Kreuz führenden Verwerfung Jesu – angewiesen bekommen hat. Andernfalls wird man zum »Feind« dessen. Röm 8,5–7 gehört als Sachparallele insofern hierher, als das φρονεῖν der vorösterlichen Daseinsverfaßtheit im dualistischen Gegensatz vom »Fleisch« zum »Geist« als Feindschaft gegen Gott ausdrücklich definiert wird. Dabei steht φρονεῖν wie hier in der entsprechenden rahmenden Abschlußwendung V. 19 für die objektive Orientiertheit, die gewissermaßen ein Falsch-Programmiert-Sein meint. Der kybernetische Ausdruck ist insofern kein metaphorischer Anachronismus, weil er das deterministische Moment des hier zugrunde liegenden Wortfeldkonzepts der dualistischen Weisheit genau trifft. Dabei ist ἐχθροί sicher ein Gegnerterminus der Agitatoren, den Pl durch das neue christologische Objekt gegen sie umkehrt.

Auch die folgenden vier Antithesen in 3,19f. werden darum sicher Schlagwörter der gegnerischen Propaganda aufnehmen, die im Zusammenhang mit 3,2 stehen[213]. Dafür spricht vor allem die Setzung des rückweisend determinierenden Artikels bei den Subjekten wie der die Antithese unterstreichende, vorangestellte relativische Einsatz »deren« im 1. und 2. Glied. Nach der Aufnahme der gegnerischen Stichworte τετελείωμαι in V. 12 und τέλειοι in V. 15 (im dualistisch qualifizierten Sinne als Synonym für πνευματικοί vgl. 1Kor 2,6)[214] ist sicher auch τέλος ein solches, das weder nur neutral »Ende« noch nur moralische »Vollkommenheit« meint, sondern im Sinne der von Gott versprochenen »Vollendung« steht. In dem Sinne erscheint auch in der parallelen Auseinandersetzung 2Kor 11,15 dasselbe ὧν τὸ τέλος ἔσται κατὰ τὰ ἔργα αὐτῶν im Blick auf die ἐργάται von 2Kor 11,13 (d. h. wie hier 3,2). Die semantische Komponente des Determinismus, nach dem τέλος als »Resultat« zu fassen ist, klingt auch Röm 6,21 nach, wo es synonym mit καρπός steht und ebenfalls im »Tod« besteht.

209 Schmithals 1965a: 76.   210 Ewald 204.
211 Gg. Ewald 204 und Schmithals 1965a: 78 vgl. vor allem H. W. Kuhn 1975: 27–29.
212 Dibelius 71; vgl. Weder 1981: 217–224.
213 Klijn 1965: 282f. nach Köster 1962: 325–329; Goguel 1934; K. Barth 111; Ewald 203ff. und schon Erasmus gg. Gnilka 205f., der »Ketzerpolemik allgemeiner Art« annehmen wollte.
214 Brandenburger 1968: 46.

Das τέλος ist also nicht neutral, so daß es erst nachträglich durch den jeweiligen Inhalt konkret gefüllt würde, sondern von vornherein positiv gefüllt und wird gerade so durch einen Gegensatz sarkastisch umgewertet: ἀπώλεια ist gerade das, was sie zu überwinden angaben. Pl wiederholt den Ausdruck aus dem vorangehenden Brief (1,28 s. o.), wo es antonym zu σωτηρία stand, was hier darum V. 20 folgt (dieselbe Opposition schon PsSal 15,6:10; 16,5, vgl. 9,9; 13,11 mit entsprechendem ζωή und Sap 18,7 steht im antonymen Chiasmus σωτηρία δικαίων – ἐχθρῶν ἀπώλεια vgl. auch 1,13; 5,7). Röm 9,22 wird Pl es ein drittes Mal wiederholen mit δόξα als Antonym und ὀργή als Komplenym (wie Sap 19,1). Es stammt also in diesen Bezügen deutlich aus der dualistischen Weisheit und bezeichnet schon Prov 15,11; 27,20; Sir 44,9 »einen endgültigen Zustand des Verderbens«[215]. Dabei ist hier ebensowenig wie 1,28 an ein »künftiges Gericht« gedacht[216], sondern zunächst der vorösterliche, adamitische Bereich ausweisloser, todverfallener Hoffnungslosigkeit bezeichnet, aus der der auferweckte Jesus herausreißt (daher bezeichnet 1Kor 1,18 partizipial Juden und Nichtjuden in adamitischer Herkunftskennzeichnung als »Verlorene« unter dem Aspekt der geschehenen Auferweckung des Gekreuzigten). Damit erweist sich in der Sache alles, was außer Osternachricht sich noch als Überwindung des »Untergangs« anbietet – auch die weisheitlich verstandene Tora –, selbst als noch diesem Bereich des Zugrundgehenden zugehörig. Unsere Stelle ist darum nicht so aufzufassen, daß hier »der Untergang der Gegner vorausgesagt (!)« würde[217].

In diese Antithese mußte letztlich auch der Gottesbegriff hineingezogen werden, da ja die Berufung auf Gott das bestimmende Hauptmoment der jüdischen Gesetzesagitatoren war, wobei eben nur verkannt ist, daß Gott sich vollständig und endgültig in der Auferweckung des gekreuzigten Jesus definiert hat: »Deren« Gott kann da, wo ihre »Vollendetheit« sich im Lichte der nachösterlichen Wirklichkeit nun als »Untergang«, also als Verbleiben in dem Todesbereich erwiesen hat, nur ἡ κοιλία sein. An dieser Stelle stoßen wir auf ein Musterbeispiel dafür, wie aus der Lutherübersetzung »denen der Bauch ihr Gott ist«, die zum Sprichwort geworden und in den allgemeinen Sprachgebrauch übergegangen ist, eine Belastung der semantischen Analyse des griechischen Textes entsteht, so als ginge es hier selbstverständlich um die Befriedigung der Gelüste des Bauches. Eine solche stehende Redensart gab es wohl in der Antike, doch sie spricht immer vom γαστήρ und nicht von κοιλία (HomOd 17,286f.; EuripKykl 334; Aristeas 140)[218] und dabei ist außerdem auch nicht von »ihrer« κοιλία die Rede. Ebensowenig wie κοιλία mit γαστήρ in jedem Falle und von vornherein synonym ist, ist es mit σῶμα[219]. Man wird aber vor allem vorsichtig sein müssen, den Satz allzu selbstverständlich als Beleg für einen Libertinismus heranzuziehen[220]; auch an Ironisierung jüdischer Speisevorschriften im engeren Sinne dürfte kaum gedacht sein[221]. Wesentlich ist textsemantisch vielmehr, daß vom Textverlauf her σκύβαλα 3,8 den engsten Wortfeldbezug zu κοιλία hat (Mk 7,19: »After«). Das weitere Umfeld bestätigt dies: Auch »Philo versteht unter der κοιλία, die eine der sieben μέλη σώματος

215 Kretzer EWNT I 325–327; Oepker ThWNT I 393–396 – in LXX über 110mal.
216 Gg. Gnilka 205, was auch Lohmeyer 155 undifferenziert selbstverständlich aus der abendländischen Tradition einträgt.
217 So Gnilka 205.
218 Lohmeyer 154 Anm. 1.
219 Gg. Lohmeyer ebd., der an Märtyrer denkt, denen der »Leib« höher steht als Gott.
220 Gg. Schmithals 1965a: 78–80 gnostische Mißachtung aller Speisevorschriften – nach Bultmann ThWNT I 190, Michaelis, K. Barth 111, Dibelius 71, Lütgert 1909: 331–336 und Haupt 151f.
221 Gg. Bonnard nach Behm ThWNT III 788; Feine 1916: 31f.; Ewald 206f., was schon Wohlenberg dort 207 Anm. 2 abweist, der seinerseits wieder an Libertinisten dachte.

bildet (LegAll 1,12) immer den Verdauungsapparat (vgl. SpecLeg 1,217; 4,107)«[222].
Es sind zunächst die »Höhlen« des menschlichen Körpers, vor allem der Unterleib.
Doch Plut. De Placit.Philos 4,5 (II 899a) verwies auch auf Diogenes, der in der »κοιλία
τῆς καρδίας ἥτις ἐστι πνευματική das menschliche Steuerungszentrum sah, während
es nach anderen in der »Kopfhöhlung« gesehen wurde[223]. In diesem Zusammenhang
ist in der Weisheitsliteratur κοιλία Synonym für καρδία (Sir 19,12 im Blick auf die
Toren, wobei aber nicht die κοιλία als solche schon negativ verstanden ist, sondern
zunächst als Sitz des Bewußtseins erscheint: Prov 18,20; 20,27.30). Wiederum verwundert es nicht, wenn der zweite Anhang des Sir, die Selbstpräsentation des Weisheitslehrers am Ende der Präsentation kurz vor dem Einladungsruf in der Aussage gipfelt Sir
51,21 »Ja mein Innerstes (ἡ κοιλία μου) erglühte, um sie zu erstreben, darum erlangte
ich sie als kostbaren Schatz« (nachdem V. 20 synonym zur Protasis gesagt hatte »mein
Herz wandte sich von Anfang an« zur Weisheit hin). Sprachen die Agitatoren in
Philippi also die Leute wohl darauf hin an, um ihre κοιλία zum Sitz der Weisheitstora
zu machen, so greift Pl den Ausdruck auf, verlegt aber den Sinn durch die Vorerwäh-
nung von σκύβαλα sarkastisch auf die Konnotation von »After«, wobei deutlich der
Weisheitsdualismus von »Geist« und »Fleisch« eine solche Umverlagerung der semantischen Komponenten ermöglichte: Was sie als Geist-Weisheit zu haben vorgaben und
anderen anpriesen, erscheint vom Ostergeschehen her als nur vermeintliches πνεῦμα –
und also in Wirklichkeit doch nur als σάρξ. Insofern war schon Lipsius[224] auf der
richtigen Spur, wenn er annahm, daß κοιλία hier ein starker Ausdruck für das sei, was
Phil 3,3f. eingangs σάρξ hieß, was sich nun über denselben Sachzusammenhang bei
σκύβαλα bestätigt: »Deren« Gottesbegriff ist statt durch den wirklichen Erkenntnisap-
parat nur durch den niederen Verdauungsapparat, der sich mit schon überholtem
befaßt, bestimmt. In dem vorgegebenen Vorstellungszusammenhang hat κοιλία als
Ziel der »Speisen« einen engen Bezug zu σάρξ auch 1Kor 6,13:16, sofern Gottes
Zunichtemachen von beidem als korinthische Parole erscheinen kann. Dieser Gesamtzusammenhang spielt sicher auch in der Irrlehrerwarnung Röm 16,18 eine Rolle: Diese
Leute dienen nicht unserem Herrn Christus (= Geist), sondern ihrer κοιλία
(= Fleisch). Wenngleich an dieser Stelle der präzisierende Zusatz des Possessivpronomens steht, so heißt das nicht, daß die Stelle vorschnell auf Zügellosigkeit der Nahrung
oder Mißachtung von Speisegeboten abzuheben ist.
Die dritte Antithese setzt δόξα und αἰσχύνη in Opposition. Ihr Anschluß erfolgt in
syntaktisch abweichender Weise nicht mehr mit einem relativischen Einsatz, sondern
parataktisch mit καί. Dadurch ist sie stärker an die zweite Antithese angebunden, was
deren eben versuchte Interpretation verstärkt. Ein zweiter Unterschied besteht darin,
daß das Antonym hier ausdrücklich erstmalig und in diesem Zusammenhang einmalig
ein Possessivpronomen (αὐτῶν) bekommt[225]. Diese beiden Differenzen sprechen
gegen das geläufige Verfahren, diese dritte Opposition mit der ersten vorschnell
synonym in eins zu setzen und beide auch unmittelbar zusammen zu behandeln[226].
Dabei ist δόξα sicher ein Stichwort der Gegner: es wird nachfolgend in 3,21 als
Gottesgabe der Vollendung im Gegensatz zum δόξα-Angebot der Agitatoren wiederholt und streng von der Auferweckung Jesu her gedacht. Das spricht dagegen, daß
δόξα hier in 3,19 im subjektiven Sinne als »Ruhm« oder »Ehre« zu verstehen ist[227],

---

222 Behm ebd. 787.   223 Behm ebd. 786.
224 Lipsius 241; ebenso Gnilka 205 f.; Baumbach 1973: 306.
225 Lohmeyer 154.
226 Gg. Ewald 208; Gnilka 205: »Gilt die 1. und 3. Wendung dem künftigen Verderben, so die 2.
     und 4. dem Wesen, der Gesinnung der Gegner.«
227 Gg. Ewald 205.

sondern als endgültige, unmittelbare Gottesnähe[228], die die Manifestation der Heilsmacht Gottes selbst ist (s. o. zu 4,20)[229]. Daß jüdische Agitatoren δόξα versprachen, wird nicht nur von Röm 9,4 her deutlich, wo Pl sie als Privileg Israels anerkennt – also auch kennt –, sondern vor allem aus der analogen Auseinandersetzung 2Kor 3,7ff., wo die δόξα des Mose angesichts der neuen, geschichtlichen δόξα-Manifestation in der Auferweckung Jesu als eine καταργουμένου (V. 13) erscheint (V. 14 ἐν Χριστῷ καταργεῖται). Die Motivation der jüdischen Weisheitslehrer dürfte darin bestanden haben, daß sie dem Gerechten (= Weisen) ein postmortales Heil als Verwandlung in einen δόξα-Leib zuerkannt und versprochen haben (Sap 7–8 vgl. JosAs)[230]. Dabei ist δόξα die Erscheinungsweise der Substanzsphäre πνεῦμα (1Hen 15 vgl. 1Kor 15,42ff.)[231]. Da die Weisheit »reiner Ausfluß der Doxa des Allherrschers ist« (Sap 7,25 vgl. 9,10 »sende sie vom Thron deiner Doxa«), so leitet sie ihn und bewahrt ihn »durch ihre Doxa« (Sap 9,11). Nach der Verheißung, die auf den Einladungsruf der Weisheit folgt, wird der Weise (= Gerechte) »am Ende« (Sir 6,28) die Doxa als Gewand anziehen (6,29.31) bzw. in ihrer Doxa Ruhe finden (14,27).

Das Antonym αἰσχύνη ist in strengem Bezug des gemeinsamen Wortfeldes von daher zu erfassen. Das schließt aus, es auf »sexuelle Zügellosigkeit« zu deuten[232], zumal die Berufung auf die einzige weitere pl Stelle 2Kor 4,2 dagegen und nicht etwa dafür spricht. Dort ist ja der Kontextbezug zu 2Kor 3,7ff. zu beachten, der eben schon ins Blickfeld trat: Pl und die Christen haben τὰ κρυπτὰ τῆς αἰσχύνης »abgesagt«[233]; »verborgen« greift dabei auf 2Kor 3,13 zurück und wird ja auch 4,3 wieder aufgenommen als Kennzeichen der Tora-Präsentation, und αἰσχύνη ist genau wie Phil 3,19 Antonym zu der behaupteten Doxa, so daß die Genitivwendung nicht subjektiv »feige Heimlichtuerei« meint[234], sondern objektiv »das untergehende Verborgene«, also die jüdische Tora. Daß an unserer Stelle die hellenistische, subjektive Bedeutung »Schimpf und Schande«[235] nicht anzunehmen ist, ergibt sich außer von der genannten Parallele her durch den Bezug auf das nicht subjektiv, sondern eben objektiv zu fassende direkte Antonym δόξα (damit entfallen die meisten der üblicherweise angegebenen Parallelstellen wie der Definitionssatz vom zweierlei Sich-Schämen Sir 4,21 – wobei das Synonym ἐντρέπειν in V. 22.25 das andere Wortfeld, das hier vorliegt, markiert – was der LXX-Zusatz Prov 26,11a übernimmt, und damit alle 10 Stellenbelege bei Sir). Darum wird man auch hier dieses Substantiv im Sinne seiner Entstehung im 5. Jhdt. v. Chr. vom Verb her als nomen actionis nehmen (= τὸ αἰσχύνεσθαι), was dann der Verbverwendung von 1,20 (s. o.) genau hinsichtlich des objektiven Sinnes der Preisgabe oder des Fallengelassenwerdens genau entspricht[236].

Zur Selbstempfehlung des Weisheitslehrers im 2. Anhang Sir 51,18 gehört die Versicherung, von diesem Streben nach Weisheit nicht enttäuscht worden zu sein (καὶ οὐ μὴ αἰσχυνθῶ). Eine solche Enttäuschung ist es, vor der Pl warnen will, aber wahrscheinlich war dies auch schon ein Motivationsargument der Beschneidungsagitatoren, was

---

228 Lohmeyer 154.
229 Hegermann EWNT I 837f.
230 Brandenburger 1968: 64 Anm. 4.
231 Ebd. 67f.
232 So Schmithals 1965a: 80f. nach Dibelius »geschlechtliche Sünden«.
233 Windisch 1924: 132 Bekehrungsterminologie gg. Bultmann 1976: 102 z. St.
234 So Bultmann 1976: 103, wie er schon ThWNT I 190 meinte, daß Pl hier »mit dem sexuellen Sinn gespielt« habe.
235 Lohmeyer 155f.; Gnilka 205f. »womit die spottvolle Lage mitbetroffen ist«.
236 Horstmann EWNT I 101f., während Gnilka 205 »Schande« übersetzt, weil er auch hier »die Erfahrung des Gerichts« einträgt und besonders hinsichtlich der Eschatologie speziell immer wieder zeigt, wie stark die abendländischen Vorurteile in Pl hineingelesen werden; dgg. steht die einzige weitere Stelle, an der Pl das Verb noch verwendet, der subjektiven Bedeutung näher, da dort καυχᾶσθαι komlenym ist.

hier umgekehrt wird. Angesichts der mit der Osterwirklichkeit gesetzten Zukunft muß das, was als sicher angesehen und als sichernd angeboten wird, letztlich doch Enttäuschung sein – und zwar schon jetzt und nicht erst in einem »künftigen Gericht«. Sollte Pl mit αἰσχύνη = lat. pudenda das »Schamteil- konnotieren, so wäre zugleich auf ihr »beschnittenes« Schamteil und die Beschneidung als alleiniges Versprechen der vollen δόξα angespielt (so vor allem die latein. Väter Aug., Pelag., Hil., Ambrst., was gerade im römischen Philippi als Latinismus möglich wäre – doch nicht nur da, denn Chrysost. verweist diesbezüglich auf ältere, während er selbst diese ihm bekannte Deutung ablehnt)[237]. Die Setzung des Possessivpronomens könnte dafür sprechen, dagegen steht jedoch, daß man es in dieser Reihe dann eher in der Protasis als in der Apodosis erwarten würde; doch ist immerhin zu beachten, daß diese 3. Antithese den ersten beiden nicht gleichgestaltet ist. Da aber die asyndetisch angeschlossene abschließende Zusammenfassung den Blick auf das negative Resultat und nicht auf die Voraussetzung lenkt, so macht auch dieser Übergang wahrscheinlicher, daß αἰσχύνη als Synonym zu ἀπώλεια steht.

Daß 3,19d abschließend zusammenfassend ist, ergibt sich aus der Verwendung des anaphorischen Artikels οἱ, der auf das anfängliche πολλοί von V. 18a zurückweist. Damit wird hier weniger eine metaphorische Beschreibung einer angeblich »irdischen Gesinnung« gegeben[238], sondern stärker objektiv ein Urteil ausgesprochen: φρονεῖν ist weniger »Gesinntsein« als objektives »Orientiertsein auf«, wie das synonyme Syntagma Röm 8,5 οἱ . . . τὰ τῆς σαρκὸς φρονοῦσιν zeigt[239], wobei als Resultat dann Röm 8,7 »Feindschaft gegen Gott« erscheint, was diesen Abschluß hier mit dem Anfang in 3,18 wiederum fest zusammenbindet. Da der Gegensatz dort πνεῦμα ist, so ist die Herkunft aus dem Bereich der dualistischen Weisheit deutlich und dürfte klar eine Formulierung der Gegner sarkastisch umwertend aufnehmen: Trotz aller gegenteiliger Behauptungen orientieren sie sich und andere auf eine überholte Daseinsweise und sind also »falsch programmiert«. Der Dualismus spiegelt sich auch hier, sofern 3,20 als Antonym οὐρανοί erscheint, was in diesem Zusammenhang ein fest vorgegebenes Oppositionspaar ist (Philo op mund 1117; leg all 3,168). Denn es ist gerade das Angebot der Weisheit, das »Himmlische« zu vermitteln, wie das Weisheitsgebet Sap 9, 16f. am Ende in rhetorischen Fragen als seine Zuversicht ausspricht:

»Nur zur Not erraten wir τὰ ἐπὶ γῆς . . .
Wer aber kann τὰ δὲ ἐν οὐρανοῖς ergründen?
Wer hätte deinen Ratschluß erkannt –
    wenn du nicht die Weisheit gegeben,
    ja deinen heiligen Geist aus der Höhe geschickt hättest?«

Genau diese Zuversicht der Beschneidungsagitatoren kehrt Pl hier in das Gegenteil ihrer Behauptung um, um vor ihnen zu warnen. Mit ἐπίγεια φρονεῖν wird der Teil eines verbreiteten Topos aufgegriffen[240], mit dem entweder einer verspottet wird, der ein ihm nicht zugängliches Wissen erstrebt. So verwendet es die Ehefrau Thales gegenüber, als er bei dem Versuch, die Sterne zu betrachten, ins Wasser fiel (DiogLaert I,34) bzw. Alexander in der Abweisung an einen, der ihn Astrologie lehren wollte (Ps-Callist., VitAlex 1,14; Cic. De Rep. 5,30); auch Versuche ekstatischer Himmelsreisen zum Zwecke esoterischen Offenbarungsempfangs werden so zurückgewiesen (von Claudius bei Seneca, Apocol. 8,3; von Alexander bei Ps-Callist. 2,41). Wenn dies Joh 3,12 gegenüber Nikodemus aufgreift, so ist diese Topos-Wahl in ihrer konventio-

---

237 So Reicke 1951: 249 nach Ewald 205, Lipsius 241 und Bengel.
238 So Haupt 153.
239 Vgl. dazu Brandenburger 1968: 183f.   240 Fischel 1973: 80–83; Meeks 1979: 257f.

nellen Funktion zu beachten: »Eben weil die Antwort ein Klischee ist, dessen Funktion stets in einer mehr oder weniger ernst gemeinten Warnung oder Abweisung besteht – die also den Lernbegierigen an seinen Platz verweist – ist die Schwierigkeit, zu entscheiden, was die ἐπίγεια sind, die Jesus Nikodemus gesagt hat, nicht so wichtig, wie die meisten Kommentatoren glauben. Wichtig ist bei V. 12 keineswegs der Unterschied zwischen irdischem und himmlischem Wissen, sondern der zwischen dem Fragenden und dem, der das Wissen hat. Die erste und wichtigste Information des Dialogs besteht also ganz einfach darin, daß Jesus für Nikodemus unfaßbar ist.«[241] Das läßt sich genau auf Phil 3,19 übertragen: Wenn auch Pl dieses Klischee verwendet, verbirgt sich in seinem Spott eine Warnung. Doch wird bei aller Parallelität der beiden ntl Stellen die grundlegende Differenz deutlich, daß Pl nicht wie Joh einen grundsätzlich unbegreifbaren Christus verkündigt, sondern die Unzuverlässigkeit vorösterlicher Verheißungen angreift, die sich als überbietende Garanten anbieten. Ihr »Fleisch« überwindendes »Geist«-Angebot als »Gewinnzuwachs« (V. 7), »Vollkommenheit« (V. 12.15.18), »Himmelsbürgerschaft« (V. 20) erweist sich als das, was sie zu überwinden vorgeben: als »Verlust« (V. 7f.), »Kot« (V. 8), untergangsträchtig und erdverhaftet (V. 18f.), also selbst als σάρξ.

Die Bezüge von Phil 3,18f. zum vorangehenden Text von 3,2ff. wie die bisher insgesamt aufgewiesenen Strukturbeziehungen lassen deutlich genug erkennen, daß wir hier mit einer einheitlichen, zusammenhängenden Argumentation zu rechnen haben, und daß sich die Argumentation auf ein einheitliches Gegenüber bezieht. Daß man mit mehreren Fronten oder Gegnergruppen zu rechnen habe, ist darum ebenso ausgeschlossen wie daß 3,12.15 oder 17 zu einer neuen und allgemeineren Warnung überginge. Es bleibt vielmehr mit guten Gründen bei der von Schmithals 1965a, Köster 1962 und Klijn 1965 aufgewiesenen Einheit der Argumentationsstruktur des Textes wie der Einheit der feindlichen Gruppe[242].

9.7.   Die Aufnahme des Sprachgebrauchs der jüdischen Agitatoren

Nachdem nicht nur 3,5f. und 18f. Pl die Terminologie der abgewehrten Agitatoren einer jüdisch-dualistischen Weisheit aufgriff, die in Übereinstimmung mit seiner eigenen vorösterlichen Position stand, sondern diese Berührungen durchgehend vorzuliegen schienen, so ist darauf noch weiter zu achten. Dabei geht es um die beiden Komplexe: Einmal um die deutlich verbalisierten Kontraste zwischen der Gegnerposition und ihrer ausdrücklichen Korrektur; zum anderen um die offenbare Umdeutung bestimmter Termini durch die Anbringung christologischer Zusätze, die sich reichlich in diesem Text finden[243].

---

241 Meeks 1979: 258; vgl. auch die Verwendung 4Esr 4,10f.28f.
242 Gg. Gnilka, dem Baumbach 1973 folgt wie gg. Jewett 1970 a, deren Position als weniger gut begründet und darum als Rückfall gegenüber der mit den drei vorgenannten Aufsätzen erreichten Einheitsposition erscheint.
243 Klijn 1965: 280–283.

9.7.1. Die Agitatoren (3,2)

Schon 3,2 dürfte ἐργάται Selbstbezeichnung der Agitatoren sein[244], da sie durch κακοί von Pl negativ umgewertet wird und darum ein positiver Klang in der Grundbedeutung Voraussetzung dafür ist. Derselbe Ausdruck liegt als Gegnerbezeichnung auch 2Kor 11,13 vor und enthält in der dortigen Auseinandersetzung ebenfalls eine negative Bewertung durch den analogen Zusatz δόλιοι (vgl. auch 2Kor 4,2; 2,17). Beider Wertadjektive unterscheiden sich aber darin, daß 2Kor 11,13 das Moment der »Täuschung« sicher darauf weist, daß es sich dort um Christen handelt, was durch weitere, anschließende Prädikate (V. 13b.23) bestätigt wird. Dieses Moment ist hier aber so nicht gegeben, und darum auch nicht unbesehen zu übertragen[245]. Das phil »Adjektiv ist schärfer und grundsätzlicher«[246]: κακοί blickt auf die Wirkung »sie richten Schaden an«[247]. Das wie die Parallele 2Kor 11,13 machen auf jeden Fall deutlich, daß ἐργάται Bezeichnung für Propagandisten ist und nicht assoziativ als eine Prädizierung von »Werkgerechtigkeit« genommen werden darf[248]. Damit wird grundsätzlich anachronistisch eine spätere dogmengeschichtliche Kategorie semantisch inkorrekt in Pl eingetragen, was seit der Reformation üblich ist, und seine große Prägekraft gerade an einer so unmöglichen Stelle wie hier deutlich offenbart[249].

Die entsprechende jesuanische Bezeichnung – bezeichnenderweise in dem weisheitlichen Spruch, daß ein »Arbeiter« seines Lohnes wert ist (Q-Lk 10,7 = Mt 10,10) – ist Pl nach 1Kor 9,14 in der Anwendung auf urchristliche Missionare durchaus bekannt. In Q ist der Terminus schon vorher (Lk 10,2 = Mt 9,37) einleitend auf diesen Sachverhalt bezogen, wobei aber offen ist, ob und in welcher Form auch dieses Logion zu dem ältesten Bestand gehört, den Pl kannte[250]. Die Q-Verwendung zwingt nicht zu der Annahme, daß ἐργάτης erst ein christlicher Botenterminus war[251], zumal der angeführte Q-Spruch sprichwörtlichen Charakter hat und damit älter ist, da er ja nur so als Argument herangezogen werden kann. Darum kann es sehr wohl auch schon eine missionarische Bezeichnung für Propagandisten des Judentums gewesen sein, wenngleich ein terminologischer Beleg aus der Weisheitsliteratur bisher nicht beigebracht werden konnte. Die feste terminologische Bildung ἐργάτης κυρίου findet sich in TestBenj 11,1 nur in christlichen Abschreibervarianten[252].

9.7.2. Der Fleisch-Geist-Dualismus (3,3f.)

Auf jeden Fall zeigt der erste Kontrast im Übergang von 3,2:3 mit seiner Paronomasie, daß sie von sich sagten »Wir sind die Beschneidung«, was Pl ihnen entwindet (= Gal 3,26ff.). Die Kennzeichnung dieser pl Umwertung als »Spiritualisierung«[253] erfaßt das semantische Problem der vorliegenden Umcodierung schlecht und führt zu Mißverständnissen, weil dann nämlich das anschließende οἱ πνεύματι θεοῦ λατρεύοντες schon als spezifisch und genuin christliche Wendung genommen wird. Das aber ist zu

---

244 Köster 1962: 320.
245 Gg. Ewald 164f. »die sich als Lehrende, als Arbeiter im Dienst des Evangeliums gebärden«.
246 Lohmeyer 125.   247 Ewald 164.
248 So Lohmeyer 125 »Werkleute« und Anm. 2 »allgemeiner Ausdruck für die Gläubigen« (!); noch stärker »Werkhelden« bei Bultmann 1969: 105; K. Barth 87, 89; Friedrich 115f.
249 Vgl. Sanders 1977 passim; dgg. auch schon Haupt 119; Gnilka 186 Anm. 10.
250 Hoffmann 1972: 289–293; Schulz 1972 z. St.; Schenk 1981 z. St.
251 Dibelius 76.   252 Becker 1974: 137f. nur in β und c.
253 Vgl. Gnilka 187 »zur geistigen περιτομή gehören«.

bestreiten, weil nicht nur Röm 9,4 λατρεία als jüdisches Privileg erscheint, sondern schon Sir 4,14 in bezug auf die Weisheit vorgegeben ist: »Dienst an der Weisheit gilt als Dienst am Heiligtum« (vgl. Philo Ebr 144; Sacr 84). Damit ist λατρεύειν (das LXX immer δουλεύειν im Blick auf Gott ist)[254] als jüdischer Propagandaterminus anzunehmen[255]. Von den Parallelen her aber ist nicht nahegelegt, daß das Verb hier nur den speziellen Dienst der Agitatoren beschreibt[256]. Mit den weisheitlichen jüdisch-hellenistischen Belegen ist aber mit einer Deutung als Gegensatz »äußerlich« oder »sinnlich-irdisch« contra »innerlich« oder »vergeistigt« nicht das unterscheidende Sem erfaßt[257]. Schon Sap 4,14 ist Objekt solchen »Dienens« die Weisheit Gottes, die mit dem Geist Gottes synonym ist (Sap 1,4–6; 7,22; 9,17)[258]. Von daher ist nicht nur das Verb, sondern auch der Dativzusatz als von jüdischen Agitatoren her aufgenommene Wendung anzusehen. Nicht die formale Rede vom »Geist Gottes« als solche ist schon spezifisch christlich, sondern auch sie ist eine aus der Umwelt vorgegebene Ausdrucksweise, die semantisch umcodiert wird, wenn Christen sie aufnehmen. Darum wird durch epexegetisches καί hier mit καυχᾶσθαι ein weiteres Stichwort der jüdischen Agitatoren aufgenommen, doch nun durch den eindeutig präzisierenden Zusatz ἐν Χριστῷ Ἰησοῦ umgewertet.

Ist der Dativ πνεύματι modal zu verstehen, so daß λατρεύειν absolut gebraucht wäre, oder gibt der Dat. das Objekt des Verbs an? Sir 4,14 spricht für einen Objektdativ und ebenso die Verwendung von ἐν zur Objektangabe bei den folgenden beiden, dazu hyponymen Verben καυχᾶσθαι und πεποιθέναι.[259] Ein modales Verständnis von πνεύματι taucht erst damit auf, daß spätere Handschriften den Gen. θεοῦ durch den Dat. θεῷ ersetzten und damit πνεύματι als einen zweiten Dativ modal fassen mußten. Diese Lesart ist aber nicht als ursprünglich anzusehen[260]. Ebenso wird das modale Verständnis von einer traditionellen, kirchlich tradierten Pneumatologie als Vorverständnis zu selbstverständlich angenommen, was deutlich herauskommt, wenn argumentiert wird: »denn Gott dienen ist nur im Geist möglich«[261]. Schon wenn man die pl Synonymbeziehungen πνεῦμα = κύριος und λατρεύειν = δουλεύειν sieht, so hat man den Objektbezug klar bestätigt. Die Auslassung von θεοῦ bei p[46] kann versehentlich erfolgt sein[262]. Auf jeden Fall ist das semantische Element des Gottesbezugs sowohl schon im Verb wie im Weisheitspneuma implizit gegeben. Wäre λατρεύειν (wie Lk 2,37; Apg 26,7) absolut gebraucht, so müßte man es in der Übersetzung nicht mit dem bloßen Verb, sondern mit dem Funktionsverbgefüge »im Dienst Gottes stehen« wiedergeben. Sicher haben also die Propagandisten schon die volle Wendung verwendet und Geistbesitz durch Gesetzesbefolgung als Weg zur Vollendung angepriesen[263].

Das Verb καυχᾶσθαι wurde schon von der Einleitung der Selbstpräsentation des

---

254 Strathmann ThWNT IV 59.　　　　255 Klijn 1965: 282.

256 Was Köster 1962: 320f. aus Röm 1,9 ableiten wollte – doch geht es auch dort über reinen Missionsdienst hinaus, was die für alle Christen geltende Verwendung Röm 12,1 bestätigt: Strathmann ebd. 64f.; Gnilka 187.

257 Gg. Lightfoot »not of external rites but a spiritual worship«, dem Haupt 120 folgt: »Während« der Terminus »im AT den äußeren Kultus bezeichnet, der im Tempel stattfindet . . ., ist er hier von der inneren Religiosität gemeint, welche nicht an einem Tun der Hände, sondern des Geistes ihr spezifisches Merkmal hat.«

258 Brandenburger 1968; 109f.; vgl. Isaacs 1976: 134f., 142, 144.

259 Gg. Gnilka, der inkonsequent den ersten Dat. von den beiden folgenden abhebt.

260 Gg. Haupt 120 Anm. 2.

261 So Lohmeyer 127 Anm. 4; Gnilka 187 Anm. 14 beruft sich zu Unrecht auf Gal 5,16.25; Röm 8,14 mit der falschen Alternative: »Der Geist ist nicht Objekt, sondern Prinzip des Dienens.«

262 GNTCom 614.

263 Köster 1962: 321f.; Klijn 1965: 284; Gnilka 188; Isaacs 1976: 144f.

Weisheitspneumas Sir 14,1 f. bzw. der Weisheitslehrer Röm 2,17 her als Terminus der jüdischen Propagandasprache herausgestellt. Inhaltlich konkretisiert wird es hier 3,7 durch »etwas als Gewinn anbieten« bzw. V. 8 »als Gewinn erlangen« (was LXX noch nicht verwendet ist, weshalb nach 2,21 (s. o.) dann wohl pl Formulierung vorliegt). Es wird hier durch den ersten von mehreren christologischen Präpositionalzusätzen umgewertet. Man muß sich darum diese erste eindeutig präzisierende Wendung mit Bindestrich denken καυχώμενοι ἐν – Χριστῷ, da die Präpositionalwendung in der Sache ein jüdisches πνεύματι ersetzt. Dabei wird noch Ἰησοῦ hinzugefügt, um die Eindeutigkeit zu verstärken, daß der auferweckte Jesus gemeint ist und nicht irgendein χριστός, der als Funktionsbezeichnung wie πνεῦμα ja auch eine Weisheitsbezeichnung eines Χριστὸς-σοφία sein könnte.

Dasselbe gilt für das chiastisch zugeordnete πεποιϑέναι, das Sir 2,5; 32,24; Sap 3,9; 16,24 positiv von der Treue zu Gott steht (Sap 14,29 umgekehrt zu leblosen Götterbildern). Die Agitatoren haben πεποίϑησις ἐν πνεύματι angeboten. Man darf bei dem Verb darum in diesem Zusammenhang hier weniger das subjektive Verhalten allein (wie in anderen pl Zusammenhängen zweifellos s. o. 1,6.14.25; 2,24) als vielmehr den objektiven Standort, den man hat, betont finden. Er ist auf jeden Fall eingeschlossen. Da sich aber ihr »allvermögendes Weisheitspneuma« angesichts dessen, der Jesus zum »lebendigmachenden Geist« auferweckte (1Kor 15,45) als nicht wirklich gegeben erwiesen hat, so belegt Pl sie mit dem Prädikat des »todesversklavten Unvermögens« (σάρξ), welches zu überwinden sie angaben (Sap 7,1 f.). Interessant ist zur Bestimmung der Semantik von σάρξ das TargJerusch II zu Gen 40,23: Josef verläßt sich statt auf die Schrift (wofür Jer 17,5.7 zitiert wird) auf den Obermundschenk, also auf »Fleisch«, das idiomatisch mit »Todeskelch« gleichgesetzt wird[264] – als dem, was (a) unzuverlässig und (b) zum Tode führend ist. Das dürfte erklärbar machen, weshalb Phil 3,8 analog von σκύβαλα als »schon Verdautem« als Steigerung von σάρξ reden kann als dem, was nicht mehr zum Leben führt. Damit ist das entscheidende Sem, das mit σάρξ konnotiert ist, »Untergang« (idiomatisch ließe sich neben den Idiomen »Kot« oder »Todesbecher« die Sarx-Wendung auch übersetzen durch: »sich auf ein schon untergehendes Boot setzen«).

Sarx meint also in der antithetischen Verwendung von Phil 3,3 f. durchaus nicht in einem weiten und allgemeinen Sinne den »irdischen Zustand« überhaupt[265]. Vielmehr ist Sarx hier »auf jene ›Vorzüge‹ einzuschränken, die im folgenden erläutert werden und den Philippern mit der Übernahme oder Anerkenntnis der Beschneidung winken. Dazu gehört vor allem die Anerkenntnis des Gesetzes«[266] (das V. 6 nicht nur zweimal nennt, sondern im zweiten Falle mit der gleichen Präposition ἐν νόμῳ bewußt an das dreimalig betonte ἐν σαρκί anschließt). Das entspricht präzis auch der Verwendung des Lexems in der Argumentation Gal 3,3–5, worauf die Peroratio 6,12 f. zurückblickt. Dabei bleibt es unverständlich, daß Gnilka vorher die falsch verallgemeinernde Alternative aufstellt: »Das Rühmen liegt auf seiten (!) der Geistigen, das Vertrauen auf seiten der Sarkischen . . . Die Kauchesis kann sich als gültige und tragfähige nie auf irdische Vorzüge oder erworbene Vorteile, sondern nur auf den Herrn beziehen«

---

264 Moehring 1968: 434.
265 So BauerWB 1475 oder Lohmeyer 127 »Inbegriff von Geschichte und Welt« bzw. Beare 106 »confidence in his own capacity«, was dann bei ihm ebd. 111 zu V. 8 zur Folge hat, daß πάντα ebensoweit aufgefaßt wird, da übersehen wurde, daß es im ἅτινα von V. 7 schon impliziert war; vgl. auch Haupt 121; Ewald 167 Anm. 2; Friedrich 117; typisch für die lutherisch und bultmannianisch geprägte Interpretation ist, daß Baumbach 1977: 445 dieses Syntagma diskussionslos als »Selbst(!)-Vertrauen« auffaßt.
266 Gnilka 187 mit Sand 1967: 134.

(ebd.). Das hätten ja auch die gegnerischen Agitatoren nie bestritten. Leider wird hier verzeichnend existenzial predigend interpretiert, wenn angeblich »echtes Rühmen« herausgestellt werden sollte, wo es doch um dialogische, argumentative Auseinandersetzung geht. Nicht um die existenziale Art der Haltung im Bereich der Pragmatik geht es, sondern um das jeweils bestimmende Objekt im Bereich der der Pragmatik immer zugrunde liegenden Semantik.

Bei Pl stehen sich eben nicht zwei ungeschichtlich entworfene, existenzial-ontologische Prinzipien gegenüber, von denen das eine als »echt«, »gültig« und so letztlich »eigentlich« im »wahren Sinne des Wortes« anzusehen sei, sondern konkret geschichtlich begründete Unterschiede, die sich nicht mit dem »Jargon der Eigentlichkeit« der platonischen Pseudosemantik einer Ideenlehre erfassen lassen. Eine ähnliche, semantisch unmögliche Existenzialisierung liegt ebenso vor, wenn bei der zugehörigen Antithese von κέρδη – ζημία 3,7 die letztere beschrieben wird als »Schaden, durch den er im absoluten Sinne (!) geschädigt worden sei«[267]. Die Textstruktur widerspricht auch der Existenzialisierung, die in einer idealistischen Erkenntnistheorie meint, Dinge seien nicht an sich negativ oder positiv, sondern würden es erst, wenn der Mensch »sein Vertrauen auf sie setzt«[268]. Bei solcher Subjektivierung wird das Subjekt über- und das im jeweiligen Objekt selbst liegende ausschlaggebende Moment unterbewertet. Dagegen aber spricht, daß Pl solche Dinge dann in der Steigerung von σάρξ als »Verlust« und »Kot« benennt: »One does not declare things to be ›rubbish‹ – and this is still a relatively mild translation of the Greek word here – that can be of great value«[269]; die Sachbeziehungen sind hier eben deutlich anders als etwa in den mt Bekehrungsparabeln vom Schatz im Acker und der Perle Mt 13,44–46. Auch hier verkennt die Existenzialisierung durch Einführung falscher Oppositionsbeziehungen die wahre Oppositionsstruktur, die von dem her denkt, was die Auferweckung Jesu objektiv überholt hat. Der existenziale Gedanke, daß erst die »Einstellung« zu einer Sache sie zu etwas mache (Luther: Glaube macht Gott und Abgott), verwendet aber einen stoischen und nicht den pl Glaubensbegriff, der eben kein Existenzial ist, das verschiedene Objekte haben könne, sondern präzis und allein die Annahme der Evangeliumsnachricht meint, und darum nie für gegenteilige Objekte Verwendung findet. Gerade das wird nur deutlich, wenn man sieht, daß der Dualismus von »Geist« und »Fleisch« eine aus der Umwelt übernommene Gegnerbegrifflichkeit ist, die aber semantisch in der pl Verwendung wesentlich umgeprägt wird.

9.7.3. Die vollendete Gerechtigkeit (3.6.9)

Meist wird zwischen den Aussagen von 3,6 und 3,9 nicht differenziert, was sich etwa darin zeigt, daß man schon zu V. 6 unbefangen von Gerechtigkeit »aus dem Gesetz« redet[270], während Pl klar genug zwischen ἐν und ἐκ unterscheidet. Im Rückblick und mit einem aus diesem Rückblick präzisierend eingrenzenden Gegenwartszusatz τὴν ἐν νόμῳ spricht Pl 3,6 von der δικαιοσύνη als Maßstab »im Geltungsbereich des Gesetzes«. Dies ist lokal wie geschichtlich einschränkend gemeint auf seinen vorösterlichen Standort im Judentum. Dieses ἐν νόμῳ, das für ihn damals wie für die Agitatoren heute

267 Schlier ThWNT III 672, was Gnilka 191 Anm. 40 typischerweise übernimmt.
268 Schweizer ThWNT VII 130 gemäß Luthers Dictum: »Worauf du dich verläßt, das ist dein Gott.«
269 Moehring 1968: 434.
270 So Gnilka 190f., obwohl er dann 194 die Notwendigkeit der Differenzierung betont.

noch ein ἐν πνεύματι ist, steht von V. 3f. her aber unter dem dreifach betonten Vorzeichen ἐν σαρκί.

Man verzeichnet die Schärfe und Ernsthaftigkeit des Rückblicks, wenn man den späteren Gedanken der Werkgerechtigkeit anachronistisch einträgt und definitorisch selbstverständlich voraussetzt, wie etwa Gnilka, wenn er formuliert: »Denn die Gerechtigkeit aus (!) dem Gesetz ist ja (!) das Bestreben des Menschen, sich selber vor Gott das Recht zu verschaffen.«[271] Eine solche Übertragung dieser seit der spätmittelalterlichen Rationalisierung und von ihr her bestimmten Antithese in das Frühjudentum hinein wird diesem nicht gerecht, so wie es wirklich in der von Pl hier vorausgesetzten dualistischen Weisheit vorgegeben war.

Die δικαιοσύνη ist ein Prädikat der Weisheit (Sap 9,2f.); der sie empfangende Weise ist zugleich der Gerechte. Sap 1,1 beginnt darum mit der Aufforderung, die »Gerechtigkeit« zu lieben. Denn »bei dem Gerechten oder Weisen . . . bleibt die göttliche Ebenbildlichkeit, das unsterbliche himmlische Wesen erhalten. Ihr Verhalten entspricht ihrer himmlischen Substanzbeschaffenheit, so daß sie dieser nicht verlustig gehen; ihre Gerechtigkeit stellt insofern ihre Unsterblichkeit sicher«[272]; δικαιοσύνη γὰρ ἀθάνατός ἐστιν (Sap 1,15). Der damit gegebene Zusammenhang von Seins- und Verhaltensbezug ist der gleiche, der bei σάρξ und πνεῦμα überhaupt zu sehen ist[273]. Der Weise (= Gerechte) ist sich darum des todüberwindenden Anteils am Allvermögen des Weisheitspneumas gewiß, wenn er ihm treu bleibt. Nur der so Gerechte hat Unsterblichkeit (8,13.17), da der Tod »die unsterbliche göttliche Eikon des Gerechten nicht tangiert«[274].

In diesem Zusammenhang ist auch das ἄμεμπτος von 3,6 nicht vorschnell moralisch als »Tadellosigkeit« zu verstehen[275]. Zum Verständnis sind weniger die 13 von 18 LXX-Belegen relevant, die sich bei Hiob finden, obwohl diese Tatsache schon ein interessanter Hinweis auf die weisheitliche Prägung dieses Ausdrucks ist[276], sondern vor allem die drei späteren Belege, die sich im Rahmen der dann schon dualisierten Weisheit in Sap finden. Sie finden sich alle in dem illustrierenden paradigmatischen Geschichtsüberblick Kap. 10ff.: Sap 10,15 ist es parallel zu ὅσιος Prädikat des ganzen Israel – und zwar im dualistischen Gegenüber zum Volk der Ägypter: »Die Weisheit hat ein frommes Volk und ein σπέρμα ἄμεμπτον aus einem Volk von Bedrängern befreit«. Die durchgehaltene Pneuma-Substanz erwies sich dem Sarx-Bereich gegenüber als heilvoll rettend überlegen. Analog dazu gilt es 10,5 von Abraham den Völkern gegenüber: »Als die Völker wegen eines einmütig begangenen Frevels verwirrt worden waren, erkannte sie (die Weisheit) den Gerechten und bewahrte ihn ἄμεμπτος θεῷ.«Schließlich sagt 18,21 von Aaron: »Da trat ein ἀνὴρ ἄμεμπτος als Vorkämpfer auf, indem er die Waffe seines Dienstes trug: Gebet und sühnendes Rauchopfer. Er trat dem Zorn entgegen und machte der Plage ein Ende.« In jedem Fall gilt hier das Prädikat nicht Menschen, sondern Gott gegenüber. Es hat immer einen soteriologischen Bezug im Ansturm einer Verderbensmacht. Die dabei zugrunde liegende Korrespondenz von Grundsubstanz und Tat-Verhalten kann annähernd durch »unantastbar« wiedergegeben werden. Pl dürfte Phil 3,6 auch seine Unantastbarkeit durch den Tod darunter mitverstanden haben. Nur so und nicht in einem eingeschränkt ethischen Verständnis wird klar, warum er 3,7 in der Fortsetzung sofort davon reden kann, daß ihm das alles

271 Gnilka 190f.
272 Brandenburger 1968: 112.
273 Ebd. Anm. 3; vgl. 46 Anm. 3 und 47 Anm. 1.
274 Ebd. 113.
275 So Haupt 124; Lohmeyer 130; Gnilka 188 »ohne Fehl« und 191 »Fehllosigkeit«; K. Barth 92 »so weit, daß menschliches (!) Urteil nichts mehr auszusetzen fand, habe ich es in Haltung und Lebensführung, in kultischer und moralischer Beziehung gebracht.«
276 Grundmann ThWNT IV 876–878.

»Gewinne« waren. Pl verstand sich als einen so unantastbaren Pneuma-Träger, wie es Abraham und Aaron waren. Von daher wird auch die Verwendung von γενόμενος klar: als todbedrohter Mensch in der Sarx hat er diese Auszeichnung durch die Pneumasubstanz des Gesetzes »erlangt«.

Dann aber wird auch der Synonymbezug in der Textfortsetzung bei der Negation in 3,12 deutlich: Wenn ἤδη ἔλαβον negiert wird, so entspricht das klar dem γενόμενος von 3,6, und wenn ἤδη τετελείωμαι negiert ist, so ist dies synonym zu ἄμεμπτος[277]. So ist Noah im Lob der Väter in dem entsprechenden Geschichtsüberblick Sir 44,17 εὑρέθη δίκαιος τέλειος. Denn nur das Weisheitspneuma macht τέλειος Sap 9,5: »Gälte einer bei den Menschen auch als τέλειος, fehlte ihm aber die von dir ausgehende ›Weisheit‹ – er müßte für nichts geachtet werden« (εἰς οὐδὲν λογισθήσεται – was bei der Wiederholung Phil 3,13 dann entsprechend auch im Zusammenhang auftaucht). Darum ist der Weisheit nachsinnen auch φρονήσεως τελειότης (Sap 6,15); τέλειος hat also nicht nur die Konnotation des Unantastbaren, sondern auch des Reichtums. Dualistisch kann darum der durch den Tod nicht geschädigte, früh gestorbene Gerechte dem Sünder, der reich an Jahren ist, zum Gerichtsmaßstab werden (Sap 4,16 vgl. V. 7.13).

Es trifft also offenbar nicht den wirklichen Sachverhalt, wenn man unterstellt, daß Pl die Verben von Phil 3,12 »bewußt objektlos gelassen« habe, weil er »einfachhin über den Gegensatz des Werdens und Seins, Gewinnens und Besitzens« reflektiere[278]. Schon die Verwendung des Aorists wie des Perfekts hätte vor solchen rein prinzipiellen und formalen Gegenüberstellungen warnen müssen. Es erscheint typisch, daß Haupt[279] u. a. hier Luthers bekanntes Dictum, daß ein Christ nicht im Wordensein, sondern im Werden sei, zusammen mit dem Paradox von Chrysostomus (Zur Vollkommenheit gehört, sich nicht selbst für vollkommen zu halten) aufnehmen, was Haupt noch zu dem Oxymoron steigert: »Wer ein Christ ist, ist kein Christ.« Hier wird Luthers, aus seinem Mißverstehen von Röm 7 abgeleitetes Mißverständnis eines simul iustus et peccator wiederum zu Unrecht in eine Pl-Stelle eingetragen, was zu einer Verzeichnung wesentlicher pl Strukturkennzeichnungen des Christseins führt. Demgegenüber kann nicht deutlich genug herausgestellt werden, daß Pl Phil 3,12 ebenso wie Röm 7 auf seine vorchristliche Vergangenheit zurückbezogene Aussagen macht. Semantisch präziser wäre zu sagen, daß ein solches Objekt in den beiden Verben von 3,12 selbst impliziert ist als ein »Gegenstand«, mit dem der Begriff der eschatologischen oder individuellen Vollendung gesetzt ist[280].

Der Zusatz eines passivischen dritten Gliedes, der jetzt auch durch p[46] bezeugt ist, dürfte als Abschreiberzusatz anzusehen sein[281], der die göttliche Seite zu sehr ausgeklammert sah[282]. Wenn 1Kor 4,4 der Anlaß zu dem Zusatz gewesen sein sollte, dann spricht entscheidend dagegen, daß Pl im präzisen Sinne keine doppelte Rechtfertigung kennt. Hier aber ist dieser Zusatz nach der V. 9 vollzogenen Klärung unmöglich, denn

---

277 Klijn 1965: 281f.
278 So Gnilka 198 unter Aufnahme der Formulierungen von Haupt 137; ferner Ewald 181f.; Schmithals 1965a: 70f.
279 Haupt 137 Anm. 3 wie Lohmeyer 146 Anm. 2.
280 Lohmeyer 144 Anm. 3 – doch eben nicht »Christus«, wie er mit Dibelius meint, oder gar »Erkenntnis Christi«, wie Michaelis wollte; richtiger bezog Lütgert 1909 auf die Auferweckung bzw. Beare 129 wie Delling ThWNT IV 7 und Bonnard auf »Siegespreis«, wenn nur festgehalten wird, daß es um einen Rückblick bzw. um zitierte Behauptungen von außerhalb der von Ostern bestimmten Gemeinde geht.
281 So mit GNTCom 614f.
282 Lohmeyer 142f. Anm. 1 sieht vor allem die rhythmische Struktur dadurch zerstört.

ein »noch nicht gerechtgemacht« könnte nur vor V. 9 stehen, wenn damit ein weisheit-lich-dualistischer Rechtfertigungsbegriff abgewehrt wäre[283].

Die Alternative liegt nicht darin, zu entscheiden, ob Pl hier mit moralischer oder mysterienhafter Vollkommenheit befaßt sei[284], sondern er befindet sich vielmehr noch in der direkten Auseinandersetzung mit jüdischen Agitatoren um das Gesetz im Sinne der dualistischen Weisheit; denn hinter Phil 3,12b steht der Formulierung nach ganz direkt Sir 27,8: ἐὰν διώκῃς τὸ δίκαιον, καταλήμψῃ[285]. Daß damit nicht eine formale Tautologie gemeint sein kann, ergibt sich aus der Fortsetzung der Apodosis: »und wie ein Prachtgewand wirst du sie anlegen«. Es geht also sehr wohl um eine eschatologische Verheißung, die dem Zusammenhang von δικαιοσύνη als der Doppelheit von Sub-stanzbeschaffenheit und Lebensverhalten entspricht. Pl übernimmt hier aber nur zwei der gegnerischen Schlagworte und läßt das fort, was er 3,9 schon geklärt hatte und was darum hier in der Wiederholung mißverständlich sein müßte: τὸ δίκαιον. Eine Bestäti-gung dafür, daß dieser Zusammenhang hier direkt zugrunde liegt, findet sich Röm 9,30f. als späterer Reflex dieser Auseinandersetzung hier, wo Pl nicht nur die beiden verbalen Elemente, sondern – dem dortigen Gang der Argumentation entsprechend – alle drei Stichworte aus Sir 27,8 aufnehmen kann.

9.7.3.1. Das unberechtigte Axiom von einer jüdischen Werkgerechtigkeit

Die gängige Beschreibung der jüdischen Vergangenheit des Pl wird den tatsächlichen Voraussetzungen nicht gerecht, da man – statt sie im Wortfeld des frühjüdischen Gesetzesverständnisses zu erfassen – sie in das andere Wortfeld der abendländischen Werkgerechtigkeit mit einem übergeordneten Gerichtsaspekt einzeichnete und so juridisch verzeichnete: »Pl war einst wie seine pharisäischen Gesinnungsgenossen der Meinung, daß er aufgrund seiner Untadelhaftigkeit (!) im Gesetz dem Gericht beru-higt (!) entgegensehen könne.«[286] Wenn die Antithese so gefaßt wird, wird unter der Hand das Autonomiestreben zum springenden Punkt gemacht[287]. Daß auch hierin der von Kant und Fichte gesetzte Autonomiebegriff nicht ohne Einfluß geblieben ist, liegt ebenso wie bei der Art vieler Erfassungsversuche der pl Ethik auf der Hand[288]. Typisch dafür ist, daß die Kategorie einer »Gesetzeserfüllung« zu selbstverständlich zum Hauptkennzeichen jüdischer Frömmigkeit erklärt wurde[289].

Bei Sir ist die Treue zum Weisheitsnomos verzeichnet, wenn man ihm Werkgerechtig-keit im abwertenden Sinn unterstellt[290]. Vielmehr gilt es ihm selbst als Vermessenheit anzunehmen, daß gute Werke einen Anspruch vor Gott begründen: »Du sollst nicht

---

283 Für die Ursprünglichkeit der längeren Lesart hat sich zuletzt López-Fernández 1975 ausge-sprochen, der dann als weitere Besonderheit hypotaktisch zu übersetzen vorschlägt: »nicht deswegen schon, weil ich es schon bekommen habe, halte ich mich für gerechtfertigt oder für vollkommen« – was aber der Tendenz des Kontextes wie der pl Strukturkennzeichnung des Christseins klar widerspricht.

284 So Beare 129.

285 Wie Klijn 1965: 281 überzeugend gezeigt hat.

286 Gnilka 194 im Anschluß an Stuhlmacher 1965: 100; vgl. schon Haupt 127: »In beiden Fällen ist δικαιοσύνη der Zustand, in dem man Gottes Urteil für sich hat« – nämlich einmal, daß »der Mensch die Gerechtigkeit selbst produzieren müsse durch Gehorsam gegen den göttli-chen Willen« contra »ein freies Geschenk an den Menschen, bei dem von seinem faktischen Zustand ganz abgesehen wird.«

287 K. Barth 96f. »eine Gerechtigkeit, in der ich selbst mich zu setzen, in der ich mich selbst zu behaupten habe«!

288 Was Schrage 1961: 10 Anm. 12 treffend herausgestellt hat.

289 Ebd. 51.

290 Zu Sir zusammenfassend Sanders 1977: 342–346.

sagen: Gott wird auf die Menge meiner Gaben sehen und sie annehmen, wenn ich sie dem Höchsten darbringe« (7,9); die »Gerechten« sind für Sir vielmehr die gottesfürchtigen Frommen überhaupt. Die Illusion einer lückenlosen Gebotserfüllung ist bei ihm nicht gegeben – im Gegenteil: Reue und Vergebungssuche werden wiederholt angemahnt (Sir 5,5–7; 7,16f.; 17,24–26; 21,1). Aber eine Übertretung macht einen Menschen noch nicht zum Gottesfeind, sondern erst die Absage und Vermessenheit. Wenn die verschiedenen Termini für negatives Verhalten klar differenziert und nicht oberflächlich summiert werden, so kann man Sir nicht einen generellen Nomismus unterstellen. Gottes gnädige Zuwendung ist die grundlegende Voraussetzung, die klar zeigt, daß er eine Gesetzestreue im Rahmen der Gnadenlehre (covenantal nomism)[291] vertritt.

In den Qumranschriften ist 1QH 1,35f. »gerecht« mit »weise« und »vollkommen« synonym für das Selbstverständnis der Gruppenmitglieder überhaupt gebraucht[292]. Auch hier ist man allein durch Gottes Gnade erwählt, wird also nicht gerecht durch Werke des Gesetzes, sondern »bleibt« es[293]: »Righteousness does not come by works of law. Yet human righteousness is works of law, being equivalent to perfection of way (cf. 1QS 11,17) and the opposite of transgressions (1QH 7,28–31).«

»Vollkommenheit« in Verbindung mit »Gerechtigkeit« ist in Jub wiederholtes Prädikat der Patriarchen (5,19; 19,7 Noah und Henoch, 15,3; 23,20 vgl. 17,15f.; 18,16 Abraham, 27,17; 35,12 Jakob, 36,23 Lea, 40,8 Joseph)[294]. Es bezeichnet das Leben in Übereinstimmung mit Gottes Willen, als Gehorsam gegenüber dem weisheitlichen, schon vor Mose vorhandenen Gesetz. Das Prädikat gilt trotz Übertretungen, denn Reue und Vergebung treten wiederholt in den Blick: »The author's view is not the kind of legalism which is summed up in the phrase ›work-righteousness‹, for salvation depends on the grace.« Auch hier darf man nicht undifferenziert mit zu groben Prinzipienkategorien arbeiten: »Righteousness as perfect or nearly perfect obedience is not, however, the ›soteriology‹ of the author. The author emphasizes more than most the will of God in electing Israel and God's initiative in cleansing them of sin. The soteriology is this election and the final purification, both initiated by God, the latter dependent on repentance.«[295]

Als Musterbeispiel jüdischer Werkgerechtigkeit galten meist die PsSal[296], die in ihrer ältesten Schicht ein synagogales Gebetsformular aus Jerusalem nach der Einnahme durch Pompeius (63–61 v. Chr.) mit der Bitte um Hilfe in Feindesnot darstellen[297]. Als allgemeine Wahrheit werden dabei existenzial abstrakt ein »Bekenntnis zum Dennoch des (!) Glaubens« vermißt wie ein »Überzeugtsein vom Übergewicht der Treue des (!) Menschen« als wesentlich empfunden[298]. Das führt zu einer unhaltbaren Unterscheidung zwischen den Aussagen über Israel und denen über die Gerechten wie zu einer Verkennung dessen, wer mit »Sündern« personal bezeichnet ist. Der Themenkreis »Gerechtigkeit« (die Wurzel erscheint über 30mal) ist inzwischen als kennzeichnend für eine kommentierend-unterweisende Bearbeitungsschicht erwiesen[299]. Dabei zeigt schon eine Analyse von PsSal 9[300], daß Israel frei erwählt ist (9,8–10); die Gerechten

291 Ebd. 75, 236.
292 Ebd. 305–312 zusammenfassend zu Qumran.
293 Ebd. 312 in Zustimmung zu Becker 1964: 125.
294 Ebd. 380–383 zusammenfassend zum Jub.
295 Ebd. 382f.
296 Lohmeyer 130 Anm. 9; Braun 1967: 8–65 umfassend, dem Grundmann 1965: 287f. kritiklos folgt.
297 Schüpphaus 1977: 107–116, 138–142.   298 So Braun 1967: 30f.
299 Schüpphaus 1977: 83–117.
300 Ebd. 50–53 wie parallel Sanders 1977: 388f. gg. Braun 1967: 53–56.

sind die, die in der Abfallzeit dem Bund treu bleiben und darum auf ein Bleiben in der Gnade hoffen. Sie sind aber nicht von der Illusion einer verfehlungsfreien Selbstgerechtigkeit bestimmt: Die Reuigen gehören 9,6–7 zu den Gerechten. Dagegen sind die »Ungerechten« oder »Verstockten« die hasmonäischen Herrscher, die mit Pompeius paktieren, ihm Jerusalem ausliefern und die darum den »Gerechten« gegenübergestellt werden als die, die in der Tat den Bund gebrochen und verlassen haben. PsSal 9,5: »Wer die Gerechtigkeit tut, vergrößert (ϑησαυρίζει) sich Leben beim Herrn, doch wer Ungerechtigkeit tut, verstrickt seine Seele in Untergang.«[301] Die den Gottesbund brechenden »Frevler« schließen sich tatsächlich von ihm aus[302]. Darum wird man aber ernst nehmen müssen, daß für die, die die »Gerechten« heißen, die personale Bezeichnung »Sünder« durchgehend vermieden ist (vgl. das mehrfache Gegenüber beider 13,5–10)[303]. Nur durch einen Mangel an Analyse der jeweiligen Wortfeldstrukturen und bloßer Gegenüberstellung von Termini kann man den PsSal vorwerfen, »daß auch das Erretten Gottes nicht auf die grundsätzliche Verlorenheit des (!) Menschen« gehe, sondern in diesen »Texten stets das Herausholen aus ganz bestimmten, Leib und Seele gefährdenden Situationen« bezeichne[304]. Ein solcher Vorwurf kann überhaupt nur erhoben werden, wenn man abstrakt ungeschichtlich von existenzialen Prinzipien aus denkt und erwartet, daß mit der Auferweckung Jesu gesetzte Einsichten schon hundert Jahre vorher da sein müßten. Außerdem spiegelt der Umgang mit den Texten einen Mangel an semantischer Methodik, sofern Bedeutung und Bezeichnung verwechselt werden. Der rezeptionsanalytisch erhellbare Grund dürfte konkret darin liegen, daß Braun sein konfessionstraditionelles Vorverständnis ständig in die Texte eingetragen hat: »Braun has conformed the Psalms of Solomon to a picture of Pharisaic Judaism which is usual in Christian, expecially Lutheran scholarship . . . Braun misunderstands the theme by not understanding what is opposite: he takes it to be a statement of earned ›mercy‹, opposite to statements of gratuitous mercy. The statement that God shows mercy to the righteous is actually opposite to statements to the effect that God rewards the righteous for their merits.«[305] Insgesamt sind die PsSal gerechter beurteilt »als ein Dokument eines im wesentlichen geschichtstheologisch fundierten und noch nicht überwiegend gesetzlich ausgerichteten Pharisäismus«[306].

In bezug auf die rabbinischen Texte ist es seit der grundlegenden Weichenstellung von F. Weber[307] geläufig, von vornherein von »rabbinischer Werkfrömmigkeit«[308] zu sprechen, die »erworbene«, »verdiente«, »selbstbesorgte« Gerechtigkeit sei[309]. Schon

301 Es ist typisch, wie leichthin R. Kittel bei Kautzsch II 140 dieses ϑησαυρίζειν mit »erwirbt« übersetzt und damit verdienende Werke suggeriert, wobei das Konzept des Tat-Folge-Zusammenhangs für den vorliegenden Topos vom »Schatz im Himmel«, wie Koch 1968 herausgestellt hat und wie er in dem Verb als deutlich vorhanden angezeigt wird, glatt zugunsten des eigenen lutherischen Vorverständnisses übersprungen ist.
302 Sanders 1977: 398–404 und parallel Schüpphaus 1977: 94–105.
303 Was Braun 1967: 24–26, 51 als guter Beobachter durchaus sieht, aber in seiner vorgefaßten Festgelegtheit nicht ernst genug nimmt.
304 So Braun 1967: 45.
305 Sanders 1977: 395; vgl. auch zur Kritik an Brauns »flächenhafter, konkordanzartiger Benutzung der Texte« Schüpphaus 1977: 13f. und passim; doch ist gg. die Formulierung seiner Kritik zu betonen, daß in der abgewehrten Beurteilung eben nicht ein »ntl Maßstab« vorliegt, sondern ein eher lutherischer, was aber bei der Komparatistik zwischen jüdischen und pl Texten leider oft zum Schaden der nötigen Klärungen verwechselt wird.
306 Schüpphaus 1977: 137 vgl. 132, 158 – wobei allerdings ebd. 131–137 die Bestreitung der spezifisch pharisäischen Züge, die Sanders weiterhin gegeben sieht, ein offener Diskussionspunkt bleibt.
307 Vgl. Weber 1897: 289ff. und dgg. Sanders 1977: 36–38.
308 So Stuhlmacher 1965: 162.   309 So Kertelge 1971: 42–45.

bei Bill.[310] sind die Belege dafür schwächer als man annehmen sollte. Ein wesentlicher Faktor dabei ist, daß das aram. Äquivalent zikut von Bill.[311] zu global und rein deduktiv als »Verdienst« bestimmt wurde[312] und auch nicht beachtet wird, daß die Targume zu Dt 33,21 den Plural bieten[313]. Wie bei Bill. so ist auch bei den letzten einschlägigen Arbeiten zum Thema zu beanstanden, daß sie bei der Behandlung der Frage mehr amoräisches (3. Jhdt.) als tannaitisches Material verwenden und zwischen beiden nicht differenzieren[314]. Man kann auch nicht Nomen und Adjektiv generell als ethisch und das Verb global als forensisch bestimmen[315]. Die erneute Analyse, die sich streng auf das tannaitische Material beschränkte[316], hat gezeigt, daß es wohl stimmt, daß das Prädikat »gerecht« primär denen zugelegt wird, die der Tora gehorsam sind und Übertretungen bereuen, doch daß dabei zugleich selbstverständlich vorausgesetzt ist, daß niemand, nicht einmal die Patriarchen, das Gesetz vollständig halten. Von daher ist es unzutreffend vom »Verdienen«, »Erwerben« oder »Selbstbeschaffen« zu reden, denn es geht um das Sein im vorgegebenen Bund –ohne davon abzufallen[317]. Man vergleiche dagegen R. Simeon (b.Jochai um 150): »Wenn ein Mensch sein Leben lang ein vollendeter Gerechter gewesen ist, am Ende aber abfällt (! – was mehr ist als bloße Übertretung), so verliert er alles: (typisch tendenziell fügt Bill. I 166 hinzu »sein ganzes frühere Verdienst«! – vgl. dgg. die auf Gott bezogene Ergänzung in der anschließenden Antithese); denn umgekehrt gilt: »Wenn ein Mensch sein Leben lang ein vollständiger Ungerechter (= Heide) war, zuletzt aber bereut, so nimmt ihn Gott an« (TosQidd 1,15a; pPea 16b; bQidd 40b). Daß also eine abrechnende Mehrheit der guten Werke über eine Minderheit von schlechten dominieren müsse, um das Prädikat »gerecht« zu rechtfertigen, stimmt offenbar nicht[318].

Es ist eine grundfalsche Behauptung, wenn man voraussetzt, daß »die religiöse Kernfrage des Frommen aus Pharisäerkreisen« laute: »Wie werde ich ein Gerechter vor Gott?«[319] Es ist im Gegenteil bemerkenswert, daß die typisch lukanische Frage, wie man ein Gerechter werde, gar nicht gestellt ist[320]. Wenn Weber vom »soteriologischen Lehrkreis« oder Bill.[321] vom »soteriologischen System der alten Synagoge« sprach, so ist zu betonen, daß es gar keine systematische Soteriologie der Tannaiten gab[322]: »The Rabbis did not actually have a general and comprehensive soteriology. If they had been animated by the question, ›who can be saved?‹, one must presume, that they would have dealt with it in their characteristically thorough and systematic fashion and that the state of the Gentiles would have been defined, distinctions among various Gentiles made, what God expected of Gentiles specified, and the like. Such discussions are notably absent from Tannaitic literature. The question which did animate the Rabbis was ›How can we obey God who redeemed us and to whom we are committed?‹ We can see the Rabbis wrestling with this problem on every page of the literature. Their

310 Bill I 251f., III 163f., IV/1 1–22.
311 Bill IV/1 10m, dem Kertelge 1971: 43 Anm. 119 unbesehen folgt – vgl. dgg. die Differenzierungen von Koch 1976.
312 Ziesler 1972: 119–121.
313 Wie schon Stuhlmacher 1965: 182f. gg. Bill und Oepke, denen Kertelge 1971 dennoch diskussionslos folgte, herausstellte.
314 Sanders 1977: 198f. gg. Mach 1957 und Ziesler 1972: 112–127.
315 Sanders 1977: 493 gg. die Faustregel Zieslers.
316 Zusammenfassend Sanders 1977: 198–205.
317 Ebd. 198, 203, 204f. gg. Kertelge 1971.
318 Ebd. 198, 205 gg. Ziesler 1972: 122, der darin noch dem common sense von Weber 1897 über Billerbeck bis in die Gegenwart folgte.
319 So Kertelge 1971: 43.   320 Sanders 1977: 205.
321 Bill IV/1 3ff. entsprechend.   322 Sanders 1977: 207.

discussions are almost exlusively carried out within the context of the covenant«
(ebd. 211).

9.7.3.2. Die Gerechtigkeitsproselyten als wahrer Hintergrund

Um den Hintergrund des pl Gebrauchs von »Gerechtigkeit« in Phil 3 im Zusammenhang der Auseinandersetzung mit den jüdischen Agitatoren verständlich werden zu
lassen, dürfte es hilfreich sein, den Blick auf die Tatsache zu lenken, daß die Verwendung des Nomens sädäk in der tannaitischen Literatur selten ist und sich – abgesehen
von biblischen Zitaten – häufiger nur in der Proselyten-Bezeichnung ger sädäk findet[323]. Der »Gerechtigkeits-Proselyt« ist aber derjenige, der sich beschneiden läßt und
sich so der ganzen Tora verpflichtet weiß im Unterschied zu den nur »Gottesfürchtigen«, den Beisassen im herkömmlichen Sinne (ger toschab) und außerdem den man-
cherlei – weil von Sekundärabsichten getragenen und dadurch abwertend von ihnen
abgehobenen – »Trugproselyten«, »Löwenproselyten«, »Träumerproselyten«, »sich
aufdrängenden Proselyten«, deren Antonyme aber eher »Wahrheitsproselyten« (ger
ämät) bzw. seltener »wirkliche Proselyten« (ger sadik) sind[324], während ger sädäk eher
vom ger toschab abgehoben wird. Der Ausdruck »Gerechtigkeitsproselyt« begegnet
schon in der 13. Tefillah des Achtzehn-Bitten-Gebets, des zweiten Hauptstücks des
synagogalen Gottesdienstes[325], und das Nomen wird in der zugehörigen Beraka wiederholt. Es sind die beiden einzigen Stellen, an denen diese Wurzel in diesem alten und
Pl sicher schon bekannten Gebet (abgesehen von der späteren 12. Beraka) vorkommt.
Die »Gerechtigkeits-Proselyten« »stehen zusammen mit den in der 13. Beraka erwähnten Israeliten in einem bewußten Gegensatz zu den in der vorausgehenden
Birkat-ha-minim verfluchten Apostaten des Judentums«[326]:

A　»Über die Gerechtigkeits-Proselyten

B　　　　　　　　　　　　　　　　rege sich dein Erbarmen

B'　　　　　　　　　　　　　　　und gib uns guten Lohn

A'　mit denen, die deinen Willen tun!

　　Gepriesen bist Du, Herr, Zuversicht der Gerechten.«

»Thus the definition of a proper proselyte is that he is a ger tsaddiq, a 'righteous
proselyte'; that is like a righteous (nativeborn) Israelite he obeys the Torah. A man who
does not intend to accept and obey all the Torah cannot be a true proselyte (TosDemai
2,5)«[327].

Damit aber fällt wohl entscheidendes Licht auf die Nötigung des Pl, sowohl den
galatischen wie korinthischen und philippischen jüdischen Agitatoren gegenüber von
»Gerechtigkeit« zu reden. Es ist ein herausfordernder Propagandaterminus, der mit
der Beschneidungsforderung eo ipso gegeben ist. Man hat nicht nur auf die Differenz
der Präpositionen zwischen Phil 3,6 und 3,9 zu achten, sondern auch auf die Differenz
der Zeiten. Phil 3,9 ist mißverstanden, wenn Gnilka formuliert: »Das Gesetz als Quelle
der Gerechtigkeit war der Trug von einst (!), der Zuversicht auf das Fleisch gleichge-
ordnet.«[328] Dabei ist übersehen, daß ἔχων V. 9 ebenso wie V. 4a auf die Gegenwart
bezieht, die objektiv durch das Novum der Auferweckung Jesu von den Toten bestimmt ist. Ebenso wie Röm 10,3 geht es hier – anders als an anderen Stellen über die
Gerechtigkeit – um »die Reaktion des gegenwärtigen Judentums auf das Evange-

---

323　Sanders 1977: 199 und 200 Anm. 96.
324　Bill II 615–619; Kuhn ThWNT VI 736f.; Kuhn-Stegemann 1962; Siegert 1973.
325　Vgl. dazu zuletzt Schäfer 1973: 404–409 und dazu 98f. zusammenfassend.
326　Kuhn ThWNT VI 737 Anm. 100.　　　327　Sanders 1977: 206.
328　Gnilka 194.

lium«[329]. Beide Male ist hier mit ἔχων darum von vornherein ein Irrealis gegeben: Angesichts der von Gott gesetzten und ermöglichten δικαιοσύνη ist ein Angebot einer anderen δικαιοσύνη, die damit konkurriert, von vornherein eine Illusion. In ἐμήν wie in dem analogen ἰδίαν von Röm 10,3 liegt darum das Moment der unbegründeten Subjektivität einer nur eingebildeten, selbstgebastelten δικαιοσύνη, für den Fall, daß Pl im Gegensatz zu der von Gott geschaffenen objektiven Realität weiterhin eine δικαιοσύνη für sich und andere annehmen wollte. Auch hier wird angesichts – und nur angesichts – des realen Pneuma als auferwecktem Jesus alles entgegenstehende für die Gegenwart von vornherein als κατὰ σάρκα erwiesen. Daher ist nun auch dieses ἐμήν zu Unrecht zur Charakterisierung des vorchristlichen Status herangezogen, wenn man daraus ableiten wollte, daß die rabbinische Gerechtigkeit als solche eine »selbstbesorgte« sei, die »der Mensch aus eigener sittlicher Kraft geschaffen« habe[330]. Weil es von vornherein um die gegenwärtig nicht existente, sondern nur gedachte δικαιοσύνη – τὴν ἐκ νόμου geht, darum kann hier auch nicht ἐξ ἔργων stehen, und man verzeichnet zusätzlich die Aussage dieser Stelle, wenn man so tut, als stünde dies da oder als wäre das ἐκ νόμου hier mit einem ἐξ ἔργων identisch. Beides ist so nicht der Fall.

Wurde den philippischen Christen also nahegelegt, durch Beschneidung mit himmlisch-pneumatischem Wesen angefüllt und so auch zu Gerechtigkeit-Proselyten zu werden, damit die Prädikate der himmlischen Weisheit wie »Geist« und »Gerechtigkeit« auf sie angewendet werden können, so ist die zugrunde liegende, zusammenhängende Konzeption verständlich; denn »auch die Rede von der ›Beschneidung‹ im Sinne des Ausziehens des Fleischesleibes (Kol 2,11) ist vermutlich schon eine dualistische Interpretation des hellenistischen Judentums«[331].

9.7.4. Bekehrung als Aufstieg in die Himmelswelt

Phil 3,12 war deutlich durch den Rückbezug auf V. 11 abgewehrt, daß Pl sich als »schon auferweckt« betrachtet. In V. 11 fällt nun nicht nur die einmalige Verwendung des Doppelkompositums ἐξανάστασις auf, sondern noch mehr der typisch pl Zusatz des präpositionalen Attributs τὴν ἐκ νεκρῶν, das man wiederum mit Bindestrich als redaktionellen Zusatz abzutrennen hat. Dieselbe Präpositionalwendung markiert ebenso wie 1Kor 15,12ff., wo sie gegenüber V. 1ff. plötzlich einsetzt, die Differenz der österlich begründeten Hoffnung von einem anderen Konzept von ἀνάστασις und macht so deutlich, was zur Auseinandersetzung ansteht[332].

Dasselbe wird in der parallelen Aussage auch 3,10b erkennbar, wenn man in Anschlag bringt, daß hier wie schon V. 3.8.9 die christologischen Zusätze die charakteristische pl Redaktion markieren[333], die also alle mittels Bindestrich vom Vorangehenden abgesetzt werden müssen; die beiden Akkusative sind ohnehin durch einen einzigen Artikel zur Einheit verbunden:

A τοῦ γνῶναι	–	αὐτὸν
B καὶ τὴν δύναμιν τῆς ἀναστάσεως	–	αὐτοῦ
B' καὶ κοινωνίαν	–	παθημάτων αὐτοῦ
A' συμμορφιζόμενος	–	τῷ θανάτῳ αὐτοῦ

Zur ἀνάστασις von 3,10 und ἐξανάστασις von V. 11 gesellt sich dann auch noch die dritte ἀνα-Wendung in V. 14 ἄνω κλῆσις, die ebenfalls durch ein kritisch korrigierend

329 Was Wilckens 1978: 178 als entscheidenden Differenzpunkt m. R. neu markiert.
330 So Kertelge 1971: 44.   331 Brandenburger 1967: 27.
332 Schmithals 1965a: 67f.   333 Klijn 1965: 283.

zugesetztes ἐν Χριστῷ umgedeutet wird. Der Sprachgebrauch ist von Philo her geläufig: »Mit der ἄνω κλῆσις Phil 3,14 ist die antizipierende Heraufberufung (ἀνάκλησις, ἀνακαλεῖν) des Propheten im Mosemysterium (Quaest in Exod II 46 f.) zu vergleichen, dort als neue Geburt, die aus der sarkisch-erdgeborenen Seinsweise ins eingestaltige Pneuma verwandelt.«[334] Dieser Hintergrund macht deutlich, warum Pl hier nicht die grundlegende Evangeliumsberufung bezeichnet, eben weil er sich von jener jüdischen Konversionsterminologie gerade absetzt.

Ein solches Hineinversetztwerden in die himmlische Lebenssphäre mit dem Eintritt in die Heilsgemeinde ist nicht auf das hellenistische Judentum beschränkt, sondern findet sich schon im Sprachgebrauch der Hodajoth von Qumran[335]:

»Ich preise dich Herr!
Denn du hast mich aus der Unterwelt gerettet,
ja aus dem Totenreich heraufgehoben zur ewigen Höhe.« (1QH 3,19 f., was nach 21 f. heißt »zur Gemeinschaft mit den Engeln«).
»Um aus dem Staub den Wurm der Toten heraufzuheben (rûm) zu ewigem Rat und vom verkehrten Geist zu deiner Einsicht« (1QH 11,11 f.).

Und 1QH 15,17 heißt das »aus dem Fleisch heraus seine Herrlichkeit aufrichten (rûm)«. Die Auferweckungsformulierung, die ein Erhöhungsgeschehen beschreibt, richtet sich immer auf den Anteil an der Sphäre göttlichen Lebens mittels der Zuwendung zu einer jüdischen Gruppe.

In Erzählung umgesetzt erscheint diese dualistische Weisheit in dem hellenistisch-jüdischen Bekehrungsroman Josef und Aseneth: JA 15,4 gibt die Zusage: »Von heute ab wirst du herauferneuert und heraufgeschaffen und herauflebendiggemacht (ἀνακαινισθήσῃ καὶ ἀναπλησθήσῃ καὶ ἀναζωποιηθήσῃ – wobei wie Phil 4,3 auch die Wendung vom »Buch des Lebens« erscheint, die dann offenbar auch Gegnerterminologie ist, wobei Pl betont, daß sie dies ja schon durch ihr Christwerden sind). JA 15,12 antwortet auf die Zusage mit dem Lobpreis: »Gepriesen sei der Herr, dein Gott, der dich gesandt hat, mich aus der Finsternis zu erretten und mich aus dem tiefsten Abgrund ins Licht heraufzuführen.« Genau in dieser Weise wird man sich die Agitatoren in Philippi vorstellen müssen: »Totenerweckung, Auferstehung ist ein gegenwärtiges, mit dem Eintritt in die jüdische Heilsgemeinde sich vollziehendes Geschehen. Es wird vermittelt mit einem sakramentalen Initiationsakt, der mit der Gabe des himmlischen Pneuma esoterisch Erkenntnis und unsterbliches Wesen verleiht. Die Errettung ist Heraufführung aus der Sphäre von Finsternis und Tod in eine Gemeinde, in der himmlisches Wesen präsent und epiphan ist und die zugleich in inniger Gemeinschaft mit der himmlischen Engelwelt steht.«[336]

Euodia und Syntyche waren in Philippi auf dem besten Wege dazu, zu solchen Aseneths zu werden. Da den Konvertiten JA 16,14ff. zugleich unaussprechliche himmlische Geheimnisse »offenbart« werden (ἀπεκαλύφθη), so ist die ironische Verwendung dieses Verbs in Phil 3,15b von daher als Aufnahme eines Terminus der Agitatoren deutlich. Dasselbe gilt von den Termini der »verwandelnden Gleichgestaltung« V. 10 (συμμορφίζεσθαι und antithetisch dazu auch V. 21 eschatologisches σύμμορφον wie Röm 8,29 als Reflex davon, wo außerdem auch das Synonym εἰκών erscheint) wie in den γνῶναι von V. 10 und τῆς γνώσεως, doch wiederum pl umgepolt durch den Bindestrich-Zusatz auf Χριστοῦ Ἰησοῦ τοῦ κυρίου. Die Agitatoren bieten

334 Brandenburger 1968: 174 Anm. 3; Lohmeyer 147 Anm. 3 und Gnilka 200 verweisen auch auf Plant 23: »Die von seinem Pneuma Erfüllten werden zum Göttlichen emporgerufen.«
335 Brandenburger 1967: 23 f.
336 Ebd. 26. Auch die (wohl spätere) 12. Beraka des Schemone Esre (s. o. S. 302) hat das Syntagma »Buch des Lebens«.

also der christlichen Gemeinde teils Dinge an, die sie selbst doch schon haben, und teils Dinge, die sie noch gar nicht haben können, weil sie dem auferweckten Herrn und seiner Zukunft eigen sind, und erweisen sich damit als Leute mit nur selbstgebastelten und vermeintlichen Gütern. Dies alles aber gilt nur, wenn und weil Pl von der Realität der Auferweckung ausgeht – andernfalls stünde hier nur ein subjektiver Anspruch gegen einen anderen.

9.8. Die Grundbestimmungen und Strukturen christlicher Existenz in Phil C

9.8.1. Der Beginn: Die Berufung durch den auferweckten Jesus

In Phil 3,7 wird die grundlegende Berufung des Pl in seiner Ostererscheinung zunächst nur mit der knappen präpositionalen Begründung διὰ τὸν Χριστόν markiert[337]. Man nenne das »geschichtliche Ereignis« aber lieber nicht »Bekehrung«[338], da Pl die Konversionsterminologie strikt meidet (μετανοεῖν wird bezeichnenderweise erst für innergemeindliche Vorgänge 2Kor 7,9f.; 12,21 verwendet und ἐπιστρέφειν nur 1Thess 1,9f. in einer vorpl Formulierung übernommen). Gerade Phil 3,7 wird durch die Begründungspräposition deutlich, daß die Umbewertung nicht als eine notwendige Voraussetzung für ein »Sich (!) -Bekehren« erscheint, sondern erst als unabweisbare Folge. Die kausale Fassung des διὰ τὸν Χριστόν von V. 7 wird V. 8c durch den Passiv-Aorist des Christwerdens bestätigt δι' ὃν τὰ πάντα ἐζημιώθην.

9.8.1.1. Die Erkenntnis

Dazwischen steht V. 8b dafür die erweiterte Wendung διὰ τὸ ὑπερέχον τῆς γνώσεως Χριστοῦ Ἰησοῦ. Dabei meint διά wiederum »because of«: »This logic – that God's action in Christ alone provides salvation and makes everything else seem, in fact actually be worthless – seems to dominate Paul's view of the law. This way of stating Paul's position modifies Bornkamm's view that on the basis of justification by faith Paul broke with the Jewish law. Precisely put, it was on the basis of salvation only through Christ.«[339] Die Art von Begriffsfetischismus einer falschen Semantik, die auch bei Bornkamm bestimmend ist, wird deutlich an der Art der Formulierung, daß Pl mit seiner Rechtfertigungslehre »sowohl dem ›Gesetz‹ wie auch dem, was ›Gerechtigkeit Gottes‹ heißt (!), eine alles umfassende Weite und Gültigkeit gegeben (!)« habe[340].

Die bei Pl einmalige Verbindung »Erkenntnis Christi« erklärt sich durch die Übernahme eines Terminus der Agitatoren; das Nomen ist ein nomen actionis, so daß das Christwerden als ein Erkenntnisakt bestimmt ist. Die nächste Parallele dafür ist die Bezeichnung der Berufung als »Gott erkennen« Gal 4,8f., die auf einem Erkanntwerden durch Gott beruht, d.h. einen objektiven Grund hat und das extra nos der Erkenntnis betont, was hier ebenso durch den Kyrios-Zusatz unterstrichen ist. Damit ist aber nicht etwa eine Besonderheit einer sog. »Glaubenserkenntnis« bezeichnet, sondern das Wesen jeder Erkenntnis, die sich im Unterschied zum bloßen Denken als

---

337 Lohmeyer 133; Gnilka 191.   338 Gg. Dibelius 68.
339 Sanders 1977: 485 vgl. auch 440 gg. Bornkamm 1969: 127f.
340 Bornkamm 1969: 128, was ein Schulbuchbeispiel für den Sprach-Idealismus des Jargons der Eigentlichkeit sein könnte.

von einem Gegenstand außerhalb des Subjekts bestimmt weiß, der »Übergegenständlichkeit« des Erkenntnisobjekts also, die jede realistische Erkenntnistheorie betont. »Auch beim Theologen liegen die Dinge ähnlich: das zu Erkennende ist es, wonach er sich zu richten hat.«[341] In der Erkenntnis ist es nie ein Subjekt, das sich eines Objekts »bemächtigt«, sondern immer drängt sich das Objekt der Erkenntnis des Subjekts auf. Wird das Gegenteil behauptet, so werden die konkreten Relationen dieses transzendentalen Aktes der Erkenntnis mit denen des anders strukturierten transzendentalen Aktes des Handelns verwechselt, wo in der Tat ein Subjekt an und mit einem Objekt anders umgeht; hier kann man in der Tat davon reden, daß sich das Subjekt eines Objekts »bemächtigt«, allerdings auch nur so, daß das Subjekt die realen Eigenschaften des Objekts für von ihm gesetzte Zwecke einsetzt, nicht aber irgend etwas, was das Objekt gar nicht hat[342]. Auf jeden Fall ist die Rede von einer »Verobjektivierung« oder der angeblichen »Subjekt-Objekt-Spaltung« als erkenntnistheoretischem Sündenfall eine Fiktion, die nur auf der Basis einer idealistischen Erkenntnistheorie mit ihrer Psychologie einer Herrschaft des erkennenden Subjekts behauptet werden kann[343]. Als die Gal (4,8f.) Gott erkannten oder Pl Christus erkannte, hat sich keiner von ihnen Gottes oder seines Messias »bemächtigt«, ebensowenig wie jede Rede des Pl »über« Gott als solche schon »Verobjektivierung« und als solche inadäquat wäre[344]. Daß nun diese Erkenntnis »als eine das gegenwärtige Leben prägende wirksame Kraft gedacht ist«[345], gilt ebenfalls von jeder Erkenntnis, da jede Erkenntnis eine pragmatische Folge intendiert und jeder semantische Gehalt ein illokutionäres Potential hat, es sei denn, daß man aus anderen als den gerade betonten Gründen oder wider bessere Einsicht handelt. Die Aussage, »daß dies Erkennen jedoch kein theoretischer Akt« sei[346], ist somit ebenso inhaltsleer wie irreführend, da kein kognitiver Akt des Bekanntwerdens ohne die konnotativen Aspekte des Vertrautwerdens geschieht. Jedes Erkennen ist Gnade, darum ist es unzutreffend, von einer besonderen Glaubenserkenntnis zu reden. Glaube im pl Sinne als Annahme ist eine Folge der Erkenntnis und fügt ihr in der Substanz nichts hinzu. Das Spezifikum dieser Erkenntnis liegt nicht darin, daß sie überhaupt zum Engagement führt (s. o. zu 1,9 das Zitat von Ramsey), sondern darin, daß hier eine Erkenntnis vorliegt, die von ihrem Gegenstand her den Charakter des »Umfassenden« (τὸ ὑπερέχον in diesem Sinne und nicht im angeblichen Sinne des der Vernunft Unzugänglichen s. o. zu 4,7 vgl. 2,3) hat. Das Neutrum-Singular dieses Partizips[347] ist für den pl Stil kennzeichnend und hat einen verstärkenden Akzent[348] (s. o. zu 4,5 wie 1Kor 1,25; 7,35; 2Kor 4,17; Röm 2.4 u. ö.)[349]. Das Lexem als solches hat aber weniger den semantischen Gehalt einer Wertung[350], sondern – wie 4,7 zeigte – bezeichnet es den alle Lebensbereiche umfassenden Charakter dieses Erkenntnisinhalts, daß Jesus zum Maßgebenden (κύριος) und Mitregenten Gottes (χριστός) auferweckt ist. Wegen dieses Sachgehalts muß jede Art vorhergehender Daseinsverfaßtheit von ihr aus beurteilt werden.

Über den Finalsatz Phil 3,8d–9a (ἵνα Χριστὸν κερδήσω καὶ εὑρεθῶ ἐν αὐτῷ) und die Parenthese V. 9b hinweg wird V. 10a in Fortsetzung der Finalkonstruktion τοῦ γνῶναι

---

341 Stammler 1969: 56 und insgesamt erhellend 48–76.
342 Hartmann 1960: 68–71; vgl. Jørgensen 1967: 13–22.
343 Stammler 1969: 76f. und insgesamt 67–77 gg. die personalistische Erkenntnistheorie; vgl. analog die Anwendung auf den theologischen Personalismus bei Jørgensen 1967: 40–42, 87f., 92–97.
344 Bultmann 1933: 26–37.   345 Gnilka 192.
346 Osten-Sacken 1975: 302 nach Tannehill 1967: 118f.
347 BauerWB 1163.   348 B–D–R 263.
349 Haupt 126 Anm. 1; Lohmeyer 133 Anm. 3; Zerwick 1963 Nr. 104.
350 Lohmeyer 131 »Überschwang«; Gnilka 191 mit Bauer »überragend«.

αὐτόν der Gedanke der »Erkenntnis« nochmals betont aufgenommen. Mit γνῶσις ist sicher das semantische Moment der persönlichen Bekanntschaft und des Vertrautwerdens miteinander eingeschlossen[351], doch auch ein solches Verhältnis ist nicht ohne aussagbare Sachgründe[352].

9.8.1.2. Die Kategorie der Teilhabe (Partizipation)

Die drei Aoriste der Finalwendungen 3,8d–9a und 10b weisen auf den Anfang des Christwerdens. Doch wovon hängen diese finalen Wendungen ab? Wird »in dem Finalsatz mit ἵνα Christus als der Zweck des σκύβαλα ἡγεῖσθαι geltend gemacht«[353]? Dagegen sprechen die Aoriste als solche wie die Tatsache, daß vorher Christus als Grund des aoristischen ἐζημιώθην (V. 8c) erschien. Das heißt aber, daß die Zusammenhänge in der Sache dagegen sprechen, den Finalsatz syntaktisch – wie Haupt voraussetzte – mit dem unmittelbar voranstehenden Präsens zu verbinden und von ihm abhängig sein zu lassen. Außerdem müßte dann in V. 10a der Aorist γνῶναι etwas anderes meinen als das entsprechende Nomen γνῶσις in V. 8.

Nun war schon in der Strukturanalyse der Argumentation deutlich geworden, daß das Präsens καὶ ἡγοῦμαι σκύβαλα als adressatenorientierte Beispielmarkierung und damit als Parenthese erschien. Der Finalsatz V. 8d–9a ist aber nicht in der Weise paränetisch orientiert, daß Pl damit sagen wolle, daß »alle sich (!) auf das gleiche Ziel hin ausgerichtet sehen können und sollen (!)«[354]. Dagegen spricht auch, daß die Erkenntnis ja der Berufung nachfolgte und als deren Konsequenz wiederum die Umwertung der vorösterlich bestimmten Daseinsverfaßtheit. Ganz klar »spricht der Finalsatz auch nicht von dem Ziel des einstigen Juden Saulus, der in ihm die Fülle des mit seiner Bekehrung geschenkten Heils umfaßt«[355].

Also ist der ἵνα-Satz doch über die Parenthese mit dem Präsens ἡγοῦμαι hinweg auf den passiven Aorist ἐζημιώθην zurückzubeziehen und von ihm abhängig zu sehen, und als Subjekt auch des Finalsatzes kommt somit das in dem passivum divinum eingeschlossene Semem »Gott« in Frage: Es ist Gottes Absicht, die sich im Aorist der Berufung durch Christus ausspricht[356]. Gott hat ihm doch durch die Erscheinung des Auferweckten alles vorherige zunichte gemacht, damit er nach Gottes Absicht »Christus« (also den auferweckten Herrn) »gewinnen« sollte (nicht als verfügbaren Besitz, sondern als den, der er ist), was identisch ist mit dem folgenden, durch ein epexegetisches καί explizierend angeschlossenen passivischen εὑρεθῶ ἐν αὐτῷ. Dabei handelt es sich nicht um ein »formelhaftes ἐν Χριστῷ«[357], sondern konkret um die lokale Angabe des Herrschaftsbereichs: damit Pl dort seinen Platz und Ort haben kann (s. o. zu 2,7). In εὑρίσκειν liegt nicht der Gedanke des »Urteils« Gottes und des »letzten Gerichts«[358], und das Verb dient nicht zur Bezeichnung einer »himmlischen Abrechnung« im Gericht[359]: von Gal 2,17 her ist εὑρεθῆναι = »to be«, »sein«[360]. Auch 1Kor 4,2 wie Q-Lk 12,42f. und PsSal 17,8 ist der Gerichtsbezug nicht in diesem Verb als solchem

---

351 Gnilka 193 Anm. 48; Belege bei BauerWB 325.
352 Vgl. Pannenberg 1967: 223ff. 353 So Haupt 126.
354 So Gnilka 193.
355 Lohmeyer 136 – aber spricht er darum »vom Ziel des jetzigen Apostels Pl« (ebd.)? Dann wäre der Finalsatz eine Willenserklärung, die meinte, »damit der Auferweckte mein Gewinn bleibe, ja ich immer in seinem Herrschaftsbereich angetroffen werde«; doch auch dagegen sprechen die Aoristformen.
356 Ewald 174f.
357 So Gnilka 193 nach Dibelius und Stuhlmacher 1965: 99.
358 Gg. Lohmeyer 136; Gnilka 194. 359 Gg. Stuhlmacher 1965: 99 Anm. 3.
360 So als Antithese m. R. von Beare 116 mit Burton 126 z. St. betont.

gegeben[361]. Schließlich ist diese Art von Gerichtsvorstellung, die man hier vorauszusetzen meinte, zwar abendländisch verständlich, doch der pl Gerichtsvorstellung der Zukunft der Christen, die nur ein Gericht der Werke ist, nicht adäquat.

Dahinter steht das zu sehr verallgemeinernde unzutreffende Postulat: »Das gesamte Spätjudentum hat im Gesetz den Verkläger der Menschen im Endgericht erblickt, nach dessen Spruch Gott sein Gerechtigkeitsurteil oder die Verwerfung aussprach . . . Vor der Taufe glaubte Pl, dem Schiedsspruch des Gesetzes ruhig entgegensehen zu können (V. 6b), und konnte daher im Gesetz einen νόμος ζωῆς sehen. Nach der Taufe wartet er auf Gottes Spruch ruhig nur noch ἐν Χριστῷ.«[362] Dagegen spricht aber zweierlei: Χριστός wird nie (mit Ausnahme der abweichenden Ad-hoc-Verbindung mit ἡμέρα in 1,6.10; 2,16 s.o.) mit der Parusie verbunden, und das ist nicht zufällig, da dieses Prädikat ja speziell den auferweckten Herrn vor seiner Parusie bezeichnet. Dieses »messianische Intermezzo« findet nach 1Kor 15,28 mit der Parusie ein Ende. Wegen dieser geschichtlichen Fassung der pl Christologie mit einem Einschnitt vor der endgültigen Alleinherrschaft Gottes ist der andere, aus der altkirchlichen Christologie eingetragene Gedanke einer dauernden Göttlichkeit Jesu, strikt herauszuhalten, denn er führt leicht zu einer mangelnden Differenzierung in der Christologie und so zur Verzeichnung der spezifisch pl Positionen, besonders im Blick auf Gerichtsaussagen. Ebenso ist im Sinne dieser Differenzierung zu beachten, daß die Präposition ἐν dabei immer den nachösterlichen Stand der Gemeinde und des einzelnen in ihr bezeichnet[363], daß es aber kein endeschatologisches ἐν Χριστῷ gibt, sondern dafür σύν verwendet wird; ἐν Χριστῷ hat eine funktionelle Verwandtschaft mit der Pistisformel (ebd. 141,143) und bezeichnet dann immer lokal den Herrschaftsbereich des gegenwärtigen messianischen Zwischenreiches. Dann also blickt der Aorist von Phil 3,9a auf die Berufung zurück: εὑρεθῶ ἐν αὐτῷ erläutert Χριστὸν κερδήσω.

Dies wird dadurch bestens bestätigt, daß die nächste ausdrückliche Wiederholung des Prädikats Χριστὸς Ἰησοῦ in 3,12 wiederum mit dem passiven Aorist der österlichen Berufung steht. Alles derzeitige Streben des Pl ist davon bestimmt: ἐφ᾽ ᾧ καὶ κατελήμφθην ὑπὸ Χριστοῦ Ἰησοῦ. Das adverbiale καί weist darauf zurück, daß Pl diesen Akt der Vergangenheit schon nannte, daß er also Voraussetzung für das ist, was ihn gegenwärtig und künftig bestimmt. Das kausale ἐφ᾽ ᾧ = »weil«[364] stellt diese Verbindung der »drei Stadien« von Christusbestimmtheit in Vergangenheit, Gegenwart und Zukunft her[365]. Der Aorist bezeichnet »ein einmaliges Geschehen der Vergangenheit«[366]: »Christus ergreift uns, indem er gnadenvoll uns in seine Gemeinschaft hineinzieht.«[367] Pl rekurriert wie in V. 7 immer wieder auf seine Ostererscheinung. Dieser entspricht bei den Philippern die Berufung durch die Osternachricht. Man muß auch dabei exakt der pl Verhältnisbestimmung von Evangelium und Bekenntnis entsprechend differenzieren und beides nicht zu undifferenziert in eins setzen. Denn Evangeliumsformel und Bekenntnisformel sind materialiter wie titular unterschieden, und außerdem folgt das Bekenntnis erst der Ausrichtung der Osternachricht in der Evangeliumsformel (Röm 10,14ff.). Diese feste Struktur wird aber verunklart, wenn man formuliert, daß das Ergriffenwerden, das Pl durch den auferweckten Mitherrscher erfuhr, seine »Entsprechung« in der Übernahme (!) von Glaubensbekenntnis (!) und Taufe (!) der Philipper habe: »Ihre Taufe ist die Analogie zu Damaskus.«[368] Diese

---

361 Gnilka 124 Anm. 50 gibt Beare falsch wieder, da diesem wirklich daran liegt, daß beide
   Verben hier synonym sind und damit ein Gerichtsbezug ausgeschlossen ist.
362 So Stuhlmacher 1965: 100.   363 Kramer 1963: 142f.
364 B–D–R 235,2; 294,2.   365 Lohmeyer 145.
366 Ebd.   367 Ewald 187f. Anm. 4.
368 Gnilka 198 nach Stuhlmacher 1965: 100.

leichte Verschiebung scheint vom Axiom des eine lange Zeit herrschenden altkirchlichen Verständnisses der Taufe als Sakrament her selbstverständlich, verzeichnet aber die pl Aussagen, da der »Übernahme des Glaubensbekenntnisses« eben das hier genannte Hineingerissenwerden in den Herrschaftsbereich des Auferweckten durch die berufende Benachrichtigung davon vorausgeht. Die Taufe ist darum niemals die Entsprechung der »Damaskusstunde« des Pl oder einer anderen Ostererscheinung. Die Taufe gehört in der Struktur von Phil 3,12 nicht in den Bereich des grundlegenden »Ergriffenwerdens«, sondern stellt ebenso wie das Bekenntnis den Beginn des διώκειν dar, des darauffolgenden Stadiums, das das gegenwärtige Leben der Christen ausmacht. Schließlich und endlich wird dieses erste Stadium der Berufung zum Christen im Text nochmals 3,16 durch εἰς ὃ ἐφϑάσαμεν wiederholt; der Aorist ἐφϑάσαμεν nimmt synonym das κατελήμφϑην von V. 12 auf.

Aus der Sicht dieser Zusammenhänge heraus erhebt sich die Frage, wie das in der überfüllten Aufeinanderfolge von Attributen nachklappende ἐν Χριστῷ Ἰησοῦ in 3,14 zu verstehen ist. Das Problem wird schon dadurch markiert, daß p[46] es erleichternd ausgelassen hat. Es steht betont am Ende, wird aber nicht in der zu erwartenden pl Art als präpositionales Attribut mit τῆς ἐν Χριστῷ Ἰησοῦ angeschlossen[369]. Meist meint man, daß die Wortstellung dennoch dazu zwinge, es auf das nomen actionis κλῆσις zu beziehen: »Nicht unmittelbar durch Gott erklingt der Ruf, sondern wie die Wortstellung lehrt, in Christo Jesu. Dieses ἐν ist also instrumental, nicht lokal.«[370] Einer nur satzbezogenen mikrosyntaktischen Semantik mag diese Auskunft genügen. Dennoch stellt sich unter dem paradigmatischen Aspekt des Wortfeldes wiederum die Frage, ob dies möglich ist, weil ἐν Χριστῷ von Pl nicht eschatologisch verwendet wird. Im Sinne der Deutung Lohmeyers würde man eher ein διά erwarten. Beachtet man dagegen einmal die makrosyntaktischen Zusammenhänge und fragt textsemantisch, so will beachtet sein, daß sich V. 13 f. bisher in seinen ersten beiden Gliedern als verstärkende Wiederholung von dem Negativum V. 12a und dem Positivum von V. 12b erwies, wobei der positive Mittelteil in der Wiederholung als besonders verstärkend ausgebaut und damit als Träger des Haupttons erscheint. Sollte nun aber V. 12c nach diesem Gefälle keine Entsprechung in V. 14 haben? Dies ist nicht der Fall: Eben mit dieser nicht determinierten präpositionalen Schlußwendung ist für den Leser, der den Zusammenhang als Wiederholung von V. 12 her liest und der in seiner Sprache von Pl bestimmt ist, klar, daß genau V. 12c hier abkürzend erinnert ist: ἐν Χριστῷ Ἰησοῦ ist formelhaft abkürzende Wiederholung und Erinnerung von κατελήμφϑην ὑπὸ Χριστοῦ Ἰησοῦ. Dieses wird auch mit der Verwendung des Doppelnamens statt eines bloßen χριστός deutlich erinnert. Dann aber ist ἐν Χριστῷ hier mit V. 12c synonym und bezeichnet in formelhafter Abkürzung den Rückgriff auf das die christliche Existenz begründende Ereignis der Berufung durch den auferweckten Jesus.

9.8.1.3. Die Kategorie der Zurechtbringung

Die V. 9b angeschlossene Parenthese gibt zugleich noch eine weitere, durch das δικαιοσύνη-Angebot der jüdischen Agitatoren herausgeforderte synonyme Beschreibung des vorangehenden Chiasmus

---

369 Ewald 191.
370 Lohmeyer 147 Anm. 6; Haupt 141: »Diese Berufung findet ἐν Χριστῷ statt, d. h. sie ist in seiner Person gesetzt.«

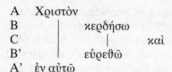

A Χριστòν

B | κερδήσω

C | | καὶ

B' | εὑρεθῶ

A' ἐν αὐτῷ

mit dem folgenden Chiasmus, »weil der ganze Partizipialsatz ja nur eine nähere Explikation der Ausdrücke Χριστòν κερδαίνειν und ἐν αὐτῷ εὑρίσκεσθαι ist«[371]:

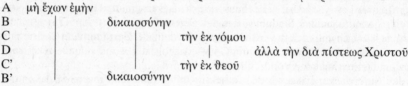

A μὴ ἔχων ἐμὴν

B | δικαιοσύνην

C | | τὴν ἐκ νόμου

D | | | ἀλλὰ τὴν διὰ πίστεως Χριστοῦ

C' | | τὴν ἐκ θεοῦ

B' | δικαιοσύνην

A' ἐπὶ τῇ πίστει.

Die weitere Kontextsynonymie mit dem »Ergriffenwerden von Christus« V. 12 bestätigt aufs beste die Richtigkeit von Käsemanns referenzsemantischer Bestimmung, daß Gerechtmachung als Zurechtbringung dies sei, daß der auferweckte Jesus die Herrschaft über das Leben eines Menschen ergreife. Diese Berufung durch Gott in seinen Dienst, sein Zurechtbringen, geschieht »durch« die πίστις Χριστοῦ.

Dieses Syntagma verwendet Pl 6mal – und zwar immer in der präpositionalen Wendung mit ἐκ = διά und immer im Zusammenhang mit der Gerechtmachungsaussage[372]. Der Genitiv hat seine spezifische Funktion in diesem Syntagma darin, πίστις eindeutig und unverwechselbar zu bestimmen. Dies ist nötig, da nämlich die Verbindung von δίκαιος und πίστις in der pl Argumentation zunächst eine aus der LXX übernommene Korrelation ist[373]. Das δίκαιος ἐκ πίστεως aus Hab 2,4 wird Gal 3,11 und Röm 1,17 direkt als Beweistext zitiert und die Korrelation der beiden Termini wird danach jeweils öfter darauf anspielend wiederholt; die flankierende, analoge zweite Belegstelle Gen 15,2 wird ebenfalls Gal 3,6 und Röm 4,3.9 zitiert. So stehen 18 von 21 πίστις-Stellen des Gal und entsprechend 27 von 35 Stellen des Röm allein in dieser LXX-Korrelation fest verbunden[374]. Darum kann nicht bestritten werden, daß diese Formel eine antijüdische Kampfesformulierung ist[375]. Wie Gal 2,15ff. als pl Argument Petrus gegenüber zeigt, liegt der Ursprung wohl darin, daß sich schon die Urapostel als Juden ihre nachösterliche Identität spätestens seit dem Apostelkonzil damit vom AT her klärten, denn Pl beruft sich auf eine ihnen darin gemeinsame Basis[376]. Wesentlich dabei ist, daß der von Pl verwendete, nicht aber von ihm geschaffene apostolische Glaubensbegriff des Pl exakt bestimmt wird: »Glaube« ist nicht nur primär oder im Kern oder vor allem das Annehmen der Osternachricht, sondern

371 Haupt 129.
372 Gal 2,16a.b; 3,22; Röm 3,22.26 – vgl. Wißmann 1926: 48.
373 Taylor 1966: 60f.; Sanders 1977: 491 Anm. 55.
374 Goppelt 1976: 455.
375 Wrede 1904: 72–89; Schweitzer 1930: 220–226; Stendahl 1963: 204ff.; Käsemann 1969: 125f.; Sanders 1977: 436ff., 491f., 502f.
376 Hübner 1980: 454f. gg. Strecker 1976, der meint, Pl habe diese Argumentation erst nach dem 1Thess, das als ältestes Schreiben angenommen wird, entwickelt. Doch liegt eventuell schon eine Frucht der Gal 1,18 genannten ersten Petrus-Paulus-Begegnung in Jerusalem vor, falls der Antiochia-Zwischenfall vor der Jerusalemer Abmachung zu datieren ist, wie Lüdemann 1980 wahrscheinlich gemacht hat. Auf jeden Fall ist sie wegen der Argumentationsgrundlage in Antiochien als ein Paulus und Petrus gemeinsames Ergebnis der logischen Syntax des Evangeliums auch in der Formulierung anzusehen, so daß man gar nicht von einer spezifisch pl Rechtfertigungslehre oder Rechtfertigungsbotschaft sprechen kann. Vgl. Schenk 1972.

überhaupt dies und nur dies, sofern er von Christen redet und wenn man von der historischen Abrahamargumentation einmal absieht. Pl hat auf jeden Fall keinen solchen Glaubensbegriff, daß das ganze Christsein Glaube sei (was sich erst in den je verschiedenen Christentümern des Lk einerseits und des Joh andererseits abzeichnet, bei denen der Terminus die Annahme ihrer eigenen, spezifischen Schrift meint), noch daß Glaube ein persönliches Gottes- oder Christusverhältnis beschreibe. In derselben Relation steht das zugehörige δικαιοῦσθαι, das nicht ein ständig wiederholter Dauer-vorgang ist, das auf die lutherische Frage »Wie kriege ich einen gnädigen Gott?« oder die lk Frage »Was muß ich tun, um gerettet zu werden?« antwortet, sondern indem die Osternachricht angenommen wurde, hat sich die in den Dienst Gottes stellende und dafür qualifizierende Zurechtbringung Gottes vollzogen. Die individuelle Heilsfrage geht vom Gericht und der Verlorenheit als vorgeordneten Axiomen aus, während Pl von der Auferweckung Jesu als dem objektiv und grundlegend gesetzten Ausgangs-punkt ausgeht, von dem her alle anderen Themen und Sachverhalte auf eine neue Weise in den Blick geraten. Die Gerechtmachung ist aber nicht ein Dauerproblem des Individuums, das sich und seine Heilsfrage als Gewißheitsfrage ständig thematisiert: »The important thing to note is that ›righteousness‹ is primarily a transfer term in Paul.«[377]

Aktuell wird die Frage für die, die schon Christen sind, in Situationen wie Phil 3, in denen ein substantieller Abfall von dem die Dienstschar konstituierenden auferweck-ten Jesus droht. Dort muß dann die Basis wieder zur Geltung gebracht werden, indem die Gemeinde »zurechtbringend« auf ihren richtigen Weg zurückgerufen wird. Doch dies geschieht mit einer Erinnerung an das anfängliche δικαιοῦσθαι und nicht durch ein erneutes: »Rather the two terms ›being found in him‹ and ›having the righteousness which is based on faith‹ simply stand together. Further in standing together, it is evident by the participationist terms of ›being found in Christ‹, sharing his sufferings and death (and consequently sharing eventually in his resurrection) and belonging to Christ which determine the whole thrust and point of the passage. The concern is not with righteous-ness as a goal in itself, nor is righteousness treated as a necessary preliminary to being in Christ. The righteousness terminology enters because of the discussion of the attacks of Jews and their apparent charge that they and not the Christians are the true circumci-sion (Phil 3,3). The soteriology of the passage – being found in Christ, suffering and dying with him and attaining the resurrection – could have been written without the term righteousness at all.«[378] Sie ist dadurch bedingt, daß die Agitatoren die Phil durch die Beschneidung zu vollen »Gerechtigkeits-Proselyten« machen wollen. Falsch ist und abgewiesen wird alles, was die Auferweckung Jesu als geschichtlich gesetztes Novum überbieten, ergänzen oder vervollkommnen soll, sei es hier die Mosetora, sei es aber auch später eine als Offenbarung der Weisheit gedeutete Jesushalacha (wie in der Q-Redaktion oder der des Mt) oder eine als Geistmanifestation verstandene Jesus-Haggada (wie in der mk und lk Redaktion) bzw. die Kulmination der verwendeten Mythologeme in der Konzeption des 4. Evangeliums. Die phil Auseinandersetzung hat sachkritische Implikationen für eine Theologie des NTs insgesamt. Es ist aufregend genug, daß dort weithin in der Substanz das vertreten wird, was Pl in seinen Abwehrre-den hier verwirft.

Die strikte Bindung der πίστις an die Osternachricht, die Pl schon vorgegeben ist,

---

377 Sanders 1977: 501; dies wird von Kertelge auch EWNT I 784–796 noch nicht beachtet. Von
     Luther her wird aber damit in der Tat ein sich ständig neu wiederholender Vorgang (Verge-
     bung) beschrieben, was jedoch eine Umkodierung darstellt: McGrath 1982.
378 Sanders 1977: 505.

erklärt auch, warum Χριστός in diesem Syntagma und auch sonst abbreviaturhaft für »Evangelium« stehen kann und ebenso, warum Pl πίστις objektiv als Synonym für »Evangelium« und seinen Inhalt setzen kann. So nennt bezeichnenderweise die erste Stelle in Gal 1,23 in einem Satz, der eine Meinung der alten Jerusalemer Gemeinde zitiert, πίστις als Objekt des εὐαγγελίζεσθαι. Diese πίστις ist es dann, die Gal 2,16 mit dem doppelten πίστις Χριστοῦ Ἰησοῦ aufnimmt. Gal 3,2.5 kommt auf diesen Zusammenhang mit der Wendung ἀκοὴ πίστεως zurück, um dann 3,7.8.9.11.12.22 wiederum ein ἐκ (bzw. V. 14 διά) πίστεως folgen zu lassen; 3,23 kehrt zur Grundlage zurück mit der Wendung vom ἐλθεῖν τὴν πίστιν als ihrem geschichtlichen In-Erscheinung-Treten (= V. 25, was V. 23b synonym mit ἀποκαλυφθῆναι ebenso deutlich als geschichtliche Realisierung bezeichnet wird), woran sich nun zum dritten Male im Verlauf des Gal wiederum V. 24 ἐκ bzw. V. 27 διὰ πίστεως anschließt. Diese Stellen nicht nur isoliert nebeneinander, sondern in ihrem Bezogensein aufeinander im Textverlauf textsemantisch zu sehen, ist aufschlußreich. Da es im Textverlauf immer dieselbe πίστις ist, so ist das Nomen nicht nur an den drei Basisstellen Gal 1,23; 3,2.5.23.25, sondern auch an den jeweils darauffolgenden deutlich objektiv als Bezeichnung des Inhalts der Osternachricht gemeint zu verstehen. Dieser ist es, der Gerechtmachung (2,16; 3,8.24) = Geistbegabung (3,5.14) = Sohnschaft (3,7.26) gewährt. Dagegen besteht angesichts dieser Synonymie Anlaß genug, darauf hinzuweisen, daß aber statt dessen niemals »Sündenvergebung« oder ähnliches steht. Das widerstreitet der lutherisch bestimmten Auffassung, daß pl δικαιοῦσθαι wesentlich forensisch und imputativ (»Freispruch«) bestimmt sei, »indem Gott dem sein Heilsvertrauen auf Christus Setzenden den Stand der Gottwohlgefälligkeit zuerkennt«[379]: »The forensic sense (acquittal) seems almost totally missing in Galatians, and I would take Gal 2,15–21 to be constructively an argument, that salvation is by faith and not by works of law, not that one is forensically declared righteous or forgiven or ethically made righteous.«[380]

Vor allem mit dieser objektiven semantischen Fassung von πίστις = Evangeliumsinhalt entfällt die Alternative, daß »Glaube« wesentlich formal als passive Haltung, Gesinnung oder Vertrauen bestimmt sei, weil man »Werke« antonym als »Leistung«, Tat und dergleichen verstand und als bestimmend für den Entwurf des Glaubensbegriffs ansah. Wie man sich auch dreht und wendet, erscheint dann doch ein so verstandener Glaube als eine Art ermäßigter Bedingung: »Durch Glauben gerechtfertigt werden, heißt nicht: du mußt glauben, damit du gerechtgesprochen wirst, sondern es heißt: du brauchst nichts als zu glauben.«[381] Diese gewundene Lösung ist nicht befriedigend – doch sie braucht auch nicht zu befriedigen, weil sie schon von einem falschen Ansatz ausgeht: Es kommt nicht auf die Einstellung als solche, sondern auf das Objekt an.

Daß das Substantiv πίστις in der Wendung ἐκ πίστεως kontextsemantisch im objektiven Sinne und nicht als nomen actionis gebraucht wird, wird auch daran deutlich, daß das Verb πιστεύειν, das Gal in seinen aktiven Verbformen nur 3mal verwendet, als subjektives Handlungsverb deutlich zu diesem objektiven Gebrauch des Substantivs in Beziehung gesetzt wird, indem es nämlich immer ihm nachfolgend gesetzt wird (2,16; 3,22 sowie im Zitat 3,6). Gerade diese Aufeinanderfolge, die den meisten, die das nomen als ein actionis verstehen, nur als eine redundante Doppelung erscheint, wird einsichtig, wenn man sie als sachlich notwendige Folge (als ἀκοή im Sinne der sachli-

379 So Ewald 176 Anm. 1.
380 Sanders 1977: 494 vor allem gg. Bultmann 1958: 270–274 und alle, die ihm darin folgen.
381 Haupt 128 dgg. Schenk 1972a und 1975.

chen Relation von Röm 10,14ff.), also als Annahme der πίστις (= Evangeliumsverkündigung) bestimmt (vgl. analog Röm 1,16f.; 3,22; 10,6–8–9f.)[382].

Im Sinne des Verbs kann natürlich auch einmal das Substantiv als nomen actionis stehen, doch ist dies jeweils erst nachzuweisen und kann nicht als selbstverständlich angenommen werden. Ein genau solcher Fall scheint hier Phil 3,9 in der präpositionalen Schlußwendung aber vorzuliegen, zumal man nach Analogie der Stellen im Gal und Röm nun das Verb erwartet und sofern hier das bei Pl einmalige Syntagma ἐπὶ τῇ πίστει folgt. Auch dies erscheint nicht mehr als tautologische Doppelung, wenn man die Analogie der vorgenannten Stellen heranzieht. Die Stelle bildet meist eine Verlegenheit: Gnilka[383] sieht in der ersten Präposition die Ursache, in der zweiten den Grund, auf dem die Folge beruht, angegeben, ohne die Art dieser Differenz zu verdeutlichen; Lohmeyer[384] differenziert die erste Wendung auf das »Tun Gottes am einzelnen« und das zweite als »Beschenktwerden des einzelnen« – wobei allerdings außerdem auffällt, daß Pl charakteristischerweise nicht dergestalt wie die abendländische, an »Gott und der Seele« orientierte Tradition auf den einzelnen abhebt, sondern die Gemeinde als berufene Dienstschar primär im Blick hat. Immerhin treibt Lohmeyer die Differenzierung weiter: »Jene sieht ihn sub specie Dei et Christi, diese auch sub specie animae. Das wird durch nichts deutlicher als dadurch, daß der einheitliche Ausdruck διὰ πίστεως Χριστοῦ in den doppelten ἐκ θεοῦ . . . ἐπὶ τῇ πίστει zerlegt wird.«[385]

Dieses ἐπί kausal zu nehmen, liegt nahe[386]. Dennoch ist nach der Funktionsbestimmung des Substantivs im Sinne eines nomen actionis, das dem sonst nachgeordneten Verb entspricht, eine final-konsekutive Fassung naheliegender, wie sie Röm 1,17 nach ἐκ πίστεως mit εἰς πίστιν gegeben ist[387]. Dafür spricht auch, daß gerade Berufungsaussagen wie Gal 5,13 (ἐπ' ἐλευθερίᾳ »zur« Freiheit) und 1Thess 4,7 (οὐκ ἐπὶ ἀκαθαρσίᾳ nicht »zur« Unreinigkeit) ein solches finales ἐπί verwenden[388]. Diese Lösung legt sich auch darum nahe, weil sie den Übergang verständlich macht: Pl läßt die Parenthese final enden, weil er mit dem finalen Infinitiv V. 10a τοῦ γνῶναι αὐτόν fortfahren will. Daß indessen die Präpositionalwendung mit einem kausal verstandenen ἐπί auf die Fortsetzung in V. 10a zu beziehen sei (»auf daß auf Grund des Glaubens – und nicht auf Grund fleischlicher Vorzüge – ich erkennen möchte ihn«[389], setzt semantisch eine dogmengeschichtlich bedingte unpl Zuordnung von Glaube und Wissen und damit ein anderes Glaubensverständnis voraus, und man würde in dem dabei angenommenen Falle die Präpositionalwendung dann doch eher zwischen τοῦ und γνῶναι erwarten. So aber erweist sich im Gegenteil das γνῶναι mit πίστις als nomen actionis bedeutungsgleich.

Innerhalb der chiastischen Antithese von Phil 3,9 (A:A') steht der abschließenden Präpositionalwendung am Anfang ἔχων ἐμήν als eingebildete Illusion gegenüber, so daß in πίστις als nomen actionis der geschichtliche Realitätsbezug als Gegensatz zur bloßen Einbildung das semantisch bestimmende Moment ist, nicht aber der »Gehorsamscharakter«[390].

382 Dazu Schenk 1972a mit Zustimmung von Lührmann 1976: 37.
383 Gnilka 194 Anm. 57.   384 Lohmeyer 137 Anm. 2.   385 Ebd.
386 B–D–R 235,2.   387 Dazu Schenk 1972a.   388 B–D–R 235,4.
389 So Ewald 176f. nach Chrysostomus, Theodoret, Erasmus, Hofmann mit formalem Verweis
    auf LXX 2Regn 6,2; Jes 10,32.
390 So Gnilka 194 nach Kertelge 1971: 170–178, der darin ganz von Bultmann bestimmt ist und
    ohne die traditionsgeschichtlichen und formkritischen Präzisierungen von Kramer 1963: 41–
    44 arbeitet. Der existenzialistische Grundansatz spitzt sich noch zu, wenn nach Kertelge ebd.
    173 schon »Einsicht in die Wahrheitsgründe des Kerygmas« zu einem »rein eigenmächtigen
    Entschluß des Menschen« führen soll. Das ist so ungefähr das genaue Gegenteil von dem, was

Pl kann vielmehr gerade das nomen actionis πίστις am Schluß von V. 9 in V. 10a direkt mit dem Aorist γνῶναι aufnehmen, weil die Annahme der Osternachricht eine erkennende und verstehende Annahme ist[391]. Darum ist es auch nicht verwunderlich, wenn 1Kor »Glaube« als Substantiv und Verb nur je 7mal begegnet, dagegen aber »Erkenntnis« Gottes 10mal und »erkennen« 12mal[392]. Das pl aoristische πιστεῦσαι ist semantisch identisch mit dem, was man später fides historica (als notitia und assensus) nannte[393], nicht aber primär mit fiducia, bzw. dies nur Röm 4,16–23, wo in der Tat ein anderes Moment betont ist als in den allerdings dies grundlegend umklammernden Stücken 3,21ff. und 4,24f.[394], und darum kann Röm 4,16–23 nur als Partialaspekt und Folgeaussage gesehen, nicht aber zum Ausgangspunkt und zur Grundlage der Bestimmung des semantischen Konzepts des pl Glaubensbegriffs gemacht werden.

9.8.2. Die Gegenwart der christlichen Existenz

9.8.2.1. Die Lebensgestaltung unter dem auferweckten Herrn

Die Argumentationsanalyse hat schon deutlich gezeigt, daß die Grundimperative zum στοιχεῖν 3,16a (im Anschluß an den Aoristindikativ ἐφθάσαμεν) und 4,1 zum στήκειν das christliche Leben im Sinne von 1,27ff. (s. o.) bezeichnen. Zusammen mit ihnen stehen die Synonyme διώκειν (3,12 im Anschluß an den Aoristindikativ κατελήμφθην), was 3,14 wiederholt und mit ἐπεκτεινόμενος synonym parallelisiert. Ferner gehören dazu die entsprechende Urteilsfindung des φρονεῖν (3,15.19; 4,2) bzw. ἡγεῖσθαι (3,7f.) wie das περιπατεῖν (3,18f.) und λογίζεσθαι (3,13; 4,8). Die einleitende Bezeichnung dafür war 3,3 πνεύματι θεοῦ λατρεύειν. Dazu gehören in Gefährdungen das gegenseitige συλλαμβάνειν 4,3 und als Daueraufgabe auch συναθλεῖν ἐν τῷ εὐαγγελίῳ (4,3). Auf jeden Fall will beachtet werden, daß in dem Katalog der mehr als 10 Ausdrücke nicht ein »Glauben« als Daueraufgabe genannt ist, und daß dies im pl Sinne auch nicht als übergreifende Zusammenfassung aller dieser Tätigkeiten der Christen genannt werden kann. Dasselbe gilt auch für »Gehorsam«. Ebensowenig bestimmt Pl das Christsein als eine täglich neue Gerechtmachung auf der Basis eines existenzialistisch ontologisierten und verallgemeinernden Sündenbegriffs im Sinne eines simul peccator[395].

9.8.2.2. Meinungsbildung und Urteilsfindung in der Gemeinde (4,8)

Die der Zugehörigkeit zum auferweckten Herrn entsprechende Lebensgestaltung muß die Gemeinde im gemeinsamen Suchen des Weges immer wieder finden. Abgrenzung gegen das Angebot falscher Wege wie hier in Phil 3 insgesamt gehört dazu. Bei aller Abwehr der jüdischen Agitatoren führt dies aber nicht dazu, die jüdische Weisheitstora nun etwa zu einer verbotenen Lektüre zu erklären. Vielmehr öffnet Phil 4,8 gerade der mündigen Gemeinde auch den Weg zum positiven Fragen nach dem, was christlich rezipierbar ist – sogar im Blick auf die geistigen Güter derer, deren Grundansatz strikt

die pl Argumentation mit ihrer Wirklichkeitsbezogenheit in Ontologie und Logik bestimmt. Vgl. dgg. fundamental Stobbe 1981.
391 Bultmann 1933: 54f. widersprach als Exeget darum m. R. K. Barth zu 1Kor 15,1–11: »Ich kann den Text nur verstehen als den Versuch, die Auferstehung Christi als ein objektives historisches Faktum glaubhaft zu machen.« Daß sich daraus aber eine gegenteilige Sachkritik ergibt, ist das Hauptanliegen von Schenk 1975 und 1983.
392 Goppelt 1976: 455.   393 Dazu Pannenberg 1967: 223ff., 237ff.
394 Sanders 1977: 490f. m. R. nach O'Rourke 1973.   395 Dazu Joest 1955.

abzuweisen ist. Damit erhellt Phil 4,8f. ein Stück des prophetischen Aspekts der Gemeindeversammlungen.

Das, was in das nachdenkende Beurteilen (λογίζεσθαι) der nach 1Kor 14 vorzustellenden Gemeindeversammlung eingebracht werden soll, wird mit 8 Prädikaten umschrieben. Die Eigenständigkeit dieser Liste ist oft betont worden. Schon die Differenz zu anderen »Tugendkatalogen« fällt auf[396], so daß man ihn lieber gar nicht unter diesen formalen Oberbegriff stellt. Nach der Kontextintention handelt es sich primär um einen »Nachdenkens«-Katalog. Der Zusammenhang mit der Irrlehrenauseinandersetzung des Phil C läßt es darum nicht als verdammenswerten Ansatz erscheinen, wenn versucht wird, die Termini strikt von der jüdischen Überlieferung her zu erfassen[397], als würde damit nur aus einer Not eine Tugend gemacht mit der methodischen Prämisse: »Im stoischen, nicht im griechisch-biblischen Sinn müssen sie daher zunächst interpretiert werden.«[398] Vielmehr ist das der aus dem Kommunikationszusammenhang des Gesamttextes heraus zunächst einmal gewiesene Weg. Methodologisch ist zu veranschlagen, daß die phil Adressaten sowohl ihre herkömmlichen sozio-kulturellen Codes für die Terminologie im Sinn haben als auch aktuell die von den jüdischen Agitatoren hier im Blick sind. Daß die Gliederung mit einem Substantivpaar abschließt, spricht dafür, auch die voranstehenden 6 Adjektive zu drei Paaren zusammenzufassen, wie das auch vom semantischen Gehalt der einzelnen Ausdrücke als geboten erscheint[399]. Ebenso sind ja auch die Verben der relativischen Protasis in V. 9 paarweise geordnet.

Natürlich ist schon wegen der semantischen Implikate von ὅσα (s. o. 3,15) zu berücksichtigen, daß verwandte Tugendkataloge bei stoischen Moralphilosophen üblich sind: »Oder leistet der, welcher Fremden und Bürgern oder als Stadtprätor den Parteien Recht spricht, mehr als derjenige, der lehrt, was Gerechtigkeit, was Frömmigkeit, was Geduld, was Charakterstärke, was Todesverachtung, was Göttererkenntnis, was für eine herrliche Sache ein gutes Gewissen sei?« (Seneca, De tranq. anim. 3,4). Als formale Parallele für diese Aufzählung wird Cic, Tusc 5,23,67 öfter herangezogen[400]:

»Bonum autem mentis est virtus;

. . . hinc omnia quae pulchra, honesta, praeclara sunt . . .,

plena gaudiorum sunt.«

Dennoch ist schon im Hinblick auf den auffallend gleichen Einsatz mit ἀληθῆ deutlich, daß die damals schon nach dem Sch'ma im Synagogengottesdienst gesprochene Beraka Ämäth wejassib[401] mit ihrer ebenfalls paarweisen Gliederung, die überraschend auch zur 8-Zahl führt, der Phil 4,8 vorliegenden Auflistung »ungleich nähersteht«[402]:

»Wahr und feststehend / und zuverlässig und bleibend /

und gerade und bewährt / und geliebt und teuer /

und lieblich und angenehm / und furchtbar und mächtig /

und wohlgeordnet und angenommen / und gut und schön

   ist dieses Wort (= die Bibelworte des Sch'ma) für uns in alle Ewigkeit.«

Berücksichtigt man noch die Abfolge der einzelnen Gruppen und ihrer Inhalte, so scheint es fast, als spiele Pl hier auf diese Formulierung aus seiner Vergangenheit und

---

396 Vögtle 1936: 177–188; Wibbing 1959: 99–103.

397 So m. R. Lohmeyer 172ff.; Michaelis 68f.; Bonnard 76f. Bauernfeind ThWNT I 460.

398 Gg. Gnilka 220f.

399 So mit Haupt 165f. gg. Gnilka 218, der nach Lohmeyer 172f. die Adj. in zwei Dreierblöcke gliedert, doch ist weder nach Silbenzahl noch nach Betonung eine solche Anordnung als klar intendiert erkennbar.

400 Lohmeyer 174 Anm. 1.   401 Schäfer 1973: 401, 403f.   402 Vgl. auch Lohmeyer ebd.

der Gegenwart der jüdischen Agitatoren an. Jedenfalls macht der Blick auf diese Parallele vorsichtiger, von dem bloßen Eindruck auszugehen, »that Paul here sanctifies, as it were, the generally accepted virtues of pagan morality . . . It is almost as if he had taken a current list of a textbook of ethical instruction«[403].

Das 1. Adj. verwendet Pl als Antonym zu πλάνοι im Peristasenkatalog 2Kor 6,8 im Blick auf sich selbst und Röm 3,4 als Gottesprädikat. Diachron ist für den semantischen Code zweierlei beachtlich: Gerade unter den Einleitungsprädikaten der Überschrift Prov 1,3 findet sich eine ähnliche kettenartige Aufzählung, die u. a. auch das erste Prädikat unserer Reihe enthält. Damit ist die Weisheit als rational bestimmte Lebensgestaltung im Blick. Beachtlich ist ebenso, daß sich das Adj. in LXX am häufigsten (5 von 25 Belegen) in Sap findet. Dabei ist es Sap 1,6; 12,24; 15,1 Gottesprädikat, das seine Zuverlässigkeit betont, und 2,17 kennzeichnet es den Anspruch der Worte der Weisen-Gerechten: »Verlangen nach Belehrung« ist der »zuverlässigste« Ansatz der Weisheit. Es geht also deutlich nicht um die »Tugend der Wahrhaftigkeit im Gegensatz zur Lügenhaftigkeit«, sondern um die Zuverlässigkeit »im Gegensatz zu allem Scheinwesen«[404].

Das zweite, von Pl hier einmalig verwendete Adj. σεμνός (Past 3mal, 1Clem 6mal, Herm 7mal – LXX 10mal – dabei nur 2mal für einen hebr. Ausdruck) ist Prov 8,6 wiederum Kennzeichen dessen, was die Weisheit spricht, und darum 15,26 Kennzeichen der Worte der Weisen bzw. 6,8 im LXX-Zusatz höchstes Prädikat fleißiger Arbeit (ferner 2Makk 6,11 der Feiertage, 6,28 der Gesetze, 8,15 ihres Ehrennamens, 4Makk 5,30; 7,15 des Alters, 17,5 Mond und Sterne; »σεμνός ist mehr als unser ehrbar«[405]: »Es ist das, was Respekt einflößt (σέβομαι), also diejenige Gehaltenheit des Wesens, welche alles Niedrige und Gemeine ausschließt. So bilden die beiden ersten Sätze eine Klimax: nicht genug, daß alles Scheinwesen vermieden wird, soll auch nur das, was den höchsten Ansprüchen gemäß ist . . ., geübt werden.«[406]

Sicher ist das 3. Adj. δίκαιος hier formal »eine Tugend unter anderen«[407] und wohl im Sinne von dem »der Norm Entsprechenden«, dessen also, was im sozialen Verhalten »recht und billig ist«[408], dennoch wird man gerade auf dem Hintergrund von Phil 3,6.9 und des Ziels der jüd. Agitatoren, sie zu »Gerechtigkeitsproselyten« zu machen, das Moment dieser grundlegenden Verhaltenskennzeichnung der Bundestreue überhaupt[409] nicht übersehen dürfen. Immerhin ist die nächste Parallele zu unserer Stelle Röm 7,12, wo das Adj. die Kennzeichnung des »Gebots« Gottes ist. Es wird aber auf dieselbe Weise transponiert verwendet wie Phil 3,3 einleitend die »Beschneidung« für die Gemeinde des Auferweckten beansprucht wird. Zugleich wird dabei deutlich, daß λογίζεσθε hier erst eine Urteilsfindung bezeichnet, deren Objekte nicht zu direkt parallelisierend auf das πράσσετε von 4,9 zu beziehen sind[410].

Das 4. Adj. ἁγνός (LXX 11mal, dabei nur 5mal für einen hebr. Ausdruck) stand Prov

403 Beare 148.
404 Haupt 165; Gnilka 221 gg. die »religiöse Wahrheit« als Kategorie bei Lohmeyer 174.
405 Gg. Luther 75 – als auch »ehrwürdig« bei WilckensNT.
406 Haupt 165; Ewald 222 »qualitativ«; Gnilka 221: »das sittlich Gute« bei EpiktDiss 1.26.13; 3.20.15 gg. Lohmeyer 174 »das religiöse Moment der Heiligkeit und Unverletzbarkeit«.
407 Gnilka 211 nach Wibbing 1959: 102.
408 Ewald 222; Haupt 165; vgl. zur Polysemie Schrenk ThWNT II 184– 193; Schneider EWNT I 781–784; die Meinung von Ziesler 1972: 32–36, 79–85, 136–141, daß das Adj. immer ethisch gebraucht sei, kann allerdings so nicht aufrechterhalten werden, wenngleich sie für unsere Stelle zutrifft.
409 Lohmeyer 174.
410 Gg. Haupt 166f. und Gnilka 222 ist der Betonung der »kritischen Würdigung« bei Peterson 51 (mit Bonhöffer 1910: 166) zuzustimmen.

15,26 mit σεμνός zusammen, so daß hier mit einer gleichen Klimax wie beim ersten Paar zu rechnen ist[411]. Der semantische Gehalt wird bei Pl an den beispielhaften Konkretionen 2Kor 7,11 (Distanz von schurkischer Kränkung; s. o. zu 1,17 das Adv. mit Kontextsynonymen) bzw. 11,2 (frei von sexuellen Affären vgl. Tit 2,5; 1Pt 3,2) deutlich, ohne daß er hier nach einer dieser Seiten hin einzuschränken wäre, sondern meint generell »das, was aus einer inneren Scheu vor allem Unreinen und Gemeinen hervorgeht. Wiederum liegt eine Klimax vor, denn das Tun dessen, was recht ist, ist etwas geringeres als diejenige Reinheit, welche vor jedem Unreinen zurückbebt, es also nicht nur nicht tut, sondern nicht tun kann«[412].

Die beiden folgenden Adj. gehören nach ihrer semantischen Komponente, die mit φιλ- bzw. εὐ- gekennzeichnet ist, zweifellos als Paar zusammen[413]. Dabei ist προσφιλής Sir 4,7; 20,13 die Folge von Worten bzw. Est 5,1b (LXX-Zusatz) Folge der freundlichen Erscheinung Esters. Kein Wunder, daß dieses Prädikat »beliebt« nicht nur auf Inschriften überhaupt, sondern auch auf Grabinschriften auftaucht[414]: »was beliebt ist, was gern gesehen ist«[415]. Obwohl εὔφημος bibl. Hapaxheuromenon ist, so ist doch zu beachten, daß Pl das Subst. 2Kor 6,8 im Peristasenkatalog verwendet, wo sich auch schon die nächste Parallele zu dem Eingangsprädikat von hier (ἀληθής) fand. Bei aller Variabilität im einzelnen[416] »steht es stets von dem Eindruck, den ein Wort auf andere macht . . .; es ist also das, was einen guten Klang hat«[417].

Die beiden Schlußglieder sind substantivisch formuliert, ohne daß damit eine übergeordnete Zusammenfassung angedeutet wäre[418], denn auch hier ist mit εἴ τις (hier anders als Phil 2,1 verwendet), das den voranstehenden Relativa analog ist, alles mögliche, was sich so darbietet, ins Auge gefaßt. Durch die Zusammenstellung der beiden Termini ist deutlich, daß ἀρετή »seine klassische Kardinalstellung verloren hat«[419]. Die Aufreihung und Verallgemeinerung hier ist weit davon entfernt, mit der Bestimmung als »Tugend« als solcher schon das Ziel einer Handlungsmaxime erreicht zu haben, wie das in der klassischen griechischen Ethik seit Sokrates war: »Tugend ist die Vollendung und der Gipfelpunkt für die besondere Natur des einzelnen« (Chrysipp Fragm. 129.43f.)[420]. Damit ist aber zugleich auch der gewisse Abstand zu dem eingangs zitierten Diktum Ciceros bezeichnet, was nochmals bestätigt, daß diese Parallele hier nicht allzu bestimmend sein kann. Näher steht Sap 8,7, wo die »Tugenden« als Ergebnis der Weisheit bestimmt werden (vgl. 4,1; 5,13; von 30 LXX-Belegen haben nur 6 eine hebr. Vorlage, und 14 stehen in 4Makk; oft auch bei Philo)[421]. So ist also auch hier noch der Bezug auf die jüdischen Weisheitsagitatoren von Phil gegeben. Dasselbe gilt auch für ἔπαινος: nach dem «Lob der Väter» Sir 44,8.15 ist es Prädikat für die von der Weisheit bestimmten Großen der jüdischen Geschichte. In 4Makk 1,2 stehen sogar wie hier beide Termini zusammen (wie in der Inschrift bei den delphischen Geboten[422], wobei die ἀρετή der Erkenntnisgegenstand des ἔπαινος ist. Dabei ist natürlich nicht an »allgemeine Billigung« jedes nur möglichen Beifalls gedacht, son-

---

411 Gg. Ewald 223 m. R. Haupt 165; Gnilka 221 – womit er aber seiner eigenen Dreiergliederung widerspricht und sie selbst relativiert, ohne dies zu vermerken.
412 Haupt 166; vgl. Hauck ThWNT I 123f.; Balz EWNT I 52–54.
413 Lohmeyer 174 – womit aber auch er seiner Dreiergliederung widerspricht, ohne es weiter zu veranschlagen.
414 Lohmeyer 174 – Anm. 2; Gnilka 221.
415 Haupt 166 für den passiven Sinn, während Ewald 223 für den aktiven Sinn »was liebreich ist« eintritt.
416 Gnilka 221 mit BauerWB 647; Lohmeyer 174 Anm. 5.
417 Haupt 166.
418 Gnilka 221 nach Wibbing 1959: 103.
419 Ebd.; Bauernfeind ThWNT I 457f., 460.
420 Vgl. Lohmeyer 175 Anm. 1.
421 Bauernfeind ThWNT I 458f.
422 Wibbing 1959: 102; Gnilka 222.

dern an »sachlich begründetes Lob« (s. o. zu 1,11)[423]. Ob beide Termini hier zueinander in einem ergänzenden Verhältnis als »innere Qualität« und »Anerkennung« stehen[424], ist nicht sicher, da ἀρετή vor allem auch in Ehreninschriften »Verdienst« heißen kann[425] (hier also kommt »Verdienst« pl in den Blick und nicht im Wortfeld der Gerechtmachung Gottes) und vor allem in LXX im Sinne von »Ruhm« verwendet wurde[426].

Wesentlich an der ganzen Reihe ist, daß das, was genannt ist und wie es verarbeitet werden soll, in dem Bereich menschlicher Urteilsfindung gesehen ist. Verhaltensgestaltung wird so im Rahmen soziologisch-geschichtlicher Setzungen gesehen und wurde nicht als schöpfungsordnungsmäßige Gegebenheit eingebracht (es ist νόμῳ, nicht φύσει). Damit unterscheidet sich dieses Konzept gemeindlicher Ethik grundlegend von dem Haustafelschema, mit dem im Kol nachpl eine schöpfungsontologische Fundierung ihren Einzug in eine christliche Ethik hält[427]. Pl dürfte mit seiner Polemik gegen die weisheitlich als Schöpfungsprinzip verstandene Tora hier also auch die ethischen Implikate seines grundlegend geschichtlich bestimmten Ansatzes in der Osterchristologie zur Geltung bringen.

9.8.2.3. Die apostolischen Normen (3,17; 4,9)

Daß Pl in 4,9 steigernd mit zwei Verbparallelen fortfährt, setzt beide Verse in eine deutlich strukturierte Beziehung zueinander. Das λογίζεθε von 4,8 bedarf einer Norm, an der man prüft: Faßt das erste Verbpaar der Protasis die Lehre des Apostels ins Auge, so das zweite sein Beispiel[428].

Die nächste Parallele zur Verwendung des grundlegenden aoristischen μανθάνειν findet sich bezeichnenderweise ebenfalls in einer Irrlehrer-Warnung Röm 16,17 vor denen, die »gegen die Didache, die ihr gelernt habt«, stehen[429]. Auf solches normgebende »Lernen« ist auch 1Kor 4,6 im letzten Argumentationsabschnitt dieses ursprünglich selbständigen Briefes[430] abgehoben und darum auch der Stellung nach mit den beiden anderen Stellen zu vergleichen. Man kann also nicht behaupten, daß mit dem Verbgebrauch als solchem ein »Übergang« zu den Deuteropl bezeichnet sei[431]. Ist διδαχή im spezifischen Sinne der gemeindegründenden und zum Christen berufenden Osternachricht gefaßt, so ist weiter Röm 6,17 eine bezeichnende Parallele: »Mit Verstand habt ihr die konkrete Ausformung der Lehre angenommen, der ihr übergeben wurdet.«[432]. Ohne Wortanklang ist der Sache nach dasselbe auch an den zahlreichen Stellen ausgedrückt, an denen Pl auf die Pistisformel zurückweist (Gal 1,6ff.;

---

423 Lohmeyer 175 gg. Haupt 166; zur Rolle des öffentlichen Lobs vgl. Röm 13,3 und Preisker ThWNT II 584.
424 Haupt 166   425 Bauernfeind ThWNT I 458 Anm. 7.
426 Ebd. 459 Anm. 17–18.
427 Dazu zuletzt Lührmann 1975: 76ff.; Schenk 1983a.
428 Haupt 167; Lohmeyer 176 gg. Gnilka 222f., der alle vier Verben auf die Gemeindegründung zurückbezieht und so auch ἠκούσατε eingeschränkt auf die Missionsverkündigung beziehen will, so daß erst und allein das »Sehen« auf das Beispiel des Pl gerichtet sei. Dabei wird aber der syntagmatische Parallelismus gestört. Mitverantwortlich für diesen Vorschlag ist auch die Erwägung, das ἐν ἐμοί zeugmatisch als ein »durch mich« auch auf die ersten beiden Verben zu beziehen, was aber unnötig ist: Ewald 224.
429 Schmithals 1965a: 164–167.   430 Dazu Schenk 1969.
431 Gg. Gnilka 223; Lohmeyer 176 Anm. 3, daß außer den Past »nur noch Kol 1,7« bzw. Eph 4,20 als Parallele vorhanden sei.
432 Gg. den personalistisch inspirierten Verdacht Bultmanns, daß hier eine Glosse vorliege, vgl. Goppelt ThWNT VIII 250f.; Schenk 1972a. Auch Arist 34 und 3Makk 3,30 haben τυπός als »Wortlaut« und linguistisch-semantischen Terminus.

1Kor 15,1ff.; 2Kor 5,1ff.). Es gehört zum Wesen des allen Aposteln gemeinsamen Evangeliums, daß es »lehrbar und lernbar« ist[433]. Denn nach Gal 1,12 ist διδάσκειν mit dem εὐαγγελίζεσθαι von 1,11 synonym, dieses jedoch nach 1Kor 15,1b zugleich auch dort V. 3 mit παραδιδόναι, was Gal 1,9.12; 1Kor 15,1.3 komplenym zu dem hier an zweiter Stelle verwendeten aoristischen παραλαμβάνειν ist.

Das Komplenympaar von »Übergeben« und »Annehmen« wird aber nicht nur für die österliche Basisformel verwendet. Pl hat den Gemeinden in der Gründungsphase noch weiteres Material zur Orientierung übergeben, was wir durch zufällige briefliche Erinnerungen daran erkennen können. 1Kor 11,23 nennt die Herrenmahlhaggada und 1Thess 2,13; 4,1 ethische Orientierungen, worunter vor allem auch die Halacha der Jesussprüche zu fassen ist, worauf noch mehr als die gelegentlichen Direktzitate die häufigeren Anspielungen hinweisen. Wiewohl auch diese Stücke »Überlieferung« sind, die der weiteren Orientierung dienen, so gelten sie jedoch nicht als »Evangelium« und dürfen darum nicht nur formal, weil sie ebenfalls »überliefert« sind und Normfunktion haben, rundweg verallgemeinernd als »Tradition« überhaupt dem Evangelium mit seinem Basischarakter gleichgesetzt werden[434].

Nachdem der ganze Text Phil 3,4–14 vom beispielhaften »Ich« des Apostels bestimmt war, so ist es hier nicht eine seltene »Höhe des Bewußtseins . . ., alle seine Normen zu erfüllen und darzustellen«[435] (vgl. dgg. 1Kor 4,4f.), wenn Pl im zweiten Verbpaar von Phil 4,9 mit dem Verweis auf das, was sie »von ihm gehört und gesehen haben«, übergeht. Damit wird nur der Ring geschlossen, der 3,17 mit dem Imperativ συμμιμηταί μου γίνεσθε und dem Verweis auf ihn und seinesgleichen als τύπος (»Vorbild« LXX nur 4Makk 6,39) anhob. Der Gedanke der Imitatio Pauli, der schon 1,30 (s.o.) aufklang, wird von ihm nur Gemeinden gegenüber geltend gemacht, die er selbst gegründet hat. Er darf also nicht abgelöst von vorgegebenen Kommunikationsbeziehungen verstanden werden.

Der griechische Nachahmungsgedanke ist im hellenistischen Judentum übernommen worden[436] und bietet Gottes Handeln als Nachahmungsmuster an (Arist. 188, 260, 280f.) bzw. die Weisheit (Sap 4,2) und dann auch davon bestimmte Menschen (so in den paränetischen Erweiterungen TestAss 4,3; 6,2; TestBenj 3,1; 4,1), vor allem auch Märtyrer (4Makk 9,23; 13,9). Darum ist auch von Phil 1,30 her der Gedanke hier zwar nicht auf das Märtyrertum einzuschränken[437], jedoch andererseits auch nicht auf die nur aktive Seite der Lebensgestaltung[438], denn das 3,17 vorangehende συν-Kompositum war 3,10 gerade im Blick auf Pl selbst sein συμμορφιζόμενος τῷ θανάτῳ αὐτοῦ. Die Leidensbereitschaft ist also auf jeden Fall auch 3,17 eingeschlossen zu denken. Von dieser Verbindung her liegt es auch nahe, das 3,17 singulär verwendete Kompositum nicht nur als bloße Verstärkung des Simplex aufzufassen[439]; mit συμ- sind aber auch nicht die anderen Vorbilder als mitgemeint umfaßt zu sehen, da sie ja in den beiden nächsten Sätzen zugefügt werden. Vom begründenden Zusatz her kann συμ- auch nicht im Sinne von »mit mir« gemeint sein[440], weil man dann das Personalpronomen im Dativ erwarten würde. Daß mit dem συμ- die Gesamtheit der Gemeinde besonders angesprochen sei[441], würde eine vorherige Anrede an verschiedene Ge-

433 So m. R. Lohmeyer 176; vgl. Schenk 1983.
434 Etwa als »der Gedanke der Tradition«: Lohmeyer 176.
435 So Lohmeyer 177.
436 Michaelis ThWNT VI 661ff.; H. D. Betz 1967: 84ff.
437 Gg. Lohmeyer 151.   438 Gnilka 203f. m. R. gg. Schulz 1962: 313f.
439 Michaelis ThWNT VI 669 Anm. 13.
440 Lohmeyer 151 Anm. 1 gg. Friedrich 121.
441 Lohmeyer 150: »alle«; BauerWB 1542 »mit den anderen zusammen«.

meindegruppen voraussetzen[442], die aber durch die ja nicht erstmalige, sondern gerade wiederholte Direktanrede »Brüder« (vgl. V. 13) unwahrscheinlich ist. So dürfte der in συμ- angezeigte semantische Gehalt nach dem συμμορφιζόμενος von V. 10 und auf das σύμμορφον in V. 21 hin doch eher christologischer Art sein, was dann hier ein verkürzender Ausdruck für das sonstige »so wie ich Christi« (1Kor 11,1) wäre. Das entspräche auch der Verwendung von τύπος als Strukturmuster, das als Prägendes immer auch als seinerseits schon Geprägtes verstanden ist[443], wie die Abfolge 1Thess 1,6f. sehr schön zeigt: Wer Mime wird, wird dies zugleich auch selbst für andere.

9.8.2.4. Die Verfolgungsleiden (3,10)

Das in der »Zurechtbringung« durch das Christwerden 3,9 sich verwirklichende Ziel Gottes war V. 10a angegeben als das Bekannt- und Vertrautwerden (γνῶναι) mit Christus. Pl expliziert dies gleich mit einem epexegetischen καί »d. h.«[444]. Dann folgen die vier chiastisch geordneten Aussagen, die die Gegnerterminologie aufnehmen und sie jeweils durch christologische Zusätze korrigieren, um das Angebot einer angeblich vollständigen Heilsgegenwart im jüdischen Weisheitspneuma zu enthüllen. Dies ist ein argumentativ sekundärer Aspekt der Verfolgungsleiden, denn 1,29 (s. o.) waren sie unter einem anderen, grundsätzlicheren Aspekt in den Blick genommen worden.

Daß die beiden ersten Glieder mit einem einzigen Artikel zusammengebunden sind und die »Kraft der Auferstehung« vorweggenannt ist, dürfte von der Terminologie der Weisheitsagitatoren her vorgegeben sein. Diese Voranstellung der »Kraft seiner Auferstehung« darf aber nicht dazu führen, die hypotaktische Auflösung dieser Anreihung so zu fassen, daß ausgedrückt wäre: »Die Kraft der Auferstehung bewirkt (!) das Sterben des Apostels«[445], oder: »Die Kraft der Gleichgestaltung mit dem Tode ist (!) die Kraft seiner Auferstehung.«[446] Solche Relationen zueinander sind hier von Pl nicht ausgedrückt und scheinen auch nicht semantisch impliziert.

Eine Identitätskennzeichnung ist durch den partizipialen Anschluß nur für die Innenglieder gegeben: Das Verhältnis von »Leiden« und »Tod« ist nicht im Sinne eines Prozesses zu verstehen, daß man sagen könnte: »Für die irdische Existenz aber ist sein Todesschicksal Zielpunkt (!) der Gleichgestaltung.«[447] Nach dem Kontext des Erfahrungsberichts von 2Kor 1,5–7, wo Pl dreimal παθήματα Χριστοῦ verwendet, ist deutlich, daß es um Ablehnungen und Verfolgungen geht (vgl. Röm 8,18, weshalb Mißverständnisse an diesen Stellen nur durch eine entsprechende äquivalente Übersetzung ausgeschlossen werden können, die es nicht erst zu solchen Verallgemeinerungen kommen läßt). Dabei taucht im Kontext jeweils auch »Tod« als Synonym auf (2Kor 1,9f. wie Röm 8,36). So »ist nach dem Verständnis des Apostels Leiden Tod, im Leiden wirkt der Tod, kommt er zur Erscheinung. Indem Pl leidet, wird er in den Tod gegeben (2Kor 4,11), stirbt er (1Kor 15,51), wird er getötet (Röm 8,36)«[448]. In 1Kor 15,31 ist dies daran besonders augenfällig, daß vom »täglichen« Getötetwerden (ähnlich auch Röm 8,36) – also praktisch vom »Zerriebenwerden«[449] gesprochen ist. Es geht schlicht um die Feststellung, daß das Christenschicksal dem Christusschicksal analog wird. Daß der Auferweckte die Herrschaft über das Leben eines Menschen ergreift, heißt nicht, daß auch dieser dem Tode entronnen sei, sondern daß ihn Jesus an den Ort stellt, von

---

442 So H. D. Betz 1967: 151f. tatsächlich dann auch im Gefolge Bauers und Lohmeyers.
443 Goppelt ThWNT VIII 249f.
444 Haupt 131; Tannehill 1967: 119f.; Osten-Sacken 1975: 288 gg. Ewald 123.
445 So K. Barth 100.　　　　　　　　　　446 So Osten-Sacken 1975: 308.
447 So Gnilka 196.　　　　　　　　　　448 Osten-Sacken 1975: 288f.
449 Haupt 134.

dem her er auferweckt wurde. Diese Platzanweisung wird meist nicht erinnert, um dem Leiden überhaupt einen Sinn zu geben; vielmehr ist zu sehen, daß Pl seine Leidenskataloge (1Kor 4,11f.; 2Kor 4,8f.; 6,4–10; 11,23–27) in der Regel mit der kritischen und antienthusiastischen Funktion der Desillusionierung in die Argumentation einbringt[450]. Genau dies ist der Sinn der beiden Innenglieder hier in Phil. 3,10.

Als Ziel dieser Christusverbundenheit im gegenwärtigen Mit-ihm-Zerriebenwerden gibt 3,11 – da er ja als der Auferweckte der gegenwärtig und künftig Wirkende und die Welt für die Alleinherrschaft Gottes Freikämpfende ist – an: »damit ich so zur künftigen Vollendungsauferweckung gelange«. Auch dabei ist die Antithese gegen den Enthusiasmus der Agitatoren bestimmend, nicht aber »unsichere«, zaghafte oder »bescheidene« Hoffnung[451]. Das εἴ πως ist nicht zweiflerisch, sondern ebenso eine feste Erwartung wie Röm 1,10 (Gebet) und 11,14 (Missionsarbeit) und drückt daher eher eine verstärkte als eine geschwächte Hoffnung aus[452]. Die Verstärkung bestätigt auch das entsprechende εἰ καί in V. 12, zumal damit derselbe Gedanke wiederholt ist[413] wie die Tatsache der dritten Wiederholung des Hoffnungsgedankens in V. 13b–14 und die vierte Wiederaufnahme des Zukunftsaspekts der christlichen Existenz in V. 20f.

Im Unterschied zu 3,11 spricht jedoch die erste Erwähnung der »Kraft seiner Auferweckung« in 3,10 nicht von der künftigen Vollendung, sondern von einer gegenwärtigen Erfahrung (vgl. die gleiche Abfolge auch 2Kor 4,8–11:14[454], und zwar der, die das ganze Christsein in seiner Dauer zwischen Berufung und Vollendung bestimmt: »Die Kraft, welche von seiner Auferweckung ausgeht, besteht darin, daß der gesamte Lebensinhalt des Menschen dem erhöhten Christus gleich wird.«[455] Pl könnte hier in der Terminologie der dualistischen Weisheit auch »Geist« sagen, sofern er ja damit, wo er diese Ausdrucksweise aufnimmt, den auferweckten Jesus der Zwischenzeit von Ostern bis zur Parusie meint: »Die Kraft der Auferstehung . . . besteht in dem gegenwärtig wirkenden Pneuma.«[456] Pl bezeichnet hier also dasselbe wie 3,3: »seine Auferstehungsdynamis, erfahren als pneumatische Wirkung des Erhöhten«[457]. Dies umfaßt nach dem, was Pl in anderen Zusammenhängen entfaltet, Charismen als Dienstgaben zur Lebensgestaltung im Dienst Jesu[458]. Es umfaßt auch die Rettungserfahrungen in den Todesgefahren (2Kor 1,3–10; 4,7–11) wie in den nicht erfahrenen Rettungen (2Kor 12,4–8) das Durchgehaltenwerden. Diese Erfahrungen der rettenden creatio ex nihilo sind den Gerechtmachungsaussagen der iustificatio impii strukturanalog, weil Gott einundderselbe in seinem Handeln ist[459]. So gewiß es nach vielen pl Stellen stimmt, daß

450 Schrage 1977: 184.
451 Gg. Lohmeyer 141; Gnilka 192: »die zweiflerisch klingende Formulierung: ob ich wohl gelange«.
452 B–D–R 375; Baumbach 1977: 447; dafür spräche erst recht, wenn hier wie Röm 11,14 καταντήσω evtl. als Ind.Fut. und nicht als Konj.Aor. zu bestimmen wäre; doch ist zu bedenken, daß hier V. 12 ein Konj.Aor. folgt: Haupt 135 Anm. 1.
453 B–D–R 375 Anm. 4.
454 Osten-Sacken 1975: 305 Anm. 37; Gnilka 196 gg. die Gleichsetzung bei Dibelius 69, Lohmeyer 138, Beare 122f.
455 Haupt 132, der die Wendung mit dem ἐν καινότητι ζωῆς von Röm 6,4 synonym sieht, was berechtigt ist, wenn man diese Wendung dort im Sinne eines epexegetischen Genitivs auflöst: im Herrschaftsbereich des Neuen, das der auferweckte Jesus ist.
456 Wiefel 1974: 81 Anm. 123.
457 Gnilka 196.
458 Gg. Gnilka ebd. aber nirgendwo »Sündenvergebung«, »Christwerden«, »Taufe« und vor allem auch das Glauben wird bei Pl nirgendwo auf den Geist zurückgeführt, wie das im Neupietismus Tholuckscher Prägung und von da aus weit darüber hinaus der Fall ist.
459 Schrage 1974: 152 vgl. 1977: 181f.; Osten-Sacken 1975: 298; Schenk 1979: 5f., 12f.

»die Erkenntnis der Kraft der Auferstehung Jesu Christi« auch »in der Leidensgemeinschaft, in der Gleichgestaltung mit dem Tode Christi« erfolgt, so wenig ist hier direkt ausgesagt: »Indem (!) der Christ diesem Tod gleichgestaltet wird, lebt er aus der Kraft Christi.«[460]

9.8.3. Die Vollendung als Ziel der christlichen Existenz (3,20f.)

Mit 3,11 war die Gesamtausrichtung der christlichen, von Ostern her bestimmten Existenz auf die Endvollendung hin erstmalig als Konstitutivum in den Blick genommen und zugleich dadurch betont, daß dies noch dreimal wiederholt wird. Dabei ist es aber verfehlt, einen apologetischen Ausgleich herstellen zu wollen zwischen dem Konzept einer Auferweckung der Gerechtgemachten und dem einer Auferweckung zum Gericht, wiewohl die kirchliche Lehrbildung jahrhundertelang beide Konzepte zusammengezwungen hat, was sich auch hier semantisch als »Systematisierung des Falschen« (Overbeck) erweist. »Als Hoffnungsgut kommt natürlich nur diese (erstere) in Frage im Unterschied zur Auferstehung zum Gericht«; Gnilka[461] fährt aber dann jedoch bezeichnenderweise fort: »Aber Pl hält es nirgends für notwendig, auf diese Einschränkung (!) aufmerksam zu machen« (ebd.). Diese Erwartung erstaunt, weil sie überflüssig ist, da Pl das andere Konzept, das später wohl bei Mt, Lk (Apg 14,15) und Joh (5,28f.) vorhanden ist, gar nicht als Explikation der Ostern gesetzten Hoffnung im Blick haben kann und vertritt. Beide Konzepte sind strikt auseinanderzuhalten[462]: »Die Anschauung von der allgemeinen Totenauferstehung ist primär am Gerichtsgedanken orientiert. Das Gericht Gottes ist universal; vor ihm erscheinen darum alle. Der Auferstehungsgedanke sichert dabei die Selbigkeit der Person, ja er ist stark an der gegenseitig erkennbaren Individualität interessiert«[463], wie sich das etwa Lk 16,19ff. im Gegenüber vom reichen Mann und armen Lazarus zeigt. Doch »der Gedanke der Auferstehung der Gerechten ist demgegenüber von vornherein und ausschließlich soteriologisch orientiert; auf dieses Heilsereignis hofft der Gerechte. Im Urchristentum . . . tritt die Auferstehung als Heilsereignis überall da in den Vordergrund, wo die Auferstehung der Glaubenden in ihrem Bezug zum Christusgeschehen theologisch reflektiert wird . . . Es ist die Auferstehung Jesu, in der die Auferstehung der Glaubenden gründet«[464]. Dasjenige Wortfeld, das die Auferweckung als bloßen Gerichtszubringer fungieren läßt, ist also per definitionem der Sache nach strikt von demjenigen Auferweckungskonzept zu scheiden, das die Vollendung der Ostern begründeten Hoffnung beschreibt. Denn damit ist zugleich auch ein grundverschiedener Gerichtsgedanke gesetzt: Im zweiten Falle ist er nur ein Aspekt, quasi die negative Kehrseite der Vollendung, nicht aber eine dazwischengeschaltete Voraussetzung. Hier gibt es nicht ein Gericht der Person nach den Werken mit doppeltem Ausgang, sondern nur noch das Gericht der Werke (1Kor 3,11–15; 4,3–5; 2Kor 5,10)[465]. Eben darum kann V. 12–14 die Hoffnung als Ausrichtung darauf mit doppeltem διώκειν und synonymem ἐπεκτείνομαι beschreiben und wie 1Kor 9,24f. auch die Zielbeschreibung mit

---

460 Osten-Sacken ebd. 303; darum hat Siber 1971: 117 hier textnäher interpretiert, wenn er einen weiter gefaßten Sinn annahm.
461 Gnilka 197. 462 So m. R. Beare 127f.
463 Brandenburger 1967: 16; vgl. schon Fascher 1941.
464 Brandenburger 1967: 16f.
465 In dieser grundsätzlichen Beachtung der Wortfeldzusammenhänge wird Mattern 1966 gg. den Einspruch von Synofzik 1977, der in der Einebnung der Differenzen zum traditionell abendländisch geprägten Verständnis der Eschatologie zurückkehrt, recht behalten.

βϱαβεῖον und ϰαταλαμβάνειν (wozu auch hier nach 4,1 noch στέφανος tritt) als Metaphern aus dem sportlichen Kampf eintreten lassen und V. 20f. dieses Vollendungsgeschehen christologisch ohne die Auferweckungsterminologie beschreiben, wiewohl die Kontextsynomie mit V. 11–14 deutlich genug gegeben ist.

Noch die Anrede in 4,1 »Meine Freude und mein Kranz« ist »nur auf Grund der Anschauung möglich, daß am Tage des Herrn das gläubige Leben der Gemeinde dem Apostel zum Rühmen dient«[466] (s.o. zu 1,26; 2,16 – ferner 1Thess 2,19f.; 2Kor 1,11). Ebenso ist bei dem Ausdruck »Buch des Lebens« in 4,3 gerade die selbstverständlich ausgesprochene Zugehörigkeit der Gemeinde wie die Erwähnung gemeinsamer Arbeit auffallend, so daß auch hier nicht ein übergeordneter allgemeiner Gerichtsgedanke, sondern die Universalität der österlich bestimmten Erwählung und die von ihr bestimmte Aktivität maßgebend ist[467]. Nach dem Zusammenhang sind die zurechtzubringenden Gemeindeglieder Euodia und Syntyche wie Clemens und die anderen angesprochenen Zurechtbringer unter der gleichen Heilsvoraussetzung angesprochen[468]. Damit sind die eschatologischen Termini in 4,1–3 zusammenfassende Kurzformeln der ausführlichen Darstellung des Hoffnungsbekenntnisses von 3,20–21.

Das Segment Phil 3,20–21 besteht aus 6 Zeilen im Parallelismus von 3 Paaren. Das »Wir« der drei ersten Zeilen tritt danach ganz zurück zugunsten der umgreifenden Ausrichtung auf Christus als Weltvollender. Seit Lohmeyer[469] von einem »Hymnus« gesprochen hat, folgte man ihm – sei es, daß man hier »das Fragment eines vorpl Hymnus« zu finden glaubte[470], sei es, daß man es als »vollständiges urchristliches Vertrauenslied« bestimmte[471]. Doch noch stärker als bei 2,6ff. (s.o.) ist hier Vorsicht geboten, jede gehobene und gegliederte Prosa sofort als »Lied« zu bestimmen. Die kolometrische Struktur ist nicht vollständig homogen (14 Silben mit 5 Akzenten + 19:7 + 18:7 + 12:6 + 13:6 + 10:5). Parallelismus und relativischer Anschluß allein machen noch keinen Hymnus aus, ganz abgesehen davon, daß literarische Imitationen immer möglich sind und nicht automatisch einen soziologischen »Sitz im Leben« erschließen lassen: »Die viel zu übereilten Rückschlüsse der formgeschichtlichen Forschung gerade bei den ›Liedern‹ erklären sich (1.) durch den Mangel an geeigneten Methoden, auch unauffällige Prosatexte einem typischen Interaktionsbereich zuzuweisen (darum stürzte man sich auf Lieder und Hymnen) und (2.) durch das hypertrophe Interesse an kultischen Formen und Begehungen.«[472] Was an unserer Stelle dagegen spricht, ist speziell das deutlich prägende argumentative Interesse in der »sorgfältigen syntaktischen Über- und Unterordnung«. Primär sind wir mit dem Segment in den Bereich der philippischen Auseinandersetzung gewiesen, deren Termini zum Teil auch hier aufgegriffen sein dürften[473]:

Der Plural οὐϱανοῖ in der Einleitung ist durch betont vorangestelltes ἡμῶν deutlich in Kontrast zum Plural ἐπίγεια von V. 19 gesetzt. Man hat sich oft dagegen ausgesprochen, in der Übersetzung bei diesem Übergang eine Adversativpartikel einzufügen, da hier doch nach V. 18 ein weiteres begründendes γάϱ stehe. Natürlich bringt dieses γάϱ die 2. Begründung für V. 17 – doch eben als antithetische Begründung. Da die Antithese sowohl semantisch im Personenwechsel gegeben als auch noch durch die Voranstellung des Possessivpronomens unterstrichen ist, so kann diese semantisch in der Tiefenstruktur gegebene Opposition in der Oberflächenstruktur der Übersetzung

466 Lohmeyer 164.   467 Lohmeyer 165f.   468 Gnilka 168.
469 Lohmeyer 150f., 157.   470 So Güttgemanns 1967: 240f.; Strecker 1964: 75f.
471 So Becker 1971: 28f. und 1976 passim.
472 Berger 1977: 115f.; auch Gnilka 209 verweist m. R. darauf, daß die erste Zeile als Hymnenanfang »merkwürdig genug« wäre.
473 Köster 1962: 329–331.

durchaus verbalisiert werden, um kommunikativ äquivalent zu sein. Da die Kennzeichnung »irdisch« in V. 19 nun aber die Agitatoren mit dem abwertet, was sie selbst abwerten, so dürfte τὸ πολίτευμα ἐν οὐρανοῖς eine Parole der Gegner sein[474]. Sie entspricht ihrem Vollkommenheitsbewußtsein und war wohl Selbstbezeichnung der Gemeinschaft der Weisen. Πολίτευμα bezeichnet den Machtbereich und entspricht darin βασιλεία, und die Weisheitsliteratur hat ja gerade im Unterschied zur Apokalyptik bewußt königliche Pseudonyme. Ein Herrschaftsbewußtsein ist für diese Pneumatiker kennzeichnend (1Kor 4,8; 6,12; 10,23). Das »obere Jerusalem« in Gal 4,20 ist eine nahe Entsprechung dazu in der dualistischen Weisheit bei Philo, Gig 61: Die Heiligen und Propheten sind aus dem niederen, kosmischen Staatswesen ausgewandert und haben sich im Staatswesen (πολιτεία) der unvergänglichen Ideen eingeschrieben. Nach Philo, Conf 77ff. ist sogar schon der himmlische Ursprung (in der Weisheit) der Ausgangspunkt: Ihr Bürger bleibt man auch bei der vorübergehenden Erdenwanderung, und man erinnert sich ihrer dabei ebenso wie man sich in sie zurücksehnt[475]. So sind zwei Menschenklassen entgegengesetzt: Den nur Irdischen stehen die gegenüber, deren πολίτευμα (= Gemeinwesen oder Staatsverband), in dem sie eingetragene, rechtmäßige Bürger sind, »sich in den Himmeln befindet« und die durch diese Substanz in ihrem Verhalten bestimmt sind. Deutlich ist dabei πολίτευμα hier nicht lokal (»Heimat«)[476] und auch nicht »Wandel« (gg. Luther) im Sinne von Lebensführung gemeint, sondern als Herrschaftsgröße, die das Verhalten erst bestimmt[477]; πολίτευμα ist auch nicht als erst künftige Zielgröße zu bestimmen[478], sondern als jetzt die Hoffnungsexistenz schon bestimmende Macht. Der Widerspruch gegen die Agitatoren liegt hier darin, daß gegen ihre vermeintliche Vollendung noch nicht die zukünftige Vollendung ins Feld geführt ist, sondern ihre christologische Voraussetzung in der Auferweckung Jesu. Das Subjekt der pneumatischen Machtausübung ist Christus; πολίτευμα ist dann also der Machtbereich des erhöhten Christus, wofür auch die Fortsetzung deutlich genug spricht: ἐξ οὗ καί ist wieder zusammenzunehmen als idiomatisches Relativum, das dem Satz größere Selbständigkeit gibt (s. o. zu 4,9): »von dorther«; wird diese spezielle Funktion von καί erkannt, so blickt man nicht isoliert auf die möglichen Bezugsgrößen alternativ zurück[479], und ein Streit, welche Rückbeziehung richtig sei, erübrigt sich, weil die Erklärung als idiomatisches Relativum mit der Funktion eines Demonstrativum die hinreichende Erklärung dafür bietet. Wesentlich ist, daß damit hier nicht der individuelle Tod im Blick steht, sondern die mit ἐκ gut pl angezeigte Parusie (1Kor 15,47; 2Kor 5,2; 1Thess 1,10; 4,16 ἀπό); ebenso typisch pl ist in diesem Zusammenhang auch das Doppelkompositum der Zukunftserwartung ἀπεκδέχομαι (Gal 5,5; 1Kor 1,7; Röm 8,19.23).

Derselbe Hintergrund der dualistischen Weisheit ist deutlich auch mit der Kennzeichnung der beiden σώματα in 3,21 gegeben: »Das σῶμα τῆς ταπεινώσεως, eben die minderwertige irdisch-fleischliche Seinssphäre, wird durch Verwandlung in himmlische Doxa aufgehoben und wesensgleich mit dem Erlöserleib«[480]; im Sinne der gegnerischen Terminologie ist es durchaus identisch mit dem von der Sünde bzw. dem Tod

474 Böttger 1969: 259f. 475 Brandenburger 1968: 174 Anm. 2.
476 So Lohmeyer 159 »Heimat«.
477 Vgl. zuletzt Böttger 1969: 244ff.; Strathmann ThWNT VI 535: LXX nur 2Makk 12,7; ferner Arist 310 und in Inschriften.
478 So Gnilka 206; dgg. Böttger ebd.; Baumbach 1977: 449.
479 Als construction ad sensum auf »Himmel« wie Gnilka 207 Anm. 123 mit Güttgemanns und Michaelis oder auf »Staatswesen« wie Lohmeyer 158 und Baumbach 1977: 449f., die es aber letztlich als gleichgültig erklärten.
480 Brandenburger 1968: 173f.

beherrschten Leib von Röm 6,6; 7,24 f.[481], doch steht es jetzt von Christen im Sinne der »tönernen Gefäße« von 2Kor 4,7[482]: Was hier μετασχηματίζειν bezeichnet, drückt 2Kor 3,18 mit μεταμορφοῦσθαι oder 1Kor 15,31 f. mit ἀλλάσσειν aus. Dabei hat 3,21 σύμμορφον mit 3,10 das gleiche Stichwort gemeinsam: »Die Verwurzelung des Gedankens von derUmschaffung zur Neugestalt im Kontext ist vor allem dadurch gegeben, daß V. 21 in Antithese zu V. 10 συμμορφιζόμενος τῷ θανάτῳ αὐτοῦ steht.«[483] Wie das jetzt stattfindende Zerriebenwerden, so ist auch das zukünftige Geschick christologisch bestimmt: Wie bisher immer, so ist auch hier ein christologischer Zusatz zu einem Gegnerterminus gemacht, der mittels Gedankenstrich stärker als solcher markiert werden kann: σῶμα τῆς δόξης – αὐτοῦ (!) – und nicht überhaupt. Es ist so die einzige Stelle, an der dadurch eine explizite Aussage vom σῶμα des auferweckten Jesus entstanden ist (doch vgl. indirekt 1Kor 15,44)[484]. Im übrigen war δόξα als Gegnerstichwort schon V. 19 ironisch umwertend aufgegriffen, so daß der Zusammenhang der bestimmenden Interaktion mit den Agitatoren nochmals verdeutlicht ist. Sachlich impliziert die Zufügung des Possessivpronomens den personalen Akzent der Vollendung, der sonst mit σύν (s. o. zu 1,20) ausgedrückt ist: »Dadurch wird diese Verwandlung nicht zu einem unpersönlichen Schicksal, sondern sichert dem Gläubigen die persönliche Beziehung zu dem Herrn des Glaubenden . . ., so daß es nun möglich ist, immerdar mit Christus zu sein.«[485] Mit αὐτοῦ ist also das συμ- von σύμμορφον christologisch expliziert. Im übrigen stellt die Synonymie mit der expliziten Auferwekkungsaussage V. 11 sicher, daß eine Einschränkung auf die bei der Parusie Lebenden[486] eine durch den Kontext ausgeschlossene Möglichkeit ist. Man sehe deutlich, daß Pl auch 1Kor 15,51 f. die Ausdrucksweise dergestalt variiert, daß er einmal mit »Verwandlung« den Universalaspekt und einmal den Partialaspekt bezeichnet, ohne daß aus dieser Unschärfe der Oberflächenstruktur falsche Schlüsse gezogen werden können. Abgesehen davon, daß man hier im Sinne des zugrundeliegenden Dualismus nicht sagen könnte, daß die Gestorbenen kein σῶμα τῆς ταπεινώσεως mehr hätten. Der Basisgedanke ist ja vielmehr umgekehrt der, daß als σάρξ schon die noch Lebenden von der Gestaltungsmacht des Todes bestimmt sind. Im Blick auf die Gegenwart der Christen ist indessen das σῶμα τῆς ταπεινώσεως – ἡμῶν (!) durch die Identität mit den θάνατος αὐτοῦ bzw. παθήματα αὐτοῦ modifiziert: Es ist das Aufhören der Verfolgungen und darum das θνητόν σῶμα von Röm 6,12; 8,11; 2Kor 4,11. D. h. mit dieser »Verwandlung« muß zugleich durch diese Modifikation das Zunichtewerden der Feindmächte gegeben sein, da es nicht nur um eine isolierte Verwandlung geht. Dies aber zeigt deutlich, daß es keine individuelle Eschatologie ohne eine kosmische gibt, sofern sie christologisch entworfen ist[487].

Daher ist der Zusatz des 5. und 6. Gliedes dann dazu noch sachlich nötig, der am Ende wie 1Kor 15,27 f. mittels LXX-Ps 8,7 die Wendung der All-Unterwerfung aufgreift; Der Anfang dagegen wird mit κατά als Umschreibung für den subjektiven bzw. possessiven Genitiv gemacht[488]. Da die δύναμις τῆς ἀναστάσεως αὐτοῦ nach V. 10 schon die Gegenwart bestimmt, so überbietet die abschließende Formulierung dies, denn δύνασται nimmt deutlich rückblickend auf diese δύναμις Bezug: Die »sachlich

481 Weshalb es Haupt 154 als »Umschreibung von Sarx« bestimmte.
482 Vgl. Brandenburger 1968: 44 Anm. 6.
483 Gnilka 210 – genauer: als ergänzender Abschluß, da deutlich »die dort folgende ἐξανάστασις ἐκ νεκρῶν gleichbedeutend mit diesem Verwandeltwerden ist«: Lohmeyer 161.
484 Güttgemanns 1966: 247.   485 Lohmeyer 161.
486 So Güttgemanns 1966: 244 f.; Wiefel 1974: 80.
487 Baumbach 1977: 451 gg. Wiefel 1974: 80 f., der hier leider verkürzend individualisiert.
488 B–D–R 224,1.

überflüssige Hinzufügung des Infinitivs τοῦ δύνασθαι αὐτόν, die eine in der höheren Koine übliche Redeweise darstellt, dient nur dazu, der ersten Zeile Fülle und Gewicht zu geben«[489]. Es liegt hier ein konsekutiver Infinitiv vor, da von der Möglichkeit (die Kraft, daß er unterwerfen kann) die Rede ist[490].

Die Verwendung von ἐνέργεια hier ist bei Pl einmalig[491]. Die 8 LXX-Belege sind hellenistisch und haben positiv oder antithetisch immer einen Bezug zu Gott oder seiner Weisheit (Sap 7,17.26; 13,4; 18,22; 2Makk 3,29; 3Makk 4,21; 5,12.28); die 7 ntl. Belege sind deuteropl und stehen nie vom Menschen. Es dürfte darum ein Gegnerterminus vorliegen, der aber in der Verwendung hier insofern dem Pneuma als »Allvermögen« entspricht, wenn Jesus nach 1Kor 15,46 zum πνεῦμα ζωοποιοῦν auferweckt wurde (bzw. auch dem ὄνομα als »Machtstellung«, »Herrschaftsstellung« und insofern synonym zu πολίτευμα). Es besteht ein sachlicher Rückbezug zur partizipialen Aussage von Gottes Wirkkraft in 2,13 (s. o.; ebenso zur von ihm ausgehenden Ermächtigung von 4,13). Wesentlich dient hier aber ἐνέργεια dazu, »die persönliche Vollendung mit der eschatologischen Überwindung der Welt« zu verknüpfen: »Die Parusie bedeutet also nicht Vernichtung der Welt, sondern derart Aufhebung des Gegensatzes von Gemeinde und Welt, daß nun dem Kyrios Christos alles unterworfen ist.«[492]

Der Bezug von Phil 3,20–21 auf die Auseinandersetzung von Phil C ist so deutlich, daß dieses Segment nicht davon abgehoben werden kann. Die Besonderheit der Terminologie erklärt sich zum guten Teil von daher, wie auch einige pl Prägungen bemerkbar waren. Dennoch sind als ein dritter Aspekt die 7 terminologischen Berührungen mit Phil 2,6–11 nicht zu übersehen[493]: (1.) Die Rolle des Parallelismus bei der Gestaltung der Zeilen; (2.) die Beschreibung des Ausgangspunktes in Zeile 1 mit ὑπάρχειν (vgl. 2,6). Pl verwendet das Lexem zwar 12mal (daneben im NT nur noch lk Vorzugswort), doch heißt das nicht, daß die engere Wortparallele dann hier »überhaupt nichts« besage[494], weil dabei die erstaunliche Nähe hinsichtlich der Beschreibung der Ausgangsposition übersehen ist; (3.) Das eschatologisch gebrauchte Κύριος Ἰησοῦς Χριστός füllt hier 3,20 insofern auf, als es ohne Possessivpronomen gebraucht wird, was es als einzige Kyrios-Parusiestelle von 1Kor 1,7f.; 2Kor 1,14; 1Thess 2,19; 3,13; 5,23 ebenso unterscheidend abhebt wie mit Phil 2,11 aber nahe verbindet und außerdem auch die indeterminierte Verwendung überhaupt, die sich sonst nur in Briefeingängen oder -schlüssen findet[495]; (4./5.) μετασχηματίζειν und σύμμορφος berühren sich mit der Verwendung von μορφή 2,6f. und σχῆμα 2,7; (6.) auch ταπείνωσις ist mit ταπεινοῦν 2.8 als entsprechender Anklang durchaus zu beachten; (7.) Zielpunkt sind 3,21 τὰ πάντα, was der doppelten πᾶς-Verwendung in 2,10 als Zielpunkt entspricht.

Diese Berührungen lassen im semantischen Gehalt des ganzen Stückes natürlich zugleich auch die Differenzen untereinander erkennen. Dennoch bleiben gerade die Differenzen in den Berührungen auffallend und in ihrem Zusammenhang erklärungsbedürftig. Sieht man, daß das πολίτευμα 3,20 mit dem πολιτεύεσθαι 1,27 in Phil B und ἐνέργεια in 3,21 mit dem entsprechenden Verb in Phil B 2,13 die nächste Berührung hatte, so muß man die Zusammenhänge als in Philippi selbst liegend annehmen. Der Text ist also auch hier nicht im strengen Sinne vorpl, sondern präziser als nebenpl zu bestimmen und dürfte eine phil Reaktionsformulierung auf die jüdi-

---

489 Lohmeyer 192; vgl. B–D–R 400,2 Anm. 4.
490 Gnilka 208.   491 Paulsen EWNT I 1108.
492 Lohmeyer 162; αὐτῷ wird dabei koine-typischer Ersatz des Reflexivums sein: B–D–R 283; Zerwick 1963: 30.
493 Güttgemanns 1966: 241.   494 So Gnilka 209.
495 Lipsius 241; vgl. Kramer 1963: 218 gg. Gnilka 209, der die Belege undifferenziert summierend als Argument anführt.

schen Agitatoren sein. Da es in Philippi nun mit Euodia und Syntyche Christen gab, die auf sie eingingen (3,15; 4,2) und diese zugleich als die Verfasser von Phil 2,6ff. in einem früheren Stadium waren, so liegt es nahe, daß ihre Pl noch stärker vertretenden Opponenten – etwa Clemens von 4,3 – die Verfasser von Phil 3,20f. waren. Es dürfte sich also wie bei 2,6ff. am ehesten um einen phil Text handeln, mit dem man die Meinungsbildung und Urteilsfindung in der diesbezüglichen Herausforderung zu klären versuchte. In diesem Sinne wird man den bisherigen Widerspruch der Erklärungsversuche zwischen der Annahme einer vorpl Formulierung [496] und ihrer Bestreitung bei Annahme einer pl Formulierung[497] lösen müssen.

Eine Nähe zu Pl ist auch hinsichtlich des Christusprädikats σωτήρ gegeben. Es erscheint hier zwar einmalig bei Pl, ist aber deutlich kein Hoheitstitel (ohne Artikel und Possessivpronomen), sondern eine Funktionsbezeichnung. Darin entspricht es der Verwendung von σωτηρία (s. o. 1,19.28; 2,12) bzw. dem Verb, die bei Pl immer die Endvollendung bezeichnen (etwa im deutlichen Unterschied zu Lk), und das dann einen falschen Akzent erhält, wenn man hier »Retter« übersetzen würde. Dann aber liegt die nächste Sachparallele nicht 1Thess 1,10 vor, und der semantische Gehalt von σωτήρ ist nicht der des dortigen ὁ ῥυόμενος ἡμᾶς ἐκ τῆς ὀργῆς τῆς ἐρχομένης[498]. Eher ist anzunehmen, daß gerade mit dem Lexemwechsel hier eine paulinisierende Umformulierung dieser vorpl Formel vorliegt, wie sie Pl selbst Röm 5,9f. von seinem Ansatz her gibt: Für σωτήρ ist pl nicht ein allgemeines Gericht das Archilexem des bestimmenden Wortfeldes, sondern die Vollendung des Ostern begonnenen Zurechtbringens und Versöhnens. Dann ist 1Thess 1,10 auch nicht maßgebend dafür, Phil 3,20f. einem vorpl Traditionsbereich zuzuweisen[499]. Was das atrikellose σωτήρ hier meint, wird in den beiden Gliedern des anschließenden Relativsatzes näher umschrieben[500].

9.9. Zusammenfassung: Übersetzung

(3,2) Seid auf der Hut vor denen, die euch die jüdische Beschneidung als Vermittlung des lebendigmachenden Geistes Gottes anbieten!
Seid auf der Hut vor diesen Unheil anrichtenden Agitatoren!
Seid auf der Hut vor diesen streunenden Hunden!

(3,3) Denn wir, die der Herrschaft Christi unterstellt sind, und nicht sie sind doch die wahre »Beschneidung«
wir sind doch die, die dem wirklichen, altes überholenden »Geist Gottes« tatsächlich »dienen«,
indem wir den auferweckten Jesus als den einzig nötigen und möglichen Lebensgewinn proklamieren

496 So Strecker, Güttgemanns, Becker.
497 So Gnilka, dem Siber 1971: 122–126 und Baumbach 1977: 449f. folgten.
498 Gg. Gnilka 207.
499 Gg. Becker 1971: 28f., gg. den man auch lieber nicht von »dem« Soter-Titel sprechen sollte, da der Ausdruck in seiner vielfältigen Verwendung für Helfer aller Art (wobei es nicht ein spezifisches Götterbeiwort ist) eben nicht in der Weise semantisch einheitlich gefaßt werden kann, daß man von dem »traditionsgeschichtlich ältesten nachweisbaren Gebrauch des Soter-Titels« reden darf.
500 Lohmeyer 159.

und uns damit nicht etwa noch auf etwas »überholtes und nicht mehr tragfähiges« stützen,

(3,4) obgleich ich ja eigentlich mein Leben auf etwas »überholtes« bauen könnte.

Wenn nämlich irgendein anderer der Meinung ist, sein Leben auf »überholtes« bauen zu können, dann muß darauf hingewiesen werden, das ich das erst recht könnte:

(3,5) »Ich empfing schon an dem vom Mosegesetz geforderten Ende der ersten Woche nach meiner Geburt die Beschneidung –
also war ich von rein israelitischer Abstammung,
ja sogar aus dem tempeltreuen Stamm Benjamin
und ein traditionsbewußter Hebräer von traditionsbewußten Eltern, was Sprache und Sitte angeht;

(3,6) Nach dem Kriterium des Mosegesetzes: Mitglied der Ganzhingabe fordernden und auch die mündlich überlieferten Regeln für verbindlich ansehenden pharisäischen Richtung;
nach dem Kriterium der Entschiedenheit des Einsatzes für die Reinerhaltung: ständig der abtrünnigen Christengemeinde als Agitator auf den Fersen;
nach dem Maßstab der Bundestreue – soweit sie im Herrschaftsbereich des Mosegesetzes galt: unantastbar geworden, ohne Bundesbruch.«

(3,7) Alles das galt für mich als Gottes Geist und höchste Lebensgewinne.
Das alles mußte ich aber auf Grund der Erscheinung des auferweckten Jesus als überholt beurteilen;

(3,8) doch nicht nur dies, sondern auch jetzt noch muß ich das alles als überholt beurteilen auf Grund der wirklich alles umfassenden »Erkenntnis« – die aber den auferweckten Jesus (und nicht das Mosegesetz) zum Inhalt hat, weil Gott durch ihn alles vorherige als überholt erwiesen hat und ich es dementsprechend als hinfällig geworden ansehen muß.

Gott hat in Gang gesetzt, daß der auferweckte Jesus mein Lebensgewinn wur-
(3,9) de und ich in seinem Herrschaftsbereich meinen Standort empfing;
– d. h. aber, daß ich nun nicht eine nur selbst zurechtgemachte Bundestreue hätte, also die, die auf dem Mosegesetz basiert, sondern die jetzt wirkliche Bundestreue, die auf Grund der Nachricht vom auferweckten Jesus da ist, die auf dieser von Gott gesetzten Wirklichkeit basiert und für das Annehmen dieser Nachricht vorgegeben ist. –

(3,10) Gott wollte, daß ich mit diesem Christus bekannt und vertraut würde, und d. h. sowohl von derjenigen »Auferstehungskraft«, die er hat,
als auch von den Verfolgungen, die den seinen entsprechen, »mitbetroffen zu werden«, also wohl »gleichgestaltet zu werden« – aber eben seinem Verfolgungstod,

(3,11) damit ich zur »Herausholung« gelange – aber eben der künftigen, aus den Toten heraus.

(3,12) Ich kann nicht mehr wie früher (und jetzt die anderen jüdischen Agitatoren) sagen:
»Ich habe die Auferweckung schon empfangen« oder
»Ich habe die Vollendung schon erlangt«;
vielmehr muß ich sagen:
Ich lebe auf sie hin, damit ich sie auch erlange, weil ich ja dem auferweckten Jesus in die Hand gefallen bin.

(3,13) Ja, meine Mitchristen, ich selbst kann mich nicht mehr als einen beurteilen, der sagt:

328

»Ich selbst habe die Vollendung schon erlangt.«

Ich bitte euch vielmehr, das Entscheidende zu beachten:

Die vorösterliche Vergangenheit, die hinter mir liegt, sehe ich auch jetzt noch als erledigt und abgetan an;

der Vollendung aber, die vor mir liegt, strecke ich mich entgegen;

(3,14)   zielgerichtet lebe ich auf den Siegespreis hin, also auf diejenige »Heraufberufung« durch Gott, die im auferweckten Jesus begründet ist.

(3,15) Also: Wenn sich auch noch so viele als »vollendet« ausgeben – wir dagegen wollen die eben beschriebene Einstellung haben!

– Doch wenn ihr etwas abweichend beurteilen solltet, dann wird Gott euch ja wohl auch diese richtige Einstellung noch »offenbaren«. –

(3,16) Die Hauptsache bleibt:

Mit dem einen, unverwechselbaren Standort, auf den wir durch den auferweckten Jesus versetzt sind, wollen wir alle gemeinsam auch weiterhin ernst machen!

(3,17) Meine Mitchristen, seid also mit mir zusammen Christusnachahmer und orientiert euch an denen, die so und nicht anders leben, denken und handeln,

da ihr ja meinesgleichen als Orientierungshilfe habt!

(3,18) Denn natürlich lehrt, denkt und handelt die Mehrheit noch als – ich habe sie euch gegenüber schon oft so bezeichnet und charakterisiere sie auch jetzt mit Schmerz und grimmigem Zorn als –

die Zerstörer des Kreuzes des Auferweckten:

(3,19) Was sie als »Vollendung« anbieten, ist doch nur Untergang;

was sie als »Gott« anbieten, befaßt sich mit überholtem;

was sie als »Herrlichkeit« anbieten, ist doch nur ihre Zukunftslosigkeit,

da sie auf »überholtes hin falsch programmiert« sind.

(3,20) Dagegen ist nämlich die unser (und nicht ihr) Leben bestimmende Regierungsmacht der wirklich zukunfteröffnende Gott;

von dort her erwarten wir den Herrn Jesus Christus als Vollender:

(3,21) Er ist es, der unsere jetzige vorläufige Wirklichkeit schöpferisch so verändern wird,

daß sie seiner verherrlichten Wirklichkeit gleichgestaltet wird,

mit der Energie, mit der er ja ausgestattet ist,

um sich auch das All zu unterwerfen.

(4,1) Deshalb also, meine geliebten und ersehnten Mitchristen, meine Freude und meine Krone:

So evangeliumsbezogen und hoffnungsorientiert sollt ihr im Herrschaftsbereich des auferweckten Jesus leben, denken und handeln!

(4,2) Ja meine Mitchristen:

Euodia ermuntere ich und Syntyche ermuntere ich, sich dieser von der Herrschaft des auferweckten Jesus her bestimmten Meinungsbildung nicht zu verschließen!

(4,3) Ja und vor allem bitte ich dich, du wirklich mit mir am gleichen Strick Ziehender: Nimm dich dieser beiden an, die ja mit mir bei der Ausbreitung der Christusnachricht zusammengearbeitet haben!

Bemühe dich um sie zusammen mit Clemens und meinen anderen Mitarbeitern dort, deren Namen im Buch des Lebens sind!

(4,8) Abschließend, liebe Mitchristen, möchte ich betonen:

Alles was begründet und zuverlässig, ja was den höchsten Ansprüchen gemäß ist,

alles, was recht und billig ist, ja was sich vom Gemeinen abhebt, alles, was beliebt ist, ja was einen guten Klang hat,

alles, was als erstrebenswerter Wert gilt, ja was berechtigte Anerkennung findet,

das macht zum Gegenstand gemeindlichen Nachdenkens!

(4,9)   Wenn ihr aber die Christusnachricht, die ihr euch fest eingeprägt habt und alles Material, das ihr im Zusammenhang damit als Überlieferung angenommen habt, sowie das, was ihr von mir gehört und gesehen habt, auch als Orientierungshilfe befolgt,

dann wird Gott mit seiner Gemeinschaft mit euch sein!

10. Literaturgeschichtliche Zusammenfassung

10.1. Textgrundlage für die Rekonstruktion des Phil[1]

a) In Kategorie I (ganz besondere Qualität) stehen für Phil 7 Textzeugen (davon 2 fragmentarisch) zur Verfügung:

(um 200)	p^{46}	(mit Phil 1,1.5–15.17–28.30–2,12.14–27.29–3,8.10–21; 4,2–12.14–23)
(3./4. Jh.)	p^{16}	(mit Phil 3,10–17; 4,2–8)
(4. Jh.)	01	
(4. Jh.)	02	
(9. Jh.)	33	
(10. Jh.)	1739	
(14. Jh.)	2427	

b) In Kategorie II (besondere Qualität) stehen für Phil 10 Textzeugen (davon 4 fragmentarisch) zur Verfügung:

(5. Jh.)	04	(mit Phil 1,23–3,4)
(5. Jh.)	016	(mit Phil 1,1–4.11–13.20–23; 2,1–3.12–14.25–27; 3,4–6.14–17; 4,3–6.13–15)
(5. Jh.)	048	(mit Phil 1,8–23; 2,1–4.6–8)
(6. Jh.)	06	
(7. Jh.)	p^{61}	(mit Phil 3,5–9.12–16)
(10. Jh.)	2464	
(11. Jh.)	81	
(11. Jh.)	1175	
(12. Jh.)	2127	
(14. Jh.)	1881	

c) In Kategorie III (eigener Charakter mit selbständigem Text) sind für Phil die ältesten Zeugen:

(8./9. Jh.)	044
(9. Jh.)	010, 012, 025, 0150
(10. Jh.)	075, 1836, 1845 (?), 1874, 1912

d) In Kategorie V (byzantinisch, für Rekonstruktion wertlos) sind die ältesten Zeugen für Phil:

(9. Jh.)	018, 020, 0151, 1862
(10. Jh.)	056, 0142, 82, 450, 454, 602, 605, 627, 920, 1424, 1720, 1756, 1851, 1880, 1891, 1920, 1927, 1954, 1997, 1998, 2125 u. a.

---

1 Die zugrunde liegende neue Klassifikation richtet sich nach Aland 1982: 167–171 und modifiziert damit Gnilka 25–27.

10.2. Textbestand

Der aus den Handschriften rekonstruierbare Text umfaßt einen Bestand von[2]
N 1624 Wörtern unter Verwendung von
L   448 Vokabeln (Homographen, die allerdings noch z. B. bei Präpositionen weiter
          zu differenzieren wären).
In der Häufigkeit haben den höchsten Rang:
a) Bei den Substantiven:

37 (1. Rang)	χριστός
24 (2.)	θεός
22 (3.)	Ἰησοῦς
15 (4.)	κύριος
9 (5.–6.)	ἀδελφός
9 (5.–6.)	εὐαγγέλιον (größte Dichte in Pl)
6 (7.–8.)	θάνατος
6 (7.–8.)	δόξα
5 (9.–12.)	πίστις
5 (9.–12.)	πνεῦμα
5 (9.–12.)	σάρξ
5 (9.–12.)	χαρά (größte Dichte in Pl – vgl. Verb)
4 (13.–18.)	ἀγάπη
4 (13.–18.)	δέησις
4 (13.–18.)	δεσμός
4 (13.–18.)	δικαιοσύνη
4 (13.–18.)	ἡμέρα
4 (13.–18.)	λόγος

b) Bei den Verben:

17 (1. Rang)	εἶναι
10 (2.–3.)	ἔχειν
10 (2.–3.)	φρονεῖν (größte Dichte im NT)
9 (4.)	χαίρειν (größte Dichte im NT)
6 (5.–8.)	γίνεσθαι
6 (5.–8.)	ἡγεῖσθαι (größte Dichte im NT)
6 (5.–8.)	οἶδα
6 (5.–8.)	πείθειν (größte Dichte im NT)
5 (9.–11.)	γινώσκειν
5 (9.–11.)	πέμπειν (größte Dichte in Pl)
5 (9.–11.)	περισσεύειν
4 (12.–14.)	ἀκούειν
4 (12.–14.)	εἶδον
4 (12.–14.)	πληροῦν

c) Bei den Pronomen:

52 (1. Rang)	ἐγώ (größte Dichte in Pl)
51 (2.)	ὑμεῖς
31 (3.)	αὐτός
15 (4.–5.)	ὅς
15 (4.–5.)	οὗτος

2 Vgl. Morgenthaler 1973: 164.

10 (6.)	τις, τι
7 (7.)	ὅσος
6 (8.–9.)	ἑαυτοῦ
6 (8.–9.)	ἡμεῖς
4 (10.)	ὅστις

d) Bei den Adjektiven/Adverbien:

32 (1. Rang)	πᾶς
6 (2.)	μᾶλλον
5 (3.)	νῦν
4 (4.–6.)	λοιπός
4 (4.–6.)	μόνον
4 (4.–6.)	πάντοτε (Vorzugswort des Pl)

e) Bei den Konjunktionen (Partikeln, Konnektoren):

107 (1. Rang)	καί
27 (2.)	δέ
21 (3.)	ὅτι
15 (4.)	ἀλλά
13 (5.)	εἰ
12 (6.–7.)	ἵνα
12 (6.–7.)	οὐ
11 (8.)	γάρ
7 (9.)	ὡς
6 (10.–13.)	εἴτε
6 (10.–13.)	μέν
6 (10.–13.)	μή
6 (10.–13.)	οὖν
3 (14.–15.)	καθώς
3 (14.–15.)	ὥστε

f) Präpositionen an 162 Stellen[3]:

64 (1. Rang)	ἐν
23 (2.)	εἰς
11 (3.)	κατά + Akk. (größte Dichte in Pl)
10 (4.)	ἐκ
8 (5.)	διά + Akk.
7 (6.)	μετά + Gen. (größte Dichte in Pl)
6 (7.–9.)	ὑπέρ + Gen.
6 (7.–9.)	διά + Gen.
6 (7.–9.)	ἐπί + Dat.
4 (10.–12.)	ἀπό
4 (10.–12.)	πρός + Akk.
4 (10.–12.)	σύν
3 (13.)	περί + Gen.
2 (14.)	ὑπό + Gen.
1 (15.–18.)	ἐπί + Akk.
1 (15.–18.)	παρά + Gen.
1 (15.–18.)	περί + Akk.
1 (15.–18.)	ὑπέρ + Akk.

3 Vgl. Morgenthaler 1973: 160.

10.3. Die Einheitlichkeit des Textkorpus

10.3.1. Die nachpaulinische Glosse (1,1c)

Syntaktisch-semantische Argumente haben das Gewicht der Argumente, die schon bisher Zweifel an der ursprünglichen Zugehörigkeit dieser Erweiterung im Adressaten-Präskript aufkommen ließen, derart verstärkt, daß dieser artikellose Zusatz als eine spätere Glosse angesehen werden muß. Er kann darum nicht mehr als Begründung für die Behauptung genommen werden, daß damit »kirchenrechtlich« bei Pl »die Anfänge einer Verfassung« begännen[4], wie wir sie aus den Pastoralbriefen kennen. Diese setzt der Glossator vielmehr voraus. Damit vermindert sich der Wortbestand der Texteinheit um 4 Wörter auf N 1620 Wörter und der Vokabelbestand verringert sich um 2 auf L 446. Zugleich verstärkt die Tatsache eines solchen Eingriffs die Möglichkeit, auch sonst mit nachpl Operationen am Text zu rechnen.

10.3.2. Die Unmöglichkeit der Einheitlichkeits-Hypothese

Daß das Gesamtsyntagma τὸ λοιπόν + Brüder-Anrede + Imperativ in 3,1a die kurzen Briefschlußmahnungen einleitet, sollte man nicht mehr bestreiten, zumal mit 2,19–30 die weiterführenden Informationen der Timotheus-Sendung und Epaphroditus-Rücksendung den Abschluß des 1,1 einsetzenden Briefes markieren. Dies muß formkritisch am Anfang stehen, und erst von daher kann man mit der Härte des Übergangs von 3,1 zu 3,2 wie mit dem deutlichen »Unterschied in Ton und Stimmung« in die Debatte eintreten[5]. Ebensowenig ist zu übersehen, daß 4,8a eine Dublette zur Schlußeinleitung von 3,1a vorliegt.

Von daher kann man nicht den Deduktivismus der klassischen Formgeschichte anwenden, um den Bruch 3,1:2 so zu erklären, als stünde das Anathema der urchristlichen Mahlfeier dahinter und die Aufforderung zur Freude sei eine Anspielung auf das Herrenmahl, während die Anklage gemeindlicher Irrlehrer wie Gerichtsankündigung eine prophetische Gerichtspredigt sei, die wie Röm 16,17–20; Gal 1,6–9 das Anathema entfalte[6]. So habe Pl wesentlich der Zwang der liturgischen Situation genötigt, »die Aufforderung zur Freude nach 3,1 abzubrechen und ein Anathema über die Irrlehrer auszusprechen. Es geht hier also um die Scheidung der Geister angesichts der Nähe des Herrn«[7]. Dagegen ist jedoch einzuwenden, daß der Aufruf zur Freude im Schlußimperativ hier nach Phil 1,18 und 2,17f. Leitwort der Epistel und somit konkret epistolisch bedingt ist. Gal 1,6–9 zeigt, daß das Herrenmahlanathema von Paulus natürlich aufgenommen werden, seinen Ort aber in der Brief-Exposition haben kann und auch darum der Aufruf zur Freude nicht als Anspielung auf das Herrenmahl zu nehmen ist, das sich nach Verlesung des Briefes angeschlossen haben soll. Die Situation von 1Kor 16,22 ist darum nicht formalistisch auf Phil 3,1 anzuwenden[8]. Dazu zeigt auch die parallele Entfaltung des Anathemas 1Kor 11,27ff., daß nicht ein so direkter Zusammenhang

---

4 So zuletzt Schelkle 1981: 105.
5 Gg. Lindemann 1979: 24 und Conzelmann-Lindemann 1979: 220, die damit eine Revision gegenüber den ersten beiden Auflagen vollzogen haben.
6 So die Hauptthese von Müller 1975: 193.
7 Ebd. 208; dazu zustimmend Rez. Roloff ThLZ 103 (1978) 585–587 wie Lindemann 1979: 25.
8 Vgl. dazu Schenk 1970a: Die Einheit von Wortverkündigung und Herrenmahl ist nicht als feste und unumkehrbare Abfolge vom späteren Meßformular her anachronistisch ins Urchristentum hineinzuprojizieren.

von Briefverlesesituation und dieser entfaltenden Anwendung des Anathemas anzunehmen ist. Vielmehr zeigen beide Parallelen, daß beide Aspekte, die Müller zusammenbindet, getrennt gesehen werden müssen, und daß das Anathema in verschiedenen Anwendungsmöglichkeiten rein briefargumentatorisch ad hoc verwendet werden kann. Darüber hinaus zeigt 1Kor 11,19ff. weiter, daß man nicht mit einem einheitlichen Gerichtsbegriff so suggestiv arbeiten kann, wie er hier vorausgesetzt wird: Die Differenzierung von Läuterungsgericht im Verhältnis zu Endgericht ist eine weitere Instanz gegen die vorgeschlagene Anwendung.

Es gibt also gute Gründe für die literarkritische Abhebung verschiedener Brieffragmente, während die deduktivistisch-formgeschichtliche Bestreitung nicht durchschlägt. Daß die gehäufte dreimalige Nennung des imperativischen Freudenaufrufs 3,1 : 4,4 eine »arge Strapazierung der Leser bedeuten« würde und »die stilistischen Fähigkeiten des Paulus in einem wenig günstigen Licht erscheinen lasse«[9], ist ein subjektives Urteil, das von einem intuitiven Stilbegriff ausgeht, während umgekehrt gerade der von mir versuchte Aufweis der Parenthesen in 3,1b und 4,4b diese Häufung sinnvoll gliedert. Darum darf die erste Parenthese 3,1b weder als Glosse der Briefredaktion (gg. Müller-Bardorf, Beare) angesehen noch mit Gnilka[10] zu 3,2ff. gezogen werden. Aus dieser Entscheidung kann man nicht vorschnell apologetisches Kapital schlagen, wie Lindemann[11] das tut: »Wenn man V. 1b ohne Schwierigkeit sowohl zum einen wie zum anderen Briefteil ziehen kann«, dann bedeutet das eben noch lange nicht, »daß der Riß bei 3,1 so tief nun auch wieder nicht sein kann«, sondern nur, daß speziell Gnilkas Entscheidung nicht den Vorzug verdient.

Da nun ebensowenig wie die Dublette der Schlußmahnungseinleitung 3,1a : 4,8a auch die damit korrespondierende Dublette der abschließenden Friedens-Verheißungen 4,7b : 4,9b zu bestreiten ist, so wird man am besten bei der von Schmithals und Bornkamm vorgeschlagenen Dekomposition bleiben. Verstärkend dazu meine ich zu Phil 3 gezeigt zu haben, daß hier ein Brieffragment vorliegt, das mit Gal, 2Kor 10–13 und 1Kor 1,10–4,21 in engster Analogie steht und dem genus iudiciale zuzuordnen ist. Solche textpragmatischen Beschreibungen sind erklärungsadäquater als die intuitiv-pragmatischen Bestimmungen, die von »Ton und Stimmung« reden und heute kaum mehr entscheidungskräftig sein können. Ebenso meine ich weitere Argumente aus dem Vergleich mit Phlm vorgelegt zu haben, die 4,10ff. als eigenes Brieffragment erweisen. Dieses Dankschreiben muß der danklosen Erwähnung der philippischen Gabe in 2,25 vorausliegen. Daneben ist auf der Ebene der Semantik die Einsicht wesentlich, daß man eine »Einheitlichkeit« auch »nicht beweisen« kann, »indem wir auf Motive, die durch alle Teile des Briefes hindurchgehen, aufmerksam machen«[12]. Dies ist auch gegenüber dem Vorschlag zu veranschlagen, der 4,21–23 zu Phil B ziehen wollte, »weil die 4,22 erwähnten Mitgrüßenden ›aus des Kaisers Haus‹ im Zusammenhang mit dem 1,13 erwähnten Prätorium stehen dürften«[13]. Tatsächlich ergibt sich aus diesem Zusammenhang nur der gleiche Absendeort, während ein epistolischer Zusammenhang

9 So Lindemann 1979: 24 in einer vorlinguistischen Pragmatik.
10 Gnilka 8f., dem Collange 1973 folgt.
11 So Lindemann 1979: 24 etwas vorschnell und zu global.
12 Kümmel 1973: 293 gg. Jewett 1970 und ähnlich angelegte Versuche. Dieser Hinweis Kümmels und die zugeordnete Argumentation ist insofern wichtig, als er selbst noch in der vorigen Auflage (1963: 241) dies als ein positives Argument gg. die Dekomposition gelten lassen wollte. Dieses Gefälle im Argumentationsarsenal ist immerhin bemerkenswert.
13 Marxsen 1964: 59 nach Bornkamm, Beare, Rathjen, Müller-Bardorf, obwohl Bornkamm dies schon nur sehr eingeschränkt vorgeschlagen hatte; dennoch ist diese Zuordnung so beliebt, daß ihr auch die Einleitungen von Lohse 1972: 51; Vielhauer 1975: 161f.; Schenke-Fischer 1978: 126 folgen.

durch die Art der Erwähnung nicht gegeben ist[14]. Darüber hinaus meine ich durch den Vergleich der Personenkennzeichnung mit 1Thess 5 das Zusatzargument erbracht zu haben, daß die Grußkennzeichnung betont auf einen ersten Brief nach der Gründungsphase weist, was mit dem 4,10ff. Voranstehenden im Einklang steht.

Somit scheint es gerechtfertigt, daß man weiterhin dem Dekompositionsvorschlag von Schmithals folgt und nur noch 1,1c als spätere Glosse, die durchaus im Zusammenhang mit der Briefkomposition entstanden sein kann, herausnimmt:

Phil A	. . . 4,10–23	(N 203 Wörter)
Phil B 1,1–3,1;	4,4–7 . . .	(N 999 Wörter)
Phil C . . . 3,2–4,3.	8–9 . . .	(N 418 Wörter)

Vom Fragment Phil A dürfte nur das Präskript fehlen. Dies ist bei Phil B vorhanden, während am Ende evtl. einige Schlußgrüße weggelassen sind. Beides dürfte bei Phil C weggelassen sein, während ein Briefdankgebet analog zum Formtypus des Gal wie 2Kor 10–13 und 1Kor 1,10–4,21 als stilgemäß fehlend angenommen werden muß.

10.4. Die Verwendung vorgeprägter Formulierungen

10.4.1. Die auf die Adressaten zurückgehenden Formulierungen

a) Phil 4,10; 1,7

Der primären Kommunikationssituation des brieflichen Gesprächs entsprechend sind vorgeprägte Formulierungen vor allen anderen Haftpunkten aus diesem Bezug heraus anzunehmen. Phil A 4,10 dürfte Pl mit φρονεῖν ὑπέρ + Genitiv die phil Beschreibung der Unterstützungssendung für Pl benutzen. Mit der Rücksendung des Gemeindedelegaten Phil B greift er 1,7 diese Wendung wieder auf und wendet sie zur Betonung der Gemeinsamkeit und Gegenseitigkeit auf die Adressaten hin um.

b) Phil 2,6–11

Der Kompositionszusammenhang von Phil B 2,1f. her hat ergeben, daß Pl ganz direkt auf die bei den Phil selbst vorhandenen Aktivitäten und deren Resultate hinweist. Von daher ist es am naheliegendsten, in dem kerygmatischen Text Phil 2,6–11 ganz direkt ein phil Produkt zu sehen, das dem hellenistischen Mythos des ab- und aufsteigenden Erlösers näher steht als dem jüdischen, davon abgeleiteten Schema der Weisheits-Sendung. Der vorherrschenden Meinung, daß hier »ein sehr altes Christuslied« vorliege[15], muß daher der Abschied gegeben werden. Pl schickt vielmehr eine phil Ad-hoc-Formulierung kommentiert zurück. Wegen des Bezugs zum zentralen Oster-Evangelium hat Pl diese phil Formulierung zur Zeit des Phil B für tolerabel gehalten. Wegen der Affinität zu den phil Unterstützern der späteren jüdischen Agitatoren der pneumatischen Weisheitstora, die Phil C 4,2 zurechtgebracht werden sollen und als deren Vertreter Euodia und Syntyche erscheinen, liegt es nahe, die Formulierung und den missionarischen Gebrauch des Textes in diesen Kreisen zu lokalisieren.

c) Phil 3,20f.

Wegen der terminologischen Zusammenhänge wie gleichzeitigen Differenzen dieses im bekennenden Wir-Stil formulierten Stückes gegenüber Phil 2,6–11 liegt es nahe,

14 Schmithals 1965a: 56.   15 Vgl. zuletzt Schelkle 1981: 106.

auch hierin eine phil Formulierung zu sehen, mit dem die stärker der Logik des Evangeliums verpflichteten Kreise auf das Auftreten der jüdischen Agitatoren reagierten und Pl Mitteilung gemacht hatten. Da 4,3 Clemens namentlich als der genannt wird, der in der Gemeinde an der klärenden Zurechtbringung der beiden Frauen beteiligt werden soll, so liegt es nahe, die Formulierung dieses Hoffnungsbekenntnisses primär mit diesem Namen in Zusammenhang zu bringen.

10.4.2. Die auf die jüdischen Agitatoren zurückgehenden Formulierungen

In der Auseinandersetzung des Phil C dürften über 50 Wörter auf die Agitation der weisheitlichen Tora-Propagandisten zurückgehen, die Pl in seiner Auseinandersetzung kritisch aufnimmt. Sie nennen sich »Arbeiter« (3,2), bekennen »wir sind die Beschneidung«, »dienen dem Pneuma« statt uns »auf die Sarx zu verlassen« und »rühmen uns« dieser Pneuma-Tora (3,3). Diese »Erkenntnis« (3,8.10) versprechen sie als »Gewinn« (3,7.8). Darin »erfunden zu werden«, verspricht »Gerechtmachung« (3,9), ist die »Kraft des Aufstiegs« und »Gleichgestaltung« (3,10). Dies hat »schon erlangt«, »schon vollkommen geworden« ist der, der das Sir 27,8 gekoppelte »Erstreben/Erlangen« sich zu eigen macht (3,12.13). Die torabestimmte »Heraufberufung durch Gott« (3,14) verspricht »Offenbarung« (3,15), »Vollendung« und »Herrlichkeit« (3,19) für alle, die vor der Beschneidung noch auf das überholte »Irdische hin bestimmt sind« (3,19).

10.4.3. Vorgeprägte urapostolische Formulierungen

a) Die volle metasprachliche Kennzeichnung der österlichen Basisformel »Evangelium Christi« ist 1,27 verwendet und erscheint daneben noch 8mal in der Kurzform mit anaphorischem Artikel (1,5.7.12.16.27; 2,22; 4,3.15). Mehrfach steht »Christos« metonymisch dafür. Sachlich steht die Formulierung der Osternachricht auch hinter 2,9 wie 3,11.
b) Die auf die Osternachricht antwortende grundlegende Akklamation »Kyrios Jesus« ist nicht nur 2,11 an ihrem kennzeichnenden sachlogischen Ort verwendet, sondern erscheint als Syntagma noch 5mal auch 1,2; 2,19; 3,8.20; 4,23. Sie ist auch da vorausgesetzt, wo 8mal die Kurzkennzeichnung »im Herrn« steht: 1,14; 2,24.29; 3,1; 4,1.2.4.10.
c) Das Maranatha der urkirchlichen Herrenmahlversammlung (1Kor 16,22) liegt 4,5 in griechischer Übersetzung angespielt vor.

10.4.4. Anklänge an die Jesus-Überlieferung[16]

a) Phil 2,8f. wird unter Aufnahme des positiven Teils des weisheitlichen Doppelspruches Q-Lk 14,11 das »Sich-Erniedrigen« auf die Selbstpreisgabe Jesu selbst zur Kennzeichnung seiner Auftragstreue Gott gegenüber verwendet und seine Auferweckung von dieser Materialvorlage her als »Erhöhung« beschrieben. Die sehr ungewöhnliche reflexive Verwendung von »Sich-Erniedrigen« (vgl. auch 2Kor 11,7) zeigt, daß dieses Logion der materiale Ausgangspunkt für die Formulierung des phil Missionstextes Phil 2,6–11 war. Aus der Tatsache dieser Verwendung ergibt sich zugleich, daß Pl die Phil wie alle seine Gemeinden mit der überschaubaren und knappen Urform der paränetischen Jesus-Überlieferung bekanntgemacht hat, jedoch ohne daß dieser damit ursprünglich ein der Osternachricht entsprechender Grundlagenwert gegeben war.

16 Schenk 1981: 51, 92, 106.

b) Phil 2,20f. und 4,6 dürften die Logien über wahres und falsches »Sorgen« aus Q-Lk 12,22–31 verwendet worden sein. Während in 4,6 direkt der Warn-Imperativ übernommen ist, zeigt die Entgegensetzung 2,20f. in der Kennzeichnung des Timotheus im Vergleich mit anderen die pragmatische Ausweitung der Anwendung auf andere Lebensbereiche, wie sie wiederum auf andere Weise auch 1Kor 7,32–34 vollzogen wurde.

c) Wenn für Phil 4,6 dieser Bezug im Zusammenhang des Sendungsauftrags der Gemeinde sicher sein dürfte, dann liegt es vielleicht nahe, auch im voranstehenden Satz Phil 4,5 (vgl. 2,15) die Intention des einleitenden Sendungswortes Q-Lk 10,3, die die andersartige Umwelt zu Adressaten macht, zusammen mit der Betonung der »Nähe« der Vollendung aus Q-Lk 10,9 verwendet zu sehen, wenngleich die Deutlichkeit hier weniger ausgeprägt ist.

10.5. Abfassungsverhältnisse der philippischen Korrespondenz

a) Das Gründungsdatum der phil Gemeinde, der ersten nach dem Übergang von Asien nach Europa (4,15), wird auf (schon) 48 bis (erst) 50 datiert[17]. Nach Verfolgungen (1,30; 1Thess 2,2) hat Pl Philippi verlassen und ist nach Thessalonich gegangen, wo er wiederholte Unterstützungen aus Philippi erhielt (4,15f.).

b) Nach 1,26.30; 2,12; 4,15f. war Pl seit der Gründung der Gemeinde nicht mehr dort; doch die Phil haben erfahren, daß Pl in Ephesus im Gefängnis war und haben ihm durch Epaphroditus eine Geldgabe geschickt, die ihn im Gefängnis erreichen sollte und auch erreicht hat (4,14). Pl quittiert dies spontan mit Phil A.

c) Die Phil haben ihre Besorgnis um das Ergehen des angeschlagenen Delegaten Epaphroditus (2,26) wie des Pl (1,12) ausgedrückt. Pl kann mit guten Nachrichten und Hoffnungen Epaphroditus mit Phil B zurückschicken (2,25–30). Bei dem mehrfachen Hin und Her ist zu veranschlagen, daß die Seereise Ephesus-Philippi normalerweise 8 Tage dauerte. Die 2,19–23 in Aussicht genommene Sendung des Timotheus dürfte mit der von 1Kor 16,20f.; 4,17 identisch sein[18], und wird darum auf Sommer 53[19] bzw. 54[20] datiert. Phil A ist dementsprechend kurz zuvor anzusetzen.

d) Nach dem Eintreffen der Nachricht vom Wirken der judaisierenden Agitatoren in Phil ist der Warnbrief C ausgegangen, der in der Regel ein Jahr später datiert wird[21]. Falls in 4,3 Timotheus direkt angeredet ist, so bleibt unsicher, ob es sich um den in Phil B projektierten Aufenthalt handelt oder um einen späteren.

---

17 Früher und mit längerem Aufenthalt rechnet Jewett 1982, später dgg. nimmt Gnilka 3f. an; dazwischen liegen mit Michaelis 1961: 201 die meisten. Die extreme Hinaufdatierung auf 40 von Suggs 1960 wird jetzt von Lüdemann 1980 passim in seinem umfänglichen Neuentwurf favorisiert, der umfassend diskutiert werden muß (für Phil s. u. Anm. 20).

18 So Michaelis 1961: 208f.; Schmithals 1965a: 57, 183; Friedrich 94; Schenke-Fischer 1978: 127f.; Suhl 1975: 200. Vgl. dgg. die Alternative bei Vielhauer 1975: 169f., der mit Gnilka 22–24 die von Pl geplante Reise erst mit der von 2Kor 2,13; 7,5 identisch sieht, und die Phil-Fragmente darum später (nämlich zwischen dem kor Tränen- und dem Versöhnungsbrief) ansetzen will.

19 So Suhl 1975: 249.

20 So Schenke-Fischer 1978: 129; Gnilka 24 dgg. erst 55/56 von seinen anderen Voraussetzungen her. Lüdemann 1980: 142f. erneuert wiederum die Lokalisierung in der späteren römischen Gefangenschaft.

21 Suhl ebd.: Frühjahr 54; Schenke-Fischer ebd.: 55; Gnilka 25 dgg. erst 56/57 aus Korinth, da er

10.6. Früheste Kenntnis und Verwendung der Philipperbriefe

a) Kol[22]

Nimmt man die strengen methodologischen Kriterien an, wie sie Sanders (1966) entwickelt und dargestellt hat[23], dann ist am deutlichsten in Kol 1,29 Phil 4,13 aufgenommen. Von diesem deutlichen Zeichen des Bekannt- und Beeinflußtseins gewinnt auch die singuläre Berührung von Kol 1,22 mit Phil 2,15 das Gewicht einer literarischen Abhängigkeit wie die Verbindung von Kol 1,28 mit Phil 1,17 f. und die Berührung von Kol 3,2 mit Phil 3,19 f. Kol 3,4 mit Phil 1,21 f., 3,15 mit Phil 4,7, Kol 4,7 mit Phil 1,12.14 und Kol 4,18 mit Phil 1,7. Daß sich solche Parallelen zu allen Teilen des Phil zeigen, besagt noch nicht, daß Kol um 80 schon als Zeugnis für die vollzogene Redaktion der Fragmente zu einem einzigen Phil gelten kann[24], noch auch umgekehrt, daß daraus ein Argument für die ursprüngliche literarische Einheit des Phil abgeleitet werden kann[25], da die Berührungen nur die punktuelle Vertrautheit mit Phil im Gedächtnis des pseudepigraphischen Testamentsverfassers zeigen.

b) Apg[26]

»Sämtliche Orte, an deren Gemeinden pl Briefe gerichtet sind, erscheinen in der Apg als Missionsorte des Pl«[27], und darüber hinaus nicht nur die wesentlichen weiteren geographischen Angaben, sondern auch die Namen der Pl-Mitarbeiter in Relation zu den entsprechenden geographischen Angaben. Wenn außerdem »Hoffnung« als theologisch-eschatologische Grundkategorie fast ausschließlich in den pl Briefen und davon abhängigen Schriften erscheint, so gehört dazu auch die Beobachtung, daß dieser Gebrauch in der Apg auf die Paulusreden konzentriert ist (vgl. Apg 23,6; 24,15; 26,6 f.; 28,20)[28]. Was Apg 16,11 ff. über Pl in Philippi schreibt, dürfte – neben der sekundären materialen Verwendung und Auffüllung durch auch sonst bei Lk übliche Formmuster – völlig von den pl Briefnachrichten abhängig sein. Apg 16,12 geht von der Adressatennennung Phil 1,1 aus. Den rahmenden Frauennamen 16.14.40 dürfte er aus dem endungsgleichen in Phil 4,2 zu einem Gentilicum »Lydia« umformuliert haben. Daß 16,16 als zweite Hauptperson wiederum eine Frau auftaucht, dürfte ebenfalls durch die Nennung von zwei Frauen in Phil 4,2 inspiriert sein. Die Dienstbezeichnung »Sklaven« Gottes 16,17 hat Anhalt in der Selbstbezeichnung Phil 1,1, da auch der folgende Ausdruck »Verkündigen« mit dem Objekt »Heil« den Leser an Phil 1,17 f.29 erinnern soll (bzw. 17,3 mit Objekt »Christus« wiederholt; vgl. auch die Verwendung in 13,38). Das 16,22 ff. geschilderte apostolische Leiden in Philippi ist aus der Notiz Phil 1,30 f. (1 Thess 2,2) herausgesponnen, wobei auch Bekehrung und Milde des Kerkermeisters als der einzigen konkreten männlichen Person aus der einzigen, Phil 4,3 namentlich genannten weiteren männlichen Person und dem semantischen Gehalt seines Namens »Clemens« abgeleitet sein dürften.

---

außer der in Anm. 18 genannten Voraussetzung auch noch in Phil 3,1b.18 einen inzwischen erfolgten zweiten Besuch des Pl in Philippi angespielt sieht.

22 Sanders 1966: 44 verweist schon auf Kol 3,2.15; für literarische Abhängigkeit tritt auch Lindemann 1979: 111–122 ein, der aber auf Phil i.e. nicht eingeht.

23 Zustimmend Bujard 1972: 233; Schenk 1983a.

24 Gg. Ludwig 1974: 200.   25 Gg. Lindemann 1979: 24 Anm. 25.

26 Lindemann 1979: 163–172 leitet eine Änderung des gegenteiligen Grundkonsens ein, ohne auf Phil speziell einzugehen; Schmithals 1982: 16 f., 88 u. ö. rechnet wenigstens mit »indirekten Nachrichten aus den Briefen« über die »hyperpaulinischen Irrlehrer«, die er an vielen Stellen des lk Doppelwerkes bekämpft sieht.

27 Lindemann 1979: 165 m. R.   28 Vgl. auch Wolter 1978: 125 f.

Lk schließt sein doppelbändiges Buch Apg 28,31 auffallend mit einer Reminiszenz aus Phil 1,20, was sicher eine Huldigung an die pl Briefe und speziell den Phil für den kennenden Leser sein sollte: »in voller Parrhesia«. Das Syntagma taucht in der Koppelung von Phil 1,14.20 auch schon vorher verwendet auf (Apg 4,29 vgl. V. 31 und 2,29). Wenn im Anschluß daran dann Apg 4,32 das Syntagma »eine Seele: gebraucht, so erinnert diese assoziativ enge Abfolge von 2 phil Formulierungen an Phil 1,27. Wenn im Rahmen eines von Lk reichlich verwendeten Synonymfeldes gerade auf Pl bezogen die grundlegende Ankündigung des »Leidens für« Apg 9,16 gerade mit diesem Syntagma benannt ist, so weist das auf Phil 1,29 zurück. Eine Wendung wie Worte »des Lebens« Apg 5,20 erinnert an Phil 2,16, und die Verwendung von »Verherrlichen« Apg 19,17 stammt aus Phil 1,20 mit lk Ersetzung des Objekts. Die pl Abschiedsrede wird Apg 20,18 mit dem Syntagma »vom ersten Tage an« aus Phil 1,5 eingeleitet und im Anschluß daran folgt V. 19 der Begriff »Demut« aus Phil 2,3. Für die Beschreibung der jüdischen Herkunft des Pl Apg 21,39 kann Phil 3,5 neben Gal 1,13f. veranschlagt werden, da ein Wortbezug in dem betonten »Ich« gegeben ist, und da 23,6 mit 26,5 dann weiterführende Anklänge an Phil 3,5ff. haben, die sich 27,21 sogar mit der Antithese von »Gewinn/Verlust« aus Phil 3,7f. fortsetzen.

c) Die Pastoralbriefe[29]

Am weitestgehenden ist die Berührung in dem testamentarischen Abschiedswort 2Tim 4,6–8, wo Phil 1,23.30; 2,16f. und 3,12 angespielt sind. Dies ist so deutlich, weil alle Abänderungen neben den aus Phil stammenden Worten typische Stilmerkmale der Past zeigen. Unverkennbar ist ebenfalls, daß alles, was Phil als zukünftig angesagt war, nun als gegenwärtig stilisiert ist[30]. Darüber hinaus ist zu erkennen, daß die Past auch sonst mit Versatzstücken aus Phil arbeiten: 1Tim 1,12 und 2Tim 4,17 nimmt Phil 4,13 (»der mich stark macht«) auf. Auch das Funktionsverbgefüge für das Beten in 1Tim 2,1 entspricht Phil 1,4.

d) Ignatius

Da wir IgnEph 12,2 nicht nur eine direkte Erwähnung der Pl-Briefe haben, sondern er sich hier ähnlich wie IgnRöm 4,3 als ein zweiter Pl sieht (vgl. auch die Aufnahme von 1Kor 15,8.10 in Röm 9,2 und Smyrn 11,1), so muß er mehr als die ihm sicher attestierten Anspielungen auf 1Kor im Kopf gehabt haben[31]. In IgnSmyrn 11,3 kann die Briefschlußmahnung, »als Vollkommene auf Vollkommenes zu sinnen« eine Aufnahme von Phil 3,15 sein[32]. (Vgl. noch Eph 2,1f. mit Phlm 7.20 – s. o. zu 1,8).

e) Polykarp

Da 2PolykPhil 11,3 (sachlich auch 3,2) die erste explizite Nennung des Phil vorliegt[33], so kann die Übereinstimmung der Formulierung in 1,1 mit Phil 4,10 und 2,17 sowie in 9,2 mit Phil 2,16 (die typisch pl Wendung »nicht vergeblich«) schwerlich nicht als bewußte Anspielung gelten[34].

---

29 Vgl. umfassend Trummer 1978; Lindemann 1979: 134–149 nimmt nur Röm und 1Kor als sicher verwendet an, was sicher ergänzt und erweitert werden muß.
30 Brox 1969: 67 und i. e. vor allem Cook 1982.
31 Rathke 1967: 28ff.; reduziert bei Lindemann 1979: 199–221.
32 Fischer 1977: 214f.; von Aland 1979: 37 bei aller Skepsis als einzige mögliche Phil-Anspielung zugestanden.
33 Lindemann 1979: 221; Aland 1979: 37, 39,45f. für eine Datierung schon auf 130 und nicht erst um 150.
34 Gg. Lindemann 1979: 228.

Literaturverzeichnis

Adam, A. (1959): Die Psalmen des Thomas und das Perlenlied als Zeugnisse vorchristlicher Gnosis, Berlin.
Aland, K. (1963): Kurzgefaßte Liste der griechischen Handschriften des NT, Berlin.
– (1979): Das Corpus Paulinum im 2. Jahrhundert. In: FS C. Andresen, Göttingen, 29–48.
– Aland, B. (1982): Der Text des NT, Stuttgart.
Arnim, J. von (1964): Stoicorum Veterum Fragmenta I–IV, Stuttgart.
Arnold, H. L. – Sinemus, V. (ed.) (1973 = 1978⁵): Literaturwissenschaft, München.
Asmuth, B. (1973): Klang, Metrum, Rhythmus. In: Arnold–Sinemus 208–227.
Baarda, T. J (1971): Jes 45,23 im NT (Röm 14,11; Phil 2,10f.), GTT 71, 137–179.
Bachmann, M. (1978): Zur Gedankenführung in 1Kor 15,12ff., ThZ 34, 265–272.
– (1982): Rezeption von 1Kor 15,12ff. unter linguistischem und philosophischem Aspekt, LingBibl 51, 79–103.
Balz, H. – Schneider, G. (ed.) (1980–1983): Exegetisches Wörterbuch zum NT, Stuttgart.
Barr, J. (1965): Bibelexegese und moderne Semantik, München.
Barrett, C. K. (1959): Die Umwelt des NT, Tübingen.
– (1962² = 1977): The Epistle to the Romans, London.
– (1971² = 1976): The First Epistle to the Corinthians, London.
– (1973): The Second Epistle to the Corinthians, London.
*Barth, G. (1979): Der Brief an die Philipper, Zürich.
*Barth, K. (1927 = 1959⁶): Erklärung des Philipperbriefes, Zürich.
Bauer, J. B. (1959): ». . . τοῖς ἀγαπῶσιν τὸν θεόν« Röm 8,28 (1Kor 2,9; 8,3), ZNW 50, 106–112.
Bauer, W. (1963⁵): Wörterbuch zum NT, Berlin.
Baumbach, G. (1971 = 1973): Die von Paulus im Philipperbrief bekämpften Irrlehrer, Kairos 13, 252–266 = Tröger 293–310.
– (1977): Die Zukunftserwartung nach dem Philipperbrief. In: FS H. Schürmann 435–457.
Baumert, N. (1969): Ist Phil 4,10 richtig übersetzt?, BZ 13, 256–262.
Baumgarten, J. (1976): Paulus und die Apokalyptik, Neukirchen.
*Beare, F. W. (1973³ = 1976): The Epistle to the Philippians, London.
Becker, J. (1964): Das Heil Gottes, Göttingen.
– (1974): Die Testamente der zwölf Patriarchen, ISHRZ III 1–163.
– (1971): Erwägungen zu Phil 3,20–21; ThZ 27, 16–29.
– (1976): Auferstehung der Toten im Urchristentum, Stuttgart.
*Bengel, J. A. (1742): Gnomon Novi Testamenti, Tübingen.
*Benoit, P. (1959³): Les Épitres de Saint Paul aux Philippiens, à Philémon, aux Colossiens, aux Éphésiens, Paris.
Benseler, G. – Schenkl, K. – Kaegi, A. (1904¹²): Griechisch-Deutsches Schulwörterbuch, Leipzig.
Berger, K. (1972): Die Gesetzesauslegung Jesu I, Neukirchen.
– (1973): »Gnade« im frühen Christentum, NedThT 27, 1–25.
– (1974): Apostelbrief und apostolische Rede, ZNW 65, 190–231.
– (1976): Die Auferstehung des Propheten und die Erhöhung des Menschensohns, Neukirchen.
– (1977): Exegese des NT, Heidelberg.
– (1981): Das Buch der Jubiläen, ISHRZ II 273–575.
Bertram, G. (1958): ᾽Αποκαραδοκία, ZNW 49, 264–270.
Best, E. (1963): Bishops and Diacons Phil 1,1, StEv 4, 371–376.
– (1972 = 1976): The First and Second Epistle to the Thessalonians, London.
Betz, H. D. (1967): Nachfolge und Nachahmung Jesu Christi im NT, Tübingen.
– (1972): Paulus und die sokratische Tradition, Tübingen.
– (1974): Geist, Freiheit und Gesetz. Die Botschaft des Paulus an die Gemeinde in Galatien, ZThK 71, 78–93.
– (1975): The Literary Composition and Function of Pauls' Letter to the Galatians, NTS 21, 359–379.
– (1979): Galatians, Philadelphia.
Betz, O. (1977): Paulus als Pharisäer nach dem Gesetz. Phil 3,5–6 als Beitrag zur Frage nach dem frühen Pharisäismus. In: FS G. Harder, Berlin, 54–64.

Beyer, K. (1961 = 1968²): Semitische Syntax im NT I/1, Göttingen.
Biblia Hebraica (1962¹²) (ed. R. Kittel), Stuttgart.
Biblia Hebraica Stuttgartensia (1968–1976) (ed. E. Elliger – W. Rudolph), Stuttgart.
Billerbeck, P. (– Strack, H.) (1963⁵–1965²): Kommentar zum NT aus Talmud und Midrasch I–VI, München.
Bjerkelund, C. J. (1967): Parakalô, Oslo.
Blaß, F. – Debrunner, A. – Rehkopf, F. (1976¹⁴): Grammatik des neutestamentlichen Griechisch, Göttingen.
Bocheński, J. M. (1968): Die Logik der Religion, Köln.
Böttger, P. C. (1969): Die eschatologische Existenz der Christen. Erwägungen zu Phil 3,20, ZNW 60, 244–263.
Boman, Th. (1952): Fil 2, 5–11, NTT 53, 193–212.
Bonhöffer, A. (1911): Epiktet und das NT, Gießen.
*Bonnard, P. (1950): L' Épitre de Saint Paul aux Philippiens, Neuchâtel.
Bornhäuser, K. (1938): Jesus imperator mundi (Phil 3,17–21 und 2,5–12), Gütersloh.
Bornkamm, G. (1952–1971): Gesammelte Aufsätze I–IV, München.
– (1970): Paulus, Stuttgart.
*Bouwman, G. (1965): De brief van Paulus an de Filipiers, Roermond.
Bousset, W. (1921² = 1965⁵): Kyrios Christos, Göttingen.
– – Greßmann, E. (1966⁴): Die Religion des Judentums im späthellenistischen Zeitalter, Tübingen.
Brandenburger, E. (1962): Adam und Christus, Neukirchen.
– (1967): Die Auferstehung der Glaubenden als historisches und theologisches Problem, WuD 9, 16–23.
– (1968): Fleisch und Geist, Neukirchen.
– (1969): Σταυρός. Kreuzigung Jesu und Kreuzestheologie, WuD 10, 17–43.
Braun, H. (1966): Qumran und das NT I–II, Tübingen.
– (1967²): Gesammelte Studien zum NT und seiner Umwelt, Tübingen.
Brewer, R. R. (1954): The Meaning of πολιτεύεσθε in Phil 1,27, JBL 73, 76–83.
Brox, N. (1969): Die Pastoralbriefe, Regensburg.
Buchanan, C. O. (1964): Epaphroditus' Sickness and the Letter to the Philippians, EvQ 36, 157–166.
Bucher, T. G. (1974): Die logische Argumentation in 1Kor 15,12–20, Bibl 55, 465–486.
– (1976): Auferstehung Christi und Auferstehung der Toten, MThZ 27, 1–32.
– (1983): Allgemeine Überlegungen zur Logik im Zusammenhang mit 1Kor 15,12–20, LingBibl 53, 70–98.
Bujard, W. (1973): Stilanalytische Untersuchungen zum Kolosserbrief als Beitrag zur Methodik von Sprachvergleichen, Göttingen.
Bultmann, R. (1910): Der Stil der paulinischen Predigt und die kynisch-stoische Diatribe, Göttingen.
– (1933): Glauben und Verstehen I, Tübingen.
– (1958³): Theologie des NT, Tübingen.
– (1976): Der zweite Brief an die Korinther, Göttingen.
*Calvin, J. (1884): In Novi Testamenti Epistolas Commentarii I–II, Berlin.
Campenhausen, H. F. von (1953): Kirchliches Amt und geistliche Vollmacht in den ersten drei Jahrhunderten, Tübingen.
– (1965²): Die Begründung kirchlicher Entscheidungen beim Apostel Paulus, Heidelberg.
Carmignac, J. (1972): L' importance de la place d' une négation (Phil 2,6), NTS 18, 131–161.
Charlesworth, J. H. (1969): The Odes of Solomon – Not Gnostic, CBQ 31, 357–369.
– (1973): The Odes of Solomon, Oxford.
– – Culpepper, R. A. (1973): The Odes of Solomon and the Gospel of John, CBQ 35, 298–322.
Cerfaux, L. (1954): L' hymne au Christ-Serviteur de Dieu (Phil 2,6–11 – Jes 52,13–53,12). In: L. C. Recueil II, Gembloux, 425–437.
Christ, F. (1970): Jesus Sophia, Zürich.
Christou, P. (1951): Ἰσόψυχος in Phil 2,20, JBL 70, 293–296.
*Collage, J. F. (1973): L' Épitre de Saint Paul aux Philippiens, Neuchâtel.
Conzelmann, H. (1963): Die Apostelgeschichte, Tübingen.
– (1967): Grundriß der Theologie des NT, München.
– – Lindemann, A. (1979⁴): Arbeitsbuch zum NT, Tübingen.
Cook, D. (1982): 2Tim 4,6–8 and the Epistle to the Philippians, JTS 33, 168–171.
Corpus Hermeticum (1945–1954) (ed. A. D. Nock – A. J. Festugière) I–IV, Paris.
Cremer, H. – Kögel, J. (1911¹⁰): Biblisch-theologisches Wörterbuch der neutestamentlichen Gräcität, Gotha.

Czayka, L. (1974): Systemwissenschaft, Pullach.

Dalton, W. J. (1979): The Integry of Philippians, Bibl 60, 97–102.

Daube, D. (1949): Rabbinic Methods of Interpretation and Hellenistic Rhetoric, HUCA 22, 239–264.

Dautzenberg, G. (1975): Urchristliche Prophetie, Stuttgart.

Davies, W. D. (1979³): Paul and Rabbinic Judaism, London.

Deichgräber, R. (1967): Gotteshymnus und Christushymnus in der frühen Christenheit, Göttingen.

Deißmann, A. (1895): Bibelstudien, Marburg.

– (1897): Neue Bibelstudien, Marburg.

– (1923⁴): Licht vom Osten, Tübingen.

– (1925²): Paulus, Tübingen.

Delling, G. (1952): Der Gottesdienst im NT, Berlin.

– (1961): Die Zueignung des Heils in der Taufe, Berlin.

– (1961a): Philipperbrief, RGG³ V 333–336.

Detweiler, R. (1978): Story, Sign and Self, Philadelphia.

Dewaily, L. M. (1973): La Part prise à l' Évangile (Phil 1,5), RB 80, 247–260 = SEA 37/38 (1971/72) 274–283.

*Dibelius, M. (1937³): An die Thessalonicher I II. An die Philipper.

– (1956): Botschaft und Geschichte II, Tübingen.

– – Conzelmann, H. (1966⁴): Die Pastoralbriefe, Tübingen.

Dick, K. (1900): Der schriftstellerische Plural bei Paulus, Halle.

Dittenberger, W. (1915–1924³): Sylloge Inscriptionum Graecarum I–IV, Leipzig.

Dobschütz, E. von (1909 = 1974): Die Thessalonicherbriefe, Göttingen.

– (1931): ΚΥΡΙΟΣ ᾽ΙΗΣΟΥΣ, ZWN 30, 97–123.

– (1934): Zum Wortschatz und Stil des Römerbriefes, ZNW 33, 51–66.

Dockx, S. (1973): Lieu et Date de l' épître aux Philippiens, RB 80, 230–246.

Dörrie, H. (1979): Der Prolog zum Evangelium nach Johannes im Verständnis der älteren Apologeten. In: FS C. Andresen, Göttingen, 136–152.

Donfried, K. P. (1974): False Presuppositions in the Study of Romans, CBQ 36, 332–355.

– (1976): Justification and Last Judgement in Paul, ZNW 67, 90–110.

Dressler, W. (1973²): Einführung in die Textlinguistik, Tübingen.

Dülmen, A. van (1968): Die Theologie des Gesetzes bei Paulus, Stuttgart.

Dupont, J. (1950): Jésus-Christ dans son abaissement et son exaltation d' après Phil 2,6–11, RSR 37, 500–514.

– (1952): Syn Christô, Brugge.

Eckman, B. (1980): A Quantitative Metrical Analysis of the Philippian Hymn, NTS 26, 258–266.

Eco, U. (1972): Einführung in die Semiotik, München.

– (1981²): Zeichen, Frankfurt.

Ehrhardt, A. (1945): Jesus Christ and Alexander the Great, JTS 46, 45–56.

– (1948): Ein antikes Herrscherideal, EvTh 8, 101–110, 569–572.

– (1964): The Framework of NT-Stories, Manchester.

Eichholz, G. (1962): Bewahren und Bewähren des Evangeliums. Der Leitfaden von Phil 1–2. In: FS E. Wolf, München, 85–105.

– (1972): Die Theologie des Paulus im Umriß, Neukirchen.

*Ernst, J. (1974): Die Briefe an die Philipper, an Philemon, an die Kolosser, an die Epheser, Regensburg.

*Ewald, P. – Wohlenberg, G. (1923⁴): Der Brief des Paulus an die Philipper, Leipzig.

Fascher, E. (1941): Anastasis – resurrectio – Auferstehung, ZNW 40, 166–229.

Feine, P. (1916): Die Abfassung des Philipperbriefes in Ephesus, Gütersloh.

Festugière, A. J. (1942): La Sainteté, Paris.

Fischel, H. A. (1973): Rabbinic Literature and Greco-Roman Philosophy, Leiden.

Fischer, J. A. (1977⁷): Die apostolischen Väter, Darmstadt.

Fischer, L. (1973): Rhetorik. In: Arnold–Sinemus 134–164.

Fischer, U. (1978): Eschatologie und Jenseitserwartung im hellenistischen Diasporajudentum, Berlin.

Fitzer, G. (1963): Das Weib schweige in der Gemeinde, München.

Fitzmyer, J. A. (1970): To know him and the power of his Resurrection (Phil 3,10). In: FS B. Rigaux, Paris 411–425.

Fleischer, W. – Michel, G. (1977²): Stilistik der deutschen Gegenwartssprache, Leipzig.

Foerster, W. (1969, 1971): Die Gnosis I–II, Zürich.

Fridrichsen, A. (1930): Exegetisches zu den Paulusbriefen: Phil 3,1, ThStK 102, 300.

343

- (1938): Ἰσόψυχος, SO 18,42–49.
- (1946): »Nichts für Raub achten« (Phil 2,6) ThZ 2, 395–396.
*Friedrich, G. (1962): Der Brief an die Philipper, Göttingen.
- (1978): Auf das Wort kommt es an. Gesammelte Aufsätze, Göttingen.
Frisk, H. (1960–1972): Griechisches etymologisches Wörterbuch I–III, Heidelberg.
Furnish, V. (1963): The Place and Purpose of Phil 3, NTS 10, 80–88.
Gamber, K. (1970): Der Christushymnus im Philipperbrief in liturgiegeschichtlicher Sicht, Bibl 51, 367–376.
Georgi, D. (1964): Die Gegner des Paulus im zweiten Korintherbrief, Neukirchen.
- (1964a): Der vorpaulinische Hymnus Phil 2,6–11. In: FS R. Bultmann, Tübingen, 263–293.
- (1965): Die Geschichte der Kollekte des Paulus für Jerusalem, Hamburg.
- (1980): Weisheit Salomos, ISHRZ 389–478.
Gerstenberger, G. – Schrage, W. (1977): Leiden, Stuttgart.
Gibbs, J. G. (1970): The Relation between creation and redemption according to Phil 2,5–11, NT 12, 270–283.
Glasson, T. F. (1974): Two Notes on the Philippian Hymn (2,6–11), NTS 21, 133–139.
Glombitza, O. (1959): Mit Furcht und Zittern. Zum Verständnis von Phil 2,12, NT 3, 100–106.
- (1964): Der Dank des Apostels. Zum Verständnis von Phil 4, 10–20, NT 7, 135–141.
Glück, N. (1927 = 1962): Das Wort Hesed im alttestamentlichen Sprachgebrauch als menschliche und göttliche gemeinschaftsgemäße Verhaltensweise, Göttingen.
Gnilka, J. (1965): Die antipaulinische Mission in Philippi, BZ 9, 258–276.
*- (1968 = 1978² = 1980³): Der Philipperbrief, Freiburg.
*- (1968a): Der Brief an die Philipper, Düsseldorf/Leipzig.
Goguel, M. (1934): Κατὰ δικαιοσύνην τὴν ἐν νόμῳ γενόμενος ἄμεμπτος (Phil 3,6). Remarques sur un aspect de la conversion de Paul, JBL 53, 257–267.
Gollwitzer, H. (1977): Das Judentum als Problem der christlichen Theologie. In: FS G. Harder, Berlin, 162–173.
Goppelt, L. (1954): Christentum und Judentum im ersten und zweiten Jahrhundert, Gütersloh.
- (1975/76): Theologie des NT, Göttingen.
Graupner, H. (1973): Stilistik. In: Arnold–Sinemus 164–186.
The Greek New Testament (1975³) (ed. K. Aland e. a.), Stuttgart.
Greeven, H. (1931): Gebet und Eschatologie im NT, Gütersloh.
Grelot, P. (1972): Deux expressions difficiles de Phil 2,6–7, Bibl 53, 495–512.
- (1973): Le valeur de οὐκ . . . ἀλλά dans Phil 2,6–7, Bibl 54, 35–42.
- (1973a): Deux notes critiques sur Phil 2,6–11, Bibl 54, 169–186.
Groeben, N. (1972): Literaturpsychologie, Stuttgart.
Grundmann, W. (1965): Das palästinensische Judentum. In: UU I 192–291.
- (1980): Wandlungen im Verständnis des Heils, Berlin.
Gübler, M.-L. (1977): Die frühesten Deutungen des Todes Jesu, Göttingen.
Gülich, E. – Raible, W. (1977): Linguistische Textmodelle, München.
Güttgemanns, E. (1966): Der leidende Apostel und sein Herr, Göttingen.
- (1970): Literatur zur neutestamentlichen Theologie, VuF 15/2, 41–74.
- (1978): Einführung in die Linguistik für Textwissenschaftler, Bonn.
Habenstein, E. – Röttger, G. (1949): Griechische Sprachlehre, Berlin.
Habermas, J. (1968): Technik und Wissenschaft als Ideologie, Frankfurt.
Haenchen, E. (1965): Gott und Mensch. Gesammelte Aufsätze I, Tübingen.
- (1968⁶): Die Apostelgeschichte, Göttingen.
Hahn, F. (1963): Christologische Hoheitstitel, Göttingen.
- (1965²): Das Verständnis der Mission im NT, Neukirchen.
- (1970): Methodenprobleme einer Theologie des NT, VuF 15/2, 3–40.
Hainz, J. (1972): Ekklesia, Regensburg.
- (1982): Koinonia, Regensburg.
Harder, G. (1936): Paulus und das Gebet, Gütersloh.
Hardmeier, Chr. (1978): Texttheorie und biblische Exegese, München.
Hartmann, N. (1954 = 1960⁵): Einführung in die Philosophie, Osnabrück.
Hartmann, P. (1971): Text als linguistisches Objekt. In: W. D. Stempel (ed.), Beiträge zur Textlinguistik, München, 9–29.
Hatch, E. – Redpath, H. A. (1954): A Concordance to the Septuagint, Graz.
*Haupt, E. (1902): Die Gefangenschaftsbriefe, Göttingen.
Heinrichs, J. (1980/81): Reflexionstheoretische Semiotik I–II, Bonn.
*Heinzelmann, G. (1955⁷): Der Brief an die Philipper, Göttingen.
Hellholm, D. (1980): Das Visionenbuch des Hermas als Apokalypse, Lund.

- (1982): The Problem of Apocalyptic Genre and the Apocalypse of John, SBL-Seminar Papers 157–198.
Hempfer, K. W. (1973): Gattungstheorie, München.
Hengel, M. (1969): Judentum und Hellenismus, Tübingen.
- (1977²): Der Sohn Gottes, Tübingen.
Hennecke, E. – Schneemelcher, W. (1966³): Neutestamentliche Apokryphen I–II, Berlin.
Hermann, I. (1961): Kyrios und Pneuma, München.
Hirsch, E. D. (1972): Prinzipien der Interpretation, München.
Hoffmann, P. (1969²): Die Toten in Christus, Münster.
- (1972): Studien zur Theologie der Logienquelle, Münster.
Hofius, O. (1976): Der Christushymnus Phil 2,6–11, Tübingen.
Holmberg, B. (1978): Paul and Power, Lund.
Hooker, M. D. (1975): Phil 2,6–11. In: FS W. Kümmel, Tübingen, 151–164.
Hoover, R. W. (1971): The Harpagmon Enigma: A Philological Solution, HTR 64, 95–119.
Howard, G. (1978): Phil 2,6–11 and the Human Christ, CBQ 40, 368–390.
Hübner, H. (1972): Anthropologischer Dualismus in den Hodajoth?, NTS 18, 268–284.
- (1975): Existentiale Interpretation der paulinischen »Gerechtigkeit Gottes«, NTS 21, 462–488.
- (1978): Das Gesetz bei Paulus, Göttingen.
- (1980): Pauli Theologiae Proprium, NTS 26, 445–473.
Hultgren, A. J. (1976): Paul's Pre-Christian Persecutions of the Church: Their Purpose, Local and Nature, JBL 95, 79–111.
Hunzinger, C. H. (1968): Die Hoffnung angesichts des Todes im Wandel der paulinischen Aussagen. In: FS H. Thielicke, Tübingen, 69–88.
- (1970): Zur Struktur der Christushymnen Phil 2 und 1Petr 3. In: FS J. Jeremias, Göttingen, 142–156.
Ingarden, R. (1965³): Das literarische Kunstwerk, Tübingen.
Isaacs, M. E. (1976): The Concept of Spirit, London.
Jäger, G. (1975): Translationslinguistik, Halle.
Jenni, E. – Westermann, C. (1971/76): Theologisches Handwörterbuch zum Alten Testament I–II, München.
Jeremias, J. (1966): Abba, Göttingen.
Jervell, J. (1960): Imago Dei, Göttingen.
Jewett, R.(1970): The Epistolary Thanksgiving and the Integry of Philippians, NT 12, 40–53.
- (1970a): Conflicting Movements in the Early Church as reflected in Philippians, NT 12, 362–390.
- (1971): Paul's Anthropological Terms, Leiden.
- (1982): Paulus-Chronologie, München.
Jørgensen, P. H. (1967): Die Bedeutung des Subjekt-Objekt-Verhältnisses für die Theologie, Hamburg.
Joest, W. (1955): Paulus und das lutherische simul iustus et peccator, KuD 1, 270–321.
- (1968⁴): Gesetz und Freiheit, Göttingen.
*Johnston, G. (1967): Ephesians, Philippians, Colossians and Philemon, London.
Joüon, P. (1938): Notes philologiques sur quelques versets de l'épître aux Philippiens, RSR 28, 89–93, 223–233, 299-310.
Judge, E. A. (1979): Die frühe Christenheit als scholastische Gemeinschaft. In: Meeks, München, 131–164.
Just, W. D. (1975): Religiöse Sprache und analytische Philosophie, Stuttgart.
Kähler, Chr. (1976): Studien zur Form- und Traditionsgeschichte der biblischen Makarismen. Diss. Jena; Selbstanzeige ThLZ 101, 77–80.
Käsemann, E. (1960/64): Exegetische Versuche und Besinnungen I–II, Göttingen.
- (1961⁴): Das wandernde Gottesvolk, Göttingen.
- (1968): Rez. R. P. Martin, ThLZ 93, 665 f.
- (1969): Paulinische Perspektiven, Tübingen.
- (1974³): An die Römer, Tübingen.
Kallmeyer e. a. (1977²): Lektürekolleg Textlinguistik I, Kronberg.
Kant, I. (1868): Die Kritik der reinen Vernunft, Berlin.
Karris, R. J. (1974): The Occasion of Romans: A Response to Prof. Donfried, CBQ 36, 356–358.
Kautzsch, E. (ed.) (1900 = 1921): Die Apokryphen und Pseudepigraphen des AT, Tübingen.
Kellermann, U. (1979): Auferstanden in den Himmel, Stuttgart.
Kerkhoff, R. (1954): Das unablässige Gebet, München.
Kertelge, K. (1971²): Rechtfertigung bei Paulus, Münster.

Kettunen, M. (1978): Der Abfassungszweck des Römerbriefes. Diss. Tübingen; Selbstanzeige ThLZ 103, 616f.
Kittel, G. – Friedrich, G. (ed.) (1933–79): Theologisches Wörterbuch zum NT I–X, Stuttgart.
Klaiber, W. (1982): Rechtfertigung und Gemeinde, Göttingen.
Klappert, B. (1971): Die Auferweckung des Gekreuzigten, Neukirchen.
Klaus, G. (1972⁷): Die Macht des Wortes, Berlin.
Klein, G. (1969): Rekonstruktion und Interpretation, München.
Klijn, A. F. J. (1965): Paul's Opponents in Phil 3, NT 7, 278–284.
*– (1969): De Brief van Paulus aan de Filippenzen, Nijkerk.
Knox, W. L. (1948): The Divine Hero Christology in the NT, HTR 41, 229–249.
Koch, K. (1968): Der Schatz im Himmel, In: FS H. Thielicke, Tübingen, 47–60.
– (1976): Die drei Gerechtigkeiten. In: FS E. Käsemann, Tübingen, 245–267.
Köhler, L. – Baumgartner, W. (1958²): Lexicon in Veteris Testamenti Libros, Leiden.
Köster, H. (1962): The Purpose of the Polemic of a Pauline Fragment (Phil 3), NTS 8, 317–332.
– Robinson, J. M. (1971): Entwicklungslinien durch die Welt des frühen Christentums, Tübingen.
Kramer, W. (1963): Christos Kyrios Gottessohn, Zürich.
*Kühl, E. (1909): Erläuterungen der paulinischen Briefe unter Beibehaltung der Briefform I–II, Berlin.
Kühner, R. – Gerth, B. (1955⁴): Ausführliche Grammatik der griechischen Sprache. Satzlehre I–II, Hannover.
Kümmel, W. G. (1969): Die Theologie des NT, Göttingen.
– (1973): Einleitung in das NT, Heidelberg.
– u. a. (ed.): Jüdische Schriften aus hellenistisch-römischer Zeit I–V, Gütersloh.
Kuhn, H. W. (1966): Enderwartung und gegenwärtiges Heil, Göttingen.
– (1975): Jesus als Gekreuzigter in der frühchristlichen Verkündigung bis zur Mitte des 2. Jahrhunderts, ZThK 72, 1–46.
Kuhn, K. G. (1960): Konkordanz zu den Qumrantexten, Göttingen.
– Stegemann, H. (1962): Proselyten, PWSuppl IX, 1248–1283.
Kutschera, F. von (1971): Sprachphilosophie, München.
– (1972): Wissenschaftstheorie I–II, München.
Kuss, O. (1976²): Paulus, Regensburg.
Lagarde, P. A. de (1893): Anmerkungen zur griechischen Übersetzung der Proverbien, Göttingen.
Lattke, M. (1979): Die Oden Salomos I–II, Göttingen.
Lausberg, H. (1976⁵): Elemente der literarischen Rhetorik, München.
Lee, G. M. (1970): Phil 1,22–23, NT 12, 361.
Liddell, H. G. – Scott, R. – Jones, H. S. (1940⁵): A Greek-English Lexicon, Oxford.
Leipoldt, J. (1948): Zu den Auferstehungsgeschichten, ThLZ 73, 737–742.
Lewandowski, Th. (1976²): Linguistisches Wörterbuch, Heidelberg.
*Lightfoot, J. B. S. (1885⁴): St. Paul's Epistle to the Philippians, London.
Limbeck, M. (1971): Die Ordnung des Heils, Düsseldorf.
Lindemann, A. (1979): Paulus im ältesten Christentum, Tübingen.
*Lipsius, R. A. (1892²): Kommentar zum Philipperbrief, Freiburg.
*Loh, I. J. – Nida, E. A. (1977): A Translators Handbook on Paul's Letter to the Philippians, Stuttgart.
Lohmeyer, E. (1961²): Kyrios Jesus, Darmstadt.
– (1954): Probleme paulinischer Theologie, Darmstadt.
*– (1964¹³): Die Briefe an die Philipper, an die Kolosser und an Philemon. Beiheft von W. Schmauch, Göttingen.
Lohse, E. (1963²): Märtyrer und Gottesknecht, Göttingen.
– (1968): Die Briefe an die Kolosser und an Philemon, Göttingen.
– (1971²): Die Texte aus Qumran, München.
– (1972): Die Entstehung des NT, Stuttgart.
López Fernández, E. (1975): En torno a Fil 3,12, EstB 34, 121–123.
Louw, J. P. (1982): Semantics of NT Greek, Philadelphia.
Ludwig, H. (1974): Der Verfasser des Kolosserbriefs, Diss. Göttingen.
Lüdemann, G. (1980/83): Paulus der Heidenapostel I–II, Göttingen.
*Lueken, W. (1917³): Der Brief an die Philipper, Göttingen.
Lührmann, D. (1965): Das Offenbarungsverständnis bei Paulus und in den paulinischen Gemeinden, Neukirchen.
– (1969): Die Redaktion der Logienquelle, Neukirchen.

– (1975): Wo man nicht mehr Sklave oder Freier ist, WuD 13, 53–83.
– (1976): Glauben im frühen Christentum, Gütersloh.
Lütgert, W. (1909): Die Vollkommenen im Philipperbrief und die Enthusiasten in Thessalonich, Gütersloh.
Luz, U. (1968): Das Geschichtsverständnis des Paulus, München.
Lyons, J. (1980[5]): Einführung in die moderne Linguistik, München.
Mach, A. (1957): Der Zaddik in Talmud und Midrasch, Leiden.
Mackay, B. S. (1961): Further Thoughts on Philippians, NTS 7, 161–170.
Magne, J. (1973): La naissance de Jésus Christ. L' exaltation de Sabaôth dans Hypostase des Archontes 143,1–31 et l' exaltation de Jésus dans Phil 2,6–11, Paris.
Maier, J. – Schreiner, J. (ed.) (1973): Literatur und Religion des Frühjudentums, Würzburg.
Manson, T. W. (1939): St. Paul in Ephesus: The Date of the Epistle to the Philippians, BJRL 23, 182–200.
Marcheselle, C. C. (1978): La celebrazione di Jesù Christo Signore in Fil 2,6–11, ECarm 29, 3–42.
Marshall, I. H. (1978): The Gospel of Luke, Exeter.
*Martin, R. P. (1959): The Epistle of Paul to the Philippians, London.
– (1960): An Early Christian Confession. Phil 2,5–11 in Recent Interpretation, London.
– (1964): The Form-Analysis of Phil 2,5–11, StEv II 611–620.
– (1967): Carmen Christi. Phil 2,5–11 in Recent Interpretation and in the Setting of Early Christian Worship, Cambridge.
Marxsen, W. (1964[3]): Einleitung in das NT, Gütersloh.
Mattern, L. (1966): Das Verständnis des Gerichts bei Paulus, Zürich.
Mayer, G. (1974): Index Philoneus, Berlin.
McGrath, A. E. (1982): Forerunners of the Reformation? A Critical Examination of the Evidence for Precursors of the Reformation Doctrines of Justification, HTR 75, 219–242.
Meeks, W. A. (1967): The Prophet-King, Leiden.
– (1967a): Moses as God and King. In: J. Neusner (ed.), Religions in Antiquity, Leiden, 354–371.
– (1979) (ed.): Zur Soziologie des Urchristentums, München.
Mengel, B. (1982): Studien zum Philipperbrief, Tübingen.
Merk, O. (1968): Handeln aus Glauben, Marburg.
Mettke, H. (1979): Älteste deutsche Dichtung und Prosa, Leipzig.
Metzger, B. M. (1966): Der Text des NT, Stuttgart.
– (ed.) (1971): A Textual Commentary on the Greek New Testament, Stuttgart.
Michael, J. H. (1922/23): The First and Second Epistle to the Philippians, ET 34, 106–109.
– (1923/24): Two brief marginal notes in the text of Philippians, ET 35, 139–140.
*– (1928): The Epistle of Paul to the Philippians, London.
Michaelis, W. (1925): Die Gefangenschaft des Paulus in Ephesus und das Itinerar des Timotheus, Gütersloh.
– (1933): Die Datierung des Philipperbriefs, Gütersloh.
*– (1935): Der Brief des Paulus an die Philipper, Leipzig.
– (1961[3]): Einleitung in das NT, Bern.
Michel, O. (1954): Zur Exegese von Phil 2,5–11. In: FS K. Heim, Hamburg, 79–95.
– (1966[4]): Der Brief an die Römer, Göttingen.
Moehring, H. R. (1968): Some Remarks on »Sarx« in Phil 3,3f., StEv IV 432–436.
Montefiore, C. G. (1914): Judaism and St. Paul, London.
Moore, G. F. (1927–30): Judaism in the First Centuries of the Christian Era I–III, Cambridge.
Morgenthaler, R. (1973[2]): Statistik des neutestamentlichen Wortschatzes, Zürich.
Morris, C. W. (1979): Grundlagen der Zeichentheorie, Frankfurt.
Morris, L. C. (1956): Καὶ ἅπαξ καὶ δίς. NT 1, 205–208.
Moule, C. F. D. (1971[2]): An Idiom-Book of NT Greek, Cambridge.
Moulton, J. H. – Howard, W. F. – Turner, N. (1956–1976): A Grammar of NT Greek I–IV, Edinburgh.
– Milligan, G. (1930): The Vocabulary of the Greek Testament Illustrated from the Papyri and other Non-Literary Sources, London.
Moulton, W. F. – Geden, A. S. A. (1970[4]): A Concordance to the Greek Testament, Edinburgh.
Müller, C. D. (1978): Die Erfahrung der Wirklichkeit. Hermeneutisch-exegetische Versuche mit besonderer Berücksichtigung alttestamentlicher und paulinischer Theologie, Gütersloh.
Müller, U. B. (1975): Prophetie und Predist im NT, Gütersloh.
*Mueller, J. J. (1955): The Epistles of Paul to the Philippians and to Philemon, London.
Müller-Bardorf, J. (1957/58): Zur Frage der literarischen Einheit des Philipperbriefes, WZ(J).GS 7, 591–604.

Mullins, T. Y. (1962): Petition as a Literary Form, NT 5, 46–54.
– (1964): Disclosure. A Literary Form in the NT, NT 7, 44–50.
– (1973): Ascription as a Literary Form, NTS 19, 194–205.
Murphy-O'Connor, J. (1976): Christological Anthropology in Phil 2,6–11, RB 83, 125–150.
Mußner, F. (1981[4]): Der Galaterbrief, Freiburg.
Nägeli, T. (1905): Der Wortschatz des Apostels Paulus, Göttingen.
Nagel, P. (1973): Die apokryphen Apostelakten des 2. und 3. Jahrhunderts in der manichäischen Literatur. In: Tröger 149–182.
Nebe, G. (1983): »Hoffnung« bei Paulus, Göttingen.
Neugebauer, F. (1961): In Christus, Berlin.
Nickelsburg, G. W. E. (1972): Resurrection, Immortality, and Eternal life in Intertestamental Judaism, Cambridge MS.
Nida, E. A. – Taber. C. (1969): Theorie und Praxis des Übersetzens mit besonderer Berücksichtigung der Bibelübersetzung, Stuttgart.
Nissen, A. (1974): Gott und der Nächste im antiken Judentum, Tübingen.
Norden, E. (1923[4] = 1956): Agnostos Theos, Stuttgart.
Novisad (1929): Die Arbeit der ost-westlichen Theologenkonferenz in Novisad vom 3.–10. 8. 1929: Der Philipperbrief, ThBl 8, 265–289.
Novum Testamentum Graece (ed. E. Nestle–K. Aland) (1979[26]), Stuttgart.
Nygren, A. (1951): Der Römerbrief, Göttingen.
O'Brien, P. T. (1977): Introductory Thanksgivings in the Letters of Paul, Leiden.
Oepke, A. (1953): Δικαιοσύνη θεοῦ bei Paulus, ThLZ 78, 257–263.
Ollrog, W.-H. (1979): Paulus und seine Mitarbeiter, Neukirchen.
O'Rourke, J. J. (1973): Pistis in Romans, CBQ 35, 188–194.
Oßwald, E. (1974): Das Gebet Manasses, JSHRZ IV 15–27.
Osten-Sacken, P. von der (1964): Bemerkungen zur Stellung des Mebaqqer in der Sektenschrift, ZNW 55, 18–26.
– (1975): Römer 8 als Beispiel paulinischer Soteriologie, Göttingen.
– (1977): Gottes Treue bis zur Parusie. Formgeschichtliche Beobachtungen zu 1Kor 1,7b–9, ZNW 68, 176–199.
– (1977a): Das paulinische Verständnis des Gesetzes im Spannungsfeld von Eschatologie und Geschichte, EvTh 37, 549–587.
– (1979): Die paulinische theologia crucis als Form apokalyptischer Theologie, EvTh 39, 477–496.
Palmer, D. W. (1975): To die is gain (Phil 1,21), NT 18, 203–218.
Pannenberg, W. (1962): Die Krise des Ethischen und die Theologie, ThLZ 87, 7–16.
– (1967): Grundfragen systematischer Theologie I, Göttingen.
– (1969[3]): Grundzüge der Christologie, Gütersloh.
– (1972): Christentum und Mythos, Gütersloh.
– (1973): Wissenschaftstheorie und Theologie, Frankfurt.
Pedersen, S. (1978): Mit Furcht und Zittern (Phil 2,12–13), StTh 32.1–31.
Peterson, E. (1941): Ἔργον in der Bedeutung »Bau« bei Paulus, Bibl 22, 439–441.
*– (1952[3]): Apostel und Zeuge Christi. Auslegung des Philipperbriefes, Freiburg (= Leipzig 1962).
– (1959): Frühkirche, Judentum und Gnosis, Rom.
Pfitzner, V. C. (1967): Paul and the Agon Motiv, Leiden.
Pfleiderer, O. (1902[2]): Das Urchristentum I–II, Berlin.
Philo von Alexandrien (1896ff.): Opera omnia I–VI (ed. L. Cohn–P. Wendland), Berlin.
– (1962[2]): Die Werke in deutscher Übersetzung I–VI (ed. L. Cohn u. a.), Berlin.
Plag, C. (1969): Israels Wege zum Heil, Stuttgart.
Plett, H. F. (1979[2]): Textwissenschaft und Textanalyse, Heidelberg.
*Plummer, A. A. (1919): A Commentary on Paul's Epistle to the Philippians, London.
Polag, A. (1977): Die Christologie der Logienquelle, Neukirchen.
Pollard, T. E. (1966): The Integry of Philippians, NTS 13, 57–66.
Popkes, W. (1967): Christus traditus, Zürich.
Posner, R. (1973): Redekommentierung. In: M. Gerhardt (ed.), Funkkolleg Sprache, Frankfurt, 124–133.
Preisigke, F. – Kießling, E. (1925/31): Wörterbuch der griechischen Papyrusurkunden I–III, Berlin.
Rade, M. (1927): Der Nächste. In: FS A. Jülicher, Tübingen, 70–79.
Radermacher, L. (1925[2]): Neutestamentliche Grammatik, Tübingen.
Rathjen, B. D. (1960): The Three Letters of Paul to the Philippians, NTS 6, 167–173.

Rathke, H. (1967): Ignatius von Antiochien und die Paulusbriefe, Berlin.
Ramsay, I. T. (1963): Religious Language, New York.
Reicke, B. (1951): Diakonie, Festfreude und Zelos, Uppsala.
– (1972): Unité chrétienne et diaconie (Phil 2,1–11). In: FS O. Cullmann, Leiden, 203–212.
Rese, M. (1970): Formeln und Lieder im NT, VuF 15/2, 85–95.
Richter, W. (1971): Exegese als Literaturwissenschaft, Göttingen.
Ridderbos, H. (1970): Paulus, Wuppertal.
Robbins, C. J. (1980): Rhetorical Structure of Phil 2,6–11, CBQ 42, 73–82.
Roetzel, C. J. (1972): Judgement in the Community, Leiden.
– (1975): The Letters of Paul, Atlanta.
Rohde, J. (1976): Urchristliche und frühkatholische Ämter, Berlin.
Roller, O. (1933): Das Formular der paulinischen Briefe, Stuttgart.
Roloff, J. (1965): Apostolat – Verkündigung – Kirche, Gütersloh.
– (1979): Die Paulus-Darstellung des Lukas, EvTh 39, 510–531.
Rudolph, K. (1969–73): Gnosis und Gnostizismus, ein Forschungsbericht, ThR 34, 121–175, 181–231, 358–361; 36, 1–61, 89–124; 37, 289–360; 38, 1–25.
– (1977): Die Gnosis, Leipzig.
Ruler, A. A. van (1947): Droom en Gestalte, Amsterdam.
Sand, A. (1967): Der Begriff »Fleisch« in den paulinischen Hauptbriefen, Regensburg.
Sanders, E. P. (1966): Literary Dependence in Colossians, JBL 85, 28–45.
– (1977): Paul and Palestinian Judaism, London.
Sanders, J. T. (1962): The Transition from opening Epistolary Thanksgiving to the Body in the Letters of the Pauline Corpus, JBL 81, 348–362
– (1971): The New Christological Hymns, Cambridge.
Sandmel, S. (1956): A Jewish Understanding of the NT, New York.
– (1958): The Genius of Paul, New York.
Sapir, E. (1963): Selected Writings in Language, Culture, and Personality, Berkeley.
Sass, G. (1941): Zur Bedeutung von δοῦλος bei Paulus, ZNW 40, 24–32.
Schade, H.-H. (1981): Apokalyptische Christologie bei Paulus, Göttingen.
Schäfer, P. (1973): Der synagogale Gottesdienst. In: Maier–Schreiner 391–413.
Schelkle, K. H. (1981): Paulus, Darmstadt.
Schenk, W. (1967): Der Segen im NT, Berlin.
– (1969): Der 1. Korintherbrief als Briefsammlung, ZNW 60, 219–243.
– (1970): Studienheft zu sieben Texten aus dem Epheserbrief, Berlin.
– (1970a): Die Einheit von Wortverkündigung und Herrenmahl in den urchristlichen Gemeindeversammlungen, ThV 2, 65–92.
– (1970b): Rez. C.Plag, ThLZ 95, 425 f.
– (1971): Bibelarbeit und Bibelwoche, Gütersloh.
– (1972): Reden mit Gott im NT, ChrL 25 8–16.
– (1972a): Die Gerechtigkeit Gottes und der Glaube Christi, ThLZ 97, 161–174.
– (1973): Studienheft zum 12. Kapitel des Römerbriefs, Berlin.
– (1973a): Die Aufgaben der Exegese und die Mittel der Linguistik, ThLZ 98, 881–894.
– (1975): »Wort Gottes« zwischen Semantik und Pragmatik, ThLZ 100, 481–494.
– (1975a): Exegetisch-theologische Überlegungen zur Frage eines neuen Lektionars, VuF 20/1, 80–105.
– (1976): Bibelübersetzung auf dem Wege, ZdZ 30, 344–350.
– (1976a): Studienheft zu sieben Texten aus dem 1. Petrusbrief, Berlin.
– (1977): Textlinguistische Aspekte der Strukturanalyse, dargestellt am Beispiel 1Kor 15,1–11, NTS 23, 469–477.
– (1978): Auferweckung der Toten oder Gericht nach den Werken. Tradition und Redaktion in Mt 25,1–13, NT 20, 278–299.
– (1979): Studienheft zu sieben Texten aus dem 2. Korintherbrief, Berlin.
– (1979a): Die Korintherbriefe. Gemeinde im Lernprozeß, Stuttgart.
– (1979b): Der Einfluß der Logienquelle auf das Markusevangelium, ZNW 70, 141–165.
– (1980): Textlinguistik als Kommentierungsprinzip (Hebr 4,14–16), NTS 26, 242–252.
– (1980a): Was ist ein Kommentar? BZ 24, 1–20.
– (1980b): Studienheft zu sieben Texten aus dem Lukasevangelium, Berlin.
– (1981): Synopse zur Redenquelle der Evangelien, Düsseldorf.
– (1982): Studienheft zu sieben Texten aus dem Galaterbrief, Berlin.
– (1983): Evangelium – Evangelien – Evangeliologie, München.
– (1983a): Christus, das Geheimnis der Welt, als dogmatisches und ethisches Grundprinzip des Kolosserbriefes, EvTh 43, 135–155.

Schenke, H. M. (1962): Der Gott »Mensch« in der Gnosis, Berlin.
– (1973): Die neutestamentliche Christologie und der gnostische Erlöser. In: Tröger 205–229.
– Fischer, K. M. (1978): Einleitung in die Schriften des NT I, Berlin.
Schettler, A. (1907): Die paulinische Formel »durch Christus« I, Tübingen.
Schieber, H. (1977): Konzentrik im Matthäusschluß, Kairos 19, 283–307.
Schille, G. (1962): Frühchristliche Hymnen, Berlin.
Schlier, H. (1914¹⁴): Der Brief an die Galater, Göttingen.
*– (1980): Der Philipperbrief, Einsiedeln.
Schmid, J. (1931): Zeit und Ort der paulinischen Gefangenschaftsbriefe, Freiburg.
– Wikenhauser, A. (1973⁶): Einleitung in das NT, Freiburg.
Schmidt, S. J. (1976): Texttheorie, München.
Schmithals, W. (1965²): Die Gnosis in Korinth, Göttingen.
– (1965a): Paulus und die Gnostiker, Hamburg.
– (1966): Rez. A. Ehrhardt 1964, ThLZ 91, 512–514.
– (1973): Die Korintherbriefe als Briefsammlung, ZNW 64, 263–288.
– (1982): Die Apostelgeschichte des Lukas, Zürich.
*Schmitz, O. (1934⁵): Aus der Welt eines Gefangenen. Eine Einführung in den Philipperbrief, Berlin.
Schoeps, H. J. (1959): Paulus, Tübingen.
Schottroff, L. (1979): Die Sklavenherrschaft der Sünde und die Befreiung durch Christus nach dem Römerbrief, EvTh 39, 497–520.
Schrage, W. (1961): Die konkreten Einzelgebote in der paulinischen Paränese, Gütersloh.
– (1964): Die Stellung zur Welt bei Paulus, Epiktet und in der Apokalyptik, ZThK 61, 125–154.
– (1974): Leiden, Kreuz und Eschaton, EvTh 23, 141–175.
– (1977): Leiden (s.o.: Gerstenberger).
– (1982): Ethik des NT, Göttingen.
Schubert, P. (1939): Form and Function of the Pauline Thanksgiving, Berlin.
Schulz, A. (1962): Nachfolge und Nachahmen, München.
Schulz, S. (1972): Q – Die Spruchquelle der Evangelisten, Zürich.
– (1976): Die Mitte der Schrift, Stuttgart.
Schüpphaus, J. (1977): Die Psalmen Salomos, Leiden.
Schweitzer, A. (1930 = 1954²): Die Mystik des Apostels Paulus, Tübingen.
Schweizer, E. (1959): Gemeinde und Gemeindeordnung im NT, Zürich.
– (1962²): Erniedrigung und Erhöhung bei Jesus und seinen Nachfolgern, Zürich.
– (1963): Neotestamentica, Zürich.
– (1973): Das Evangelium nach Matthäus, Göttingen.
– (1976): Der Brief an die Kolosser, Zürich.
Schwertner, S. (1974): Internationales Abkürzungsverzeichnis für Theologie und Grenzgebiete, Berlin.
Seesemann, H. (1933): Der Begriff »Koinonia« im NT, Gießen.
Sellin, G. (1982): Das Geheimnis der Weisheit und das Rätsel der Christuspartei (zu 1Kor 1–4), ZNW 73, 69–96.
Septuaginta (1952⁵) (ed. A. Rahlfs), Stuttgart.
Sevenster, J. N. (1961): Paul and Seneca, Leiden.
Siber, P. (1971): Mit Christus leben, Zürich.
Siegert, F. (1973): Gottesfürchtige und Sympathisanten, JStJ 4, 109–164.
Simon, M. (1955): Hercule et le Christianisme, Paris
Spicq, C. (1958/59): Agapé dans le NT I–II, Paris.
– (1973): Note sur μορφή dans les papyris et quelques inscriptions, RB 80, 37–45.
Stalder, K. (1962): Das Werk des Geistes in der Heiligung bei Paulus, Zürich.
Stammler, G. (1948): Herrschaft Jesu Christi in der Wissenschaft, ZdZ 2, 1–5 und 37–45.
– (1963): Vom Erkenntnischarakter der theologischen Aussagen, KuD 9, 259–314.
– (1969): Erkenntnis und Evangelium, Göttingen.
Stanley, D. M. (1959): Become Imitators of me. The Pauline Conception of Apostolic Tradition, Bibl 40, 857–877.
– (1961): Christ's Resurrection in Pauline Soteriology, Rom.
Stendahl, K. (1952): Kerygma und kerygmatisch, ThLZ 77, 715–720.
– (1959): Kirche (II) im Urchristentum, RGG³ III 1297–1304.
– (1963): The Apostle Paul and the Introspective Conscience of the West, HTR 56, 199–215.
– (1966): The Bible and the Role of Woman, Philadelphia.
– (1978): Der Jude Paulus und wir Heiden, München.
Stobbe, H. G. (1981): Hermeneutik – ein ökumenisches Problem. Eine Kritik der katholischen Gadamer-Rezeption, Zürich.

Strack, H. L. – Stemberger, G. (1982⁷): Einleitung in Talmud und Midrasch, München.
Strecker, G. (1964): Tradition und Redaktion im Christushymnus Phil 2,6–11, ZNW 55, 63–78.
– (1964a): Zum Christushymnus in Phil 2, ThLZ 89, 521 f.
– (1976): Befreiung und Rechtfertigung. In: FS E. Käsemann, Tübingen, 479–508.
– (1979): Eschaton und Historie, Göttingen.
Stuhlmacher, P. (1965): Gerechtigkeit Gottes bei Paulus, Göttingen.
– (1968): Das paulinische Evangelium I, Göttingen.
– (1975): Der Philemonbrief, Zürich.
– (1975a): Schriftauslegung auf dem Wege zur biblischen Theologie, Göttingen.
– (1979): Vom Verstehen des NT, Göttingen.
– (1981): Versöhnung, Gesetz und Gerechtigkeit, Göttingen.
Suggs, J. M. (1960): Concerning the Date of Paul's Macedonian Ministry, NT 4, 60–68.
– (1970): Wisdom, Christology and Law in Matthew's Gospel, Cambridge.
Suhl, A. (1975): Paulus und seine Briefe, Neukirchen.
Sullivan, K. (1963): Epignosis in the Epistles of St. Paul. In: Studiorum Paulinorum Congressus II, Rom, 405–416.
Synofzik, E. (1977): Die Gerichts- und Vergeltungsaussagen bei Paulus, Göttingen.
Talbert, C. H. (1975): The Concept of Immortals in Meditteranean Antiquity, JBL 94, 419–436.
– (1976): The Descending-Ascending Redeemer in Meditteranean Antiquity, NTS 22, 418–439.
– (1977): What is a Gospel?, London.
Tannehill, R. C. (1967): Dying and Rising with Christ, Berlin.
Taylor, G. M. (1966): The Function of ΠΙΣΤΙΣ ΧΡΙΣΤΟΥ in Galatians, JBL 85, 58–76.
Therrien, G. (1973): Le discernement dans les écrits pauliniens, Paris.
Thomsen, P. (1922/23): Phil 2,12, ET 34, 429.
Thüsing, W. (1965): Per Christum in Deum, Münster.
Trench, R. C. (1907): Synonyma des NT, Tübingen.
Tröger, K. W. (ed.) (1973): Gnosis und NT, Berlin.
Trummer, P. (1978): Die Paulustradition in den Pastoralbriefen, Frankfurt.
Ullmann, S. (1973): Semantik, Frankfurt.
Vielhauer, P. (1975): Geschichte der urchristlichen Literatur, Berlin.
*Vincent, M. R. (1897): Critical and Exegetical Commentary on the Epistle to the Philippians and to Philemon, Edinburgh.
Vögtle, A. (1936): Die Tugend- und Lasterkataloge exegetisch, religions- und formgeschichtlich untersucht, Münster.
Völter, D. (1892): Zwei Briefe an die Philipper, ThT 26, 117–146.
Vogel, C. J. de (1977): Reflexions on Phil 1,23–24, NT 19, 262–274.
Vos, J. S. (1973): Traditionsgeschichtliche Untersuchungen zur pl Pneumatologie, Assen.
Walter, N. (1977): Die Philipper und das Leiden. In: FS H. Schürmann, Leipzig, 417–433.
Watzlawick, P. – Beavin, J. H. – Jackson, D. (1972⁴): Menschliche Kommunikation, Bern.
Weber, F. (1897): Jüdische Theologie auf Grund des Talmud und verwandter Schriften, Leipzig.
Weber, M. (1972⁵): Wirtschaft und Gesellschaft, Tübingen.
Weder, H. (1981): Das Kreuz bei Paulus, Göttingen.
Weiß, J. (1897): Beiträge zur paulinischen Rhetorik, In: FS B. Weiß, Leipzig, 165–247.
– (1910): Der erste Korintherbrief, Göttingen.
– (1914): Das Urchristentum, Göttingen.
Weiß, K. (1954): Paulus – Priester der christlichen Kultgemeinde, ThLZ 79, 355–361.
Wengst, K. (1972): Christologische Formeln und Lieder des Urchristentums, Gütersloh.
Westermann, C. (1953): Das Loben Gottes in den Psalmen, Berlin.
Wettstein, J. J. (1751/52): Η ΚΑΙΝΗ ΔΙΑΘΗΚΗ. Norum Testamentum Graecum I–II, Amsterdam (= Graz 1962).
Wibbing, S. (1959): Die Tugend- und Lasterkataloge im NT und ihre Traditionsgeschichte unter besonderer Berücksichtigung der Qumrantexte, Berlin.
Wiefel, W. (1974): Die Hauptrichtung des Wandels im eschatologischen Denken bei Paulus, ThZ 30, 65–81.
Wiles, G. P. (1974): Paul's Intercessory Prayers, Cambridge.
Wilcken, U. (1919): Griechische Ostraka I–II, Leipzig.
Wilckens, U. (1970): Auferstehung, Stuttgart.
– (1974): Rechtfertigung und Freiheit, Neukirchen.
– (1976): Christologie und Anthropologie im Zusammenhang der paulinischen Rechtfertigungslehre, ZNW 67, 64–82.
– (1978/80/82): Der Brief an die Römer I–III, Zürich.
Windisch, H. (1924): Der zweite Korintherbrief, Göttingen.

Winer, G. B. (1867): Grammatik des neutestamentlichen Sprachidioms Leipzig.

Wißmann, E. (1926): Das Verhältnis von πίστις und Christusfrömmigkeit bei Paulus, Göttingen.

Wobbe, J. (1932): Der Charis-Gedanke bei Paulus, Freiburg.

Wolff, H. W. (1974²): Anthropologie des AT, München.

Wolter, M. (1978): Rechtfertigung und zukünftiges Heil, Berlin.

Wrede, W. (1897): Über Aufgabe und Methode der sogenannten neutestamentlichen Theologie, Göttingen.

– (1904): Paulus, Tübingen.

Wuellner, W. H. (1976): Paul's Rhetoric of Argumentation in Romans, CBQ 38, 337–352.

– (1978): Toposforschung und Torainterpretation bei Paulus und Jesus, NTS 24, 463–483.

Wunderlich, D. (1976): Studien zur Sprechakttheorie, Frankfurt.

Zahn, Th. (1906³): Einleitung in das NT I–II, Leipzig.

Zeller, D. (1973): Juden und Heiden in der Mission des Paulus, Stuttgart.

Zerwick, M. (1953): Gaudium et pax – custodia cordium, VD 31, 101–104.

– (1966⁵): Graecitas Biblica exemplis illustratur, Rom.

Ziegler, T. (1881): Die Ethik der Griechen und Römer, Bonn.

Ziesler, J. A. (1972): The Meaning of Righteousness in Paul, Cambridge.

* Mit Sternchen versehene Titel sind Kommentarwerke.